W9-DCM-151

INTRODUCTION À LA COMPTABILITÉ GÉNÉRALE

UNE PERSPECTIVE CONTEMPORAINE

2e édition

MICHAEL GIBBINS

INTRODUCTION À LA COMPTABILITÉ GÉNÉRALE

UNE PERSPECTIVE CONTEMPORAINE

2e édition

ADAPTATION FRANÇAISE:

Aline Girard, Ph.D., c.a.
Professeure agrégée
École des Hautes Études Commerciales de Montréal

Anne-Marie Robert, Ph.D., c.a.
Professeure titulaire
Université de Sherbrooke

ERPI ÉDITIONS DU RENOUVEAU PÉDAGOGIQUE INC.

5757, RUE CYPIHOT, SAINT-LAURENT (QUÉBEC) H4S 1R3
TÉLÉPHONE: (514) 334-2690 • TÉLÉCOPIEUR: (514) 334-8470
COURRIEL: erpidlm@erpi.com

SUPERVISION ÉDITORIALE :	Jacqueline Leroux
RÉVISION LINGUISTIQUE :	Véra Pollak
CORRECTION D'ÉPREUVES :	France Lafuste et Suzanne Marquis
TRADUCTION :	Jacinthe Dessureault, Louise Durocher, Marc Lambert et Suzanne Marquis
COUVERTURE :	ERPI
ÉDITION ÉLECTRONIQUE :	Typo Litho composition inc.

Tout changement par rapport aux versions originales constaté dans les états financiers reproduits dans ce manuel relèverait de la seule responsabilité des adaptatrices ou de l'éditeur et n'aurait pas été approuvé par les sociétés.

Dans cet ouvrage, le générique masculin est utilisé sans aucune discrimination et uniquement pour alléger le texte.

Cet ouvrage est une version française de la troisième édition de *Financial accounting: an integrated approach* de Michael Gibbins, publiée et vendue à travers le monde avec l'autorisation de ITP® Nelson.

Dépôt légal : 1er trimestre 1999
Bibliothèque nationale du Québec
Bibliothèque nationale du Canada
Imprimé au Canada

ISBN 2-7613-1061-6

1234567890 II 98
20109 ABCD   VO-7

Avant-propos

C'est avec une grande fierté que nous vous présentons la deuxième édition française de l'ouvrage du professeur Michael Gibbins, dont le travail est remarquable à plusieurs égards. En premier lieu, soulignons que l'ouvrage permet une réelle souplesse dans l'utilisation des méthodes pédagogiques pouvant l'accompagner. Deuxièmement, tout en se voulant une introduction à la comptabilité générale, il favorise, lorsque c'est approprié, l'intégration d'éléments provenant de disciplines connexes, telles que le contrôle interne et la fiscalité. Troisièmement, l'approche pédagogique utilisée tout au long de l'ouvrage vise à solidifier les habiletés de diagnostic et de jugement des étudiants lorsqu'ils sont en présence d'informations comptables et financières. De plus, cet ouvrage propose l'examen de sujets qui sont le plus souvent considérés comme trop complexes pour être abordés dans le(s) premier(s) cours de comptabilité que suivra un étudiant. Ainsi, on y explique les états financiers consolidés et l'état de l'évolution de la situation financière à l'aide d'illustrations simples, intéressantes, voire captivantes, tout en spécifiant qu'une étude plus approfondie de ces sujets est prévue dans des cours de comptabilité avancés.

C'est un ouvrage où les préoccupations de gestion sont omniprésentes, ce qui permet de bien situer à la fois le rôle et la fonction de la comptabilité dans les organisations et dans les entreprises. Michael Gibbins a pris soin également de présenter à des moments choisis les principales tendances de la recherche en comptabilité et ainsi de conscientiser l'étudiant aux découvertes et aux questions importantes qui restent à éclaircir. C'est un ouvrage que méritent nos étudiants.

Nous tenons à remercier la société Provigo inc. de sa courtoisie et de son empressement à nous accorder la permission de reproduire son rapport annuel en annexe à l'ouvrage. C'est grâce à cette précieuse collaboration que nous avons illustré plusieurs concepts comptables et financiers tout au long du volume et en particulier au chapitre 9.

Nous remercions également tous ceux qui nous ont appuyées au cours de la réalisation de ce travail, en particulier nos collègues pour leurs conseils judicieux et les membres de nos familles pour leur soutien constant.

Aline Girard, Ph.D., c.a.
École des Hautes Études Commerciales

Anne-Marie Robert, Ph.D., c.a.
Université de Sherbrooke

Table des matières

DEUXIÈME PARTIE: LA PRATIQUE DE LA COMPTABILITÉ GÉNÉRALE 247

Préface

Ce manuel d'introduction présente un panorama équilibré et intégré de la comptabilité générale. Il met l'accent sur l'utilisation et la préparation de l'information transmise par la comptabilité générale, d'une part, et sur ses concepts et ses techniques, d'autre part. Ainsi, chaque chapitre traite des quatre composantes d'une compréhension intégrée de la comptabilité générale : les concepts d'utilisation, les concepts de préparation, les techniques de préparation et les techniques d'utilisation. L'objectif premier du manuel est la compréhension, laquelle repose sur ces quatre composantes fondamentales.

La comptabilité générale y est décrite comme une discipline utilitaire, qui produit une information faite pour servir. Ainsi, elle s'adapte, dans la mesure du possible, aux besoins de ses utilisateurs. Cette présentation s'adresse *aussi bien* aux étudiants qui souhaitent devenir des gestionnaires ou qui, dans leur profession, utiliseront de l'information comptable qu'à ceux qui se destinent à la profession d'expert-comptable. En effet, pour préparer et utiliser intelligemment cette information, il faut posséder la compréhension équilibrée à laquelle vise ce manuel.

Introduction à la comptabilité générale : une perspective contemporaine offre une base conceptuelle solide, accompagnée d'idées inspirées par la comptabilité et la recherche qui s'y rattache. Le manuel couvre aussi les aspects pratiques qui font de la comptabilité générale une discipline passionnante et une profession intéressante. Il offre un cadre d'apprentissage qui favorise la compréhension tout en demeurant souple, car une trop grande rigidité risquerait de donner à l'étudiant l'impression que la comptabilité générale est plus simple et moins subtile qu'elle ne l'est en fait. L'étudiant doit s'approprier les notions enseignées, sans quoi ses connaissances seront éphémères.

Cette nouvelle édition comprend plusieurs améliorations visant à perfectionner les connaissances de l'étudiant et à lui permettre, de même qu'à son professeur, d'utiliser la matière avec plus de flexibilité. En voici quelques-unes :

- Afin d'aider l'étudiant à apprivoiser la matière, l'ouvrage présente davantage de schémas, de graphiques, de tableaux, d'information sur des sites Internet utiles et d'exemples concrets.

- L'introduction aux états financiers et l'acquisition des connaissances nécessaires pour les établir d'après les registres d'opérations et d'ajustements sont divisés de façon plus nette. Le manuel peut maintenant être utilisé selon au moins deux méthodes : tel qu'il est rédigé ou en sautant, tout de suite après le chapitre 2, aux chapitres 5 et 6, qui traitent du cycle des opérations et du cycle comptable. En procédant ainsi, le professeur peut insister, tôt dans le cours, sur les techniques de préparation et passer plus tard aux chapitres sur les flux de trésorerie et les principes comptables.

- La matière relative au cycle comptable s'étend maintenant sur deux chapitres (le 5 et le 6). Elle a été augmentée et clarifiée, sans toutefois empiéter sur l'important contenu conceptuel et analytique du manuel.

- D'autres parties de l'ouvrage — en particulier l'analyse des états financiers présentée dans le chapitre 9 et les divers sujets regroupés dans le chapitre 10 —

sont rédigées sous forme de modules et peuvent ainsi être intégrées au cours quand le besoin s'en fait sentir.

- Dans le but d'aider le professeur et l'étudiant à planifier leur travail, on propose un survol du contenu du manuel juste avant le premier chapitre.

- Pour faciliter le travail de révision, on a placé en marge de nombreuses notes résumant les points importants.

- Le nombre des travaux et des sujets de réflexion a été largement augmenté : les solutions détaillées de nombreux problèmes sont données à la fin du manuel ; quant à celles des autres problèmes et des études de cas, elles sont rassemblées dans un solutionnaire indépendant du manuel. Grâce à l'ajout de problèmes, le pourcentage de travaux simples s'est élevé ; quant aux problèmes plus difficiles, ils sont toujours présents, à la disposition des... as.

- Une liste des termes importants (imprimés en caractères gras dans le corps des chapitres) apparaît à la fin de chaque chapitre ; à la fin du manuel, tous sont expliqués en détail dans un glossaire qui contient beaucoup plus d'entrées qu'avant.

Par ailleurs, les meilleurs éléments de la précédente édition ont été conservés. Ils comprennent l'équilibre entre utilisation et préparation, le style simple adapté à l'étudiant, les contrôles « Où en êtes-vous ? », destinés à vérifier la compréhension, les nombreux exemples tirés de véritables états financiers, de magazines et de journaux, l'éventail de travaux et de sujets de réflexion allant des plus simples aux plus difficiles, les exemples de chiffriers électroniques, le « Cas à suivre... », dont l'évolution se poursuit de chapitre en chapitre, l'analyse approfondie des états financiers d'une société réelle (Provigo), les sections consacrées aux gestionnaires et à la comptabilité, de même que celles qui traitent des résultats des recherches comptables.

Le manuel est organisé de façon à favoriser une compréhension intégrée. Un survol du manuel décrit le contenu des dix chapitres. Chaque chapitre commence lui-même par son propre aperçu et, en plus des différents sujets dont il traite, il comprend plusieurs éléments destinés à aider l'étudiant et le professeur ; ainsi, la plupart des sections sont suivies de courtes questions présentées sous la rubrique « Où en êtes-vous ? » : elles permettent à l'étudiant de vérifier s'il comprend certains aspects de ce qu'il vient de lire. À la fin de chaque chapitre, des sections sont consacrées au point de vue des gestionnaires sur les sujets traités, ce qui situe la matière dans le contexte des affaires ; d'autres sections présentent des conclusions d'études comptables, afin d'illustrer comment la recherche contribue à la compréhension de la comptabilité générale. De plus, chaque chapitre contient un épisode du « Cas à suivre... », qui relate l'histoire d'une petite entreprise dont l'envergure demeure à la portée de l'étudiant. Cette histoire, évoluant en parallèle avec les sujets traités tout au long du manuel, offre une illustration progressive (surtout axée sur la préparation) des notions étudiées. À la fin de chaque chapitre, une série de problèmes peuvent faire l'objet de travaux à la maison ou devenir des sujets de discussion en classe. Ces problèmes, qui renforcent l'équilibre entre les dimensions pratique et théorique de l'analyse, veulent encourager l'exploration de questions intéressantes plutôt qu'imposer certaines manières de procéder. Ils fournissent toutefois l'occasion de faire beaucoup d'exercices pratiques. Pour inciter l'étudiant à travailler par lui-même, un grand nombre de ces problèmes sont résolus à la fin du manuel. Ce dernier s'achève par la présentation des états financiers de la société Provigo inc. et un glossaire détaillé, qui comporte des renvois aux sections pertinentes.

Le manuel a pour objectif d'aider l'étudiant à acquérir une compréhension personnelle de la comptabilité générale et non de lui apprendre à trouver « la » réponse, car, dans cette discipline, les réponses sont nombreuses et variées. Les solutions des travaux, par exemple, stimulent l'analyse réfléchie en évitant de laisser entendre qu'il n'existe qu'une seule bonne réponse. Une grande partie de la matière est présentée dans un style simple, conçu pour faciliter son assimilation et, de façon générale, pour atténuer chez l'étudiant le sentiment que la comptabilité est une matière aride. Nous souhaitons qu'étudiants et professeurs s'amusent et, surtout, que les étudiants s'aperçoivent que la comptabilité générale est bien plus intéressante qu'ils ne le pensaient.

Enfin, précisons que les professeurs peuvent compter sur un guide d'enseignement auquel a été associée une banque d'examens avec le corrigé; quant aux étudiants, ils peuvent se procurer le solutionnaire des travaux et des sujets de réflexion dont la solution n'est pas donnée à la fin de l'ouvrage.

Au sujet de l'auteur

Michael Gibbins est Winspear Professor of Professional Accounting à la Faculty of Business de l'Université d'Alberta. Après avoir passé un baccalauréat en commerce à l'Université de Colombie-Britannique, il a obtenu son titre de comptable agréé alors qu'il travaillait au bureau de Prince George du cabinet maintenant connu sous le nom de Deloitte et Touche. Pendant son séjour dans l'Est du pays, il travaillé pour l'Institut Canadien des Comptables Agréés, à Toronto, et a passé sa maîtrise en administration à l'Université York. Après avoir fait l'expérience de l'enseignement comme professeur adjoint à la School of Business de l'Université Queen, il a obtenu à l'Université Cornell un doctorat en comptabilité et un doctorat en psychologie. De retour dans l'Ouest, il été professeur adjoint à l'Université de Colombie-Britannique avant d'aller s'établir en Alberta.

Dans ses recherches comme dans son enseignement, l'auteur s'intéresse à la façon dont les gens prennent des décisions et portent des jugements, de même qu'au rôle joué par l'information comptable dans les décisions importantes prises en affaires et dans d'autres sphères de l'économie. Il se penche en particulier sur le jugement professionnel des experts-comptables, des gestionnaires et d'autres professionnels qui font face aux contraintes et aux risques du monde des affaires moderne. Il a publié de nombreux écrits sur le jugement, la comptabilité, la présentation de l'information financière, ainsi que sur des sujets relatifs à l'enseignement; ancien rédacteur en chef de la revue canadienne de recherche comptable, *Contemporary Accounting Research,* il a siégé au comité de rédaction de nombreuses revues universitaires; il œuvre au sein de l'Association canadienne des professeurs de comptabilité, de l'American Accounting Association et d'autres organismes professionnels. Plusieurs prix de pédagogie et d'enseignement lui ont été décernés. En 1988, il a eu l'honneur d'être nommé membre de l'Institut des comptables agréés d'Alberta et de celui de Colombie-Britannique.

Survol du manuel

Nous vous invitons à explorer l'un des plus importants et, aux yeux de beaucoup, l'un des plus mystérieux sujets du monde des affaires : la comptabilité générale. Ce manuel se propose de vous aider

- à comprendre ce sujet assez bien pour être capable d'utiliser les rapports comptables et de les expliquer à d'autres ;

- à apprendre l'essentiel du fonctionnement de la comptabilité et de la préparation des rapports financiers.

L'atteinte de ces objectifs vous sera profitable, que vous envisagiez ou non de devenir expert-comptable. Comme vous le verrez dans ce manuel, sans exercer cette profession, d'autres personnes sont appelées de bien des façons à utiliser de l'information comptable. Les experts-comptables doivent, pour leur part, non seulement apprendre à dresser des états financiers, mais aussi comprendre comment ils sont utilisés et dans quel but. Cet apprentissage ne sera pas toujours facile mais, si vous ne ménagez pas vos efforts, vous serez peut-être surpris du degré de perfectionnement auquel vous parviendrez.

La matière est divisée en cinq groupes de deux chapitres, eux-mêmes regroupés sous trois grands thèmes :

La comptabilité générale : ses acteurs et ses produits

- Les chapitres 1 et 2 présentent les personnes qui préparent et utilisent les rapports de la comptabilité générale (les « états financiers ») et la façon dont celle-ci mesure la situation et la performance financières de l'entreprise.

- Les chapitres 3 et 4 abordent l'analyse des flux de trésorerie et décrivent plus en détail les états financiers de même que les concepts, les principes et l'histoire sur lesquels ils se fondent.

La pratique de la comptabilité générale

- Les chapitres 5 et 6 expliquent le fonctionnement du système comptable qui sous-tend les états financiers et permettent de se familiariser avec l'enregistrement des données, processus important pour comprendre la façon dont la comptabilité décrit l'entreprise.

- Les chapitres 7 et 8 démontrent que les chiffres présentés par la comptabilité dépendent de choix fondamentaux quant à la manière de mesurer les événements économiques en cours ; ils expliquent comment se font ces choix, de même que leurs répercussions sur l'information comptable.

L'analyse des états financiers et les modules thématiques

- Les chapitres 9 et 10 montrent comment l'analyse des états financiers permet d'évaluer la performance et la situation financières de l'entreprise ; ils présentent des modules importants destinés à mieux faire comprendre comment préparer et utiliser l'information comptable.

Les groupes de chapitres sont rédigés de manière à pouvoir être étudiés selon différents ordres. On peut, par exemple, aborder la partie pratique de la comptabilité tout de suite après le chapitre 2 et revenir plus tard aux chapitres 3 et 4. Après le chapitre 2, la matière des chapitres 9 et 10 peut convenir à n'importe quelle étape du cours ; quant aux modules du chapitre 10, ils peuvent être intégrés séparément au cours, suivant les besoins.

Les dix chapitres sont suivis du rapport annuel d'une société canadienne — Provigo —, des solutions proposées aux problèmes marqués d'un astérisque, d'un glossaire et d'un index.

La comptabilité générale : ses acteurs et ses rapports

1re PARTIE

• Les chapitres 1 et 2 présentent les personnes qui préparent et utilisent les rapports de la comptabilité générale (les « états financiers ») et la façon dont celle-ci mesure la situation et la performance financières de l'entreprise.

• Les chapitres 3 et 4 abordent l'analyse des flux de trésorerie et décrivent plus en détail les états financiers de même que les concepts, les principes et l'histoire sur lesquels ils se fondent.

1 Introduction à la comptabilité générale

CHAPITRE

1.1 Aperçu du chapitre

La comptabilité générale produit des rapports qui racontent les événements financiers de l'entreprise.

Ce chapitre vous initie à la **comptabilité générale** ainsi qu'à quelques concepts et techniques de base. Il propose une vision de la comptabilité générale qui vous sera très utile dans votre carrière, que vous deveniez expert-comptable ou que vous ayez besoin d'utiliser la comptabilité dans le cadre de l'exploitation d'une entreprise ou dans un autre domaine. Quoiqu'en pensent certains, la comptabilité ne se résume pas à additionner et à soustraire. Elle va bien au-delà, dans la mesure où elle oblige à choisir les chiffres et à décider de l'«histoire» que ces chiffres doivent raconter. Les opérations arithmétiques constituent souvent la partie facile du travail. La comptabilité est donc un sujet d'étude à la fois plus simple et plus complexe que vous ne l'aviez imaginé. Ne vous attendez pas à ce que tout soit parfaitement clair dès le début; il faut un peu de temps pour acquérir les connaissances qui permettent de comprendre les affaires et la comptabilité dans le monde actuel. Votre apprentissage reposera sur la connaissance des concepts et des techniques, tant du point de vue des experts-comptables que de celui des utilisateurs de la comptabilité.

À la fin du manuel, un glossaire explique les termes imprimés en gras.

*(Dans un cours d'introduction, il est important d'apprendre la terminologie propre au domaine d'étude. Pour vous y aider, il y a un glossaire à la fin de ce manuel : tous les termes imprimés en gras, tels que **comptabilité générale**, s'y trouvent. Les notes marginales, comme celle qui se trouve à gauche, fournissent de courtes explications ; vous trouverez aussi, à la fin de chaque chapitre, une liste des nouveaux termes qu'il contient. Si vous n'êtes pas sûr de la signification d'un terme, reportez-vous tout de suite à sa définition dans le glossaire.)*

On a dit que « l'acquisition de la connaissance permet de passer de l'ignorance satisfaite à une incertitude raisonnée ! » Le directeur d'une entreprise renommée, qui aujourd'hui est aussi recteur d'une grande université, a récemment tenu les propos suivants sur la formation en administration des affaires :

> J'espère que, dans les écoles d'administration, les étudiants apprennent qu'il n'existe pas de réponse simple aux questions importantes. Lors d'une formation pour cadres, je suivais moi-même un cours dans une école d'administration. Un jour, nous avons passé des heures à calculer une formule compliquée qui exigeait de longues explications sur ce que nous tentions de prouver. Toutefois, on n'avait accordé que très peu de temps aux éléments de base de la formule, lesquels étaient eux-mêmes incertains et sujets à différentes interprétations. Aux yeux des étudiants, les résultats présentaient un degré de certitude qui n'était pas justifié par l'incertitude des prémisses. J'ai pensé que, dans le cadre de la formation de nos futurs dirigeants d'entreprises, il s'agissait d'une approche pédagogique dangereuse. J'ai mis beaucoup de temps à comprendre que même la comptabilité fait largement appel à la philosophie et qu'il faut savoir d'où proviennent les chiffres avant de les juger[1].

La comptabilité se sert de chiffres, mais savoir faire des calculs n'est qu'une des nombreuses compétences qu'elle exige.

La **comptabilité** est une discipline exigeante qui nécessite de nombreuses compétences : l'application des chiffres à la représentation des phénomènes financiers ; l'explication de ces chiffres ; l'analyse et la vérification des calculs et des explications fournis par d'autres ; la compréhension des besoins de ceux qui prennent des décisions à la lumière des rapports comptables ; la communication tant orale qu'écrite avec les nombreuses personnes qui participent aux activités financières d'une organisation ; la connaissance du fonctionnement des ordinateurs et d'autres outils électroniques ; le maintien d'un jugement sûr, objectif et conforme aux règles de l'éthique.

1.2   LA COMPTABILITÉ GÉNÉRALE

La comptabilité générale permet de mesurer, en dollars, en yens, en francs ou en toute autre devise, la performance d'une entreprise au cours d'une période donnée, ainsi que sa situation financière à un moment précis. Cette mesure de la **performance financière** et de la **situation financière** s'applique à tous les types d'entreprises : les grandes et les petites, les administrations publiques, de l'échelon municipal à l'échelon national, les universités, les organismes de charité, les églises, les coopératives, les associations internationales et bien d'autres encore. Les **états financiers** récapitulent les mesures de la performance et de la situation financières, selon une présentation uniformisée facilitant l'évaluation de la santé financière de l'entreprise. En plus des chiffres, les états financiers comprennent des **notes**, qui comptent un grand nombre de mots (parfois des douzaines de pages) servant à expliquer et à interpréter. Les états financiers rendent compte des aspects économique et financier, et sont principalement destinés aux utilisateurs externes tels que les investisseurs, les membres d'une coopérative, les organismes de réglementation et les administrations fiscales.

En résumé :

La comptabilité générale est axée sur la performance, la situation et l'interprétation financières.

- La performance financière est la production de nouvelles ressources au moyen des opérations effectuées au jour le jour pendant une période donnée.

- La situation financière est l'ensemble des ressources et des obligations financières d'une entreprise à un moment précis.

- Les états financiers sont les rapports qui décrivent la performance et la situation financières.

- Les notes complémentaires présentent, entre autres, des commentaires explicatifs sur les chiffres et elles font partie des états financiers.

Comme nous allons le voir tout au long de ce manuel, la performance et la situation financières sont étroitement liées. Une bonne performance est susceptible de mener à une situation financière saine : si vous touchez un bon salaire, vous avez probablement de l'argent à la banque. Par ailleurs, une situation financière saine facilite la performance : si vous avez de l'argent à la banque, vous êtes davantage en mesure d'atteindre une bonne performance et d'éviter les risques et les inquiétudes qu'entraîne le manque d'argent.

L'objectif de la comptabilité de gestion consiste à aider les gestionnaires à exploiter l'entreprise.

La **comptabilité de gestion**, un autre domaine d'application de la comptabilité, vise à aider les **gestionnaires** et d'autres personnes œuvrant au sein de l'entreprise, par opposition à la comptabilité générale, qui est davantage orientée vers l'extérieur. Bien que ce manuel ne traite pas de la comptabilité de gestion, les étudiants qui s'intéressent à la mesure financière du rendement des gestionnaires y trouveront plusieurs références aux relations entre le gestionnaire et la comptabilité générale. Sous toutes ses formes, la comptabilité vise en définitive à aider les personnes telles que les gestionnaires, les investisseurs, les banquiers, les législateurs et le public à prendre des décisions. Faciliter la prise de décision chez les utilisateurs de rapports comptables demeure toujours un objectif important en comptabilité, c'est pourquoi nous le mettons en relief tout au long de ce manuel.

 Ù EN ÊTES-VOUS ?

Voici deux questions auxquelles vous devriez pouvoir répondre, compte tenu de ce que vous venez de lire. Si vous n'y arrivez pas, peut-être devriez-vous faire une deuxième lecture.

1. Quelles sont les deux principales dimensions de l'entreprise que mesure la comptabilité générale ?

2. Quel est l'objectif fondamental de la comptabilité générale ?

I.3   LE CADRE SOCIAL DE LA COMPTABILITÉ GÉNÉRALE

Dans ce manuel, vous verrez comment l'évolution des affaires et de la société a modifié bien des aspects de la comptabilité générale. Voici quelques-unes des nombreuses fonctions de cette discipline:

- Elle aide les investisseurs sur les marchés boursiers à décider s'ils doivent acheter, vendre ou conserver les actions des sociétés.

- Elle aide les gestionnaires à diriger les entreprises au nom des propriétaires, des membres ou des citoyens; elle complète l'aide apportée par la comptabilité de gestion et d'autres sources d'information.

- Elle fournit des documents financiers sur lesquels reposent les activités courantes de gestion, de contrôle, d'assurance et de prévention des fraudes.

- Elle est utilisée par les autorités gouvernementales pour surveiller le comportement des entreprises et fixer le montant des redevances, telles que l'impôt sur les bénéfices et les taxes de vente.

Nous pourrions continuer encore longtemps à énumérer les fonctions essentielles et les fonctions accessoires de la comptabilité générale. Il existe des livres entiers consacrés à chacune de ces nombreuses fonctions! Nous avons choisi, dans ce manuel, de mettre l'accent sur la comptabilité générale orientée vers la production des états financiers d'entreprises de biens et services, destinés aux principaux utilisateurs (propriétaires, investisseurs, créanciers, etc.). Nous ne voulons pas semer la confusion dans votre esprit en présentant d'un seul coup tous les usages de la comptabilité. Prenez note, toutefois, que beaucoup d'autres organisations utilisent la comptabilité et sont soumises à ses règles. Lorsque vous rencontrez des termes comme «organisation», «société» ou «entreprise», sachez qu'ils désignent parfois des entités bien différentes des entreprises de biens et services, par exemple, les organismes sans but lucratif et les coopératives. Vous trouverez dans ce manuel un aperçu de ces entités, et vous pourrez les étudier plus en détail dans d'autres cours.

La comptabilité joue un rôle actif; elle influence les affaires et la société en général, qui à leur tour l'influencent.

La comptabilité générale, centre d'intérêt de ce manuel, intervient dans un cadre social complexe, auquel elle contribue. Elle vise à contrôler et à rendre compte des événements financiers, qu'ils soient provoqués ou subis par l'entreprise. Provenant du cadre social, ces événements l'influencent à leur tour, de sorte que la comptabilité n'est pas passive: elle nous dit ce qui se passe mais, ce faisant, elle modifie nos décisions et nos actions et, par conséquent, modifie aussi ce qui se passe.

Le cadre social comprend de nombreuses personnes. Au moins trois groupes de personnes sont directement intéressées par l'information que la comptabilité générale donne sur l'entreprise:

- les propriétaires (les **actionnaires** d'une **société par actions**, par exemple);

- les gestionnaires, qui dirigent l'entreprise au nom des propriétaires; et

- les **vérificateurs**, qui sont engagés par les propriétaires pour évaluer les rapports financiers présentés par les gestionnaires.

Les actionnaires possèdent une fraction de la société par actions — ce sont des actions pouvant être achetées ou vendues — mais cette dernière est une entité juridique qui existe indépendamment de ses actionnaires propriétaires. Les vérifica-

Ce manuel met surtout l'accent sur le point de vue des propriétaires, des gestionnaires et des vérificateurs.

teurs rendent compte de la crédibilité des états financiers de l'entreprise, au nom des propriétaires et d'autres personnes, comme nous allons le voir.

Ces groupes sont en contact les uns avec les autres, entre autres par l'intermédiaire de la comptabilité générale.

- Les gestionnaires, par exemple, peuvent demeurer au service d'une même société durant toute leur carrière et, pour cette raison, se sentir tout aussi propriétaires que les actionnaires qui, par l'achat et la vente d'actions à la bourse, sont susceptibles de demeurer copropriétaires de la société pendant seulement quelques mois avant de passer à un autre investissement.

Les propriétaires, les gestionnaires et les vérificateurs sont interreliés de maintes façons, y compris par l'intermédiaire de la comptabilité.

- Dans les petites entreprises, les gestionnaires et les propriétaires peuvent être les mêmes personnes.

- Les vérificateurs sont officiellement nommés par les propriétaires, à l'assemblée annuelle des actionnaires, par exemple, mais ils travaillent avec les gestionnaires sur une base quotidienne et peuvent aussi leur donner des conseils pratiques concernant les impôts et les taxes, la comptabilité et d'autres sujets qui exigent des connaissances autres que celles qu'ils utilisent en tant que vérificateurs.

À ces trois groupes principaux, s'ajoutent, et il est souvent difficile de les en distinguer, une foule d'autres associations, de sociétés, d'institutions et de tiers qui s'intéressent à la comptabilité générale de l'entreprise ou ont une influence sur elle. En voici quelques-uns :

- les bourses des valeurs mobilières (où les actionnaires peuvent vendre et acheter leurs actions) ;

- les autres marchés financiers tels que les marchés obligataires et les marchés monétaires ;

- les organismes de réglementation des marchés boursiers tels que les commissions des valeurs mobilières ;

De nombreuses personnes interviennent dans la comptabilité générale ou s'intéressent à ses résultats.

- les comptables qui travaillent pour l'entreprise, soit comme employés, soit comme conseillers professionnels ;

- les gouvernements ;

- les employés ;

- les créanciers ;

- les concurrents ;

- les propriétaires, créanciers, employés ou concurrents potentiels ;

- les associations professionnelles d'experts-comptables ; et

- la société en général.

Toutes ces personnes n'ont pas nécessairement d'intérêts communs.

Comme nous allons le voir à maintes reprises dans ce manuel, ces groupes ne partagent pas nécessairement le même intérêt à l'égard de la comptabilité de l'entreprise et peuvent même être en compétition ou en conflit les uns avec les autres. La plupart résident dans le même pays que l'entreprise et sa direction, mais, de plus en plus de sociétés et d'autres entreprises sont internationales, de sorte que les divers groupes qui s'intéressent à la comptabilité générale et qui l'influencent peuvent se trouver partout sur la planète. Examinons d'un peu plus près qui sont ces personnes.

1.4   LES ACTEURS CLÉS DANS LA COMPTABILITÉ GÉNÉRALE

Comme nous l'avons mentionné précédemment, la comptabilité générale fait intervenir de nombreux acteurs. Voici les principaux:

Les utilisateurs prennent les décisions; les préparateurs facilitent la prise de décision; les vérificateurs renforcent la crédibilité de l'information.

- les **utilisateurs** d'information (les décideurs),

- les **préparateurs** d'information, qui recueillent l'information pour les utilisateurs, et

- les **vérificateurs**, qui assistent les utilisateurs en émettant une opinion professionnelle sur la fidélité et la pertinence de l'information.

Les relations entre ces trois groupes sont complexes, mais on peut dire qu'en général les utilisateurs prennent des décisions, les préparateurs facilitent la prise de décision des utilisateurs en leur communiquant de l'information et que les vérificateurs renforcent la crédibilité de l'information.

Les utilisateurs (ceux qui prennent les décisions)

En comptabilité générale, l'utilisateur, ou décideur, est une personne qui fonde ses décisions sur les états financiers, en son propre nom ou au nom d'une société, d'une banque ou d'autres organisations. Vous trouverez plus bas la description de plusieurs utilisateurs.

La comptabilité générale est utilitaire: à la limite, la nature et le contenu des états financiers sont fonction de la demande d'information des utilisateurs. Toutefois, il ne faut pas croire que les utilisateurs sont les seuls qui comptent dans ce processus, que leurs demandes sont toujours claires et cohérentes, ou encore, que ce processus parvient toujours à les satisfaire. Cependant, l'existence des états financiers repose fondamentalement sur la demande d'information des utilisateurs. Il est donc important de bien comprendre cette demande.

Les états financiers existent pour répondre à la demande d'information des utilisateurs.

Avant tout, l'utilisateur veut recevoir un **rapport périodique** crédible sur la situation et la performance financières d'une entreprise.

- Le terme *crédible* signifie que l'information contenue dans les rapports (les états financiers) semble à la fois assez digne de confiance et assez soigneusement présentée pour pouvoir aider l'utilisateur à prendre des décisions. Cependant, la recherche de cette crédibilité entraîne une contrainte **coûts-avantages**: on peut dépenser d'énormes sommes pour tenter de rendre les rapports absolument parfaits mais, puisque cet argent est puisé dans les fonds mêmes de l'entreprise, cette dépense affaiblira la performance et la situation financières de celle-ci. En tant qu'utilisateurs, les propriétaires et les gestionnaires veulent éviter une telle situation; c'est pourquoi la crédibilité est une notion relative et non absolue. Le coût de l'information comptable ne doit pas excéder sa valeur.

- Le terme *périodique* signifie que les utilisateurs peuvent s'attendre à recevoir des rapports régulièrement (chaque année ou chaque trimestre, par exemple).

La comptabilité générale répond au besoin d'obtenir des rapports périodiques crédibles.

Plus l'attente est longue, plus l'information est précise. Mais, en général, il n'est pas souhaitable d'attendre : les utilisateurs sont prêts à accepter certaines imprécisions, pourvu qu'ils reçoivent à temps l'information dont ils ont besoin pour prendre leurs décisions. Ce compromis est au centre des préoccupations de la comptabilité générale car, plus la période entre les rapports est courte, moins elle compte d'événements achevés, et plus il faut procéder à des estimations et exercer son jugement pour préparer les rapports.

Les principaux groupes d'utilisateurs sont :

Les propriétaires : ce sont les particuliers **propriétaires**, tels que les chefs d'entreprises, les associés et d'autres entrepreneurs ; les particuliers investisseurs (les actionnaires) sur les marchés boursiers qui ont le droit de se prononcer par vote sur les affaires d'une société ; les sociétés qui investissent dans d'autres sociétés ; les caisses de retraite et d'autres institutions qui investissent dans des sociétés ; les détenteurs d'intérêts de « quasi-propriétaire », tels que les membres d'une coopérative ou les personnes qui ont le droit de vote dans une municipalité ; et bien d'autres encore.

Les propriétaires et les propriétaires éventuels, par exemple, sont des utilisateurs dont les intérêts diffèrent.

Les propriétaires éventuels : ce sont les mêmes groupes que ceux qui sont mentionnés ci-dessus, sauf qu'ils n'ont pas actuellement d'intérêts financiers dans une entreprise, mais qu'ils envisagent de faire un tel investissement. Du fait que les propriétaires éventuels achètent souvent leurs actions aux propriétaires actuels, entre autres, par l'intermédiaire du marché boursier plutôt qu'en effectuant un investissement direct dans l'entreprise, il y a souvent une nette différence de point de vue entre les propriétaires actuels souhaitant vendre au prix le plus élevé possible et les propriétaires éventuels souhaitant acheter au prix le plus bas possible. Par conséquent, ce n'est pas parce qu'on dit que la comptabilité répond aux besoins des utilisateurs que tous les utilisateurs ont les mêmes besoins !

Les créanciers possèdent souvent des intérêts considérables dans une entreprise et ont voix au chapitre dans les décisions qui la concernent.

Les créanciers actuels et potentiels : ce sont les fournisseurs, les banques, les détenteurs d'obligations, les employés et toute personne qui a prêté de l'argent à l'entreprise, à qui celle-ci doit de l'argent en contrepartie de biens ou services reçus, ou quiconque envisage de jouer un tel rôle. Contrairement aux propriétaires, les créanciers n'ont pas le droit de vote dans l'entreprise, mais ils ont souvent un important droit de regard sur les décisions qui la concernent, particulièrement lorsque celle-ci connaît des difficultés. Dans les cas de difficultés majeures, les créanciers ont parfois le droit de prendre le contrôle de l'entreprise. La différence entre les créanciers et les propriétaires est parfois difficile à percevoir, car elle peut dépendre de subtilités juridiques sur la possession des droits, et certaines personnes peuvent jouer les deux rôles dans une entreprise donnée ; par exemple, un propriétaire investit de l'argent dans une entreprise, mais il peut aussi lui prêter d'autres sommes, devenant ainsi à la fois créancier et propriétaire.

Les gestionnaires accordent beaucoup d'intérêt à la façon dont la comptabilité générale évalue leur rendement.

Les gestionnaires : ce sont les personnes qui dirigent l'entreprise au nom des propriétaires. Elles s'intéressent de près à la façon dont la comptabilité rend compte de leurs activités et de leurs résultats. Fréquemment, les salaires des gestionnaires, leurs primes et l'emploi qu'ils occupent sont directement touchés par le contenu des états financiers. Surtout dans les petites entreprises, le propriétaire peut aussi être le principal gestionnaire.

Les employés : ce sont les exécutants ainsi que leurs syndicats et d'autres associations. Ces groupes s'intéressent à la capacité de l'entreprise de payer les salaires, de maintenir l'emploi et de tenir ses promesses, comme celle de verser des pensions de retraite.

Les administrations fiscales, les organismes de réglementation et les autres entités gouvernementales : ce sont les organismes qui peuvent utiliser les états financiers pour calculer les taxes et les impôts à payer et pour vérifier si l'entreprise respecte les divers règlements et ententes.

Les analystes financiers : ce sont les personnes qui étudient la performance des entreprises, qui préparent des rapports d'analyse pour des tiers, et qui font souvent des recommandations concernant les investissements et les prêts.

L'information comptable destinée à un groupe d'utilisateurs donné peut aussi renseigner d'autres groupes.

Les concurrents : ce sont les personnes qui, ayant accès aux états financiers, peuvent tenter de comprendre le fonctionnement de l'entreprise et d'en ralentir la croissance. Il arrive que les gestionnaires hésitent à fournir de l'information aux actionnaires, par exemple, de crainte que des concurrents ne l'obtiennent et contrecarrent les projets de l'entreprise.

Les chercheurs en comptabilité : ce sont les personnes (pour la plupart des professeurs d'université, mais aussi des membres de cabinets d'experts-comptables et d'autres entités) qui étudient la comptabilité dans le but de mieux la comprendre et de contribuer à son développement.

Les autres tiers : ce sont les différentes personnes qui peuvent avoir accès aux états financiers d'une entreprise et s'en servir de multiples façons. Une fois publiés, les états financiers peuvent être utilisés par un grand nombre de personnes. Des politiciens peuvent, par exemple, porter des jugements sur l'efficacité ou le taux d'imposition des entreprises. Des journalistes peuvent écrire des articles sur les pratiques en matière d'emploi. Lors de poursuites judiciaires, des juges et des jurys peuvent évaluer la capacité d'une entreprise de payer des dommages.

La comptabilité générale est utile à un grand nombre d'utilisateurs, qui ont des intérêts variés et de multiples décisions à prendre.

Quelle diversité d'utilisateurs et de décisions ! Présenter les états financiers d'une entreprise de façon qu'ils puissent être utiles à tous, voilà un véritable tour de force. Il n'est donc pas étonnant que l'efficacité des états financiers et l'impartialité des méthodes utilisées en comptabilité générale soulèvent une vive controverse.

Les préparateurs (ceux qui facilitent la prise de décision)

Les gestionnaires sont à la fois des préparateurs et des utilisateurs de l'information comptable.

Les gestionnaires : ce sont les personnes qui dirigent une entreprise, tâche qui inclut, entre autres, la publication d'informations comptables et le contrôle des activités financières. Puisque les gestionnaires sont également des utilisateurs vivement intéressés par les résultats financiers, on a créé la fonction de vérification (voir ci-dessous) pour éviter les conflits de rôles. Lorsqu'on considère l'ensemble des gestionnaires d'une entreprise, on parle souvent de « direction ».

Les teneurs de livres et les commis comptables : ce sont les personnes qui, sous la direction des gestionnaires, ont pour fonction d'enregistrer les opérations fondamentales de l'entreprise afin de constituer la base de données servant à la comptabilité générale. Aujourd'hui, la plupart des fonctions de comptabilité et de tenue de livres sont effectuées par des ordinateurs, avec tous les avantages et les inconvénients que cela comporte.

Les sigles CA, CGA, CMA et CPA désignent des associations professionnelles d'experts-comptables.

Les experts-comptables : ce sont les personnes chargées de mettre en forme les états financiers en appliquant les principes de la comptabilité aux documents comptables de l'entreprise. Leur travail se fait sous la direction des gestionnaires. La plupart des **experts-comptables** s'acquittant de cette tâche sont membres d'associations professionnelles comme, au Canada, les comptables agréés (CA), les comptables généraux licenciés (CGA), les comptables en management accrédités (CMA). Les experts en comptabilité publique (CPA) représentent l'association la plus importante aux États-Unis. Les experts-comptables, membres de ces associations, ont souvent de l'expérience et des intérêts en vérification, et ils exercent parfois le rôle de vérificateurs. Toutefois, la tâche consistant à dresser les états financiers est assez différente, en principe, de celle qui consiste à les vérifier.

Les vérificateurs (ceux qui renforcent la crédibilité)

Les experts-comptables peuvent agir comme comptables ou comme vérificateurs — deux rôles très différents.

Les vérificateurs doivent assister les utilisateurs, en s'assurant que les états financiers ont été dressés fidèlement, avec compétence et en conformité avec les principes comptables généralement reconnus. Le rôle de vérificateur est très ancien. Il est né du besoin des utilisateurs d'obtenir une certaine assurance quant à la crédibilité des données contenues dans les rapports publiés par les gestionnaires. Ce manuel parle fréquemment de **vérificateurs externes**, qui délivrent des rapports sur les états financiers pour le compte des utilisateurs de l'extérieur, mais il existe aussi des vérificateurs internes, qui travaillent au sein de l'entreprise afin de renforcer la crédibilité de l'information dont se sert la direction, et d'autres vérificateurs (comme les vérificateurs de l'impôt, qui contrôlent le calcul de l'impôt des contribuables). Les vérificateurs externes peuvent être appelés à donner des conseils sur la préparation des documents comptables, surtout dans les petites entreprises, mais ils doivent éviter de prendre la responsabilité du contenu de ces documents, car leur rôle ne consiste qu'à examiner minutieusement la manière dont ils sont préparés. Il leur est impossible de vérifier de façon crédible des documents qu'ils ont eux-mêmes établis! Les experts-comptables préparent effectivement des états financiers, mais ils ne le font pas en tant que vérificateurs externes. Ils le mentionnent d'ailleurs clairement au moyen de lettres et de notes explicatives qu'ils joignent aux états financiers.

On exige des vérificateurs externes qu'ils soient des professionnels objectifs et compétents.

Puisque le travail du vérificateur sert à la fois au préparateur et à l'utilisateur, il faut que les deux parties s'entendent sur le choix de la personne. Ce choix est simplifié si le vérificateur est un professionnel indépendant, qui recevra ses honoraires même si les résultats financiers sont mauvais et les gestionnaires ou les utilisateurs, mécontents. On accorde une telle importance à la fonction de vérificateur externe que le droit de l'exercer est habituellement réservé à des experts-comptables membres d'associations professionnelles reconnues pour leur compétence en matière de vérification. Au Québec, l'émission d'un rapport de vérification externe est une pratique exclusive des comptables agréés.

En plus de la vérification externe, les cabinets d'experts-comptables offrent une vaste gamme de services.

Les vérificateurs externes peuvent exercer seuls, mais la plupart d'entre eux sont associés avec d'autres vérificateurs dans un cabinet d'experts-comptables. Certains de ces cabinets sont vraiment très imposants : ils comptent des milliers d'associés et des dizaines de milliers d'employés, et sont installés dans de nombreuses villes de plusieurs pays. Les cabinets d'experts-comptables offrent à leurs clients non seulement des services de vérification externe, mais aussi des services touchant la fiscalité, la comptabilité, les systèmes informatiques et bien d'autres services d'ordre financier ou de gestion. En offrant tous ces services aux entreprises dont ils vérifient aussi l'information financière, les vérificateurs doivent être prudents : ils doivent penser aux conflits d'intérêts et éviter de se trouver dans une situation où ils vérifient leur propre travail. Ils doivent faire preuve d'une grande compétence et respecter les règles de l'éthique et de la déontologie.

L'éthique

L'éthique, dont nous venons de parler, est un sujet qui sera abordé tout au long de ce manuel. Des problèmes d'éthique peuvent survenir dans à peu près n'importe quelle sphère de la comptabilité. Voici quelques exemples :

Les états financiers doivent-ils communiquer des renseignements susceptibles de nuire à l'entreprise ?

- Une entreprise est poursuivie en justice par un employé récemment congédié, qui prétend que son congédiement était fondé sur son âge et donc contraire aux lois sur l'emploi. Le président de l'entreprise soutient qu'il n'a rien à se reprocher. Le chef comptable, qui, pour sa part, trouve que l'employé a raison, propose à son patron de signaler la poursuite judiciaire au moyen d'une note jointe aux états financiers, de sorte que les utilisateurs soient avertis de la possibilité d'une perte advenant la victoire de l'employé. Le président estime que le chef comptable ne doit pas tenir compte de la poursuite en préparant les états financiers, parce que cela est embarrassant et peut être interprété comme un aveu de culpabilité. Le président craint en effet qu'une telle apparence d'aveu puisse être utilisée contre l'entreprise lors du procès et le lui faire perdre. Que doit faire le chef comptable ?

Qu'arrive-t-il quand les responsabilités du vérificateur envers ses différents clients entrent en conflit ?

- En vérifiant les comptes, le vérificateur externe d'une autre entreprise constate que celle-ci a peut-être escroqué un de ses clients. Ce client, qui ne se doute de rien et se montre tout à fait satisfait, est aussi un client du vérificateur. Ce dernier, qui est tenu de respecter des règles de conduite destinées à protéger la confidentialité de l'information recueillie pendant la vérification, sait que toute divulgation à qui que ce soit peut entraîner des poursuites de la part de tous les intéressés. Le vérificateur doit-il garder pour lui sa découverte ?

Les gestionnaires doivent-ils mettre en application les modifications comptables qui les favorisent ?

- Le président d'une troisième entreprise reçoit chaque année une prime calculée au prorata du bénéfice de l'entreprise. Comme on le lui a proposé, il envisage de modifier une méthode comptable qui, entre autres, aura pour effet de majorer le bénéfice et d'augmenter sa prime. S'il accepte cette proposition, le président sait qu'il va empocher plus d'argent. Doit-il refuser de donner suite au changement, exiger que le calcul de sa prime n'en tienne pas compte ou simplement le mettre en application et profiter de l'augmentation de sa prime ?

Comme il n'existe pas de solutions simples à ces problèmes, nous n'en proposons aucune à ce stade-ci. Le chef comptable, le vérificateur et le président font face à un dilemme. Ce manuel abordera parfois des questions d'éthique, afin de vous permettre d'affiner votre sens éthique en même temps que votre savoir en matière de comptabilité, car les deux sont indissociables.

Ù EN ÊTES-VOUS ?

Voici deux questions auxquelles vous devriez pouvoir répondre, compte tenu de ce que vous venez de lire. Si vous n'y arrivez pas, peut-être devriez-vous faire une deuxième lecture.

1. Quels sont les « utilisateurs » des états financiers, et pourquoi ces personnes en ont-elles besoin ?
2. Quelle est la différence entre un « préparateur » et un « vérificateur », et pourquoi cette différence est-elle importante ?

1.5   EXEMPLE : L'ÉVALUATION DES ÉTUDIANTS

Pour décrire rapidement le fonctionnement de la comptabilité générale, prenons l'exemple du système d'évaluation des étudiants fréquentant l'université, à savoir l'attribution des notes. L'analogie n'est pas parfaite, mais elle permet de souligner les principaux enjeux.

Les étudiants vont à l'université, entre autres raisons, pour acquérir de nouvelles connaissances ; ils sont évalués au moyen de notes. Les notes ne constituent pas une mesure parfaite de leur apprentissage, mais leur rôle est déterminant dans la méthode d'évaluation employée dans les universités modernes.

Les notes existent, pour le meilleur et pour le pire.

- Les étudiants et les personnes intéressées, dont les parents et les dirigeants de l'université, utilisent ces notes pour apprécier les connaissances acquises au cours des différents trimestres et pour suivre les progrès. De leur côté, les employeurs les utilisent pour prévoir le rendement d'un candidat potentiel. Des organismes s'appuient sur les notes pour allouer des bourses d'études, etc. Même si l'étudiant et les autres personnes savent que les notes ne permettent de mesurer que plus ou moins fidèlement le niveau de connaissance, tous savent qu'elles auront néanmoins des répercussions heureuses ou malheureuses sur la vie de l'étudiant.

Les notes obéissent à des normes qui sont censées les rendre plus utiles.

- Les relevés de notes sont produits à des périodes précises de l'année sur un formulaire type, et leur préparation occupe une bonne partie du temps des professeurs et des administrateurs. Bien des efforts sont déployés pour réduire au minimum les risques d'erreurs ou de fraudes. Par exemple, les transcriptions officielles sont préparées avec soin et sont certifiées conformes. De cette façon, toute personne qui les utilise est assurée qu'elles n'ont pas été falsifiées. Par conséquent, la tricherie ou la falsification des notes place l'étudiant en fort mauvaise posture.

Les notes rendent compte des résultats des étudiants, mais elles peuvent aussi influer sur leurs choix.

- En raison de l'importance accordée aux notes, certains étudiants peuvent choisir leurs cours en fonction non pas de leur intérêt pour telle matière, mais de la possibilité d'obtenir de bonnes notes. Alors qu'elles sont seulement censées refléter le niveau de connaissance, les notes finissent par diriger le système lui-même !

Voici quelques parallèles qui peuvent être établis entre les notes et la comptabilité générale :

1. L'étudiant est à l'université pour apprendre, mais pas seulement pour cette raison. De même, les entreprises et les autres organismes sont attentifs à leur performance et à leur situation financières, mais pas seulement à celles-ci. Ces deux éléments constituent toutefois le centre d'intérêt de la comptabilité générale.

2. Un niveau de connaissances donné comprend de multiples facettes, et les notes n'en sont bien sûr que quelques-unes. La situation et la performance financières présentent aussi de nombreuses dimensions. Si la comptabilité générale tient compte de plusieurs de ces dimensions, elle en néglige certaines. Malgré leurs imperfections, les notes et la comptabilité générale existent depuis longtemps et continueront d'occuper une place importante.

3. Les notes mesurent le rendement individuel de l'étudiant, et une bonne moyenne cumulative indique que ses connaissances actuelles sont satisfaisantes. Un étudiant qui obtient une bonne moyenne cumulative est censé bien réussir les cours à venir. De même, en comptabilité, on s'attend à ce qu'une bonne performance financière conduise graduellement à une situation financière saine, laquelle devrait entraîner à son tour une bonne performance financière. Dans le cas de l'étudiant comme dans celui de l'entreprise, ces attentes ne se réalisent pas toujours, mais les résultats présents nous permettent tout de même de faire certaines prévisions.

4. Tout comme les notes et les relevés de notes, qui compilent les résultats de nombreux examens, travaux et autres activités, les rapports de comptabilité générale (les états financiers) constituent le sommaire d'un grand nombre d'événements distincts. Dans un cours, l'examen final peut compter plus que le travail du trimestre dans le calcul de la note. En comptabilité aussi, certains événements ont plus de poids que d'autres dans la compilation du rapport financier.

5. Savoir comment les employeurs, les organismes de prêt aux étudiants, les écoles d'enseignement supérieur, les parents, les étudiants et d'autres personnes utilisent les relevés de notes nous aide à comprendre pourquoi ils sont ainsi faits. De même, il faut comprendre l'utilisation des rapports financiers pour apprécier le rôle qu'ils jouent. Le président d'une société peut s'inquiéter de la façon dont un rapport comptable sera interprété et utilisé, tout autant que l'étudiant s'inquiétera de la réaction suscitée par un relevé de notes. Le président, comme l'étudiant, peut avoir à l'esprit ses chances d'avancement, son salaire et d'autres préoccupations importantes.

Les notes et la comptabilité générale sont des systèmes d'information entre lesquels de nombreux parallèles peuvent être établis.

6. Émis à la fin de chaque trimestre, les relevés de notes résument le rendement de l'étudiant au cours d'une période donnée, comme une année universitaire. La présentation de ces relevés facilite les comparaisons avec les résultats des années précédentes. Les états financiers sont eux aussi publiés à intervalles réguliers (au moins une fois l'an et souvent chaque trimestre ou même chaque mois) et sont préparés selon des normes de présentation visant à accroître leur utilité en tant qu'outils de comparaison entre différentes entreprises ou différents exercices d'une même entreprise.

7. On tente de réduire au minimum les erreurs ou la fraude, tant dans l'attribution des notes que dans la préparation des états financiers. Pour que les états financiers soient fiables, les vérificateurs s'assurent qu'ils sont préparés de façon honnête et conforme aux principes généralement reconnus.

8. Il est regrettable, mais compréhensible, que certains étudiants choisissent des cours non pas pour l'intérêt qu'ils portent à la matière, mais parce qu'ils ont entendu dire qu'il est facile d'y obtenir de bonnes notes. Ainsi, devant l'importance des états financiers, certains gestionnaires semblent déployer davantage d'énergie à « trouver les bons chiffres » qu'à bien gérer l'entreprise.

 Ù EN ÊTES-VOUS ?

Voici deux questions auxquelles vous devriez pouvoir répondre, compte tenu de ce que vous venez de lire. Si vous n'y arrivez pas, peut-être devriez-vous faire une deuxième lecture.

1. Pourquoi attachez-vous de l'importance aux notes que vous obtenez pour vos cours ?

2. Pouvez-vous établir quelques parallèles entre votre intérêt pour les notes et l'intérêt que les gens accordent aux rapports financiers ?

1.6   LA COMPTABILITÉ D'EXERCICE

La comptabilité générale doit traiter de grandes quantités de données, dont certaines peuvent être imprécises ou incomplètes.

En comptabilité générale, la production des états financiers est une tâche complexe. Même pour une petite entreprise, des milliers d'événements (les **opérations**) doivent être enregistrés, et leur incidence financière, évaluée. Pour de grandes sociétés comme Eaton, Inco, McDonald, la Banque de Montréal et Toyota, ou pour des entités comme l'Université de Montréal, la Ville de Sherbrooke ou la Croix-Rouge, le nombre d'opérations se chiffre en millions ou en milliards. Lorsque vient le temps de dresser les états financiers, il arrive souvent que les opérations ne soient pas terminées, qu'elles soient en litige ou qu'elles ne puissent être évaluées de façon précise. Les exemples suivants montrent qu'il peut être difficile de déterminer quels sont les chiffres appropriés.

- La valeur du stock de minerai de nickel chez Inco dépend du coût de son extraction, de sa fusion et de sa finition, de même que des prix du nickel sur le marché international, qui sont sujets à des variations quotidiennes.

- La valeur des prêts que la Banque de Montréal consent aux pays en voie de développement (c'est-à-dire l'argent que ces prêts vont réellement rapporter) repose sur la santé économique des pays emprunteurs, la stabilité des dispositions internationales en matière de transfert des paiements (souvent perturbée par des guerres, des décisions politiques ou des désastres naturels) et la valeur relative des devises des différents pays, qui, comme le prix du nickel, peut fluctuer énormément d'une journée à l'autre.

Il faut arriver à intégrer aux états financiers des opérations importantes et complexes.

- La valeur des dons promis à la Croix-Rouge, mais non encore reçus, dépend de la disposition des donateurs à sortir effectivement l'argent de leur poche, disposition pouvant être influencée par le chômage, l'augmentation du prix des aliments et d'autres biens de consommation nécessaires aux donateurs, ainsi que d'autres facteurs sur lesquels la Croix-Rouge n'a aucun pouvoir.

L'objectif de la comptabilité d'exercice est de présenter une information économique valable.

Pour faire face à ces problèmes complexes, la plupart des entreprises et autres entités recourent à la **comptabilité d'exercice**. Ainsi, lors de la préparation des états financiers, la comptabilité d'exercice tente de tenir compte de toutes les rentrées et sorties de fonds déjà effectuées, d'incorporer celles qui découleront des opérations en cours, de mesurer la valeur des opérations incomplètes, de procéder à des estimations lorsque les montants exacts ne sont pas connus et, d'une façon plus générale, de faire une évaluation économique valable des situations ambiguës et embarrassantes. Par exemple:

- On essaie d'évaluer combien Inco a dépensé pour son minerai de nickel et si les prix de ce métal sont plus élevés ou plus bas que ce qu'il en coûte à Inco pour en produire d'autre, afin de déterminer la valeur du stock de nickel par rapport à son coût de production.

- À la demande de la Banque de Montréal, on étudie le dossier de remboursement d'emprunt de différents pays et on estime le montant que cette institution sera en mesure de percevoir, afin de juger de la valeur de ses prêts non recouvrés.

- Pour aider la Croix-Rouge à planifier ses dépenses, on la renseigne sur le nombre de dons promis qu'elle peut effectivement s'attendre à recevoir.

Pour présenter une information valable, la comptabilité d'exercice se sert d'estimations et fait appel au jugement.

La comptabilité d'exercice s'est développée parce que les états financiers ne peuvent être préparés uniquement d'après les opérations inscrites dans les livres comptables. Mesurer la performance économique s'avère plus complexe que cela, et la « vérité » peut se révéler insaisissable, ou encore, se fonder sur le point de vue d'un seul individu. Bon nombre d'ajouts (estimations, ajustements, jugements et explications verbales) doivent être faits pour que les états financiers prennent tout leur sens. Ils dépendent donc grandement de la qualité et de la fidélité de ces ajouts. Gestionnaires, experts-comptables et vérificateurs doivent constamment faire appel à leur jugement.

Les états financiers sont valables et utiles; il est plus difficile de déterminer s'ils sont « vrais ».

La comptabilité générale est une science moins précise que ne le pensent la plupart des gens et même les utilisateurs habituels des états financiers, car elle s'appuie sur de nombreux jugements. Pour aider les étudiants à comprendre la réalité contemporaine de la comptabilité générale, il faut expliquer clairement les approximations qui interviennent dans la préparation et l'utilisation des états financiers. Ce manuel se propose par conséquent d'enseigner la méthode de la comptabilité d'exercice, ce qui n'exclut toutefois pas certaines comparaisons entre cette méthode et celle, plus simple, de la comptabilité de caisse. Aujourd'hui, en comptabilité générale, on commence avec des rentrées et des sorties de fonds, puis on édifie sur les registres de caisse une structure très élaborée de comptabilité d'exercice, de façon à obtenir les subtiles mesures de la performance et de la situation financières maintenant exigées.

La méthode de la comptabilité d'exercice est indispensable à la comptabilité générale contemporaine.

Exemple: Les Bijoux Irène Gadbois

Voici un exemple illustrant le fonctionnement de la comptabilité d'exercice. Il s'agit d'une petite entreprise ordinaire qui rencontre toutefois exactement les mêmes problèmes de comptabilité qu'une grande entreprise.

Les états financiers doivent s'adapter à la réalité de chaque entreprise.

Irène Gadbois travaille dans un bureau durant la journée, mais passe ses soirées et ses fins de semaine à fabriquer des bijoux en argent dans un atelier qu'elle a aménagé dans son sous-sol. Ses bijoux sont vendus dans des magasins d'artisanat de la région. Elle dépose le montant de ses ventes dans un compte bancaire spécial, dont elle se sert exclusivement pour payer ses matériaux. La comptabilité présente un portrait de l'entreprise ; pour vous aider à le comprendre, essayez d'imaginer Irène travaillant dans son atelier, se rendant dans les magasins d'artisanat pour livrer ses bijoux et percevoir ses recettes, et s'offrant une petite soirée entre amis lorsque les affaires vont bien. Puisqu'il est important que les documents comptables correspondent à la réalité de l'entreprise, gardez cette image à l'esprit pendant tout le développement de l'exemple.

Le bénéfice en comptabilité de caisse équivaut aux rentrées de fonds moins les sorties de fonds nécessaires aux opérations courantes.

Au cours de sa première année d'exploitation, Irène a reçu 4 350 $ comptant des magasins d'artisanat pour la vente de ses bijoux et a déboursé 1 670 $ comptant pour acheter de l'argent et d'autres fournitures, et pour couvrir les frais d'exploitation. Quels revenus nets Irène Gadbois a-t-elle pu tirer de son entreprise ? La réponse la plus simple serait de dire qu'elle a réalisé un **bénéfice en comptabilité de caisse** de 2 680 $ (4 350 $ moins 1 670 $). Ce montant correspond à l'augmentation de son solde bancaire au cours de l'année.

Selon la comptabilité d'exercice, la réponse ci-dessus est plutôt simpliste, car elle ne reflète pas fidèlement le montant qu'Irène a gagné pendant l'année. Lorsqu'on utilise la comptabilité d'exercice, on doit tenir compte de certaines données supplémentaires.

La comptabilité d'exercice tient compte des ventes non encaissées.

- À la fin de l'année, un des magasins d'artisanat devait toujours 310 $ à Irène, parce que le propriétaire était absent lors de son passage. Elle a été payée quelques semaines plus tard, mais ne faudrait-il pas ajouter cette somme au montant des ventes de l'an passé ?

La comptabilité d'exercice tient compte des marchandises non utilisées.

- À la fin de l'année, Irène détenait encore des fournitures, des bijoux prêts pour la vente et d'autres en production, qui avaient coûté 280 $. Cette somme a été déboursée l'an dernier mais, puisque les bijoux ne seront vendus que l'année suivante, leur coût ne devrait-il pas être déduit seulement à ce moment-là ?

La comptabilité d'exercice tient compte des factures non payées.

- À la fin de l'année, le montant des factures qu'Irène n'avait pas réglées s'élevait à 85 $. Elle les a payées dès le début de l'année suivante ; toutefois, ces charges ne sont-elles pas imputables à l'exercice financier au cours duquel elles ont été engagées plutôt qu'à celui au cours duquel elles ont été payées ?

La comptabilité d'exercice tient compte de l'usure de l'équipement.

- Pour fabriquer ses bijoux, Irène utilise un équipement qu'elle a acheté quelques années plus tôt et qui lui a coûté 1 200 $. Celui-ci est bon pour une dizaine d'années. Devrait-on déduire des revenus une somme relative à l'usure de l'équipement au cours de l'année ? Même s'il n'est pas facile de chiffrer cette usure pour une période donnée, Irène estime qu'elle en a fait un usage normal durant l'année. Par conséquent, le coût de l'usure représenterait environ 10 % du coût initial de l'équipement, soit 120 $. (Ce chiffre correspond à ce que les experts-comptables appellent l'« amortissement ». Nous verrons plus loin qu'on peut le calculer de différentes façons.)

La comptabilité générale est un processus dynamique qui évolue avec les années. Par conséquent, le sens de certains des termes qu'elle utilise évolue aussi et se raffine. Par exemple, le terme anglais « amortization » est un générique que l'on peut aussi employer à la place du terme « depreciation ». Les deux termes expriment l'idée de la perte de valeur économique d'un bien. Toutefois, on réserve

L'amortissement est une estimation comptable du montant amortissable d'un bien pour une période donnée.

souvent le terme « amortization » à l'amortissement des immobilisations incorporelles (par exemple, les brevets d'invention), et le terme « depreciation » à l'amortissement des immobilisations corporelles (par exemple, les immeubles). En français, nous employons le terme « **amortissement** » pour désigner l'étalement logique et systématique, par imputation graduelle aux résultats sur un nombre d'exercices approprié, du montant amortissable des immobilisations corporelles et incorporelles dont la durée de vie est limitée. Ainsi, lorsque vous étudiez la comptabilité générale, vous vous familiarisez également avec une terminologie professionnelle et technique nécessaire à votre compréhension.

En utilisant ces quatre données supplémentaires et en tenant compte des estimations et des opérations incomplètes, la comptabilité d'exercice permet de calculer de la façon suivante le bénéfice de l'entreprise, pour l'année ou l'exercice :

La comptabilité d'exercice mesure la performance en tenant compte des produits, des charges et du bénéfice qui en résulte.

Produits*	
(4 350 $ encaissés plus 310 $ à recevoir)	4 660 $
Charges**	
(1 670 $ payés moins 280 $ de marchandises	
encore en main plus 85 $ de charges non payées	
plus 120 $ d'amortissement)	1 595
Bénéfice en comptabilité d'exercice***	
calculé à l'aide des données fournies	3 065 $

Notes :
  * Les **produits** sont les sommes reçues ou à recevoir en contrepartie des ventes de biens ou de services.
 ** Les **charges** sont les sommes engagées ou les ressources consommées pour obtenir les produits.
*** Le **bénéfice en comptabilité d'exercice** est la différence entre les produits et les charges.

Le bénéfice en comptabilité d'exercice est une mesure plus complète que le bénéfice en comptabilité de caisse.

La comptabilité d'exercice peut effectivement traiter bien d'autres données complexes que les quatre mentionnées ci-dessus. Même avec cet exemple simple, vous pouvez constater que le bénéfice établi selon la comptabilité d'exercice constitue une mesure plus précise de la performance de l'entreprise d'Irène Gadbois que le bénéfice établi selon une comptabilité de caisse (2 680 $) qui ne correspond qu'au changement du solde de sa caisse.

Il y a toutefois certaines difficultés.

Le bénéfice en comptabilité d'exercice est une mesure plus complexe que le bénéfice en comptabilité de caisse.

- Le bénéfice en comptabilité d'exercice exige de nombreux calculs ; il est donc plus complexe. Ces opérations peuvent prêter à confusion et laisser une plus grande place à l'erreur qu'un calcul plus simple.
- Le bénéfice en comptabilité d'exercice ne coïncide plus avec le changement de solde du compte bancaire. Ainsi, Irène ne connaît pas le montant exact qu'elle peut retirer de son compte pour ses prochaines vacances. Par contre, on peut toujours faire concorder le bénéfice en comptabilité d'exercice et le bénéfice en comptabilité de caisse. Dans les prochains chapitres, nous accorderons beaucoup d'attention à ce rapprochement, mais effectuons-le maintenant pour Irène, à titre d'exemple. Remarquez que les comptables se servent souvent de parenthèses pour indiquer la soustraction d'un nombre : c'est le cas du montant de 205 $ dans l'opération qui suit :

Le bénéfice en comptabilité d'exercice et le bénéfice en comptabilité de caisse peuvent toujours être rapprochés.

Bénéfice en comptabilité de caisse	
(les rentrées de fonds courantes moins les sorties de fonds)	2 680 $
Ajouter les produits non encore encaissés	310
Rajouter le montant des marchandises payées mais non	
encore vendues	280
Déduire les charges non payées cette année	
et les estimations (85 $ + 120 $)	(205)
Bénéfice en comptabilité d'exercice	3 065 $

Plus on exige de la comptabilité d'exercice, plus elle devient complexe.

- La comptabilité d'exercice peut vous mener très loin dans votre réflexion. Vous additionnez et soustrayez des éléments pour établir le bénéfice, mais quand devez-vous vous arrêter ? Par exemple, faut-il soustraire un montant relatif au temps qu'Irène consacre à la fabrication de tous ses bijoux ? Le calcul ne semble pas tenir compte de ses heures de travail, omission à propos de laquelle Irène ne serait probablement pas d'accord. Qu'en est-il des frais d'utilisation de son sous-sol comme atelier et de son automobile pour les livraisons ? Ne devrait-on pas calculer ces frais, même s'il est difficile de les évaluer de façon précise ? Et l'impôt sur les bénéfices ? S'il lui faut payer de l'impôt sur ce que son entreprise lui rapporte, ce montant ne doit-il pas être déduit comme charge ? S'agit-il plutôt d'une charge personnelle à exclure des états financiers de l'entreprise ?

Cet exemple commence à se compliquer ! Pour le moment, rappelez-vous seulement que la comptabilité d'exercice s'efforce de fournir une mesure plus juste de la performance financière et d'autres aspects d'une entreprise que ne le fait une simple comptabilité de caisse. Toutefois, pour ce faire, elle introduit des notions plus complexes de même que des estimations et des jugements. La plus grande partie de votre travail consiste à bien cerner ces éléments complexes, ces estimations et ces jugements, de façon à pouvoir comprendre les états financiers et déchiffrer ce qu'ils révèlent au sujet de l'entreprise.

⬤ Ù EN ÊTES-VOUS ?

Voici deux questions auxquelles vous devriez pouvoir répondre, compte tenu de ce que vous venez de lire. Si vous n'y arrivez pas, peut-être devriez-vous faire une deuxième lecture.

1. Votre cousin, étudiant en médecine, déclare : « Dans notre cours portant sur la gestion d'un cabinet médical, on nous a dit que nos rapports financiers seront établis selon la comptabilité d'exercice. Qu'est-ce que cela veut dire ? »

2. Fred a mis sur pied son entreprise de livraison il y a un an. Depuis, il a reçu 47 000 $ de ses clients et payé 21 000 $ de factures. Ses clients lui doivent 3 200 $; il doit 1 450 $ à ses fournisseurs, et l'amortissement de son camion, pour l'exercice, se chiffre à 4 600 $. En utilisant ces données, calculez le bénéfice que Fred a en caisse à la fin de son premier exercice ? Quel est son bénéfice en comptabilité d'exercice ?

Vous devriez obtenir 26 000 $ (47 000 $ de rentrées de fonds moins 21 000 $ de sorties de fonds) et 23 150 $ (50 200 $ de produits moins 27 050 $ de charges). On peut rapprocher les deux montants :

26 000 $ + 3 200 $ − 1 450 $ − 4 600 $ = 23 150 $.

1.7 UN EXEMPLE SIMPLE D'ANALYSE COMPTABLE : LE RAPPROCHEMENT DE DEUX MONTANTS

Vous pouvez utiliser la comptabilité à des fins personnelles et non uniquement pour comprendre les affaires.

Dans l'exemple de l'entreprise d'Irène, nous avons fait concorder les calculs effectués pour obtenir le bénéfice en comptabilité de caisse et le bénéfice en comptabilité d'exercice. En général, le **rapprochement de comptes** est une technique très utile, car si l'on n'arrive pas à faire coïncider deux chiffres qui le devraient, cela peut vouloir dire que l'un des deux ou les deux sont erronés. En affaires, ce concept a de nombreuses applications. En voici deux que vous mettez peut-être déjà en pratique en faisant votre comptabilité personnelle.

Le rapprochement de comptes bancaires : il s'agit ici de calculer combien la banque estime que vous avez dans votre compte et combien vous croyez avoir, puis de déterminer s'il y a des différences entre les deux résultats. D'habitude, les différences viennent de ce que la banque n'a pas encore déduit tous les chèques que vous avez faits, puisque cela lui prend un certain temps pour les traiter, mais il peut y avoir d'autres raisons, entre autres, des erreurs de votre part ou de celle de la banque.

Il y a souvent des différences entre vos propres registres et ceux de la banque.

Le rapprochement de comptes est une méthode destinée à découvrir en quoi deux registres peuvent différer.

Supposons que vous ayez inscrit soigneusement vos dépôts, vos chèques et les retraits en argent que vous aviez effectués au guichet automatique et que, selon votre registre, vous ayez 534 $ à la banque. Vous recevez de la banque un relevé indiquant que vous possédez 613 $. Les deux documents sont-ils exacts ? Vous le saurez grâce au rapprochement de comptes. Essayons d'en apprendre davantage. D'abord, vous vérifiez si vos chèques et vos retraits figurent sur le relevé bancaire et vous constatez que deux chèques sont toujours « en circulation » (non encore déduits par la banque), un de 43 $ et l'autre de 28 $. Il n'y a aucun dépôt en circulation : la banque a porté au crédit de votre compte tous les dépôts inscrits dans votre propre registre. Le relevé vous indique aussi qu'on vous a fait payer 7 $ pour des frais bancaires dont vous ignoriez l'existence. De plus, vous découvrez que la banque a débité votre compte d'un chèque de 55 $ émis par quelqu'un d'autre. Enfin, il y a un dépôt de 70 $ que vous ne vous rappelez pas avoir effectué. Sur la base de ces informations, vous êtes en mesure de faire un rapprochement de comptes :

Solde selon le relevé bancaire	613 $
Éléments pour le rapprochement :	
Déduire les chèques en circulation (43 $ + 28 $)	(71)
Ajouter les dépôts en circulation (aucun)	0
Déduire le dépôt non identifié	(70)
Ajouter les frais bancaires inconnus	7
Rajouter le chèque déduit par erreur	55
Solde selon votre registre	534 $

Le rapprochement de comptes apporte des informations permettant d'effectuer des corrections.

Maintenant vous savez exactement pourquoi les deux montants diffèrent. Supposons que vous alliez à la banque. Vous apprenez que c'est vous qui aviez effectué le dépôt non identifié (vous aviez simplement oublié de l'inscrire) et que les frais bancaires étaient justifiés. La banque admet qu'elle a commis une erreur en déduisant le chèque d'une autre personne et corrige ses registres. Elle obtient donc comme solde révisé 668 $ (613 $ + 55 $) tandis que le vôtre est de 597 $ (534 $ − 7 $ + 70 $). À présent, les deux soldes sont plus faciles à faire concorder : les erreurs corrigées, ils ne diffèrent que des montants des deux chèques en circulation : 668 $ (la banque) − 71 $ (chèques en circulation) = 597 $ (votre registre).

Le rapprochement de comptes de carte de crédit : le concept est exactement le même que pour le rapprochement de comptes bancaires. Imaginons que le relevé de compte de votre Éconocarte indique un solde à payer de 492 $ et que les bordereaux de carte de crédit que vous avez en votre possession totalisent 688 $. Le montant de 492 $ est-il exact ? Vous prenez votre pile de bordereaux et vous vérifiez si les opérations dont ils rendent compte correspondent à celles de votre relevé, puis vous faites ressortir les différences. Voici ce que vous découvrez :

- des bordereaux dont les montants n'apparaissent pas encore sur le relevé : un total de 302 $;

- des opérations pour lesquelles vous n'avez pas de bordereau : un total de 106 $.

Les deux soldes concordent : 492 $ + 302 $ − 106 $ = 688 $. Maintenant vous savez ce qu'il vous reste à vérifier. Vous pouvez demander à l'émetteur de la carte de crédit des preuves au sujet des 106 $ ou encore regarder si vous n'auriez pas oublié de classer des bordereaux. Vous pouvez vous attendre à trouver sur votre prochain relevé de compte le montant de 302 $, ce qui vous aide à prévoir combien d'argent il vous faudra pour le prochain mois.

Pour résoudre les problèmes comptables, il faut se servir de son bon sens.

Comme le démontrent ces exemples de rapprochement de comptes, faire de la comptabilité consiste en grande partie à utiliser le simple bon sens. Grâce à ces exemples, vous avez peut-être constaté que vous utilisiez déjà des techniques comptables sans le savoir ! Tout au long de l'étude de ce manuel, fiez-vous à votre bon sens — il vous aidera souvent à résoudre des problèmes qui paraissent compliqués à première vue.

◉ Ù EN ÊTES-VOUS ?

Voici deux problèmes que vous devriez pouvoir résoudre, compte tenu de ce que vous venez de lire. Si vous n'y arrivez pas, peut-être devriez-vous faire une deuxième lecture.

1. Les registres de Jeannette montrent qu'il y a 32 412 $ dans le compte bancaire de son entreprise, au 30 juin. À la même date, apparaît sur le relevé de la banque un solde de 41 985 $. Quelles sont les raisons qui peuvent justifier cette différence ?

2. Jeannette reçoit un relevé de compte de carte de crédit lui réclamant 2 888 $. Elle a dans une enveloppe des bordereaux de carte de crédit totalisant 3 226 $. En comparant les montants des bordereaux avec ceux du relevé, elle constate que 594 $ d'achats n'ont pas encore été facturés par l'émetteur de sa carte de crédit. Elle découvre aussi qu'on lui a facturé un achat effectué par une autre personne. À quel montant s'élève cet achat ? Quel montant doit-elle payer à l'émetteur de sa carte de crédit ? (L'achat de l'autre personne est de 256 $ (2 888 $ + 594 $ − 3 226 $) et elle doit payer 2 632 $ (2 888 $ − 256 $ ne lui appartenant pas).)

1.8   POURQUOI UN GESTIONNAIRE DOIT-IL S'INITIER À LA COMPTABILITÉ GÉNÉRALE ?

Grâce aux sections de chapitre consacrées aux gestionnaires, vous pourrez élargir votre point de vue sur différentes questions.

Si vous voulez devenir expert-comptable, il est évident que vous devez étudier la comptabilité générale. Ce n'est peut-être pas aussi clair si vous envisagez une carrière en gestion, en marketing, en finance, en ingénierie, en droit, en relations du travail ou en production. Afin d'offrir une vue d'ensemble à ceux qui ne feront pas carrière en comptabilité et de vous aider à comprendre les gestionnaires avec lesquels vous travaillerez si vous choisissez la profession d'expert-comptable ou de vérificateur, nous ferons de fréquents commentaires concernant les gestionnaires et leur manière d'utiliser la comptabilité générale. Ces compléments d'information élargiront votre vision de la comptabilité. N'en tirez pas de conclusion définitive : pensez-y et confrontez-les à votre représentation du monde.

Voici maintenant matière à réflexion. Comme nous l'avons déjà précisé dans l'exemple de l'évaluation des étudiants donné à la section 1.5, les états financiers intéressent directement les gestionnaires parce qu'ils rendent compte de leurs réalisations et de leur rendement en tant que décideurs, fiduciaires de l'entreprise, représentants des propriétaires, directeurs légaux de l'entreprise, etc. Seul le plus engourdi ou le plus cynique des gestionnaires négligerait de s'intéresser à la façon dont ses réalisations sont mesurées, analysées, projetées et scrutées. La plupart des entreprises, des professions, des services gouvernementaux et des autres entités basent l'évaluation de leurs dirigeants, spécialement ceux de la haute direction, sur les résultats présentés dans les états financiers. Les primes, les promotions, les renvois, les mutations et les autres récompenses ou sanctions sont souvent directement fonction des chiffres et des commentaires préparés par les experts-comptables.

Les gestionnaires doivent s'intéresser à la comptabilité, car elle rend compte de leur rendement.

Tout gestionnaire doit avoir une parfaite compréhension de la façon dont la comptabilité mesure ses réalisations. Il peut alors prendre des décisions plus éclairées, même (ou surtout) lorsque l'effet de ces décisions est incertain, complexe ou qu'il se fait attendre. Il peut aussi faire une utilisation plus réfléchie de l'information comptable et des conseils des experts-comptables pour évaluer son rende-

Les gestionnaires doivent aussi être capables d'utiliser et d'évaluer l'information comptable.

ment personnel ou celui des autres. Comme les autres disciplines, la comptabilité possède son vocabulaire particulier, mais cela ne doit pas arrêter le gestionnaire soucieux de savoir comment les experts-comptables s'y prennent pour en arriver à des résultats ou à des prévisions importantes. Tout gestionnaire doit être capable de faire son propre « contrôle de vraisemblance » de l'information qui lui est fournie et avoir une connaissance suffisante des répercussions comptables des événements. Les gestionnaires se servent constamment de techniques telles que le rapprochement de comptes pour s'assurer que ce qu'on leur dit est juste ou sensé.

1.9   EN QUOI CONSISTE LA RECHERCHE EN COMPTABILITÉ?

Vous vous demandez peut-être quels types de recherche effectuent les professeurs de comptabilité et les autres chercheurs en comptabilité, en vérification, en fiscalité, en comptabilité informatisée et dans les autres domaines connexes. Évidemment, ils n'utilisent pas de souris de laboratoire, ne portent pas de sarraus, n'arpentent pas de terrains inconnus et ne font pas de fouilles pour retrouver des fragments de poteries anciennes. Alors, sur quoi peuvent bien porter les recherches en comptabilité?

Grâce aux sections de chacun des chapitres consacrées à la recherche, vous pourrez mieux comprendre l'utilité de la comptabilité dans le monde.

Il existe de nombreuses revues consacrées à la recherche dans cette discipline. Elles se nomment, entre autres, *Accounting, Organizations and Society*, *The Accounting Review*, *Recherche comptable contemporaine*, *Journal of Accounting and Economics* et *Journal of Accounting Research*. Voici dix exemples de sujets étudiés actuellement par des chercheurs dans le monde entier:

1. Comment le marché des actions et des obligations réagit-il à l'information comptable? Sa réaction est-elle davantage liée au bénéfice en comptabilité d'exercice ou au bénéfice en comptabilité de caisse?

2. Comment doit-on concevoir les régimes de primes, les budgets et les autres systèmes de mesure et de récompense du rendement, en vue de motiver les dirigeants?

3. De quelle façon les vérificateurs, les gestionnaires, les analystes financiers et les autres personnes qui utilisent l'information comptable prennent-ils leurs décisions?

4. Comment le jugement professionnel des experts-comptables et des vérificateurs, entre autres, fonctionne-t-il et comment peut-il être amélioré?

5. Comment les propriétaires, les gestionnaires, les créanciers et les autres intéressés utilisent-ils l'information comptable pour mieux gérer les relations d'affaires qu'ils entretiennent les uns avec les autres?

6. Quel est le rôle historique joué par la comptabilité dans le développement de notre société et de notre système commercial?

7. Comment peut-on motiver, ou aider, les gestionnaires, les vérificateurs, les experts-comptables et les autres personnes intéressées à la comptabilité à se conformer à l'éthique dans des circonstances complexes et en constante évolution?

8. Comment peut-on utiliser les statistiques, l'analyse par ordinateur, les modèles mathématiques et d'autres techniques pour améliorer la qualité de l'information comptable et aider les gens à mieux s'en servir?

9. Quelles informations financières les sociétés décident-elles de présenter, à qui les présentent-elles et de quelle façon ?

10. Comment les différences juridiques, culturelles ou d'autre nature qui existent entre les pays peuvent-elles être prises en compte lorsqu'on conçoit des rapports comptables destinés aux sociétés internationales ou qu'on compare des sociétés établies dans des pays différents ?

En comptabilité, le champ de recherche est très vaste et très actif.

Cette liste pourrait encore s'allonger ! Au fur et à mesure que nous étudierons les différents aspects de la comptabilité générale, nous reviendrons sur plusieurs de ces exemples. Si vous désirez en apprendre davantage sur la recherche comptable, vous pourriez demander à un professeur de comptabilité quels sont les sujets qui l'intéressent.

1.10 COMPRENEZ-VOUS BIEN CES TERMES ?

Vous trouverez ci-dessous des termes importants qui ont été utilisés dans ce chapitre. Assurez-vous que vous comprenez bien ce qu'ils signifient *en comptabilité*. Si vous ne saisissez pas le sens de certains d'entre eux, reportez-vous au chapitre ou consultez le glossaire à la fin du manuel. Vous rencontrerez souvent la plupart de ces termes dans les chapitres suivants, de sorte que votre compréhension s'approfondira :

Actionnaire	Comptabilité générale	Préparateur
Amortissement	Coûts-avantages	Produit
Bénéfice en comptabilité de caisse	États financiers	Propriétaire
	Expert-comptable	Rapport périodique
Bénéfice en comptabilité d'exercice	Gestionnaire	Rapprochement de comptes
	Notes complémentaires (afférentes aux états financiers)	Situation financière
Charge		Société par actions
Comptabilité	Opération	Utilisateur
Comptabilité d'exercice,	Performance financière	Vérificateur
Comptabilité de gestion		Vérificateur externe

1.11 CAS À SUIVRE...

PREMIÈRE PARTIE

Vers la fin de chacun des chapitres de ce manuel, vous trouverez une partie du cas que nous allons maintenant vous présenter. Le cas décrit la constitution et la croissance initiale d'une société de distribution en gros, Mado inc., et son évolution en fonction des sujets traités dans les différents chapitres. Chaque partie contient des données nouvelles. On y présente ensuite les résultats obtenus en utilisant ces données. Ce cas a pour objectif d'illustrer les aspects techniques des sujets traités dans le chapitre, de façon que le lecteur puisse les utiliser pour approfondir ses connaissances. Quel que soit l'usage que vous ferez de ce cas, il vous sera utile, mais n'oubliez pas d'analyser les données fournies dans chaque partie et d'envisager ce que vous en feriez, avant de regarder les résultats suggérés. Il vous sera moins profitable si vous consultez les résultats avant même d'avoir réfléchi au problème.

La première partie contient l'information présentant les deux personnes qui gèrent l'entreprise Mado inc. La deuxième partie traitera de la constitution en société.

Données de la première partie

« Allô ! Thomas, ici Mado. Je t'appelle pour te remercier d'avoir assisté aux funérailles de mon grand-père la semaine dernière. Ta présence m'a beaucoup touchée. Grand-père était une personne formidable qui m'a toujours encouragée à prendre ma place dans le monde. Encore maintenant, il m'apporte son soutien, car il m'a légué de l'argent pour m'aider à fonder ma propre entreprise. Peut-être pourrions-nous nous rencontrer un de ces jours pour en parler. »

Mado Longpré et Thomas Caron sont des amis de longue date ; ils se sont connus à l'époque où ils poursuivaient ensemble leurs études en administration à l'université. Ils ont souvent envisagé de fonder leur propre entreprise. Depuis l'obtention de son diplôme en marketing, Mado travaille pour un détaillant d'envergure nationale et elle a gravi les échelons pour devenir chef de service d'un magasin de détail local. Même si elle aime cette entreprise et y réussit bien, elle préférerait vraiment s'établir à son compte afin de prendre les décisions et d'assumer les risques elle-même. Elle a beaucoup d'idées qu'elle ne peut mettre à exécution dans le cadre de son travail, et elle craint de perdre son esprit d'entreprise si elle demeure à ce poste trop longtemps.

Thomas, quant à lui, est diplômé en finance et travaille comme directeur du crédit commercial dans une banque. Il explique : « Après avoir étudié des centaines de plans d'affaires préparés par des demandeurs de prêts, je suis sûr que je serais en mesure de concevoir un meilleur plan pour mes propres projets, si j'en avais seulement l'occasion. Même quand l'économie marche au ralenti, les gens ont de très bonnes idées, et je sais qu'il y a de la place pour les miennes. »

L'héritage de Mado a servi de catalyseur ; prudents, Mado et Thomas ont décidé de se réunir et d'amorcer un projet d'entreprise en dressant deux listes : (a) les objectifs qu'ils entendent poursuivre pour toute entreprise qu'ils géreraient en commun ; (b) les risques, les contraintes et les difficultés qu'ils veulent éviter ou limiter, comme perdre leur propre argent. Thomas est plus intéressé que Mado par la liste (b) ; il se voit déjà en train de « canaliser » l'enthousiasme de son associée. Ces deux listes apparaissent plus bas, mais, avant de les consulter, faites un brouillon des points susceptibles d'y figurer.

Résultats de la première partie

Voici les listes des points sur lesquels Mado et Thomas se sont mis d'accord. Elles vous aideront à déterminer le contexte dans lequel la comptabilité de leur éventuelle entreprise fonctionnera et comment seront utilisés les états financiers. Les états financiers et le système comptable sous-jacent doivent correspondre aux besoins de l'entreprise, de ses propriétaires, de ses gestionnaires et des autres personnes intéressées.

a. Objectifs

- Être fier de l'entreprise et en tirer une satisfaction personnelle.

- Être en mesure de fonctionner indéfiniment en tant qu'entreprise indépendante.

- Bâtir une entreprise qui permette aux deux associés de participer pleinement à l'exploitation.

- Stimuler les compétences de chacun dans une ambiance agréable.

- Générer des sommes suffisantes pour subvenir aux besoins de chacun (besoins modestes pour le moment mais qui seront plus élevés à l'avenir, car Thomas et Mado comptent tous deux fonder une famille).

- Accroître la valeur de l'entreprise en vue d'assurer une source de revenus qui permettra aux associés de mener une vie confortable et, finalement, de pouvoir vendre l'entreprise au moment de leur retraite.

- Vivre une expérience enrichissante qui permettrait à chacun de reprendre sa carrière dans le cas où l'entreprise ne fonctionnerait pas.

b. Risques et contraintes

- Mésententes et problèmes qui pourraient compromettre leur amitié ou rendre difficile la poursuite d'un travail commun au sein de l'entreprise.

- Perte financière majeure (ils ne sont pas prêts à perdre leur investissement et encore moins à perdre davantage).

- Détérioration de l'environnement occasionnée par leur entreprise ou ses produits.

- Départ difficile en raison d'une sous-capitalisation (insuffisance de capitaux pour mener à bien leur entreprise, problème dont Thomas a souvent entendu parler dans le cadre de son travail à la banque).

- Perte de la direction de l'entreprise devant la nécessité de recueillir beaucoup plus de capitaux qu'ils ne peuvent en investir personnellement.

- Croissance initiale trop forte qui pourrait être difficile à maîtriser par la suite.

- Horaire de travail trop chargé, qui pourrait compromettre leur vie familiale et leur qualité de vie.

- Produits dangereux ou présentant des obstacles sur le plan physique.

- Emplacement trop éloigné nécessitant de longs et fréquents déplacements.

- Produits et services contraires à l'éthique (ils n'ont pas défini ce qu'ils entendaient par là, pensant qu'ils sauront, le moment venu, si une activité est contraire à l'éthique).

1.12 SUJETS DE RÉFLEXION ET TRAVAUX POUR AMÉLIORER LA COMPRÉHENSION

Certains des problèmes présentés au début de chaque section de travaux sont suivis d'un astérisque (*). Pour chacun d'eux, vous trouverez une ébauche de solution à la fin de ce manuel. Ces solutions devraient faciliter votre apprentissage et constituent des occasions de mettre en pratique les notions étudiées. *Ne regardez pas la solution avant d'avoir vraiment tenté de résoudre le problème*, car lorsque vous aurez vu la solution, le problème vous semblera toujours plus facile qu'il ne l'est en réalité. De plus, rappelez-vous qu'*un problème peut avoir plusieurs solutions*. Par conséquent, il est possible que votre solution diffère par certains détails de la solution proposée, mais que votre raisonnement soit tout aussi bon, en particulier si vous avez posé d'autres hypothèses valables ou si vous connaissez très bien la situation particulière présentée dans le problème.

PROBLÈME 1.1*
Révision de certaines notions de base

Répondez aux questions suivantes :

1. Quelle différence y a-t-il entre un expert-comptable et un vérificateur ?
2. Quelle est la différence entre le bénéfice en comptabilité d'exercice et le bénéfice en comptabilité de caisse ?
3. L'information que fournit la comptabilité générale répond-elle aux mêmes besoins chez tous ses utilisateurs ? Expliquez.

PROBLÈME 1.2*
Principes de l'évaluation du rendement

Supposons que, pour le compte des propriétaires d'une entreprise, vous soyez chargé de concevoir un système général de mesure et d'évaluation du rendement des gestionnaires. Énumérez les principes (les caractéristiques) sur lesquels devrait reposer un tel système pour qu'il soit accepté tant par les propriétaires que par les gestionnaires. Quels principes, selon vous, devraient susciter le plus facilement un consensus parmi les propriétaires et les gestionnaires ? Lesquels devraient soulever le plus de discussions ?

PROBLÈME 1.3*
Calcul du solde du compte bancaire et du bénéfice selon la méthode de la comptabilité d'exercice

Les informations ci-dessous proviennent des livres comptables de l'entreprise Plongée sous-marine Duval. Calculez (1) le solde du compte bancaire à la fin de 1998 et (2) le bénéfice établi selon la comptabilité d'exercice pour l'année 1998.

Fonds en banque à la fin de 1997	12 430 $
Montant dû par les clients à la fin de 1997 (encaissé en 1998)	1 000
Montant encaissé en 1998 pour des activités de 1998	68 990
Montant dû par les clients à la fin de 1998 (encaissé en 1999)	850
Montant à payer aux fournisseurs à la fin de 1997 (payé en 1998)	1 480
Montant payé aux fournisseurs en 1998 pour des charges engagées en 1998	36 910
Montant à payer aux fournisseurs à la fin de 1998 (payé en 1999)	2 650
Amortissement du matériel de plongée pour 1998	3 740
Retrait du compte bancaire effectué par M. Duval en 1998 pour son usage personnel	28 000

PROBLÈME 1.4*
Rapprochement de comptes bancaires

Roland fait face à des problèmes de liquidités et éprouve beaucoup de difficultés à gérer son compte bancaire. Le 15 septembre, il va à la banque pour connaître son solde : il est de 365 $. Il se souvient d'avoir fait un dépôt de 73 $ dont la banque n'a pas crédité son compte et d'avoir émis des chèques aux montants suivants : 145 $, 37 $, 86 $ et 92 $.

Au même moment, un ami fidèle, mais quelque peu impatient, exige le remboursement d'une dette de 70 $. Roland dispose-t-il d'assez d'argent dans son compte pour la rembourser ?

PROBLÈME 1.5*
Rapprochement du bénéfice en comptabilité de caisse et du bénéfice en comptabilité d'exercice

L'entreprise de services Bonenfant avait, pour sa première année d'exploitation, un bénéfice en comptabilité de caisse de 67 450 $ et un bénéfice en comptabilité d'exercice de 53 270 $. Faites concorder les deux montants, à l'aide des informations suivantes :

a. le montant des produits non encaissés à la fin de l'exercice s'élevait à 18 730 $;

b. le montant des charges impayées à la fin de l'exercice s'élevait à 24 880 $;

c. le montant des marchandises en main à la fin de l'exercice s'élevait à 3 410 $;

d. les charges, déjà payées, pour le prochain exercice, totalisaient 2 300 $;

e. l'amortissement du matériel pour l'exercice s'élevait à 13 740 $.

PROBLÈME 1.6*
Les effets de l'ajout de nouveaux éléments sur le bénéfice en comptabilité de caisse et le bénéfice en comptabilité d'exercice d'Irène

Supposons qu'on découvre les éléments suivants dans les comptes de l'entreprise d'Irène (section 1.6). Pour *chaque* élément, montrez la répercussion en dollars (s'il y a lieu) et l'effet (à la hausse ou à la baisse) que l'ajout de l'élément aura sur (i) le bénéfice en comptabilité de caisse d'Irène pour sa première année d'exploitation et (ii) le bénéfice en comptabilité d'exercice d'Irène pour cette même année. Expliquez brièvement chacune de vos réponses.

a. On découvre qu'Irène a en main 100 $ de plus de marchandises non vendues.

b. On constate que les charges d'Irène s'élèvent à 45 $ de plus qu'elle ne pensait.

c. L'amortissement devrait être de 135 $ et non de 120 $.

d. Irène conclut qu'un de ses clients, qui lui doit 30 $, ne la paiera jamais.

e. On s'aperçoit que les rentrées de fonds incluent un acompte de 75 $ fait par un client pour une vente à venir.

PROBLÈME 1.7
Pourquoi diverses personnes s'intéressent-elles à la comptabilité générale ?

Décrivez en peu de mots ce que chacune des personnes suivantes est susceptible de rechercher dans les états financiers de Griffex inc. et les conséquences possibles pour chacune d'elles, selon que les états financiers révèlent une performance et une situation financières bonnes ou mauvaises.

a. Le président de la société.

b. Le chef-comptable de la société.

c. Le président du conseil d'administration de la société (le conseil d'administration évalue le rendement du président au nom des actionnaires).

d. L'associé du cabinet de vérificateurs Dumont et Cie, dont Griffex est un client.

e. Le gestionnaire régional de la perception de l'impôt pour Revenu Canada.

f. Jean Flandrin, qui possède 100 actions de Griffex inc.

g. Monique Éthier, qui envisage d'acheter des actions de la société.

h. Le directeur régional de la Banque Fric, qui a consenti un prêt important à Griffex inc.

PROBLÈME 1.8
La direction doit-elle avoir le droit de choisir les méthodes comptables?

Pensez-vous que les professeurs doivent avoir le droit d'utiliser leur propre jugement lorsqu'ils notent leurs étudiants ou croyez-vous plutôt que les connaissances de ces derniers doivent être mesurées par des examens préparés objectivement et administrés par une tierce personne? Pourquoi? Êtes-vous d'avis que la direction d'une entreprise doit avoir le droit de choisir les principes et les méthodes comptables qui serviront à évaluer son rendement? Pourquoi? Y a-t-il une différence entre ces deux cas, et si oui, laquelle?

PROBLÈME 1.9
Quand la personne dont le travail est vérifié éprouve du ressentiment envers le vérificateur...

La station de radio étudiante CBBS appartient à l'association des étudiants de l'université. Le trésorier de la coopérative qui exploite la station prépare un rapport financier annuel pour le conseil de direction, et ce rapport fait l'objet d'une vérification. Cette dernière est effectuée par un cabinet d'experts-comptables qui accepte des honoraires minimes, dans le but d'aider les étudiants. L'autre jour, le trésorier s'est un peu plaint de la vérification, car, selon lui, cette démarche laisse entendre qu'on ne lui fait pas confiance, sans compter que les honoraires ont dû être payés par la coopérative, qui est toujours à court d'argent.

Le vérificateur doit donc faire face au ressentiment du trésorier. Dressez une liste des difficultés que ce ressentiment occasionne au vérificateur et des autres difficultés qu'il est susceptible de rencontrer. (Tout vérificateur qui a la charge de vérifier les états financiers préparés par la direction à l'intention des propriétaires et des créanciers est exposé à ces problèmes.)

PROBLÈME 1.10
Calcul et rapprochement du bénéfice en comptabilité de caisse et du bénéfice en comptabilité d'exercice

Louise exploite, à temps partiel, une entreprise appelée Retouche Rapide. Elle répare les petites fêlures des pare-brise d'automobiles, au moyen d'un produit spécial à base de polymère, qui rend les dommages pratiquement invisibles et empêche les fêlures de s'étendre. À l'aide du matériel et des fournitures qu'elle transporte dans le coffre de sa voiture, Louise exécute les réparations en quelques minutes seulement. Ses principaux clients sont des commerces de véhicules d'occasion, des entreprises de location de voitures, des stations-service et des compagnies d'assurances, mais elle se rend aussi chez des particuliers.

Pour l'exercice en cours, les livres de comptes de Louise indiquent ce qui suit:

Montant perçu des clients (pour l'exercice en cours et l'exercice précédent)	24 354 $
Montant payé aux fournisseurs (pour l'exercice en cours et l'exercice précédent)	5 431
Redevance pour l'utilisation de la marque Retouche Rapide	2 435
Montant que Louise a prélevé des fonds sur l'entreprise	14 000
Amortissement du matériel et de l'automobile	3 200
Montant dû par les clients à la fin de l'exercice précédent	1 320
Montant dû par les clients à la fin de l'exercice en cours	890
Montant dû aux fournisseurs à la fin de l'exercice précédent	436
Montant dû aux fournisseurs à la fin de l'exercice en cours	638
Fournitures en main à la fin de l'exercice précédent	0
Coût des fournitures en main à la fin de l'exercice en cours	345

Le compte bancaire d'affaires de Louise indiquait un solde de 1 332 $ à la fin de l'exercice précédent.

1. Calculez le bénéfice en comptabilité de caisse de l'entreprise pour l'exercice en cours, en précisant si vous avez considéré le montant que Louise a prélevé des fonds de son entreprise comme une charge (vous l'avez déduit en calculant le bénéfice en comptabilité de caisse) ou comme un retrait personnel (vous ne l'avez pas déduit en calculant le bénéfice en comptabilité de caisse).
2. En utilisant le résultat que vous avez obtenu pour la partie 1, calculez le solde du compte bancaire à la fin de l'exercice en cours.
3. Calculez le bénéfice en comptabilité d'exercice de l'entreprise pour l'exercice en cours.
4. Procédez au rapprochement des résultats obtenus pour les parties 1 et 3.

PROBLÈME 1.11
Calcul du bénéfice en comptabilité d'exercice et du solde du compte bancaire

« Je n'y comprends rien », déclare Benoît Deschênes qui vient de recevoir de son comptable le calcul du bénéfice de son entreprise qui se chiffre à 45 290 $ pour la première année d'exploitation. « Si j'ai gagné autant d'argent, comment se fait-il que le solde de mon compte bancaire s'élève seulement à 7 540 $? »

Benoît Deschênes exploite Fournitures Deschênes, qui vend des articles de papeterie et des fournitures de bureau aux entreprises. Il n'a pas de magasin, seulement un petit entrepôt loué, et il a un seul employé. Voici les données que lui et son comptable ont utilisées. Expliquez clairement à Benoît Deschênes comment le comptable a calculé le bénéfice de 45 290 $ et pourquoi il ne dispose que de 7 540 $.

Montant perçu des clients au cours de l'exercice	143 710 $
Montant dû par les clients à la fin de l'exercice (perçu au cours de l'exercice suivant)	15 220
Montant payé au cours de l'exercice pour les marchandises destinées à la revente et les autres charges, y compris les salaires	128 670
Montant dû à la fin de l'exercice pour des marchandises ou d'autres charges (payé au cours de l'exercice suivant)	9 040
Coût des marchandises encore en main à la fin de l'exercice (toutes vendues au cours de l'exercice suivant)	26 070
Amortissement du matériel pour l'exercice	2 000
Retraits personnels de Benoît Deschênes au cours de l'exercice	7 500

PROBLÈME 1.12
Rapprochement d'un relevé de carte de crédit et des bordereaux

Solange vient de recevoir le relevé mensuel de sa carte de crédit Mastodonte. Selon ce relevé, elle doit 2 320 $. Comme elle ne s'attendait pas à une somme aussi élevée, elle est catastrophée. Elle a pourtant une enveloppe remplie de bordereaux de carte de crédit totalisant un montant net de 1 615 $ (le total de tous ses achats moins quelques sommes créditées pour des marchandises retournées). À l'aide des renseignements suivants, faites concorder les montants du relevé et ceux des bordereaux de Solange et déterminez le montant qu'elle doit rembourser ce mois-ci à Mastodonte.

a.   Trois des bordereaux de Solange, totalisant 198 $, ne figurent pas encore sur le relevé parce qu'elle a effectué ces achats après la date d'émission de celui-ci.

b.   Sur le relevé, apparaît un montant de 555 $ que Solange se rappelle avoir engagé pour une réparation majeure à sa voiture, mais elle ne trouve pas le bordereau correspondant.

c.   Mastodonte exige 35 $ pour le renouvellement annuel de la carte de Solange et a ajouté ce montant aux achats du mois.

d.   Le relevé inclut un montant de 175 $ pour un repas pris dans une ville où Solange n'a jamais mis les pieds.

e.   Bien qu'elle ait retourné chez Bazaroïde un article coûtant 138 $, il y a trois mois, Mastodonte n'a pas encore porté ce montant à son crédit.

PROBLÈME 1.13 (POUR LES AS!)
Pourquoi la comptabilité d'exercice est-elle appréciée?

L'un des dirigeants d'un cabinet international de consultants en économie déclarait récemment : « Je trouve intéressant de constater que, plus leurs opérations deviennent complexes, plus les entreprises, et même les pays, ont tendance à préférer la comptabilité d'exercice à la simple comptabilité de caisse pour préparer leurs rapports financiers. » Si cette observation est valable, pourquoi, selon vous, adopte-t-on la méthode de la comptabilité d'exercice ?

PROBLÈME 1.14 (POUR LES AS!)
Réflexion sur des problèmes d'éthique

Réfléchissez aux problèmes d'éthique soumis à la fin de la section 1.4. Quelles conséquences entrevoyez-vous sur le plan éthique ? Selon vous, que doivent faire le chef comptable, le vérificateur et le président ?

PROBLÈME 1.15 (POUR LES AS!)
Les effets de l'ajout de nouveaux éléments sur le bénéfice en comptabilité de caisse et le bénéfice en comptabilité d'exercice d'Irène

Ce problème est semblable au problème 1.6*, mais il comporte des éléments qui n'ont pas été illustrés dans ce chapitre. Servez-vous de votre bon sens pour comparer les éléments ci-dessous aux résultats d'Irène présentés dans la section 1.6 et les réponses obtenues pour le problème 1.6*. Ensuite, pour *chaque* élément, montrez la répercussion en dollars (s'il y a lieu) et l'effet (à la hausse ou à la baisse) que l'ajout de l'élément aura sur (i) le bénéfice en comptabilité de caisse d'Irène pour sa première année d'exploitation et (ii) son bénéfice en comptabilité d'exercice pour cette même année. Expliquez brièvement chacune de vos réponses.

a.   Irène a consenti un remboursement de 110 $ à un client pour des bijoux défectueux vendus l'année dernière. Le remboursement ne sera effectué que l'année prochaine. Les bijoux avaient coûté à Irène 67 $ en fournitures, dont elle ne récupérera rien, car ils doivent être jetés.

b.   Au cours de la première année, Irène a déboursé 160 $ pour acheter de l'équipement supplémentaire. Ce montant n'aurait pas dû être inscrit comme charge. Par ailleurs, elle aurait dû calculer un amortissement de 10 % pour ce nouvel équipement, comme pour celui qu'elle possédait déjà.

c.   Irène pense qu'elle devrait faire payer un loyer à son entreprise pour l'atelier du sous sol. Pour éviter de réduire les fonds en caisse de cette dernière, elle versera le montant du loyer dans son compte bancaire personnel pendant les quelques années à venir. Elle fixe le loyer à 500 $ pour la première année.

PROBLÈME 1.16 (POUR LES AS !)
Facteurs de comparaison de la performance des entreprises

Le président de Miam Miam ltée, une entreprise alimentaire qui prépare toutes sortes de plats à base de viande de dinde, compare ses résultats financiers à ceux de Produits Won ltée, une société qui prépare le même type de plats, mais à base de tofu et d'autres caillés. Les informations financières de Produits Won ltée sont tirées de la section économique du journal l'*Express* d'hier (les chiffres entre parenthèses indiquent une perte) :

Bénéfice de 1992	1 565 000 $
Bénéfice de 1993	2 432 000
Bénéfice de 1994	(985 000)
Bénéfice de 1995	123 000
Bénéfice de 1996	1 249 000
Bénéfice de 1997	2 915 000
Bénéfice du premier semestre de 1998	873 000

À l'aide des notions apprises dans ce chapitre, de votre expérience et de votre aptitude à comparer les données, énumérez les facteurs dont le président de Miam Miam ltée devrait tenir compte pour comparer les résultats financiers de son entreprise à ceux de Produits Won ltée.

PROBLÈME 1.17 (POUR LES AS !)
Objectifs et risques de l'investissement

Supposons que vous disposiez de quelques milliers de dollars que vous pourriez investir dans une petite entreprise locale. Quels objectifs aimeriez-vous atteindre grâce à cet investissement ? Avant d'investir votre argent, quelle assurance souhaiteriez-vous obtenir à propos des risques inhérents aux projets d'investissement ? (Vous pouvez vous inspirer du Cas à suivre.)

ÉTUDE DE CAS 1A
Mesure de la performance selon le bénéfice en comptabilité de d'exercice et le bénéfice en comptabilité de caisse

Aéroplaine est une entreprise qui travaille avec les transporteurs aériens. Elle possède une usine près de l'aéroport de Saint-Hubert et des centres de services dans plusieurs provinces. Aéroplaine offre, à différentes compagnies aériennes, des repas, des serviettes de table et d'autres articles connexes à l'alimentation, des services de nettoyage des avions, d'entretien intérieur ainsi que plusieurs autres services. L'entreprise réussit assez bien, malgré les récessions et la déréglementation des services aériens, qui lui ont imposé des contraintes importantes. À ses débuts, à la fin des années 1970, l'entreprise se trouvait dans une situation financière relativement précaire (surtout à cause des emprunts qu'elle avait dû contracter pour démarrer) et, bien que satisfaisante, sa performance financière ne lui a pas permis de réduire de beaucoup sa dette. Il semble que, dès qu'elle prend un peu le dessus, l'entreprise se voie obligée de renouveler une partie de son matériel ou de lancer une nouvelle gamme de produits, ce qui entraîne de nouveaux emprunts.

Les résultats d'un exercice récent illustrent bien cette situation. Le bénéfice en comptabilité d'exercice était de 188 000 $, tandis que le bénéfice en comptabilité de caisse s'élevait à 241 000 $. (La différence venait d'un amortissement de 96 000 $ et de ce que les produits non encaissés avaient augmenté de 43 000 $ par rapport au début de l'exercice. Dans les états financiers, l'expression « bénéfice net de l'exercice » désignait le bénéfice en comptabilité d'exercice et « fonds découlant des opérations » signifiait le bénéfice en comptabilité de caisse.) Le président avait espéré pouvoir utiliser une partie du bénéfice pour rembourser des dettes, mais, vers la fin de l'exercice, l'entreprise a dû dépenser 206 000 $ pour l'achat de matériel destiné à manipuler et à emballer les aliments, afin de répondre aux nouvelles normes annoncées par ses clients des lignes aériennes. Aéroplaine a donc terminé l'exercice avec seulement quelques milliers de dollars, ce qui est loin d'être suffisant pour réduire de façon appréciable le montant de ses dettes.

Le président tient toujours une réunion semestrielle avec le vérificateur externe de l'entreprise pour discuter de questions concernant la comptabilité et la vérification. Après la publication des résultats présentés ci-dessus, le président a téléphoné au vérificateur pour lui faire les commentaires suivants : « J'ai pensé vous demander de réfléchir à un certain nombre de choses avant notre rencontre de la semaine prochaine. En matière de comptabilité, je crois que l'entreprise subit trop de pression. Ce que je veux dire, c'est que, d'abord, trop de personnes s'intéressent à l'information transmise par nos états financiers. Pourquoi ne pouvons-nous pas dresser des états financiers qui répondent à mes besoins en tant que président ? Pourquoi sommes-nous obligés de tenir compte de tous ceux qui ne font pas partie de l'entreprise ? Parfois, je ne suis même pas certain de savoir qui sont ces tiers, puisque vous, les comptables et les vérificateurs, ne parlez souvent que d'"utilisateurs" sans trop préciser ce que vous voulez dire. Ensuite, je trouve déroutante la présence dans nos états financiers d'un chiffre pour désigner le "bénéfice net" et d'un autre pour désigner les "fonds découlant des opérations". Pourquoi ne peut-on pas en utiliser un seul pour mesurer notre performance ? »

Le président soulève des questions que nous allons aborder fréquemment au fur et à mesure que nous avancerons dans la lecture de ce manuel. Mais pour le moment, que répondriez-vous au président ?

ÉTUDE DE CAS 1B **Qui peut s'intéresser aux états financiers d'une entreprise ?**	En 1997, les états financiers des Entreprises Cara Limitée, société canadienne dont les actions peuvent être achetées ou vendues aux Bourses de Toronto et de Montréal, étaient accompagnés d'un document intitulé « Profil de l'entreprise » que vous trouverez dans les pages suivantes et d'un autre, intitulé « Analyse par la direction », dont nous présentons également quelques extraits. D'après cette information, quelles personnes, selon vous, sont susceptibles de s'intéresser aux états financiers de Cara, et pourquoi ?

PROFIL DE L'ENTREPRISE

Fondée en 1883, Les Entreprises Cara Limitée est une société canadienne ouverte dont l'objectif est de dominer le secteur alimentaire. Par l'entremise du groupe Restaurants Cara et du groupe Services alimentaires Cara, nous exerçons nos activités dans deux secteurs alimentaires importants au Canada : le secteur des restaurants sous bannière et le secteur des services alimentaires aux institutions. De plus, nous exploitons une entreprise de distribution de services alimentaires et nous sommes le principal actionnaire de The Second Cup Ltd.

Restaurants Cara

• *Chalet Suisse*

Chalet Suisse, chaîne de restaurants familiaux, services complets, est le chef de file du marché canadien des restaurants familiaux se spécialisant dans le poulet rôti et les côtes levées.

• *Harvey's*

L'une des principales chaînes d'établissements à restauration rapide servant des hamburgers et le numéro un du Canada dans la catégorie des hamburgers grillés au charbon de bois.

- *Division ATR*
  Air Terminal Restaurants

Occupe une position de premier plan sur le marché de la restauration d'aéroport au Canada, avec des restaurants et des bars dans six grands aéroports canadiens.

- *Toast! Café & Grill*

Conçu et mis à l'essai en 1997, Toast! est un café à la mode qui offre de la nourriture et un service supérieurs. Son menu comprend entre autres des cafés Second Cup et du poulet rôti Chalet Suisse.

- *Second Cup*
  (Cara détient une participation de 35%)

Le premier détaillant de cafés de spécialité du Canada et le deuxième d'Amérique du Nord.

Services alimentaires Cara

- *Services d'aéroport Cara*

Chef de file du secteur des services de traiteur aériens au Canada, elle dessert plus de 50 compagnies aériennes canadiennes et internationales à partir de 12 cuisines de l'air d'un bout à l'autre du Canada.

- *Beaver Foods*

Beaver procure des services de traiteur et exploite des points de vente d'aliments au détail pour des clients institutionnels dans les secteurs commercial, industriel, de l'éducation et des chantiers éloignés.

- *Division des services de santé Cara*

La division des services de santé Cara offre des services de traiteur aux institutions et a pour objet de répondre aux besoins spécialisés des hôpitaux et des établissements de soins de longue durée.

Distribution

- *Summit Food Service Distributors Inc.*

Summit est une société de distribution de services alimentaires complets en gros, desservant le marché des institutions et des restaurants en Ontario.

EXTRAITS DE L'ANALYSE PAR LA DIRECTION

Pendant l'exercice 1997, Cara a été confrontée à une conjoncture très difficile. La croissance économique au Canada est demeurée lente tout au long de 1996 et les secteurs des restaurants sous bannière et des services alimentaires ont continué à faire l'objet d'une concurrence très vive sur un marché relativement inerte. Cara a su obtenir des résultats supérieurs à la moyenne du marché tout en appliquant ses stratégies de croissance à long terme.

RESTAURANTS CARA

L'exercice 1997 aura été plein de défis pour Restaurants Cara, les principaux intervenants, y compris des multinationales géantes, s'étant âprement disputé le marché, notamment en appliquant des stratégies de prix très réduits et en procédant à des campagnes de marketing massives. Nous sommes heureux d'annoncer que nous avons réussi à accroître le chiffre d'affaires de nos entreprises.

CHALET SUISSE

Au cours de l'exercice, Chalet Suisse a poursuivi un certain nombre d'initiatives en vue de sa croissance future:

- Campagnes de marketing et du publicité — Nous avons accru notre budget publicitaire sur notre principal marché, l'Ontario, et avons élaboré des promotions saisonnières très réussies qui nous ont aidés à conserver notre part de marché.

- Vision 2000 — La première étape de notre campagne de mise en valeur consistait à élaborer un nouvel énoncé de mission pour Chalet Suisse, dans le but d'aider les coéquipiers et les associés-exploitants de Chalet Suisse à atteindre des objectifs communs.

- Technologie — Nous avons remis à neuf les fours de la plupart de nos restaurants afin de réaliser des économies d'énergie substantielles.

HARVEY'S

La concurrence sur le marché des hamburgers dans le secteur de la restauration rapide, qui était déjà très intense, s'est encore accrue pendant l'exercice 1997 lorsque le plus grand intervenant international sur ce marché a lancé un nouveau hamburger à l'aide d'une campagne publicitaire et promotionnelle massive à l'échelle internationale, et nombre de nos concurrents ont appliqué des stratégies de prix très réduits. Harvey's a levé le défi, a mis sur pied un programme d'expansion ambitieux, et a réussi à accroître son chiffre d'affaires et son bénéfice en 1997, surtout au second semestre de l'exercice.

Parmi les faits marquants de 1997, mentionnons :
- Le hamburger Ultra — Nous avons lancé le hamburger Ultra en septembre, dans le cadre de notre stratégie visant à servir les meilleurs mets qui soient dans les meilleurs établissements de restauration rapide au Canada.

DIVISION ATR

Cette toute nouvelle division a été intégrée au groupe Restaurants Cara pour qu'on puisse se concentrer sur le marketing, sous la direction d'un nouveau chef qui s'est joint à Cara avant la fin de l'exercice.

SERVICES ALIMENTAIRES CARA

Ces dernières années, les services alimentaires aux institutions, dont les marges bénéficiaires ont toujours été basses, se sont ressentis des compressions budgétaires appliquées par les sociétés et les gouvernements au Canada. Il en a résulté une concurrence plus forte pour s'approprier une part supérieure du marché et des pressions accrues sur des marges déjà bien minces.

Grâce à la réorganisation de la société et à la nouvelle équipe de direction des Services alimentaires Cara, nous avons l'impulsion et les ressources nécessaires pour accroître la valeur des entreprises existantes et trouver de nouveaux moyens de mettre à profit des marchés en expansion dans le secteur des services alimentaires aux institutions, en tirant parti de notre savoir-faire exceptionnel dans la production de repas en grandes quantités.

SERVICES D'AÉROPORT

La Division des services d'aéroport a encore progressé pendant l'exercice 1997, étant donné que le marché s'est quelque peu raffermi en raison de l'accroissement du nombre de voyageurs et que nous avons conservé nos clients existants et acquis un certain nombre de nouveaux comptes importants.

BEAVER FOODS

Nous avons progressé sur divers fronts au cours de l'exercice écoulé et accru notre chiffre d'affaires, nos marchés et l'efficience de l'exploitation :

- Concentration sur les secteurs d'activité — Nous avons cessé de mettre l'accent sur les secteurs géographiques pour nous concentrer sur les secteurs d'activité, principalement les collèges et universités, les écoles secondaires, les entreprises commerciales et industrielles et les chantiers éloignés.

SERVICES DE SANTÉ CARA

La Division des services de santé Cara, misant sur les forces de Beaver et de la Division des services d'aéroport, a été créée pendant l'exercice 1997 dans le but exprès de desservir le marché en plein essor des soins de santé. Étant donné que la population vieillit et que les établissements de soins de santé tendent à donner en sous-traitance des services non essentiels afin de réduire leurs coûts et rehausser la qualité, nous estimons que ce secteur connaîtra une croissance durable et avons l'intention de nous y imposer comme un chef de file dès le départ.

DISTRIBUTION

SUMMIT FOOD SERVICE DISTRIBUTORS

[Des] initiatives prises au cours de l'exercice visaient à accroître la productivité et l'efficience et à faciliter notre expansion. En voici quelques-unes :

• Regroupement des entrepôts — Nous avons déménagé nos activités d'entreposage d'Ottawa aux installations à la pointe de la technologie que possède Magna dans cette ville.

• Accroissement des investissements dans la technologie — Pour améliorer le service à la clientèle, nous avons élargi et modernisé notre programme EDI, dont le système VAS-Link, qui permet aux clients de passer des commandes directement ; nous avons également modernisé notre système informatique et mis au point un nouveau système de gestion des entrepôts.

(R) ÉFÉRENCE

1. Sandy A. Mactaggart, recteur de l'Université d'Alberta, lettre à l'auteur, 24 janvier 1991.

2 CHAPITRE

Introduction aux états financiers : la mesure de la situation financière et du bénéfice en comptabilité d'exercice

2.1 Aperçu du chapitre

Nous abordons maintenant le rapport financier le plus ancien et le plus fondamental qui soit : le **bilan**. C'est un document qui expose la situation financière de l'entreprise à une date donnée. Il reflète :

- ses ressources (encaisse, marchandises en main, terrains, bâtiments, etc.) ;

- ses obligations (emprunts à rembourser, dettes envers les créanciers, etc.) ; et

- la participation des propriétaires (ce qui reste après que les obligations ont été soustraites des ressources).

Le bilan mesure la situation financière d'une entreprise à une date donnée.

Le bilan constitue la synthèse de toutes les données sur l'entreprise que la comptabilité générale a enregistrées depuis sa fondation ; il s'agit donc d'un document cumulatif. Il représente le point d'ancrage auquel se rattachent tous les autres états financiers.

Mais il n'est pas suffisant de connaître la situation financière de l'entreprise. En effet, le bilan présente une image statique : il nous indique dans quelle situation l'entreprise *se trouve*. Or, la plupart des gestionnaires, propriétaires et créanciers veulent aussi savoir jusqu'*à quel point* l'entreprise va bien et *comment* elle en est arrivée là. La comparaison des bilans à deux dates différentes permet de constater certains changements, mais pas de comprendre vraiment pourquoi ils se sont produits. Pour transmettre cette information, trois autres états financiers ont été créés. Dans ce chapitre, nous étudierons le plus important, l'**état des résultats**, qui est fondé sur la comptabilité dite d'exercice.

L'état des résultats mesure le bénéfice réalisé par l'entreprise au cours d'une période donnée.

L'état des bénéfices non répartis sert de lien entre l'état des résultats et le bilan.

Nous examinerons aussi un état financier qui sert de lien entre l'état des résultats et le bilan : l'**état des bénéfices non répartis**. Au chapitre 3, nous aborderons le troisième état, qui présente l'analyse des flux de trésorerie.

Les états financiers étudiés dans ce chapitre sont préparés à partir des données agrégées dans les comptes.

Le bilan, l'état des résultats et l'état des bénéfices non répartis sont dressés à partir des **comptes**, qui agrègent l'information enregistrée par la comptabilité générale. (L'analyse des flux de trésorerie n'est pas préparée de la même façon, c'est pourquoi nous l'aborderons plus tard.) Dans ce chapitre et dans le chapitre 3, nous insistons sur ces états financiers puisqu'ils sont directement issus de la comptabilité générale. Ils contiennent les données dont se servent les décideurs. Aux chapitres 5 à 8, nous verrons comment le système comptable nous permet d'obtenir les chiffres qui apparaissent dans les états financiers.

Dans ce chapitre nous étudierons :

- l'établissement du bilan, de l'état des résultats et de l'état des bénéfices non répartis, dont le rôle est de transmettre une information utile aux décideurs ;

- les liens qui unissent ces trois états financiers ;

- la nature des informations qu'ils contiennent ;

- les rudiments de l'utilisation de ces trois états, qui vous permettront de comprendre, d'analyser et d'évaluer la situation et les résultats de l'entreprise (au fil des chapitres de ce manuel, vous comprendrez de mieux en mieux l'utilisation des états financiers et vous serez prêt à aborder le chapitre 9) ;

- un grand nombre de termes comptables essentiels et répandus dans le monde des affaires, termes qui reviendront tout au long de ce manuel.

Vous trouverez à la fin du manuel les états financiers complets de la société Provigo inc. Nous aurons l'occasion de les examiner en détail plus tard, mais d'ici là, vous pourrez les consulter pour compléter les notions présentées dans ce chapitre.

Dans ce chapitre, nous nous concentrerons sur les entreprises commerciales, car, en général, les gouvernements et les autres organismes sans but lucratif, tels que les associations caritatives et paroissiales produisent des états financiers modifiés en fonction de leurs propres besoins. En effet, comme il en sera brièvement question dans le chapitre 4, les objectifs et les opérations de ces organismes diffèrent de ceux des entreprises commerciales.

2.2   INTRODUCTION AU BILAN

Toute société ouverte (dont les actions se négocient à la bourse) présente un rapport annuel dans lequel sont inclus les états financiers.

Les **sociétés par actions**, qui sont des entreprises légalement constituées, telles que Air Canada, la Banque de Montréal, Bombardier, General Motors, Microsoft et Noranda, produisent des états financiers au moins une fois par année. Il en est de même pour beaucoup d'autres entités, telles que la Ville de Montréal, Centraide, le Gouvernement du Canada et l'Association des étudiants de votre université. Les grandes sociétés, surtout les **sociétés ouvertes** (comme les six premières mentionnées ci-dessus), dont les **actions** se négocient à la **bourse des valeurs**, présentent leurs états financiers dans un document plus élaboré, appelé **rapport annuel**. Le rapport annuel commence, habituellement, par un compte rendu de la performance et des

Les éléments d'actif représentent des ressources économiques utiles.

perspectives de la **société**, suivi d'une analyse approfondie faite par la direction ; viennent ensuite les états financiers, dont le bilan.

Le bilan est un tableau en deux parties qui décrit la situation financière de l'entreprise à une date donnée. L'une des particularités du bilan, c'est que ces deux parties présentent chacune le même total en dollars (elles sont équilibrées).

La première partie du tableau résume la liste des *ressources* financières dont l'entreprise dispose à cette date : elles sont mesurées par les méthodes comptables que vous allez apprendre. Ces ressources, appelées **actif** ou **éléments d'actif** comprennent l'encaisse, les montants dus par les clients, les marchandises destinées à la vente, les terrains, les bâtiments, le matériel ainsi que de nombreuses autres ressources accumulées par l'entreprise et qu'elle pourra utiliser ultérieurement.

La deuxième partie du tableau présente la liste des *sources* de financement de ces ressources, à cette même date : encore là, elles sont mesurées par des méthodes comptables. Ces sources de financement comprennent les obligations dont l'entreprise devra s'acquitter plus tard, comme les emprunts bancaires, les montants dus aux employés et aux fournisseurs, les hypothèques et d'autres emprunts à long terme, ainsi que les autres **dettes**. Ces obligations constituent le **passif** ou les **éléments de passif**. Les sources de financement englobent aussi, d'une part, les montants reçus des propriétaires, qui font normalement partie du financement permanent et qui n'ont pas à être remboursés, et, d'autre part, tous les bénéfices des exercices passés qui n'ont pas été versés aux propriétaires. Ces derniers peuvent financer l'entreprise soit en y investissant de l'argent, soit en ne retirant pas les bénéfices. Les sommes investies par les propriétaires sont appelées **capitaux propres** ou **avoir des propriétaires**. (Dans le cas des sociétés par actions, on parle d'**avoir des actionnaires**.)

Les éléments de passif représentent les obligations de l'entreprise ; les capitaux propres représentent l'investissement des propriétaires.

Le bilan doit être équilibré, c'est-à-dire que le total des **éléments d'actif** doit être égal au total des **éléments de passif** plus les **capitaux propres**. Arithmétiquement, l'**équation comptable** est donc la suivante :

Total de l'actif (A) = Total du passif (P) + Total des capitaux propres (CP)

Le total de A doit être égal au total de P + le total de CP.

C'est sur cette équation que se fonde la comptabilité générale. Les méthodes comptables, que vous allez étudier aux chapitres 5 et 6, sont conçues de façon à créer et à maintenir cet équilibre en *tout* temps. Par exemple, si vous empruntez 100 $ à la banque, votre bilan indiquera que vous avez une ressource de 100 $ et l'obligation de rembourser ces 100 $, qui constituent une dette. Par le maintien de cet équilibre, la comptabilité générale relie toutes les ressources à toutes les sources dont elles proviennent, et vice versa. L'équilibre, c'est-à-dire l'égalité des listes de ressources et de sources, constitue l'une des principales raisons qui font de la comptabilité générale un système d'information précieux. Toutefois, comme nous allons le voir, le maintien constant de cet équilibre entraîne certaines difficultés comptables.

Les deux listes sont disposées l'une à côté de l'autre ou l'une au-dessus de l'autre, comme dans le modèle standard de l'illustration 2-1.

2-1

Illustration

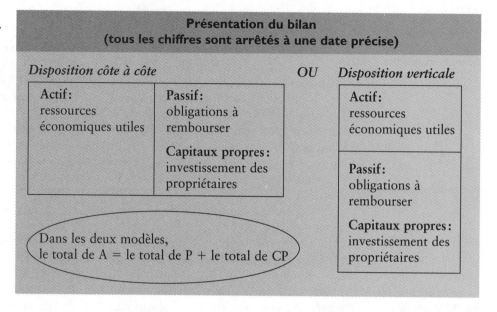

Présentation du bilan
(tous les chiffres sont arrêtés à une date précise)

Disposition côte à côte   **OU**   *Disposition verticale*

Actif : ressources économiques utiles	**Passif :** obligations à rembourser **Capitaux propres :** investissement des propriétaires

Actif : ressources économiques utiles

Passif : obligations à rembourser

Capitaux propres : investissement des propriétaires

Dans les deux modèles,
le total de A = le total de P + le total de CP

L'illustration 2-2 donne un exemple simple de bilan, présenté selon la disposition côte à côte. Il met en évidence l'équilibre des deux listes, avec les éléments d'actif à gauche et les éléments de passif et des capitaux propres à droite. Vous trouverez à la suite de l'exemple l'explication des termes utilisés.

2-2

Illustration

Société Son et Lumière
Bilan au 30 avril 1998
en milliers de dollars

Actif			Passif et capitaux propres		
Actif à court terme :			Passif à court terme :		
Encaisse	50 $		Emprunt bancaire	30 $	
Montant dû par les clients	75		Montant dû aux fournisseurs	73	103 $
Marchandises non vendues	120	245 $	Passif à long terme :		
Actif à long terme :			Emprunt hypothécaire		87
Terrain (coût)	100 $		Total du passif		190 $
Usine (coût)	272		Capitaux propres :		
Amortissement cumulé*	(122)	250	Capital-actions émis	130 $	
			Bénéfices non répartis des exercices passés	175	305
TOTAL		495 $	TOTAL		495 $

*L'amortissement cumulé est l'amortissement total de l'usine, enregistré jusqu'à maintenant (montant cumulatif). Il est entre parenthèses parce qu'il est négatif, comme nous l'expliquerons ci-dessous.

Passons en revue certains éléments de ce bilan :

- Dans le titre apparaissent le nom de l'entreprise (la Société Son et Lumière), la date à laquelle le bilan est dressé (le 30 avril 1998) et l'unité monétaire utilisée pour mesurer les montants (milliers de dollars).

- Ce bilan est équilibré ! En effet, au 30 avril 1998, le total des ressources de 495 000 $ est égal au total des sources dont elles proviennent. Comme il s'agit d'un résumé, il est impossible de déterminer exactement la provenance de chaque ressource. Ainsi, les 50 000 $ de l'encaisse proviennent, en partie, d'emprunts bancaires et, en partie, d'autres sources, telles que les bénéfices des exercices passés.

- Les 495 000 $ d'actif ont été financés par des emprunts de 190 000 $ (103 000 $ + 87 000 $) et par un investissement de 305 000 $ de la part des propriétaires.

Voici maintenant l'explication détaillée de certains termes, il est très important de bien les comprendre :

Les ressources sont considérées comme des éléments d'actif si l'entreprise les contrôle et si elle compte en tirer des avantages futurs.

- **L'actif** représente l'ensemble des éléments nécessaires à l'exploitation de l'entreprise, par exemple, les marchandises destinées à la vente, le bâtiment servant à l'exploitation et ce que l'entreprise a accumulé par suite de ses opérations, y compris les sommes dues par les clients pour des ventes passées. *Un élément d'actif constitue une ressource, que l'entreprise possède ou qu'elle contrôle ; il est nécessaire ou disponible pour son exploitation. Il a une valeur puisque l'entreprise compte tirer des avantages futurs de son utilisation ou de sa vente.* L'actif de Son et Lumière comprend l'encaisse, les sommes dues par les clients, les marchandises non vendues, le terrain et l'usine. (L'expression « amortissement cumulé » sera expliquée plus loin.)

La définition comptable d'un élément d'actif n'englobe pas tout ce qui peut ou pourrait procurer des avantages futurs à l'entreprise.

- Son et Lumière pourrait avoir d'autres éléments à son « actif », comme la satisfaction des employés ou un milieu de travail sûr, mais ceux-ci n'apparaissent pas tels quels dans son bilan. Les éléments d'actif que la comptabilité prend en considération sont différents de ces autres « actifs » car les premiers, contrairement aux deuxièmes, peuvent être mesurés de façon objective, par des méthodes standard, et sont assujettis à un contrôle économique. Un stock de pièces de machines appartient à l'entreprise, et sa valeur en dollars peut être vérifiée par n'importe qui. Par contre, si un employé satisfait est, en théorie, plus productif qu'un employé insatisfait, il est difficile de comparer de manière tant soit peu cohérente le degré de productivité d'un employé très satisfait par rapport à celui d'un employé moyennement satisfait. En outre, du moins dans notre société, les employés n'appartiennent pas à l'entreprise ! En général, la comptabilité n'enregistre que les éléments d'actif dont elle a le contrôle économique et pour lesquels les techniques de mesure et les résultats qui en découlent permettent de refléter la réalité économique de l'entreprise. Ces considérations limitent la portée des états financiers.

Les avantages liés aux éléments d'actif à court terme se réalisent au cours de la prochaine année ; ceux rattachés aux éléments d'actif à long terme se réalisent à plus longue échéance.

- ▶ Les éléments d'actif sont en général divisés en éléments à court terme (**actif à court terme**) et en éléments à long terme (**actif à long terme**). L'actif à court terme est l'ensemble des éléments que l'entreprise s'attend à utiliser, à vendre ou à encaisser au cours du prochain exercice financier. Par contre, l'actif à long terme regroupe l'ensemble des éléments dont les avantages attendus s'étendent au-delà de l'exercice financier. Son et Lumière possède 245 000 $ d'éléments d'actif à court terme et 250 000 $ d'éléments d'actif à long terme.

Le passif résulte des opérations passées et représente des obligations légales ou estimatives dont le règlement réduira l'actif.

- Le **passif** représente l'ensemble des sommes dues aux créanciers, tels que les banques et les fournisseurs, ou les sommes que l'entreprise devra payer plus tard, par exemple, les prestations de retraite aux employés retraités ou les intérêts cumulés d'un emprunt bancaire. *Un élément de passif est une dette, ou une obligation légale ou estimative, de l'entreprise envers un tiers. Cette dette découle d'une opération passée et représente, par conséquent, un montant à soustraire de l'actif à la date où le bilan a été dressé.* Tous les éléments de passif ne sont pas remboursables en argent ; certains sont « payés » en marchandises ou en services. C'est le cas de l'acompte reçu d'un client pour des marchandises qui lui seront livrées plus tard. L'entreprise dispose de l'argent ou de la ressource (un élément d'actif) et inscrit l'acompte ou la source comme élément de passif correspondant. Cependant elle remettra au client les marchandises en question (et non de l'argent) pour s'acquitter de sa dette. Pendant ce temps, le client devient créancier de l'entreprise et s'attend à recevoir les marchandises ou à être remboursé, si celles-ci ne lui sont pas livrées. Le passif de Son et Lumière ltée comprend les sommes que l'entreprise doit à la banque et à ses fournisseurs, ainsi qu'une hypothèque sur son terrain.

La définition comptable d'un élément de passif n'englobe pas tous les paiements susceptibles d'être effectués par l'entreprise.

- Tout comme dans le cas de l'actif, le passif ne comprend en général que les obligations qui peuvent être mesurées de façon objective, par des méthodes standard. Si vous devez 10 $ à un ami, cette dette doit apparaître dans votre bilan. Par contre, si vous êtes redevable à un ami de vous avoir sauvé la vie, cette « dette » n'y figurera pas. Comme l'obligation doit nécessairement découler d'une opération passée, une promesse de paiement ne constitue un élément de passif que si l'entreprise a déjà profité de l'avantage (par exemple, elle a reçu de l'argent de la banque ou des marchandises d'un fournisseur). Une promesse de paiement n'est donc *pas* un élément de passif, si la transaction n'a pas eu lieu (par exemple, un accord d'emprunt, avant que l'argent ait été reçu, ou une commande, avant la réception des marchandises). Certains événements, ou faits, peuvent aboutir à des paiements futurs (négociation de convention collective, poursuite judiciaire). Puisqu'ils ne sont pas conformes à la définition d'un élément de passif, ils ne figurent pas dans le bilan, néanmoins, ils sont souvent mentionnés dans les **notes afférentes aux états financiers**, ou **notes complémentaires**.

Le passif à court terme comprend les créances qui arrivent à échéance au cours du prochain exercice financier ; le passif à long terme comprend celles dont l'échéance est plus éloignée dans le temps.

  ▸ Comme l'actif, le passif se divise en général en éléments à court terme (**passif à court terme**) et en éléments à long terme (**passif à long terme**). Le passif à court terme comprend les obligations arrivant à échéance (que l'entreprise s'attend à rembourser ou dont elle sera libérée) au cours du prochain exercice financier. Le passif à long terme inclut les créances à plus de un an. Certains éléments de passif, comme bon nombre d'hypothèques sur les maisons, durent des années, mais sont remboursés partiellement lors de chaque exercice, de sorte qu'ils doivent figurer dans le bilan, en partie, comme passif à court terme et, en partie, comme passif à long terme. Le passif à court terme de Son et Lumière s'élève à 103 000 $, et son passif à long terme, à 87 000 $.

Les capitaux propres représentent la participation des propriétaires et équivalent à la différence entre l'actif et le passif.

- Les **capitaux propres** représentent la participation des propriétaires dans l'entreprise. Cette participation peut provenir de l'apport direct des propriétaires ou de l'accumulation des bénéfices de l'entreprise qu'ils ont décidé de ne pas prélever. Les éléments d'actif qui sont apportés par les propriétaires sont intégrés aux autres éléments d'actif. La participation des propriétaires peut être considérée comme la « valeur résiduelle » obtenue après que tous les éléments de passif ont été remboursés par les éléments d'actif (si A = P + CP, l'équation peut aussi s'écrire A − P = CP). Toutefois, si Son et Lumière cessait tout à coup ses activités, ses propriétaires ne recevraient probablement pas le montant exact de 305 000 $ représentant les capitaux propres, car il est impossible de savoir ce que les éléments d'actif rapporteraient s'ils devaient tous être liquidés en même temps ; quant aux éléments de passif, ils seraient peut-être réglés pour des sommes autres que celles apparaissant au bilan. De même, si les propriétaires décidaient de vendre l'entreprise, le prix qu'ils en obtiendraient dépendrait non seulement des éléments d'actif et de passif qu'ils ont accumulés et qui sont inscrits au bilan, mais aussi de leur perception et de celle des acheteurs de la réussite future de leur établissement. Ainsi, le montant aurait très peu de chances de correspondre au chiffre représentant les capitaux propres. Au bilan, les composantes des capitaux propres varient en fonction de la forme juridique de l'entreprise et des ententes régissant sa propriété. (Ces considérations seront examinées plus en détail à la section 2.5.)

Les capitaux propres correspondent à la valeur comptable de l'entreprise.

- Puisque le montant des capitaux propres correspond à la différence entre l'actif et le passif, il s'agit d'un montant net qu'on appelle aussi la **valeur comptable** de l'entreprise. Si l'actif est moins élevé que le passif, c'est-à-dire si les obligations d'une entreprise dépassent ses ressources (situation peu enviable !), les capitaux propres — et donc, la valeur comptable — sont négatifs. Une telle situation indique qu'une entreprise a de sérieux problèmes financiers, lesquels peuvent l'acculer à la faillite ou l'obliger à faire face à d'autres conséquences fâcheuses.

Le capital-actions représente l'investissement directement fait dans la société par les actionnaires.

- ► Les apports en capitaux des propriétaires peuvent prendre de nombreuses formes. Pour une société par actions comme Son et Lumière, la forme la plus courante est le **capital-actions** : les investisseurs donnent de l'argent à l'entreprise en échange d'**actions**, qui représentent une participation à son capital social. Les propriétaires (les actionnaires) de Son et Lumière ont investi 130 000 $ dans la société. Ainsi, certains d'entre eux ont probablement investi de l'argent pour mettre sur pied Son et Lumière, investissement qui pourrait constituer l'une des sources de l'encaisse. Pour en apprendre plus sur les propriétaires et les actions, consultez la section 2.5. (Comme nous l'avons signalé brièvement au chapitre 1, les actions émises par bon nombre de sociétés se négocient aux **bourses des valeurs mobilières**. Sur ces marchés, ce sont les propriétaires d'actions qui échangent des actions entre eux ; les sociétés ne touchent de l'argent qu'au moment où elles émettent les actions à leurs premiers propriétaires.)

Les bénéfices non répartis sont les profits que les propriétaires réinvestissent dans l'entreprise.

- ► Les bénéfices réinvestis, appelés habituellement **bénéfices non répartis**, représentent le bénéfice des exercices précédents, que les propriétaires n'ont pas encore prélevé. (Les termes **bénéfice, résultat** et **profit** sont employés de façon à peu près interchangeable et ils désignent tous le bénéfice en comptabilité d'exercice décrit dans le chapitre 1.) Comme nous allons le voir dans les prochains chapitres, faire des bénéfices signifie que le total des éléments d'actif augmente et (ou) que le total des éléments de passif diminue, de sorte que les bénéfices deviennent l'une des sources de l'actif. Avec ses 175 000 $ de bénéfices non répartis, Son et Lumière a ajouté 175 000 $ à son actif, ce qui n'aurait pas été le cas si les propriétaires avaient décidé de retirer de l'argent ou d'autres éléments d'actif de la société (par exemple, ils auraient pu se verser un **dividende**), mais ils ont plutôt décidé de ne pas y toucher. Par conséquent, une partie des éléments d'actif proviennent de ces bénéfices non répartis. La société peut utiliser cette augmentation de l'actif pour générer encore plus de bénéfices.

Le bilan simple de la société Son et Lumière nous permet de répondre à certaines questions sur sa situation financière.

1. Le financement de la société est-il solide? Son et Lumière a obtenu ses 495 000 $ d'actif en empruntant 103 000 $ à court terme et 87 000 $ à long terme; ses propriétaires ont aussi investi 130 000 $, auxquels s'ajoutent les 175 000 $ de bénéfices passés qu'ils n'ont pas prélevés. De ses 495 000 $ d'actif, 190 000 $ (38,4 %) proviennent donc des **créanciers** et 305 000 $ (61,6 %) des propriétaires. Le **ratio emprunts/capitaux propres** de la société est de 190 000 $/305 000 $, soit de 62,3 %. Proportionnellement, la dette n'est donc pas trop élevée. (Et si la société devait 450 000 $ à ses créanciers et ne possédait que 45 000 $ de capitaux propres? Son ratio emprunts/capitaux propres serait alors de 450 000 $/45 000 $, soit de 1 000 %, et la situation serait bien plus risquée pour les créanciers.)

Le ratio emprunts/
capitaux propres
est le quotient du
passif par les capitaux
propres.

2. L'entreprise est-elle en mesure de payer ses factures dans les délais prévus? Son et Lumière doit 103 000 $ à court terme et possède seulement 50 000 $ d'encaisse. Par conséquent, elle devra toucher de l'argent de ses clients, soit en leur réclamant ce qu'ils lui doivent, soit en leur vendant au comptant des marchandises en stock. Cela ne semble pas poser de problème: il est probable que le recouvrement des créances, les ventes et les paiements aux créanciers continueront à se faire régulièrement. La société possède 245 000 $ d'actif à court terme, qu'elle peut en principe convertir en argent pour payer ses 103 000 $ de passif à court terme. Elle a donc 245 000 $ − 103 000 $ = 142 000 $ de **fonds de roulement** et un **ratio du fonds de roulement** (aussi appelé **ratio de liquidité générale**) de 245 000 $/103 000 $, ou de 2,38. Le fonds de roulement est positif, et le ratio indique que l'entreprise possède deux fois plus d'éléments d'actif à court terme que d'éléments de passif à court terme. La situation de Son et Lumière semble donc satisfaisante. Toutefois, en cas de ralentissement des ventes ou de problèmes de recouvrement pendant un certain temps, elle pourrait avoir du mal à payer ses factures. Aussi serait-il souhaitable de connaître les moments de l'année où les activités battent leur plein et ceux où elles sont au ralenti. (Et si la société disposait de seulement 10 000 $ d'encaisse et avait en main 160 000 $ de marchandises non vendues? Dans ce cas, son fonds de roulement et son ratio du fonds de roulement seraient inchangés, mais elle se trouverait aux prises avec un excédent de stock et un manque de liquidités; elle pourrait, par conséquent, éprouver des difficultés à acquitter ses factures. Les ratios, quels qu'ils soient, ne servent que d'indicateurs. Il faut les interpréter en tenant compte des circonstances particulières à chaque entreprise.)

Le fonds de roulement
est la différence entre
l'actif à court terme
et le passif à court
terme. Le ratio du
fonds de roulement
est le quotient de
l'actif à court terme
par le passif à court
terme.

3. Les propriétaires doivent-il s'attribuer un dividende? Si oui, de quel montant? Légalement, le **conseil d'administration** (qui gère la société au nom des actionnaires) serait en mesure de déclarer un dividende de 175 000 $ aux action-

naires, soit le montant total des bénéfices non répartis, mais il n'y a pas tout à fait assez d'argent pour le faire. En effet, l'entreprise a réinvesti ses bénéfices passés dans les marchandises non vendues, les bâtiments, le matériel, etc. et n'a pas conservé d'argent pour verser des dividendes aux propriétaires. Presque toutes les sociétés fonctionnent ainsi : elles investissent les bénéfices des exercices passés dans les actifs d'exploitation et n'ont donc pas beaucoup d'argent liquide. Il est probable qu'un dividende de plus de 25 000 $, soit seulement un septième des bénéfices non répartis, entraînerait des problèmes de liquidités. (Et si la société ne possédait ni bâtiments, ni matériel, mais plutôt 300 000 $ d'encaisse ? Elle semblerait alors bien pourvue en liquidités et pourrait soit investir l'argent à bon escient, soit verser un dividende aux propriétaires, leur permettant ainsi de disposer de ces fonds à leur gré.)

4. Que signifie le montant négatif appelé **amortissement cumulé** apparaissant parmi les éléments d'actif du bilan de Son et Lumière ? Revenons à l'exemple de l'entreprise Les Bijoux Irène Gadbois, de la section 1.6 : en calculant le bénéfice en comptabilité d'exercice, nous avons déduit un amortissement en créant une charge représentant l'usure du matériel. Son et Lumière a fait la même chose : en calculant son bénéfice, elle a déduit une charge d'amortissement pour son usine. Sans cette déduction, le montant des bénéfices non répartis, qui fait partie des capitaux propres, aurait été plus élevé. Le montant de cette charge est cumulatif, il s'accroît avec les années ; s'il est déduit des éléments d'actif inscrits au bilan, c'est pour indiquer à quel montant on estime jusqu'ici la diminution de la valeur comptable des éléments d'actif. L'amortissement cumulé est donc un « actif négatif » servant à réduire les montants d'autres éléments d'actif. Dans le cas qui nous occupe, l'usine a coûté 272 000 $, et son amortissement cumulé atteint 122 000 $, de sorte que la **valeur comptable** nette de l'usine équivaut à la différence de 150 000 $. Certains bilans ne présentent que le montant net et donnent le détail dans les notes complémentaires. (Il ne faut pas confondre la valeur comptable d'un élément d'actif particulier, avec la valeur comptable globale de l'entreprise, qui équivaut aux capitaux propres. Malheureusement, il ne s'agit pas du seul terme qui possède plusieurs sens en comptabilité !) La connaissance du coût et de l'amortissement cumulé de l'usine permet de se faire une idée de son âge. On estime que moins de la moitié de la valeur de l'usine de Son et Lumière a été consommée. (Et si l'amortissement cumulé était de 250 000 $? Alors l'usine aurait presque atteint la fin de sa vie estimative.)

Comme vous pouvez le constater, le bilan transmet des informations intéressantes, à condition que vous sachiez le lire. Votre habileté à le déchiffrer se développera avec le temps. La présentation du bilan peut revêtir diverses formes, mais il contient toujours les mêmes renseignements : seule la disposition diffère. À l'illustration 2-3, vous trouverez trois dispositions courantes, dont les dispositions côte à côte et verticale montrées plus tôt. Ces bilans ont été dressés à partir des chiffres de la société Son et Lumière.

La valeur comptable nette d'un élément d'actif amortissable équivaut à la différence entre son coût et son amortissement cumulé.

**Société Son et Lumière
Bilan au 30 avril 1998
en milliers de dollars**

Disposition côte à côte

Actif		Passif et capitaux propres		
Actif à court terme	245 $	Passif à court terme		103 $
Actif à long terme	250	Passif à long terme		87
		Total du passif		190 $
		Capitaux propres:		
		Capital-actions	130 $	
		Bénéfices non répartis	175	305
TOTAL	495 $	TOTAL		495 $

disposition verticale

Actif

Actif à court terme	245 $
Actif à long terme	250
TOTAL	495 $

Passif et capitaux propres

Passif à court terme		103 $
Passif à long terme		87
Total du passif		190 $
Capitaux propres:		
Capital-actions	130 $	
Bénéfices non répartis	175	305
TOTAL		495 $

disposition sous l'angle du fonds de roulement

Actif net

Actif à court terme	245 $
Moins passif à court terme	103
Fonds de roulement	142 $
Actif à long terme	250
TOTAL	392 $

Sources de financement

Passif à long terme		87 $
Capitaux propres:		
Capital-actions	130 $	
Bénéfices non répartis	175	305
TOTAL		392 $

○ Ù EN ÊTES-VOUS ?

Voici deux questions auxquelles vous devriez pouvoir répondre, compte tenu de ce que vous venez de lire:

1. Le bilan consiste en une agrégation de certains renseignements à une date donnée. Quels sont ces renseignements?

2. À l'aide des données suivantes, dressez le bilan de Norbec inc. et commentez sa situation financière en ce moment précis: capital-actions, 1 000 $; montant dû par les clients, 1 100 $; montant dû aux fournisseurs, 2 100 $; marchandises non vendues, 1 700 $; bénéfices non répartis, 2 200 $; encaisse, 500 $; matériel, 2 000 $. (Vous devriez obtenir 3 300 $ d'actif à court terme, 2 000 $ d'actif à long terme, pour un total de l'actif de 5 300 $; 2 100 $ de passif à court terme et 0 $ de passif à long terme; un capital-actions de 1 000 $, des bénéfices non répartis de 2 200 $ pour un total de passif et de capitaux propres de 5 300 $. Le fonds de roulement est de 1 200 $; le ratio du fonds de roulement est de 1,57, donc, à ce moment précis, il est moins élevé que celui de Son et Lumière. Le passif de 2 100 $ représente 39,6 % de la totalité des sources, ce qui donne un ratio emprunts/capitaux propres de 65,6 %. Le financement de la société est donc similaire à celui de Son et Lumière, même si tous les éléments de passif de Norbec sont à court terme, ce qui est inhabituel. Avec seulement 500 $ d'encaisse, la société ne dispose pas d'assez d'argent pour verser en dividendes aux propriétaires la totalité de ses 2 200 $ de bénéfices non répartis.)

2.3   LE MAINTIEN DE L'ÉQUILIBRE DU BILAN

Grâce à la comptabilité en partie double, les deux membres de l'équation comptable sont toujours équilibrés.

La comptabilité générale utilise un système, appelé **système de comptabilité en partie double**, grâce auquel, comme nous l'avons mentionné au début de la section 2.2, le bilan est toujours équilibré. Si un élément d'actif augmente, un élément de passif ou des capitaux-propres doit aussi augmenter (ou un autre élément d'actif doit diminuer). De même, si un élément de passif augmente, il faut qu'un élément d'actif augmente aussi, ou qu'un élément des capitaux propres ou un autre élément de passif diminue. Voici des exemples basés sur les explications données sur le bilan de Son et Lumière à la section 2.2, et sur l'équation $A_1 = P_1 + CP_1$ représentant le bilan avant les faits qui suivent:

- l'entreprise reçoit 100 $ en argent pour des actions émises à un propriétaire: le poste « Encaisse » augmente, le poste « Capital-actions » de la section des capitaux propres augmente, et on obtient: $A_1 + 100\$ = P_1 + CP_1 + 100\$$;

- un client verse 120 $: le poste « Encaisse » augmente, le poste d'actif « Montant dû par les clients » diminue, et on obtient: $A_1 + 100\$ + 120\$ - 120\$ = P_1 + CP_1 + 100\$$;

- un fournisseur livre des marchandises destinées à la vente, d'un montant de 130 $: le poste d'actif « Marchandises non vendues » augmente, le poste de passif « Montant dû aux fournisseurs » augmente, et on obtient: $A_1 + 100\$ + 120\$ - 120\$ + 130\$ = P_1 + 130\$ + CP_1 + 100\$$.

Après ces faits, les deux côtés du nouveau bilan indiquent une augmentation de 230 $ et demeurent donc en équilibre:

$$A_1 + 230\ \$\ (\text{net}) = P_1 + 130\ \$ + CP_1 + 100\ \$$$

À partir du chapitre 5, nous examinerons à fond le système de comptabilité en partie double. D'ici là, retenez seulement que ce système sert à maintenir en équilibre permanent la liste des éléments d'actif et celle des éléments de passif et des capitaux propres.

Pour autant que l'équilibre soit maintenu, les composantes de l'équation peuvent subir divers changements. Supposons, par exemple, que nous ayons établi l'équation comptable afin de séparer des éléments d'actif positifs la valeur négative que constitue l'amortissement cumulé:

Actif − Amortissement cumulé = Passif + Capitaux propres

Les deux membres de cette équation sont équilibrés, car l'amortissement a aussi été comptabilisé selon le système en partie double. Chaque année, l'amortissement a été déduit du bénéfice (comme il l'a été du bénéfice de l'entreprise Les Bijoux Irène Gadbois (voir le chapitre 1) et selon les explications données à la fin de la section 2.2). Ces déductions ont fait baisser le montant des bénéfices non répartis, qui font partie des capitaux propres inscrits à droite, et ces mêmes montants négatifs se sont ajoutés à la valeur négative de l'amortissement cumulé, du côté de l'actif. Nous verrons plus loin comment cela fonctionne exactement.

Puisqu'il y a équilibre entre les deux membres de l'équation, l'amortissement cumulé peut être transporté de l'autre côté de l'équation, ce qui donne:

Actif = Passif + Capitaux propres + Amortissement cumulé

Remarquez bien que l'équilibre est maintenu, que les éléments négatifs, comme l'amortissement cumulé, soient répartis de chaque côté du bilan, ou que tous les éléments négatifs soient transportés du même côté. C'est pourquoi les comptables peuvent organiser les éléments de la façon qui leur est la plus utile, que ceux-ci prennent une valeur négative ou positive. En général, les totaux de chacun des côtés du bilan sont des montants nets. Le total de l'actif représente le total des éléments d'actif positifs moins tout montant négatif, et le total du passif et des capitaux propres représente le total des éléments de passif et de capitaux propres positifs moins tout montant négatif. Cela donne aux comptables une grande flexibilité, car, sans transgresser la règle du maintien de l'équation comptable, les montants peuvent être déplacés de part et d'autre du bilan pour présenter les informations de la façon la plus utile possible.

> Qu'ils soient inscrits à droite ou à gauche, les éléments négatifs ne déséquilibrent pas le bilan.

Voici un autre exemple. Supposons qu'une entreprise a un découvert bancaire de 500 $: le poste «Encaisse» de son actif est donc négatif (en lui permettant de retirer de son compte 500 $ de plus qu'il ne contenait en réalité, la banque lui a prêté les 500 $). Les autres éléments d'actif de l'entreprise totalisent 12 400 $. Son actif net est par conséquent de 11 900 $, montant qui représente aussi le total de son passif et de ses capitaux propres. L'entreprise peut choisir parmi les deux formules suivantes pour présenter cette information:

Autres éléments d'actif totalisant 12 400 $ moins le découvert de 500 $	=	Éléments de passif et capitaux propres totalisant 11 900 $

ou

Autres éléments d'actif	=	Éléments de passif
totalisant 12 400 $		et capitaux propres
		totalisant 11 900 $
		plus le découvert de 500 $

Pour les découverts bancaires, on utilise habituellement la deuxième méthode, qui fait passer le montant négatif de l'autre côté du bilan. Si on procède ainsi, c'est que, même si le compte bancaire de l'entreprise fait normalement partie de son actif, ce dernier constitue à ce moment précis un élément de passif, car la banque lui a prêté 500 $ et exigera un remboursement. On appelle **reclassement** le déplacement des éléments de part et d'autre du bilan (ou dans d'autres états financiers). Les comptables y ont recours pour rendre plus claires les informations contenues dans l'état financier. Le reclassement peut faire changer les totaux qui se trouvent de chaque côté du bilan, mais il maintient l'égalité (ou l'équilibre) des nouveaux totaux.

Certains montants négatifs sont conservés comme déductions, et on ne les déplace pas de l'autre côté du bilan pour les rendre positifs, comme on l'a fait dans le cas du découvert bancaire. L'amortissement cumulé est un exemple important de solde de compte négatif. Comme nous l'avons expliqué à la section 2.2, il représente l'accumulation de tous les montants annuels d'amortissement appliqués à des éléments d'actif, tels que les bâtiments et le matériel. On compte au moins trois façons de présenter l'information relative à l'amortissement cumulé, toutes permettant de conserver l'équilibre de l'équation comptable. À l'aide de l'exemple de Son et Lumière, tiré de la section 2.2, voyons quelles sont ces trois façons:

- L'amortissement cumulé peut apparaître sur le côté droit du bilan (cela se faisait autrefois et se fait encore dans certains pays). En Amérique du Nord, la plupart des comptables estiment toutefois que les utilisateurs sont mieux informés lorsqu'on le déduit des montants des éléments d'actif amortissables, car cela permet de mettre en évidence la valeur comptable nette de ces éléments. N'oubliez pas que la valeur comptable nette correspond au coût d'origine des éléments d'actif moins leur amortissement cumulé. L'utilisateur peut ainsi connaître la portion résiduelle de cette valeur d'origine.

- L'amortissement cumulé peut aussi être inscrit séparément comme déduction, comme dans l'exemple du bilan de Son et Lumière donné au début de la section 2.2. Cette méthode est très répandue, mais quand on doit présenter un grand nombre d'éléments d'actif différents et leurs montants d'amortissement cumulé, elle a l'inconvénient de surcharger un peu le bilan.

- On peut enfin déduire l'amortissement cumulé du coût des éléments d'actif amortissables, de sorte que seule la valeur comptable nette apparaisse dans le bilan. Dans l'exemple de Son et Lumière, ces éléments d'actif à long terme pourraient être inscrits ainsi: actif à long terme (net) 250 $. Cette façon de procéder, qui est de plus en plus courante, devrait être accompagnée d'une **note afférente aux états financiers**, qui mentionnerait séparément les montants du coût et de l'amortissement cumulé. Cela évite de surcharger le bilan et permet, si nécessaire, de fournir des explications supplémentaires sur les montants présentés.

Les exemples précédents mettent en évidence une caractéristique importante de l'équation comptable. C'est un mécanisme, justifié par la comptabilité en partie

Le reclassement consiste à déplacer les éléments du bilan de façon à mieux transmettre les informations qu'il contient.

Les notes afférentes aux états financiers fournissent des détails utiles, qui autrement surchargeraient le bilan.

double, qui est utile pour mesurer la situation financière. Mais ce n'est qu'un résultat arithmétique et non une mesure parfaite en soi. Comme nous allons le voir à partir du chapitre 5, l'équilibre du bilan ne constitue en réalité que le point de départ de l'objectif de base de la comptabilité, à savoir, trouver le moyen le plus adéquat possible de mesurer et de décrire la situation financière.

Ù EN ÊTES-VOUS ?

Voici deux questions auxquelles vous devriez pouvoir répondre, compte tenu de ce que vous venez de lire:

1. Comment la comptabilité en partie double arrive-t-elle à maintenir l'équilibre du bilan?

2. En vous servant des montants suivants, dressez le bilan du Garage Dufour, dont Georges Dufour est propriétaire:

   encaisse, 90 $; solde du compte bancaire (le compte étant à découvert, le solde est négatif), 120 $; montant dû par les clients, 640 $; marchandises non vendues (en stock), 210 $; coût du matériel, 890 $; amortissement cumulé du matériel, 470 $; montant dû aux fournisseurs, 360 $; capitaux propres, 880 $. (Si vous inscrivez les premier, troisième, quatrième et cinquième montants comme éléments d'actif positifs, et le sixième, comme élément d'actif négatif, vous obtiendrez un total (net) de l'actif de 1 360 $. Les deuxième et septième montants font partie du passif et totalisent 480 $; le montant des capitaux propres s'élève à 880 $, de sorte que le total du passif et des capitaux propres est aussi de 1 360 $.)

2.4   EXEMPLE DE PRÉPARATION D'UN BILAN

À titre d'exemple, nous allons maintenant dresser le bilan de Jean Gauvin, qui a décidé de mettre sur pied une entreprise de messagerie dans le centre de la ville. Avant de pouvoir offrir ce service, Jean a besoin du matériel suivant: un vélo, un cadenas, une sacoche de livreur et une bonne paire de chaussures de sport. Jean a 200 $ d'économies, mais il se rend rapidement compte qu'il n'a pas assez d'argent pour acheter tout ce dont il a besoin. Il demande donc à sa tante Élise de lui prêter 200 $, qu'il promet de rembourser dès que possible. Elle accepte.

Il achète un vélo de bonne qualité, qui lui coûte 500 $, et verse un acompte de 275 $, s'engageant à payer le reste plus tard. Ensuite, il paie comptant un cadenas à 15 $, une paire de chaussures de sport à 60 $ et une sacoche de livreur à 25 $. L'exploitation de son entreprise commence le 15 avril 1998, sous le nom de Messageries Vélo-Cité. Avec ces données, nous pouvons dresser le bilan de l'illustration 2-4.

Dans la colonne « Actif », figurent le vélo (inscrit à son coût d'achat total et non au montant d'acompte versé), le cadenas, les chaussures et la sacoche de livreur. Ces éléments font partie de l'actif, car Jean en tirera vraisemblablement des avantages, dans la mesure où ils lui permettront de fournir des services de messagerie contre rémunération. D'autres biens qui ne sont pas destinés à son entreprise, comme le lecteur de disques compacts que Jean a acheté plus tôt et qu'il utilise chez lui, sont exclus du bilan. Son actif comprend aussi 25 $ d'encaisse: sur un montant total de 400 $ (200 $ provenant de ses économies + 200 $ prêtés par sa tante Élise), Jean a

Seuls les éléments qui pourraient apporter des avantages à Messageries Vélo-Cité font partie de son actif.

déjà dépensé 375 $ (275 $ pour le vélo + 15 $ pour le cadenas + 60 $ pour les chaussures + 25 $ pour la sacoche de livreur).

2-4

Illustration

Messageries Vélo-Cité Bilan sommaire au 15 avril 1998			
Actif		**Passif et capitaux propres**	
Encaisse (le solde)	25 $	Emprunt à tante Élise	200 $
Vélo (coût)	500	Montant dû sur le vélo	225
Cadenas (coût)	15		
Chaussures de sport (coût)	60		
Sacoche de livreur (coût)	25	Investissement de Jean	200
TOTAL	625 $	TOTAL	625 $

Les éléments de la colonne « Passif et capitaux propres » du bilan de Messageries Vélo-Cité montrent comment les éléments d'actif ont été financés.

Examinons maintenant le passif de l'entreprise de Jean. Il doit 200 $ à sa tante et 225 $ au magasin de vélos. Ces montants constituent des créances sur les ressources et sont donc des éléments de passif. De plus, il a investi 200 $ d'économies personnelles dans son entreprise : ce montant fait partie de la section des capitaux propres de son bilan. Vous pouvez constater que le montant de 625 $ inscrit du côté droit du bilan représente le total des sources d'où proviennent les fonds dont Jean s'est servi pour obtenir les éléments d'actif énumérés du côté gauche. Ces éléments de gauche (encaisse, vélo, etc.) sont réels : Jean peut les utiliser, les dépenser, les compter. Ceux de droite expliquent d'où proviennent ces éléments réels et comment ils ont été financés.

Comme les éléments qui se trouvent du côté droit du bilan correspondent aux sources de financement des éléments d'actif présentés du côté gauche, le total du côté droit est égal au total du côté gauche ; autrement dit, les ressources sont égales aux sources. Les ressources et les sources sont évaluées selon les montants exigés lors de l'acquisition des ressources, soit au « coût historique » des diverses opérations qui ont permis à Jean de mettre sur pied sa petite entreprise. Ce bilan sommaire illustre les principes qui régissent tous les bilans, quels que soient la taille de l'entreprise et les montants engagés. Poursuivons l'illustration de ces principes en dressant la liste des éléments du bilan selon la méthode de la comptabilité en partie double. Nous procéderons de la même façon que pour la société Son et Lumière au début de la section 2.3, mais ici, nous additionnerons chaque élément aux éléments qui le précèdent et nous omettrons le signe du dollar.

Actif	= Passif	+ Capitaux propres	
0	= 0	+ 0	[à partir de zéro]
+ 200	= 0	+ 200	[argent de Jean]
+ 200	= + 200	+ 0	[prêt de tante Élise]
− 275 + 500	= + 225	+ 0	[vélo, payé en partie]
− 100 + 15 + 60 + 25	= + 0	+ 0	[achat au comptant des accessoires]

Si nous additionnons les montants inscrits dans chaque colonne, nous obtenons :

$$625 = 425 + 200$$

La comptabilité en partie double tient compte de tous les changements modifiant le bilan, et maintient ainsi son équilibre.

Il s'agit des totaux du bilan illustré ci-dessus. Le traitement qu'impose la comptabilité en partie double aux diverses opérations permet de maintenir le bilan en équilibre constant.

Pour pouvoir diviser les éléments d'actif et de passif de Jean en éléments à court ou à long terme et analyser son fonds de roulement, il nous faudrait d'autres informations. L'encaisse semble être son seul élément d'actif à court terme, mais, puisque nous ignorons quand il doit rembourser tante Élise ou le magasin de vélo, nous ne connaissons pas ses obligations à court terme. Voilà un exemple d'éléments qu'il incombe au comptable de préciser s'il souhaite préparer un bilan dont les utilisateurs pourront tirer des renseignements utiles.

Plutôt que de laisser incomplet le bilan de Jean, interrogeons-le pour en savoir plus.

« Jean, quand dois-tu rembourser ta tante Élise ?

— Elle ne me l'a pas dit, mais j'ai l'intention de la rembourser avant la fin de 1999. Je suis sûr qu'elle n'aimerait pas que je tarde davantage. D'ailleurs elle a besoin de cet argent pour sa réception du jour de l'An 2000.

— Et quand dois-tu finir de payer ton vélo ?

— Le commerçant voulait que je paie tout de suite. Je lui ai expliqué que je devais d'abord gagner cet argent en exploitant mon entreprise. Il m'a alors répondu qu'il me faudrait payer dès que possible. J'ai dû signer un document l'autorisant à reprendre le vélo et les autres articles si je ne payais pas. »

À l'aide de ces informations et de certains réaménagements, nous pouvons établir le bilan illustré ci-dessous.

2-5
Illustration

Messageries Vélo-Cité (note 1) Bilan au 15 avril 1998			
Actif		**Passif et capitaux propres**	
Actif à court terme :		Passif à court terme :	
Encaisse	25 $	Compte fournisseur sur matériel (note 2)	225 $
Actif à long terme :		Passif à long terme :	
Matériel (coût)	600	Emprunt à tante Élise (note 3)	200
		Capitaux propres :	
		Investissement de Jean	200
TOTAL	625 $	TOTAL	625 $

Notes afférentes au bilan :
1. Messageries Vélo-Cité est une entreprise non constituée en société par actions, dont le propriétaire est Jean Gauvin. Son exploitation a débuté le 15 avril 1998.
2. Le compte fournisseur sur le matériel est échu. Il est garanti par le matériel, qui pourrait être saisi si la dette n'est pas remboursée.
3. La somme due à tante Élise devrait être remboursée avant la fin de 1999.

Si le ratio du fonds de roulement est inférieur à 1, le fonds de roulement est négatif.

Ce bilan contient plus de renseignements sur le passif et les capitaux propres que la première version. Il donne, par contre, moins de détails sur le matériel figurant dans la colonne de l'actif. Vous pouvez préférer ou non cette version à l'autre. Elle nous permet néanmoins d'analyser le fonds de roulement de Jean. Son actif à court terme s'élève à 25 $, et son passif à court terme, à 225 $, ce qui donne un fonds de roulement négatif de 200 $ et un ratio du fonds de roulement de 0,11 ou de 11 % (25 $/225 $). La situation financière de l'entreprise n'est pas très solide : le propriétaire doit compter sur des produits d'exploitation à venir pour rembourser son vélo. Malheureusement, comme beaucoup d'autres nouvelles entreprises, le service de messagerie de Jean se trouve dans une situation financière précaire et, si l'avenir n'est pas aussi rose que son propriétaire l'espère, il pourrait devoir cesser ses activités avant longtemps.

Voici deux points à considérer au sujet des chiffres présentés dans les bilans des entreprises Son et Lumière et Messageries Vélo-Cité :

1. En comptabilité générale, l'unité de mesure est l'unité monétaire utilisée par l'entreprise en question. Bien entendu, au Canada, c'est habituellement le dollar canadien. Il y a toutefois des entreprises canadiennes qui se servent d'autres unités ; ainsi, lorsqu'elles font beaucoup d'affaires aux États-Unis et ont des actionnaires américains, certaines présentent leurs bilans et leurs autres états financiers en dollars américains (c'est le cas de la compagnie Alcan ltée, par exemple). Dans le monde, pratiquement n'importe quelle unité monétaire peut servir à établir des documents comptables. Ne soyez donc pas surpris si vous voyez un bilan en livres, en lires, en roubles, en yens, etc.

En général, les chiffres du bilan représentent des coûts et d'autres valeurs d'origine.

2. La comptabilité est un système de mesure historique : elle enregistre les événements passés et non les événements à venir ou ceux qui seraient arrivés si les circonstances avaient été différentes. Par conséquent, la valeur attribuée aux éléments d'actif et de passif s'appuie sur le passé. Ainsi, les éléments d'actif sont en général évalués à leur coût d'acquisition, tandis que les éléments de passif le sont habituellement en fonction des promesses faites au moment où l'obligation a été contractée. Ils ne sont donc pas évalués aux prix qu'on pourrait en obtenir si on les vendait ou les échangeait à la date du bilan. Bon nombre d'utilisateurs se méprennent à ce sujet : ils croient que les éléments d'actif, comme les terrains ou les bâtiments, apparaissent dans le bilan au prix qu'ils vaudraient s'ils étaient vendus à ce moment-là. Or, ils sont évalués à leur coût d'acquisition, et la différence entre ces deux valeurs peut être importante. Par exemple, il y a 20 ans, une entreprise a payé 50 000 $ pour un terrain situé dans le centre d'une ville. Aujourd'hui, ce terrain peut valoir un million de dollars. Il apparaîtra néanmoins au bilan à son coût d'origine, soit 50 000 $. En effet, le seul événement qui s'est produit est l'acquisition de ce terrain 20 ans plus tôt, et le prix payé alors est vérifiable. Depuis, rien d'autre ne s'est passé : le terrain n'a pas été vendu, et sa valeur actuelle demeure hypothétique et difficile à vérifier.

Voici deux questions auxquelles vous devriez pouvoir répondre, compte tenu de ce que vous venez de lire :

1. Comment les chiffres représentant l'actif et le passif dans le bilan sont-ils établis ?

2. Supposons que Jean Gauvin vous demande un prêt de 300 $, remboursable dans deux ans, pour payer le marchand de vélos et pour stabiliser la situation financière de sa nouvelle entreprise. Si vous lui prêtiez cette somme, quels seraient les nouveaux chiffres du bilan, après votre prêt et le paiement au marchand ? (Le solde de l'encaisse serait de 100 $ (25 $ + 300 $ − 225 $) et la dette à long terme qui vous est due se chiffrerait à 300 $, en remplacement des 225 $ dus au magasin de vélos. Ainsi, le total de l'actif serait de 700 $ (100 $ à court terme), le passif totaliserait 500 $ (entièrement à long terme) et l'investissement du propriétaire resterait le même, soit 200 $. L'entreprise de Jean serait un peu plus endettée, mais sa situation à court terme se serait améliorée puisqu'il n'aurait aucune dette à rembourser avant l'an prochain.)

2.5   LES ENTREPRISES INDIVIDUELLES, LES SOCIÉTÉS DE PERSONNES, LES SOCIÉTÉS PAR ACTIONS ET LE FINANCEMENT

Le bilan donne une vue d'ensemble presque complète du financement d'une entreprise : il indique les obligations et les apports de capitaux qui sont à l'origine de la liste des ressources (l'actif). Au cas où vous ne connaîtriez pas bien les principaux types d'entreprises et leur mode de financement, vous trouverez ici quelques explications. Rappelez-vous l'équation comptable :

Actif = Passif + Capitaux propres

Dans cette section, nous nous concentrerons sur les termes de droite. Nous verrons que la façon de présenter les capitaux propres dans le bilan varie selon le type d'entreprise. Nous verrons aussi comment les deux termes de droite dépeignent le mode de financement de l'actif. Ce court exposé vous aidera à mieux comprendre la matière contenue dans ce manuel. Bien que cette information soit traitée plus en profondeur dans des ouvrages ou des cours sur le droit et le financement des sociétés, nous devrons nécessairement en aborder de nombreux aspects. Le glossaire présenté à la fin du manuel vous aidera également à comprendre la terminologie utilisée.

Il existe un grand nombre de formes juridiques d'entreprises : les entreprises individuelles, les sociétés de personnes, les sociétés par actions, les coopératives, les organismes sans but lucratif, comme les associations ou les organismes de bienfaisance et les entreprises du secteur public, comme les gouvernements, les municipalités ou même certains musées québécois et canadiens. Puisque nous ne pouvons toutes les décrire ici, nous mettrons l'accent sur les quatre principales formes d'entreprises à but lucratif et leurs principaux modes de financement.

Quatre formes juridiques d'entreprises

Nous avons vu que le bilan réserve toujours une section aux capitaux propres. Selon les exemples donnés jusqu'ici dans ce chapitre, les capitaux propres sont divisés en deux éléments principaux :

- les capitaux propres investis *directement* dans l'entreprise par les propriétaires, sous forme d'argent ou d'autres biens ;

- les capitaux propres investis *indirectement* par les propriétaires (les bénéfices non répartis). Ceux-ci ont choisi de ne pas retirer les bénéfices de l'entreprise afin de l'aider à en réaliser d'autres.

Dans le bilan, la section des capitaux propres reflète la forme juridique de l'entreprise.

En droit, la définition de propriétaire varie suivant la forme d'entreprise. Les capitaux propres reflètent cette définition juridique. Ainsi les propriétaires et les autres utilisateurs en sont informés. Voici les quatre principales formes d'entreprises : l'**entreprise individuelle**, la **société de personnes**, la **société par actions** et le **regroupement de sociétés**.

L'entreprise individuelle

Une entreprise individuelle, comme celle d'Irène (voir la section 1.6), et celle de Jean (voir la section 2.4), est une entreprise qui appartient à une seule personne (le propriétaire) et n'a pas d'existence juridique propre. Une entreprise qui n'existe pas en tant qu'entité juridique distincte est dite *non constituée en société*. Comme Jean, la personne qui décide un beau jour de se lancer en affaires sans entreprendre de démarches juridiques met sur pied une entreprise individuelle. En droit, l'exploitation de cette dernière ne se distingue pas des activités non commerciales de son propriétaire. Ainsi, si Jean le souhaite, il peut utiliser l'argent de son entreprise pour se payer des vacances. Cependant, s'il ne paie pas les factures de sa messagerie, ses créanciers peuvent demander la saisie des biens qu'il possède en dehors de son entreprise.

Les capitaux propres d'une entreprise individuelle englobent l'investissement direct et les bénéfices non répartis.

Étant donné qu'une entreprise individuelle n'a pas d'existence juridique, la section des capitaux propres du bilan ne fait pas de distinction entre l'apport direct en capital du propriétaire et l'apport indirect que constituent les bénéfices non répartis. Les deux éléments sont simplement présentées en bloc en tant que *capital du propriétaire*. Le bilan de l'entreprise individuelle peut donc contenir tous les éléments d'actif et de passif que le propriétaire juge pertinents aux affaires (il n'existe pas d'entité juridique distincte qui possède ces biens ou qui doit rembourser ces dettes). Le poste « Capitaux propres » ne donne que ce seul renseignement :

Capitaux propres
Capital du propriétaire   X XXX $

La société de personnes

À la rubrique des capitaux propres du bilan d'une société de personnes, il faut distinguer le capital attribuable à chacun des associés.

Comme l'entreprise individuelle, aux yeux de la loi, la société de personnes n'est pas une entité juridique distincte mais, contrairement à celle-ci, elle compte plus d'un propriétaire. Ici encore, les biens personnels des propriétaires peuvent être réclamés par les créanciers de l'entreprise, de sorte que la distinction entre les activités commerciales et les activités personnelles demeure assez arbitraire. Toutefois, le fait qu'il y ait plus d'un propriétaire oblige à un certain formalisme. Par exemple, il devrait exister normalement une entente sur la répartition des bénéfices de l'entreprise entre les associés et sur le montant que chacun d'eux peut en retirer. Des tensions pouvant se créer entre partenaires (comme entre amis), les provinces, les États et les pays ont établi des lois-cadres qui dictent la procédure à suivre si les associés n'ont pas prévu d'entente. Le bilan d'une société de personnes peut, comme celui d'une entreprise individuelle, contenir tous les éléments d'actif et de passif que les propriétaires jugent pertinents. Par ailleurs sous la rubrique des capitaux propres, comme dans le cas de l'entreprise individuelle, on inscrit l'avoir de chacun des associés sans distinction entre les investissements directs des propriétaires et les bénéfices non répartis. L'avoir total de chacun des associés est présenté dans le bilan même ou, lorsque les associés sont très nombreux, (comme dans les cabinets d'avocats, d'experts-comptables ou d'ingénieurs) l'information est indiquée dans une note ou un tableau complémentaire. Sous la rubrique des capitaux propres du bilan d'une société de personnes, on trouve les mentions suivantes :

Capitaux propres
Capital des associés :

Associé A	X XXX $
Associé B	X XXX
Associé C	X XXX
Total du capital	X XXX $

La société par actions

La comptabilité générale rend compte du fait que la société par actions possède une existence juridique distincte de celle de ses propriétaires.

Une société par actions est une entité qui possède une existence juridique distincte de celle de ses propriétaires. Elle continue d'exister même si les propriétaires meurent ou ne travaillent plus pour elle. En cas de faillite, les pertes de ces derniers se limitent aux capitaux propres ; ils ne devront pas céder de biens personnels, à moins qu'ils n'aient signé des garanties personnelles en faveur de créanciers tels que les banques. Une société par actions peut posséder des biens, embaucher du personnel et faire des affaires au même titre qu'un individu. Elle peut même poursuivre ou être poursuivie en justice. On peut, en général, reconnaître une entreprise constituée en société par actions à la mention « limitée », « ltée », « inc. » qui suit sa raison sociale, ou encore, par d'autres indications exigées par les autorités compétentes (province, État ou pays). Au Canada, la rubrique des capitaux propres du bilan d'une société par actions est aussi appelée « **avoir des actionnaires** », afin de souligner la nature du droit de propriété.

La structure des sociétés par actions peut être très complexe. Nous vous présentons ci-dessous deux des éléments qui contribuent à cette complexité.

a. Les formes de capital-actions

La partie capital-actions des capitaux propres représente le montant initial investi dans la société par actions.

Une personne devient propriétaire d'une société par actions en achetant des *actions* qui lui donnent soit un droit de vote, soit d'autres droits. Lorsqu'une société émet des actions pour la première fois, l'argent reçu est déposé dans son compte bancaire, et la source de cet élément d'actif est appelée **capital-actions** ; il fait partie des capitaux propres (ou de l'avoir des actionnaires). (Si la personne qui a acheté une action la revend plus tard à quelqu'un d'autre, l'argent de cette vente revient au vendeur et non à la société. Par conséquent, le capital-actions ne représente que le montant reçu lorsque l'action a été vendue pour la première fois. La plupart des millions d'achats et de ventes d'actions qui ont lieu chaque jour sur les marchés boursiers du monde entier n'ont aucune incidence sur les comptes de capital-actions du bilan des sociétés, car ces actions sont négociées entre propriétaires et investisseurs.)

Au Canada, les sociétés par actions émettent en général des actions *sans valeur nominale*, c'est-à-dire qu'elles peuvent les mettre en circulation au prix qu'elles jugent opportun. Par ailleurs, les actions *à valeur nominale*, rarement émises au Canada, mais utilisées ailleurs, ont un prix d'émission minimum permis par la loi, soit une valeur nominale. Cette valeur nominale servait autrefois à empêcher les sociétés de tromper ceux qui étaient déjà actionnaires en émettant à bon marché de nouvelles actions. Aujourd'hui, il existe d'autres moyens de protection, alors les sociétés ont tendance à offrir des actions sans valeur nominale.

Il existe plusieurs catégories d'actions. En voici quelques exemples:

- Les **actions ordinaires**: les détenteurs de ces actions ont le droit de vote aux réunions du conseil d'administration; ce sont les propriétaires qui contrôlent la société, car ils décident qui fera partie du conseil d'administration, chargé de la gestion de la société en leur nom, et aussi de la déclaration des dividendes.

- Les **actions privilégiées** ou **actions de priorité**: habituellement, les détenteurs de ces actions ne votent pas, sauf en cas de problème, mais ils possèdent d'autres droits, comme celui de recevoir un dividende fixe chaque année ou de convertir leurs actions privilégiées en actions ordinaires.

- Les actions de catégorie A, de catégorie B et autres: selon les droits particuliers qu'elles confèrent aux détenteurs, ces actions se rapprochent des actions ordinaires ou des actions privilégiées. De nombreuses sociétés utilisent ces dénominations moins précises parce que la complexité des droits accordés les empêche de les classer simplement parmi les actions ordinaires ou privilégiées.

Le bilan ou les notes complémentaires mentionnent les catégories d'actions et les droits qui s'y rattachent.

Le bilan même, une note explicative ou un tableau complémentaire donnent la liste de toutes les catégories d'actions que la société a le droit d'émettre, précisent, s'il y a lieu, les droits spéciaux afférents à chacune d'elles et indiquent le montant obtenu au moment de l'émission de chaque catégorie d'actions. Les sommes investies sous forme de capital-actions appartiennent à la société. Sauf dans des circonstances particulières, les propriétaires (les *actionnaires*) ne peuvent se les faire rembourser.

b. Les bénéfices non répartis

Le bilan indique le montant des bénéfices non répartis.

Les bénéfices d'une société sont détenus par cette dernière et non par ses propriétaires. Les actionnaires ne peuvent recevoir les bénéfices que si le conseil d'administration décide de leur déclarer un dividende. Le montant des bénéfices non répartis (les bénéfices des exercices passés, moins les dividendes déjà déclarés) fait l'objet d'un poste distinct sous la rubrique des capitaux propres.

Ainsi, en plus de la liste des éléments d'actif et de passif, le bilan d'une société par actions comporte une rubrique des capitaux propres où figurent divers détails juridiques susceptibles d'aider les propriétaires actuels ou potentiels:

Capitaux propres
Capital-actions:
   Autorisé (description de toutes les catégories d'actions autorisées)
   Émis et versé:

Actions de catégorie A (par exemple)	X XXX $
Actions de catégorie B (par exemple)	X XXX
Total du capital émis	X XXX $
Bénéfices non répartis	X XXX
Total des capitaux propres	X XXX $

Les capitaux propres d'une société par actions peuvent comprendre des éléments autres que le capital-actions et les bénéfices non répartis.

    La rubrique des capitaux propres peut aussi contenir d'autres éléments que ceux du capital émis et versé et des bénéfices non répartis. Citons, entre autres, les **actions autodétenues**, qui sont des actions de son propre capital qu'une société a rachetées et qui sont déduites des capitaux propres, pour indiquer le montant net de l'avoir des actionnaires. Il y a aussi le **redressement cumulé relatif aux opérations conclues en monnaie étrangère**, qui est un ajustement (en général peu important) découlant de la conversion en une monnaie unique des éléments d'actif et de passif enregistrés à l'origine en devises étrangères. Ces postes reflètent des subtilités juridiques et comptables qui ne sont pas importantes pour le moment. Lorsque vous analysez un bilan, il suffit habituellement de les considérer en bloc avec les autres éléments du capital-actions.

Les regroupements de sociétés

Les états financiers consolidés combinent les états financiers d'un groupe de sociétés.

Beaucoup de sociétés connues, comme General Motors, Noranda, la Banque de Nouvelle-Écosse, Sears et Pepsico, ne sont pas des sociétés uniques, mais plutôt des regroupements, parfois de centaines, de sociétés. Leur bilan tente de refléter l'image de ce groupe en tant qu'entité économique «consolidée», même s'il n'a pas d'existence juridique propre. La préparation d'un tel bilan exige l'application de techniques comptables complexes qui dépassent, pour la plupart, notre champ d'étude. Mais ce bilan ressemble beaucoup à celui de la société unique, ses capitaux propres représentant l'avoir des actionnaires de la société principale du groupe (la société mère). Au chapitre 10, nous étudierons brièvement les hypothèses qui sous-tendent les états financiers des regroupements de sociétés; pour l'instant, rappelez-vous seulement que les états financiers **consolidés** intègrent les états financiers de nombreuses sociétés juridiquement distinctes.

    L'illustration 2-6 donne le tableau récapitulatif des quatre principales formes d'entreprises.

2-6
Illustration

Tableau récapitulatif des quatre formes d'entreprises			
Forme	Particularité juridique	Propriétaire(s)	Comptes des capitaux propres
Entreprise individuelle	Non distincte de son propriétaire	Un seul propriétaire	Combinaison du capital et des bénéfices non répartis
Société de personnes	En partie, distincte de ses propriétaires	Quelques propriétaires ou de nombreux propriétaires	Combinaison du capital et des bénéfices non répartis, mais calcul du total de chaque associé
Société par actions	Distincte de ses propriétaires	En général, quelques actionnaires ou de nombreux actionnaires	Inscriptions distinctes du capital-actions légal et des bénéfices non répartis
Regroupement de sociétés	Composé de sociétés juridiquement distinctes	En général, quelques actionnaires ou de nombreux actionnaires	Inscriptions distinctes du capital-actions légal de la société mère et des bénéfices non répartis

Le financement des entreprises

Le côté droit du bilan présente la liste des sources des éléments d'actif énumérés à gauche. Plus vous avancerez dans la lecture de ce manuel, plus vous trouverez de détails sur les deux côtés du bilan, mais pour le moment, voici une liste des principales sources de financement.

Le passif à court terme (dettes exigibles à moins d'un an):

- Emprunts bancaires à vue (payables sur demande) ou à rembourser rapidement.

- Financement accordé par les fournisseurs, ou par d'autres créanciers commerciaux, qui autorisent l'entreprise à acheter à crédit et à payer ultérieurement.

- Salaires gagnés par les employés, mais non encore versés, et impôts retenus à la source qui doivent être remis au fisc.

- Estimations des montants dus concernant, entre autres, les frais d'électricité, les frais financiers et juridiques et d'autres dettes du genre, non encore facturées à l'entreprise.

- Impôts et autres taxes que l'entreprise doit.

- Dividendes dus par l'entreprise (s'il s'agit d'une société par actions), déclarés par le conseil d'administration, mais non encore versés aux actionnaires.

- Tranches des dettes à long terme, exigibles à court terme, telles que la portion en capital d'hypothèques à long terme, qui devra être versée pendant l'exercice suivant.

Le passif à long terme (dettes exigibles à plus de un an) :

- Hypothèques, emprunts obligataires (les **obligations** sont des titres d'emprunt émis par l'entreprise et comportant des prescriptions juridiques détaillées), conventions d'achat de matériel, et autres dettes s'échelonnant sur plusieurs années.

- Certaines dettes à long terme, comme les prêts spéciaux consentis par les propriétaires en plus de leur participation dans la société et les estimations relatives aux régimes de retraite à payer aux employés (en sus des sommes déjà mises de côté [provisionnées] pour ces régimes).

Les capitaux propres :

- Dans une entreprise individuelle : capital du propriétaire (le capital investi et les bénéfices non prélevés de l'entreprise par le propriétaire).

- Dans une société de personnes : capital des propriétaires (le capital investi et les bénéfices non prélevés par les associés).

- Dans une société par actions : capital-actions émis pour chaque catégorie d'actions et bénéfices non répartis (plus certains autres éléments, s'ils sont exigés en vertu de diverses dispositions juridiques ou comptables).

◉ Ù EN ÊTES-VOUS ?

Voici deux questions auxquelles vous devriez pouvoir répondre, compte tenu de ce que vous venez de lire :

1. Les associés de la Société de consultants Bleau se demandent s'ils doivent constituer leur entreprise en une société par actions dont le nom deviendrait Consultants Bleau inc. Quelle incidence ce changement aurait-il sur la présentation des capitaux propres du bilan de cette entreprise ?

2. Donnez quelques exemples courants d'éléments de passif à court terme et d'éléments de passif à long terme, et expliquez en quoi ces deux catégories de passif sont différentes.

2.6   ÉTUDE PLUS APPROFONDIE DU CONTENU DU BILAN

Le bilan de Lassonde est un document comparatif, consolidé et comportant de nombreuses notes complémentaires.

Le bilan est équilibré, mais quels sont donc ces comptes d'actif, de passif et de capitaux propres qui restent toujours en équilibre ? Pour vous aider à comprendre, consultez le bilan récent des Industries Lassonde, qui fait l'objet de l'illustration 2-7. Lassonde produit des jus purs et des boissons de fruits et elle est un important fabricant et distributeur de jus de pomme. Voici certaines des constatations que vous pouvez faire en examinant ce bilan :

1. Il s'agit d'un document *comparatif* : il contient des chiffres portant sur deux années (1996 et 1995), afin de permettre aux utilisateurs de repérer les changements. On place habituellement les chiffres les plus récents à gauche, près des intitulés des comptes.
2. Pour éviter de surcharger la présentation, les chiffres sont donnés en milliers de dollars, en omettant les cents.
3. Ce bilan renvoie à diverses notes. Comme il est impossible d'expliquer chaque élément important dans le bilan même, des notes complémentaires détaillées sont annexées à la plupart des bilans. Nous n'avons pas reproduit les notes complémentaires de Lassonde ici, car bon nombre d'entre elles soulèvent des questions que nous n'avons pas encore abordées ; n'oubliez toutefois pas que, lorsque vous examinez un bilan ou d'autres états financiers, vous devez aussi lire les notes complémentaires.
4. Il s'agit d'un bilan *consolidé*. Lassonde est donc un regroupement de sociétés et non une société unique.
5. Ce bilan est daté du 31 décembre. Bien que le 31 décembre marque la fin de l'année civile et que ce soit la date de fin d'exercice financier la plus courante, toutes les entreprises ne choisissent pas cette date.
6. La signature de deux des membres du conseil d'administration atteste que le conseil approuve le bilan et qu'il en assume la responsabilité.

2-7

Illustration

INDUSTRIES LASSONDE INC.
Bilan consolidé

aux 31 décembre 1996 et 1995 *(en milliers de dollars)*	1996	1995
Actif		
À court terme		
Débiteurs	14 058 $	12 084 $
Stocks (note 3)	39 415	34 740
Frais payés d'avance	658	342
Impôts sur le revenu	–	214
	54 131	47 380
Placements (note 4)	1 172	874
Immobilisations (note 5)	55 966	47 715
Autres éléments d'actif		
Marques de commerce	763	818
Frais reportés	977	1 455
Achalandage de consolidation	259	283
	1 999	2 556
	113 268	98 525

INDUSTRIES LASSONDE INC.
Bilan consolidé

aux 31 décembre 1996 et 1995
(en milliers de dollars)

	1996	1995
Passif		
À court terme		
Dette bancaire (note 6)	8 235 $	11 455 $
Créditeurs et charges à payer	16 954	14 639
Dividendes à payer	470	–
Impôts sur le revenu	234	–
Tranche de la dette à long terme		
échéant à moins d'un an (note 7)	1 356	1 510
	27 249	27 604
Dette à long terme (note 7)	18 663	9 127
Impôts sur le revenu reportés	6 824	6 771
	52 736	43 502
Capitaux propres		
Capital-actions (note 8)	16 809	16 564
Surplus d'apport	1 998	2 150
Bénéfices non répartis	41 725	36 309
	60 532	55 023
	113 268 $	98 525 $

Voir les notes afférentes aux états financiers (non reproduites dans ce manuel).

Au nom du Conseil

administrateur   administrateur

Les comptes d'actif, de passif et de capitaux propres de Lassonde sont très variés. Il n'est pas nécessairement facile de les classer selon les catégories que nous avons vues dans l'exemple de la société Son et Lumière. Il y a sans doute des comptes dont la signification et la classification vous échappe, mais, au fur et à mesure que vous poursuivrez l'étude de ce manuel, votre compréhension s'améliorera. Pour le moment, voici quelques commentaires concernant les postes du bilan de cette société.

Les *éléments d'actif*: Un élément d'actif consiste en une ressource qu'une personne, une entreprise ou un pays possède ou gère et qui est censé lui apporter des avantages ultérieurement. Parmi les éléments d'actif de Lassonde se trouvent les **débiteurs** (sommes dues par les clients), les stocks (matière première et produits finis non vendus), les placements et les immobilisations (terrain, bâtiments, machinerie et outillage, etc.). Lassonde détient aussi d'autres éléments d'actif courants, tels que les frais reportés relatifs au développement de nouveaux produits et au démarrage d'activités, et les marques de commerce comptabilisées au

Au 31 décembre 1996, l'actif de Lassonde s'élevait à 113 millions de dollars.

coût d'acquisition. On retrouve aussi l'**achalandage de consolidation**, ou plus correctement, l'**écart d'acquisition**, qui résulte de l'excédent du coût d'acquisition de **filiales** sur la valeur nette comptable attribuée.

Dans le bilan, les « Immobilisations » renvoient à la note 5. Nous ne présentons pas toutes les notes complémentaires de Lassonde, mais, à titre d'exemple, nous avons reproduit ci-dessous la note 5.

2-8

Illustration

5. Immobilisations :

	Coût	Amortissement cumulé	1996 Valeur comptable nette	1995 Valeur comptable nette
Terrains	1 546 $	– $	1 546 $	1 256 $
Bâtiments	19 184	4 703	14 481	12 500
Machinerie et outillage	66 120	30 305	35 815	30 030
Mobilier et agencements	1 389	949	440	385
Matériel de laboratoire	365	139	226	237
Matériel roulant	2 675	1 508	1 167	1 035
Système informatique	4 004	2 272	1 732	1 651
Louées en vertu de contrats de location-acquisition	746	187	559	621
	96 029 $	40 063 $	55 966 $	47 715 $

Nous sommes maintenant mieux renseignés sur les divers éléments d'actif présentés dans le bilan et sur le montant de l'amortissement cumulé. Nous pouvons constater qu'environ la moitié de la valeur comptable des immobilisations est amortie.

Les *éléments de passif :* Un élément de passif consiste en un engagement actuel en vertu duquel certaines ressources appartenant à une personne, à une entreprise ou à un pays seront ultérieurement transférées à des tiers. Le passif peut inclure les obligations légales (emprunts bancaires, hypothèques ou sommes dues aux fournisseurs), mais aussi les estimations relatives aux paiements à effectuer en vertu d'ententes passées (la réparation de produits vendus sous garantie). Chez Lassonde, les éléments de passif du premier groupe comprennent la dette bancaire, les **créditeurs** (sommes dues à des fournisseurs) et la dette à long terme. Remarquez que l'un des éléments du passif à court terme est « Dividendes à payer » ; cela signifie que la totalité des dividendes déclarés au cours de l'année n'a pas encore été versée. Ceux du second groupe incluent des impôts reportés (estimations à long terme). Comme vous pouvez le constater, le bilan nous donne un aperçu de la façon dont la société mène ses affaires.

Au 31 décembre 1996, le passif de Lassonde atteignait près de 53 millions de dollars.

Chez Lassonde, les stocks contribuent pour une large part au fonds de roulement.

L'entreprise est-elle financièrement solide en ce moment ? Nous pouvons calculer son fonds de roulement pour 1996 (54 131 $ − 27 249 $ = 26 882 $), et pour 1995 (47 380 $ − 27 604 $ = 19 776 $), ainsi que ses ratios (du fonds de roulement) pour 1996 (54 131 $/27 249 $ = 1,99) et pour 1995 (47 380 $/27 604 $ = 1,72). À la fin de 1996, le fonds de roulement de l'entreprise était plus élevé qu'il ne l'était à la fin de 1995, et son ratio s'était également amélioré. En effet, l'actif à court terme s'est accru et, au cours de la même période, le passif à court terme a diminué ; le fonds de roulement de Lassonde s'en trouve renforcé. Par ailleurs, le montant des stocks représente plus de 70 % du total de l'actif à court terme, et l'entreprise n'a pas d'encaisse ni de fonds en banque. Le passif à court terme ne peut donc être remboursé que si la société reçoit de l'argent de ses clients, vend des stocks et encaisse le montant des ventes. En temps normal, une telle situation ne pose pas de problème, mais s'il y avait lieu de s'inquiéter de la capacité de l'entreprise à vendre ses produits ou à recouvrer son argent, le bilan permettrait de juger du bien-fondé de cette inquiétude.

Les *capitaux propres:* Les capitaux propres constituent le troisième terme de l'équation comptable. Ils représentent la participation des propriétaires dans l'entreprise. Ces derniers investissent de l'argent ou d'autres biens en contrepartie d'actions ou d'autres titres de propriété. Les éléments d'actif ainsi apportés dans l'entreprise sont inscrits du côté gauche du bilan : les comptes de capitaux propres, appelés capital-actions (ou portant d'autres noms reflétant la participation directe des propriétaires, comme capital social), représentent la source de ces éléments d'actif. Lassonde compte 16 millions de dollars d'apport de capital, composé moitié-moitié de deux types d'actions comportant des droits de vote différents. Le compte des capitaux propres intitulé « Bénéfices non répartis » représente les bénéfices que l'entreprise n'a pas distribué à ses actionnaires, c'est-à-dire ce que le conseil d'administration a décidé de conserver dans l'entreprise soit pour réaliser de nouveaux investissements, soit pour réduire la dette à long terme. À la fin de 1996, les bénéfices non répartis de Lassonde s'élevaient à 42 millions de dollars, montant qui correspond aux deux tiers des capitaux propres. La société a aussi un compte de capitaux propres, appelé « Surplus d'apport », il totalise 2 millions de dollars. Il s'agit d'un compte où sont comptabilisées des sommes autres que celles qu'on retrouve dans les comptes de capital-actions. Pour Lassonde, la réduction du surplus d'apport est due au rachat d'actions pour une somme plus élevée que celle à laquelle elles avaient été émises ; la différence est imputée au compte surplus d'apport. À la fin de 1996, tous ces comptes de capitaux propres totalisaient 60 millions de dollars, soit 5 millions de plus qu'à la fin de 1995.

Au 31 décembre 1996, le financement par capitaux propres de Lassonde s'élevait à 60 millions de dollars.

Le bilan nous montre la proportion d'actif qui est financée par le passif et celle qui l'est par les capitaux propres. En substance, il nous permet d'apprécier l'importance du financement des créanciers par rapport à celui des propriétaires. À la fin de 1996, l'actif totalisait 113 268 000 $; ce montant comprenait 52 736 000 $ de passif et 60 532 000 $ de capitaux propres. Le **ratio emprunts/capitaux propres** constitue un des modes de comparaison entre les créanciers et les propriétaires. À la fin de 1996, ce ratio était de 0,87 (52 736 $/60 532 $), donc supérieur à celui de la fin de 1995, qui était de 0,79 (43 502 $/55 023 $). Ainsi, les propriétaires ont un investissement plus important dans la société que les créanciers, mais cette proportion a fléchi depuis 1995. Au chapitre 9, nous verrons beaucoup d'autres **ratios**. Ils résument tous les rapports établis par les états financiers.

Chez Lassonde, le financement des créanciers est moins important que celui des propriétaires (actionnaires).

Le bilan présente l'actif, le passif et les capitaux propres à une date donnée : il s'agit d'une photo de l'entreprise sur laquelle figurent l'ensemble de ses ressources et de ses obligations ainsi que la participation des propriétaires. Il a toutefois l'inconvénient de présenter une image statique : il ne nous renseigne pas sur les événements qui ont mené la société à cet ensemble particulier d'éléments d'actif et de passif. Pour obtenir cette information, il faut examiner d'autres rapports financiers, et c'est ce que nous allons faire à la prochaine section, de même qu'au chapitre 3.

OÙ EN ÊTES-VOUS ?

Voici deux questions auxquelles vous devriez pouvoir répondre, compte tenu de ce que vous venez de lire :

1. Quels sont les éléments d'actif qui permettent à la société Lassonde de mener ses activités ?

2. Si, aux petites heures du 1er janvier 1997, Lassonde émettait 15 millions de dollars de nouvelles actions, quels seraient alors : (a) son fonds de roulement, (b) son ratio du fonds de roulement et (c) son ratio emprunts/capitaux propres ? (41 882 $, qui équivaut à 54 131 $ + 15 000 $ − 27 249 $; 2,54, qui équivaut à 69 131 $/27 249 $; 0,70, qui équivaut à 52 736 $/[60 532 $ + 15 000 $].)

2.7   INTRODUCTION À L'ÉTAT DES RÉSULTATS ET À L'ÉTAT DES BÉNÉFICES NON RÉPARTIS

La comptabilité générale décrit bien d'autres aspects de l'entreprise que la situation financière exposée par le bilan. Parmi ces aspects, la performance financière tient une place importante. En effet, l'existence d'une entreprise s'étend sur une certaine période. Si les propriétaires et les gestionnaires réussissent, elle peut prospérer pendant fort longtemps. Prenons, par exemple, la société Provigo inc. : constituée en société par actions en 1961, elle est vieille de quelques dizaines d'années. Supposons qu'on désire mesurer sa performance financière pour la comparer à d'autres sociétés, pour évaluer les impôts sur les bénéfices, pour fixer le prix auquel elle pourrait être vendue, ou encore pour d'autres raisons dont il sera question plus tard. Comment pourrions-nous mesurer cette performance ?

Nous pourrions toujours la mesurer en fermant définitivement la société. Après la vente de tout l'actif et le remboursement de tout le passif, nous verrions ce qui revient aux propriétaires. Si les résultats étaient bons, le montant qui resterait aux propriétaires, additionné des sommes qu'ils ont retirées de l'entreprise au cours des années, dépasserait celui qu'ils ont investi au départ, compte tenu de l'inflation et des frais engagés pour réunir ces fonds. Toutefois, mettre fin aux activités d'une entreprise pour évaluer sa performance constituerait une mesure draconienne ! Attendre qu'elle meure de sa belle mort ne semble pas la solution idéale : la société Provigo inc. a survécu à plusieurs changements de propriétaires, et Ford Motor, à plusieurs générations de la famille Ford. Il est plus utile d'évaluer la performance d'une entreprise sur des périodes plus courtes, soit une année, un trimestre ou un mois. Cela permet aux utilisateurs de décider du moment où il est propice d'investir ou de se retirer, ou encore, d'embaucher ou de congédier les gestionnaires.

L'état des résultats

C'est ici que l'**état des résultats** entre en jeu. Ce rapport s'appuie sur la **comptabilité d'exercice** pour mesurer la performance financière au cours d'une période donnée, en général, une année, un trimestre ou un mois. Le chiffre figurant sur la dernière ligne de ce rapport correspond au **bénéfice net** réalisé durant cette période,

Dans l'état des résultats, c'est le bénéfice net (le bénéfice en comptabilité d'exercice) qui mesure de la performance.

ou au **bénéfice en comptabilité d'exercice**, qui équivaut à la différence entre les produits et les charges d'un exercice. Rappelez-vous l'état des résultats de l'entreprise Les Bijoux Irène Gadbois présenté à la section 1.6 :

Produits	
(4 350 $ encaissés plus 310 $ à recevoir)	4 660 $
Charges	
(1 670 $ payés moins 280 $ déduits	
pour marchandises encore en main, plus	
85 $ non payés, plus 120 $ pour amortissement estimé)	1 595
Bénéfice en comptabilité d'exercice	
calculé d'après les données fournies	3 065 $

Cet exemple simple nous montre la forme sous laquelle sont présentés les états des résultats en Amérique du Nord et dans une bonne partie du monde :

Bénéfice net (bénéfice en comptabilité d'exercice) de la période
= Produits − Charges, pour cette période

Le bénéfice net correspond au bénéfice de l'exercice, après déduction de la charge fiscale.

Dans l'état des résultats d'Irène, aucun impôt n'est déduit du bénéfice. Son entreprise étant une entreprise individuelle, l'impôt sur les bénéfices demeure sa responsabilité personnelle. Ainsi, en temps normal, l'état des résultats de cette forme d'entreprise ne tient pas compte de l'impôt sur les bénéfices. Par contre, dans le cas des sociétés par actions, qui assument la responsabilité de leurs propres impôts dans l'état des résultats, ceux-ci sont déduits à titre de charge. Le terme **bénéfice net** désigne en général le bénéfice de l'exercice, après impôts. Il est calculé selon la méthode de la comptabilité d'exercice : il mesure donc la performance économique et non le bénéfice en comptabilité de caisse.

L'illustration 2-9 présente un état des résultats simplifié où la charge fiscale est isolée des autres charges. Certains états des résultats comportent beaucoup plus de détails, mais la structure générale reste la même.

2-9

Illustration

Présentation de l'état des résultats **(tous les chiffres correspondent à une période donnée)**	
Produit(s)	X XXX $
Moins les charges autres que l'impôt sur les bénéfices	X XXX
Bénéfice avant impôts	X XXX $
Moins la charge fiscale	X XXX
Bénéfice net pour la période (bénéfice de l'exercice)	X XXX $

Les produits et les charges

Le bénéfice net équivaut à la différence entre les produits et les charges. En quoi consistent donc ces deux éléments de mesure de la performance ?

Les **produits** correspondent aux *augmentations de la richesse de l'entreprise résultant de la prestation de services ou de la vente de marchandises à des clients.* La richesse augmente parce que les clients:

- paient en argent;

- promettent de verser de l'argent (on appelle ces promesses, **comptes clients**; au bilan, on lit également **clients, débiteurs**);

- ou, plus rarement, paient autrement qu'en argent, par exemple, en apportant d'autres biens à l'entreprise ou en effaçant une dette.

Donc, si, *en contrepartie de services fournis ou de marchandises livrées*, un client a payé 1 000 $ comptant, un autre a promis de verser 1 000 $ plus tard, un autre a donné à l'entreprise 1 000 $ de matériel ou un autre encore a renoncé au remboursement des 1 000 $ qu'elle lui doit, chacun de ces montants de 1 000 $ est considéré comme un produit.

Les **charges** sont le contraire des produits: *elles réduisent la richesse de l'entreprise. Elles sont encourues pour gagner les produits.* La richesse diminue puisqu'il faut livrer aux clients les marchandises qu'ils ont payées et assumer des frais d'exploitation. De plus, les éléments d'actif à long terme utilisés pour obtenir des produits perdent une partie de leur valeur comptable avec le temps, et il arrive que de nouvelles obligations soient contractées en cours d'exploitation.

Donc, si, *dans le but de gagner des produits*, l'entreprise a payé 600 $ de loyer, ou 600 $ pour des marchandises destinées à la vente, si son bâtiment a été amorti pour un montant de 600 $ ou si elle a promis de verser un salaire de 600 $ à un employé, chacun de ces montants de 600 $ est considéré comme une charge.

Un compte important de charges, appelé **coût des marchandises vendues**, prête parfois à confusion. Dans les exemples donnés ci-dessus, si les marchandises achetées par le client coûtent 600 $ à l'entreprise, ces 600 $ représentent le *coût* des marchandises qui ont rapporté un produit de 1 000 $. Le produit correspond au prix que le client consent à payer, tandis que le coût des marchandises vendues est le montant que l'entreprise assume pour lui fournir ces marchandises. Ainsi, une opération conclue entre une entreprise et un client qui achète des marchandises présente deux aspects: (1) l'entreprise est en meilleure position grâce au produit gagné et (2) sa situation a empiré à cause du coût des marchandises que le client emporte. Au moment de l'achat, les marchandises destinées à la vente sont d'abord inscrites dans le bilan comme élément d'actif, dans un compte intitulé « Stock de marchandises ». Lorsqu'elles sont vendues, leur coût d'achat passe du compte d'actif au compte de charge appelé « Coût des marchandises vendues ». Une vente occasionne donc la comptabilisation de deux événements économiques distincts. L'enregistrement du produit gagné (la vente elle-même) et celui du coût des marchandises vendues. Ces enregistrements distincts permettent des analyses financières importantes qui autrement ne seraient pas possibles. Ces analyses seront vues en détail au chapitre 9.

Les produits et les charges sont mesurés selon les principes de la comptabilité d'exercice. Ils représentent donc des augmentations ou des diminutions de la richesse, qu'ils fassent ou non l'objet d'entrées ou de sorties de fonds au moment où ils surviennent. Puisque le bénéfice net équivaut à la différence entre les produits et les charges, il représente l'*augmentation nette de la richesse* de l'entreprise pendant une période donnée. Lorsque l'entreprise enregistre un bénéfice net, c'est qu'elle s'est enrichie au cours de l'exercice. Par contre, lorsque son bénéfice net est négatif,

Les produits correspondent aux augmentations de la richesse de l'entreprise résultant de la prestation de services ou de la vente de marchandises à des clients.

Les charges réduisent la richesse de l'entreprise, elles sont encourues pour gagner des produits.

Le coût des marchandises vendues est une charge qui correspond à ce que l'entreprise doit assumer pour réaliser sa vente.

Lorsque le montant des charges dépasse celui des produits, le bénéfice net est négatif, et correspond à une perte nette.

les produits étant inférieurs aux charges, elle enregistre plutôt une **perte nette,** qui correspond à une *diminution nette de sa richesse.*

Les charges englobent tous les coûts engagés pour gagner les produits, y compris les impôts sur les bénéfices et les autres taxes. Par contre, elles ne couvrent *pas* le paiement des retraits effectués par les propriétaires ou les associés, ou encore, des dividendes déclarés aux actionnaires. L'état des résultats mesure l'augmentation ou la diminution de la richesse découlant des activités axées sur les clients et non des opérations conclues avec les propriétaires. (Bien sûr, il arrive parfois qu'une personne joue plusieurs rôles: posséder des actions de Coca-Cola ne l'empêche pas d'acheter un Coke quand elle a soif, ce qui fait d'elle à la fois un propriétaire et un client de l'entreprise.) Lorsque le conseil d'administration d'une société *déclare,* ou promet, un dividende, cela équivaut à répartir une partie du bénéfice net entre les propriétaires. Ce type d'opérations n'est pas présenté dans l'état des résultats mais dans l'état des **bénéfices non répartis.**

> Les dividendes versés aux actionnaires ne figurent pas dans l'état des résultats.

L'état des bénéfices non répartis

L'état des bénéfices non répartis rend compte de la façon dont les bénéfices de la période ont été utilisés. Les bénéfices non répartis représentent la somme des bénéfices nets accumulés depuis le début des opérations de l'entreprise, moins les dividendes déclarés aux propriétaires (même s'ils n'ont pas encore été versés), également depuis le début. L'état des bénéfices non répartis présente une mise à jour du montant des bénéfices non répartis figurant dans le bilan, sous la rubrique des capitaux propres; cette mise à jour couvre les événements qui se sont produits entre la fin de la période précédente (année, trimestre, mois, etc.), qui est aussi le début de la période actuelle, et la fin de la période actuelle. Il montre ainsi pourquoi le montant apparaissant dans le bilan a changé depuis la dernière période:

Les bénéfices non répartis apparaissant dans le bilan à la fin de la période	=	les bénéfices non répartis au début de la période + le bénéfice net (ou − la perte nette)* pour la période − les dividendes déclarés durant la période

* Le bénéfice net est le montant qui apparaît dans l'état des résultats pour la même période. Lorsque les affaires ont été mauvaises, le bénéfice peut être négatif (les charges ont été supérieures aux produits, d'où une perte nette plutôt qu'un bénéfice net), et, dans ce cas, la perte nette est déduite des bénéfices non répartis du début de la période. Si la situation devient vraiment sérieuse, les bénéfices non répartis peuvent aussi être négatifs (il n'y a jamais eu de bénéfices ou les pertes ont englouti les bénéfices), auquel cas, le montant négatif des bénéfices non répartis prend le nom de **déficit.**

> L'état des bénéfices non répartis explique pourquoi le montant des bénéfices non répartis apparaissant dans le bilan a changé.

Pour la *même période que celle couverte par l'état des résultats,* l'état des bénéfices non répartis montre que le bénéfice réalisé au cours de la période est inclus dans le montant des bénéfices non répartis de la fin de la période. Voici comment on présente habituellement l'état des bénéfices non répartis:

On inscrit d'abord le montant des bénéfices non répartis, au début de la période (c'est-à-dire, à la fin de la période précédente)	X XXX $
On additionne le bénéfice net de la période	X XXX
On déduit les dividendes déclarés au cours de la période	(X XXX)
On additionne ou on soustrait les divers redressements	X XXX
On obtient le montant des bénéfices non répartis, à la fin de la période	X XXX $

Il est possible d'analyser les couches successives des bénéfices non répartis, période après période, depuis les débuts de l'entreprise.

Saviez-vous que, *en consultant les anciens états financiers*, il est possible de revenir en arrière, année après année, et de connaître le montant du bénéfice net additionné chaque année aux bénéfices non répartis, de même que celui des dividendes qui en ont été déduits ? Vous pourriez reculer ainsi jusqu'au tout premier jour de l'entreprise, alors qu'il n'existait pas encore de bénéfice ni, par conséquent, de bénéfices non répartis. Les bénéfices non répartis peuvent être comparés à un oignon : ils sont composés de couches, correspondant chacune à une année, et il est possible d'enlever ces couches jusqu'à la dernière. Vous pourriez, de la même manière, découvrir successivement toutes les opérations enregistrées, année après année, dans les comptes du bilan ; par exemple, vous pourriez suivre la trace de tous les changements de l'encaisse, depuis le tout début. C'est pour cette raison que le bilan est le reflet de tous les événements inscrits dans les comptes : il constitue l'historique de tout ce qui s'est passé, depuis les débuts de l'entreprise jusqu'au moment présent. Voilà qui prouve que la comptabilité est vraiment un système d'information rétrospectif !

Tant qu'ils n'ont pas été payés, les dividendes déclarés sont comptabilisés parmi les éléments de passif de la société par actions.

Dans une société par actions, le niveau supérieur de la gestion est occupé par le **conseil d'administration**, qui dirige l'entreprise au nom des propriétaires. Dès le moment où ce conseil déclare un dividende, celui-ci est retranché des bénéfices non répartis. La société contracte alors une obligation envers les propriétaires : elle s'en acquitte soit en leur versant l'argent promis, soit, quand il s'agit de **dividendes-actions**, en leur remettant des actions additionnelles. Ce processus implique deux des principes de la comptabilité générale : (1) les opérations conclues avec les propriétaires, dont le principal exemple sont les dividendes, sont présentées dans l'état des bénéfices non répartis, mais pas dans l'état des résultats ; et (2) le fait que les propriétaires peuvent aussi être des créanciers, si des dividendes leur sont dus ou s'ils ont prêté de l'argent à la société en plus des actions qu'ils ont achetées. Puisqu'ils peuvent aussi agir en tant que clients ou employés, les propriétaires peuvent cumuler plusieurs rôles au sein d'une société !

Le lien entre le bilan et l'état des résultats

Le bilan présente tous les comptes d'actif, de passif et de capitaux propres, *tels qu'ils sont à une date donnée*. En général, cet état financier est comparatif : il montre l'état des comptes à la fois au début (c'est-à-dire à la fin de la période précédente) et à la fin de la période couverte par l'état des résultats. Les bénéfices non répartis y figurent donc tels qu'ils étaient au début et à la fin de cette période.

Actif au début de la période = Passif + Capitaux propres (y compris les bénéfices non répartis) au début de la période

Actif à la fin de la période = Passif + Capitaux propres (y compris les bénéfices non répartis) à la fin de la période

Variations de l'actif = Variations du passif + Variations des capitaux propres (y compris les bénéfices non répartis)

Pour illustrer ces équations, prenons un exemple en chiffres :

Début :   1 200 $ d'actif = 750 $ de passif + 450 $ de capitaux propres

Fin :   1 450 $ d'actif = 900 $ de passif + 550 $ de capitaux propres

Variations :   250 $ d'actif = 150 $ de passif + 100 $ de capitaux propres

Au début de la période, les capitaux propres pourraient se répartir comme suit : 200 $ de capital-actions et 250 $ de bénéfices non répartis. Si le capital investi reste le même, la variation des capitaux propres est entièrement due à une modification du solde des bénéfices non répartis, qui, dans l'exemple ci-dessus, pourrait comprendre 175 $ de bénéfice net *moins* 75 $ de dividendes déclarés.

Par conséquent, les bilans du début et de la fin d'une période décrivent la situation financière dans laquelle se trouvait l'entreprise au début et à la fin de la période pour laquelle l'état des résultats a mesuré sa performance. Le bénéfice net contribue aux variations des bénéfices non répartis, lesquels, à leur tour, contribuent aux variations du bilan au cours de cette période. L'état des bénéfices non répartis sert donc de charnière entre l'état des résultats et le bilan, car il montre que le bénéfice net a contribué aux variations du bilan au cours de la période. (Les comptables utilisent le terme **articulation** de l'état des résultats et du bilan pour désigner ce lien.) Le bénéfice net contribue aux variations des bénéfices non répartis au cours de la période, par conséquent :

Le bénéfice net fait partie des capitaux propres de l'équation comptable.

Assurez-vous que vous comprenez bien ce mécanisme :

- Un *produit* accroît la richesse, donc il accroît les capitaux propres, provoquant une augmentation de l'actif ou une diminution du passif ;

- Une *charge* diminue la richesse, donc elle réduit les capitaux propres entraînant une réduction de l'actif ou une augmentation du passif ;

- Un bénéfice net positif augmente les capitaux propres tout en ayant pour effet global d'accroître l'actif et (ou) de réduire le passif (une perte nette, qui est un bénéfice net négatif, produit l'effet contraire).

Donc, le bilan et l'état des résultats s'articulent de deux façons complémentaires :

- L'inscription d'un produit ou d'une charge influe sur l'état des résultats de même que sur au moins un des comptes d'actif et (ou) sur au moins un des comptes de passif du bilan ;

Au début de la période couverte par l'état des résultats, il y a un bilan ; et il y en a un autre, à la fin de la période.

Le bénéfice net accroît la richesse, et, par l'intermédiaire des bénéfices non répartis, il accroît aussi les capitaux propres.

- Le bénéfice net présenté dans l'état des résultats influe sur le compte des bénéfices non répartis du bilan.

Exemple d'articulation de l'état des résultats et du bilan

À la fin de 1997 (et au début de 1998), la société Brillant inc. présentait le bilan suivant : actif, 5 000 $, passif, 3 000 $ et capitaux propres, 2 000 $.

- Le montant des capitaux propres se composait alors de 500 $ de capital-actions plus 1 500 $ de bénéfices non répartis accumulés jusqu'à la fin de 1997. (Ces 1 500 $ représentaient donc la somme de tous les bénéfices nets réalisés par l'entreprise depuis sa fondation jusqu'à la fin de 1997, moins tous les dividendes déclarés aux propriétaires pendant la même période.)

- Au cours de 1998, les produits ont atteint 11 000 $, les charges, 10 000 $ et les dividendes déclarés aux propriétaires, 300 $.

- À la fin de 1998, l'actif s'élevait à 5 900 $, le passif, à 3 200 $ et les capitaux propres, à 2 700 $. Ce dernier montant englobait 500 $ de capital-actions et 2 200 $ de bénéfices non répartis.

L'illustration 2-10 montre comment les trois états financiers rendent compte de tout ce qui précède.

2-10

Illustration

Brillant inc. État des résultats pour 1998	
Produits	11 000 $
Charges (y compris l'impôt)	10 000
Bénéfice net pour 1998	1 000 $

Brillant inc. État des bénéfices non répartis pour 1998	
Bénéfices non répartis, début de 1998 (fin de 1997)	1 500 $
Plus bénéfice net pour 1998 (chiffre tiré de l'état des résultats)	1 000
	2 500
Moins dividendes déclarés en 1998	300
Bénéfices non répartis, fin de 1998	2 200 $

Brillant inc. Bilans au début et à la fin de 1998					
Actif			**Passif et capitaux propres**		
	Fin	Début		Fin	Début
Actif	5 900 $	5 000 $	Passif	3 200 $	3 000 $
			Capitaux propres:		
			Capital-actions	500	500
			Bénéfices non répartis*	2 200	1 500
Total	5 900 $	5 000 $	Total	5 900 $	5 000 $

*Chiffres tirés de l'état des bénéfices non répartis.

D'après cet exemple:

Le bénéfice net est reporté dans le bilan par l'intermédiaire de l'état des bénéfices non répartis.

- le chiffre de la dernière ligne de l'état des résultats est reporté dans l'état des bénéfices non répartis, et

- le chiffre de la dernière ligne de l'état des bénéfices non répartis est reporté dans le bilan:

- les trois états financiers s'imbriquent donc l'un dans l'autre (s'articulent), et c'est l'état des bénéfices non répartis qui sert de charnière.

De plus,

Les variations de la richesse engendrée par les produits et les charges influent sur l'actif et le passif.

- les soldes des comptes d'actif et de passif du bilan doivent aussi varier de façon à refléter l'accroissement ou la réduction de la richesse qu'impliquent les produits et les charges. Ces variations vont de pair avec celles des bénéfices non répartis.

Ce mécanisme s'applique à toutes les sociétés, quelle que soit leur complexité.

Selon l'exemple de Brillant inc., les états des résultats et des bénéfices non répartis peuvent être considérés comme des explications détaillées du changement subi par le montant des bénéfices non répartis inscrit dans le bilan. Mais, sous la rubrique des capitaux propres du bilan, le compte des bénéfices non répartis aurait pu être présenté de la façon suivante:

Bénéfices non répartis: *et état des resultats*	
Solde au début de la période	1 500 $
Plus les produits	11 000
	12 500 $
Moins les charges	10 000
	2 500 $
Moins les dividendes déclarés	300
Solde à la fin de la période	2 200 $

Même si elle apporte toute l'information nécessaire, cette façon de présenter les bénéfices non répartis alourdit le bilan et laisse peu de place aux détails concernant les produits, les charges et les dividendes. Elle a aussi pour effet d'obscurcir le sens du bénéfice net comme mesure de la performance. En conséquence, l'état des résultats et l'état des bénéfices non répartis ont été conçus de manière à fournir aux utilisateurs une mesure distincte de la performance financière, sans compliquer le bilan.

⬤ Ù EN ÊTES-VOUS ?

Voici deux questions auxquelles vous devriez pouvoir répondre, compte tenu de ce que vous venez de lire :

1. Que signifient les termes *produits* et *charges,* en comptabilité générale ?

2. Supposons que les registres comptables de la société Brillant inc. contiennent l'information suivante pour la prochaine année, soit 1999 : produits gagnés, 14 200 $; argent reçu des clients, 13 800 $; charges encourues, 12 900 $; charges payées, 11 200 $; dividendes déclarés, 600 $; et dividendes payés, 500 $. (Rappelez-vous que les bénéfices non répartis s'élevaient à 2 200 $ à la fin de 1998.) Quel est le bénéfice net que Brillant inc. a réalisé en 1999 et à combien s'élevaient ses bénéfices non répartis à la fin de cette même année ? (Vous devriez obtenir 1 300 $ et 2 900 $.)

2.8 EXAMEN PLUS APPROFONDI DU CONTENU DE L'ÉTAT DES RÉSULTATS ET DE L'ÉTAT DES BÉNÉFICES NON RÉPARTIS

Plus tôt, nous avons examiné le bilan des Industries Lassonde inc. Pour reprendre cet exemple, nous présentons à l'illustration 2-11 les états des résultats et des bénéfices non répartis de la société pour 1996. Comme le bilan, ces deux états financiers sont comparatifs (ils établissent une comparaison avec 1995) et consolidés, car Lassonde est un regroupement de plusieurs sociétés.

Voici quelques-uns des points que l'examen de ces deux états financiers est susceptible de faire ressortir :

1. Contrairement au bilan, qui présente la situation à une date donnée, ces rapports couvrent une certaine période (exercices terminés le 31 décembre). Comme dans le bilan, les chiffres de ces états financiers sont en milliers de dollars.
2. Comme le bilan, ils renvoient aux notes complémentaires qui leur sont annexées. Ces notes ne sont pas reproduites ici, car elles ne sont pas nécessaires à la compréhension du rôle de ces deux états financiers.

2-11
Illustration

INDUSTRIES LASSONDE INC.
État consolidé des résultats

des exercices terminés les 31 décembre 1996 et 1995
(en milliers de dollars)

	1996	1995
Ventes	160 001 $	151 388 $
Coût des ventes et frais d'exploitation	139 297	133 282
Bénéfice d'exploitation	20 704	18 106
Autres éléments		
Frais financiers (note 10)	1 321	1 028
Amortissements (note 11)	8 272	5 948
Gain à la réalisation d'immobilisations	(281)	(167)
Quote-part dans les résultats d'une société satellite	(298)	227
	9 014	7 036
Bénéfice avant impôts sur le revenu	11 690	11 070
Impôts sur le revenu (note 12)	3 931	3 738
Bénéfice net	7 759 $	7 332 $
Bénéfice net par action	1,16 $	1,10 $

État consolidé des bénéfices non répartis

des exercices terminés les 31 décembre 1996 et 1995
(en milliers de dollars)

	1996	1995
Solde au début	36 309 $	30 709 $
Bénéfice net	7 759	7 332
	44 068	38 041
Dividendes	2 343	1 732
Solde à la fin	41 725 $	36 309 $

Voir les notes afférentes aux états financiers consolidés (non reproduites dans ce manuel).

3. La partie supérieure de l'état des résultats présente, en général, les produits courants de même que les charges courantes encourues pour gagner ces produits. Sous ceux-ci, peuvent apparaître des éléments faisant état d'événements moins courants, tel l'abandon d'un secteur d'activité. Lassonde n'en indique aucun en 1996 et en 1995. Quatre éléments de l'état des résultats présentent un intérêt particulier:

a. Sous les ventes, apparaissent le coût des ventes et les frais d'exploitation (**coût des ventes** est une autre appellation pour coût des marchandises vendues). Certaines entreprises distinguent, dans l'état des résultats, le coût des ventes des frais d'exploitation. Lorsque cette distinction est faite, il est possible de calculer la **marge brute** dégagée par la vente de marchandises. La marge brute est égale à la différence entre les ventes et le coût des ventes. Le ratio de marge brute peut aussi être calculé, il correspond au rapport entre la marge brute et le montant des ventes. Puisque l'information que fournit la marge brute peut intéresser vivement les sociétés concurrentes, le coût des marchandises vendues est souvent associé à d'autres charges. Lassonde a décidé de ne pas présenter distinctement les deux composantes de cet élément. Ainsi, les salaires des vendeurs, les frais d'électricité et d'assurance, etc., sont présentés sur la même ligne que le coût des ventes. Ce dernier représente le coût d'achat des matières premières (les pommes, entre autres) et les coûts de transformation de cette matière première en produits finis (par exemple, les salaires reliés à la fabrication). Le poste « Coût des ventes et frais d'exploitation » représente la charge la plus importante de l'état des résultats, soit 139 et 133 millions de dollars pour 1996 et 1995 respectivement. Puisque la marge brute ne peut être calculée, la **marge d'exploitation** peut servir à faire une analyse financière intéressante : établir le rapport entre le bénéfice d'exploitation et le montant des produits (les ventes). En 1996, la marge d'exploitation se chiffrait à 13 % (20 704 $/160 001 $) alors qu'en 1995, elle était de 11 % (18 106 $/151 388 $). Deux conclusions peuvent être tirées de ces ratios. Tout d'abord, lorsque toutes les charges directement liées à l'exploitation ont été considérées, chaque 10 $ de vente laisse dans l'entreprise environ 1 $ pour couvrir les autres frais et ultimement pour réaliser un bénéfice net, alors que le coût des ventes et les frais d'exploitation comptent pour plus de 90 % de l'ensemble des charges de l'entreprise (en 1996, 92 % [139 297 $/139 297 $ + 9 014 $ + 3 931 $]; en 1995, 93 % [133 282 $/133 282 $ + 7 036 $ + 3 738 $]). Finalement, en 1996, en dégageant une marge d'exploitation supérieure à celle de 1995, la société Lassonde a fait la preuve qu'elle était en mesure d'augmenter ses ventes tout en contenant ses coûts. Ces derniers ont crû dans une proportion moins importante que ses ventes.

La marge d'exploitation de Lassonde est passée de 11 % à 13 %, de 1995 à 1996.

b. Les frais financiers sont séparés des autres charges, c'est une pratique courante. En effet, on considère que les intérêts sont liés à la structure financière de l'entreprise (au besoin d'emprunter pour financer l'actif), et non nécessairement à son chiffre d'affaires. La note concernant les frais financiers permet de décomposer le montant total en intérêts de la dette à long terme, intérêts de la dette bancaire, frais bancaires, intérêts revenus, etc. Comme nous allons le voir dans les prochains chapitres, il est utile de connaître le montant des intérêts débiteurs pour analyser les états financiers.

c. En général, l'amortissement de l'exercice est aussi présenté séparément dans l'état des résultats, ou encore dans les notes. En 1996, l'amortissement de Lassonde s'élève à 8 272 000 $, alors qu'il était de 5 948 000 $ en 1995. La note complémentaire permet d'expliquer que l'écart vient principalement d'une réduction de la valeur de certaines immobilisations, équivalant à une charge additionnelle de près de 2 millions de dollars en 1996.

En 1995 et 1996, le taux d'imposition de Lassonde est resté stable à 34 %.

d. Les sociétés par actions étant des entités juridiquement distinctes de leurs propriétaires, elles paient de l'impôt sur leurs bénéfices. Ce prélèvement représente en général un pourcentage des bénéfices avant impôts (cependant les calculs sont bien plus compliqués). Si le bénéfice net est négatif (s'il y a une perte), cette façon de calculer peut entraîner un remboursement d'impôt (souvent appelé crédit d'impôt), mais, ici encore, les calculs sont bien plus compliqués. En quelque sorte, le gouvernement partage le bénéfice ou la perte avec les sociétés. En 1996, Lassonde a inscrit des impôts sur les bénéfices de 3 931 000 $ (34 % d'un bénéfice avant impôts de 11 690 000 $) et, en 1995, de 3 738 000 $ (34 % d'un bénéfice avant impôts de 11 070 000 $). Afin d'aider l'utilisateur à comprendre la situation fiscale de l'entreprise, l'état des résultats indique à la fois le montant du bénéfice net et celui du bénéfice avant impôts. De plus, une note fournit habituellement des informations supplémentaires (par exemple, la note 12 présente les calculs des pourcentages d'imposition que nous venons de faire).

Le bénéfice net par action de Lassonde, qui était de 1,10 $ en 1995, s'est élevé à 1,16 $ en 1996.

4. En général, le terme *bénéfice net* (ou profit net) est réservé au chiffre qui apparaît au-dessous du poste « Impôts sur les bénéfices » : il désigne donc le bénéfice net d'impôts. Lassonde a connu un exercice légèrement meilleur en 1996 qu'en 1995, car son bénéfice net s'est accru de 6 %. Le montant du bénéfice net est si important que les sociétés ouvertes incluent dans leur état des résultats le montant du **bénéfice net par action**, qui équivaut, en gros, au montant du bénéfice net divisé par le nombre moyen d'actions ordinaires en circulation. (Ce montant étant difficile à calculer sans une foule d'autres informations, les sociétés le communiquent afin d'éviter aux utilisateurs d'avoir à le faire.) Ainsi, en 1996, si vous déteniez une action de Lassonde, vous pouviez constater que votre part du bénéfice, qui était de 1,10 $ en 1995, était passée à 1,16 $.

5. Le montant du bénéfice net (ou de la perte nette) est reporté dans l'état des bénéfices non répartis, où il vient s'ajouter aux bénéfices et aux pertes accumulés au cours des exercices précédents. Le bénéfice net de 7 759 000 $ réalisé par Lassonde en 1996 (7 332 000 $ en 1995) apparaît donc dans l'état des bénéfices non répartis, ce qui permet d'*articuler* les états financiers. Il faut additionner le bénéfice net aux bénéfices non répartis du début de l'exercice. Les dividendes sont un autre élément important de l'état des bénéfices non répartis. En 1996, la société Lassonde a déclaré 2 343 000 $ de dividendes alors qu'elle avait réalisé un bénéfice net de 7 759 000 $. Elle a ainsi décidé de distribuer à ses actionnaires 30 % de ses bénéfices, donc d'en réinvestir 70 %. En 1995, c'est 76 % des bénéfices qui avaient été réinvestis, alors que les actionnaires avaient eu droit à 24 %, sous forme de dividendes. Un regard sur le bilan des Industries Lassonde inc. à la section 2.6, vous rappellera que la société devait encore 470 000 $ à ses actionnaires à la fin de 1996. Les dividendes déclarés doivent être soustraits des éléments précédents pour arriver à un montant de 41 725 000 $ de bénéfices non répartis pour la fin de 1996 et de 36 309 000 $ pour la fin de 1995 (ce dernier montant est aussi le montant des bénéfices non répartis du début de l'exercice 1996). Ces montants de bénéfices non répartis de la fin des exercices 1995 et 1996 apparaissent aussi dans le bilan comparatif présenté à la section 2.6 — consultez-le de nouveau et veillez à bien les repérer. Voilà qui complète l'articulation de ces trois états financiers.

Il existe certains traitements comptables particuliers qui n'apparaissent pas dans les états des résultats et des bénéfices non répartis de Lassonde ou que nous n'avons pas expliqués. Nous vous les présentons afin que vous puissiez les reconnaître lorsque vous les rencontrerez dans les états financiers d'autres sociétés. Cette présentation n'est pas exhaustive, mais elle suffit pour le moment.

1. Dans le courant d'un exercice, certains événements inhabituels peuvent se produire. Or, s'ils sont simplement inscrits avec les produits et les charges ordinaires, la signification de ces événements peut être dénaturée, et l'interprétation de l'état des résultats peut en être faussée. Parfois de même nature que les autres produits et charges, certains s'en distinguent par le fait qu'ils sont exceptionnels ou démesurés. Un tel événement pourrait être, par exemple, un gain ou une perte particulièrement importants, entraînés par la vente d'un terrain (pour beaucoup de sociétés, dont Lassonde, il n'est pas dans le cours normal des affaires de réaliser des gains sur les biens immobiliers), ou encore, une décision favorable ou défavorable d'un tribunal concernant la société et impliquant un montant considérable. Quand de telles circonstances se présentent, elles *peuvent* figurer dans l'état des résultats, à titre d'**éléments inhabituels**, immédiatement au-dessus du poste « Bénéfice avant impôts », si la société juge que le fait de les ignorer risque d'induire l'utilisateur en erreur.

2. Il arrive que des sociétés ferment ou liquident d'importants secteurs de leur exploitation ; elles y perdent ordinairement de l'argent. Comme de telles décisions modifient la structure de la société, elles doivent être divulguées, et les gains, ou les pertes, qu'elles ont entraînés, y compris le bénéfice, ou la perte, du secteur fermé ou liquidé au cours de l'exercice, doivent apparaître distinctement dans l'état des résultats, *après* les « Impôts sur les bénéfices ». Tout impôt relié à ces **secteurs d'activité abandonnés** est combiné à leur bénéfice, ou à leur perte, afin d'éviter qu'il soit confondu avec l'impôt relatif aux activités courantes. En d'autres termes, l'élément « Impôts sur les bénéfices » s'applique aux secteurs d'activité en exploitation, et tous les redressements ou précisions apportés à l'état des résultats (*ou à l'état des bénéfices non répartis*) apparaissant sous cet élément, comme celui des secteurs d'activité abandonnés, incluent leurs propres effets fiscaux.

3. Une société connaît rarement des événements réellement inhabituels. Lorsque se produit un événement majeur, échappant totalement au contrôle de la société, comme une expropriation soudainement annoncée par un gouvernement, il peut, lui aussi, être présenté, avec ses propres effets fiscaux, sous le poste « Impôts sur les bénéfices ». Toutefois, l'état des résultats contient rarement ces **éléments extraordinaires** ; on a plutôt tendance à inscrire ceux qui sont importants au-dessus des « Impôts sur les bénéfices » à titre d'éléments inhabituels.

4. Lassonde est un regroupement de sociétés. La société principale du groupe détient 100 % des actions donnant droit de vote de trois autres sociétés dites **filiales à part entière**. Si, comme c'est souvent le cas, elle ne détenait pas la totalité des actions donnant droit de vote de certaines sociétés du groupe, il faudrait inscrire, au-dessous du poste « Impôts sur les bénéfices », un autre redressement afin de présenter le montant du bénéfice attribué aux actionnaires sans contrôle, soit des personnes ou des entreprises qui possèdent le reste des actions votantes de ces sociétés. Cela signifie que le bénéfice net inscrit sur la dernière ligne d'un état consolidé des résultats ne représente que la participation des actionnaires ayant le contrôle, et que de ce montant a été retranchée la portion qui revient aux actionnaires sans contrôle. Vous trouverez des explications supplémentaires à ce sujet dans le chapitre 10. Par ailleurs, la société Lassonde possède également une participation dans une société dite **satellite**, c'est-à-dire que techniquement elle n'en a pas le contrôle, mais qu'elle y exerce une influence notable. Cette influence est telle qu'une portion des bénéfices de

la société satellite, proportionnelle aux actions détenues, est ajoutée à l'état des résultats à « Quote-part dans les résultats d'une société satellite ».

5. L'état des bénéfices non répartis peut contenir des redressements qui s'ajoutent à l'addition du bénéfice net et à la déduction des dividendes déclarés. Ces redressements se divisent en deux grandes catégories, chacune incorporant ses propres effets fiscaux. La première catégorie englobe la correction des erreurs trouvées dans les états des résultats des exercices précédents et les changements de conventions comptables qui, apportés au calcul de certains produits et charges, entraînent une différence entre le montant des bénéfices non répartis du début de l'exercice et celui de la fin de l'exercice précédent, inscrit avant qu'on connaisse les erreurs ou les changements. La deuxième catégorie de redressements concerne les opérations conclues avec les actionnaires, comme les frais associés au rachat des actions ou à la modification de la structure du capital-actions de la société. Puisque ces opérations ne font pas partie des échanges conclus avec les clients et les fournisseurs, d'où la société tire des profits, on les présente en général dans l'état des bénéfices non répartis plutôt que dans l'état des résultats.

Ù EN ÊTES-VOUS ?

Voici deux questions auxquelles vous devriez pouvoir répondre, compte tenu de ce que vous venez de lire:

1. Énumérez plusieurs des caractéristiques relatives à l'ordre d'inscription et à la présentation de l'état des résultats et de l'état des bénéfices non répartis, qui visent à aider les utilisateurs à comprendre ce qui s'est passé dans l'entreprise au cours de l'exercice.

2. Supposons que les comptables de Lassonde découvrent qu'une vente qui aurait dû être comptabilisée en 1996 ne l'a pas été. De plus, le coût d'achat de ces marchandises fait encore partie du compte des stocks de marchandises, et il n'a pas été imputé au compte du coût des marchandises vendues. Le produit tiré de la vente s'élève à 1 million de dollars. Compte tenu d'une marge brute hypothétique de 25 % pour 1996 et du taux d'imposition calculé à partir des états financiers, si cette vente était enregistrée comme il se doit en 1996, quel effet cela produirait-il sur: (a) le bénéfice avant impôts de 1996, (b) le bénéfice net de 1996, et (c) les bénéfices non répartis de la fin de 1996? (Le bénéfice avant impôts serait augmenté de 25 % du montant de la vente, soit 250 000 $, car une charge équivalant à 75 % du coût des marchandises vendues devrait être déduite de ce produit. Le bénéfice net augmenterait de 165 000 $, car il faudrait retrancher un montant d'impôt équivalant à 34 % des 250 000 $ additionnels de la marge brute (250 000 $ moins 34 %, qui peut aussi s'écrire 250 000 $ $\times (1 - 0,34) = 165\ 000$ $). Le montant des bénéfices non répartis pour la fin de l'exercice atteindrait 165 000 $ de plus, puisque le bénéfice additionnel aurait été ajouté aux bénéfices non répartis.)

2.9   L'ÉVALUATION DES GESTIONNAIRES, DE LA SITUATION ET DE LA PERFORMANCE FINANCIÈRES

Pourquoi les gestionnaires se préoccupent-ils du bilan et de l'état des résultats de leur entreprise ? Essentiellement parce que de nombreux utilisateurs externes s'y intéressent, dont les propriétaires, les créanciers, le fisc et les syndicats. Vous n'avez qu'à lire n'importe quel article d'un journal ou d'un magazine financiers pour trouver des commentaires semblables à ceux-ci :

- « La structure financière de Maigret inc. est déficiente. La direction doit résoudre ce problème si elle veut que les investisseurs qui redoutent les risques s'intéressent à la société. »

- « Legros ltée dispose d'importantes réserves de liquidités, ce qui laisse supposer que la direction cherche à acquérir une autre société afin de l'intégrer à son groupe. »

- « Les prix des obligations de sociétés ont peu réagi aux récents changements des taux d'intérêt parce que trop de bilans montrent un endettement trop important. »

- « Dans le climat actuel d'effervescence du monde des affaires, les dirigeants des entreprises doivent trouver d'autres moyens que l'emprunt bancaire pour financer l'actif à court terme. »

Le bilan rend compte de la gérance des gestionnaires de l'entreprise.

Le bilan présente la situation financière de l'entreprise (l'actif, le passif et les capitaux propres) à un moment donné (la fin de l'exercice ou toute autre date à laquelle le bilan est dressé). Il indique les éléments d'actif (les ressources) que la direction a choisi d'acquérir et la façon dont elle a décidé de les financer. Par conséquent, le bilan fournit une image de l'état de l'entreprise, dont les utilisateurs externes peuvent se servir pour évaluer la qualité des décisions prises par la direction quant à l'acquisition, à l'utilisation et au financement de l'actif. Pour le meilleur ou pour le pire, le bilan résume toutes les données recueillies par la comptabilité et, pour beaucoup de gens, il constitue la carte de pointage des gestionnaires de l'entreprise. Cette responsabilité est mise en évidence par le fait que, au Canada, le bilan est habituellement signé par des membres du conseil d'administration, soit le plus haut niveau de gestion responsable devant les propriétaires et les créanciers.

L'état des résultats est le reflet principal du rendement de la direction.

Le revenu, les promotions, la carrière, les rentes de retraite et la réputation même des gestionnaires sont assujettis aux décisions prises par des tiers qui, en retour, s'appuient jusqu'à un certain point sur les informations fournies par le bilan. Cela s'applique tout autant à l'état des résultats, surtout lorsque des marchés financiers, tels que les bourses, sont en cause. Dans les grandes **sociétés ouvertes**, les gestionnaires subissent une pression constante à cause du rôle prépondérant accordé au bénéfice (**profit**, ou résultat, **net**) et à ses composantes. Des observateurs du monde des affaires et de la société font souvent remarquer que ce rôle est trop grand, que l'évaluation du rendement des gestionnaires ne devrait pas tenir qu'au bénéfice net présenté par l'état des résultats et qu'il s'agit d'une mesure douteuse, car elle reflète les limites du système en partie double de la comptabilité d'exercice. Il n'en reste pas moins que c'est le bénéfice net qui attire tous les regards.

Presque n'importe quel numéro de journaux financiers, comme *La Presse*, *Les Affaires*, le *Globe and Mail*, le *Financial Post* ou le *Wall Street Journal*, nous permet de constater l'importance accordée à ce résultat net. Il suffit de lire les communiqués publiés régulièrement sur les bénéfices annuels ou trimestriels des sociétés. À l'illustration 2-12, nous donnons un exemple de tels communiqués publiés dans le journal *Les Affaires*.

2-12

Illustration

Résultats financiers

Nombre de compagnies cette semaine : 88   Améliorations : 56   Détériorations : 29

Compagnie	Bénéfices des activités poursuivies 000 $ plus récent	l'an dernier	par action plus récent	l'an dernier	Revenus bruts (000 $) plus récent	l'an dernier	mois	Période terminée le
Abitibi Consolidated	39 000[3]	(7 000)	0,20	(0,04)	1 167 000	1 033 000	3 m.	31-Déc-97
	(132 000)[3]	262 000	(0,68)	1,35	4 166 000	4 456 000	12 m.	31-Déc-97
Alarmforce Industries	511	257	0,08	0,05	3 903	2 968	12 m.	31-Oct-97
Alliance (Produits Forestiers)	13 100	3 700	0,37	0,21	261 100	89 400	3 m.	31-Déc-97
	26 500	56 000	0,79	3,21	823 300	424 000	12 m.	31-Déc-97
Alliance Communications	4 469	4 081	0,30	0,32	83 050	64 956	3 m.	31-Déc-97
	17 831[2]	11 296	1,29	0,98	244 321	183 089	9 m.	31-Déc-97
Anderson Exploration	11 300	37 200	0,09	0,31	195 200	207 100	3 m.	31-Déc-97
Andres (Vins)	3 341	3 603	0,69	0,76	37 045	33 228	3 m.	31-Déc-97
	5 951	5 834	1,24	1,24	90 846	77 760	9 m.	31-Déc-97
Applied Terravision	68	(169)	0,00	(0,01)	3 203	1 698	3 m.	31-Déc-97
AT Plastics	2 111	3 035	0,14	0,20	56 148	51 454	3 m.	31-Déc-97
	10 341	14 162	0,68	0,98	218 644	210 941	12 m.	31-Déc-97
Aur Resources	(9 117)[3]	2 652[3]	(0,12)	0,04	27 423	18 840	3 m.	31-Déc-97
	3 040[3]	12 433[3]	0,04	0,20	115 994	70 483	12 m.	31-Déc-97
Autrex	(2 052)[3]	102[3]	(0,37)	0,02	14 151	14 052	12 m.	31-Oct-97
Avenor	(106 200)[3]	(19 100)	(1,63)	(0,29)	522 400	500 800	3 m.	31-Déc-97
	(217 400)[3]	6 700	(3,32)	0,10	1 991 700	2 061 300	12 m.	31-Déc-97
Barrick Gold[1]	75 000	56 000	0,20	0,15	356 000	330 000	3 m.	31-Déc-97
[1]	(123 000)[3]	218 000[3]	(0,33)	0,60	1 284 000	1 299 000	12 m.	31-Déc-97
Behavior Communication	47	528	0,00	0,06	18 468	24 523	3 m.	31-Déc-97
Boliden[1]	81 804	38 347	0,82	0,38	1 201 985	1 262 718	12 m.	31-Déc-97
BPI Financial	601	450	0,01	0,01	17 984	11 564	3 m.	31-Déc-97
	3 034	621	0,07	0,02	69 374	43 232	12 m.	31-Déc-97
Brookfield Properties (Carena)	40 000	3 000	0,25	(0,08)	458 000	279 000	3 m.	31-Déc-97
	109 000	7 000	0,67	(0,43)	1 506 000	938 000	12 m.	31-Déc-97
Bruncor	(58 710)[3]	13 481[2]	(2,70)	0,62	119 148	114 400	3 m.	31-Déc-97
	(19 610)[3]	45 233	(0,90)	2,08	477 733	450 865	12 m.	31-Déc-97
Budd Canada	3 000	2 200	0,79	0,59	91 600	79 100	3 m.	31-Déc-97
Cambridge (Centres Comm.)	12 002	1 190	0,04	(0,07)	327 388	238 171	9 m.	31-Déc-97
Canada Vie	266 000	219 000	n.d.	n.d.	5 225 000	4 400 000	12 m.	31-Déc-97
Canadian General Investments	2 394	3 822	0,14	0,22	n.d.	n.d.	12 m.	31-Déc-97
Canadian World Fund	12	90	0,00	0,02	n.d.	n.d.	12 m.	31-Déc-97
CFM Majestic	9 322	7 652	0,45	0,44	78 736	77 420	3 m.	31-Déc-97
Ciment Saint-Laurent	12 112	11 456	0,27	0,26	235 997	235 873	3 m.	31-Déc-97
	42 090	16 151[3]	0,95	0,37	828 588	795 737	12 m.	31-Déc-97
Co-Steel	9 800	5 900	0,29	0,19	413 200	352 800	3 m.	31-Déc-97
	29 100	(6 400)	0,87	(0,21)	1 605 300	1 444 500	12 m.	31-Déc-97
Colony Pacific	(4 789)[3]	(442)	(0,28)	(0,03)	334	207	12 m.	31-Oct-97
Commstar	77	95	0,01	0,01	837	847	3 m.	31-Déc-97
	190	196	0,03	0,03	1 751	1 662	6 m.	31-Déc-97
Computer Modelling	(300)	s.o.	(0,04)	s.o.	2 354	s.o.	3 m.	31-Déc-97
	(1 237)	s.o.	(0,14)	s.o.	6 801	s.o.	12 m.	31-Déc-97
Crown Life Insurance	45 390	47 932	6,15	6,72	1 299 152	1 315 526	12 m.	31-Déc-97
DataMirror	693	322	0,07	0,05	8 037	4 346	3 m.	31-Déc-97
	878	1 007	0,10	0,14	22 281	10 093	12 m.	31-Déc-97

Nombre de compagnies cette semaine : 88   Améliorations : 56   Détériorations : 29

| Compagnie | Bénéfices des activités poursuivies | | | | Revenus bruts | | Période | |
| | 000 $ | | par action | | (000 $) | | | |
	plus récent	l'an dernier	plus récent	l'an dernier	plus récent	l'an dernier	mois	terminée le
Diversinet	(998)	(13 623)	(0,07)	(1,15)	392	376	12 m.	31-Oct-97
Edper Brascan	390 000	58 000	2,17	0,24	n.d.	n.d.	3 m.	31-Déc-97
	620 000[2]	257 000	3,34	1,28	n.d.	n.d.	12 m.	31-Déc-97
Enertec Resource	1 100	1 900	0,14	0,28	20 300	29 600	3 m.	31-Déc-97
FCA International	407	97	0,04	0,01	20 771	21 258	3 m.	31-Déc-97
	819	(99)	0,09	(0,01)	42 300	41 903	6 m.	31-Déc-97
Fiducie Desjardins	15 800	11 748	n.d.	n.d.	86 192	81 412	12 m.	31-Déc-97
Fonorola	2 556	(647)	0,13	(0,06)	102 346	81 618	3 m.	31-Déc-97
	9 976	(2 765)	0,65	(0,28)	400 051	276 271	12 m.	31-Déc-97
Galavu Entertainment	(6 121)	s.o.	(0,49)	s.o.	2 099	s.o.	12 m.	30-Sep-97
Hemosol	(10 382)	(11 349)	(0,71)	(0,83)	1 665	n.d.	12 m.	31-Déc-97
Héroux	906	282	0,06	0,02	31 964	24 483	3 m.	31-Déc-97
	1 873	1 330	0,13	0,09	85 385	74 937	9 m.	31-Déc-97
Home Capital Group	1 018	466	0,09	0,04	9 455	9 076	3 m.	31-Déc-97
	3 018	1 187	0,27	0,11	33 788	32 985	12 m.	31-Déc-97
Imax[1]	7 251	4 823	0,24	0,16	37 083	25 686	3 m.	31-Déc-97
[1]	20 335	15 098	0,68	0,50	97 539	85 972	12 m.	31-Déc-97
Intrawest Corp.	4 154	(1 218)	0,12	(0,05)	167 885	72 710	3 m.	31-Déc-97
	269	(3 165)	0,01	(0,14)	213 980	112 061	6 m.	31-Déc-97
IPL	1 080	677	0,15	0,11	26 900	22 800	3 m.	1-Jan-97
ISG Technologies	149	(1 848)[3]	0,01	(0,15)	8 667	6 318	3 m.	31-Déc-97
	158	(2 954)[3]	0,01	(0,23)	16 871	13 928	6 m.	31-Déc-97
Liquidation World	1 539	1 147	0,40	0,30	34 915	22 990	3 m.	4-Jan-97
MacMillan Bloedel	(121 000)	81 000[3]	(1,00)	0,60	4 521 000	4 267 000	12 m.	31-Déc-97
Marconi Canada	10 128	4 944	0,42	0,21	78 296	70 271	3 m.	31-Déc-97
	17 471	10 888	0,72	0,46	198 000	182 735	9 m.	31-Déc-97
Medical Laboratories (Cdn)	2 000	1 100	0,12	0,11	18 100	14 700	3 m.	31-Déc-97
Meridian Technologies	1 034	(1 368)	0,03	(0,04)	98 912	82 281	3 m.	31-Déc-97
	6 454	s.o.	0,20	s.o.	365 834	s.o.	12 m.	31-Déc-97
Microcell Télécommunications	(92 463)	(22 905)	(1,93)	(0,73)	13 793	945	3 m.	31-Déc-97
	(231 487)	(44 390)	(6,50)	(1,46)	27 319	945	12 m.	31-Déc-97
Mohawk Canada	200	(905)	0,01	(0,09)	76 230	90 671	3 m.	31-Déc-97
Molson Cos	22 600[3]	20 200[3]	0,38	0,35	397 900	366 800	3 m.	31-Déc-97
	63 400[3]	61 800[3]	1,08	1,06	1 193 300	1 179 600	9 m.	31-Déc-97
Montrusco & Associés	1 366	840	0,29	0,18	6 516	4 331	3 m.	31-Déc-97
	5 259	3 995	1,12	0,87	23 414	16 570	12 m.	31-Déc-97
Moore Corp.[1]	1 039[3]	42 289	0,01	0,42	746 971	664 591	3 m.	31-Déc-97
[1]	55 099[2]	149 923[2]	0,59	1,50	2 631 014	2 517 673	12 m.	31-Déc-97
Noranda	64 000	36 000	0,24	0,12	1 518 000	1 702 000	3 m.	31-Déc-97
	261 000	254 000	1,00	1,02	6 409 000	6 678 000	12 m.	31-Déc-97
Northern Mountain Helicopters	(362)	(514)	(0,02)	(0,03)	17 437	11 422	3 m.	30-Nov-97
	1 655	2 644	0,09	0,15	41 943	31 076	6 m.	30-Nov-97
Northgate Exploration	175	(116)	0,01	0,00	n.d.	n.d.	3 m.	31-Déc-97
	479	937	0,02	0,03	n.d.	n.d.	12 m.	31-Déc-97
Nova Scotia Power	92 700	90 000	1,07	1,05	741 400	730 600	12 m.	31-Déc-97
Nu-Gro	1	24	0,00	0,00	10 561	9 042	3 m.	31-Déc-97
Peak Energy	3 371	168	0,13	0,01	15 262	1 181	3 m.	31-Déc-97
	6 514	49	0,32	0,01	31 047	1 830	12 m.	31-Déc-97
Potash Corp.[1]	72 375	46 188	1,35	1,01	610 674	342 480	3 m.	31-Déc-97
[1]	297 138	209 036	5,68	4,59	2 325 929	1 403 868	12 m.	31-Déc-97
QLT Phototherapeutics	(4 747)	4 042	(0,18)	0,17	4 325	10 873	3 m.	31-Déc-97
	(16 682)	(4 697)	(0,64)	(0,19)	10 342	13 497	12 m.	31-Déc-97
Qsound Labs	440	36	0,02	0,00	1 937	2 485	3 m.	31-Déc-97
	(695)	(4 286)	(0,03)	(0,21)	5 153	4 846	12 m.	31-Déc-97
Quality Dino[1]	286	1 580	0,05	0,30	7 419	33 400	3 m.	31-Déc-97
[1]	(650)	3 078	(0,28)	0,45	10 446	57 608	6 m.	31-Déc-97

Nombre de compagnies cette semaine : 88	Améliorations : 56	Détériorations : 29					
	Bénéfices des activités poursuivies				Revenus bruts		Période
	000 $		par action		(000 $)		
Compagnie	plus récent	l'an dernier	plus récent	l'an dernier	plus récent	l'an dernier	mois	terminée le
Québec-Téléphone	9 396	8 497	0,53	0,49	78 913	72 292	3 m.	31-Déc-97
	32 084	30 925	1,83	1,79	295 536	277 249	12 m.	31-Déc-97
Redlaw Industries	(1 818)	(881)	(0,44)	(0,21)	n.d.	n.d.	3 m.	31-Déc-97
	(4 923)	267	(1,18)	0,06	n.d.	n.d.	9 m.	31-Déc-97
Ridley Canada	4 770	725	0,38	s.o.	113 967	40 573	3 m.	31-Déc-97
	6 881	1 265	0,58	s.o.	205 170	84 243	6 m.	31-Déc-97
Rio Algom	18 000	12 000	0,25	0,20	443 000	434 000	3 m.	31-Déc-97
	83 000	66 000	1,22	1,20	1 834 000	1 833 000	12 m.	31-Déc-97
Rothmans	17 200	16 700	3,11	3,03	131 700	140 700	3 m.	31-Déc-97
	50 800	48 800	9,21	8,85	404 400	406 100	9 m.	31-Déc-97
Royal Group Technologies	19 394	15 434	0,24	0,19	211 435	174 492	3 m.	31-Déc-97
Royal LePage	817	1 157	0,02	0,02	82 023	82 282	3 m.	31-Déc-97
	11 182	5 245	0,22	0,13	366 235	324 511	12 m.	31-Déc-97
Russel Metals	7 331	(49 176)[3]	0,10	(0,99)	457 635	312 740	3 m.	31-Déc-97
	29 743[3]	(53 234)	0,44	(1,14)	1 667 431	1 296 719	12 m.	31-Déc-97
Saputo (Groupe)	11 400	10 700	0,30	0,28	196 000	121 900	3 m.	31-Déc-97
	33 100	31 100	1,01	0,95	436 800	342 900	9 m.	31-Déc-97
Spectrum Signal Processing	1 070	1 054	0,12	0,11	11 318	10 792	3 m.	31-Déc-97
	3 307	1 974	0,36	0,21	36 452	27 358	12 m.	31-Déc-97
Strategic Value	1 749	(171)	0,03	n.d.	13 497	185	3 m.	31-Déc-97
	6 531	(398)	0,14	(0,01)	35 021	12	14 m.	31-Déc-97
Téléglobe	23 400[3]	35 000	0,32	0,53	576 546	439 376	3 m.	31-Déc-97
	118 400[3]	107 600	1,69	1,60	1 987 948	1 562 678	12 m.	31-Déc-97
Telular Canada	(895)[2]	(1 127)[2]	(0,06)	(0,08)	2 022	2 056	3 m.	31-Déc-97
	(1 418)[2]	361[2]	(0,10)	0,02	3 780	5 682	6 m.	31-Déc-97
Telus Corp.	(316 600)[3]	70 900	n.d.	n.d.	535 100	496 200	3 m.	31-Déc-97
	(130 500)[3]	266 900	n.d.	n.d.	2 019 800	1 860 300	12 m.	31-Déc-97
Third Canadian General Inv.	3 661	2 021	0,76	0,42	3 661	2 021	12 m.	31-Déc-97
TransAlta Corp.	4 500[3]	33 300[3]	0,02	0,21	367 800	463 900	3 m.	31-Déc-97
	182 600[3]	181 000[3]	1,14	1,14	1 717 900	1 575 300	12 m.	31-Déc-97
Transat A.T.	25 364	22 202	0,74	0,86	1 316 740	779 157	12 m.	31-Oct-97
Trilon Financial Corp.	528 000[2]	25 000	3,25	0,12	145 000	127 000	3 m.	31-Déc-97
	789 000[2]	108 000	4,79	0,53	544 000	489 000	12 m.	31-Déc-97
Trimac	42 555[2]	6 758	1,05	0,17	152 408	128 387	3 m.	31-Déc-97
	60 147[2]	21 421	1,48	0,53	597 669	510 584	12 m.	31-Déc-97
TrizecHahn[1]	46 700	(31 500)	0,32	(0,23)	203 200	163 300	3 m.	31-Déc-97
[1]	65 900	32 300	0,45	0,24	713 700	597 100	12 m.	31-Déc-97
Viceroy Homes	214	409	0,02	0,04	9 256	11 009	3 m.	31-Déc-97
	1 974	2 956	0,17	0,30	37 158	40 535	9 m.	31-Déc-97
Vincor	4 171	3 058	0,29	0,25	55 417	48 963	3 m.	31-Déc-97
	9 182	6 322	0,70	0,59	159 456	130 739	9 m.	31-Déc-97
Westaim	(2 403)	(5 703)	(0,03)	(0,08)	29 487	22 517	3 m.	31-Déc-97
	2 940	(8 762)	0,04	(0,12)	92 240	55 797	12 m.	31-Déc-97
Westburne	16 526	12 831	0,35	0,27	616 415	545 190	3 m.	31-Déc-97
	55 321	(139 935)[3]	1,16	(2,96)	2 334 385	2 080 610	12 m.	31-Déc-97

Les bénéfices et pertes présentés dans ce tableau sont basés sur les activités poursuivies. 1: en dollars US
2: inclut un gain non récurrent   3: inclut une charge non récurrente   n.d.: non disponible   s.o.: sans objet

Source: *Les Affaires*, 21 février 1998, p. 104.

Les communiqués sur les résultats des sociétés résument des renseignements importants.

Ces communiqués sont censés mettre en lumière des renseignements de premier plan. Le journal parle de bénéfices des activités poursuivies. Bon nombre de chiffres sont convertis en bénéfice par action (en gros, ces données sont obtenues en divisant le bénéfice net figurant dans l'état des résultats par le nombre d'actions ordinaires émises par la société). On estime que le montant du bénéfice par action est utile à la personne qui détient, ou envisage d'acheter, un nombre déterminé d'actions et se demande quelle portion des résultats de la société se traduit par ce nombre d'actions. Par exemple, si vous possédez n actions de Alliance Communications, vous êtes en mesure de savoir que vos actions ont rapporté 0,30 \$$n$ au cours du dernier trimestre de 1997 et 1,29 \$$n$ pour les neuf derniers mois de l'exercice 1997 et que ce dernier résultat est supérieur à celui de 1996 (0,98 \$).

Dans ces communiqués on ne trouve pas de données sur le bilan et sur la gestion de la trésorerie : la priorité est accordée aux résultats (bénéfice, profit). Ils ne contiennent jamais de données sur la performance non financière, les stratégies à longue échéance (sauf parfois l'évolution du bénéfice par action), ou d'autres aspects du travail des gestionnaires. Il est évident que ces autres facteurs ont leur importance, mais ces communiqués mettent l'accent sur les résultats, et les autres aspects sont négligés.

Les prix des actions à la bourse et les communiqués sur les bénéfices des sociétés ont tendance à être en corrélation.

Les spéculateurs sur les marchés boursiers s'intéressent tout particulièrement aux facteurs qui engendrent de bons (ou de moins bons) bénéfices. Il existe indéniablement une corrélation positive entre le **cours des actions** et les bénéfices : lorsque ces derniers s'améliorent, les prix des actions ont tendance à s'élever, car les investisseurs désirent acheter ces actions ; à l'inverse, lorsque les bénéfices fléchissent, les prix des actions tendent à en faire autant, car les investisseurs veulent les vendre. Ce qui semble se passer, c'est que les investisseurs interprètent ces renseignements comme de bonnes (ou de mauvaises) décisions de gestion, et que l'intérêt que suscitent les actions augmente ou diminue en conséquence. Les communiqués semblables à ceux qui sont reproduits ci-dessus tirent leurs données des mêmes sources que les états financiers, alors, lorsque ces derniers sont publiés, ils reflètent les mêmes faits, les mêmes décisions de gestion. Il s'ensuit que les prix des actions à la bourse fluctuent selon l'attrait de ces actions, attrait qui fluctue lui-même selon les informations que reçoivent les investisseurs sur la société. Or, si les informations sont révélées avant la publication des états financiers ou même des communiqués précités (ce qui se produit habituellement, surtout dans le cas des sociétés bien connues qui sont souvent mentionnées dans les actualités), les prix des actions auront déjà bougé, et les communiqués viendront confirmer la tendance. Par contre, si le communiqué surprend (par des résultats étonnamment bons ou mauvais), les prix des actions ne s'ajusteront qu'à ce moment parce que c'est le communiqué qui révèle l'information. Dans les deux cas, les cours des actions et les communiqués sur les bénéfices tendent à varier en fonction les uns des autres et sont donc en corrélation.

Les gestionnaires des sociétés ouvertes sont très soucieux des états financiers.

Nous pouvons conclure que les facteurs de performance mesurés par la comptabilité d'exercice sont semblables à ceux que les spéculateurs évaluent lorsqu'ils décident d'acheter ou de vendre des actions. De ce fait, les gestionnaires des sociétés dont les actions sont négociées à la bourse sont très conscients de la mesure comptable du bénéfice parce qu'elle intègre des facteurs qui préoccupent les investisseurs. Si ces derniers ne sont pas informés à ce sujet par d'autres sources, ils le seront inévitablement par les états financiers.

Les gestionnaires des sociétés fermées attachent aussi une grande importance aux états financiers.

L'état des résultats prend-il la même importance pour les gestionnaires de petites **sociétés fermées**, dont les actions ne sont pas négociées à la bourse et dont les activités sont en général moins connues du public ? Il est difficile de le vérifier, mais tout porte à croire que cette importance est comparable. En effet, les gestionnaires et les gestionnaires propriétaires de petites sociétés sont au moins aussi préoccupés que les gestionnaires des grandes sociétés par les gratifications accordées aux cadres, par l'impôt et par d'autres éléments de l'état des résultats. Les facteurs qui font fluctuer la confiance, et par la même voie, les prix des actions, peuvent se retrouver aussi dans les petites sociétés. Les gestionnaires de bon nombre d'entreprises, surtout (mais pas uniquement) des grandes sociétés, se donnent beaucoup de mal pour expliquer leur performance aux investisseurs et aux personnes en qui ces derniers ont confiance, comme les analystes des marchés boursiers et les journalistes financiers.

Pour conclure, tout gestionnaire doit être sensible à la façon dont son rendement est évalué par le bilan et par l'état des résultats puisque beaucoup d'autres personnes le sont aussi.

2.10   LA RECHERCHE COMPTABLE : LA MESURE DE LA PERFORMANCE

Les éléments du bilan et de l'état des résultats ont fait l'objet de nombreuses recherches comptables. Plus loin dans ce manuel, nous verrons quelques-unes des controverses soulevées par la façon d'évaluer l'actif et le passif ; en outre, dans le chapitre 3, nous examinerons un grand nombre d'autres informations présentées par la comptabilité, en particulier la gestion des mouvements de trésorerie. Pour le moment, penchons-nous sur certaines recherches sur le bénéfice, tel qu'il est mesuré par la comptabilité d'exercice.

La détermination du bénéfice est l'un des aspects les plus importants de la comptabilité et, pour bien des gens, c'est même *le plus* important. Le bénéfice et ses composantes de produits et de charges constituent la principale mesure comptable de la performance économique d'une entreprise au cours d'une période donnée. Il n'est donc pas surprenant de constater qu'une bonne partie de la recherche comptable porte sur ce sujet. Voici trois exemples de ce que cette recherche a permis de constater :

Une grande partie de la recherche comptable porte sur la relation entre les rapports financiers et la performance économique.

1. La façon de mesurer le bénéfice, élaborée par les experts-comptables au cours des siècles et aujourd'hui bien définie par divers principes et méthodes comptables généralement reconnus, n'est pas facile à rattacher à la théorie économique de la performance. Il existe sans aucun doute un lien, mais il est à la fois complexe et subtil. Ainsi, la comptabilité traite les créanciers différemment des détenteurs d'actions : les intérêts sur les dettes sont déduits comme charge dans le calcul du bénéfice, tandis que les dividendes distribués aux propriétaires ne le sont pas — ils sont présentés sous le montant du bénéfice net dans l'état des bénéfices non répartis, et sont considérés comme des versements d'une partie du bénéfice. Pourtant les créanciers, aussi bien que les propriétaires, ont investi dans la société, et les deux groupes se préoccupent tout autant de sa capacité à leur fournir le rendement qu'ils espèrent. Il n'est pas facile de déterminer la meilleure façon de mesurer la performance pour offrir aux deux groupes une information comparable ; il n'est pas non plus évident que la distinction que fait la comptabilité entre les intérêts et les dividendes est toujours valable sur le plan économique. Un autre exemple de cette complexité est la valeur du bénéfice calculé selon la méthode de la comptabilité d'exercice (comparativement à d'autres mesures de la performance, par exemple, les flux de trésorerie). En économie et en finance, l'évaluation de la performance, du risque et des rendements des investisseurs dépendent d'une foule de facteurs (dont les taux d'intérêt qui touchent tout le système économique, l'inflation et l'ensemble des mouvements des marchés boursiers)

difficiles à relier à la mesure comptable de la performance d'une entreprise donnée. La mesure comptable (bénéfice en comptabilité d'exercice) de la performance économique n'est pas universellement acceptée; bien que la mesure comptable du bénéfice soit effectivement en corrélation avec des indicateurs économiques comme les prix des actions, elle en est totalement différente[1]. Un des champs les plus importants de la recherche comptable porte sur la relation entre le bénéfice comptable et les indicateurs économiques. Nous en reparlerons plus loin dans ce manuel.

L'utilisation de la comptabilité d'exercice pour lisser le bénéfice est un sujet de recherche intéressant.

2. Le calcul du bénéfice en comptabilité d'exercice implique des jugements et des estimations. Nous en verrons beaucoup d'exemples dans ce manuel. Or, le **lissage des bénéfices** constitue un sujet de recherche des plus intéressants. Selon les études menées dans ce domaine, un grand nombre de cadres supérieurs choisissent des méthodes comptables qui ont pour effet de faire paraître les bénéfices d'un certain nombre d'exercices successifs plus lisses qu'ils ne sont et, en général, plus lisses que les bénéfices mesurés uniquement selon la méthode de la comptabilité de caisse. Le terme « lissage » signifie ici que les écarts entre les bénéfices présentés sont atténués, de sorte que ces derniers varient moins d'année en année. De façon générale, le bénéfice établi selon la comptabilité d'exercice connaît des variations moins fortes que le bénéfice établi selon la comptabilité de caisse, car les rentrées et les sorties de fonds dépendent de toutes sortes de facteurs étrangers aux résultats que la comptabilité d'exercice essaie de mesurer.

Les gestionnaires qui choisissent d'utiliser des méthodes permettant le lissage des bénéfices ne veulent pas nécessairement frauder : des raisons d'ordre fiscal ou d'autres bonnes raisons peuvent être à l'origine de leur choix. L'idée qui sous-tend le lissage des bénéfices est le désir des gestionnaires de présenter des variations moins marquées du bénéfice — voir la colonne B ci-dessous — plutôt que de forts écarts — voir la colonne A —, même lorsque le bénéfice total sur cinq ans est le même, et que les chiffres des deux colonnes témoignent d'une tendance à la hausse.

	A (initial)	B(lissé)
Bénéfice de 1995	1 800 000 $	4 150 000 $
Bénéfice de 1996	6 570 000	4 310 000
Bénéfice de 1997	2 650 000	4 570 000
Bénéfice de 1998	8 230 000	4 820 000
Bénéfice de 1999	3 620 000	5 020 000
Total sur 5 ans	22 870 000 $	22 870 000 $

Ces données sont présentées sous forme de graphique à la figure 2.1. La principale raison qui pousse les dirigeants à privilégier la présentation lissée semble être la suivante : des bénéfices entre lesquels il y a peu d'écarts laissent supposer que la direction a la situation bien en main et qu'elle gère l'entreprise de façon compétente. L'autre présentation implique plus de risques, plus d'incertitude. Donc, dans la mesure où les gestionnaires ont, vis-à-vis des propriétaires, la responsabilité de maintenir un faible niveau de risque, ils peuvent préférer lisser les bénéfices.

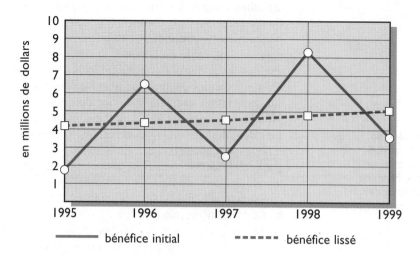

FIGURE 2.1

bénéfice initial   bénéfice lissé

3. Les choix comptables qui vont dans le sens contraire du lissage ont aussi été étudiés par les chercheurs. **L'assainissement du bilan** en est un exemple. Lorsqu'une société connaît un mauvais exercice (un bénéfice peu élevé ou même une perte), elle opte pour des méthodes comptables qui font paraître les résultats encore plus faibles qu'ils ne le sont en réalité. Sachant que de toute façon ils auront des ennuis, les gestionnaires décident de nettoyer les registres comptables. Par ailleurs, dans le but de mettre sur le dos de son prédécesseur les problèmes du passé, un nouveau président peut vouloir débarrasser les comptes de certains éléments d'actif, qui lui semblent douteux, mais auxquels l'ancien président tenait, en les passant en charges. Bien qu'il donne lieu à des chiffres catastrophiques pour l'exercice en question, l'assainissement du bilan permet d'accroître les chances d'obtenir par la suite de meilleurs résultats comptables. On pourrait, par exemple, passer en charges un investissement dans une usine que la société ne désire plus exploiter, plutôt que d'en maintenir le coût dans le bilan et de l'amortir ultérieurement. Ce qui reste d'immobilisations à amortir étant diminué, les bénéfices des exercices à venir sont susceptibles d'être plus élevés puisque les charges d'amortissement seront moins lourdes[2].

2.11 COMPRENEZ-VOUS BIEN CES TERMES ?

Ce chapitre contient un très grand nombre de termes nouveaux. Comme nous vous l'avons suggéré à la section 1.10, assurez-vous de bien comprendre ce qu'ils signifient *en comptabilité*. Si le sens de certains de ces termes ne vous paraît pas clair, relisez le chapitre ou consultez le glossaire à la fin du manuel. Bon nombre de ces termes seront utilisés à maintes reprises tout au long du manuel, de sorte que votre compréhension s'approfondira à mesure que vous avancerez dans votre lecture. Au cas où cela pourrait vous être utile, nous avons inclus dans la liste suivante certains termes particulièrement importants qui ont déjà été présentés au chapitre 1.

Achalandage de
   consolidation
Actif
Actif à court terme
Actif à long terme
Action
Action autodétenue
Action de priorité
Action ordinaire
Action privilégiée
Amortissement cumulé
Articulation
Assainissement du bilan
Avoir des actionnaires
Avoir des propriétaires
Bénéfice
Bénéfice en comptabilité
   d'exercice
Bénéfice net
Bénéfice net par action
Bénéfices non répartis
Bilan
Bourse des valeurs
   mobilières
Capital-actions
Capitaux propres
Charge
Clients (comptes clients)
Compte
Conseil d'administration
Consolidé
Cours des actions

Coût des marchandises
   vendues
Coût des ventes
Créancier
Créditeurs
Débiteurs
Déficit
Dette
Dividende
Dividende-actions
Écart d'acquisition
Élément d'actif
Élément de passif
Élément extraordinaire
Élément inhabituel
Entreprise individuelle
Équation comptable
État des bénéfices
   non répartis
État des résultats
Filiale
Filiale à part entière
Fonds de roulement
Lissage des bénéfices
Marge brute
Marge d'exploitation
Notes afférentes aux
   états financiers
Notes complémentaires
Obligation
Passif
Passif à court terme

Passif à long terme
Perte nette
Produit
Profit
Profit net
Rapport annuel
Ratio
Ratio emprunts/
   capitaux propres
Ratio de liquidité générale
Ratio du fonds de roulement
Reclassement
Redressement cumulé
   relatif aux opérations
   conclues en monnaie
   étrangère
Regroupement de sociétés
Résultat
Satellite
Secteur d'activité abandonné
Société
Société de personnes
Société fermée
Société ouverte
Société par actions
Système de comptabilité
   en partie double
Valeur comptable
   (d'un élément d'actif
   comme une usine)
Valeur comptable
   (de toute l'entreprise)

2.12 CAS À SUIVRE...

DEUXIÈME PARTIE

Données de la deuxième partie

Dans la première partie, Mado et Thomas envisageaient de se lancer en affaires ensemble. Ils avaient ébauché un projet d'entreprise en dressant les listes de leurs objectifs d'affaires et des risques et contraintes qui les préoccupaient. Si votre mémoire vous fait défaut, vous pouvez consulter ces listes sous « Résultats de la première partie » (voir la section 1.11).

Après de nombreuses recherches et de longues discussions, Mado et Thomas ont abouti à une idée. Ils avaient constaté que dans leur région les magasins de détail de type « boutique », habituellement gérés par des familles, connaissaient une forte croissance. Ils ont toutefois remarqué que ces magasins n'étaient pas suffisamment approvisionnés en marchandises attrayantes, et que la mise en marché comportait des lacunes. Ils en ont donc déduit qu'une entreprise régionale de distribution en gros, qui permettrait à ces petites boutiques d'avoir accès aux fournisseurs nationaux et internationaux, tout en les aidant à adapter leurs gammes de produits aux marchés locaux et à bien les mettre en marché, pouvait être un créneau à exploiter.

Il existe d'autres distributeurs de ce genre en Amérique du Nord, mais ils ne semblent pas desservir la région où vivent Mado et Thomas. Nos deux amis considèrent qu'ils ont des idées innovatrices qui se distinguent de celles des autres distributeurs. Le secteur est très concurrentiel, mais ils entrevoient une forte possibilité de croissance, du fait que la génération des baby boomers — qui a atteint l'âge mûr — montre de plus en plus d'intérêt pour les boutiques. De plus, le commerce international offre l'occasion de se procurer des produits intéressants à des prix avantageux.

Point de départ de Mado inc.

Avant de pouvoir ouvrir leur entreprise, Mado et Thomas ont eu beaucoup de choses à faire. Voici quelques-unes des mesures qu'ils ont prises. Premièrement, ils ont décidé de se constituer en société par actions en vue d'obtenir un financement externe et de limiter leur responsabilité personnelle. Ils ont aussi décidé de baptiser l'entreprise Mado inc., estimant que ce prénom avait une certaine résonance exotique et internationale.

Deuxièmement, ils ont rassemblé le capital initial. Pour pouvoir acquérir la marchandise nécessaire, Thomas estimait qu'ils avaient besoin d'un capital-actions d'environ 125 000 $ ainsi que d'un financement bancaire additionnel considérable. Bien qu'ils aient prévu l'utilisation de techniques de gestion modernes afin de maintenir les stocks au plus bas niveau possible, ils savaient que ceux-ci constitueraient un élément d'actif important pour la société. Après des analyses et des discussions avec des parents et des amis, voici comment ils ont décidé de réunir leur capital: Mado détiendrait 40 % des actions avec droit de vote en contrepartie des 50 000 $ qui lui venaient de son héritage; quant à Thomas, il achèterait 24 % des actions. Il ne disposait pas des 30 000 $ nécessaires, mais il mettrait son automobile, évaluée à 10 000 $, dans l'actif de l'entreprise et investirait 20 000 $ de ses propres économies. Cinq amis et membres de la famille ont accepté d'investir 45 000 $ pour acquérir le reste des actions, soit 36 %. De plus, le père de Thomas a consenti à prêter 15 000 $ à l'entreprise. S'il préférait devenir créancier plutôt qu'actionnaire, c'est qu'il s'inquiétait de sa santé et voulait pouvoir être remboursé en cas de besoin.

Troisièmement, ils ont déterminé la structure de gestion de la société. Ils ont établi que le conseil d'administration serait composé de Mado (présidente du conseil), de Thomas et d'un représentant des cinq autres actionnaires. Mado serait la présidente de l'entreprise et Thomas, le vice-président. En principe, Mado veillerait au développement de la société et au marketing, tandis que Thomas s'occuperait du financement et des opérations courantes.

Quatrièmement, ils ont trouvé un entrepôt vacant dont le loyer était abordable; il était situé au centre de la région qu'ils voulaient desservir, sans être trop éloigné de leurs domiciles respectifs. Le bâtiment qu'ils ont loué nécessitait quelques rénovations, mais ils pouvaient y emménager tout de suite et commencer leur exploitation.

Cinquièmement, après avoir élaboré un plan d'affaires, Thomas a contacté plusieurs banques et autres institutions financières pour solliciter leur soutien. Compte tenu de ses antécédents et de ceux de Mado, de leur plan d'affaires et du financement déjà en place, il a obtenu l'aide qu'il demandait: essentiellement, une marge de crédit (un montant pré-approuvé) grâce à laquelle la société pourrait obtenir tout de suite un crédit allant jusqu'à 80 000 $ et un crédit ultérieur garanti par les stocks et les comptes clients, une fois les opérations commencées. Pour obtenir ce crédit, Mado et Thomas ont dû cautionner personnellement la marge de crédit et donner leurs actions en garantie.

La nouvelle entreprise a été fondée le 1er mars 1997. Ce jour-là :

- elle a été officiellement constituée en société par actions, avec une seule catégorie d'actions sans valeur nominale ;

- elle a reçu sa première facture (des honoraires de 1 100 $ à verser à l'avocat qui s'était occupé de la constitution) ;

- les différents investisseurs ont versé leur quote-part ;

- un bail de cinq a été signé pour la location de l'entrepôt ;

- Thomas a transféré les droits de propriété de son automobile à la société ; et

- Mado a quitté son emploi pour devenir la seule employée à temps complet de la société, avec un salaire mensuel de 2 500 $.

Ils ont décidé que Thomas continuerait à travailler à la banque, pendant que Mado passerait la plus grande partie de son temps à établir des contacts avec les fournisseurs et les détaillants, tout en supervisant les rénovations et en s'acquittant des autres tâches nécessaires à la mise en route de l'entreprise. Tous deux pensaient qu'il valait mieux que Thomas conserve son emploi bien rémunéré plutôt que de le quitter et d'imposer le coût d'un salaire additionnel à la société. Tant qu'il travaillerait à la banque, Thomas devait prendre en note les heures qu'il consacrerait à la société. Il serait payé, plus tard, au même salaire horaire que Mado, qui pensait consacrer 200 heures par mois au démarrage de l'entreprise.

Les six premiers mois de Mado inc.

Pendant les six premiers mois d'exploitation, Mado et Thomas ont mené une vie mouvementée. Le principal problème était de faire parvenir leurs marchandises aux détaillants à temps pour la période de vente intense qui s'étend de juillet à décembre. À plusieurs reprises, Mado a regretté de ne pas avoir commencé plus tôt, car la signature des ententes avec les fournisseurs et les détaillants de même que la livraison des marchandises exigeaient beaucoup plus de temps que prévu. Au cours de ce premier semestre, l'entreprise a réalisé quelques produits, mais cette période a surtout servi à la mise en place des structures.

Des événements importants ont eu lieu au cours du semestre terminé le 31 août 1997.

- L'entrepôt a été occupé dès le début de mars, mais les rénovations (des « améliorations locatives », telles que l'installation de cloisons, de rayonnages et autres aménagements) n'ont été terminées qu'au début de juin, soit un mois plus tard que souhaité.

- On a acheté un ordinateur pour traiter les dossiers relatifs à la comptabilité, aux achats, aux ventes, aux stocks et aux relations avec les clients. On s'est aussi procuré les logiciels appropriés.

- Thomas, qui, depuis le mois de mars avait consacré la plupart de ses soirées et de ses fins de semaine à l'entreprise, a quitté son emploi à la banque en juillet et a commencé à travailler à temps complet dans la nouvelle entreprise.

- Mado a parcouru la région pour rendre visite aux propriétaires de boutiques et pour en obtenir des commandes; elle s'est aussi rendue à l'extérieur de la région pour rencontrer des fournisseurs. À cause de toutes ses activités d'implantation, l'entreprise a accumulé des factures de téléphone considérables, mais cela avait été prévu dans le plan d'affaires.

- Au milieu du mois d'août, on a engagé un employé pour tenir tous les registres et aider Mado à organiser son travail.

Thomas a comptabilisé comme suit l'amortissement des éléments d'actif corporels, des éléments d'actif incorporels, des améliorations locatives et des logiciels: automobile, améliorations locatives, ordinateur et logiciels: 1/2 année × 20 % du coût; autre matériel et meubles: 1/4 année × 10 % du coût.

Résultats de la deuxième partie

Vous trouverez ci-dessous plusieurs états financiers de la nouvelle société: deux bilans de début d'exploitation datés du 1er mars 1997, un état des résultats et un état des bénéfices non répartis couvrant le premier semestre, terminé le 31 août 1997, de même qu'un bilan daté du 31 août 1997.

1. Mado et Thomas ont préparé deux bilans: l'un énumère les apports en capital de chacun, et l'autre est présenté sous une forme plus habituelle. L'illustration 2-13 montre le premier.

2-13

Illustration

Mado inc. Bilan détaillé au 1er mars 1997			
Actif		**Sources de l'actif**	
Encaisse:		Honoraires à payer	
De Mado	50 000 $	à l'avocat	1 100 $
		Investissements:	
De Thomas	20 000	Actions de Mado	50 000
Des autres		Actions de Thomas	30 000
actionnaires	45 000	Autres actionnaires	45 000
Du père de Thomas	15 000	Père de Thomas	15 000
Automobile	10 000		
Frais de constitution	1 100		
TOTAL	141 000 $	TOTAL	141 000 $

2. Le deuxième bilan de début d'exploitation fait l'objet de l'illustration 2-14. Dans ce dernier, Mado et Thomas ont inscrit le prêt du père de Thomas parmi les éléments de passif à court terme, car il a signalé qu'il désirait pouvoir être remboursé à tout moment. Le coût de l'automobile de Thomas a été inscrit à la valeur convenue, mentionnée plus haut. Thomas et Mado estimaient que le fait d'avoir constitué leur entreprise en société par actions comportait des avantages pour l'avenir: ils ont donc présenté les frais de constitution comme élément d'actif. Ils n'étaient toutefois pas entièrement convaincus du bien-fondé de leur décision, car ils ne pouvaient dire exactement de quels avantages il s'agissait en réalité et combien de temps ils allaient durer.

2-14

Illustration

Mado inc. Bilan officiel au 1er mars 1997			
Actif		**Passif et capitaux propres**	
Actif à court terme :		Passif à court terme :	
Encaisse	130 000 $	Comptes fournisseurs	1 100 $
Actif à long terme :		Emprunt à rembourser	15 000
Automobile (coût)	10 000	Capitaux propres :	
Frais de constitution	1 100	Capital-actions	125 000
TOTAL	141 100 $	TOTAL	141 100 $

3. À la fin du premier semestre, l'état des résultats et l'état des bénéfices non répartis (illustration 2-15) ont été présentés sous forme d'«état des pertes et du déficit» puisque la société a enregistré une perte et, par conséquent, des bénéfices non répartis négatifs, soit un déficit.

2-15

Illustration

Mado inc. État des pertes et du déficit pour le semestre terminé le 31 août 1997		
Produits		42 674 $
Coût des marchandises vendues		28 202
Bénéfice brut		14 472 $
Charges d'exploitation :		
Salaires	25 480 $	
Déplacements	8 726	
Téléphone	2 461	
Loyer	12 000	
Services publics	1 629	
Bureau et frais généraux	3 444	
Amortissement	10 110	63 850
Perte nette pour le semestre (pas d'impôt)		49 378 $
Déficit au 31 août 1997		49 378 $

4. Le bilan présenté à la fin d'août (illustration 2-16) était comparatif : les chiffres du 1er mars y figuraient, de façon à permettre au lecteur de constater l'évolution de la situation financière de l'entreprise au cours du premier semestre. Il est à noter que le déficit apparaissant dans l'état des résultats et des bénéfices non répartis est reporté dans le bilan afin de l'articuler à ce jeu d'états financiers.

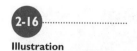

Illustration

Mado inc.
Bilans au 31 août 1997 et au 1er mars 1997

Actif	Août	Mars	Passif et capitaux propres	Août	Mars
Actif à court terme :			**Passif à court terme :**		
Encaisse	4 507 $	130 000 $	Emprunt bancaire	75 000 $	0 $
Clients	18 723	0	Fournisseurs	45 616	1 100
Stocks	73 614	0	Prêt à rembourser	15 000	15 000
	96 844 $	130 000 $		135 616 $	16 100 $
Actif à long terme :			**Capitaux propres :**		
Coût du matériel	54 640 $	10 000 $	Capital-actions	125 000 $	125 000 $
Amortissement			Déficit	(49 378)	0
cumulé du matériel	(3 234)	0		75 622 $	125 000 $
Améliorations					
locatives (net)*	57 568	0			
Logiciels (net)**	4 320	0			
Coût de la					
constitution	1 100	1 100			
	114 394 $	11 100 $			
TOTAL	211 238 $	141 100 $	TOTAL	211 238 $	141 100 $

* Valeur comptable nette des améliorations locatives = coût de 63 964 $ − 6 396 $ d'amortissement cumulé.
** Valeur comptable nette des logiciels = 4 800 $ − 480 $ d'amortissement cumulé.

2.13 SUJETS DE RÉFLEXION ET TRAVAUX POUR AMÉLIORER LA COMPRÉHENSION

PROBLÈME 2.1*
Préparation d'un bilan simple, calcul du fonds de roulement

Voici les soldes des comptes au 31 juillet 1998 de la Boulangerie Biscotte, une société de personnes qui loue ses locaux commerciaux. Préparez le bilan de cette entreprise en bonne et due forme. D'après le bilan, calculez son fonds de roulement et son ratio du fonds de roulement.

Act ÷ Pct

Coût du matériel de boulangerie	129 153 $	Capital de B. Cotnoir	52 921 $
Emprunt bancaire remboursable sur demande	14 500	Amortissement cumulé	43 996
Coût des fournitures en stock	13 220	Petite caisse	895
Montant dû aux fournisseurs	11 240	Montant dû par les clients	3 823
Capital de A. Bisson	27 425	Encaisse	4 992
Salaires dus aux employés	2 246	Coût des marchandises non vendues	245

PROBLÈME 2.2*
Préparation d'un bilan distinct pour chaque membre d'un couple, puis combinaison des deux bilans

Le vendredi 19 juin 1998, Julie et Simon, qui sont fiancés, font chacun une liste de leurs ressources financières et des droits sur ces ressources. Voici leurs listes :

Liste de Julie	
Argent dans un compte de chèques	500 $
Chaîne stéréo	2 000
Dépôt de garantie pour la salle (noces)	300
Liste de Simon	
Argent dans un compte de chèques	1 000 $
Prêt étudiant	2 100
Meubles	500
Loyé payé d'avance pour la salle (noces)	400

1. À l'aide de la liste de Julie, préparez son bilan au 19 juin 1998.
2. À l'aide de la liste de Simon, préparez son bilan au 19 juin 1998.
3. Le samedi 20 juin 1998, Julie et Simon se marient. Voici quelques-uns de leurs cadeaux de noces :

Argent	2 000 $
Articles pour la maison	1 500
Remboursement du prêt de Simon par ses parents	2 100

Le couple verse immédiatement 1 000 $ à l'orchestre qu'il a engagé pour les noces. Pendant la réception, la salle n'a subi aucun dommage. Après les noces, les jeunes mariés partent en lune de miel jusqu'au mardi soir suivant et paient toutes leurs dépenses avec la carte de crédit de Julie, dont ils devront régler le solde à la fin de juillet 1998. Leur lune de miel leur coûte 600 $.

Dressez le bilan du couple au 24 juin 1998. Assurez-vous d'y inclure toutes les informations financières qui vous ont été fournies.

PROBLÈME 2.3*
Exemples d'éléments du bilan et calcul du fonds de roulement

1. Définissez chacun des éléments suivants et donnez un exemple tiré du bilan de la section 2.6 du présent chapitre (ou du bilan de toute autre société que vous connaissez ou qui vous intéresse).

   a. un élément d'actif à court terme ;
   b. un élément d'actif à long terme ;
   c. un élément de passif à court terme ;
   d. un élément de passif à long terme ;
   e. un élément de capitaux propres.

2. Pensez-vous que les exemples que vous avez choisis sont toujours classés de la même façon par toutes les entreprises ? Expliquez votre réponse. Donnez des exemples, si possible.

3. Calculez le fonds de roulement et le ratio du fonds de roulement de la société pour les deux exercices présentés dans le bilan. La situation à court terme de la société s'est-elle améliorée ou détériorée au cours de ces deux exercices ?

PROBLÈME 2.4*
Bilan personnel et ratio emprunts/ capitaux propres

1. Dressez la liste de vos ressources et de vos obligations personnelles et essayez de les classer de la même manière que les éléments présentés dans un bilan comptable standard, dans lequel les ressources sont énumérées d'un côté et les dettes et droits sur ces ressources, de l'autre. Gardez à l'esprit que le total des ressources doit être égal au total des dettes plus les capitaux propres. En dressant cette liste, demandez-vous quelles ressources ou obligations pourraient être présentées dans un bilan ; quels renseignements vous devriez fournir sur chacun de ces éléments ; quels éléments doivent être classés dans le court ou le long terme ; et quels sont ceux qui peuvent être facilement ou difficilement évalués en chiffres. (Si vous avez rempli une demande de carte de crédit ou de prêt étudiant, l'information que vous avez fournie à cette occasion pourrait constituer un bon point de départ.)

2. Quelles informations susceptibles de favoriser la prise de décision votre liste de ressources et d'obligations pourrait-elle fournir ?

3. Calculez votre ratio emprunts/capitaux propres personnel (le total du passif divisé par le total des capitaux propres). Votre situation financière est-elle solide ?

PROBLÈME 2.5*
Définition de termes

Définissez dans vos propres mots les termes suivants :

- Produit
- Charge
- Bénéfice net
- Dividende
- Bénéfices non répartis
- Capitaux propres

PROBLÈME 2.6
Idées de base concernant le bilan, le bénéfice net et les bénéfices non répartis

Voici le bilan récemment présenté par Embouteillage Labrosse ltée :

Embouteillage Labrosse ltée Bilan au 30 septembre 1998			
Encaisse	1 642 $	Hypothèque	1 000 $
Stock	1 480	Capital-actions	3 000
Terrain	2 100	Bénéfices non répartis	1 222
	5 222 $		5 222 $

1. Pourquoi le mot « terrain » figure-t-il dans le bilan, et que représente-t-il ?

2. Le 5 octobre 1998, l'entreprise a emprunté 2 410 $ à la banque et a dépensé immédiatement cet argent pour acheter un autre terrain. Après cet achat, à combien s'élevait son actif ?

3. Plutôt que d'emprunter à la banque, pourquoi l'entreprise n'a-t-elle pas tout simplement utilisé ses 3 000 $ de capital-actions ?

4. Expliquez pourquoi le poste « Bénéfices non répartis » apparaît dans le bilan et dites ce qu'il représente.

5. Pour l'exercice terminé le 30 septembre 1998, les produits de la société s'élevaient à 10 116 $ et ses charges (y compris l'impôt sur les bénéfices), à 9 881 $. À combien s'élevait le bénéfice net pour cet exercice ?

6. Au cours de l'exercice terminé le 30 septembre 1998, la société a déclaré des dividendes de 120 $. Compte tenu de ces dividendes et des données fournies au point 5, à combien s'élevait le solde du compte des bénéfices non répartis *au début* de cet exercice (au 1er octobre 1997) ?

7. Si les charges de l'exercice terminé le 30 septembre 1998 avaient été de 11 600 $ au lieu du montant indiqué au point 5, et si la société n'avait déclaré aucun dividende, à combien s'élèveraient les bénéfices non répartis au 30 septembre 1998 ?

8. La solution du point 7 est un montant négatif, soit un déficit. Selon vous, serait-il intéressant de présenter ce déficit comme un montant positif en l'inscrivant parmi les éléments d'actif, du côté gauche du bilan, plutôt que de le garder tel quel en le déduisant des capitaux propres, du côté droit du bilan ? Expliquez votre réponse.

PROBLÈME 2.7*
Préparation d'un jeu simple d'états financiers à l'aide de comptes

Vous trouverez ci-dessous les soldes des comptes de Services Limo Belle ltée. Préparez, pour l'année 1998, un état des résultats et un état des bénéfices non répartis, et un bilan comparatif pour 1997 et 1998. (Notez que le montant des bénéfices non répartis de 1998 est le même que celui de 1997 puisque les montants du bénéfice net et des dividendes de 1998 n'ont pas encore été ajoutés ou déduits. Vous comprendrez comment cela fonctionne quand vous préparerez l'état des bénéfices non répartis.) Formulez les hypothèses que vous croyez nécessaires.

	30 septembre 1998	30 septembre 1997
Amortissement cumulé	30 000 $	20 000 $
Amortissement des limousines	10 000	
Autres charges	70 000	
Bénéfices non répartis	4 000	4 000
Capital-actions	1 000	1 000
Impôts de l'exercice	35 000	
Salaires	100 000	
Coût des limousines	90 000	60 000
Dividendes déclarés	80 000	
Encaisse	2 000	4 000
Financement à long terme des limousines	50 000	30 000
Montant à payer aux Usuriers Unis		10 000
Montant dû par Ed Lachance		1 000
Produits	300 000	
Salaires non encore versés	2 000	

PROBLÈME 2.8*
Explication de termes en langage non technique

Répondez aux questions suivantes en utilisant un langage non technique susceptible d'être compris par une personne qui n'aurait pas lu les chapitres 1 et 2.

1. Qu'est-ce qu'on entend par « bénéfice net » en comptabilité générale ?

2. Pourquoi le bénéfice net fait-il partie des capitaux propres ?

3. Si le bénéfice net fait partie des capitaux propres, pourquoi est-il nécessaire de dresser un état des résultats ? Pourquoi ne pas se contenter d'inscrire le bénéfice net dans le bilan ?

4. Pourquoi les dividendes distribués aux actionnaires ne sont-ils pas considérés comme une charge dans le calcul du bénéfice net?

PROBLÈME 2.9*
Préparation d'un bilan, de notes complémentaires et d'une analyse de données hypothétiques simples

Armand Lamer inc. est un restaurant spécialisé dans les fruits de mer et les soupes de poisson. L'établissement est loué, et toutes les ventes se font au comptant, de sorte que le bilan de la société comporte peu de comptes. Voici ces comptes, au 31 mai 1998:

Aliments (coût)	2 100$	Montant à payer aux fournisseurs	5 300$
Matériel et mobilier (coût)	64 900	Emprunt à long terme	25 000
Fournitures (coût)	4 500	Salaires à payer	900
Encaisse	2 200	Capital-actions émis	10 000
Amortissement cumulé	27 400	Bénéfices non répartis	5 100

1. Dressez le bilan d'Armand Lamer inc., au 31 mai 1998. Joignez-y toutes les notes complémentaires que vous jugez utiles.
2. Commentez la situation financière du restaurant, telle que votre bilan la présente.
3. Supposons que, après avoir dressé le bilan, vous vérifiez les comptes de la société et découvrez une erreur dans les registres: la société a versé 2 900$ à un fournisseur, mais, par inadvertance, ce montant n'a pas été déduit du comptebancaire ni du registre des comptes fournisseurs. Vous décidez d'inscrire ce paiement. Quelle incidence cette modification aura-t-elle sur le bilan que vous avez dressé (numéro 1) et sur les commentaires que avez faits (numéro 2)?

PROBLÈME 2.10*
Préparation d'états financiers à l'aide de comptes

Voici la liste des comptes de Productions Extase, au 30 novembre 1998. Ils sont énumérés dans le désordre.

Salaires	71 000$	Dividendes déclarés	11 000$
Impôt à payer	2 800	Amortissement cumulé	94 000
Terrain	63 000	Encaisse	18 000
Avantages sociaux	13 100	Impôts de l'exercice	6 900
Retenues salariales à payer	5 400	Produit des ventes à crédit	346 200
Clients	16 400	Marchandises en stock	68 000
Produit des ventes au comptant	21 600	Assurance payée d'avance	2 400
Dividendes à payer	5 500	Bénéfices non répartis, début	
Amortissement de l'exercice	26 700	de l'exercice	92 800
Coût des marchandises		Fournisseurs	41 000
vendues	161 600	Intérêts créditeurs	1 700
Frais d'assurance	11 200	Bâtiment	243 000
Capital-actions	200 000	Camions et matériel	182 500
Frais de bureau	31 100	Salaires à payer	4 100
Hypothèque à payer	114 000	Charges accessoires	8 200
Emprunt bancaire	21 800	Intérêts débiteurs	16 800

1. Quels sont les comptes nécessaires à la préparation de l'état des résultats ?
2. Compte tenu de votre réponse à la question 1, quel est le bénéfice net ?
3. Compte tenu de votre réponse à la question 2, quels sont les bénéfices non répartis de la fin de l'exercice ?
4. Préparez les états financiers suivants en justifiant les réponses que vous avez données aux questions 2 et 3 :
   a. l'état des résultats pour l'exercice terminé le 30 novembre 1998 ;
   b. l'état des bénéfices non répartis pour le même exercice ;
   c. le bilan au 30 novembre 1998.
5. Expliquez brièvement ce que ces états financiers révèlent sur la performance de l'entreprise au cours de l'exercice 1998 et sur sa situation financière au 30 novembre 1998.

PROBLÈME 2.11*
Commentaires sur le lissage des bénéfices et sur les motivations des gestionnaires en ce qui concerne la façon dont le bénéfice est mesuré

Voici les bénéfices nets réalisés par Gosselin inc. au cours des dernières années :

1991	2 500 000 $
1992	3 600 000
1993	4 700 000
1994	3 200 000
1995	5 100 000
1996	4 600 000
1997	5 500 000

La société termine présentement sa comptabilité pour 1998. Certains éléments restent encore à déterminer, mais il est possible que le bénéfice net de 1998 corresponde à l'un ou l'autre de ces trois chiffres : 6 400 000 $, 5 400 000 $ ou 4 100 000 $.

1. Compte tenu de la courbe des bénéfices des dernières années, lequel de ces trois chiffres possibles serait le plus « lisse » ? Pourquoi ?
2. La différence entre le bénéfice le plus élevé et le bénéfice le plus bas tient à la façon de comptabiliser un important contrat. Si les produits et les charges relatives à ce contrat sont imputés à l'exercice 1998, on obtient le chiffre le plus élevé ; s'ils sont reportés à l'exercice 1999, on arrive au chiffre le plus bas. Il est aussi question d'imputer une partie du contrat à l'exercice 1998 ; on obtient alors le chiffre du milieu, soit 5 400 000 $. Les trois possibilités ont été discutées. Selon vous, quels arguments ont été apportés dans chacun des cas ?
3. À votre avis, une entreprise doit-elle choisir ses méthodes comptables en fonction du bénéfice net qui en résulte ou se contenter d'utiliser les méthodes les mieux indiquées et accepter de présenter le résultat net ainsi mesuré ? Pourquoi ?

PROBLÈME 2.12*
Calcul de chiffres comptables par déduction

Remplissez les espaces blancs de la liste de comptes de la société Viking. Effectuez vos calculs en commençant par l'exercice 1995.

	1995	1996	1997	1998
Produits de l'exercice	38 000 $	_____	61 000 $	65 000 $
Charges de l'exercice (sauf impôt sur les bénéfices)	_____	42 000	50 000	_____
Bénéfice de l'exercice avant impôts	9 000	7 000	_____	4 000
Impôts de l'exercice	2 000	_____	_____	1 000
Bénéfice net de l'exercice	_____	5 500	8 000	_____
Bénéfices non répartis, début de l'exercice	_____	_____	_____	_____
Dividendes déclarés au cours de l'exercice	3 000	_____	4 500	0
Bénéfices non répartis, fin de l'exercice	25 000	_____	33 000	_____
Autres capitaux propres, fin de l'exercice	35 000	38 000	38 000	_____
Passif, fin de l'exercice	_____	85 000	111 000	105 000
Actif, fin de l'exercice	140 000	152 500	_____	189 000

PROBLÈME 2.13
Les utilisateurs et leurs besoins

Prenez comme exemple une société que vous connaissez ou qui vous intéresse, et dressez la liste de toutes les personnes qui voudraient examiner son bilan. Divisez votre liste en deux colonnes: intitulez la première « Utilisateur » et la deuxième « Utilisation (Besoins) ».

Essayez de prendre « utilisation » dans son sens large: votre liste pourrait ainsi facilement s'allonger. Vous pourrez l'allonger encore en y incluant les personnes qui, à votre avis, utiliseraient volontiers le bilan si celui-ci répondait à leurs besoins ou si elles pouvaient le consulter au moment voulu.

PROBLÈME 2.14
Questions que se pose un chef d'entreprise au sujet de la comptabilité

Jeannette est ingénieur électricien. Depuis plusieurs années, elle travaille dans le domaine de l'électronique au sein d'une grande société, mais elle est décidée à se lancer en affaires en offrant à d'autres entreprises des services de design et de consultation générale en électronique. Afin de se préparer à cette aventure, elle a réuni le capital nécessaire, lu des livres traitant de la gestion des affaires et interrogé des chefs d'entreprise. Ayant appris que vous suivez un cours de comptabilité générale, elle vous dit: « Vous pouvez peut-être m'aider à comprendre certaines des particularités de la comptabilité! » Vous répliquez que vous venez juste de commencer votre cours, mais elle vous demande d'essayer quand même de répondre à ses questions. Formulez des réponses brèves et claires aux questions qu'elle vous pose, sans utiliser le jargon du métier.

1. Tout le monde veut savoir si mon entreprise a des chances de faire des profits. Comment les experts-comptables vont-ils mesurer mes profits? Je sais qu'ils le font au moyen de l'état des résultats, mais je ne comprends vraiment pas ce qui figure ou ne figure pas dans ce rapport.
2. Si on désire faire de bons profits, c'est surtout en vue de mettre de l'argent à la banque. Pourtant, on m'a dit que la comptabilité d'exercice ne mesure pas

les profits en fonction des fonds disponibles en banque. Qu'est-ce que cela veut dire ?

3. J'ai lu que les entreprises utilisent le système de comptabilité en partie double. Par conséquent, le bilan et l'état des résultats s'articulent l'un à l'autre. Comment cela fonctionne-t-il ?

4. Quelqu'un m'a recommandé de maintenir un bénéfice peu élevé de façon à payer moins d'impôts. Quelqu'un d'autre m'a conseillé le contraire afin d'attirer les investisseurs et de rassurer les créanciers. Comment se fait-il qu'on ait le choix ? Moi qui croyais que la comptabilité générale se contentait de rapporter les faits !

PROBLÈME 2.15
Les ressources, les sources et le ratio emprunts/ capitaux propres d'une entreprise réelle

En utilisant comme exemple le bilan des Industries Lassonde inc. présenté à la section 2.6 (ou celui de n'importe quelle autre société), répondez aux questions suivantes :

1. Quelles sont les ressources dont dispose la société ?

2. Comment ces ressources sont-elles financées ?

3. Le financement de la société dépend-il davantage de ses emprunts ou de ses capitaux propres ? Calculez le ratio emprunts/capitaux propres (le total du passif divisé par le total des capitaux propres), qui mesure le rapport entre ses sources de financement. Y a-t-il des comptes présentés du côté droit du bilan qui ne semblent pas clairement constituer une dette ou des capitaux propres ?

PROBLÈME 2.16
L'intérêt de l'information fournie par le bilan pour un professionnel qui n'est pas comptable

Rédigez un court texte dans lequel vous présenterez une profession autre que la comptabilité, que vous ou une personne de votre connaissance pourriez exercer. Vous expliquerez ensuite l'intérêt de l'information fournie par le bilan pour ce type de professionnel. Si vous pensez que l'information fournie par le bilan n'est pas utile pour cette profession, précisez pourquoi.

PROBLÈME 2.17
Explication de notions relatives au bilan à un dirigeant d'entreprise

Vous avez été engagé comme directeur adjoint de Stéphane Joly, propriétaire dynamique d'une chaîne de restaurants en plein essor. Vous vous rendez en avion dans une autre ville avec M. Joly, mais le film présenté à bord est tellement ennuyeux que vous vous mettez à bavarder avec votre patron. M. Joly vous dit soudainement que rien ne l'irrite plus que les experts-comptables et la comptabilité. Il est probablement à ce point catégorique parce qu'il est en pleine période de vérification annuelle de ses comptes. Comment répondriez-vous aux questions suivantes, posées par M. Joly ?

1. Tout ce que je retiens à propos du bilan, c'est qu'il doit être équilibré ! Qui s'en préoccupe ? Pourquoi est-ce important ?

2. Mon vérificateur veut toujours discuter avec moi de l'information que le bilan révèle sur la situation financière de l'entreprise et sur la façon dont je l'ai gérée. Mais moi, c'est l'avenir qui me préoccupe. Pourquoi devrais-je m'intéresser à un rapport uniquement rétrospectif ?

3. L'an dernier, j'ai vraiment eu une bonne idée au sujet du bilan. Tu sais, je considère que les gérants de nos restaurants constituent l'élément d'actif le plus important de la société. Je voulais qu'ils figurent dans le bilan, de sorte que ce dernier rende compte de la totalité de notre actif. Or, les experts-comptables et les vérificateurs n'ont pas paru intéressés par mon idée. Pourquoi ?

4. On m'a déjà dit que le bilan équivaut à une photo représentant l'entreprise à un moment précis et qu'il faut être vigilant parce que cette photo peut avoir été retouchée par certains experts-comptables pour en faire disparaître les défauts. Que voulait-on dire? Le bilan ne rend-il pas fidèlement compte de tous les éléments d'actif et de passif de l'entreprise?

PROBLÈME 2.18
Préparation d'un bilan à l'aide de comptes

Fleur d'Amour ltée fabrique et vend divers articles qui intéressent une clientèle de romantiques, les 35-50 ans. Parmi ces articles, on trouve des bouquets de fleurs pour des occasions spéciales, des philtres d'amour, des sous-vêtements affriolants et des livres de recettes de biscuits aphrodisiaques. Voici, en ordre alphabétique, les comptes de la société au 30 juin 1998.

Fleur d'Amour ltée			
Comptes du bilan au 30 juin 1998			
Amortissement cumulé	63 700 $	Hypothèque	
Bâtiment	102 100	(tranche à long terme)	71 000 $
Bénéfices non répartis	47 500	Matériel et agencements	37 900
Capital-actions émis	25 000	Matières premières	
Clients	6 200	non utilisées	18 700
Emprunt bancaire	21 200	Petite caisse	2 500
Encaisse	14 300	Produits finis non vendus	29 600
Fournisseurs	21 900	Retenues d'impôt à la	
Fournitures de bureau		source à payer	600
non utilisées	1 400	Salaires à payer	
Hypothèque		aux employés	1 800
(tranche à court terme)	8 000	Terrain	48 000

1. À l'aide des comptes ci-dessus, dressez le bilan de l'entreprise au 30 juin 1998.
2. Commentez brièvement la situation financière de l'entreprise, telle qu'elle est présentée par le bilan.

PROBLÈME 2.19
Identification des éléments à classer parmi les comptes d'actif, de passif ou de capitaux propres

Précisez si les éléments suivants doivent ou non être classés parmi les comptes d'actif, de passif et de capitaux propres (ou à la fois parmi les comptes d'actif et de passif, dans certains cas) de la société indiquée. Justifiez votre réponse.

Société	Elément
1. Maclean-Hunter ltée	La liste des abonnés du magazine *L'actualité*
2. Université de Sherbrooke	Les fonds retenus sur les salaires des employés et devant leur être versés, sous forme de pension, au moment où ils prennent leur retraite
3. Les magasins T. Eaton ltée	Les clients satisfaits des services de T. Eaton

Société	Elément
4. Alcan Aluminium ltée	Une poursuite intentée contre Alcan par un plombier qui prétend ne pas avoir été payé pour un travail effectué à l'usine
5. Hudon et Deaudelin ltée	Le terrain que Hudon et Deaudelin ltée a accepté de vendre à un promoteur immobilier, après analyse
6. Les magasins T. Eaton ltée	Les clients insatisfaits des services de T. Eaton
7. Maclean-Hunter ltée	L'équipe dynamique de rédacteurs et de reporters de *L'actualité*
8. La Compagnie pétrolière Impériale ltée	Le pétrole découvert sur les terrains de la pétrolière, mais qui n'est pas encore exploité et ne le sera probablement pas avant de nombreuses années
9. Le Club de hockey « Les Canadiens de Montréal »	Les joueurs ayant signé un contrat avec l'équipe
10. Le Père du Meuble inc.	Les acomptes versés par des clients pour des meubles qui n'ont pas encore été livrés
11. Québécor inc.	Les profits réalisés par Le Journal de Montréal, mais qui n'ont pas encore été versés en dividendes aux actionnaires
12. Sears Canada inc.	Le parc de camions de livraison que diverses entreprises de location louent à Sears
13. Buick Centre-ville ltée	L'automobile louée à Denis Potvin, courtier en immeubles
14. Boutin Express inc.	Les sommes dues par un client ayant récemment déclaré faillite
15. Les Rôtisseries Saint-Hubert ltée	L'appellation Saint-Hubert et le logo du coq, les deux étant des marques de commerce déposées
16. Les Boutiques San Francisco incorporées	Le terrain de stationnement des Ailes de la mode à Brossard
17. Mont Saint-Sauveur International ltée	La garantie donnée par Mont Saint-Sauveur sur l'emprunt bancaire contracté par une société affiliée
18. Les Produits Pharmaco ltée	Un nouveau produit chimique prometteur qui pourra guérir complètement l'acné des adolescents, mais dont la commercialisation n'a pas encore été autorisée par les autorités gouvernementales

PROBLÈME 2.20
Identification des éléments à classer parmi les produits et les charges

Précisez si les éléments suivants doivent ou non être classés parmi les produits ou les charges de la société indiquée, pour le présent exercice. Justifiez votre réponse.

Société	Élément
1. Noranda inc.	Le coût d'annonces publiées pour recruter de nouveaux employés
2. Hydro Québec	Le recouvrement par une agence d'anciens comptes dus par des clients ayant déménagé sans laisser d'adresse
3. La Banque royale du Canada	Les frais de rénovation de la succursale principale de Hull
4. Zellers	L'augmentation de la valeur des terrains sur lesquels sont construits les magasins Zellers
5. Les Restaurants Nickel's	Des repas vendus à des clients ayant payé avec leur carte Visa
6. Le Père du Meuble inc.	Des acomptes versés par des clients pour des commandes de meubles spéciales
7. Provigo inc.	Une poursuite intentée contre la société par un client qui s'est blessé en faisant une chute dans un de ses magasins
8. Les Mines Noranda ltée	Les frais d'émission de nouvelles actions en vue de recueillir des fonds destinés à l'exploration
9. Agence d'hôtesses Extra	Les pots-de-vin versés pour que les employées ne soient pas arrêtées pour prostitution
10. Gallimard ltée	Des impôts sur les bénéfices payés en France
11. Conseillers en gestion STV ltée	Les primes spéciales de productivité, promises au cours de l'exercice, mais qui seront versées pendant le prochain exercice
12. Conseillers en gestion STV ltée	Les dividendes spéciaux versés à des propriétaires, qui sont tous aussi des employés
13. Sears Canada inc.	La diminution de la valeur des terrains sur lesquels sont construits certains magasins du centre des zones urbaines
14. Procter & Gamble inc.	Les coûts de la recherche scientifique effectuée en vue de la mise au point de nouveaux produits
15. General Motors du Canada ltée	Le montant estimatif des prestations que la société devra verser à ses employés actuels lorsqu'ils auront pris leur retraite

Société	Élément
16. La Boutique de cuir Lily ltée	Les marchandises perdues à cause du vol à l'étalage
17. La Boutique de cuir Lily ltée	Le salaire du personnel qui essaie d'attraper les voleurs à l'étalage
18. Construction Fraser ltée	Des paiements à recevoir au cours des cinq prochaines années pour des travaux effectués dans le cadre d'un contrat relatif à la construction d'un pont

PROBLÈME 2.21
Examen de commentaires sur l'importance de l'information comptable

La comptabilité est importante dans la mesure où les gens s'appuient sur l'information qu'elle transmet pour prendre des décisions qui sont importantes pour eux. Vous trouverez ci-dessous différents commentaires sur l'importance de l'information comptable. En quelques mots, prononcez-vous sur le bien-fondé de chacun des commentaires suivants.

1. Il est important de présenter un bilan arithmétiquement équilibré si on veut que les gens aient confiance dans l'information qu'il transmet.
2. Dans l'état des résultats, il est important d'énumérer séparément les produits et les charges d'exploitation, car cela permet d'interpréter le bénéfice net (les produits moins les charges).
3. L'état des bénéfices non répartis est important dans la mesure où il indique aux actionnaires le montant disponible pour verser des dividendes.
4. Le fait que certains cadres supérieurs utilisent le lissage des bénéfices ou tentent par d'autres moyens de modifier la façon dont la comptabilité mesure la performance constitue une preuve de son importance.
5. La façon dont les éléments de base des états financiers, soit l'actif, le passif, les capitaux propres, les produits et les charges, sont définis a une incidence importante sur la mesure de la performance et de la situation financières présentée par ces rapports.
6. Pour interpréter les états financiers, il est important de comprendre comment la comptabilité d'exercice rend compte des activités économiques.

PROBLÈME 2.22
Préparation d'états financiers mensuels à l'aide de comptes

Mathilde Jeanotte exploite avec succès Friperie Mathilde ltée, un magasin de vêtements d'occasion. Elle s'approvisionne à différents endroits en vêtements de qualité, neufs et d'occasion, qu'elle revend à des prix abordables. Pour lancer l'entreprise, Mathilde a investi 1 500 $ de ses épargnes, et sa mère, 500 $. Toutes deux ont reçu des actions de la société en contrepartie de leur investissement, de sorte que le capital-actions s'élève à 2 000 $. L'entreprise a aussi obtenu un emprunt bancaire de 3 000 $.

Mathilde occupe un local dans un centre commercial, dont le loyer est de 200 $ par mois. Le 1er janvier et le 1er juillet de chaque année, elle paie six mois de loyer à l'avance (c'est-à-dire 1 200 $ deux fois par année). L'entreprise est propriétaire des présentoirs, des comptoirs, des étagères et des porte-vêtements nécessaires à l'exploitation. Ce matériel a coûté 2 400 $ au total. Puisque Mathilde espère pouvoir utiliser ce matériel pendant cinq ans, elle inscrit un amortissement de 480 $ par année (2 400 $/5 ans = 480 $ par année). L'amortissement cumulé est inclus dans le bilan. Sa police d'assurance est une police annuelle, contractée le 1er janvier, qui lui coûte 1 200 $.

Vers le 20 du mois, Mathilde rémunère ses employés pour le travail accompli du 1er au 15 de chaque mois. Par conséquent, la moitié des salaires gagnés par les employés au cours du mois leur a déjà été versée (la partie gagnée du 1er au 15), et l'autre moitié reste à payer. Le taux d'imposition de la société est de 20 %. Chaque mois, Mathilde reporte les produits et les charges dans les bénéfices non répartis. Elle n'enregistre donc dans ces comptes qu'un seul mois d'opérations à la fois.

Nous vous présentons ci-dessous les soldes des comptes à la fin du mois d'avril 1998. Préparez l'état des résultats et l'état des bénéfices non répartis de Friperie Mathilde ltée pour le mois d'avril 1998, ainsi que le bilan au 30 avril 1998. Il n'est pas nécessaire d'y annexer des notes complémentaires.

	Ressources	Sources
Comptes du bilan au 30 avril 1998:		
Encaisse	780 $	
Clients	1 300	
Marchandises en stock	10 000	
Fournitures de bureau en main	500	
Assurance payée d'avance	800	
Loyer payé d'avance	400	
Matériel du magasin	2 400	
Amortissement cumulé du matériel du magasin	(1 120)	
Emprunt bancaire		3 000 $
Fournisseurs		2 800
Salaires à payer		500
Impôts à payer		1 200
Capital-actions		2 000
Bénéfices non répartis au 31 mars 1998		4 360
Comptes de l'état des résultats pour avril 1998:		
Produits		7 000
Coût des marchandises vendues		(3 500)
Salaires		(1 000)
Assurance		(100)
Loyer		(200)
Conciergerie et frais divers		(580)
Fournitures de bureau utilisées		(50)
Intérêts		(30)
Amortissement		(40)
Impôt sur les bénéfices		(300)
	15 060 $	15 060 $

PROBLÈME 2.23
Correction d'un jeu d'états financiers

La société industrielle Tous Azimuts ltée a embauché un nouveau comptable, sans avoir vérifié attentivement ses titres et compétences. Ce dernier a travaillé avec application à la préparation des états financiers pour l'exercice 1997. Malheureusement, ne sachant plus comment répartir correctement les éléments, il a été incapable de dresser un bilan équilibré, même si une vérification par ordinateur n'a révélé aucune erreur dans les comptes dont il s'est servi. Les deux côtés du bilan auraient donc dû s'équilibrer!

Vous trouverez ci-dessous les états financiers préparés par ce comptable. Refaites-les correctement. (Si vous réussissez, le bilan sera équilibré.)

Tous Azimuts ltée
Bilan au 31 décembre 1997

Actif		Passif et capitaux propres	
Actif à court terme:		Passif à court terme:	
Encaisse	52 000 $	Emprunt bancaire	35 000 $
Stock	116 000	Fournisseurs	98 000
Coût des marchandises		Impôts de l'exercice	41 000
vendues	538 000	Tranche de l'hypothèque	
Capital-actions	150 000	à moins d'un an	22 000
Actif à court terme	856 000 $	Amortissement de l'exercice	74 000
Actif à long terme:		Passif à court terme	270 000 $
Usine	612 000 $	Passif à long terme:	
Hypothèque (moins la		Autres éléments de passif	
tranche à moins d'un an)	(242 000)	à long terme	16 000 $
Actif net à long terme	370 000 $	Capitaux propres:	
		Terrain	100 000 $
		Bénéfices non répartis	
		(ci-dessous)	656 000
		Capitaux propres	756 000 $
TOTAL	1 226 000 $	TOTAL	1 042 000 $

Tous Azimuts ltée
États des résultats et des bénéfices non répartis
pour l'exercice terminé le 31 décembre 1997

Produits:		
Produits	949 000 $	
Plus: Clients	117 000	1 066 000 $
Charges:		
Charges d'exploitation	229 000 $	
Amortissement cumulé	236 000	
Charges payées d'avance	21 000	
Tranche de l'hypothèque à moins d'un an	22 000	
Dividendes déclarés	20 000	528 000
Bénéfice avant impôts		538 000 $
Impôts à payer		27 000
Bénéfice net de l'exercice		511 000 $
Bénéfices non répartis, début de l'exercice		145 000
Bénéfices non répartis, fin de l'exercice		656 000 $

**PROBLÈME 2.24
Articulation des états financiers au fur et à mesure des modifications apportées aux chiffres**

Répondez à chacune des questions suivantes. Les réponses formulées aux questions précédentes servent aux questions suivantes.

1. Lors de sa fondation, la société Vandelac disposait de 100 000 $ comptant et de 100 000 $ en capital-actions. Au cours de son premier exercice, elle a réalisé un bénéfice net de 13 000 $, mais n'a déclaré aucun dividende. À la fin de cet exercice, son passif (entièrement à court terme) s'élevait à 42 000 $. À combien s'élevait son actif à la fin de ce même exercice?

2. Si 60 % de ces éléments d'actif étaient à long terme, à combien s'élevait le fonds de roulement de la société à la fin de son premier exercice?

3. Dès le début de son deuxième exercice, la société a effectué une vente de 40 000 $, entièrement à crédit (le client s'est engagé à payer un mois plus tard). Les marchandises vendues à ce client étaient en stock et avaient coûté 18 000 $ à la société. Sans tenir compte de l'impôt sur les bénéfices et en présumant que le bénéfice tiré de cette vente a été ajouté aux bénéfices non répartis, à combien s'élevaient l'actif à court terme, le total de l'actif, les capitaux propres et le total du passif et des capitaux propres, à la suite de cette vente?

4. En constatant le résultat de cette belle vente, le président a déclaré: «Le bénéfice que nous procure cette excellente affaire influe à la fois sur notre actif et sur nos capitaux propres.» Servez-vous de la réponse que vous avez donnée à la question 3 pour montrer pourquoi le président a raison.

**PROBLÈME 2.25
(POUR LES AS!)
Analyse de certains liens entre les états financiers**

Les questions suivantes sont *sans rapport* les unes avec les autres. Répondez à chacune et énoncez toutes les hypothèses que vous estimez nécessaires.

1. Si l'actif de la société A ltée s'élève à 45 000 $, son passif, à 32 000 $ et son déficit, à 7 000 $, combien ses actionnaires ont-ils investi en capital-actions?

2. B ltée a un actif à court terme de 234 000 $, un actif total de 459 000 $ et des capitaux propres de 100 000 $. La société veut réorganiser ses éléments de passif de façon à obtenir un ratio du fonds de roulement de 2:1. Si elle met son projet à exécution, à combien s'élèvera son passif *à long terme*?

3. Le conseil d'administration de C ltée désire déclarer des dividendes de 75 000 $. Les bénéfices non répartis de la société totalisent 257 000 $, le solde de son compte bancaire est de 41 000 $, elle a contracté un emprunt bancaire de 20 000 $, et ses comptes clients s'élèvent à 55 000 $. Comme la banque consent à lui prêter seulement 10 000 $ de plus, le directeur du crédit doit, *si nécessaire*, obtenir rapidement de l'argent des clients. Si le besoin s'en fait sentir, combien d'argent le directeur du crédit doit-il recouvrer?

4. Les produits de D ltée sont de 783 000 $, et son bénéfice net, après déduction d'une charge fiscale de 17 000 $, s'élève à 21 000 $. Quel est le total de ses autres charges?

5. Au cours du présent exercice, E ltée a réalisé un bénéfice net de 43 000 $ et déclaré des dividendes de 11 000 $. Au début de l'exercice, les bénéfices non répartis de la société totalisaient 217 000 $. À la fin du même exercice, le montant de l'actif à court terme était de 387 000 $, celui de l'actif à long terme, de 414 000 $, celui du passif à court terme, de 205 000 $, et celui du capital-actions, de 181 000 $. La société décide d'émettre de nouvelles obligations à long terme afin de pouvoir porter son fonds de roulement à 250 000 $. Dans ce cas, à combien s'élèvera le total de son passif à long terme?

6. Chez F ltée, les produits totalisent 540 000 $, tandis que le bénéfice avant impôts s'élève à 59 400 $, soit 11 % de 540 000 $. Ce bénéfice de 59 400 $ étant imposable à 40 %, la société réalise donc un bénéfice net de 35 640 $. Ce montant ne satisfait pas le président, qui désire le hausser à 60 000 $. En supposant que le taux d'imposition reste de 40 % et que les charges autres que les impôts augmentent proportionnellement aux produits, à combien devront s'élever les produits pour que le bénéfice net souhaité par le président soit atteint ?

PROBLÈME 2.26 (POUR LES AS !)
Un bilan d'usage général ou différents bilans destinés à différents utilisateurs ?

Rédigez un court texte dans lequel vous exprimerez votre point de vue sur la question suivante : un seul bilan peut-il arriver à satisfaire tous les utilisateurs des états financiers d'une entreprise ? N'est-il pas préférable de préparer différents bilans pour combler les différents besoins des utilisateurs ?

PROBLÈME 2.27 (POUR LES AS !)
Lissage du bénéfice et éthique

1. À la section 2.10, nous avons mentionné que le lissage du bénéfice constitue une façon de manipuler le bénéfice net d'une entreprise afin de créer l'impression souhaitée quant à la capacité et au rendement de sa direction. Nous avons aussi laissé entendre que certains gestionnaires pratiquaient d'autres manipulations du bénéfice. Selon vous, sur le plan de l'éthique, est-il acceptable que les gestionnaires manipulent les chiffres qui servent à mesurer leur rendement ? Justifiez votre réponse.
2. On répond habituellement à la question 1 qu'un tel comportement est contraire à l'éthique. Pouvez-vous imaginer des circonstances dans lesquelles de telles manipulations seraient conformes à l'éthique ? Autrement dit, à part les gestionnaires, existe-t-il d'autres personnes qui pourraient bénéficier de cette pratique ?

PROBLÈME 2.28 (POUR LES AS !)
Un état des résultats d'usage général ou différents états des résultats destinés à différents utilisateurs ?

Rédigez un court texte dans lequel vous exprimerez votre point de vue sur la question suivante :

La méthode de la comptabilité d'exercice de même que le contenu et la présentation standard de l'état des résultats arrivent-ils à transmettre une information utile à toutes les personnes intéressées à connaître les résultats financiers des entreprises ? N'est-il pas préférable de préparer différents types d'états des résultats pour combler les besoins des différents types d'utilisateurs ?

PROBLÈME 2.29 (POUR LES AS !)
Proposition de recherche sur l'utilisation de l'état des résultats

En recherche comptable, l'un des problèmes les plus déroutants consiste à comprendre comment les mesures de la performance transmises par l'état des résultats contribuent aux décisions prises par les utilisateurs. En effet, il existe tant de catégories d'utilisateurs (les investisseurs, les gestionnaires, le fisc, les créanciers, etc.) et tant de catégories de décisions (acheter, garder ou vendre des actions ? récompenser ou congédier des gestionnaires ? faire payer ou non différents impôts ou taxes ? etc.) qu'il est très difficile pour les chercheurs de se faire une idée claire de l'utilisation de l'état des résultats.

Choisissez n'importe quel utilisateur d'états financiers et n'importe quelle décision susceptible d'être prise par celui-ci, puis faites des suggestions sur la façon dont les chercheurs pourraient procéder pour comprendre comment cet utilisateur se sert de l'état des résultats et quels sont les éléments de ce rapport financier qui influencent sa décision.

PROBLÈME 2.30 (POUR LES AS!)
Préparation de bilans sans données en dollars

Depuis des années, dans les hautes montagnes de Whimsia, deux bergers, Tim et Tom, discutent inlassablement de leur situation respective. Tim déclare qu'il possède 400 moutons, alors que Tom n'en possède que 360 : sa situation est donc bien plus enviable. Tom réplique qu'il possède 30 acres de terre, tandis que Tim n'en a que 20. Tim a reçu sa terre en héritage, alors que, il y a dix ans, Tom s'est procuré 20 acres de terre en échange de 35 moutons, et, cette année, il a dû donner 40 moutons pour recevoir 10 acres de plus. Tom fait aussi remarquer que 35 des moutons de Tim appartiennent à un autre homme et qu'il n'en est que le gardien. Tim rétorque qu'il possède une grande cabane d'une pièce, qu'il a bâtie lui-même, et pour laquelle on lui aurait offert 3 acres de terre. En plus, il possède une charrue, donnée par un ami et valant approximativement 2 chèvres, 2 charrettes, obtenues en échange d'un acre de terre aride, et un bœuf, lui ayant coûté 5 moutons.

Tom relance le débat en disant qu'on a demandé à sa femme de tisser 5 manteaux de laine, en échange desquels elle recevra 25 chèvres. Sa femme possède déjà 10 chèvres, dont 3 reçues en échange d'un mouton, pas plus tard que l'année passée. Elle a aussi un bœuf qu'elle a échangé contre 3 moutons, et une charrette, qui lui a coûté 2 moutons. Tom estime qu'il pourrait troquer sa cabane de deux pièces, plus petite que celle de Tim, contre deux acres de bonne terre. Tom rappelle à Tim qu'il doit 3 moutons à Ted, un autre berger, qui lui a apporté son dîner chaque jour l'année dernière.

Lequel des deux bergers est le mieux nanti ? Mentionnez toutes les hypothèses que vous posez. Pour étayer votre évaluation, essayez d'élaborer une représentation numérique commune aux situations respectives des bergers[3].

PROBLÈME 2.31 (POUR LES AS!)
Calcul du bénéfice sans données en dollars

Une année s'est écoulée depuis que vous avez mis fin au débat qui opposait les deux bergers, Tim et Tom (problème 2.30). Après avoir étudié votre solution, Tim et Tom ont accepté à contrecœur votre opinion quant à la richesse que chacun avait à la fin de l'année précédente. Le temps écoulé n'a cependant pas atténué leur plaisir de discuter. Ils veulent maintenant déterminer lequel d'entre eux a réalisé le plus de bénéfice au cours de l'année qui vient de s'achever.

Tim précise que, en cette fin d'année, il possède en propre 80 moutons de plus qu'au début de l'année, tandis que Tom n'a augmenté son avoir personnel que de 20 moutons. Tom réplique qu'il aurait possédé 60 moutons de plus s'il n'en avait pas échangé 40 contre 10 acres de nouvelle terre. De plus, il fait remarquer qu'au cours de l'année il a troqué 18 moutons contre des provisions et des vêtements, alors que Tim n'en a échangé que 7 aux mêmes fins. À la fin de l'année, il ne restait pas grand-chose de ces provisions et de ces vêtements.

Tom est content parce que sa femme a tissé 5 manteaux pendant l'année (elle a exécuté les commandes passées au début de l'année) et a reçu 25 chèvres en échange. Elle a réussi à obtenir la commande de 5 autres manteaux (toujours contre 25 chèvres), mais elle n'a pas encore commencé à les tisser. Tim signale qu'il a préparé lui-même ses dîners, cette année : il ne doit donc rien à Ted en ce moment. Par ailleurs, l'an passé, Tim a découvert un jour avec tristesse que son bœuf était mort d'une mystérieuse maladie. Les deux hommes se réjouissent toutefois de n'avoir perdu aucun autre animal.

Si on excepte les événements mentionnés précédemment, les avoirs des deux hommes sont restés les mêmes qu'à la fin de l'année précédente. Révélez aux deux bergers lequel d'entre eux a réalisé le bénéfice le plus élevé au cours de l'année[4].

PROBLÈME 2.32 (POUR LES AS!) **Élaboration d'une idée de recherche relative au bilan**	Reportez-vous à la liste des sujets de recherche possibles de la section 1.9, ou trouvez-en un vous-même, puis appliquez-le au bilan. (Par exemple, le premier sujet de la liste de la section 1.9 pourrait soulever la question suivante : comment les marchés boursiers et les marchés obligataires réagissent-ils aux informations contenues dans le bilan ?) Énoncez votre sujet de recherche, expliquez pourquoi il vaudrait la peine d'être étudié et dites comment vous procéderiez pour en faire l'étude. Il s'agit ici d'aiguiser votre curiosité — pensez au bilan, sans essayer de deviner comment les chercheurs traiteraient le sujet que vous proposez.

PROBLÈME 2.33 (POUR LES AS!) **Experts-comptables, éthique et bilans**	Comme nous l'avons déjà fait remarquer à plusieurs reprises, entre autres à la section 2.9, les dirigeants d'entreprises et d'autres organismes se préoccupent vivement de la façon dont le bilan rend compte de leur gestion. Il s'agit d'une réaction tout à fait naturelle et, en général, justifiée, car un tel intérêt est susceptible d'inciter les gestionnaires à bien faire leur travail. Par contre, cet intérêt peut aussi éveiller en eux la tentation de modifier l'information à leur avantage. C'est en partie à cause de la possibilité d'une telle tentation qu'on demande à des vérificateurs d'examiner les états financiers, y compris le bilan. De plus, cette tentation peut poser des problèmes d'éthique aux experts-comptables qui sont à l'emploi de l'entreprise. En effet, d'une part, les règles de la déontologie obligent ces professionnels à s'assurer que le bilan est dressé selon les méthodes comptables appropriées et, par conséquent, que l'information n'est pas modifiée à l'avantage de la direction ; d'autre part, ces experts-comptables sont au service de la haute direction, et leur contrat de travail stipule probablement qu'ils sont tenus de faire passer en premier les intérêts de l'entreprise. Que doit donc faire un expert-comptable (par exemple, le chef comptable responsable de la préparation des états financiers d'une entreprise) quand un cadre supérieur (par exemple, le président) lui demande de remanier le bilan pour mieux faire paraître l'entreprise, en soutenant qu'une telle action aidera cette dernière à obtenir des emprunts bancaires et d'autres ressources indispensables ? Examinez la situation du point de vue du président puis du point de vue du chef comptable.

PROBLÈME 2.34 (POUR LES AS!) **Préparation d'un état mensuel des résultats**	M. Jobin exploite une petite boulangerie. Il produit seulement du pain au levain qu'il vend 1 $ pièce. Au cours du mois de mai 1998, M. Jobin a vendu 600 pains, dont 400 ont été payés comptant et 200, achetés à crédit. Produire un pain lui coûte 0,50 $ (ce montant inclut le coût de la farine, de la levure, de l'électricité alimentant les fours et des sacs d'emballage en plastique). Au début du mois d'avril, l'un des pétrins mécaniques de M. Jobin s'est brisé. Son ami, André Caron, le lui a réparé et ne lui a réclamé que le prix de la pièce de remplacement, soit 40 $. Avant le début du mois de mai, ce montant constituait donc une dette. M. Caron a accepté que M. Jobin s'acquitte de cette dette en nature. Ce dernier s'est engagé à fournir chaque semaine à M. Caron deux pains de 1 $ chacun, à partir du 1er mai et jusqu'à l'extinction de sa dette. Par ailleurs, M. Jobin songe à prendre de l'expansion : il a offert 150 $ à un étudiant en marketing pour effectuer en mai des sondages auprès des

clients en vue de trouver une méthode lui permettant d'accroître les ventes. L'étudiant a accepté d'être payé à la fin de juin, même si le travail devait être exécuté en mai.

À l'aide de cette information, dressez un état des résultats de la boulangerie de M. Jobin pour le mois de mai.

PROBLÈME 2.35 (POUR LES AS!) Préparation d'un état des résultats à l'aide d'informations partielles

Vous trouverez ci-dessous une liste de certains des événements qui se sont produits au cours du mois de septembre chez Instruments Piccolo ltée. Consultez-la et déterminez si chacun de ces événements constitue un produit ou une charge pour septembre. À l'aide de ces produits et charges, dressez ensuite un état des résultats partiel pour ce même mois, dans lequel vous inclurez les comptes qui figurent habituellement dans un tel rapport, même s'il vous manque l'information qui vous permettrait de les quantifier en dollars. Vous obtiendrez ainsi une ébauche de l'état des résultats de septembre, qui comprendra seulement les chiffres que vous êtes en mesure de calculer jusqu'ici.

Date	Événement
2 sept.	Ventes au comptant, 300 $.
5 sept.	Chèque déposé à la banque, mais reçu et comptabilisé comme produit en août, 500 $.
8 sept.	Vente à crédit faite à M. Levert, 650 $.
8 sept.	Travaux de peinture dans la salle d'exposition, Instruments Piccolo recevra une facture de 250 $.
9 sept.	Ventes au comptant, 150 $.
11 sept.	Recouvrement d'une somme due par un client, M. R. Boulé, 75 $.
14 sept.	Achat d'instruments destinés à la vente, 1 500 $. Un tiers du montant payé comptant, le reste, à crédit.
17 sept.	Somme reçue de M. Levert, 300 $.
18 sept.	Paiement d'une facture de services publics, 65 $.
20 sept.	Ventes: 550 $ au comptant, 200 $ à crédit.
23 sept.	Achat de meubles de bureau, 710 $. Instruments Piccolo ne verse aucun acompte et n'effectuera aucun versement avant six mois.
24 sept.	Émission d'actions ordinaires au comptant, 2 000 $.
25 sept.	Ventes au comptant, 275 $.
30 sept.	Deux employés reçoivent pour septembre des chèques totalisant 1 800 $. L'un des employés reçoit aussi un chèque de 150 $ pour des heures supplémentaires travaillées en août.

PROBLÈME 2.36 (POUR LES AS!) Préparation d'états financiers à l'aide d'un ensemble complexe de comptes

Vous trouverez ci-dessous les comptes des Magasins Fleur de jalousie ltée, au 31 mars 1998. Ils sont classés par ordre alphabétique. Certains de ces comptes peuvent être nouveaux pour vous. Pour déterminer la place que doit occuper chaque compte dans les états financiers, mettez à contribution ce que vous avez appris sur l'actif, le passif, les capitaux propres, les produits et les charges. Dressez ensuite un état des résultats pour l'exercice terminé le 31 mars 1998, un état des bénéfices non répartis pour la même période et un bilan au 31 mars 1998, que vous organiserez au meilleur de votre connaissance. Pour vous dépanner en cas de besoin, la liste est suivie de quelques notes expliquant les comptes identifiés par un renvoi. Si vous parvenez à classer correctement tous les comptes, le bilan sera équilibré. *Tous les comptes étant en milliers de dollars, vous gagnerez du temps en dressant aussi les états financiers en milliers de dollars.*

Acomptes versés par des clients[1]	232	Frais d'expédition	1 499
Actions autodétenues[2]	430	Frais d'exploitation des magasins	6 420
Actions ordinaires	6 500	Frais juridiques	118
Actions privilégiées	1 000	Hypothèques, moins les tranches	
Amortissement cumulé	13 902	à moins d'un an	8 260
Amortissement de l'exercice	2 386	Immeubles commerciaux	18 495
Avantages sociaux	3 981	Impôt exigible[3]	146
Avances versées aux employés[5]	110	Impôt reporté[4]	1 573
Bénéfices non répartis,		Impôt sur les bénéfices à payer	72
début de l'exercice	2 083	Intérêts courus à payer[13]	89
Clients	3 622	Intérêts créditeurs[9]	514
Coût des marchandises vendues	27 411	Intérêts débiteurs	860
C.P.G.[6]	800	Investissement dans TX inc.[10]	500
Dette au titre d'un régime de retraite[7]	1 112	Marchandises retournées[11]	720
Dividendes déclarés, actions ordinaires	0	Marques de commerce et licences[12]	180
Dividendes déclarés,		Matériel roulant	2 030
actions privilégiées	50	Mobilier et agencements des magasins	8 111
Dons	180	Perte due à des activités abandonnées[14]	1 400
Emprunt bancaire	7 060	Pertes dues au vol à l'étalage[15]	890
Encaisse	2 618	Petite caisse	765
Fournisseurs	5 904	Produit des ventes à crédit	18 919
Fournitures en main	88	Produit des ventes au comptant	43 240
Fournitures utilisées	2 430	Retenues à la source à payer	682
Frais de bureau	514	Salaires	11 008
Frais de constitution[8]	60	Stock	6 280
Frais de déplacement	366	Terrain	4 120
Frais de publicité	2 616	Tranche à moins d'un an des hypothèques	790

1. Les acomptes ont été versés sur des marchandises que Fleur de jalousie a promis de livrer d'ici quelques mois.
2. Les actions autodétenues sont des actions de Fleur de jalousie que la société a achetées sur le marché et qu'elle conservera pendant quelques années.
3. L'impôt exigible représente le montant à payer au fisc pour l'exercice.
4. L'impôt reporté représente le montant estimatif des impôts que l'entreprise aura à payer pendant un certain nombre d'exercices à venir.
5. Les avances versées doivent être remboursées par les employés d'ici quelques mois.
6. Le C.P.G. (certificat de placement garanti) sera encaissé à son échéance, soit dans 45 jours.
7. L'entreprise s'attend à rembourser cette dette à ses employés qui prendront leur retraite, d'ici un certain nombre d'années.
8. Les frais de constitution sont des éléments d'actif amortis sur 40 ans; cet amortissement est inclus dans l'amortissement de l'exercice.

9. Ces intérêts créditeurs proviennent de comptes clients et de certains investissements auxquels l'entreprise a renoncé.
10. L'entreprise s'attend à conserver pendant plusieurs années ses placements dans TX inc., qui est un de ses principaux fournisseurs.
11. Le montant des marchandises retournées représente les sommes remboursées aux clients; les marchandises ont été soit remises en stock, soit jetées.
12. Les marques de commerce et les licences sont amorties sur 15 ans; cet amortissement est inclus dans l'amortissement de l'exercice.
13. Le montant estimatif des intérêts courus couvre les intérêts impayés sur des emprunts bancaires et sur des hypothèques.
14. La perte due à des activités abandonnées est la perte nette après impôts, subie à la suite de la vente d'une division spécialisée en électronique.
15. Les pertes dues au vol à l'étalage représentent le coût des marchandises qui ont été volées.

ÉTUDE DE CAS 2A
Interprétation du bilan et de l'état des résultats d'une société canadienne

Depuis l'automne avez-vous remarqué des changements au petit écran ? Plusieurs de ceux-ci sont le résultat des activités d'une société canadienne dont le siège social est à Montréal : il s'agit de la société Les Films CINAR inc. Les actions de cette société sont négociées sur les Bourses de Montréal et de Toronto, et aux États-Unis, sur le Nasdaq. CINAR œuvre dans le développement, la production, la postproduction et la distribution mondiale d'émissions d'animation et de fiction non violentes et de grande qualité. La société est en plein essor.

Vous trouverez dans les pages qui suivent les états financiers consolidés comparatifs, soit le bilan, l'état des résultats et l'état des bénéfices non répartis, tirés du rapport annuel de 1996 de la société (*excluant* les notes auxquelles on fait référence dans les documents). Ces documents sont suivis de la « Lettre aux actionnaires » du directeur général, également tirée du rapport annuel. À l'aide de ces états financiers et de la lettre adressée aux actionnaires, répondez aux questions suivantes sur Les Films CINAR inc.

1. Faites un découpage des éléments d'actif en court et long terme en justifiant leur inclusion dans l'une ou l'autre catégorie. En fonction de ce découpage, commentez la situation financière de l'entreprise.
2. Trouvez-vous que la direction a fait du bon travail en 1996 en ce qui concerne les bénéfices réalisés ? A-t-elle réussi à conserver à la société suffisamment de liquidité ?

LES FILMS CINAR INC.

Bilans consolidés

Au 30 novembre (en dollars canadiens)	1996	1995
Actif		
Titres négociables (note 3)	49 952 000 $	23 773 000 $
Débiteurs (note 8)	14 261 000	5 605 000
Impôts sur le revenu remboursables	499 000	—
Crédits d'impôts remboursables	12 505 000	5 864 000
Coûts de production (notes 4 et 8)	42 659 000	29 498 000
Cinémathèques acquises (note 5)	23 738 000	—
Immobilisations (note 6)	4 436 000	1 744 000
Autres éléments d'actif (note 7)	522 000	512 000
	148 572 000 $	66 996 000 $
Passif et capitaux propres		
Dette bancaire (note 8)	2 626 000 $	274 000 $
Comptes fournisseurs	1 309 000	880 000
Créditeurs – administrateurs	62 000	242 000
Charges à payer	4 379 000	1 905 000
Produits reportés	13 767 000	13 487 000
Autres éléments de passif (note 9)	213 000	567 000
Impôts sur le revenu reportés	2 240 000	1 335 000
Total du passif	24 596 000 $	18 690 000 $
Obligations en vertu de contrats (note 14)		
Capitaux propres		
Capital social (note 10)		
Émis et en circulation 3 306 271 actions de catégorie A et 9 334 564 actions de catégorie B (3 261 896 actions de catégorie A et 6 598 630 actions de catégorie B en 1995)	101 610 000 $	34 401 000 $
Bénéfices non répartis	22 366 000	13 905 000
Total des capitaux propres	123 976 000	48 306 000
	148 572 000 $	66 996 000 $

Voir les notes afférentes aux états financiers consolidés.

Au nom du conseil,

Lawrence P. Yelin   Ray McManus
Administrateur   Administrateur

LES FILMS CINAR INC.

États consolidés des résultats

Au 30 novembre (en dollars canadiens)	1996	1995	1994
Produits (note 11)	57 935 000 $	42 107 000 $	29 875 000 $
Charges			
Coût des biens vendus	42 423 000	31 600 000	22 628 000
Charges générales et administratives	2 919 000	2 445 000	1 907 000
Amortissement	852 000	455 000	390 000
Intérêts	38 000	44 000	91 000
	46 232 000	34 544 000	25 016 000
Bénéfices avant impôts sur le revenu	11 703 000	7 563 000	4 859 000
Provision pour impôts sur le revenu (note 12)	3 242 000	2 306 000	1 425 000
Bénéfice net de l'exercice	8 461 000 $	5 257 000 $	3 434 000 $
Bénéfice par action de catégorie A et de catégorie B (note 13)			
en circulation	0,78 $	0,59 $	0,48 $
dilué	0,74 $	0,57 $	0,46 $
Nombre moyen pondéré d'actions de catégorie A et de catégorie B en circulation	10 912 043	8 843 483	7 155 132

Voir les notes afférentes aux états financiers consolidés.

LES FILMS CINAR INC.

États consolidés des bénéfices non répartis

Au 30 novembre (en dollars canadiens)	1996	1995	1994
Solde au début de l'exercice	13 905 000 $	8 648 000 $	5 214 000 $
Bénéfice net de l'exercice	8 461 000	5 257 000	3 434 000
Solde à la fin de l'exercice	22 366 000 $	13 905 000 $	8 648 000 $

Voir les notes afférentes aux états financiers consolidés.

MESSAGE AUX ACTIONNAIRES

L'an dernier, nous avions affirmé que 1996 promettait d'être une autre année record pour CINAR. Promesse tenue !

Tout en continuant à tout mettre en œuvre pour assurer notre croissance et notre prospérité, et valoriser l'avoir de nos actionnaires, nous avons sans cesse à l'esprit que la raison d'être de CINAR est de divertir et d'éduquer Michelle, et tous ses petits semblables partout au monde, avec des émissions, des vidéos, des chansons et des jeux pour enfants de la meilleure qualité qui soit.

Les revenus grimpent toujours

L'exercice 1996 a été une autre année marquante pour CINAR. Les revenus ont grimpé de 38 % pour atteindre 57,9 millions $ comparativement à 42,1 millions $ pour l'exercice 1995. Le bénéfice net s'est élevé à 8,5 millions $, une augmentation de 61 %, et le bénéfice par action a augmenté de 32 % s'établissant à 0,78 $ comparativement à 0,59 $ l'an dernier. L'augmentation tient compte des 0,06 $ par action générés par le don en éléments d'animation que CINAR a fait à la Cinémathèque québécoise, lequel don est déductible d'impôts. Seulement 23 % de la déduction fiscale totale a été appliquée à l'exercice 1996, le reste sera reporté aux prochaines années.

La production est demeurée la principale source de cette croissance. En 1996, CINAR a livré 171 demi-heures d'émissions originales, comparativement à 143 demi-heures l'an dernier. Notre budget de production pour l'exercice 1997 s'est accru de 52 %, passant ainsi à 65,1 millions $, et, au moment d'écrire ces lignes, nous avons financé et nous sommes d'ores et déjà engagés à produire 182 demi-heures.

Les ventes du catalogue ont constitué la deuxième source d'augmentation de nos produits. Il s'agit de nouvelles ventes d'émissions précédemment livrées. En 1996, les ventes de notre catalogue se sont chiffrées à 13,9 millions $, soit 54 % de plus, ce qui représente 24 % du total de nos recettes. Cela se traduit par une augmentation de 157 % des ventes de notre catalogue au cours des deux derniers exercices ; de plus, les ventes de vidéocassettes ont quadruplé et les revenus générés par la musique ont triplé lors de la même période. Au cours de l'exercice 1996, CINAR a ajouté 403 demi-heures à son catalogue, comparativement à 143 demi-heures en 1995, et ce, en grande partie grâce à l'acquisition des 232 demi-heures du catalogue FilmFair en novembre 1996. En conséquence, à la fin de novembre 1996, notre catalogue comptait un total de 58 titres et de 982 émissions d'une demi-heure.

Nous commençons tout juste à mesurer la richesse de notre catalogue. Nos émissions constituent un actif dont la valeur augmente à mesure que les ventes augmentent et que de nouveaux épisodes s'ajoutent à nos séries. Notre catalogue est une source de revenus largement bénéficiaire et un apport de liquidités constant puisque les ventes se font tout au long de l'année. Nous allons donc continuer de l'enrichir en acquérant les droits d'autres produits jeunesse reconnus.

Afin de maintenir notre essor, nous avons complété en juillet dernier un appel public à l'épargne, aux États-Unis, sur le Nasdaq. En tout, 2 330 000 actions à droit de vote subalterne ont été émises. Cette émission a rapporté à la Société un produit net de 41,6 millions $ en devises américaines. Ce montant a servi à acquérir FilmFair et à accroître nos activités de production à titre de financement intérimaire. Nous contemplons la possibilité d'en utiliser une partie pour une éventuelle acquisition dans le secteur éducatif. Toutes les œuvres littéraires à partir desquelles CINAR produit ses émissions se retrouvent sur les étagères des bibliothèques et des écoles. Étant donné notre présence dans le secteur éducatif, la Société estime que l'expansion dans ce milieu est un prolongement naturel de notre stratégie de marketing actuelle.

CINAR fracasse ses propres records

La réussite de CINAR tient à notre habileté à privilégier des œuvres qui ne se démodent pas et qui continuent à séduire l'auditoire international d'année en année. Qui mieux est, étant donné leur pérennité, ces émissions peuvent être enrichies de nouveaux épisodes au gré de nos opportunités.

En 1996, la liste des émissions d'animation se composait de six séries télévisées dont cinq demeureront en production en 1997. Ces cinq séries sont *Arthur*^{MC}; *Le Monde irrésistible de Richard Scarry*^{MC}; *Ivanhoë, Chevalier du Roi*; *The Little Lulu Show*^{MC}; et *Souris des villes, souris des champs*. Parmi les nouvelles productions de 1997, mentionnons *Dr. Xargle, Caillou*^{MC}, *Animal Crackers®*, *Paddington Bear* et *The Wombles*.

Le grand succès de la saison est sans conteste *Arthur*^{MC}, une présentation conjointe CINAR/WGBH, qui a pris l'antenne en octobre dernier. PBS la diffuse chaque jour dans le cadre de son bloc de programmation haut de gamme « Ready to Learn » qui fait la promotion de l'alphabétisation. *Arthur*^{MC} a déjà été vendu dans 92 autres pays.

En outre, toujours en 1996, quatre séries de fiction ont été produites. Deux d'entres elles en sont à leur seconde saison. Quant aux deux autres, bien qu'il s'agisse de nouveautés, elles ont déjà bénéficié d'une large couverture médiatique. Toutes continueront d'être produites et livrées en 1997. Ce sont les suivantes: *La Maison de Ouimzie*^{MC}, *Space Cases*^{MC} (dans sa seconde saison), la nouvelle série *Lassie*^{MC} et *Emily of New Moon*^{MC}, de l'auteure de Anne, la maison aux pignons verts (Anne of Green Gables). Également en 1996, CINAR a débuté la production en collaboration avec NHK du Japon, ZDF de l'Allemagne et WQED Pittsburg, d'un nouveau « Film-Famille »: *The Best Bad Thing*, qui sera diffusé en 1997.

La distribution: quelle année!

Cette année a été particulièrement exaltante pour les divisions distribution et marketing de CINAR. Jamais auparavant nous n'avons conclu un si grand nombre d'ententes dans un si grand nombre de pays! Les ventes aux États-Unis ont augmenté de 30 %. Il existe bel et bien une demande pour d'excellentes émissions de nature éducative et cette demande a suscité la création de nouvelles chaînes de télévision, telle que « Animal Planet ». Elle a aussi consolidé les liens qui unissent CINAR à PBS, Nickelodeon et HBO. Les ventes ont progressé en Europe de l'Ouest grâce aux alliances que CINAR a formées, particulièrement en France, en Allemagne, en Italie et au Royaume-Uni. Elles ont plus que doublé en Scandinavie, en Océanie et au Moyen-Orient. Et, pour CINAR, le marché asiatique est en pleine croissance. Le total de nos ventes à l'étranger a augmenté de 31 % au cours de l'exercice 1996.

L'Amérique latine représente un énorme marché pour la télévision. En 1996, CINAR y a fait une percée majeure dans le secteur de la télédiffusion directe par satellite. La Société a signé des contrats portant sur 1 200 demi-heures avec Multivision à Mexico (pour toute l'Amérique latine), avec Nickelodeon Latin America et avec les radiodiffuseurs conventionnels de l'Amérique latine.

FilmFair: un tremplin vers l'Europe

CINAR est très heureuse d'avoir acquis le catalogue et les studios d'animation de FilmFair, de même que d'autres séries d'animation du Caspian Group, du Royaume-Uni. Ce catalogue, dont les produits s'inspirent surtout d'œuvres littéraires pour enfants, contient 232 demi-heures d'animation et de longs métrages dont les titres sont célèbres, comme *Paddington Bear* de Michael Bond, et *The Wombles* d'Elisabeth Beresford. CINAR retient une grande partie des droits de ces séries, y compris les droits de télévision, de vidéo, d'édition musicale, de « merchandising » et de commercialisation, de même que le droit de produire de nouveaux épisodes pour de nombreuses séries. Le catalogue de FilmFair est riche en classiques d'animation produites « image par image ». Cette acquisition complète donc admirablement notre catalogue d'animation cellulo et de fiction et nous fournit une base pour poursuivre de nouvelles occasions d'affaires en Europe.

Les nouvelles initiatives

En 1996, nous avons signé plusieurs ententes avec, entre autres, PolyGram Filmed Entertainment des États-Unis pour *Le Monde irrésistible de Richard Scarry*^{MC} et *Lassie*^{MC}, avec Reader's Digest Association pour *Souris des villes, souris des champs*, avec Videovisa du

Mexique (pour toute l'Amérique latine) et avec BMG Video en Afrique du Sud pour de nombreux titres de CINAR. En raison de l'entente de CINAR avec Reader's Digest concernant la coproduction et la distribution de séries pour enfants dans le monde entier, *Souris des villes, souris des champs* sera identifiée comme une présentation de Reader's Digest et les vidéocassettes tirées de la série seront distribuées par Reader's Digest dans les pays anglophones. De plus, suite à l'entente avec PolyGram pour le financement d'une partie importante de six productions de CINAR pour les trois prochaines années, PolyGram fera l'acquisition des droits audio, des droits de distribution par vidéocassettes, et des droits de télévision à l'exclusion des États-Unis et du Canada, pour tous les pays.

En 1996, la vente de vidéocassettes a rapporté des revenus de 2,0 millions $ comparativement à 1,6 million $ en 1995. L'édition musicale a vu ses recettes grimper de 50 % passant de 600 000 $ en 1995 à 900 000 $ en 1996. En 1997, CINAR prévoit lancer une nouvelle collection de livres et de chansons accompagnés de cassettes. Par ailleurs, forte du succès et du prix remportés par son site W3 (http://www.cinar.com), la Société a conçu un nouveau site W3 pour *La Maison de Ouimzie* (http://www.wimzie.com). Le nouveau site W3 présente des jeux et des activités basés sur la populaire série.

Enfin, nous sommes particulièrement fiers des alliances stratégiques que nous avons établies avec nos partenaires à l'étranger. En tant que compagnie de production indépenante, CINAR a collaboré avec Nickelodeon, PBS, WGBH Boston, WQED Pittsburgh, Golden Books Family Entertainment et Reader's Digest. Outre-mer, nos partenaires comprennent Fuji Television et NHK au Japon, HTV et ITV au Royaume-Uni, Ravensburger, ZDF et Kirch Gruppe en Allemagne, ainsi que France Animation et PolyGram.

Teletoon

CINAR compte parmi les co-fondateurs et actionnaires de TeleTOON. TeleTOON sera le premier service spécialisé de télévision à diffuser uniquement des émissions d'animation au Canada. Dès septembre, deux réseaux commenceront à financer certaines productions et offriront un nouveau débouché à ses émissions d'animation. *Animal Crackers*MC et *Caillou*MC seront les premières productions CINAR à être diffusées par le nouveau service.

CINAR s'implique auprès de la société

En 1996, la Société a fait don à la Cinémathèque québécoise d'éléments de sa collection d'animation cellulo provenant de douze séries, et ce, à titre de biens culturels canadiens. En outre, grâce à l'aide de CINAR, le C.É.G.E.P. du Vieux-Montréal offre depuis janvier un programme de formation en animation commerciale, une première au Québec. Nous nous sommes engagés dans ce projet à la suite de la participation de Micheline Charest au Sommets québécois sur l'économie et l'emploi, auxquels elle avait été conviée comme invitée spéciale par le Premier Ministre Lucien Bouchard. Au fur et à mesure que nous gagnons en importance et en réputation, il nous apparaît essentiel de maintenir des liens solides avec les différents gouvernements et la communauté.

Une stratégie avant-gardiste

Nos véritables clients sont les enfants et, partout dans le monde, ces enfants ont de plus en plus besoin de produits divertissants et éducatifs. Lorsqu'à nos débuts, il y a 20 ans, nous avons pris la décision de miser sur la qualité et la non-violence, ce qui était fort peu à la mode à l'époque, nous avons misé juste: cette vision est aujourd'hui entérinée par les politiques gouvernementales. À partir de septembre, l'agence réglementaire américaine – la Federal Communications Commission (FCC) – exigera que les radiodiffuseurs des États-Unis mettent en ondes trois heures d'émissions éducatives chaque semaine.

Au cours de la dernière année, nous avons orienté le développement corporatif de la Société vers le marché éducatif et, plus spécifiquement, vers le secteur de l'édition supplémentaire pour enfants. Nous sommes convaincus que cela nous permettra de nous tailler une plus grande part du marché des écoles, des bibliothèques, des garderies et des foyers. Ainsi, au fil des années, nos histoires et nos personnages auront l'occasion de pénétrer le marché domestique et le marché éducatif destinés aux enfants et ce, tant aux États-Unis qu'au Canada et ailleurs dans le monde.

Nous croyons sincèrement que notre essor va se poursuivre tant et aussi longtemps que nous maintiendrons nos standards d'excellence, serons fidèles à nos engagements et produirons des émissions d'intérêt universel résistant à l'usure du temps, et élargirons avec dynamisme nos activités principales, partout au monde.

En 1996, CINAR a dû doubler la surface de CINAR Studios en raison de la multiplication des productions. Nous avons donc emménagé dans de nouveaux locaux. Nous voudrions remercier l'équipe de direction et les employés de CINAR de leur dévouement et leur travail acharné. Nous tenons à féliciter Lesley Taylor, vice-présidente de CINAR Animation, qui cumule désormais les fonctions de vice-présidente à l'exploitation.

Nous sommes aussi heureux d'accueillir Robert Armstrong, nouveau vice-président au développement corporatif, et Pierre H. Lessard, qui s'est récemment joint à notre conseil d'administration.

Nous vous exprimons à tous notre plus sincère gratitude pour votre soutien indéfectible et votre précieuse collaboration.

Micheline Charest
Présidente du conseil
et chef de la direction

Ronald A. Weinberg
Président

Le 20 février 1997

ÉTUDE DE CAS 2B
Examen d'une société de câblodistribution canadienne

Le Groupe Vidéotron ltée est une entreprise internationale de communication, dont le siège est situé à Montréal. Le Groupe a des actions dans des sociétés dont il a la propriété exclusive (Vidéotron Ltée et CF Cable TV Inc.) et d'autres dont il n'a pas la propriété exclusive (Optel inc. et Télé-Métropole inc.); les actions qui ne lui appartiennent pas apparaissent dans le bilan à titre de « Part des actionnaires sans contrôle dans des filiales », et une partie du bénéfice de l'exercice est distribué à ces actionnaires. Nous avons reproduit dans les pages qui suivent le bilan, l'état des résultats et l'état des bénéfices non répartis comparatifs provenant du rapport annuel publié par Le Groupe en 1997; nous avons aussi reproduit plusieurs des notes afférentes à ces états financiers consolidés.

Utilisez les états financiers et les autres informations pour déterminer:

1. comment la société réalise son bénéfice;
2. comment elle finance son actif;
3. quels étaient ses ratios du fonds de roulement et d'endettement en 1997 par rapport à ceux de 1996;
4. quelle est la nature des éléments d'actif « Licences et abonnés » et « Droits de diffusion d'émissions et de films »;
5. comment interpréter le montant du bénéfice net, compte tenu de l'importance des « autres éléments » inscrits en 1997.

GROUPE VIDÉOTRON LTÉE
Résultats consolidés

des exercices terminés les 31 août *(en milliers de dollars, sauf les montants par action)*	1997	(redressé) 1996
Produits d'exploitation	795 492 $	846 930 $
Coûts directs	153 825	184 710
	641 667	662 220
Charges d'exploitation et d'administration	425 151	430 225
Bénéfice d'exploitation avant amortissement	216 516	231 995
Amortissement (note 3)	144 434	147 527
Bénéfice d'exploitation	72 082	84 468
Charges financières (note 4)	98 257	107 015
Autres éléments (note 5)	(470 313)	2 104
	(372 056)	109 119
	444 138	(24 651)
Impôts sur le revenu (note 6)		
Exigibles	20 586	3 996
Reportés	183 826	17 109
	204 412	21 105
	239 726	(45 756)
Part dans les résultats des sociétés affiliées	(12 584)	(7 038)
Part des actionnaires sans contrôle dans des filiales	9 508	17 861
	(3 076)	10 823
Bénéfice net (perte nette)	236 650 $	(34 933) $
Bénéfice net (perte nette) par action	2,15 $	(0,34) $
Moyenne pondérée du nombre d'actions à vote multiple et d'actions subalternes à droit de vote	**108 893 016 $**	108 818 228 $

GROUPE VIDÉOTRON LTÉE

Bénéfices non répartis consolidés

des exercices terminés les 31 août *(en milliers de dollars)*	1997	(redressé) 1996
Solde au début		
Solde déjà établi	29 575 $	71 985 $
Redressement (note 9)	(5 007)	(4 064)
Solde redressé	24 568	67 921
Bénéfice net (perte nette)	236 650	(34 933)
	261 218	32 988
Frais d'émission d'actions	100	—
Dividendes déclarés		
actions privilégiées de premier rang, série C et impôts sur le revenu y afférents	394	1 890
actions privilégiées de premier rang, série D	1 613	—
actions à vote multiple et actions subalternes à droit de vote	6 534	6 530
	8 541	8 420
Solde à la fin	252 577 $	24 568 $

GROUPE VIDÉOTRON LTÉE

Bilans consolidés

Au 31 août *(en milliers de dollars)*	1997	(redressé) 1996
Actif		
Immobilisations (note 10)	1 194 411 $	1 959 225 $
Licences et abonnés (note 11)	792 245	438 761
Charges reportées (note 12)	165 047	157 869
Placements (note 13)	165 820	399 868
Droits de diffusion d'émissions et de films	41 695	29 648
Encaisse	273 918	38 440
Placements temporaires et en fidéicommis (note 16(i))	93 269	38 614
Débiteurs (note 15)	156 208	136 408
Stocks	29 680	28 678
Charges payées d'avance	16 553	24 797
	2 928 846 $	3 252 308 $
Passif		
Dette à long terme (note 16)	1 522 619 $	1 940 227 $
Dette bancaire (note 17)	21 481	36 432
Créditeurs et charges à payer (note 18)	285 646	250 397
Produits reportés et perçus d'avance	91 338	81 120
Impôts sur le revenu reportés	295 579	125 741
Part des actionnaires sans contrôle dans des filiales	74 453	271 353
	2 291 116 $	2 705 270 $
Avoir des actionnaires		
Capital-actions (note 20)	372 934 $	512 570 $
Redressement cumulatif de conversion des devises (note 21)	12 219	9 900
Bénéfices non répartis	252 577	24 568
	637 730	547 038
	2 928 846 $	3 252 308 $

Au nom du conseil d'administration

André Bérard   J. Gilles Nolet
Administrateur   Administrateur

Notes complémentaires
des exercices terminés les 31 août 1997 et 1996

1. Principales conventions comptables

(a) Consolidation

Les états financiers consolidés comprennent les comptes de Groupe Vidéotron («la Société») et de toutes ses filiales, à compter de la date d'acquisition de leur contrôle. Les principales filiales et les pourcentages de participation de la Société sont les suivants:

Vidéotron ltée (Vidéotron) (Canada)	100,0 %	
CF Cable TV Inc. (CF Cable) (Canada)	100,0 %	(contrôle acquis le 22 août 1997)
OpTel Inc. (OpTel) (États-Unis)	74,6 %	(83,5 % en 1996)
Télé-Métropole inc. (Télé-Métropole) (Canada)	42,8 %	(99,8 % des droits de vote)

(b) Licences

Les licences représentent essentiellement les coûts d'acquisition des droits d'exploitation de stations de télédiffusion, de réseaux de télédistribution et de télécommunications et des réseaux de télédistribution privée et sans fil.

La Société amortit essentiellement ces éléments d'actif selon les méthodes d'amortissement et les durées suivantes:

	Méthodes	Durées
Droits d'exploitation de réseaux de télédistribution, de télécommunications et de stations de télédiffusion	Linéaire	40 ans
Réseaux de télédistribution sans fil	Linéaire	20 ans
Droits d'exploitation de systèmes ou de propriétés sous contrat pour la télédistribution privée	Linéaire	Durée de l'entente

La Société revoit périodiquement le montant non amorti de ses licences pour déterminer si elle sera en mesure de le recouvrer à long terme, en se fondant sur la méthode des flux monétaires futurs non actualisés.

(c) Abonnés

Les abonnés représentent les coûts d'acquisition d'une clientèle. La Société amortit le coût d'acquisition des abonnés de télédistribution selon la méthode linéaire sur une période de 40 ans. Le coût d'acquisition des abonnés aux systèmes de sécurité et à la télédistribution privée est amorti selon la méthode linéaire sur une période de 20 ans.

La Société revoit périodiquement le montant non amorti de ses abonnés pour déterminer si elle sera en mesure de le recouvrer à long terme, en se fondant sur la méthode des flux monétaires futurs non actualisés.

(d) Charges reportées

Les charges reportées sont comptabilisées au coût, déduction faite des crédits d'impôts sur le revenu s'y rapportant, et sont amorties selon la méthode de l'amortissement linéaire et les durées suivantes :

	Durées
Développement de la technologie Vidéoway et de ses services connexes	10 et 20 ans
Démarrage de l'exploitation de franchises de télédistribution et de de télécommunications	Durée restante de la licence
Financement à long terme	Durée de la dette
Charges de retraite reportées	Durée moyenne du reste de la carrière active des employés

Les charges de développement et de démarrage sont amorties à compter de la mise en opération commerciale des activités concernées selon des durées de trois à cinq ans.

(e) Droits de diffusion d'émissions et de films

Les droits de diffusion d'émissions et de films correspondent essentiellement aux droits contractuels permettant une diffusion d'émissions et de films. Ces droits ainsi que le passif correspondant sont enregistrés selon les ententes contractuelles au moment où les émissions et les films deviennent disponibles à la diffusion.

Ces droits sont amortis à compter de la diffusion des émissions et des films, en fonction du nombre estimé de présentations à l'écran, selon la méthode d'amortissement accéléré sur la base des revenus pouvant être générés selon la direction. La valeur de ces droits est réduite, lorsqu'une baisse de valeur est constatée.

(f) Conversion des devises

Les produits et les charges résultant d'opérations conclues en devises sont convertis en dollars canadiens aux cours en vigueur lors des opérations. Les éléments monétaires de l'actif et du passif sont convertis en dollars canadiens aux cours en vigueur à la date des bilans et les éléments non monétaires sont convertis aux cours en vigueur lors des opérations. Toutefois, les éléments monétaires qui font l'objet d'une couverture monétaire contre les risques de change sont convertis au cours établi selon les conditions de la couverture. Les gains ou les pertes de change résultant des conversions des éléments monétaires sont imputés aux résultats; ceux qui sont rattachés à des éléments monétaires à long terme dont la durée de vie est prédéterminée ou prévisible sont reportés et amortis sur la durée de vie restante de ces mêmes éléments.

Les établissements étrangers de la Société sont tous autonomes. Leurs éléments d'actif et de passif sont convertis aux cours en vigueur à la date des bilans. Les produits et les charges sont convertis aux cours moyens des exercices. Les gains ou les pertes de conversion sont reportés et présentés aux bilans sous le titre «Redressement cumulatif de conversion des devises» et sont imputés aux résultats, lorsqu'il y a une réduction dans l'investissement net dans ces filiales.

5. Autres éléments

(en milliers de dollars)	1997	1996
Gain sur disposition du placement au Royaume-Uni[1]	(486 081) $	— $
Gain de change sur disposition du placement au Royaume-Uni[1]	(8 191)	—
Réduction de la valeur du placement dans CF-12 Inc.[2]	30 000	—
Autres gains sur disposition de placements	(3 318)	—
	(467 590)	—
Perte (gain) à la dilution suite à l'émission d'actions par des filiales	(4 045)	2 104
Autres pertes	1 322	—
	(470 313) $	2 104 $

[1] Le 17 décembre 1996, une filiale de la Société s'est départie de sa participation dans Videotron Holdings Plc pour un produit net de 764 630 000 $, déduction faite de l'encaisse de 22 999 000 $ au 30 novembre 1996. Des impôts reportés de 188 788 000 $ ont été comptabilisés en regard de ce gain. Les états financiers de Videotron Holdings Plc sont consolidés avec ceux de la Société pour le trimestre terminé le 30 novembre 1996.

[2] Ce montant représente une réduction de la valeur de l'actif net de CF-12 Inc. (auparavant CFCF Inc.), acquise le 24 mai 1996 (se reporter à la note 13).

9. Redressement

Les bénéfices non répartis au 1er septembre 1995 et le bénéfice net de l'exercice terminé le 31 août 1996 ont été réduits de 4 064 000 $ et de 943 000 $ respectivement, pour tenir compte de la modification apportée par la Société et ses filiales de télédistribution à leur politique d'amortissement des abonnés, et ce, de façon rétroactive. Les abonnés sont dorénavant amortis selon la méthode de l'amortissement linéaire, sur une durée de 40 ans. L'adoption de cette méthode a eu pour effet de réduire de 912 000 $ le bénéfice net de l'exercice en cours.

10. Immobilisations

1997 *(en milliers de dollars)*	Coût	Amortissement cumulé	Valeur comptable nette
Réseaux d'alimentation et de distribution	1 346 328 $	522 687 $	823 641 $
Mobilier et équipement	435 981	228 562	207 419
Terminaux et système Vidéoway	100 907	48 122	52 785
Bâtiments	132 266	39 855	92 411
Terrains	18 155	—	18 155
	2 033 637 $	839 226 $	1 194 411 $

1996 (en milliers de dollars)	Coût	Amortissement cumulé	Valeur comptable nette
Réseaux d'alimentation et de distribution	1 969 923 $	376 125 $	1 593 798 $
Mobilier et équipement	357 214	196 226	160 988
Mobilier et équipement loués	24 700	9 461	15 239
Terminaux et système Vidéoway	166 127	56 635	109 492
Bâtiments	105 180	35 565	69 615
Terrains	10 093	—	10 093
	2 633 237 $	674 012 $	1 959 225 $

11. Licences et abonnés

1997 (en milliers de dollars)	Coût	Amortissement cumulé	Valeur comptable nette
Licences	245 385 $	36 411 $	208 974 $
Abonnés	643 514	60 243	583 271
	888 899 $	96 654 $	792 245 $

1996 (en milliers de dollars)	Coût	Amortissement cumulé	Valeur comptable nette
Licences	283 774 $	39 135 $	244 639 $
Abonnés	212 929	18 807	194 122
	496 703 $	57 942 $	438 761 $

12. Charges reportées

(en milliers de dollars)	1997	1996
Développement de la technologie Vidéoway et de ses services connexes, y compris UBI	70 524 $	57 282 $
Démarrage de l'exploitation de franchises de télédistribution et de télécommunications	—	13 867
Financement à long terme	28 077	60 568
Charges de retraite reportées	6 945	6 078
Charges reportées provenant de l'activité abandonnée (note 7)	33 961	11 008
Autres	25 540	9 066
	165 047 $	157 869 $

ÉTUDE DE CAS 2C
Examen des états financiers d'Unibroue Inc.

Il est intéressant d'examiner une jeune société qui commercialise un produit aussi connu que la bière. C'est en 1997 qu'Unibroue est devenue une société publique. Elle a alors, pour la première fois de sa courte histoire, fait appel à l'épargne. Le chiffre d'affaires d'Unibroue est lié à un seul produit : la bière — celle qu'elle brasse et celle dont elle a obtenu la distribution.

1. Que révèlent les états financiers sur la façon dont Unibroue à utilisé les 10 millions de dollars recueillis lors de l'appel public à l'épargne ?

2. Que prédisez-vous à Unibroue pour son prochain exercice financier ? Identifiez trois éléments qui vous semblent des points forts et trois autres qui, au contraire, vous paraissent des faiblesses ?

3. Depuis juillet 1997, la société a mis sur pied, pour ses employés, un plan de participation aux bénéfices. Ce plan leur permet de recevoir, au prorata de leur rémunération, un montant équivalent à 5 % des bénéfices avant impôts. Si vous étiez employé d'Unibroue, quelle serait votre analyse financière de cette annonce, tant de votre point de vue que de celui de la société ?

4. La note complémentaire décrivant la dette à long terme présente les restrictions auxquelles sont assujettis les emprunts. Dans quelle mesure ces restrictions menacent-elles la société ? Quelles protections apportent-elles aux bailleurs de fonds ?

UNIBROUE INC.
Bilans consolidés

aux 31 décembre	1997	1996
	$	$
Actif		
Actif à court terme		
Encaisse	170 750	717 787
Valeurs négociables, au coût équivalant à la valeur du marché (note 4)	4 688 044	868 468
Débiteurs (note 5)	2 684 010	1 723 168
Stocks (note 6)	3 077 726	2 447 554
Frais payés d'avance	251 190	137 576
	10 871 720	5 894 553
Immobilisations (note 7)	13 973 645	10 681 808
Autres éléments d'actif (note 8)	315 332	153 422
	25 160 697	16 729 783

UNIBROUE INC.
Bilans consolidés (suite)

aux 31 décembre	1997	1996
	$	$
Passif		
Passif à court terme		
Comptes fournisseurs et frais courus	1 998 343	2 238 627
Impôts sur le revenu à payer	74 084	252 064
Versements sur la dette à long terme	858 797	1 251 197
	2 931 224	3 741 888
Dette à long terme (note 10)	3 436 694	6 517 821
Impôts sur le revenu reportés	841 000	886 900
	7 208 918	11 146 609
Avoir des actionnaires		
Capital social (note 11)	10 847 945	458 100
Bénéfices non répartis	7 103 834	5 125 074
	17 951 779	5 583 174
	25 160 697	16 729 783

Les notes complémentaires font partie intégrante des états financiers consolidés.

Pour le conseil

administrateur

administrateur

UNIBROUE INC.
Résultats et bénéfices non répartis consolidés

des exercices terminés les 31 décembre	1997	1996
	$	$
Chiffre d'affaires	16 782 383	15 715 521
Coût des produits vendus	8 636 950	8 101 589
Marge brute excluant les amortissements	8 145 433	7 613 932
Frais de distribution	520 790	469 202
Frais de vente	1 620 406	1 578 545
Frais d'administration	748 450	600 037
Frais de développement de marché	607 064	435 615
	3 496 710	3 083 399
Bénéfice avant intérêts, impôts et amortissements	4 648 723	4 530 533
Amortissements	1 289 322	1 028 046
Intérêts débiteurs nets	478 796	650 724
	1 768 118	1 678 770
Bénéfice avant impôts sur le revenu	2 880 605	2 851 763
Impôts sur le revenu (note 16)	901 845	912 491
Bénéfice net	1 978 760	1 939 272
Bénéfices non répartis au début	5 125 074	3 185 802
Bénéfices non répartis à la fin	7 103 834	5 125 074
Bénéfice par action	0,35	0,43

Les notes complémentaires font partie intégrante des états financiers consolidés.

UNIBROUE INC.
Mouvements de la trésorerie consolidés

des exercices terminés les 31 décembre	1997	1996
	$	$
Exploitation		
Bénéfice net	1 978 760	1 939 272
Éléments hors caisse		
Amortissement des immobilisations	1 181 354	933 832
Amortissement des autres éléments d'actif	107 968	94 214
Impôts sur le revenu reportés	264 100	314 700
Marge brute d'autofinancement	3 532 182	3 282 018
Variations d'éléments du fonds de roulement	(2 122 892)	(621 450)
Provenance des liquidités	1 409 290	2 660 568
Financement		
Emprunts à long terme	500 000	1 181 888
Remboursements d'emprunts	(3 973 527)	(970 312)
Émissions d'actions	10 079 845	
Provenance des liquidités	6 606 318	211 576
Investissement		
Immobilisations	(4 473 191)	(2 743 432)
Autres éléments d'actif	(269 878)	(42 900)
Utilisation des liquidités	(4 743 069)	(2 786 332)
Augmentation de la trésorerie	3 272 539	85 812
Trésorerie au début	1 586 255	1 500 443
Trésorerie à la fin	4 858 794	1 586 255
Situation de trésorerie		
Encaisse	170 750	717 787
Valeurs négociables	4 688 044	868 468
	4 858 794	1 586 255

Les notes complémentaires font partie intégrante des états financiers consolidés.

**Notes complémentaires
aux 31 décembre 1997 et 1996**

1. Statuts et nature des activités

La société, constituée selon la Loi canadienne sur les sociétés par actions, brasse des bières artisanales de dégustation.

2. Réorganisation corporative

Le 26 mai 1997, les sociétés 9016-2587 Québec inc., 9005-2630 Québec inc. Radico inc. et 9049-0558 Québec inc., une filiale en propriété exclusive d'Unibroue Inc. nouvellement constituée, ont fusionné sous la dénomination sociale de 9050-6726 Québec inc. pour former une nouvelle filiale en propriété exclusive d'Unibroue Inc. résultant de la fusion. Le 28 mai 1997, Unibroue Inc. a procédé à la liquidation de sa filiale 9050-6726 inc.

Cette réorganisation a été comptabilisée selon la méthode de la continuité des intérêts communs, une méthode semblable à celle de la fusion d'intérêts communs. Par cette méthode, les différents éléments d'actif et de passif ont été comptabilisés à la valeur aux livres des sociétés fusionnées et de la filiale liquidée.

Les chiffres de 1996 comprennent les éléments d'actif et de passif, les revenus et les dépenses combinés des sociétés fusionnées et de la filiale liquidée.

3. Conventions comptables

Principes de consolidation
Les états financiers consolidés comprennent les comptes de la société et de ses filiales en propriété exclusive Unibroue S.A.R.L., Unibrew U.S.A., Inc. et 3351513 Canada Inc.

Évaluation des stocks
Les produits finis et les produits en cours sont évalués au moindre du coût et de la valeur de réalisation nette. Les matières premières, l'emballage et les fournitures sont évalués au moindre du coût et du coût de remplacement. Le coût est déterminé selon la méthode de l'épuisement successif.

Amortissements
Les immobilisations sont amorties en fonction de leur durée probable d'utilisation selon les méthodes et taux annuels suivants :

	Méthodes	Taux
Bâtiments	Linéaire	5 %
Équipement de fabrication	Linéaire	10 %
Mobilier de bureau	Dégressif	10 %
Matériel roulant et équipe informatique	Dégressif	30 %

Les frais de développement de marché, d'expertise et de savoir-faire sont évalués au moindre du coût et du montant que l'on est raisonnablement certain de récupérer. Ceux-ci sont amortis selon la méthode de l'amortissement linéaire sur une période de 5 ans.

Les frais de développement de nouveaux produits dont la faisabilité est démontrée et dont la fabrication et la commercialisation sont décidées par les administrateurs sont évalués au moindre du coût et du montant que l'on est raisonnablement certain de récupérer. Ceux-ci sont amortis selon la méthode de l'amortissement linéaire sur une période de 5 ans.

Conversion des devises
Les filiales étrangères sont considérées comme des établissements étrangers intégrés. Ainsi, les éléments monétaires d'actif et de passif libellés en devises de la société et des établissements étrangers intégrés sont convertis aux taux de change en vigueur à la date des bilans tandis que les autres éléments d'actif et de passif sont convertis aux taux en vigueur à la date des opérations. Les revenus et les dépenses libellés en devises sont convertis au taux moyen en vigueur durant les exercices, à l'exception de l'amortissement qui est converti au taux d'origine. Les gains et pertes sont inclus dans les résultats des exercices.

Bénéfice par action
Le bénéfice par action est calculé selon le nombre moyen pondéré d'actions à droit de vote multiple et d'actions à droit de vote subalterne au cours des exercices.

5. Débiteurs

	1997	1996
	$	$
Comptes clients	2 407 862	1 565 853
Subventions et crédits d'impôts à recevoir	276 148	157 315
	2 684 010	1 723 168

6. Stocks

	1997	1996
	$	$
Produits finis	1 000 800	905 636
Produits en cours	706 446	667 638
Matières premières, emballage et fournitures	1 370 480	874 280
	3 077 726	2 447 554

7. Immobilisations

		1997	
	Coût	Amortissement cumulé	Valeur comptable nette
	$	$	$
Terrains	445 769		445 769
Bâtiments	6 865 332	581 842	6 283 490
Équipement de fabrication	7 687 865	1 875 210	5 812 655
Matériel roulant	510 128	237 974	272 154
Mobilier de bureau	171 064	43 062	128 002
Équipement informatique	222 348	81 165	141 183
Équipement de fabrication loué en vertu de contrats de location-acquisition	1 340 863	450 471	890 392
	17 243 369	3 269 724	13 973 645

	Coût	Amortissement cumulé	1996 Valeur comptable nette
	$	$	$
Terrains	212 743		212 743
Bâtiments	4 512 447	356 338	4 156 109
Équipement de fabrication	6 027 835	1 215 222	4 812 613
Matériel roulant	429 412	138 633	290 779
Mobilier de bureau	123 707	20 412	103 295
Équipement informatique	123 608	41 817	81 791
Équipement de fabrication loué en vertu de contrats de location-acquisition	1 340 863	316 385	1 024 478
	12 770 615	2 088 807	10 681 808

8. Autres éléments d'actif

	1997	1996
	$	$
Frais de développement de marché	235 207	115 841
Frais de développement de nouveaux produits	80 125	
Frais d'expertise et de savoir-faire		37 581
	315 332	153 422

10. Dette à long terme

	1997	1996
	$	$
Emprunts, garantis par un terrain et un bâtiment dont la valeur comptable nette est de 3 132 167 $ en 1997, remboursables par versements mensuels, échéant en août 2010 (a) (b)		
Taux opérationnel du prêteur	774 700	819 400
8,5 %, renouvelable en décembre 2001	550 880	580 160
Emprunt, garanti par des terrains et bâtiments dont la valeur comptable nette est de 2 383 421 $ en 1997, 6,7 %, échéant en mai 1998	500 000	
Effet à payer, garanti par de l'équipement de fabrication dont la valeur comptable nette est de 270 980 $ en 1997, 9,3 %, remboursable par versements mensuels, échéant en décembre 2000	212 711	271 454

	1997	1996
	$	$
Emprunt, taux préférentiel plus 1,5 %, remboursable par versements annuels correspondant au moins élevé de 15 % du bénéfice net plus les amortissements ou 450 000 $, échéant en février 2005 (a) (c)	640 831	1 590 831
Emprunt, taux préférentiel plus 1,5 %, remboursable par versements annuels correspondant au moins élevé de 10 % du bénéfice net plus les amortissements ou 180 000 $, échéant en avril 2006 (a) (c)	445 147	615 591
Solde	3 124 269	3 877 436
Emprunt, taux préférentiel plus 1,5 %, remboursable par versements annuels correspondant au moins élevé de 10 % du bénéfice net plus les amortissements ou 90 000 $, échéant en mars 2004 (a) (d)	90 000	269 306
Emprunt, garanti par un terrain et un bâtiment dont la valeur comptable nette est de 818 508 $ en 1997, 6,75 % (9,5 % en 1996), remboursable par versements mensuels, échéant en septembre 1999	284 651	297 961
Emprunt, garanti par un terrain et un bâtiment dont la valeur comptable nette est de 394 766 $ en 1997, taux opérationnel du prêteur, remboursable par versements mensuels, échéant en avril 2011 (a) (b)	222 400	239 080
Obligations relatives aux biens loués, 8,75 % et 9 %, remboursables par versements mensuels, échéant en décembre 1999 et novembre 2000	574 171	781 805
Billet à payer à un administrateur, sans intérêt		1 067 000
Effets à payer 8,15 %		708 300
Taux préférentiel plus 1 % à 1,5 %		408 130
Emprunt, taux préférentiel plus 1,5 %		120 000
	4 295 491	7 769 018
Versements exigibles à court terme	858 797	1 251 197
	3 436 694	6 517 821

En vertu des conventions de crédit, la société est assujettie aux restrictions suivantes:

a. Aucun versement de dividendes ou rachat d'actions sans le consentement du prêteur;

b. Le maintien d'un ratio de fonds de roulement supérieur à 1,5 et d'un ratio de dette à terme sur valeur corporelle nette inférieure à 2,0;

c. Le maintien d'un ratio de fonds de roulement minimal de 1,5 et d'un ratio de dette à terme sur valeur corporelle nette maximale de 1,5;

d. Le maintien d'un ratio de fonds de roulement minimal de 1,3 et d'un ratio de dette à terme sur valeur corporelle nette maximal de 1,5;

Au 31 décembre 1997, la société se conforme à ces restrictions.

14. Ventilation géographique du chiffre d'affaires

	1997	1996
	$	$
Canada	14 878 590	13 857 037
États-Unis	925 118	841 242
Europe	904 134	997 289
Australie	74 541	19 953
	16 782 383	15 715 521

Ⓡ ÉFÉRENCES

1. Pour obtenir de plus amples renseignements sur les notions comptables du bénéfice et pour voir en quoi ils ressemblent aux notions économiques, consultez les ouvrages des années 1960, 1970 et du début des années 1980 d'auteurs tels que E. O. Edwards, P. W. Bell, R. J. Chambers et R. R. Sterling. Dans les ouvrages de niveaux intermédiaire et avancé sur la comptabilité générale, plusieurs chapitres traitent, en général, de la «mesure du bénéfice» ou de la «théorie du bénéfice».

2. Pour en savoir plus sur le lissage du bénéfice, consultez Joshua Ronen et Simcha Sadan, *Smoothing Income Numbers: Objectives, Means, and Implications* (Reading, Mass.: Addison-Wesley, 1981). Le lissage et d'autres manipulations évidentes du bénéfice ont souvent fait l'objet d'articles publiés dans des revues spécialisées telles que *Forbes, Fortune* et *Business Week*. Pour des commentaires critiques, très faciles à lire, sur la manipulation du bénéfice, consultez une série d'articles et de livres de l'auteur Abraham Briloff, dont *Unaccountable Accounting* (New York: Harper & Row, 1972).

3. Adapté de *Accounting Education: Problems and Prospects*, (Sarasota, Floride, American Accounting Association, 1974).

4. Adapté de *Accounting Education: Problems and Prospects*, (Sarasota, Floride, American Accounting Association, 1974).

CHAPITRE 3

Les flux de trésorerie et les autres documents des états financiers

3.1　Aperçu du chapitre

Au chapitre précédent, nous avons présenté les trois états financiers fondés sur les comptes, qui évaluent la situation et la performance financières. Ces données sont considérées comme essentielles par la plupart de ceux qui utilisent et préparent les rapports de comptabilité générale. Le bilan, l'état des résultats et l'état des bénéfices non répartis, aussi importants qu'ils soient, ne révèlent toutefois pas tous les renseignements accumulés par la comptabilité générale. S'ajoutent à ces trois états, une analyse des flux de trésorerie, des notes afférentes aux états financiers (les notes complémentaires), le rapport du vérificateur externe, ainsi que divers autres rapports. Tous ces documents jouent actuellement un rôle essentiel dans la **communication de l'information financière** et figurent dans les **rapports annuels** déposés par les sociétés ouvertes, ainsi que dans d'autres documents semblables présentés par de nombreux autres organismes.

La communication de l'information financière ne s'arrête pas aux trois états financiers présentés au chapitre 2.

Dans ce chapitre, nous examinerons plus particulièrement l'analyse des flux de trésorerie. L'évaluation de la gestion des liquidités est si importante que le résultat de cette analyse, soit l'**état des flux de trésorerie**, ou **état de l'évolution de la situation financière (EESF)**, s'ajoute aux trois états présentés au chapitre 2. Ces quatre états financiers constituent le jeu d'états financiers de base publié par la plupart des sociétés et dont traite le rapport du vérificateur externe. Les notes afférentes aux états financiers peuvent également faire référence à l'EESF. Comme nous l'avons indiqué au chapitre 2, le bilan peut aussi être appelé *état de la situation financière*. Pour établir l'état des flux de trésorerie, on compare principalement les bilans du début et de la fin de l'exercice visé. Il s'agit donc de l'analyse de *l'évolution* de la situation financière. Cet état *s'appuie sur les changements intervenus entre les deux dates et sur certaines autres informations; contrairement aux trois autres états, il n'est pas fondé sur les comptes proprement dits.* Les comptes qui résultent de la comptabilité générale servent à établir les trois autres états; par conséquent, l'EESF constitue l'une des analyses essentielles de ces états. Ce chapitre vient compléter la présentation de l'ensemble des états financiers. Aux chapitres suivants, vous trouverez plus de détails sur les comptes, l'analyse, les flux de trésorerie et d'autres sujets liés aux états financiers.

L'EESF est une analyse; contrairement aux trois autres états financiers, il n'est pas fondé sur les comptes proprement dits.

Dans ce chapitre, vous verrez comment l'analyse des flux de trésorerie convertit les données de comptabilité d'exercice et se distingue des informations présentées dans les trois autres états fondés sur les comptes. Vous aurez aussi un aperçu des principes d'interprétation de l'analyse des flux de trésorerie. (L'analyse des états financiers sera approfondie au chapitre 9; tous les détails concernant la préparation de l'EESF apparaissent au chapitre 10.) Vous trouverez également des informations sur le rapport annuel, qui englobe tous les états, les notes, le rapport du vérificateur et le rapport de gestion (commentaires et analyse de la direction), ainsi que d'autres renseignements qui devraient répondre aux besoins des utilisateurs. Après avoir étudié ce chapitre, vous aurez bien compris l'ensemble de documents d'information établis à partir des données de comptabilité générale et vous serez en mesure de réfléchir aux principes qui sous-tendent ces informations (chapitre 4). Vous pourrez, par la suite, apprendre à exécuter les opérations comptables sous-jacentes (chapitres 5 et suivants).

3.2   LES EXEMPLES D'ÉTATS FINANCIERS

Le travail du comptable qui prépare des états financiers consiste essentiellement à classer des données, c'est-à-dire à intégrer les comptes aux rubriques auxquelles ils appartiennent. Le choix de la rubrique est important, car elle nous renseigne bien sur les données. Par exemple, les liquidités classées sous la rubrique « Actif à court terme » peuvent être utilisées immédiatement, contrairement aux liquidités classées sous « Actif à long terme », qui sont immobilisées, donc, d'une certaine façon, gelées. Autre exemple: un produit appartenant à la rubrique « Exploitation » fait partie des affaires courantes alors qu'un produit classé sous la rubrique « Charges et produits divers » est un élément accessoire.

N'oubliez pas que ce manuel comporte de nombreux exemples d'états financiers. Consultez-les fréquemment.

Vous trouverez dans ce manuel de nombreux exemples d'états financiers qui vous aideront à vous familiariser avec leur contenu et leur présentation. Certains sont intégrés au corps des chapitres; d'autres font partie des études de cas, à la fin des travaux pratiques. N'hésitez pas à les consulter, même si vous ne faites pas les études de cas, pour mieux comprendre les outils de communication de l'information financière.

En outre, les états financiers complets et les notes complémentaires de la société Provigo inc. figurent à la fin de cet ouvrage. Ponctuellement, ils serviront d'exemples et ils seront analysés en détail au chapitre 9.

3.3   LE RAPPORT ANNUEL ET L'ENSEMBLE DES ÉTATS FINANCIERS

La **communication de l'information financière** est très importante pour de nombreuses entreprises. Toutes les sociétés par actions, ainsi que la plupart des autres entreprises légalement formées, sont tenues d'établir des états financiers au moins une fois l'an, pour expliquer leur situation et leur performance financières. Habituellement, les sociétés ouvertes, c'est-à-dire les sociétés dont les actions sont négociées à la bourse des valeurs mobilières ou sur des marchés hors cote, publient aussi de l'information financière intermédiaire ou trimestrielle, en particulier au sujet des bénéfices. La plupart des entreprises individuelles et des sociétés de personnes préparent également des états financiers annuels à la demande de leur banque, ou en vue de les inclure dans les déclarations d'impôts du propriétaire ou des associés. Parfois ces états sont d'ailleurs établis pour cette seule raison. D'habitude, de telles entreprises ne vont pas aussi loin dans leurs démarches de présentation et d'explication que les sociétés ouvertes ; malgré tout, leurs états financiers respectent les mêmes principes généraux que ceux des grandes sociétés.

Le jeu d'états financiers se compose généralement de quatre états financiers, auxquels s'ajoutent les notes complémentaires.

Les états financiers se composent généralement de ces cinq éléments :

1. Le bilan (état de la situation financière)
2. L'état des résultats
3. L'état des bénéfices non répartis
4. L'état de l'évolution de la situation financière (état des flux de trésorerie)
5. Les notes afférentes aux états financiers (notes complémentaires)

Le rapport du vérificateur externe porte sur les cinq éléments du jeu d'états financiers.

Une sixième composante accompagne les états financiers et les notes complémentaires : le **rapport du vérificateur**, qui évalue si les documents donnent une image fidèle de la situation de l'entreprise. La direction de l'entreprise est responsable du contenu des états financiers et des notes ; le rapport du vérificateur présente l'opinion que ce dernier formule à leur sujet. Méfiez-vous des états financiers non vérifiés ou de ceux auxquels le rapport du vérificateur n'a pas été annexé. Parfois des lettres ou des rapports qui fournissent moins d'assurance que le rapport du vérificateur sont joints aux états financiers. Lisez avec soin ces textes qui précisent généralement jusqu'à quel point l'expert-comptable peut attester ou contester la fidélité des données.

Le rapport annuel contient beaucoup d'informations qui s'ajoutent aux quatre états financiers et aux notes complémentaires.

Les sociétés ouvertes et d'autres entreprises incluent leurs états financiers dans un **rapport annuel** beaucoup plus détaillé. Le rapport contient habituellement (à peu près dans cet ordre) les éléments suivants :

1. Le sommaire des résultats de l'exercice, habituellement sous forme de graphiques, et une comparaison avec les cinq ou dix exercices antérieurs.
2. Une lettre adressée aux actionnaires par le président-directeur général, qui est habituellement aussi président du conseil d'administration.
3. Des renseignements sur l'histoire de la société, ses produits, ses établissements, ses employés, etc., pour aider le lecteur à mieux comprendre la structure de l'entreprise et à placer en contexte le reste du rapport annuel.
4. Un rapport de gestion, appelé aussi commentaires et analyse de la direction, comprenant une description des facteurs économiques, financiers et autres liés aux affaires de la société ; l'information est généralement répartie selon les principaux produits ou services.
5. Un énoncé sommaire précisant que les états financiers et le contrôle interne général de la société relèvent de la direction.
6. Les états financiers et le rapport du vérificateur.
7. Divers détails sur le statut juridique de la société, le nom des administrateurs et des dirigeants, et tout autre renseignement jugé important.

Dans un article portant sur le rapport annuel, un expert-comptable canadien renommé faisait les observations suivantes :

> Bien que ces dernières années de nombreux changements aient marqué la publication de l'information financière par les entreprises, [...] le rapport annuel demeure la pièce maîtresse de l'ensemble du processus d'information. [...] Le domaine de l'information financière évolue. On tient compte de plus en plus des besoins des utilisateurs, ce qui a pour effet d'étendre le champ de l'information financière bien au-delà des états financiers[1].

Outre les comptables de la société et les vérificateurs externes, de nombreuses autres personnes participent à la préparation du rapport annuel. La haute direction donne le ton, puis les équipes de publicité et de relations publiques conçoivent la présentation, en l'agrémentant souvent de photographies et de graphiques qui captent l'attention. Ainsi, le rapport annuel peut devenir un document très soigneusement présenté de plus de 50 pages ! Voici certains commentaires sur les rapports annuels :

> Il fut un temps où les rapports annuels n'étaient guère qu'une compilation de données financières assemblées dans un petit livret broché. Aujourd'hui, ce sont devenus de véritables magazines, renfermant [...] autant de renseignements et de fioritures que possible [...] [pour refléter] l'image que la société veut projeter[2].
>
> [Les lecteurs] veulent encore et toujours plus [d'informations]. Malgré tout, certains principes restent inchangés, notamment le besoin d'une interprétation honnête et fidèle des résultats de la société, présentée de façon à ce que le commun des mortels puisse la comprendre[3].
>
> Les rapports annuels sont tout à la fois le bulletin scolaire de la société, son album de photos et sa promotion auprès du public. Certains rapports clament haut et fort les succès des 12 derniers mois, qu'ils soient réels ou exagérés. D'autres clament haut et fort... peu de choses[4].

Les rapports annuels des grandes sociétés peuvent être obtenus de diverses sources.

Si vous n'avez jamais vu un rapport annuel, vous auriez avantage à en consulter un. La plupart des bibliothèques en possèdent quelques exemples, et la majorité des sociétés ouvertes fournissent sur demande un exemplaire de leur propre rapport annuel. Certains journaux et magazines financiers, tels que *Les Affaires*, le *Financial Post*, le *Globe and Mail* et le *Business Week*, donnent accès à des rapports annuels et à d'autres documents financiers. Diverses bibliothèques et sociétés ont mis sur pied des services d'accès électronique à des milliers de rapports annuels, qu'on peut consulter et télécharger. Les sociétés sont de plus en plus nombreuses à inclure dans leur site Internet leurs états financiers ainsi que d'autres parties de leur rapport annuel. Quand vous consultez les pages d'accueil de ces sociétés, allez aux sections qui portent sur les relations avec les investisseurs ou sur les informations destinées aux actionnaires. Vous pourriez, par exemple, visiter le site Internet des sociétés suivantes : Bell Canada (http://bce.ca/bce/f/investors/) ; Hydro-Québec (http://www. hydro.qc.ca/rapport_annuel_96/) ; Petro-Canada (http://www.francais.petro-canada.ca/) ; et Microsoft (http://microsoft.com/). Vous trouverez ainsi une quantité considérable de données financières, notamment des états financiers que vous pourrez imprimer ou télécharger.

À la fin du manuel, vous trouverez le rapport annuel de la société Provigo inc., en date de janvier 1998 (puisqu'il porte principalement sur l'exercice 1997, il est intitulé Rapport annuel de 1997). En plus des états financiers et des notes complémentaires, il comporte, entre autres, l'analyse faite par la direction, le rapport des vérificateurs, un énoncé sommaire où la direction assume la responsabilité des états financiers, un énoncé des pratiques liées à la gestion de l'entreprise et un résumé des états financiers portant sur plusieurs années. Vous trouverez également les communiqués de presse de la société dans Internet, au site de Canada NEWSWIRE (http://www.NEWSWIRE). Pour autant que la société tienne ces données à jour, vous pourrez, si vous le désirez, avoir accès à des renseignements encore plus récents que ceux que nous vous fournissons à la fin du présent ouvrage.

Voici deux questions auxquelles vous devriez pouvoir répondre, compte tenu de ce que vous venez de lire:

1. Quels sont les types de renseignements que l'on devrait trouver dans le rapport annuel d'une grande société comme Gaz Métropolitain ou IBM, *qui viendraient s'ajouter* aux trois états financiers dont il a été question au chapitre 2?

2. Quels sont les éléments du rapport annuel qui font l'objet du rapport du vérificateur externe?

3.4   LES BUTS DE L'ANALYSE DES FLUX DE TRÉSORERIE

La gestion des flux de trésorerie est au cœur de la gestion de l'entreprise.

Avant d'explorer les autres éléments des états financiers, nous allons analyser les flux de trésorerie. L'accroissement de la richesse d'une entreprise revêt une grande importance pour les gestionnaires, les investisseurs, le fisc et bien d'autres intéressés. L'état des résultats fondé sur la comptabilité d'exercice est une mesure possible de cet accroissement. Mais les choses sont bien plus complexes, et l'état des résultats ne peut, à lui seul, rendre compte de la performance de l'entreprise. Son succès se mesure aussi par la gestion des sorties et des rentrées de fonds. C'est grâce à une bonne gestion de ses flux monétaires que l'entreprise peut disposer de suffisamment de liquidités pour régler ses dettes, financer sa croissance et limiter ses emprunts. En fait, cela n'a rien d'étonnant: nous devons tous bien gérer nos liquidités et savoir à tout moment de combien d'argent nous disposons et où trouver les fonds supplémentaires dont nous pourrions avoir besoin.

Aucune entreprise ne peut survivre sans liquidités. (Le même principe s'applique aux autres organismes et, notamment, aux administrations publiques. Comme tout le monde le sait, ces dernières années, elles ont cherché par tous les moyens à réunir suffisamment de liquidités, par le biais de taxes, d'impôts et d'autres mesures, pour faire face à leurs obligations financières et sociales.) Il faut payer les employés, les fournisseurs ainsi que le fisc; il faut rembourser les prêts et renouveler des éléments d'actif. Bon nombre d'entreprises, nouvelles ou solidement établies, qui ont enregistré un bénéfice net, ont tout de même manqué de liquidités et fait faillite. Il est donc essentiel de fournir aux investisseurs éventuels et actuels, de même qu'aux créanciers, des informations sur les rentrées et les sorties de fonds, soit sur la situation de l'entreprise en ce qui a trait à ses liquidités. Peut-elle régler toutes ses dettes et respecter ses autres engagements financiers, en d'autres termes, est-elle solvable? Dispose-t-elle actuellement d'une encaisse et d'éléments d'actif à court terme suffisants pour rembourser ses dettes et faire face à ses obligations *immédiates*, autrement dit, dispose-t-elle de liquidités? Les entreprises qui ne savent pas bien gérer leurs liquidités pourront connaître des difficultés. D'autre part, certaines entreprises disposent de trop de liquidités, au point où il y aurait lieu de s'interroger sur l'origine de cette abondance de fonds et sur leur utilisation. Ce n'est pas en conservant des sommes importantes sous forme de liquidités improductives que les propriétaires obtiendront un quelconque rendement sur leurs investissements. Il faut plutôt les destiner aux placements, à l'amélioration des immeubles et du matériel, à des campagnes de promotion auprès de nouveaux clients ou, tout simplement, au remboursement des dettes portant intérêt.

Liquidités: sommes destinées à répondre aux besoins immédiats. **Solvabilité**: capacité de respecter ses engagements financiers au moment où ils deviennent exigibles.

La comptabilité d'exercice peut dans certains cas présenter une fausse image de la situation des liquidités. Prenons l'exemple extrême d'une société dont les produits d'exploitation sont de 1 000 $, tous consentis à crédit, sans qu'aucun client n'ait encore payé. Pour réaliser ces produits, cette société a engagé des charges de 700 $ et elle devra bientôt régler ses créanciers. D'après les principes de la comptabilité d'exercice, le bénéfice net correspond aux produits d'exploitation moins les charges, ici, 300 $. À première vue, tout va bien : c'est un taux de rendement de 30 %. Pourtant, la société est en difficulté : elle n'a pas suffisamment de liquidités pour régler ses dettes. Elle a l'équivalent de 1 000 $ en comptes clients, qu'elle ne peut utiliser pour payer ses charges si les clients ne règlent pas leur facture. Si elle souhaite trouver un autre moyen d'obtenir des liquidités, elle s'adressera sans doute à la banque ou à un autre prêteur. Combien doit-elle emprunter ? Doit-elle exiger que les clients règlent leur compte immédiatement ? Doit-elle plutôt supplier les créanciers de lui accorder une nouvelle échéance pour le paiement des 700 $? Et en plus, pourra-t-elle acheter le nouveau matériel dont elle a absolument besoin pour rester concurrentielle ? Toutes ces questions portent sur la gestion des liquidités et il est difficile d'y répondre en se fondant uniquement sur l'état des résultats, établi d'après les principes de la comptabilité d'exercice.

C'est ici qu'intervient le quatrième état financier. L'état des flux de trésorerie (l'état de l'évolution de la situation financière ou l'EESF) présente des renseignements sur la création et l'utilisation de l'encaisse et de l'actif à court terme réalisable très rapidement ; cet outil permet donc d'évaluer si une entreprise est financièrement viable. L'EESF fournit des renseignements sur les liquidités qu'on ne retrouve pas dans l'état des résultats, qui est fondé sur la comptabilité d'exercice.

Dans l'exemple des Bijoux Irène Gadbois présenté à la section 1.6, nous avons montré qu'il fallait distinguer le **bénéfice en comptabilité d'exercice** du **bénéfice en comptabilité de caisse**. Certains produits et charges ne sont pas forcément associés aux rentrées et aux sorties de fonds de l'exercice courant. Nous avons déjà donné l'exemple des produits d'exploitation non recouvrés (les comptes clients). L'amortissement en est un autre : cette charge n'implique aucune sortie de fonds ; la sortie de fonds s'est produite au moment de l'acquisition de l'élément d'actif.

En fait, même le bénéfice en comptabilité de caisse ne mesure pas avec précision tous les mouvements de fonds. Certains encaissements (provenant par exemple d'un prêt ou d'une émission d'actions) ou décaissements (par exemple, le versement de dividendes ou l'achat d'un terrain) ne font pas partie du processus quotidien d'affaires dont rend compte l'état des résultats ; ces opérations n'entrent pas dans le calcul du bénéfice en comptabilité de caisse. Elles correspondent à des décisions de gestion qui vont au-delà de la réalisation des produits d'exploitation de l'exercice en cours ; elles nous renseignent sur les possibilités futures de l'entreprise.

L'analyse des flux de trésorerie vise donc les deux objectifs suivants :

- Mesurer la performance d'après les flux de trésorerie quotidiens, c'est-à-dire les liquidités produites par les activités commerciales courantes, et non d'après les principes de la comptabilité d'exercice. Il s'agit donc de mesurer les **produits en trésorerie**, appelés **liquidités provenant de l'exploitation** (rubrique « Exploitation ») dans l'EESF. *La mesure du bénéfice net ou des résultats nets selon la comptabilité d'exercice reste valable.* Il s'agit simplement d'offrir une nouvelle perspective des résultats de l'entreprise et donc de mieux renseigner l'utilisateur.

- Intégrer les autres sorties et rentrées de fonds (acquisition d'éléments d'actif, emprunts ou remboursements de dettes, obtention de nouveaux capitaux de la part des propriétaires ou versement de dividendes aux actionnaires). En inté-

---

Le bénéfice en comptabilité d'exercice n'est pas forcément synonyme de liquidités dont on peut disposer immédiatement.

Le bénéfice en comptabilité de caisse ne mesure pas tous les décaissements et encaissements.

L'EESF fait état du bénéfice en comptabilité de caisse, sous la rubrique « Activités d'exploitation — Liquidités provenant de l'exploitation ».

L'EESF fait aussi état des flux de trésorerie hors exploitation, provenant des activités de financement et d'investissement.

grant ces **flux de trésorerie hors exploitation**, l'EESF donne une description complète de la gestion des liquidités pendant l'exercice visé. Il peut expliquer en détail pourquoi, à la fin de cet exercice, l'entreprise a plus ou moins de liquidités qu'au début.

Muni de toutes ces informations, l'utilisateur est davantage en mesure d'évaluer la stratégie de gestion des liquidités adoptée par la direction. Il peut ainsi mieux comprendre la situation de la société en matière de liquidités, de solvabilité, de risque et d'occasions d'affaires. Il dispose d'un outil supplémentaire qui vient s'ajouter au bilan, à l'état des résultats et à l'état des bénéfices non répartis.

Ù EN ÊTES-VOUS ?

Voici deux questions auxquelles vous devriez pouvoir répondre, compte tenu de ce que vous venez de lire :

1. Quels sont les rapports entre les flux de trésorerie et la situation de la société sur le plan des liquidités et de la solvabilité ?

2. À part le bénéfice en comptabilité de caisse, dont nous avons discuté au chapitre 1, en prenant l'exemple de l'entreprise Les Bijoux Irène Gadbois, quels sont les autres éléments qui viennent modifier les flux de trésorerie ?

3.5   L'ÉTAT DES FLUX DE TRÉSORERIE

Rappelons que l'analyse des flux de trésorerie doit tenir compte des mouvements de liquidités liés à l'exploitation et hors exploitation. L'EESF se présente sous une forme qui s'apparente à l'illustration 3-1. (Nous ne tiendrons pas compte des éléments exceptionnels et des présentations inhabituelles.)

Voici quelques remarques importantes à propos de cette présentation courante :

• L'analyse de l'EESF indique les fluctuations des **espèces et quasi-espèces** (**liquidités — LIQ**); il importe donc de préciser ce qu'inclut cette rubrique. Bien entendu, tout d'abord, il y a l'encaisse. S'y ajoutent les quasi-espèces, comme les titres de placement à très court terme, que l'entreprise utilise pour placer temporairement l'excédent de liquidités, afin d'obtenir des intérêts créditeurs. Soulignons que certaines dettes à très court terme, notamment les découverts et les emprunts bancaires à vue, figurent également sous cette rubrique. Il s'agit bien entendu d'éléments *négatifs* qui viennent réduire la somme des liquidités. Cela n'a rien d'étonnant : si vous faites des chèques pour un montant supérieur au solde de votre compte, en fait, vous empruntez de l'argent à la banque. Votre solde bancaire peut devenir négatif si vous tirez trop de chèques. Par ailleurs, vous pourriez accroître vos liquidités en demandant un emprunt à la banque ou les réduire en remboursant un emprunt. En tenant compte de ces montants négatifs, l'EESF fournit une image exacte et complète de la situation sur le plan des liquidités, car les écarts temporaires ou circonstanciels sont ainsi intégrés. Les espèces et quasi-espèces (les liquidités — LIQ) sont donc calculées d'après les éléments d'actif quasi liquides (appelés **actif de trésorerie** ou **AT**) et d'après les éléments de passif quasi liquides (appelés **passif de trésorerie** ou **PT**): LIQ = AT − PT. L'EESF reflète *l'évolution* des LIQ et correspond à une explication des *variations* de l'AT *moins* les *variations* du PT.

LIQ (variations) = AT (variations) − PT (variations), selon les définitions données par l'entreprise.

Illustration

Modèle d'analyse des flux de trésorerie adopté dans l'EESF (pour le même exercice que celui visé dans l'état des résultats)	
Activités d'exploitation : Liquidités provenant de l'exploitation (sommes associées aux activités quotidiennes, comme celles qui génèrent des produits d'exploitation).	XXXX $
Dividendes : Dividendes *versés* au cours de l'exercice (ces éléments pourraient être inscrits sous la rubrique « Activités de financement » ci-dessous ou même sous la rubrique « Activités d'exploitation » ci-dessus).	(XXXX)
Activités d'investissement : Liquidités destinées à des investissements supplémentaires dans des éléments d'actif à long terme, moins liquidités provenant de la cession de ce type d'éléments d'actif.	(XXXX)
Activités de financement : Liquidités provenant des emprunts à long terme et de l'émission de capital-actions, moins emprunts remboursés ou actions rachetées.	XXXX
Variations des liquidités au cours de l'exercice	XXXX
Liquidités au début de l'exercice	XXXX
Liquidités à la fin de l'exercice	XXXX $
Liquidités : Généralement, on explique brièvement comment on est arrivé au total des liquidités.	

Quelque part sur l'EESF, généralement au bas de la page, vous trouverez la définition que l'entreprise donne aux liquidités, et, par conséquent, les changements que cet état cherche à expliquer.

- Les chiffres seront positifs ou négatifs en fonction de ce qui s'est produit pendant l'exercice. Par exemple, si l'année a été vraiment mauvaise, la rubrique « Activités d'exploitation » peut indiquer un résultat négatif, auquel cas il faudrait plutôt dire qu'il s'agit de liquidités *affectées* à l'exploitation ! Aussi, une société en pleine restructuration disposera peut-être de liquidités importantes provenant de la cession d'éléments d'actif. Si, au lieu d'acheter des éléments d'actif, elle en vend, la rubrique « Activités d'investissement » pourrait indiquer un solde positif au lieu du solde négatif habituel.

Les montants des liquidités provenant des activités d'exploitation peuvent être positifs ou négatifs.

- Le total des liquidités provenant des activités d'exploitation correspond aux encaissements découlant des opérations courantes, moins les décaissements reliés à ces mêmes opérations. Certains spécialistes estiment que l'EESF devrait respecter cette structure, en présentant séparément les montants des encaissements et ceux des décaissements liés à l'exploitation. Cette pratique a été adoptée dans plusieurs pays et est envisagé au Canada : la section 3.11 traite de ce changement. Actuellement au Canada, plutôt que de procéder à ce calcul direct, on établit le montant des liquidités provenant de l'exploitation à partir des résultats nets en comptabilité d'exercice ajustés pour les ramener en comptabilité de caisse. Cependant, comme vous le constaterez au chapitre 10, l'Institut canadien des comptables agréés autorisera les deux approches.

• L'EESF sert notamment à déterminer le montant des liquidités provenant de l'exploitation courante. Dans le total des liquidités provenant de l'exploitation, on ne tient pas compte des nombreux redressements apportés par la comptabilité d'exercice. Ces redressements sont essentiels pour mesurer les résultats nets, mais rendent obscurs les effets sur les liquidités. Pour bien mettre en valeur cet aspect, la plupart des EESF commencent par présenter le bénéfice net tiré de l'état des résultats, puis retirent explicitement les effets des variations dans les comptes clients, les comptes fournisseurs, l'amortissement, etc. Si l'EESF commence directement par la somme des liquidités provenant de l'exploitation, une note expliquera comment ce chiffre a été calculé à partir du bénéfice ou du résultat net. Nous y reviendrons en détail, plus tard.

Certaines personnes qui préparent l'information comptable estiment que les dividendes sont prélevés à même les liquidités générées par l'exploitation au cours de l'exercice et les inscrivent sous la rubrique « Activités d'exploitation ». D'autres croient que les dividendes représentent, avant tout, une rémunération issue du capital investi par les actionnaires et justifient donc leur présentation sous la rubrique « Activités de financement ». Parfois, les dividendes sont même présentés sous une rubrique distincte de l'EESF.

• Aujourd'hui, dans la plupart des EESF, les dividendes versés sont inscrits sous la rubrique « Activités de financement », mais on trouvera souvent cette information sous « Activités d'exploitation ».

Ù EN ÊTES-VOUS ?

Voici deux questions auxquelles vous devriez pouvoir répondre, compte tenu de ce que vous venez de lire:

1. Quel rapport y a-t-il entre le bénéfice en comptabilité d'exercice, le bénéfice en comptablité de caisse et les liquidités provenant de l'exploitation?

2. Dubroy inc. donne la définition suivante de ses liquidités (respectivement les chiffres de l'exercice courant et de l'exercice précédent pour chaque poste): encaisse (13 000 $; 4 000 $); dépôts à terme de 30 jours à la MégaBanque (25 000 $; 50 000 $); et emprunt à vue (70 000 $; 30 000 $). À combien s'élève la variation totale nette des liquidités de l'exercice en cours, reflétée par l'EESF? (Résultat: −56 000 $, c'est-à-dire +9 000 $ (pour l'encaisse) −25 000 $ (pour les dépôts à terme) −40 000 $ (pour l'accroissement des emprunts bancaires). Dans une autre perspective, pour l'exercice précédent: 4 000 $ +50 000 $ −30 000 $ = +24 000 $. Et pour l'exercice en cours: 13 000 $ +25 000 $ −70 000 $ = −32 000 $. Les liquidités sont passées de +24 000 $ à −32 000 $, soit une diminution de 56 000 $. Les deux modes de calcul sont acceptables.)

3.6   LE PRINCIPE FONDAMENTAL: L'ANALYSE DES VARIATIONS DU BILAN

Le bilan est l'état de la situation financière. L'état des flux de trésorerie équivaut à l'état de l'évolution de la situation financière (EESF). Pour que vous sachiez mieux interpréter le contenu de l'EESF, nous présenterons un exemple de l'analyse menée à l'aide de l'EESF. Vous pourrez ainsi établir vous-même un EESF, à partir de données simples. Vous trouverez les éléments nécessaires à la préparation d'un EESF plus détaillé au chapitre 10.

Vous apprendrez ici comment établir une analyse des flux de trésorerie, tout simplement à partir des différences entre les bilans de deux exercices successifs. Les comptables font appel à d'autres méthodes qui leur permettent de traiter tous les types de données, quelle que soit leur complexité. Toutefois, dans ce manuel d'introduction, nous nous contenterons d'une analyse simplifiée vous permettant d'apprendre à analyser les renseignements trouvés dans les états financiers et à les interpréter.

Pour mieux comprendre comment dresser un EESF, réfléchissez aux variations qui interviennent sous les rubriques suivantes du bilan et à leurs conséquences sur le plan des flux de trésorerie :

Étape 1 : calculez les variations des liquidités pour l'exercice — c'est ce changement que l'EESF viendra expliquer.

1. Voyons d'abord les variations des liquidités (espèces et quasi-espèces), c'est-à-dire les variations de l'actif de trésorerie et celles du passif de trésorerie. Le total net de ces variations *ne figure pas* dans le corps de l'EESF ; il correspond en fait au « résultat net » du document. L'EESF va permettre de le décortiquer pour l'entrer dans ses rubriques d'explications standard (exploitation, dividendes, investissements et financement). La première étape consiste donc à calculer les variations des liquidités, pour savoir à combien s'élève la somme nette de tous les postes des quatre rubriques de l'EESF.

Étape 2 : calculez les variations des bénéfices non répartis (bénéfice net moins dividendes).

2. Passons à présent aux variations des bénéfices non répartis. En simplifiant, on peut dire qu'il s'agit du bénéfice net moins les dividendes déclarés. (Nous tiendrons pour acquis, ici, que tous les dividendes ont été versés.) Le bénéfice net figure en premier lieu sous la rubrique « Activités d'exploitation » de l'EESF ; les dividendes sont inscrits sous « Dividendes ».

Étape 3 : dégagez les charges d'amortissement et les autres charges qui modifient le passif et l'actif à long terme.

3. Pendant que nous parlons du bénéfice net, et compte tenu du fait que l'un des objectifs de l'EESF est d'éliminer les effets de la comptabilité d'exercice, examinons certaines variations du bilan, qui sont le résultat des régularisations imposées par la comptabilité d'exercice. Nous nous limiterons à deux d'entre elles, sans nous préoccuper des nombreuses complications possibles. Examinons en premier lieu les variations de l'amortissement cumulé, présenté au bilan sous la rubrique « Actif à long terme ». Si la situation est simple, tout changement dans l'amortissement cumulé est imputable aux charges d'amortissement enregistrées pendant l'exercice. Ces charges viennent réduire le total du bénéfice net et accroître l'amortissement cumulé. Comme deuxième exemple, prenons les impôts reportés, les régimes de retraite et autres charges estimatives à long terme. Ces charges viennent réduire le bénéfice net et accroître le passif à long terme. Sur l'EESF, ces deux types de charges, qui n'impliquent aucune sortie de fonds, sont *rajoutées* au bénéfice net sous la rubrique « Activités d'exploitation ». Cette opération permet de s'écarter graduellement du bénéfice en comptabilité d'exercice, pour se rapprocher du bénéfice en comptabilité de caisse, qui n'englobe pas ces charges.

Étape 4 : soustrayez du bénéfice net les augmentations de l'actif à court terme hors liquidités ; ajoutez les diminutions.

4. Passons à présent à la rubrique « Actif à court terme » du bilan. Tout juste en dessous de l'actif de trésorerie, on trouve les autres éléments d'actif à court terme. Par exemple, si le total des comptes clients a augmenté, l'entreprise a recouvré moins d'argent que prévu, même si une augmentation des produits est présentée dans l'état des résultats. Si les quantités en stock ont augmenté, l'entreprise a affecté des liquidités aux achats. Pour l'examen des autres éléments d'actif à court terme, la même logique s'applique. Si les montants ont augmenté, les effets sur les liquidités seront *négatifs*. Au contraire, s'ils ont diminué, les effets seront *positifs*.

Ainsi, toutes les variations de l'actif à court terme, autres que les éléments de trésorerie, sont intégrées à l'EESF à titre de redressement du bénéfice net. Les augmentations de ces éléments d'actif du « fonds de roulement hors liquidités » sont déduites du bénéfice net ; les diminutions sont ajoutées au bénéfice net.

Étape 5 : ajoutez au bénéfice net les augmentations des éléments du passif à court terme hors liquidités ; soustrayez les diminutions.

5. De même, tout changement dans le passif à court terme, qui touche d'autres éléments que le passif de trésorerie, aura des conséquences sur les flux de trésorerie. Si le total des comptes fournisseurs a diminué, la société a affecté des liquidités à leur règlement. Si ce total a augmenté, la société a préservé ses liquidités en accroissant ses dettes. Le même principe s'applique à tous les autres éléments de passif à court terme. Ainsi, toutes les variations dans le passif à court terme, autres que le passif de trésorerie, sont intégrées à l'EESF à titre de redressement du bénéfice net. Ils ont l'effet inverse des variations dans l'actif à court terme. Les augmentations de ces éléments du passif du « fonds de roulement hors liquidités » sont ajoutées au bénéfice net sur l'EESF ; les diminutions sont déduites du bénéfice net.

Étape 6a : Les variations de l'actif à long terme figurent sous la rubrique « Activités d'investissement » de l'EESF.

Étape 6b : Les variations du passif à long terme et du capital-actions figurent sous la rubrique « Activités de financement » de l'EESF.

6. Les étapes ci-dessus viennent terminer le calcul des liquidités provenant des activités d'exploitation. Il ne reste plus que les changements dans les éléments d'actif à long terme *autres* que les charges d'amortissement, les changements dans les éléments du passif à long terme *autres* que les charges telles les régimes de retraite et les impôts reportés, et, enfin, les changements dans les capitaux propres *autres* que le bénéfice net et les dividendes. Ces changements constituent les « véritables » variations des liquidités : décaissement pour acquérir de nouveaux éléments d'actif à long terme ou encaissement associé à leur disposition ; encaissement lors d'obtention d'emprunts à long terme (obligations et emprunts hypothécaires, par exemple) ou décaissement lors de leur remboursement ; et encaissement provenant de l'émission de nouvelles actions ou décaissement lors de leur rachat. Les variations de l'actif à long terme figurent sous la rubrique « Activités d'investissement » de l'EESF ; les variations du passif à long terme et du capital-actions, sous celle des « Activités de financement ».

Toutes les variations des éléments du bilan sont utilisées pour établir l'analyse des flux de trésorerie dans l'EESF.

Voilà, ça y est ! En suivant les étapes ci-dessous, on enregistre *chacune* des variations des éléments du bilan sous l'une des rubriques de l'EESF. Si ce rapport ne rendait pas compte de chacune de ces variations, l'analyse de l'évolution des liquidités pour l'exercice ne serait pas complète. Révisons toutes ces étapes à partir des rubriques du bilan, pour nous assurer que tous les changements ont effectivement été reportés sous l'une des quatre rubriques de l'EESF. Par la même occasion, résumons la *nature* des conséquences sur les liquidités (augmentation ou diminution), telles qu'elles apparaissent dans l'EESF :

Élément du bilan	Rubrique de l'EESF où les variations sont reflétées	Étape
Actif de trésorerie	Explication de la variation des liquidités	1
Actif à court terme hors trésorerie	Augmentations soustraites des « Activités d'exploitation » ; diminutions ajoutées à cette rubrique	4
Amortissement cumulé	Charges d'amortissement ajoutées à la rubrique « Activités d'exploitation »	3
Actif à long terme (variations de trésorerie)	Augmentations soustraites des « Activités d'investissement » ; diminutions ajoutées à cette rubrique	6a
Passif de trésorerie	Explication de la variation des liquidités	1
Passif à court terme hors trésorerie	Augmentations ajoutées aux « Activités d'exploitation » ; diminutions soustraites de cette rubrique	5

Élément du bilan	Rubrique de l'EESF où les variations sont reflétées	Étape
Charges à payer à long terme	Charges à long terme ajoutées aux « Activités d'exploitation »	3
Passif à long terme (variations de trésorerie)	Augmentations ajoutées aux « Activités de financement » ; diminutions soustraites de cette rubrique	6b
Capital-actions	Augmentations ajoutées aux « Activités de financement » ; diminutions soustraites de cette rubrique	6b
Bénéfices non répartis (bénéfice net)	Bénéfices ajoutés aux « Activités d'exploitation » (pertes déduites)	2
Bénéfices non répartis (dividendes)	Bénéfices soustraits de la rubrique « Dividendes »	2

Vous pouvez donc constater que l'EESF correspond à une analyse. Il faut repérer chacune des variations des divers éléments du bilan et inscrire ce changement sous la rubrique appropriée de l'EESF. Le changement doit être qualifié par son effet sur les liquidités, soit positif ou négatif. Pour mettre en application cette analyse, prenons le bilan de l'illustration 3-2 et calculons les variations.

L'EESF présente les variations des éléments du bilan, sous la perspective de leurs effets sur les liquidités. À l'aide de l'illustration 3-3 de la page 147, analysons l'EESF de 1998 de la société Simpliste. (Nous avons inclus quelques commentaires pour vous aider à mieux comprendre chacun de ses éléments).

3-2

Illustration

Société Simpliste inc. Bilans de 1998 et de 1997 (avec calcul des variations)			
	1998	1997	Variation
Actif			
Actif à court terme :			
Encaisse	150 $	130 $	20 $
Clients	200	160	40
Actif à long terme :			
Coût des bâtiments	500	420	80
Amortissement cumulé*	(180)	(130)	(50)
	670 $	580 $	90 $
Passif et capitaux propres			
Passif à court terme :			
Emprunt à vue	10 $	25 $	(15) $
Fournisseurs	110	65	45
Passif à long terme :			
Emprunt hypothécaire	140	175	(35)
Impôts reportés	100	90	10
Capitaux propres :			
Capital-actions	100	85	15
Bénéfices non répartis**	210	140	70
	670 $	580 $	90 $

* La variation de l'amortissement cumulé correspond à une charge d'amortissement de 50 $ déduite dans le calcul du bénéfice net de 1998.

** Selon l'état des bénéfices non répartis, la variation des bénéfices non répartis provient du bénéfice net de 1998 de 95 $, moins les dividendes versés de 25 $.

3-3

Illustration

Société Simpliste inc.
État de l'évolution de la situation financière
Exercice 1998
(avec notes supplémentaires)

Activités d'exploitation

Prendre le bénéfice net de l'exercice (résultat net d'après l'état
des résultats et élément de la variation des bénéfices non répartis
au bilan).   95 $

Additionner l'amortissement (variation de l'amortissement
cumulé : cette charge a réduit le bénéfice net mais non les **produits**
en trésorerie; en l'additionnant, on peut mieux évaluer
les liquidités).   50

Additionner les impôts reportés (variation du passif : comme
pour l'amortissement, cette charge n'a pas diminué les produits en
trésorerie; en l'additionnant, on peut mieux évaluer les liquidités).   10

Soustraire les variations des comptes clients (les comptes clients
ont augmenté; une portion du bénéfice net de 1998 provient
de produits non recouvrés; parce que les encaissements n'ont
pas encore été faits, on doit enregistrer une diminution des
produits afin de se rapprocher des produits en trésorerie.   (40)

Additionner les variations des comptes fournisseurs (l'augmentation
des comptes fournisseurs signifie que certaines charges déduites
du bénéfice net de l'exercice 1998 n'ont pas encore été réglées;
pour l'instant, les liquidités n'ont pas été utilisées, ce qui entraîne
une augmentation afin de se rapprocher des produits en trésorerie).   45

Liquidités provenant de l'exploitation (produits en trésorerie)   160 $

Dividendes

Dividendes versés au cours de l'exercice (élément de la variation
des bénéfices non répartis)   (25) $

Activités d'investissement

Accroissement des investissements dans les bâtiments (l'augmentation
d'un élément d'actif à long terme nécessite des liquidités, ce qui
se traduit par un effet négatif dans l'EESF)   (80) $

Activités de financement

Diminution de l'emprunt hypothécaire (le remboursement de
l'emprunt hypothécaire entraîne une réduction des liquidités)   (35) $

Augmentation du capital-actions (qui se traduit par un apport
de liquidités)   15

Liquidités nettes utilisées au titre du financement   (20) $

Total des variations nettes des liquidités pour l'exercice   35 $
Liquidités au début de l'exercice   105
Liquidités à la fin de l'exercice   140 $
Les liquidités se composent des éléments suivants :
   Encaisse   150 $
   Moins emprunt à vue   (10)
   Espèces et quasi-espèces   140 $

L'état des flux de trésorerie est une analyse très utile. En présentant sous une forme différente les variations constatées d'un bilan à l'autre (exercices de 1997 et de 1998), nous avons réussi à mettre en évidence plusieurs informations :

- La société Simpliste a augmenté ses liquidités de 35 $ pendant l'exercice : l'encaisse a augmenté de 20 $ et l'emprunt à vue a diminué de 15 $.

- Cette augmentation provient entièrement des activités d'exploitation courantes, car les opérations associées aux dividendes, aux investissements et au financement se sont toutes traduites par une diminution des liquidités.

- Les liquidités provenant de l'exploitation (160 $) étaient presque deux fois supérieures au bénéfice net apparaissant dans l'état des résultats (95 $), étant donné que ce bénéfice avait été réduit par les charges hors liquidités associées à l'amortissement et aux impôts reportés. À cause de telles charges, il est tout à fait normal que les liquidités provenant des activités d'exploitation dépassent le bénéfice net.

- Les liquidités provenant des activités d'exploitation auraient pu être plus élevées si la société Simpliste avait recouvré plus de créances. Par ailleurs, l'entreprise a augmenté ses liquidités en retardant le paiement de certains comptes fournisseurs.

- La société a consacré 80 $ à son bâtiment pendant l'exercice, somme supérieure aux charges d'amortissement de 50 $. Elle veille donc à son entretien, au lieu de laisser sa valeur diminuer.

- La société a réuni des fonds en émettant des actions (15 $), mais le montant de 35 $ affecté au remboursement de l'emprunt hypothécaire a fortement atténué l'effet de cette initiative.

L'analyse de l'EESF nous montre pourquoi le bénéfice net de 95 $ ne s'est pas traduit par une augmentation égale des liquidités. De nombreuses autres opérations ont touché les liquidités, et l'EESF nous renseigne à ce sujet.

Ù EN ÊTES-VOUS ?

Voici deux questions auxquelles vous devriez pouvoir répondre, compte tenu de ce que vous venez de lire :

1. L'analyse de l'EESF fournit des renseignements qui viennent compléter le tableau présenté par l'état des résultats. Quels sont ces renseignements supplémentaires ?

2. Voici les résultats de la société Horizon inc. et les variations des éléments de son bilan par rapport à l'exercice précédent. Calculez les totaux des quatre rubriques d'activités de l'EESF et déterminez le total des variations des liquidités pour l'exercice. Résultat net de l'exercice, 23 950 $; dividendes déclarés et versés, 9 250 $; amortissement, 16 900 $; impôts reportés, 2 200 $; augmentation du coût de l'actif à long terme, 57 260 $; augmentation des comptes clients, 1 205 $; augmentation des comptes fournisseurs, 4 320 $; augmentation de l'emprunt hypothécaire, 10 000 $; augmentation du capital-actions, 15 000 $. (Liquidités provenant des activités d'exploitation : 23 950 $ + 16 900 $ + 2 200 $ − 1 205 $ + 4 320 $ = 46 165 $. Dividendes versés : 9 250 $. Liquidités affectées aux activités d'investissement : 57 260 $. Liquidités provenant des activités de financement : 25 000 $. Total des variations nettes des liquidités : 46 165 $ − 9 250 $ − 57 260 $ + 25 000 $ = augmentation de 4 655 $.)

3.7   L'INTERPRÉTATION DE L'ÉTAT DES FLUX DE TRÉSORERIE

Au chapitre 2, pour les années 1996 et 1995, nous avons examiné le bilan, l'état des résultats et l'état des bénéfices non répartis des Industries Lassonde inc. Voyons à présent ce que l'EESF de 1996 de cette entreprise peut nous apprendre (illustration 3-4).

3-4

Illustration

INDUSTRIES LASSONDE INC. États consolidés de l'évolution de la situation financière de l'exercice terminé le 31 décembre 1996		
	1996	1995
Activités d'exploitation		
Bénéfice net	7 759 319 $	7 332 443 $
Éléments sans incidence sur l'encaisse	7 745 533	6 670 736
	15 504 852	14 003 179
Variation des éléments hors caisse du fonds de roulement d'exploitation	(4 201 472)	(10 155 694)
	11 303 380	3 847 485
Activités de financement		
Augmentation de la dette à long terme	18 986 060	—
Remboursement de la dette à long terme	(9 604 450)	(1 391 141)
Dividendes versés	(1 873 797)	(1 731 438)
Émission d'actions	378 113	275 063
Rachat d'actions catégorie A	(285 000)	(295 300)
	7 600 926	(3 142 816)
Activités d'investissement		
Acquisition d'entreprise (note 2)	(4 973 600)	—
Acquisition d'immobilisations	(10 384 924)	(11 017 563)
Réalisation d'immobilisations	910 127	324 687
Augmentation des frais reportés	(1 236 261)	(2 224 007)
	(15 684 658)	(12 916 883)
Augmentation (diminution) de l'encaisse	3 219 648	(12 212 214)
(Dette bancaire) encaisse au début	(11 454 867)	757 347
Dette bancaire à la fin	(8 235 219) $	(11 454 867) $

Première constatation : cette entreprise définit ses liquidités (espèces et quasi-espèces) selon la formule encaisse moins emprunts bancaires à court terme. Les bilans de 1996 et de 1995 (à la section 2.6) ne présentent aucun montant d'encaisse et la dette bancaire s'élève à 8 235 219 $ et 11 454 867 $, respectivement. Ces montants constituent donc les liquidités au début de l'exercice 1996 (− 11 454 867 $) et à la fin de l'exercice 1996 (− 8 235 219 $). Les liquidités des Industries Lassonde ont donc augmenté de 3 219 648 $. C'est la composition de cette variation que l'EESF présente.

Deuxième constatation : le calcul des liquidités provenant des activités d'exploitation met en évidence le bénéfice net de 7 759 319 $. On retrouve ce montant dans l'état consolidé des résultats ainsi que dans l'état consolidé des bénéfices non répartis. À ce montant, s'ajoutent 7 745 533 $ d'éléments sans incidence sur les liquidités, montant qui est en partie composé d'une charge d'amortissement de 8 271 529 $ figurant dans l'état consolidé des résultats. Le dernier élément qui entre dans le calcul des liquidités provenant des activités d'exploitation est une réduction due à la variation de 4 201 472 $ des éléments hors caisse du fonds de roulement d'exploitation. Cette réduction s'explique principalement par une augmentation des débiteurs et des stocks (− 1 973 840 $ et − 4 674 484 $) et une augmentation des créditeurs et des charges à payer (+ 2 314 609 $). Au net, ce sont 11 303 380 $ de liquidités qui proviennent des activités d'exploitation.

Troisième constatation : en terminant l'analyse de l'état consolidé des bénéfices non répartis, on remarque un montant de dividendes déclarés de 2 343 457 $. Cette somme n'a pas été entièrement versée puisque le bilan consolidé de 1996 fait état de dividendes à payer de 469 660 $. La différence (1 873 797 $) correspond aux dividendes versés et apparaît comme une utilisation des liquidités provenant des activités de financement. On remarque que les Industries Lassonde inc. ont choisi de présenter le versement de dividendes à l'intérieur des activités de financement plutôt que séparément.

Quatrième constatation : l'examen des activités de financement permet de constater que l'entreprise a consacré 9 604 450 $ de ses liquidités au remboursement de ses dettes à long terme. D'autre part, elle a été en mesure d'obtenir de nouveaux emprunts de 18 986 060 $. Au chapitre des investissements, Lassonde a utilisé 15 358 524 $ (4 973 600 $ + 10 384 924 $) pour l'acquisition d'entreprises et d'immobilisations. En valeur nette comptable, le montant de ses acquisitions en immobilisations (10 384 924 $) est plus élevé que celui de l'amortissement (8 271 529 $) : la société veut donc renouveler ses éléments d'actif à long terme.

En bref, l'EESF des Industries Lassonde inc. trace le portrait suivant de la gestion des liquidités. L'entreprise a généré 11 millions de dollars par ses activités d'exploitation. De cette somme, elle a retranché 2 millions de dollars pour les verser à ses actionnaires. Elle a augmenté ses liquidités en empruntant près de 19 millions à long terme. L'ensemble de ces liquidités a été utilisé pour rembourser des emprunts déjà existants (presque 10 millions de dollars) et faire des acquisitions (plus de 15 millions de dollars). Au terme de ces opérations, les Industries Lassonde inc. ont tout de même augmenté leurs liquidités de départ (− 11 454 867 $) de près de 3 millions de dollars.

○ Ù EN ÊTES-VOUS ?

Voici deux questions auxquelles vous devriez pouvoir répondre, compte tenu de ce que vous venez de lire :

1. Nous avons vu que les Industries Lassonde ont fait appel à des sources de financement internes et externes en 1996. Quels sont les éléments qui permettent de l'affirmer ?

2. Quels sont les chiffres de l'EESF qui vous permettent de savoir si la société renouvelle ses éléments d'actif à long terme, à mesure qu'ils se déprécient à cause de l'usure ?

3.8 LES NOTES COMPLÉMENTAIRES ET LES AUTRES SUPPLÉMENTS D'INFORMATION

Comme vous le savez, les quatre états financiers ne peuvent pas transmettre toute l'information dont ont besoin les utilisateurs. Par conséquent, on leur ajoute souvent diverses données, sous forme d'exposé ou de tableaux. Les sociétés peuvent toujours en ajouter aux états, mais les pratiques comptables courantes font en sorte que seuls certains de ces ajouts soient assez importants pour être considérés comme partie intégrante des états financiers et être couverts par le rapport du vérificateur. (À la section 3.9, vous trouverez plus de détails sur le rapport du vérificateur.)

Voici un résumé des renseignements généralement communiqués dans les notes complémentaires et dans les suppléments d'information. (Voir à ce sujet un exemple, à la fin du livre, dans le rapport annuel de la société Provigo inc.)

1. *Éléments généralement exigés, couverts par le rapport du vérificateur :*

   a. Description des principales règles et méthodes comptables de la société, nécessaires à la compréhension et à l'interprétation des chiffres des états financiers. (Habituellement, ces précisions figurent dans la première note qui suit les états financiers).

   b. Explications concernant certains postes des états financiers qui l'exigent, en général, les montants des amortissements, des dettes à long terme, du capital-actions, du passif découlant du régime de retraite et de tout poste faisant l'objet d'un calcul inhabituel ou auquel la société accorde une importance particulière.

   c. Renseignements portant sur des éléments ou des événements qui ne sont pas présentés dans le corps des états financiers, par exemple, les éléments de passif « éventuels », les engagements quant aux approvisionnements, les poursuites judiciaires, les liens avec des sociétés affiliées ou des personnes, et tout événement important ayant eu lieu après la date officielle du bilan (par exemple, un incendie majeur).

   d. Analyse des produits et des contributions au bénéfice pour chacun des secteurs d'activité importants ou pour chaque secteur géographique où la société exerce (par exemple, contribution au bénéfice du secteur des produits forestiers comparativement au secteur des produits agro-alimentaires ; comparaison entre le marché du Canada et celui des États-Unis).

2. *Autres éléments presque toujours exigés, particulièrement pour les grandes sociétés :*

   a. Chiffres comparatifs du bilan et des résultats couvrant au moins cinq exercices, et le plus souvent dix. Si une société change une méthode comptable importante, elle doit modifier rétrospectivement ses analyses pour que les chiffres des exercices antérieurs puissent être comparés.

   b. Explication des responsabilités incombant respectivement à la direction et aux vérificateurs externes en matière d'information financière et énoncé de la responsabilité de la direction sur le plan de la gestion des biens de la société.

   c. **Rapport de gestion,** appelé aussi **commentaires et analyse de la direction,** portant sur les décisions prises pendant l'exercice et sur les résultats obtenus. Cet exposé de la direction, qui compte souvent plusieurs pages, va au-delà des chiffres et des états financiers et est devenu une source importante de renseignements. Pour mieux comprendre les résultats et les perspectives d'avenir d'une société, on doit toujours consulter le **rapport de gestion**. Celui de la société Provigo inc., appelé « analyse par la direction », se trouve à la fin du manuel.

3. *Éléments optionnels:*

   a. Graphiques et autres illustrations.
   b. Détails sur les contrats de travail, les caractéristiques des produits, la politique générale de l'entreprise, les dons, les objectifs de l'entreprise et autres renseignements du même genre.
   c. Listes des filiales et des sociétés affiliées, des membres de la haute direction et des adresses commerciales.
   d. Rapports sur la lutte contre la pollution, la gestion des ressources humaines, le commerce avec les pays condamnés par l'opinion publique et autres renseignements sur des sujets épineux.
   e. Adresse du site Internet et autres renseignements sur les communications électroniques.

3.9   LE RAPPORT DU VÉRIFICATEUR EXTERNE

Le vérificateur externe exprime une opinion professionnelle quant à la fidélité des états financiers.

Nous avons déjà fait référence plusieurs fois au vérificateur externe (il s'agit normalement d'un cabinet d'experts-comptables spécialisés en vérification). Le vérificateur externe est un expert-comptable dont la mission est de donner une **assurance** quant à la **fidélité** des états financiers. L'expression d'assurance désigne la déclaration de l'expert-comptable, déclaration qui confère une crédibilité accrue aux états financiers. Le terme **fidélité** sous-entend absence d'erreurs importantes, respect des normes comptables et cohérence. Le **rapport du vérificateur** est généralement présenté sous la forme d'un énoncé standard: le vérificateur affirme qu'à son avis les états financiers reflètent fidèlement la situation de l'entreprise. Dans ce cas, on parle, en général, d'une **opinion sans réserve**. Si la constatation de certains faits ne permet pas au vérificateur d'émettre une opinion sans réserve, il devra formuler une **opinion avec réserve**, pour indiquer qu'il tient à nuancer son jugement. Dans les cas les plus extrêmes, il ira jusqu'à dire que les états financiers ne sont pas fidèles ou qu'il est dans l'impossibilité de se prononcer sur leur fidélité. Le vérificateur a alors de très sérieuses réserves à l'égard du contenu des états financiers ou il désire souligner que certains faits l'ont empêché de bien faire son travail de vérification. Assurez-vous que les états financiers que vous consultez ont été vérifiés et lisez attentivement l'opinion exprimée par le vérificateur.

Les états financiers ne sont pas toujours vérifiés au complet; certains ne le sont pas du tout.

Assez souvent, les petites entreprises ne font pas exécuter une vérification complète de leurs états financiers. Dans certains cas, elles chargent les vérificateurs de procéder à une « mission d'examen »: un expert-comptable passe en revue les états financiers et procède à des vérifications limitées, pour repérer les problèmes les plus importants, le cas échéant. Au lieu d'un rapport du vérificateur, on trouve alors une lettre de l'expert-comptable ou du cabinet d'experts-comptables précisant les interventions qui ont été effectuées. Lisez la lettre *avec soin* pour bien comprendre le niveau d'assurance fourni par les comptables. Il vous arrivera aussi de tomber sur des états financiers non vérifiés, qui ne sont accompagnés d'aucun rapport ni même d'une lettre, quelle qu'elle soit. Vous accorderez à ces états financiers la confiance que vous pouvez accorder aux personnes qui les ont préparés.

Que font les comptables chargés de la vérification externe ? La *vérification externe* désigne l'évaluation des états financiers d'un organisme par un vérificateur indépendant, c'est-à-dire n'ayant pas de liens avec la direction. Le rôle du vérificateur externe est double. Il doit :

- adopter un point de vue indépendant, non biaisé et professionnel ;

- exprimer une opinion éclairée sur la fidélité des états financiers, en conformité avec les normes de comptabilité et de vérification reconnues.

Souvent, les sociétés, les organismes gouvernementaux et d'autres organisations font aussi appel à un *vérificateur interne*. Ces vérificateurs font partie du personnel de l'entreprise. Ils ont été embauchés pour aider la direction à bien gérer les affaires. Nous ne traiterons pas ici de leur travail.

Les vérificateurs externes sont membres d'une association professionnelle.

Abordons, pour commencer, la notion d'indépendance et de rigueur professionnelle. Les vérificateurs sont membres d'une ou de plusieurs associations professionnelles, comme l'Institut Canadien des Comptables Agréés et les ordres provinciaux correspondants (titre, **CA**). Aux États-Unis, ils sont membres de l'*American Institute of Certified Public Accountants* et des établissements correspondants de chaque État (titre, **CPA**). D'autres associations professionnelles de comptables englobent aussi une section de vérification, comme c'est le cas pour l'Association des comptables généraux agréés du Canada (titre, **CGA**), et pour la Société des comptables en management accrédités du Canada (titre, **CMA**), et leurs diverses autres associations provinciales. En général, selon les lois en vigueur dans chacune des provinces, seuls les membres de certaines associations professionnelles ont le droit d'exercer à titre de vérificateur externe, surtout auprès de sociétés ouvertes et d'autres grandes entités. Toutefois, aucune restriction ne s'applique au choix des comptables qui préparent les états financiers.

Ces associations professionnelles ont pour principal objectif de protéger les intérêts du public en veillant au professionnalisme et à l'impartialité des vérificateurs externes qui en sont membres. La protection des intérêts du public va de pair avec la sauvegarde de la réputation professionnelle des membres de l'association.

Selon les règles de déontologie, le vérificateur externe doit être indépendant et aborder la vérification avec prudence.

Ainsi, des **règles de déontologie** complexes interdisent au vérificateur externe d'avoir un quelconque intérêt financier direct, ou même très indirect, dans les sociétés clientes ou dans les autres organismes dont il s'occupe. Ces règles, et d'autres règles similaires portant sur d'autres types de relations entre le vérificateur et son client, visent à empêcher le vérificateur d'avoir un quelconque intérêt à présenter un résultat plutôt qu'un autre dans son rapport. Autrement dit, le vérificateur doit être indépendant et aborder la vérification des états financiers avec prudence, sans jamais chercher à orienter les résultats d'une façon ou d'une autre.

Il n'est pas facile pour les vérificateurs externes de conserver leur indépendance, puisqu'ils dirigent eux-mêmes une entreprise et que leurs clients les payent pour leur travail. Théoriquement, l'indépendance du vérificateur est préservée, car il est nommé par les actionnaires et doit rendre compte de son travail de vérification à ces derniers, et non à la direction. Puisque les états financiers reflètent le rendement de la direction en ce qui concerne la gestion des ressources qui lui ont été confiées, on présume que le vérificateur, en révisant les rapports de la direction, agit dans l'intérêt des actionnaires. En pratique, cependant, les vérificateurs externes doivent travailler en étroite collaboration avec les membres de la direction.

Par ailleurs, les cadres supérieurs sont bien placés pour recommander le remplacement du vérificateur s'ils ne sont pas satisfaits des relations qu'ils entretiennent avec lui. Dans ces circonstances, il est difficile de garder son indépendance ; la situation se complique encore du fait que les cabinets d'experts-comptables offrent d'autres services hormis la vérification (conseils fiscaux, services de consultation et autres services sans lien avec la vérification), qui rapportent parfois plus que la vérification elle-même. Par ailleurs, si les utilisateurs des états financiers subissent des pertes, ils peuvent faire un procès au vérificateur, fait qui n'est pas inhabituel. Voici pourquoi le vérificateur doit prendre toutes les mesures possibles pour que ses relations avec la direction ne deviennent pas compromettantes.

Le deuxième rôle du vérificateur externe est d'exprimer une opinion éclairée sur les états financiers. Dans le rapport du vérificateur qui accompagne les états financiers de la société Provigo inc. (qui se trouvent à la fin de ce manuel), il est précisé que l'opinion concernant la fidélité des états financiers a été exprimée sur la base des **principes comptables généralement reconnus (PCGR)**. Il s'agit d'une opinion, non d'une garantie. De plus, les vérificateurs n'ont pas à émettre une opinion sur la qualité des résultats obtenus, bons ou mauvais. Ils affirment simplement que la situation financière et les résultats ont été compilés et présentés conformément aux méthodes et aux normes généralement acceptées.

> Dans son rapport, le vérificateur émet l'opinion que les états financiers reflètent fidèlement la situation de l'entreprise ; il n'en fournit pas la garantie.

Étant donné la complexité de la comptabilité, de la vérification et des affaires en général, l'opinion du vérificateur est en fait un jugement professionnel. Le vérificateur doit être compétent, mais il doit aussi tenir compte de toutes sortes de facteurs pour déterminer si le résultat global est juste. Soucieux de la qualité des jugements qu'ils émettent, les cabinets d'experts-comptables nord-américains ont parrainé un grand nombre de recherches portant sur le jugement professionnel des vérificateurs.

> Le vérificateur s'emploie à déceler tout problème important.

Le vérificateur a tendance à se concentrer sur les problèmes qui pourraient influer considérablement sur les données des états financiers et s'appuie sur le principe de l'**importance relative** ou le critère du caractère significatif des informations. Pourquoi ? Parce que la plupart des dirigeants d'entreprise estiment qu'il n'est pas rentable que le vérificateur se préoccupe des nombreuses petites erreurs ou irrégularités qui peuvent s'accumuler au cours d'un exercice. Les vérificateurs planifient leur travail de manière à pouvoir déceler les erreurs ou les inexactitudes importantes. Ils ont demandé que ce principe soit appliqué aux cas de fraude et de fausse déclaration de la part de la direction ou des employés. De ce fait, le vérificateur externe ne doit mettre en évidence que les cas de fraude ayant des répercussions marquées sur l'information financière. Pour une grande société, dont le bénéfice net se chiffre à 100 millions de dollars ou plus, on considérera comme importante une fraude de plusieurs millions de dollars... En pratique, cependant, la plupart des sociétés souhaitent que les vérificateurs externes les aident à protéger et à contrôler l'encaisse et les autres éléments d'actif susceptibles de faire l'objet de vols ou de détournements. Ainsi, les vérificateurs passent assez de temps à vérifier l'encaisse et d'autres éléments d'actif du même genre même si ces postes représentent des sommes relativement peu importantes.

La structure et le contenu du rapport du vérificateur externe changent de temps à autre, quand il décide de modifier la présentation des renseignements pour mieux les communiquer aux utilisateurs. Puisque ce rapport est destiné aux propriétaires de la société et non à la direction, il s'adresse expressément aux actionnaires. La toute dernière version standard du rapport du vérificateur comporte trois paragraphes :

1. Le paragraphe d'introduction, qui présente la société et énumère les états financiers qui ont fait l'objet de la vérification, en précisant leur date. Il indique que la responsabilité des états financiers incombe à la direction de la société et que c'est aux vérificateurs qu'il incombe d'exprimer une opinion sur eux.

Le vérificateur externe présente ses conclusions dans son rapport, qui comporte généralement trois paragraphes normalisés.

2. Le deuxième paragraphe, qui décrit la nature du travail accompli par les vérificateurs, autrement dit comment ces derniers en sont arrivés à leur opinion. En particulier, les vérificateurs indiquent que, pour analyser les estimations et les principes comptables utilisés par la direction, ils ont suivi les **normes de vérification généralement reconnues (NVGR)**.

3. Le troisième paragraphe, qui énonce l'opinion des vérificateurs sur la fidélité avec laquelle les états financiers présentent la situation financière de l'entreprise et sur le respect des principes comptables généralement reconnus (ou bien, en cas de problème, toute réserve qu'ils peuvent faire à cet égard).

Vous constaterez que la plupart des rapports des vérificateurs sont plus ou moins des rapports types. Ce n'est peut-être pas très créatif, mais cette uniformisation a un avantage : tout écart par rapport au texte généralement utilisé constitue un avertissement pour quiconque consulte les états financiers et désire prendre une décision en fonction des renseignements présentés. Par exemple, le premier paragraphe devrait énumérer les états financiers que vous souhaitez analyser, préparés aux dates prévues. Le deuxième paragraphe devrait préciser que les vérificateurs ont suivi les normes de vérification généralement reconnues (NVGR) et qu'ils ont procédé à toutes les évaluations que des vérificateurs professionnels jugent nécessaires. C'est ici que les vérificateurs font mention des problèmes qu'ils ont rencontrés ou des restrictions qui s'appliquent aux documents examinés. Les lecteurs doivent examiner ce paragraphe avec une attention particulière. Dans le troisième paragraphe, les vérificateurs doivent formuler leur opinion quant à la fidélité avec laquelle les états financiers présentent la situation financière et les résultats de l'entreprise, dans le respect des PCGR. Rappelons que le vérificateur peut fournir une *opinion sans réserve,* s'il est d'avis que les états financiers sont fidèles et exacts, sinon il pourra émettre une *opinion avec réserve,* pour indiquer que les états financiers sont dans l'ensemble satisfaisants, exception faite d'un problème particulier ou d'un écart précis par rapport aux PCGR. Il peut aussi formuler une *opinion défavorable.* Dans ce cas, le vérificateur déclare que, à son avis, les états financiers *ne donnent pas* une image fidèle de la situation financière de l'entreprise, dans le respect des PCGR. Enfin, le vérificateur peut émettre une *récusation.* Il déclare alors qu'il est dans l'impossibilité de se prononcer sur l'exactitude et la fidélité des états, par suite d'une limitation de son travail de vérification.

Nous nous pencherons plus longuement sur les principes comptables et les règles de déontologie, au chapitre 4. Ils s'ajoutent à une vaste gamme de principes, de règles et de méthodes reconnues sur lesquelles s'appuient tous les états financiers décrits jusqu'ici dans ce manuel.

Ù EN ÊTES-VOUS ?

Voici deux questions auxquelles vous devriez pouvoir répondre, compte tenu de ce que vous venez de lire :

1. Le rapport du vérificateur externe portant sur les états financiers d'une société fait référence aux « normes de vérification généralement reconnues ». Pourquoi ?

2. Le président d'une petite entreprise disait récemment : « Nous avons besoin qu'un vérificateur externe révise nos états financiers afin que nous puissions en garantir l'exactitude auprès de notre banque. » Est-ce qu'un vérificateur peut offrir ce type de service ?

3.10 LES FLUX DE TRÉSORERIE ET LES GESTIONNAIRES

Les flux de trésorerie et les bénéfices sont étroitement liés, mais correspondent à deux réalités bien distinctes, surtout à court terme.

Les gestionnaires sont chargés de réaliser des bénéfices, mais aussi de gérer la trésorerie de l'entreprise, pour que les factures soient réglées à temps, pour s'éviter des frais de financement trop élevés et pour protéger les liquidités et la **solvabilité** de la société. Ils doivent également utiliser efficacement les liquidités accessibles, plutôt que de les laisser dormir sans produire le moindre rendement. La variation des liquidités provenant de l'exploitation et le bénéfice sont en général corrélés positivement (si la société obtient de bons résultats, la variation des liquidités provenant de l'exploitation et le bénéfice augmentent ; au contraire, si tout va mal, les deux chiffres chutent). À long terme, en moyenne, ces deux chiffres ont tendance à être presque similaires. Toutefois, à court terme, leur relation est assez complexe, comme en témoignent ces deux exemples.

La rentabilité à long terme dépend parfois de la situation des liquidités à court terme.

1. Voilà quelques années, le Québec a augmenté ses taxes sur les carburants plus que l'Ontario. Cette situation a entraîné immédiatement des problèmes pour les stations-service du Québec situées le long de la frontière qui le sépare de l'Ontario. En effet, si elles ne décidaient pas d'absorber la différence de taxes, les consommateurs trouveraient plus avantageux de faire quelques kilomètres de plus pour acheter à meilleur marché leur essence en Ontario. Un journaliste de Radio-Canada interrogeait le propriétaire d'une station-service du Québec : « Quelles seront les conséquences de cette situation sur votre rentabilité à long terme ? » Le propriétaire a répondu : « Si je n'arrive pas à me procurer rapidement des liquidités, il n'y aura pas de long terme ! »

Parfois, une nouvelle entreprise dont les bénéfices augmentent peut être aux prises avec des problèmes de liquidités.

2. Une croissance trop rapide figure parmi les problèmes courants auxquels font face les nouvelles entreprises. Souvent, la demande est forte, et les entrepreneurs débutants débordent d'enthousiasme : ils espéraient bien que les consommateurs voudraient obtenir tel produit ou tel service et voilà qu'ils sont au rendez-vous ! L'état des résultats de ces entreprises présente souvent des bénéfices nets élevés, mais l'EESF et le bilan peuvent modifier le tableau. Dans l'euphorie engendrée par les ventes élevées et par la satisfaction des clients, la société a tendance à accumuler trop de stocks (pour pouvoir répondre à la demande). Parallèlement, le recouvrement des comptes clients se fait souvent trop lentement, parce que l'entrepreneur préfère vendre plutôt que de s'occuper du travail fastidieux que représente la perception des comptes. Dans l'EESF, on déduit les augmentations des stocks et des comptes clients du bénéfice net établi selon la comptabilité d'exercice, et de ce fait, on met en évidence un problème : on dispose de peu de liquidités pour l'exploitation, et le solde peut même être négatif. Les gestionnaires n'ont pas besoin d'établir un EESF pour prendre conscience de ces difficultés : il leur suffit d'examiner le solde de leur compte bancaire ! L'EESF montre aux observateurs externes comment les encaissements et les décaissements ont été gérés lors des activités d'exploitation, de financement et d'investissement. Les gestionnaires doivent alors se préparer à expliquer ces activités aux utilisateurs des états financiers.

L'EESF évalue la gestion des liquidités effectuée par la direction ; un gestionnaire avisé doit donc savoir que ses efforts y seront présentés. Le même principe s'applique bien sûr à l'état des résultats et au bilan, qui mesurent la performance et la situation financières, et par conséquent, évaluent le travail des gestionnaires.

3.11 L'ÉTAT DES FLUX DE TRÉSORERIE — NOUVELLE NORME DE PRÉSENTATION

Au moment d'aller sous presse, l'ICCA s'apprête à publier le chapitre 1540 traitant des flux de trésorerie. Les recommandations de ce nouveau chapitre devraient être appliquées aux exercices ouverts à compter du 1er août 1998. Ce n'est donc que vers la fin de 1999 que le rapport annuel inclura le nouvel état des flux de trésorerie.

Mentionnons que « l'état de l'évolution de la situation financière » (EESF) porte désormais le nom de « état des flux de trésorerie ». Le fait de mettre l'accent sur la notion de « flux de trésorerie » est dans la logique de la finalité de l'état financier qui est de « [...] permettre aux utilisateurs des états financiers d'évaluer la capacité de l'entreprise de générer des liquidités (espèces et quasi-espèces) ainsi que les besoins en liquidités de celle-ci[5]. »

Passons en revue les divers changements que ces recommandations vont provoquer.

- L'EESF s'intitule dorénavant « état des flux de trésorerie ».

- Les flux de trésorerie sont définis non plus en liquidités mais en **espèces** et **quasi-espèces**. Celles-ci comprennent les mêmes éléments ; seule la désignation change et se fait plus précise.

- Les dividendes déclarés doivent être présentés avec les activités de financement.

- C'est la rubrique des activités d'exploitation qui comporte le plus grand nombre de modifications. Elle peut être présentée selon la méthode directe ou la méthode indirecte.

Selon la méthode directe, il faut mentionner les montants bruts :

- des rentrées de fonds découlant des produits ;
- des sorties de fonds destinées au paiement des biens et services ;
- des sorties de fonds destinées aux membres du personnel ;
- des encaissements et paiements d'intérêts ;
- des sorties et rentrées de fonds au titre des impôts sur les bénéfices.

La liste ci-dessus n'est pas exhaustive (voir pour cela le paragraphe 16 du chapitre 1540 du Manuel de l'ICCA) mais elle vous permettra néanmoins de comprendre aisément, d'une part, quels éléments doivent être présentés et, d'autre part, quel type d'informations financières sera maintenant à la disposition des utilisateurs.

Si, pour la société Simpliste de la section 3.6, nous avions eu les informations nécessaires et pertinentes, la rubrique des activités d'exploitation aurait pu ressembler à ce qui suit :

Flux de trésorerie liés aux activités d'exploitation	
Rentrées de fonds — clients	760 $
Sorties de fonds — fournisseurs	(410)
Sorties de fonds — membres du personnel	(105)
Intérêts versés	(15)
Impôts payés	(70)
Flux de trésorerie liés aux activités d'exploitation	160 $

Suivant la méthode indirecte, on présente les activités d'exploitation de façon très similaire à ce que nous avons vu dans le chapitre 3, c'est-à-dire en ajustant le bénéfice net des éléments sans incidence sur la trésorerie et en faisant état des variations des stocks, des comptes clients, etc. Notons que les sorties ou rentrées de fonds au titre des impôts sur les bénéfices doivent y faire l'objet d'une présentation distincte.

3.12   LA RECHERCHE COMPTABLE : BÉNÉFICE NET OU LIQUIDITÉS ?

Dans ce chapitre, nous avons expliqué que l'EESF est un ajout important aux états financiers. L'EESF fournit des informations sur les flux de trésorerie, en plus des renseignements transmis par l'état des résultats sur le bénéfice net et des données portant sur la situation « statique » dispensées par le bilan. Quelle est la preuve que cette information complémentaire est utile ? A-t-elle des conséquences sur les décisions prises ?

Il est difficile de distinguer l'utilité des renseignements sur le bénéfice net, d'une part, et l'utilité des renseignements sur les liquidités, d'autre part.

Il a été difficile d'effectuer des recherches à ce sujet. En effet, et nous avons déjà abordé cette question à la section 3.10, pour la plupart des sociétés, le bénéfice net présenté dans l'état des résultats et les liquidités nettes provenant de l'exploitation apparaissant dans l'EESF sont fortement liés. Il est donc difficile de séparer leurs effets. Il arrive que les liquidités nettes et le bénéfice net soient distincts dans les sociétés qui ne préservent pas de lien étroit entre bénéfice et liquidités dans leur gestion... mais ces sociétés ne survivent habituellement pas assez longtemps pour qu'on puisse en faire une étude vraiment approfondie ! Par ailleurs, la réaction aux informations concernant les bénéfices (par exemple, celle des bourses de valeurs mobilières) est tellement forte qu'elle peut voiler les effets des informations complémentaires fournies par l'EESF.

Il est également difficile d'isoler l'information sur les flux de trésorerie à partir du seul bilan.

Enfin, comme l'EESF est un réagencement des variations des comptes du bilan, on pourrait croire qu'il ne contient guère de renseignements supplémentaires. L'information nouvelle contenue dans l'EESF aurait donc trait à la présentation et aux descriptions ou à la classification des variations des éléments du bilan (par exemple, présenter séparément les variations des éléments de trésorerie et les variations des éléments hors trésorerie), d'une façon qui met en évidence des données difficiles à déceler à la lecture du bilan. On peut néanmoins affirmer que l'EESF contient vraiment des données supplémentaires parce que, comme nous l'avons mentionné, un observateur externe ne peut reproduire exactement l'EESF d'une société. Cet état est le reflet d'une connaissance détaillée des comptes, impossible à obtenir seulement à partir des données compilées sur le bilan.

Le cours des actions réagit dans une certaine mesure aux renseignements sur les flux de trésorerie.

D'après les recherches en la matière, quelles sont les preuves de la valeur de l'EESF ? Ce problème n'est étudié que depuis peu, la plupart du temps en relation avec les variations du cours des actions des sociétés ouvertes (dans le cadre des décisions d'achat ou de vente prises par les investisseurs). Par ailleurs, jusqu'à présent, les études s'appuient sur la définition suivante des flux de trésorerie : le bénéfice net plus les charges d'amortissement. Bien entendu, cette vision des choses ne correspond qu'à une partie de l'information présentée dans l'EESF, partie que l'on peut d'ailleurs facilement calculer sans consulter l'EESF, car les charges d'amortissement figurent dans l'état des résultats. D'après les études menées sur le sujet, le cours des actions réagit un peu à ces renseignements supplémentaires. Quoique celui-ci dépend surtout des variations des bénéfices, on a aussi observé une certaine réaction aux renseignements sur les flux de trésorerie. Ce ne sont là que des résultats préliminaires, et beaucoup de travail reste à faire pour mieux examiner cette question. Malgré tout, cette information semble utile, puisque l'on a prouvé le rôle joué par l'une des composantes de l'EESF dans un certain type de décision[6].

3.13 COMPRENEZ-VOUS BIEN CES TERMES ?

Voici, encore une fois, une liste de termes et de sigles importants, comme «EESF», que nous vous avons présentés dans ce chapitre ou sur lesquels nous avons insisté tout particulièrement. Vérifiez bien si vous avez compris ce que ce vocabulaire signifie en *comptabilité*. Si vous hésitez, relisez la section pertinente du chapitre ou reportez-vous au glossaire qui se trouve à la fin du manuel. Comme les termes exposés aux chapitres 1 et 2, ceux-ci seront utilisés fréquemment dans les chapitres suivants, ce qui vous permettra de mieux en saisir les subtilités.

Actif de trésorerie (AT)	État des flux de trésorerie	Principes comptables
Assurance	Fidélité	généralement reconnus
Bénéfice net	Flux de trésorerie hors	(PCGR)
CA	exploitation	Produits en trésorerie
CGA	Importance relative	Rapport annuel
CMA	Liquidités provenant de	Rapport de gestion
Communication de	l'exploitation	(commentaires et analyse
l'information financière	Normes de vérification	de la direction)
CPA	généralement reconnues	Rapport du vérificateur
Espèces et quasi-espèces	(NVGR)	Règles de déontologie
(liquidités (LIQ))	Opinion avec réserve	Solvabilité
État de l'évolution de la	Opinion sans réserve	
situation financière (EESF)	Passif de trésorerie (PT)	

3.14 CAS À SUIVRE...

TROISIÈME PARTIE

Données de la troisième partie

En préparant la réunion du conseil d'administration, Thomas a pensé qu'il serait intéressant d'expliquer le mouvement des liquidités de la société au cours des six premiers mois. À titre d'information, l'illustration 3-5 reprend le bilan comparatif présenté dans la deuxième partie :

3-5

Illustration

Mado inc. — Bilans au 31 août 1997 et au 1er mars 1997					
Actif			**Passif et capitaux propres**		
	Août	Mars		Août	Mars
Actif à court terme :			Passif à court terme :		
Encaisse	4 507 $	130 000 $	Emprunt bancaire	75 000 $	0 $
Clients	18 723	0	Fournisseurs	45 616	1 100
Stocks	73 614	0	Prêt à rembourser	15 000	15 000
	96 844 $	130 000 $		135 616 $	16 100 $
Actif à long terme :			Capitaux propres :		
Coût du matériel	54 640 $	10 000 $	Capital-actions	125 000 $	125 000 $
Amortissement			Déficit	(49 378)	0
cumulé du matériel	(3 234)	0		75 622 $	125 000 $

Actif			Passif et capitaux propres		
	Août	Mars		Août	Mars
Améliorations locatives (net)*	57 568	0			
Logiciels (net)**	4 320	0			
Coût de la constitution	1 100	1 100			
	114 394 $	11 100 $			
TOTAL	211 238 $	141 100 $	TOTAL	211 238 $	141 100 $

* Valeur comptable nette des améliorations locatives = coût de 63 964 $ − 6 396 $ d'amortissement cumulé.
** Valeur comptable nette des logiciels = 4 800 $ − 480 $ d'amortissement cumulé.

Pour l'analyse des liquidités, Thomas a calculé l'encaisse moins l'emprunt bancaire (c'est un emprunt à vue). Il a commencé son analyse en relevant les variations des éléments du bilan depuis le 1er mars. Le résultat de son travail est reproduit à l'illustration 3-6.

3-6
Illustration

Variations des comptes du bilan entre le 1er mars et le 31 août 1997			
Variations de l'actif		**Variations du passif et des capitaux propres**	
Encaisse	(125 493) $	Emprunt bancaire	75 000 $
Clients	18 723	Fournisseurs	44 516
Stocks	73 614	Emprunt	0
Matériel (coût)*	44 640	Capital-actions	0
Amortissement cumulé**	(3 234)	Déficit	(49 378)
Améliorations locatives	63 964		
Amortissement cumulé**	(6 396)		
Logiciels	4 800		
Amortissement cumulé**	(480)		
Frais de constitution	0		
	70 138 $		70 138 $

* Ordinateur, 14 900 $; autre matériel et mobilier, 29 740 $.
** Les variations de l'amortissement cumulé sont entièrement imputables aux charges d'amortissement consignées pour l'exercice.

Résultats de la troisième partie

Thomas a ensuite dressé la liste de tous les éléments de l'EESF et inscrit le montant correspondant à chacun d'entre eux, ce qui donne l'état présenté à l'illustration 3-7. *(Nous avons indiqué ici beaucoup plus de détails qu'on ne le fait normalement dans la « vraie vie ». Vous pourrez ainsi établir des liens entre les diverses données pour bien comprendre leur origine. Vous devez saisir les liens entre les données de l'EESF et celles du bilan pour bien comprendre les calculs.)*

L'EESF montre que la forte diminution de l'encaisse est attribuable à deux causes principales.

- Premièrement, les activités d'exploitation courantes ont entraîné une diminution de l'encaisse de 87 089 $, principalement à cause des charges qui ont excédé les produits et de la constitution de l'actif à court terme, en particulier des stocks. La croissance des comptes fournisseurs a contribué à financer ces activités. Cependant, même après cette sorte d'emprunt, la société avait un besoin criant de liquidités.

- Deuxièmement, l'acquisition d'éléments d'actif à long terme a exigé une sortie de fonds de 113 404 $, sans financement à long terme.

Résultat : alors qu'il y a six mois, les liquidités de cette société s'élevaient à 130 000 $, le solde de l'encaisse est maintenant négatif et s'établit à 70 493 $. Il est évident qu'elle doit résoudre rapidement ses problèmes de trésorerie.

3-7

Illustration

Mado inc. État de l'évolution de la situation financière pour la période de six mois terminée le 31 août 1997			
Activités d'exploitation :			
Perte nette pour le semestre			(49 378) $
Plus amortissement de la période			
(3 234 $ + 6 396 $ + 480 $)			10 110
			(39 268) $
Variations des éléments du fonds de roulement hors trésorerie :			
Augmentation des comptes clients	(18 723) $		
Augmentation des stocks	(73 614)		
Augmentation des comptes fournisseurs	44 516		(47 821)
Liquidités *absorbées* par les activités d'exploitation			(87 089) $
Dividendes versés			0
Activités d'investissement :			
Acquisition de matériel divers, de matériel informatique et de mobilier	(44 640) $		
Améliorations locatives	(63 964)		
Acquisition de logiciels	(4 800)		(113 404)
Activités de financement :			0
Diminution des liquidités au cours du semestre			(200 493) $
Liquidités au 1er mars 1997			130 000
Liquidités au 31 août 1997*			(70 493) $
*Liquidités au 31 août 1997 :			
Encaisse		4 507 $	
Emprunt bancaire à vue		(75 000)	
		(70 493) $	

3.15 ▸ SUJETS DE RÉFLEXION ET TRAVAUX POUR AMÉLIORER LA COMPRÉHENSION

PROBLÈME 3.1*
Liens entre les divers états financiers

Pourquoi tous les états financiers du rapport annuel doivent-il être considérés comme un tout ? Autrement dit, l'état des résultats vous renseigne-t-il sur le bilan ? Le bilan vous donne-t-il des indications sur l'état des flux de trésorerie ? Et ainsi de suite...

PROBLÈME 3.2*
Questions fondamentales sur la gestion de trésorerie et l'EESF

Répondez brièvement aux questions suivantes :

1. Pourquoi la gestion des flux de trésorerie est-elle importante ?
2. Est-il possible qu'une société réalise un bénéfice net appréciable mais que, au cours du même exercice, elle ne dispose que de peu de liquidités provenant de l'exploitation ? Si cela est possible, comment expliquer cet état de fait ?
3. Pourquoi les liquidités issues de l'exploitation sont-elles, généralement, supérieures au bénéfice net ?
4. Pourriez-vous définir l'expression « espèces et quasi-espèces » ?

PROBLÈME 3.3*
Éléments fondamentaux de l'EESF et questions du type « Que serait-il arrivé si... »

1. Quels sont les renseignements sur les flux de trésorerie contenus dans l'EESF qui sont difficiles ou impossibles à obtenir en consultant uniquement l'état des résultats et le bilan ?
2. L'EESF de la société Alpha présentait les données suivantes : liquidités provenant de l'exploitation, 127 976 $; dividendes versés, 40 000 $; liquidités utilisées au titre d'activités d'investissement, 238 040 $; et liquidités provenant des activités de financement, 147 000 $. Quelle a été la variation nette des liquidités de la société au cours de l'exercice ?
3. Indiquez les répercussions des événements suivants sur l'EESF de la société Alpha, s'ils avaient eu lieu pendant l'exercice. Que serait-il arrivé si...
   a. ... la société avait acheté un nouveau camion de 38 950 $?
   b. ... la société avait emprunté 20 000 $ à long terme, pour payer le camion ?
   c. ... la perception des comptes clients avait été inférieure de 6 000 $ à ce qu'elle a été ?
   d. ... la société avait versé des dividendes supplémentaires de 15 000 $?
   e. ... la société avait demandé à la banque un emprunt à vue de 25 000 $?
   f. ... la société avait décidé de consigner 5 000 $ de plus au titre des charges d'amortissement pour l'exercice ?

PROBLÈME 3.4*
Interprétation de l'EESF d'une entreprise réelle

Procurez-vous le rapport annuel d'une entreprise (dans une bibliothèque, par exemple, ou en consultant l'Internet) ou reportez-vous simplement aux états financiers de la société Provigo inc., présentés à la fin de cet ouvrage. Consultez l'état des flux de trésorerie (l'EESF).

1. Quelles différences constatez-vous entre les intitulés et la présentation de l'EESF que vous avez en mains et les exemples qui vous ont été donnés dans ce chapitre ? Que pensez-vous des variantes adoptées par cette société ?
2. Relevez le montant des liquidités provenant de l'exploitation et comparez-le avec le bénéfice net présenté dans l'état des résultats. Comment expliquer la différence entre les deux chiffres ?
3. Comment la société définit-elle ses liquidités (espèces et quasi-espèces) ?
4. Quel a été l'effet de chacun des éléments suivants sur (i) le fonds de roulement et (ii) les liquidités, au cours du dernier exercice ?
   a. Variations des comptes clients et des comptes fournisseurs.

    b. Variations des stocks.

    c. Amortissement et charges semblables.

5. Au point 4(c), vous deviez répondre que l'amortissement et les charges semblables n'auraient pas d'incidence sur le fonds de roulement ou les liquidités. Mais alors pourquoi les ajoute-t-on au bénéfice dans l'EESF?

6. Résumez en quelques mots les principales causes des variations des liquidités de cette société au cours de l'exercice. Quelles sont les principales activités qu'elle a poursuivies, selon les données dont vous disposez?

PROBLÈME 3.5*
Motifs justifiant l'indépendance des vérificateurs et difficultés en découlant

Les vérificateurs jouent un rôle important dans la présentation de l'information financière, et leur indépendance par rapport à leurs clients constitue une caractéristique essentielle de ce système.

1. Pourquoi cette indépendance est-elle nécessaire?

2. Pourquoi est-elle difficile à préserver?

PROBLÈME 3.6*
Évaluation des pratiques de gestion des liquidités d'une société

Vous trouverez ci-dessous l'EESF d'Axiomatique inc. Faites autant d'observations que possible sur les pratiques de gestion des liquidités de cette société pendant l'exercice.

Axiomatique inc. Variations dans la situation financière par rapport à l'exercice précédent		
Exploitation:		
Bénéfice net de l'exercice		94 900 $
Ajout des charges hors trésorerie:		
Charges d'amortissement	216 800 $	
Charges d'impôts reportés	14 200	
Charges découlant du régime de retraite	38 900	269 900
Variations du fonds de roulement hors trésorerie:		
Augmentation des comptes clients	(143 900)$	
Augmentation des stocks	(71 600)	
Augmentation des comptes fournisseurs	87 000	(128 500)
Liquidités provenant de l'exploitation		236 300 $
Dividendes:		
Dividendes versés pendant l'exercice		(40 000)
Activités d'investissement:		
Acquisition d'éléments d'actif à long terme	(429 100)$	
Produit de la cession d'éléments d'actif à long terme	27 700	(401 400)
Activités de financement:		
Augmentation de la dette à long terme	343 200 $	
Remboursement de la dette à long terme	(316 000)	
Émission de capital-actions	200 000	227 200
Augmentation des liquidités pour l'exercice		22 100 $

Axiomatique inc. Variations dans la situation financière par rapport à l'exercice précédent (suite)		
Liquidités au début de l'exercice		(93 500)
Liquidités à la fin de l'exercice*		(71 400) $
* Les liquidités se composent des éléments suivants :		
Encaisse	42 600 $	
Emprunt à vue	(114 000)	
Liquidités	(71 400) $	

PROBLÈME 3.7*
Correction d'un EESF mal préparé

Frédéric s'est fait embaucher chez Aragon ltée puisqu'il est arrivé à convaincre la directrice qu'il avait suffisamment de connaissances pour devenir le comptable de cette entreprise. Tout s'est bien passé au début : Frédéric a tenu les comptes tout au long de l'exercice et a su présenter un bilan, un état des résultats et un état des bénéfices non répartis, somme toute convenables. Mais voilà : il n'arrive pas à dresser l'EESF. Bien qu'il ait calculé correctement toutes les variations des éléments du bilan, ça ne fonctionne pas. Frédéric vous a appelé au secours. En prenant connaissance de sa première ébauche d'EESF (voir ci-dessous), vous constatez que les chiffres sont justes et qu'ils ont bel et bien été tirés des autres états. En fait, il faut simplement réorganiser les données pour que tout soit présenté dans l'ordre voulu. Tout devrait s'arranger...

À partir de l'ébauche de Frédéric, préparez l'EESF de la société Aragon ltée en respectant la présentation exigée.

Aragon ltée Ébauche de l'état de l'évolution de la situation financière		
Exploitation :		
Résultat net de l'exercice		216 350 $
Encaisse à la fin de l'exercice		48 340
Moins amortissement pour l'exercice	(218 890)	
Plus charges d'impôts reportés	21 210	(197 680)
Variations du fond de roulement :		
Liquidités	62 070 $	
Augmentation des comptes clients	(223 120)	
Diminution des stocks	80 200	
Diminution des comptes fournisseurs	91 970	
Augmentation des impôts exigibles pour l'exercice	(6 530)	4 590
Liquidités provenant de l'exploitation		71 600 $
Investissement :		
Acquisition d'éléments d'actif à long terme	(393 980) $	
Produit de la cession d'éléments d'actif à long terme	(11 260)	(405 240)

Aragon ltée		
Ébauche de l'état de l'évolution de la situation financière (suite)		
Financement :		
Nouvelle dette à long terme	(250 500) $	
Remboursement de la dette à long terme	78 800	
Dividendes versés	75 000	
Émission de capital-actions	120 000	126 700
Variation des liquidités de l'exercice		(206 940) $

(« Ça ne va pas du tout, déclare Frédéric. Je sais très bien que l'emprunt bancaire à vue s'établissait à 38 910 $ à la fin de l'exercice ; on dirait qu'il me manque 168 030 $! »)

PROBLÈME 3.8*
Préparation d'un EESF à partir des variations du bilan

La société Ça brasse inc. fabrique des bières fortes, dont certaines fermentent après embouteillage, ainsi que des boissons gazeuses non alcoolisées. Voici les bilans de la société pour l'exercice courant et pour l'exercice précédent, ainsi que certains renseignements sur le bénéfice et les dividendes du présent exercice. En partant de ces données, préparez un EESF pour l'exercice courant et indiquez les conclusions que vous pouvez en tirer. Profitez-en pour calculer le ratio du fonds de roulement ainsi que le ratio emprunts/capitaux propres de la société pour le présent exercice et pour l'exercice précédent. Commentez ces deux outils d'analyse, en établissant des liens avec l'analyse des flux de trésorerie.

Ça brasse inc.					
Bilans comparatifs — exercice courant et exercice précédent					
Actif			Passif et capitaux propres		
	Exercice courant	Exercice précédent		Exercice courant	Exercice précédent
Actif à court terme :			Passif à court terme :		
Encaisse	560 $	1 120 $	Emprunt à vue	400 $	1 500 $
Clients	3 210 $	2 060	Fournisseurs	7 240	6 220
Stocks	4 440	4 910	Impôts exigibles	0	330
	8 210 $	8 090 $		7 640 $	8 050 $
Actif à long terme :			Passif à long terme :		
Immobilisations corporelles	26 670 $	24 820 $	Dettes à long terme	12 740 $	13 280 $
Amortissement cumulé	(7 760)	(5 130)	Impôts reportés	1 320 $	1 070
	18 910 $	19 690 $		14 060 $	14 350 $
			Capitaux propres :		
			Capital-actions	1 500 $	1 200 $
			Bénéfices non répartis	3 920	4 180
				5 420 $	5 380 $
	27 120 $	27 780 $		27 120 $	27 780 $

Autres renseignements :

• La société a subi une perte de 210 $ pendant l'exercice. Ne s'y attendant pas, elle a versé des dividendes de 50 $ au début de l'exercice.
• La charge d'amortissement de l'exercice s'établissait à 2 630 $ et la charge d'impôts reportés à 250 $.

PROBLÈME 3.9*
Inventaire des informations financières du rapport annuel

Un homme d'affaires occupé vous dit : « Puisque j'ai acheté des actions de certaines sociétés canadiennes, elles m'envoient leur rapport annuel. Ces gens-là en ont vraiment beaucoup à dire ! Je n'ai pas le temps de lire tout ça. Dites-moi plutôt quelles sont les informations financières les plus importantes du rapport annuel. À quoi faut-il que je fasse attention ? »

Répondez-lui !

PROBLÈME 3.10*
Préparation d'une analyse des flux de trésorerie d'après une description

Vous dînez avec une amie de la famille qui dirige une entreprise des environs et vous ne diriez pas non si jamais elle vous proposait de vous embaucher... Cette amie se plaint des problèmes de liquidités de son entreprise, et vous décidez de faire bonne impression en procédant à l'analyse de ses difficultés. À mesure qu'elle raconte ce qui s'est produit, vous notez les chiffres sur votre serviette en papier, afin d'organiser l'analyse.

Voici ce que vous raconte cette amie. En partant de ces données, préparez une première ébauche d'EESF, puis commentez-la pour lui permettre de mieux comprendre la situation.

« Vous autres, étudiants, vous plaignez souvent de manquer d'argent. Figurez-vous que les entreprises doivent aussi affronter ce problème. C'est notre cas. L'an dernier, nous avions 50 000 $ en banque, tout allait bien et nous ne devions rien à la banque. Aujourd'hui, il ne nous reste plus que 5 000 $, et nous devons 90 000 $ à la banque en emprunt à vue. Je suis inquiète. Comment rembourser ? J'ai du mal à comprendre comment nous en sommes arrivés là. Bien sûr, au départ, nous avons dû financer des travaux d'agrandissement de l'usine. Il fallait trouver 600 000 $, et nous n'avons réalisé que 30 000 $ en vendant quelques vieilles machines. La banque a beaucoup hésité avant de nous prêter de l'argent, mais nous sommes tout de même arrivés à augmenter notre prêt hypothécaire de 250 000 $. Nous avons obtenu 100 000 $ de plus en émettant de nouvelles actions. C'est vraiment dommage que nous ayons eu ces problèmes de liquidités cette année, car nous avons réalisé un excellent bénéfice net, s'élevant à 100 000 $, et n'avons versé que 40 000 $ en dividendes. Le comptable m'a dit que nos rentrées de fonds étaient encore plus importantes, que cela avait à voir avec l'amortissement de 200 000 $. Je n'ai pas vraiment compris ce qu'il voulait dire, car je sais que l'amortissement n'est en rien lié aux liquidités en tant que telles. Je sais aussi que nous avons de plus en plus de mal à nous faire payer par nos clients ; certains ont aussi des problèmes de liquidités. Nos comptes clients ont donc augmenté de 150 000 $ par rapport à l'exercice précédent. Et le comptable m'a aussi dit que nos stocks sont un peu trop élevés, en fait, ils ont augmenté de 25 000 $ par rapport à l'année dernière. C'est frustrant. Nous avons obtenu de bons résultats, mais nous manquons d'argent comptant ! »

PROBLÈME 3.11
Description d'une entreprise à travers l'EESF

Expliquez à votre oncle (qui n'a jamais étudié la comptabilité) quels sont les renseignements que lui fournit l'EESF sur la société dont il est actionnaire.

PROBLÈME 3.12
Éléments figurant normalement dans les états financiers

Votre ami Julien exploite une petite entreprise florissante. Il vous a dit récemment : « Je suis allé à la banque solliciter un emprunt pour mon entreprise, mais mon banquier m'a dit que je devais, avant toute chose, lui présenter des états financiers complets. Je ne sais pas vraiment ce qu'il attend de moi ! » Tout en vous demandant dans votre for intérieur comment votre ami s'est débrouillé pour gérer son entreprise jusque-là, vous lui faites la liste des composantes des états financiers en lui expliquant la fonction de chacun d'entre eux.

Résumez les explications données à Julien.

PROBLÈME 3.13
Objectif, utilité et limites du rapport du vérificateur

1. Quel est l'objectif que doit atteindre le vérificateur externe d'une société?
2. Examinez le rapport du vérificateur annexé aux états financiers d'une société de votre choix. Qu'indique ce rapport?
3. Pour un investisseur, le rapport du vérificateur ajoute aux états financiers une certaine valeur. Laquelle et pourquoi?
4. En quoi la valeur du rapport du vérificateur est-elle limitée? Quelles sont les limites dont les investisseurs doivent être conscients.

PROBLÈME 3.14
Préparation d'un EESF simplifié et explication de ses grandes lignes, en partant des variations du bilan

L'un de vos collègues a eu beaucoup de mal à préparer l'état des flux de trésorerie (EESF) des Restaurants Lebœuf pour l'exercice 1998. Vous décidez de l'aider et vous trouvez la liste des variations des comptes du bilan dans le désordre (voir ci-dessous). Votre collègue a bien noté toutes les variations qui se sont produites en 1997.

1. Utilisez cette liste pour préparer l'EESF des Restaurants Lebœuf ltée pour l'exercice 1998. (Pour ce faire, vous devrez commencer par définir les liquidités, c'est-à-dire préciser les espèces et les quasi-espèces.)
2. Expliquez ce que révèle votre EESF au sujet de la gestion des liquidités de la société en 1998.

Liste des variations des comptes du bilan des Restaurants Lebœuf ltée pour l'exercice de 1998		
	Variation	
Fournisseurs	Augmentation	54 240 $
Amortissement cumulé	Augmentation	67 300
Encaisse	Augmentation	4 328
Clients	Diminution	34 984
Emprunts à vue	Augmentation	35 400
Stocks	Augmentation	53 202
Bénéfice net	Positif	87 345
Dividendes déclarés et versés	Positif	30 000
Charges payées d'avance	Augmentation	12 540
Immobilisations corporelles	Augmentation	295 631
Prêt hypothécaire	Augmentation	65 000
Impôts exigibles	Diminution	13 568
Capital-actions	Augmentation	50 000
Dépôts à terme	Diminution	15 000

PROBLÈME 3.15
Préparation et interprétation d'un EESF simplifié à partir des états financiers

1. À partir des états financiers de la société Vive le vin ltée, préparez un EESF.
2. Commentez l'information que fournit l'EESF sur la gestion de la trésorerie au cours de l'exercice terminé le 31 août 1998. Si vous étiez actionnaire de la société Vive le vin, seriez-vous satisfait du travail de la direction?

Vive le vin ltée — bilan au 31 août 1998 et 1997

Actif	1998	1997	Passif et capitaux propres	1998	1997
Actif à court terme :			Passif à court terme :		
Encaisse	80 $	175 $	Emprunt à vue	140 $	100 $
Dépôts à terme	0	150	Fournisseurs	425	200
Clients	520	350		565 $	300 $
Stocks	340	250	Passif à long terme :		
	940 $	925 $	Emprunts à long terme	225	400
Actif à long terme :				790 $	700 $
Usines (coût)	1 450 $	925 $	Capitaux propres :		
Amortissement cumulé	(475)	(350)	Capital-actions	700 $	500 $
	975 $	575 $	Bénéfices non répartis	425	300
				1 125 $	800 $
	1 915 $	1 500 $		1 915 $	1 500 $

Vive le vin ltée
État des résultats et des bénéfices non répartis
pour l'exercice terminé le 31 août 1998

Produits		3 000 $
Charges :		
Amortissement	125 $	
Autres	2 450	2 575
Bénéfices avant impôts		425 $
Impôts de l'exercice		190
Bénéfice net de l'exercice		235 $
Bénéfices non répartis — début de l'exercice		300
Dividendes déclarés et versés		(110)
Bénéfices non répartis — fin de l'exercice		425 $

PROBLÈME 3.16
Interprétation d'un EESF simple et analyse des répercussions de deux opérations supplémentaires

Votre camarade de cégep, Nathalie Véleaux, est actuellement en deuxième année à la faculté des beaux-arts. Elle est très douée et, en plus, elle a un excellent sens des affaires. Au cours des deux étés précédents, elle a exploité une entreprise de location de bicyclettes située à côté d'un parc. L'été dernier (en 1997), quoique son entreprise venait à peine de démarrer, elle a gagné suffisamment d'argent pour payer ses frais de scolarité et pour vivre pendant toute l'année scolaire. Encouragée par ce premier succès, elle a acheté d'autres bicyclettes cette année (en 1998) et a fait bâtir un hangar mobile qui lui sert de bureau et d'atelier de réparation et d'entretien.

Les affaires ont été encore meilleures cet été, mais Nathalie n'y comprend rien : son bénéfice est excellent, mais elle ne dispose pas d'argent liquide. Elle ne sait pas comment faire pour payer ses frais de scolarité... ni même son loyer !

Nathalie sait que vous suivez un cours de comptabilité et elle vous demande de l'aider. Elle est consciente du fait que vous ne pouvez pas lui prêter d'argent, mais vous serez peut-être en mesure de lui expliquer ce qui arrive à son entreprise.

1. En vous reportant à l'EESF fourni plus loin, expliquez à Nathalie comment il se fait que, malgré les bénéfices notés dans l'état des résultats, elle ne dispose pas d'argent liquide pour ses propres besoins. Expliquez-lui où est passé l'argent.

2. Pour pouvoir payer ses frais de scolarité et son loyer, Nathalie décide d'emprunter encore 4 000 $ à ses parents, qui ne sont pas pressés d'être remboursés. Elle emprunte aussi 2 000 $ de plus à la banque, laquelle suit de près la situation financière de la jeune fille et sait que les bicyclettes peuvent être facilement revendues. La banque souhaite être remboursée aussitôt que possible. Quelle répercussion auront ces deux emprunts sur l'EESF?

Location de vélos Véleaux ltée — État de l'évolution de la situation financière pour l'exercice terminé le 31 août 1998, avec chiffres comparatifs pour 1997	1998	1997
Activités d'exploitation :		
Bénéfice net	9 000 $	5 500 $
Amortissement	3 000	1 000
Liquidités provenant de l'exploitation	12 000 $	6 500 $
Dividendes versés	—	(5 500)
Activités d'investissement :		
Acquisition de bicyclettes	(15 000)	(5 000)
Acquisition du hangar	(5 000)	—
Activités de financement :		
Emprunt bancaire	7 000	—
Emprunt aux parents	—	3 000
Émission d'actions	—	2 000
Augmentation (diminution) des liquidités	(1 000) $	1 000 $
Solde des liquidités au début de l'exercice	1 000	0
Solde des liquidités à la fin de l'exercice	0 $	1 000 $

PROBLÈME 3.17
Interprétation de l'EESF d'une société réelle

Voici les états comparatifs des flux de trésorerie pour les exercices 1994 à 1996 de Suncor inc., avec deux notes explicatives. Préparez un commentaire sur la méthode de gestion des liquidités de cet établissement pendant les trois années en question ; expliquez pourquoi l'analyse des flux de trésorerie s'avère utile, même pour un exercice comme celui de 1996, où les liquidités n'ont presque pas évolué.

SUNCOR INC. — États consolidés des flux de trésorerie			
Pour les exercices terminés le 31 décembre (en millions de dollars)	1996	1995	1994
Activités d'exploitation			
Flux de trésorerie provenant de l'exploitation (1)	466	382	331
Augmentation (diminution) du fonds de roulement			
Clients	(46)	(29)	(16)
Stocks	16	1	(10)
Fournisseurs et charges à payer	90	58	30
Impôts exigibles	(52)	(13)	44

(en millions de dollars)	1996	1995	1994
Liquidités provenant des activités d'exploitation	474	399	379
Liquidités affectées aux activités d'investissement (2)	(539)	(431)	(292)
Excédent (déficit) net des liquidités avant activités de financement	(65)	(32)	87
Activités de financement			
Augmentation (diminution) des emprunts à court terme	(11)	4	6
Émission d'obligations non garanties de 7,4 % (série C)	—	—	125
Remboursement des obligations non garanties de 12 % (série A)	(5)	(5)	(5)
Augmentation (diminution) des emprunts à long terme associés aux lignes de crédit	147	58	(121)
Émission d'actions ordinaires (note 16)	3	3	2
Dividendes versés	(70)	(62)	(58)
Liquidités produites (absorbées) par les activités de financement	64	(2)	(51)
Augmentation (diminution) des liquidités	(1)	(34)	36
Liquidités au début de l'exercice	2	36	
Liquidités à la fin de l'exercice	1	2	36
(1) Liquidités provenant de l'exploitation :			
Bénéfices nets	187	151	121
Amortissement et épuisement	204	190	179
Impôts reportés	115	41	27
Autres	(40)	—	4
	466	382	331
(2) Liquidités utilisées dans les activités d'investissement :			
Immobilisations et prospection	(563)	(436)	(303)
Produits des cessions	28	5	9
Autres	(4)	—	2
	(539)	(431)	(292)

PROBLÈME 3.18
Description des éléments clés qui ressortent des états financiers

Maintenant que vous connaissez la comptabilité mieux que le commun des mortels, tout le monde vous sollicite. On vous a notamment demandé de faire des conférences dans divers clubs et associations. Voici votre sujet de prédilection : « Les dix éléments clés qui ressortent des états financiers ». Précisez quels sont ces dix éléments. (Si vous en connaissez plus de dix, ne vous arrêtez surtout pas !)

PROBLÈME 3.19
Préparation d'un EESF à partir des soldes des comptes

Voici les comptes du bilan de Vartan Industries ltée, par ordre alphabétique, pour les exercices 1998 et 1997. En partant de ces données, dressez l'EESF de 1998. Les variations de l'amortissement cumulé, des impôts reportés et du passif découlant du régime de retraite sont entièrement imputables aux charges connexes de 1998. La société n'a vendu aucun élément d'actif à long terme pendant l'année. Autre renseignement utile : la société a déclaré et versé des dividendes de 9 000 $ en 1998.

Nom du compte	1998	1997
Amortissement cumulé	214 200 $	192 000 $
Assurances payées d'avance	300	1 400
Bâtiment (coût)	368 400	301 300
Bénéfices non répartis	27 700	23 200
Capital-actions	120 000	55 000
Clients	188 900	186 700
Emprunt à vue	63 200	84 100
Emprunt bancaire (échéance : 2006)	143 000	0
Emprunt hypothécaire (échéance : 2010)	388 800	395 400
Encaisse	27 300	23 200
Fournisseurs	189 500	194 400
Impôts exigibles	2 200	3 100
Impôts reportés	26 200	24 500
Matériel (coût)	261 400	164 600
Passif découlant du régime de retraite	22 100	18 600
Petite caisse	1 100	1 500
Placement à court terme	0	18 000
Placement à long terme	35 000	5 000
Stocks	224 500	218 600
Terrain	90 000	70 000

PROBLÈME 3.20
Évaluation des connaissances sur l'EESF par l'analyse de la situation d'une entreprise réelle

Vous trouverez ci-dessous l'EESF consolidé de 1996 de la société Anchor Lamina inc., établie à Windsor, en Ontario, ainsi que les données pour 1995 et 1994. Nous avons inclus la note 12, annexée aux états financiers, car elle fournit des détails importants sur l'un des éléments de l'EESF. D'après l'introduction du rapport annuel, la société « Anchor Lamina inc. et ses [...] filiales [...] sont spécialisées dans la fabrication de produits et dans la prestation de services qui permettent à leurs clients de s'adapter aux changements technologiques du secteur des moulages plastiques et du façonnage des métaux. »

ANCHOR LAMINA INC.
États consolidés de l'évolution de la situation financière
Exercices terminés le 31 août

	1996	1995	1994
Fonds provenant des (affectés aux) activités suivantes :			
Exploitation			
Bénéfice net	6 780 014 $	10 704 247 $	8 433 081 $
Redressement pour les éléments hors trésorerie			
Amortissement	4 546 088	3 332 614	1 738 358
Impôts reportés	663 000	1 182 000	181 000
Part des actionnaires sans contrôle	(38 666)	47 298	—
	11 950 436	15 266 159	10 352 439
Variation nette du fonds de roulement			
hors trésorerie (note 12)	(11 726 955)	(5 668 444)	(9 152 765)
Incidence des variations du taux de change sur			
le fonds de roulement	(71 517)	(154 193)	260 800
	151 964	9 443 522	1 460 474
Investissement			
Acquisition d'immobilisations	(33 821 298)	(16 935 691)	(9 952 739)
Acquisitions d'entreprises	(14 480 099)	(13 127 713)	—
	(48 301 397)	(30 063 404)	(9 952 739)
Financement			
Remboursement des emprunts bancaires			
imputables à la filiale	—	(3 933 596)	—
Émission de dettes à long terme	30 355 572	2 927 680	—
Remboursement de la dette à long terme	(3 919 859)	(6 461 996)	(3 308 603)
Émission d'actions ordinaires	26 055 253	5 550 733	25 708 078
Réduction des impôts reportés — déductibilité			
des coûts de l'appel public à l'épargne	(507 000)	—	(344 000)
Dividendes versés	(3 210 486)	(2 218 739)	(1 743 020)
Charges reportées	—	—	141 169
	48 773 480	(4 135 918)	20 453 624
Augmentation (diminution) des liquidités	624 047	(24 755 800)	11 961 359
Liquidités en début d'exercice	(15 883 018)	8 872 782	(3 088 577)
Liquidités en fin d'exercice	(15 258 971) $	(15 883 018) $	8 872 782 $

Note 12 : Variations des éléments du fonds de roulement hors trésorerie

	1996	1995	1994
Clients	1 834 907 $	3 973 150 $	3 024 856 $
Prêts aux actionnaires	143 673	(719 211)	1 716 039
Stocks	6 623 400	4 603 402	5 392 183
Fournisseurs	2 565 580	(3 376 213)	(956 409)
Autres	559 395	1 187 316	(23 904)
	11 726 955 $	5 668 444 $	9 152 765 $

Répondez aux questions suivantes pour montrer que vous avez bien compris la structure de l'EESF et sa signification.

1. En 1996, le bénéfice net avait diminué, atteignant environ 63 % du bénéfice net de 1995, mais les liquidités associées se sont effondrées, passant de plus de 9 000 000 $ à seulement 150 000 $. Comment expliquer la diminution spectaculaire du bénéfice en comptabilité de caisse alors que le bénéfice en comptabilité d'exercice a bien moins diminué ?

2. En 1994 et en 1995, les comptes fournisseurs indiqués à la note 12 sont présentés entre parenthèses ; ils ne le sont pas en 1996. Lors de quel(s) exercice(s) les comptes fournisseurs ont-ils augmenté et au cours desquels ont-ils diminué ?

3. De combien la dette à long terme a-t-elle augmenté ou diminué à la fin de l'exercice 1996, comparativement à la fin de l'exercice 1993 (début de l'exercice 1994) ?

4. À votre avis, la société veille-t-elle au renouvellement de l'actif de l'usine (immobilisations) ou bien laisse-t-elle son matériel se détériorer sans le remplacer ? Sur quels éléments pouvez-vous fonder votre réponse ?

5. Les amortissements correspondent à des charges hors liquidités, qui rendent compte de l'utilisation de la valeur économique de l'actif. S'il s'agit d'éléments hors trésorerie, pourquoi les ajouter au bénéfice net de l'EESF ?

6. En 1996, les activités de financement et d'investissement à long terme étaient à peu près équivalentes. En fait, le financement correspondait presque aux besoins en liquidités hors exploitation. En 1995 et en 1994, ces deux éléments ne s'équilibraient pas. Quels sont les facteurs qui ont changé entre 1994-1995 et 1996 ?

7. À la fin de 1994, la société détenait des liquidités de près de 9 millions de dollars ; à la fin de 1996, les liquidités s'étaient effondrées, avec un solde négatif de plus de 15 millions de dollars. Quels sont les éléments qui expliquent cette chute de liquidités de 24 millions de dollars en deux ans ?

8. Question d'analyse : à votre avis, le fonds de roulement de la société s'est-il amélioré ou détérioré au cours des trois exercices présentés sur l'EESF ?

9. Autre question d'analyse : à votre avis, le ratio emprunts/avoir des actionnaires de la société s'est-il amélioré ou détérioré pendant la même période ?

**PROBLÈME 3.21
(POUR LES AS !)
Pourquoi faut-il examiner attentivement l'état des flux de trésorerie ?**

Un membre de la haute direction d'une grande société ouverte faisait remarquer à un analyste en valeurs mobilières : « Je ne comprends pas pourquoi vous vous inquiétez tant de notre état des flux de trésorerie. La gestion des liquidités relève de la direction et c'est une tâche dont nous nous acquittons quotidiennement. Contentez-vous d'examiner l'évolution de nos bénéfices, et laissez-nous nous occuper de nos flux de trésorerie ! »

Que pourriez-vous répondre à cet administrateur ? Vous n'êtes pas obligé d'être tout à fait d'accord ni tout à fait en désaccord avec lui.

**PROBLÈME 3.22
(POUR LES AS !)
Pourquoi ne pas simplement appliquer la méthode de la comptabilité de caisse ?**

Un journaliste spécialisé en finances discutait des résultats financiers d'une grande société en difficulté et faisait la réflexion suivante : « Ces comptables, comme ils sont compliqués ! Ils dépensent beaucoup d'argent pour élaborer des états financiers complexes, surtout les états des résultats, qui font appel à la comptabilité d'"exercice", comme ils disent. Ils nous proposent ainsi un bénéfice net que nous sommes censés prendre au sérieux. Mais ce n'est pas tout : ils dépensent encore plus d'argent pour dresser des états des flux de trésorerie, tout aussi compliqués que les autres états; ils en retirent tous les effets de la comptabilité d'exercice pour établir le bénéfice en comptabilité de caisse que nous aurions eu de toute façon, s'ils n'avaient pas commencé par faire de la comptabilité d'exercice! Bravo! Ils se font payer pour créer une mesure plutôt douteuse du bénéfice net, puis il se font encore payer pour retourner à la case départ. Ils prennent vraiment les gens d'affaires pour des idiots. Pourquoi ne pas simplement donner les résultats en comptabilité de caisse et s'arrêter là? C'est facile à comprendre et l'état des résultats serait bien plus simple. Inutile d'établir un état des flux de trésorerie qui vient tout simplement annuler le bénéfice net, comme c'est le cas aujourd'hui. »

C'est un point de vue pour le moins tranché! Imaginons que vous êtes le comptable qu'on blâme. Tout le monde se tourne vers vous pour voir ce que vous allez répondre à ce journaliste. Que lui dites-vous?

PROBLÈME 3.23 (POUR LES AS!)
Préparation d'un EESF plus complexe

Voici, par ordre alphabétique, la liste des comptes du bilan des Aliments Sains inc., pour les exercices 1998 et 1997. Sous la ligne double, vous trouverez la liste des comptes de résultats de 1998 auxquels s'ajoutent les dividendes; ces postes viennent justifier les variations des bénéfices non répartis entre 1997 et 1998. Des notes complémentaires viennent à la suite. En partant de ces données, définissez les liquidités, puis préparez un EESF en bonne et due forme pour l'exercice 1998. Énoncez clairement les hypothèses que vous devez avancer pour accomplir ce travail.

Comptes	1998	1997
Amortissement cumulé — bâtiment	136 800 $	123 800 $
Amortissement cumulé — matériel	77 400	68 200
Assurances payées d'avance	300	1 400
Bâtiment — coût	268 400	261 300
Bénéfices non répartis	110 200	97 100
Capital-actions	38 000	28 000
Clients	93 900	86 700
Emprunt bancaire à vue — ligne de crédit	63 200	54 100
Emprunt bancaire pour achat de matériel	43 000	0
Emprunt hypothécaire sur le bâtiment et le terrain (échéance: 2002)	128 800	143 500
Encaisse	17 300	13 200
Fournisseurs	84 500	94 400
Impôts exigibles	2 200	3 100
Impôts reportés	26 200	24 500
Investissement — société liée	25 000	0
Investissement — titres négociables	0	18 000
Matériel — coût	161 400	114 600
Passif découlant du régime de retraite	32 100	23 600
Petite caisse	1 600	1 500
Prêt des actionnaires	30 000	35 000
Stocks d'aliments pour animaux et fournitures	124 500	118 600
Terrain	80 000	80 000
Amortissement — bâtiment	13 000	
Amortissement — matériel	9 200	

Comptes	1998	1997
Charge d'impôts exigibles	7 700	
Charge d'impôts reportés	1 700	
Charges de retraite	8 500	
Coût des marchandises vendues	356 700	
Frais indirects	167 100	
Intérêts débiteurs	15 400	
Produits	602 400	

Notes :
1. Les variations de l'amortissement cumulé, des impôts reportés et du passif découlant du régime de retraite sont toutes imputables aux charges connexes.
2. Des dividendes de 10 000 $ ont été déclarés et versés pendant l'exercice.
3. Aucun élément d'actif (bâtiment et matériel) n'a été vendu pendant l'exercice.

**PROBLÈME 3.24
(POUR LES AS !)
Questions du type
« Qu'arriverait-il
si... » concernant
l'EESF**

En prenant certaines décisions ou en choisissant la rubrique où seront classés divers éléments de leurs états financiers, les sociétés sont en mesure de modifier le contenu de l'EESF. Pour chacune des interventions ou des décisions suivantes, expliquez quelle serait, le cas échéant, l'incidence sur l'EESF durant l'exercice courant si... (ne négligez pas les répercussions sur la définition des liquidités) :

1. ... la société A décidait de contracter un emprunt bancaire à vue de 100 000 $, au lieu d'un emprunt à long terme.
2. ... la société B décidait de classer 50 000 $ de ses comptes clients dans l'actif à long terme plutôt que dans l'actif à court terme.
3. ... la société C décidait d'acheter un terrain de 500 000 $ en le finançant entièrement par un emprunt à long terme plutôt qu'en émettant de nouvelles actions.
4. ... la société D décidait d'augmenter de 75 000 $ l'amortissement de l'exercice.
5. ... la société E décidait de déclarer 40 000 $ en dividendes aux actionnaires, payables en espèces immédiatement.
6. ... la société F décidait de faire un don de 25 000 $ à l'Association des comptables en difficulté. Le don serait inclus dans les charges de la société.

**PROBLÈME 3.25
(POUR LES AS !)
Interprétation des
tendances de la
gestion de
la trésorerie**

La société Accessoires Apex inc. fabrique, importe et vend divers articles de mode, notamment des bijoux de fantaisie, des ceintures et autres articles de cuir, des chapeaux et divers accessoires. Les ventes sont saisonnières et instables, avec des nouveautés qui apparaissent et disparaissent rapidement, selon les caprices de la mode et la disponibilité des marchandises venant des fournisseurs étrangers. À l'occasion d'une émission de télévision sur les enjeux de la gestion dans le secteur de la mode, on a présenté certains résultats financiers d'Apex, et un commentateur a fortement loué la gestion avisée de cette entreprise. Voici les chiffres en question :

Exercice	Total de l'actif Fin de l'exercice	Emprunts bancaires Fin de l'exercice	Bénéfice net de l'exercice	Liquidités provenant de l'exploitation pour l'exercice
1989	24 400 000 $	8 300 000 $	2 100 000 $	3 200 000 $
1990	29 100 000	9 600 000	2 400 000	3 900 000
1991	28 500 000	8 900 000	2 300 000	3 200 000
1992	34 700 000	10 300 000	2 600 000	2 500 000
1993	37 800 000	12 000 000	2 800 000	2 200 000
1994	35 400 000	14 100 000	3 000 000	1 800 000
1995	37 000 000	14 200 000	3 100 000	3 800 000
1996	39 600 000	15 200 000	3 300 000	3 400 000
1997	43 000 000	16 400 000	3 200 000	2 800 000
1998	45 700 000	18 500 000	3 400 000	1 900 000

1. D'après vous, quelle est la colonne de chiffres qui a impressionné le commentateur au point de lui faire dire que la gestion de l'entreprise était « admirable » ?
2. Que pensez-vous des résultats de cette société ? Est-elle aussi bien gérée qu'on le dit ? Présentez votre point de vue et ne soyez surtout pas avare de commentaires.
3. Dans le cas de cette société en particulier (cotée en bourse), croyez-vous que les courtiers en valeurs mobilières seront favorablement impressionnés par les renseignements sur les flux de trésorerie, une fois qu'ils auront pris connaissance des chiffres du bénéfice net ? En d'autres termes, avez-vous l'impression que les renseignements sur les flux de trésorerie permettent de mieux saisir les données sur le bénéfice net ?

PROBLÈME 3.26 (POUR LES AS !) Questions d'éthique : manipulation des données sur les flux de trésorerie

Les raisons qui amènent certains observateurs à préférer l'état des flux de trésorerie à l'état des résultats soulèvent des questions d'éthique intéressantes. Si les observateurs hésitent souvent à se fier à l'état des résultats, c'est qu'ils ont l'impression que les méthodes de comptabilité d'exercice peuvent servir à manipuler la mesure de la performance que constitue le bénéfice net. Ces personnes estiment que les flux de trésorerie rendent mieux compte de la « réalité ». Par exemple, une société pourrait déclarer des produits importants non encore recouvrés, ce qui viendrait augmenter son bénéfice (comme il s'agit de sommes non recouvrées, les comptes clients augmentent eux aussi) ; mais si les liquidités n'ont pas encore été perçues, l'augmentation des comptes clients sera déduite du bénéfice net de l'EESF. L'absence d'encaissements « réels » sera manifeste, étant donné que le montant des liquidités provenant de l'exploitation sera inférieur au montant prévu en fonction du bénéfice en comptabilité d'exercice. Certains observateurs font donc davantage confiance au total des liquidités provenant de l'exploitation, porté sur l'EESF ; ils sont convaincus que, si l'écart entre le bénéfice net et les liquidités provenant de l'exploitation est trop important, la manipulation des données devient évidente.

Le problème est qu'on peut tout aussi bien jouer avec les flux de trésorerie. Par exemple, la société pourrait accélérer ou ralentir le recouvrement des comptes clients, afin de modifier le montant des liquidités, qu'elle ait ou non changé le bénéfice net. Il est vrai que, contrairement aux manipulations du bénéfice net, celles touchant les flux de trésorerie s'appuient sur des interventions réelles visant les clients, les fournisseurs ou les employés et ont des conséquences tout aussi réelles (clients mécontents, recours à des incitatifs pour obtenir un paiement rapide...). Mais cela peut tout de même se faire.

Pour la plupart des observateurs, la modification des chiffres de la comptabilité d'exercice dans le but d'augmenter le bénéfice net (de le diminuer ou de le lisser) est discutable sur le plan de l'éthique, d'autant plus que c'est la donnée d'après laquelle le travail de la direction est évalué et récompensé. La manipulation des flux de trésorerie serait-elle, elle aussi, répréhensible ? Un problème d'éthique se pose-t-il si la direction décide de faire pression sur ses clients afin d'accélérer le recouvrement et d'améliorer la situation de sa trésorerie ? Ici, il s'agit d'une pratique saine de gestion et non pas de manipulation.

Trouvez deux ou trois façons qui permettraient de dévier les flux de trésorerie d'exploitation, d'investissement ou de financement de leur présentation normale. Donnez d'autres exemples que ceux qui vous ont été fournis ci-dessus. Pour chacun des éléments, indiquez dans quelle mesure et dans quelles circonstances de telles modifications entraîneraient des problèmes d'éthique.

PROBLÈME 3.27 (POUR LES AS !) Préparation d'un jeu complet d'états financiers et, notamment, d'un EESF

Grandin ltée fabrique un produit unique et propose aussi des services connexes. La société a connu une croissance lente mais régulière, jusqu'à cette année (1998), où les produits nets, notamment ceux découlant des services, ont connu une augmentation substantielle.

L'aide-comptable a commencé à préparer les états financiers de 1998 et de 1997 et vous a demandé votre aide pour les terminer. Vous vous êtes rendu sur place et avez obtenu les informations qui figurent ci-dessous. Tenez pour acquis que les chiffres sont exacts.

Nom du compte	1998	1997
Amortissement	4 000 $	5 800 $
Amortissement cumulé	36 000	32 000
Bénéfices non répartis — début	37 500	33 300
Capital-actions	25 000	25 000
Clients	44 200	21 300
Coût des marchandises vendues	103 190	71 650
Dividendes versés	4 000	6 000
Emprunt bancaire — court terme	29 000	19 000
Encaisse	4 700	5 400
Financement du matériel	20 000	24 000
Fournisseurs	12 300	8 900
Frais d'administration	14 600	11 900
Frais d'emballage et d'expédition	8 100	7 500
Frais payés d'avance	2 100	800
Impôts reportés (charge)	250	500
Impôts exigibles	2 200	1 000
Impôts de l'exercice	5 200	3 000
Impôts reportés	4 350	4 100
Intérêts débiteurs	4 800	3 900

Nom du compte	1998	1997
Matériel	87 000	87 000
Salaires	69 500	28 200
Services publics	9 200	6 200
Stocks	42 500	37 000
Vente de produits	163 290	116 250
Vente de services	73 700	32 600

1. Préparez les états financiers suivants : un bilan comparatif, un état des résultats et un état des bénéfices non répartis pour les exercices 1998 et 1997.
2. Définissez les « liquidités » de la société Grandin.
3. Préparez un EESF en bonne et due forme pour l'exercice 1998. *À cet égard, le bilan de 1997 est pertinent, mais les états des résultats et des bénéfices non répartis de 1997 ne le sont pas, car ils portent sur la période qui précède le début de l'exercice 1998.*

ÉTUDE DE CAS 3A
Commentaire sur les flux de trésorerie et la situation financière de Microsoft

Microsoft Corporation a établi son siège social à Bellevue, en banlieue de Seattle, dans l'État de Washington. Elle figure parmi les plus grandes sociétés de logiciels du monde. Voici ses états financiers de 1997 (sans les notes complémentaires). Ces données ont été téléchargées à partir du site Internet de la société et sont extraites du rapport annuel (http://microsoft.com). Les états financiers respectent une structure qui s'écarte quelque peu de la présentation utilisée habituellement au Canada ; aussi, nous n'avons pas encore discuté de certains des éléments qui y figurent. Malgré tout, vous disposez d'ores et déjà de tous les outils nécessaires pour comprendre l'essentiel de leur contenu.

Analysez la performance de Microsoft sur le plan des résultats et des flux de trésorerie et commentez sa situation financière.

MICROSOFT CORPORATION
État des résultats
Exercices terminés le 30 juin

(en millions de dollars, sauf pour le bénéfice par action)	1995	1996	1997
Produits nets	5 937 $	8 671 $	11 358 $
Charges d'exploitation :			
Coûts d'exploitation	877	1 188	1 085
Recherche et développement	860	1 432	1 925
Ventes et marketing	1 895	2 657	2 856
Frais généraux et administratifs	267	316	362
Total des charges d'exploitation	3 899	5 593	6 228
Produits d'exploitation	2 038	3 078	5 130
Intérêts créditeurs	191	320	443
Activités abandonnées	(46)	—	—
Autres charges	(16)	(19)	(259)
Bénéfice avant impôts	2 167	3 379	5 314
Charges d'impôts	714	1 184	1 860
Bénéfice net	1 453 $	2 195 $	3 454 $
Bénéfice par action*	1,16 $	1,71 $	2,63 $
Moyenne pondérée des actions en circulation	1 254	1 281	1 312

* Redressement tenant compte du fractionnement (2 pour 1) de décembre 1996.
Voir les notes complémentaires sur le site Internet (elles ne sont pas fournies dans cet ouvrage).

MICROSOFT CORPORATION
État des flux de trésorerie
Exercices terminés le 30 juin

(en millions de dollars)	1995	1996	1997
Liquidités provenant de l'exploitation			
Bénéfice net	1 453 $	2 195 $	3 454 $
Amortissement	269	480	557
Passif à court terme	419	1 140	1 179
Clients	(91)	(71)	(336)
Autres éléments d'actif à court terme	(60)	(25)	(165)
Liquidités nettes provenant de l'exploitation	1 990	3 719	4 689
Liquidités affectées au financement			
Réalisation d'option d'actions	—	—	969
Émission d'actions ordinaires	332	504	744
Rachat d'actions ordinaires	(649)	(1 261)	(3 006)
Avantages fiscaux pour options sur actions	179	352	792
Liquidités nettes affectées au financement	(138)	(405)	(501)
Liquidités affectées aux investissements			
Acquisition d'immobilisations corporelles	(495)	(494)	(499)
Placements à long terme	(230)	(625)	(1 669)
Placements à court terme	(651)	(1 551)	(921)
Liquidités nettes affectées aux investissements	(1 376)	(2 670)	(3 089)
Variations nettes des liquidités	476	644	1 099
Incidence des taux de change sur les liquidités	9	(5)	6
Liquidités, début de l'exercice	1 477	1 962	2 601
Liquidités, fin de l'exercice	1 962	2 601	3 706
Placements à court terme	2 788	4 339	5 260
Liquidités et placements à court terme	4 750 $	6 940 $	8 966 $

Voir les notes complémentaires (**elles ne sont pas fournies dans cet ouvrage**).

MICROSOFT CORPORATION **Bilan** **Exercices terminés le 30 juin**		
(en millions de dollars)	1996	1997
Actif		
Actif à court terme :		
Encaisse et actif à court terme	6 940 $	8 966 $
Clients	639	980
Autres	260	427
Total de l'actif à court terme	7 839	10 373
Immobilisations corporelles	1 326	1 465
Placements à long terme	675	2 346
Autres éléments d'actif	253	203
Total de l'actif	10 093 $	14 387 $
Passif et capitaux propres		
Passif à court terme :		
Fournisseurs	808 $	721 $
Rémunération	202	336
Impôts exigibles	484	466
Produits reportés	560	1 418
Autres	371	669
Total du passif à court terme	2 425	3 610
Participation des actionnaires sans contrôle	125	—
Options de souscription	635	—
Engagements et éventualités		
Avoir des actionnaires :		
Actions privilégiées convertibles —		
autorisées : 0 et 100		
émises et en circulation : 0 et 13	—	980
Actions ordinaires et capital d'apport —		
autorisés, 4 000 ;		
émises et en circulation : 1 194 et 1 204	2 924	4 509
Bénéfices non répartis	3 984	5 288
Total des capitaux propres	6 908	10 771
Total du passif et des capitaux propres	10 093 $	14 387 $

Voir les notes complémentaires sur le site Internet (elles ne sont pas fournies dans cet ouvrage).

MICROSOFT CORPORATION

Avoir des actionnaires
Exercices terminés le 30 juin

(en millions de dollars)	1995	1996	1997
Actions privilégiées convertibles			
Actions privilégiées convertibles émises	—	—	980 $
Solde à la fin de l'exercice	—	—	980
Actions ordinaires et capital d'apport			
Solde au début de l'exercice	1 500	2 005	2 924
Actions ordinaires émises	332	504	744
Rachat d'actions ordinaires	(30)	(41)	(91)
Produit de la vente d'options de souscription	49	124	95
Reclassement des obligations au titre d'options de souscription	(25)	(20)	45
Avantages fiscaux pour options sur actions	179	352	792
Solde à la fin de l'exercice	2 005	2 924	4 509
Bénéfices non répartis			
Solde au début de l'exercice	2 950	3 328	3 984
Bénéfice net	1 453	2 195	3 454
Dividendes sur actions privilégiées	—	—	(15)
Rachat d'actions ordinaires	(668)	(1 344)	(3 010)
Reclassement des obligations au titre d'options de souscription	(380)	(210)	590
Gains sur investissement non réalisés et autres	(27)	15	285
Solde à la fin de l'exercice	3 328	3 984	5 288
Total des capitaux propres	5 333 $	6 908 $	10 777 $

Voir les notes complémentaires sur le site Internet (**elles ne sont pas fournies dans cet ouvrage**).

**ÉTUDE DE CAS 3B
Discussion d'un article sur les incidences des flux de trésorerie et sur l'EESF**

L'article suivant porte sur le diagnostic des sociétés malades. L'auteur a-t-il raison d'accorder tant d'importance à l'évaluation des flux de trésorerie ? Ses critiques de l'EESF sont-elles justifiées ? Ses propositions visant à améliorer l'EESF et l'état des résultats sont-elles valables ? N'hésitez pas à analyser toute autre question qu'aurait soulevée l'article, en ce qui concerne les flux de trésorerie ainsi que les avantages et les inconvénients de l'EESF.

LES ENTREPRISES EN CONVALESCENCE

L'analyse des rentrées de fonds d'une entreprise malade aide à évaluer ses chances de guérison
Par Ivan Kilpatrick

Malgré la profusion des manchettes proclamant le contraire, toutes les entreprises ne sont pas à l'article de la mort, loin de là. On pourrait même dire qu'une classe d'entreprises tout à fait nouvelle est née, celle des entreprises traumatisées par la récession qui se trouvent maintenant à différents stades de rétablissement. On pourrait les appeler des « convalescentes » et on en compte beaucoup dans le *Survey of Industrials*, publication annuelle qui recense les sociétés canadiennes, et dans les portefeuilles de tous les chargés de prêts.

Lorsqu'une entreprise commence à se remettre du virus de la récession, les rentrées de fonds (qui constituent à la fois un indice du rétablissement et une fonction importante de l'entreprise) comptent beaucoup plus que le bénéfice comptable. La raison est simple : les marges de crédit étant étirées au maximum et les ventes difficiles, la question essentielle est de savoir si l'entreprise peut assurer le service de la dette qui, bien sûr, est fonction des flux de trésorerie et non du bénéfice comptable.

Malheureusement, les états financiers courants ne mettent pas suffisamment l'accent sur les implications des flux de trésorerie. Cela s'explique en partie du fait que les lecteurs des états financiers ont depuis fort longtemps l'habitude de s'intéresser presque exclusivement au bénéfice net. Pour s'en convaincre, il suffit de se tourner vers la presse économique, où l'accent est presque toujours mis sur les produits, le bénéfice net et la dette.

On néglige aussi en partie les flux de trésorerie en raison des changements apportés en 1985 à l'état qui devrait contenir tous les renseignements sur l'encaisse, soit l'état de l'évolution de la situation financière (ou état des mouvements de trésorerie). Un poste en particulier, les « variations des éléments hors trésorerie du fonds de roulement », s'est avéré une source de confusion pour les comptables et les non-comptables depuis son introduction. Dans sa forme actuelle, l'état ne permet pas de répondre à la plus importante question de toutes : l'entreprise

génère-t-elle des liquidités ou est-elle plutôt consommatrice de liquidités ? En fait, la présentation actuelle risque de dissimuler toute amélioration ou détérioration significative des activités d'exploitation. Par exemple, si le chiffre d'affaires d'une entreprise en convalescence augmente, l'accroissement bienvenu — et inévitable — des stocks et des comptes clients apparaîtra sous un jour défavorable, comme une utilisation des liquidités. À l'inverse, si le chiffre d'affaires baisse, la liquidation des stocks et des comptes clients qui en résulte apparaîtra comme une augmentation des liquidités, même si les ventes ont en fait chuté de manière catastrophique.

Un autre inconvénient de la présentation actuelle est que le bénéfice avant intérêts, amortissement et impôts (BAIAI) n'est présenté nulle part dans les états financiers comme poste distinct. Pourtant, le BAIAI est un excellent indicateur de la rentabilité des activités d'exploitation, par opposition à la rentabilité du point de vue de la gestion du patrimoine (le bilan) ou du financement de l'entreprise.

Dans de nombreuses sociétés, le rendement de l'actif est intéressant au départ, mais se trouve annulé ou grandement diminué par les frais d'intérêt résultant d'un endettement excessif. À mon avis, les résultats de ces deux fonctions (exploitation et financement) doivent demeurer distincts afin de favoriser une bonne compréhension des états financiers.

Le BAIAI est essentiel pour évaluer les contraintes qui pèsent sur une entreprise en raison de sa dette. Il permet au lecteur de se faire rapidement une idée de la durée probable de ces contraintes, d'estimer la valeur des actifs en fonction des bénéfices qu'ils génèrent, et d'envisager les ressources qui pourront être affectées à la croissance en temps opportun.

Étant donné que la plupart des lecteurs des états financiers accordent beaucoup trop d'importance au bénéfice net, des changements doivent être apportés à l'état de l'évolution de la situation financière et à l'état des résultats. Deux modifications doivent être faites au premier de ces états. Tout d'abord, les variations des éléments hors trésorerie du fonds de roulement devraient constituer le dernier poste de l'état. De cette façon, elles ne figureraient plus sous les activités d'exploitation où, comme nous l'avons déjà mentionné, elles induisent souvent le lecteur en erreur. Deuxièmement, le BAIAI devrait être le premier poste à figurer sous « Liquidités provenant des activités d'exploitation » au lieu du bénéfice net (ou perte nette). Le lecteur peut facilement repérer ce poste dans l'état des résultats, et le BAIAI, un élément capital, ressortira plus clairement des états financiers. L'intérêt à déduire figurerait ensuite sur une ligne distincte.

Dans l'état des résultats, le bénéfice d'exploitation est généralement présenté sur une ligne distincte, net d'amortissement. L'amortissement, même lorsqu'il figure sur une ligne distincte, est parfois caché dans la liste des charges d'exploitation, surtout dans le cas des petites entreprises. Si plutôt, la présentation du BAIAI devenait obligatoire, ce poste deviendrait un point de mire dont l'état des résultats a grand besoin.

Ces changements sont mineurs, mais ils permettraient au lecteur moyen de mieux connaître l'entreprise. Prenons l'exemple suivant, qui commence avec le bilan typique d'une entreprise qui éprouve des difficultés financières, comme vous le constaterez tout de suite. Le ratio d'endettement est de 9 et le ratio du fonds de roulement est de 0,66, ce qui est mauvais dans les deux cas.

L'état des résultats est tout aussi médiocre. On ne peut s'empêcher d'être très pessimiste à l'examen de ces deux états. Voyons ce qui se passe lorsque cet état est modifié pour isoler l'intérêt et l'amortissement.

Un coup d'œil sur l'état des résultats montre que l'entreprise, malgré une sérieuse perte comptable, génère en fait des liquidités non négligeables de 500 000 $. Il est clair que l'impact de l'état révisé est plus grand. Sur un passif total de 4 500 000 $, la dette portant intérêt représente 3 500 000 $. Cet élément de passif est le plus important, mais un calcul rapide permet d'apprécier l'importance des rentrées de fonds par rapport au bénéfice comptable. L'entreprise continuera de montrer une perte, mais dans cinq ans, presque 1 000 000 $ auront été retranchés de la dette portant intérêt. Cela ne signifiera pas que l'entreprise aura pleinement recouvré la santé, mais au moins la direction pourra-t-elle dormir plus tranquille.

Naturellement, les dépenses en immobilisations devront être sévèrement réduites pendant la période de rétablissement (il faut toutefois se rappeler qu'une entreprise peut rarement éviter toute dépense en immobilisations). Quoi qu'il en soit, on peut considérer comme une thérapie essentielle le fait de montrer l'importance des rentrées de fonds à tous ceux qui se préoccupent de la santé du patient. Tant qu'il y a de la vie, il y a de l'espoir !

Ivan Kilpatrick, CA, administrateur de Newfoundland Capital Corporation Limited, a été vice-président-directeur chez Bombarbier et chef de la direction chez Eastern Provincial Airways.

Bilan	
Actif	
À court terme	2 000 000 $
Immobilisations corporelles, nettes	3 000 000
Total de l'actif	5 000 000 $
Passif	
À court terme	
Banque	2 000 000 $
Créditeurs	1 000 000
Total du passif à court terme	3 000 000 $
Dette à long terme	1 500 000 $
Total du passif	4 500 000 $
Capitaux propres	500 000
Total du passif et des capitaux propres	5 000 000 $

État des résultats	
Ventes	5 000 000 $
Marge brute	1 500 000
Charges d'exploitation	1 700 000
Bénéfice net (perte)	(200 000) $

État des résultats révisé	
Ventes	5 000 000 $
Marge brute	1 500 000
Charges d'exploitation	1 000 000
BAIAI (Bénéfice avant intérêts, amortissement et impôts)	500 000
Amortissement	370 000
Intérêts	330 000
Bénéfice net (perte)	(200 000) $

Source : Ivan Kilpatrick, « Companies in Convalescence », *CA Magazine*, avril 1993, p.18-19.

R ÉFÉRENCES

1. G. D. Trites, « Pour de plus amples informations, lisez le rapport annuel », *CA Magazine*, décembre 1990, p. 44 à 47.
2. B. Gates, « Reports Deliver Message with Style and Pizzazz », *The Financial Post*, 27 novembre 1990, p. 17.
3. S. Noakes (citation de P. Creighton), « Reports Gain New Prominence », *The Financial Post*, 2 décembre 1993, p. 16.
4. G. M. Kang, « It's Corporate America's Spring Hornblowing Festival », *Business Week*, 12 avril 1993, p. 31.
5. *Manuel de l'ICCA*, chapitre 1450, paragraphe .04, Toronto, l'Institut Canadien des Comptables Agréés, 1998.
6. Pour en savoir davantage au sujet des recherches sur les flux de trésorerie, reportez-vous à l'ouvrage de W. H. Beaver,

Financial Reporting: An Accounting Revolution, 2e éd., Englewood Cliffs, New Jersey, Prentice-Hall, 1989, p. 116; ou à celui de P. A. Griffin, (dir.), *Usefulness to Investors and Creditors of Information Provided by Financial Reporting*, 2e éd., Stamford, Conn.: Financial Accounting Standards Board, 1987, p. 144 à 145. Les revues de recherche en comptabilité telles que *The Accounting Review*, *Recherche comptable contemporaine*, *Journal of Accounting and Economics* et *Journal of Accounting Research* publient de temps à autre des articles qui analysent les flux de trésorerie ou qui comparent les flux de trésorerie et le bénéfice net d'après l'état des résultats.

4

Le développement de la comptabilité générale et les principes comptables

4.1   Aperçu du chapitre

Les PCGR constituent un système de principes et de règles qui régissent la comptabilité générale.

Vous connaissez à présent les quatre états financiers qui constituent les fondements de la comptabilité générale. Pour vous amener à mieux comprendre ces états financiers, nous vous présenterons ici les faits saillants de l'histoire de la comptabilité générale et les grandes étapes qui la jalonnent; nous vous ferons mieux connaître le système de principes et de règles qui régissent le calcul et la présentation des données figurant dans les états financiers: il s'agit des **principes comptables généralement reconnus (PCGR)**. Nous avons déjà traité de ces principes; nous les verrons ici dans le détail, tout en réfléchissant à leur raison d'être.

Ce chapitre commence donc par un survol historique, qui vous indiquera d'où proviennent les pratiques comptables en usage aujourd'hui, à l'aube de l'an 2000. La comptabilité, comme toute autre invention de l'esprit humain, a subi une évolution en fonction des besoins nés à diverses époques et en divers lieux; comprendre les principales tendances de l'histoire de la comptabilité vous aidera à mieux saisir ses caractéristiques actuelles. Dans un deuxième temps, nous traiterons des assises théoriques que fournissent les PCGR, en donnant de nombreux exemples. Pour terminer, nous vous proposerons quelques réflexions sur la déontologie, les normes internationales et d'autres sujets, afin d'élargir votre compréhension de la matière.

L'exécution des opérations comptables passe par des connaissances théoriques, non pas uniquement par des calculs mathématiques.

Une fois que vous aurez terminé la lecture de ce chapitre, vous bénéficierez de connaissances de base sur les fondements théoriques de la comptabilité. Vous pourrez les appliquer dans les chapitres suivants, qui portent sur les pratiques comptables elles-mêmes. Mais sachez bien qu'avant de passer à des opérations concrètes sur des données comptables, il faut avoir de solides notions théoriques, et non pas uniquement être un habitué des chiffres.

4.2   BREF HISTORIQUE DES DÉBUTS DE LA COMPTABILITÉ

La comptabilité existe depuis des milliers d'années.

Nous avons décidé de commencer par un aperçu historique : pour comprendre les opérations et les méthodes comptables d'aujourd'hui, vous avez tout intérêt à savoir d'où elles proviennent. En fait, la comptabilité générale est un ancien système d'information ; bon nombre de ses pratiques et principes sont nés voilà des centaines, voire des milliers d'années.

Comme d'autres inventions humaines complexes, la comptabilité générale ne s'est pas créée en une seule journée. Elle évolue depuis des milliers d'années, parallèlement au progrès de la civilisation. Une écrivaine scientifique, citant un propriétaire de brasserie, disait récemment ceci à propos de la comptabilité... et de la bière :

> Peu importe pourquoi, [les premiers agriculteurs de Mésopotamie] faisaient des cultures céréalières [et] « qui dit céréale, dit entrepôts ; qui dit entrepôt, dit comptables ; et une fois que les comptables ont fait leur apparition, le tour est joué – vous êtes sur la voie de la civilisation » (la première vérification du monde approche)[1].

La comptabilité évolue en fonction des exigences et des besoins ; la transition ne se fait pas toujours en douceur.

Nous nous attachons ici à la comptabilité et non à l'histoire. Néanmoins, le passé a de l'importance, car la comptabilité évolue au fil du temps comme les entreprises, les gouvernements et les autres institutions de la société. Quand les besoins d'information évoluent, la comptabilité s'adapte à ces changements. L'évolution de la comptabilité ne se fait pas toujours en douceur et n'est pas forcément efficace. En fait, aujourd'hui comme hier, certains aspects de la comptabilité peuvent sembler ne pas répondre aux besoins actuels. Cependant, avec le temps, nous pouvons nous attendre à ce que la comptabilité générale y réponde (s'ils persistent) en évoluant, comme elle a su le faire par le passé.

Depuis des siècles, les êtres humains ressentent le besoin de dresser des listes de biens et de dettes, et de disposer de registres vérifiables.

Jadis, le commerce se traduisait principalement par des échanges entre des familles ou des tribus, et les exigences en matière d'information n'étaient donc pas très compliquées. L'argent n'existait pas encore, de sorte que même les états financiers les plus simples n'auraient pu être préparés. Malgré tout, les gens voulaient savoir ce qu'ils possédaient. Ils avaient donc besoin de certains documents pour accompagner les livraisons afin que clients et fournisseurs se mettent d'accord sur les produits échangés. C'est pour répondre à ces besoins que la comptabilité a commencé par dresser des listes simples. Parmi les plus importantes, mentionnons l'énumération des biens de la famille ou de la tribu et, plus tard, la liste des dettes contractées envers des commerçants ou d'autres familles. Plus tard encore, lorsque les activités commerciales ont gagné en complexité, les familles ont commencé à employer d'autres personnes pour gérer certains aspects de leur entreprise et elles se sont mises à créer des entités commerciales plus complexes, qui pouvaient compter plusieurs établissements. La comptabilité devait suivre elle aussi, en produisant des registres destinés à contrôler les activités des employés et des entreprises en région éloignée. Les gens ont constaté qu'il leur fallait pouvoir vérifier les faits présentés par les employés et par les négociants. C'est donc pour répondre à ces besoins qu'ils ont commencé à tenir systématiquement des registres qui pourraient, par la suite, faire l'objet d'une vérification.

Pour vous aider à comprendre la naissance des notions et des techniques de la comptabilité contemporaine, voici un bref aperçu historique qui commence vers l'an 4500 av. J.-C., en Mésopotamie, et qui se termine vers le début des années 1800 de notre ère, en Angleterre. La section 4.3 traitera des deux siècles qui ont suivi, ce qui nous amènera jusqu'à aujourd'hui. Rappelez-vous que cet aperçu a pour but de vous aider à comprendre la comptabilité et non de fournir un commentaire magistral sur l'histoire en général !

Le survol historique porte sur l'Occident ; toutefois, l'histoire de la comptabilité dans d'autres parties du globe est tout aussi fascinante.

La comptabilité d'exercice moderne, telle qu'elle se pratique en Amérique du Nord et dans de nombreux pays du monde, est issue du développement de la civilisation occidentale : ce développement guidera donc notre rapide analyse de l'histoire de la comptabilité. Par conséquent, nous ne traiterons pas des faits intéressants concernant l'évolution des pratiques comptables dans d'autres parties du monde, comme la Chine, l'Inde ou l'Afrique. Les commentaires qui suivent sont brefs, par nécessité. Mais si vous voulez en savoir davantage, nous vous invitons à consulter les ouvrages et les articles sur l'histoire de la comptabilité énumérés à la fin de ce chapitre [2].

De la Mésopotamie à Rome : de l'an 4500 av. J.-C. à l'an 400 de notre ère

Le bilan utilisé par les sociétés d'aujourd'hui tire son origine des listes dressées voilà des milliers d'années.

Pour qu'une société ait recours à la comptabilité, il faut que ses affaires et son commerce soient actifs, et qu'elle dispose d'un niveau élémentaire d'écriture, de méthodes de mesure et de calcul, de même que d'un instrument d'échange ou d'une monnaie [3]. Parmi les civilisations ayant utilisé un système de tenue des livres, la plus ancienne serait apparue, à notre connaissance, dans la région de la Mésopotamie, qui couvre aujourd'hui l'Irak et la Syrie. Cette civilisation utilisait habituellement une langue commune (comme le babylonien) pour la conduite des affaires. Elle possédait aussi un bon système de chiffres et de monnaie et effectuait la tenue des livres sur des tablettes d'argile. D'après ce que nous savons, les commerçants et les négociants ne tenaient pas de registres officiels. C'était plutôt les dignitaires des gouvernements et les chefs religieux des temples qui décidaient des registres à tenir ; des scribes se chargeaient de la tenue des livres. Un scribe devait faire un apprentissage de plusieurs années avant de maîtriser l'art de l'inscription des impôts, des droits de douane, des offrandes au temple et des affaires commerciales conclues entre les gouvernements et les temples. Ces registres se composaient de feuilles de dénombrement et de listes de céréales, de bétail et d'autres ressources, ainsi que d'énoncés des obligations liées au commerce. Nous retrouvons encore aujourd'hui ces éléments : le bilan de n'importe quelle société comprend des données sur les marchandises non vendues et sur le matériel, ainsi que sur les obligations de nature commerciale (notamment les sommes dues par les clients et les sommes dues aux fournisseurs). Et tous ces chiffres sont étayés par des listes détaillées.

À l'époque, tout comme aujourd'hui, il fallait recourir à une forme de vérification.

Lorsqu'un scribe considérait qu'un registre était complet et rigoureux, il apposait son sceau sur la tablette d'argile pour authentifier les données ; cette tablette était ensuite cuite au four pour qu'on ne puisse plus jamais la modifier [4]. Les scribes étaient en quelque sorte les précurseurs des experts-comptables et des vérificateurs d'aujourd'hui. Au lieu d'utiliser des sceaux, les vérificateurs modernes préparent un rapport ; mais aujourd'hui comme hier, il s'agit de donner une assurance quant à la fidélité des renseignements. Cette forme de tenue des livres a été utilisée pendant de nombreuses années et s'est étendue à d'autres régions, comme l'Égypte, la Grèce et Rome. Avec le temps, les scribes ont utilisé d'autres supports que les tablettes d'argile, notamment le papyrus[5]. (D'après vous, les scribes habitués aux tablettes d'argile ont-ils protesté quand on leur a suggéré de passer au papyrus, tout comme certains comptables d'aujourd'hui qui, accoutumés au papier et au stylo, résistent à l'utilisation des ordinateurs en comptabilité ?)

Caractérisés au départ par la prédominance d'entreprises familiales de petite envergure, les affaires et le commerce ont évolué pendant des milliers d'années pour devenir des activités très importantes, faisant intervenir des rois, des chefs religieux et différents paliers de gouvernement. Par exemple, avec l'expansion de la civilisation grecque puis de l'empire romain, les conquérants établissaient des régions administratives dans les terres des vaincus, de manière à simplifier la gestion. Ces régions étaient dirigées par des administrateurs ou des gouverneurs qui ne savaient généralement ni lire ni écrire. Quand l'État leur demandait de rendre compte de leur gestion, il fallait qu'un délégué du gouvernement central se déplace afin d'écouter le rapport oral du dirigeant. Il s'agissait donc en fait d'une « audition » et le personnage qui écoutait était un « auditeur » (du mot latin *audire* signifiant « écouter »). Aujourd'hui, celui qui vient examiner et approuver les états financiers d'une société s'appelle le vérificateur... et ses fonctions dépassent largement la simple audition !

L'auditeur écoutait le rapport oral du responsable, puis exprimait son jugement. Au fond, les choses n'ont pas tellement changé aujourd'hui !

Du Moyen Âge à la Renaissance : de l'an 400 à l'an 1500

La chute de l'empire romain, vers le Ve siècle de notre ère, a provoqué une stagnation du commerce et des activités de tenue des livres en Europe. Les activités commerciales se sont tout de même poursuivies à Constantinople, au Moyen-Orient, en Inde, en Chine et ailleurs. En Europe, la période des croisades, vers le XIe siècle, a considérablement stimulé le commerce. Les rois et les princes ne pouvant fournir eux-mêmes le matériel nécessaire aux croisés partant pour la Terre sainte, ce fut une époque prospère pour les petits nobles et les marchands qui approvisionnaient les chevaliers à partir de ports comme Venise. Cette période marque le début du passage du pouvoir économique, jusque-là détenu par les gouvernements, aux mains du secteur privé, ce qui a donné lieu à la formation de grandes banques de marchands, comme celle des Médicis à Florence. Ces banques jouaient un rôle actif dans le financement des activités des entreprises et des gouvernements.

Les croisades ont facilité l'essor des marchands et des banques dans la région de la Méditerranée.

Toutes ces activités ont nécessité l'élaboration d'un système plus rigoureux de tenue des livres pour comptabiliser les matières fournies, l'argent reçu et dépensé, et tout particulièrement pour inscrire les dettes et les obligations des gens[6]. Pour les négociants, les marchands et les banquiers, l'essor amorcé à l'époque des croisades a été l'occasion de mieux organiser et systématiser la tenue des livres. Le perfectionnement du système des nombres et de l'arithmétique, élaboré dans les pays arabes au cours du Moyen Âge européen, rendait également possible cette réorganisation. En fait, le système numérique utilisé dans la comptabilité et dans notre vie quotidienne tire son origine de ces améliorations.

L'évolution particulière de la comptabilité au cours de cette période animée, ou, plus précisément, de la base de la comptabilité que nous appelons **tenue des livres**, reste un sujet de controverse pour les historiens spécialisés. Quoi qu'il en soit, la publication, en 1494, c'est-à-dire pendant la Renaissance italienne, du traité sur la comptabilité en « partie double » écrit par Fra Luca **Pacioli**, actif à Venise et en

La plupart des perfectionnements de l'arithmétique utiles à la comptabilité ont été élaborés dans les pays arabes.

FIGURE 4.1   Cette stèle de marbre, sur laquelle sont inscrits les décaissements de l'État des Athéniens de l'an 418 à l'an 415 av. J.-C., constitue un exemple rare d'un système de comptabilité datant de l'Antiquité. (British Museum)

Toscane, constitue un fait marquant. Dans cet ouvrage, imprimé sur des presses, lesquelles venaient d'être inventées, l'auteur décrit cette méthode comme une procédure établie utilisée depuis un certain temps dans les banques des Médicis en Italie et dans d'autres entreprises. Le traité de Fra Pacioli a apporté une contribution importante à la connaissance de l'algèbre et de l'arithmétique. Il s'avère aussi particulièrement intéressant de par sa description détaillée et sa codification du système de comptabilité en partie double. L'ouvrage a été rapidement traduit dans toutes les grandes langues européennes et, grâce à ces traductions, les érudits européens ont pu prendre connaissance des idées de Luca Pacioli et les approfondir. De grandes manifestations internationales ont été organisées en 1994 pour célébrer le 500e anniversaire de la publication de son traité.

La comptabilité moderne fait appel, encore aujourd'hui, à la tenue des livres en partie double décrite par Pacioli voilà 500 ans.

La tenue des livres en partie double

Les notions exposées par Pacioli étaient révolutionnaires mais s'appuyaient sur une logique solide : elles constituent les fondements de la comptabilité générale moderne, en fournissant une méthode de compilation de toutes les listes de ressources et d'obligations, de manière à éviter des erreurs. Il s'agit d'inscrire chaque opération commerciale deux fois, d'où l'expression en partie double :

La comptabilité en partie double sert à inscrire les deux volets des opérations (ressource et source).

- une fois pour comptabiliser la ressource qui a fait l'objet de l'opération (a) ;

- une fois pour constater la source ou l'effet du changement de ressource (b).

Contrairement aux énumérations sans lien entre elles qui existaient avant l'invention de la **comptabilité en partie double**, les listes des ressources et des sources étaient désormais interconnectées.

Si l'on peut attribuer à chaque opération un montant en dollars (ou en n'importe quel autre moyen d'échange – livres, francs, yens, marks, et ainsi de suite), alors on peut reprendre ce montant pour inscrire à la fois l'aspect (a) et l'aspect (b) de chaque opération. Ensuite, en additionnant toutes les sommes inscrites du côté (a) et du côté (b), on peut utiliser un côté pour vérifier l'autre. Si l'on a commis des erreurs, il est probable qu'on les détectera parce que le total des deux côtés ne sera pas le même. En revanche, si les totaux sont égaux, on dit qu'ils sont « équilibrés ». (En fait, le bilan permet de montrer que les deux côtés sont effectivement équilibrés.)

Dans les chapitres suivants, nous approfondirons notre analyse du système de comptabilité livré au monde par Pacioli ; il s'agit de l'une des plus grandes inventions de l'être humain.

Le Royaume-Uni : de 1500 au début des années 1800

Les pratiques de comptabilité générale appliquées à l'échelle mondiale sont nées au Royaume-Uni.

Dans les siècles qui ont suivi la parution du traité de Pacioli, la comptabilité s'est adaptée au contexte social et aux opérations commerciales ayant cours dans chaque pays. La France, par exemple, était dirigée par un gouvernement puissant et centralisé, et son système de comptabilité nationale a été mis sur pied par un conseil d'administration central. Par contre, en Angleterre (qui, avec ses voisins, allait former le Royaume-Uni), l'État participait moins aux affaires commerciales, et les fonctionnaires étaient moins nombreux ; le gouvernement se fiait davantage aux initiatives du secteur privé et aux tribunaux[7]. Le système de comptabilité générale en vigueur au Royaume-Uni, au Canada, aux États-Unis et dans de nombreux autres pays s'inspire fortement des règles établies au cours de cette période en Angleterre. Les Anglais se fondaient sur la méthode de comptabilité en partie double de Pacioli pour tenir leurs registres ; c'est ainsi que sont nés les états financiers et le système de rapport sur les comptes des sociétés. Les Américains et les Canadiens, entre autres, ont perfectionné ce système. En revanche, les méthodes de comptabilité générale en Europe continentale ont suivi une évolution quelque peu différente. De même, la Russie, la Chine, le Japon et de nombreux autres pays ont suivi des cheminements divergents dans l'élaboration des principes de comptabilité. Malgré tout, la démarche anglo-américaine est de plus en plus répandue, à l'échelle mondiale ; par exemple, au début des années 1990, la Chine l'a adoptée pour la plupart des opérations de compte-rendu financier. Partout dans le monde, des efforts sont accomplis en vue d'« harmoniser » les pratiques de comptabilité générale, afin de favoriser les échanges internationaux ; ainsi, les méthodes comptables exposées dans ce manuel deviendront sans doute la norme internationale, au fil du temps. Dans ce chapitre, nous traiterons plus en détail des enjeux touchant les échanges internationaux.

Les états financiers viennent témoigner des responsabilités fiduciaires des dirigeants envers les propriétaires de l'entreprise.

Avant la parution des écrits de Pacioli, le système anglais de tenue des livres s'inspirait largement des méthodes romaines utilisées des siècles plus tôt. Pour gérer leurs propriétés, les aristocrates anglais employaient des régisseurs, qui jouaient presque le même rôle que les gouverneurs locaux des régions conquises par les Romains. En 1300, l'université d'Oxford offrait le cours de comptabilité suivant : tenue des comptes selon la méthode romaine, à l'intention des régisseurs[8] ! Ces régisseurs géraient les biens d'autrui ; encore aujourd'hui, la **conception fiduciaire de la comptabilité** (responsabilités de gestion confiées à autrui) constitue un aspect important des pratiques comptables. On dit souvent, par exemple, que les états

FIGURE 4.2   Pendant la Réforme, les marchands et les banquiers européens ont fondé des compagnies qui constituaient en quelque sorte les premières versions des sociétés commerciales modernes. L'un de ces
marchands est représenté sur cette gravure de Rembrandt, datant de 1630. Remarquez la balance
et le grand livre qui indiquent que le marchand organisait les données, les consignait et leur
attribuait diverses valeurs. L'utilisation attentive de ces outils de travail facilitait la gestion du capital (sacs d'argent ou d'or) et des marchandises (tonneaux et coffre). (Bettmann Archive)

financiers d'une société viennent témoigner, aux yeux des propriétaires, de la qualité de la gestion mise en œuvre par les dirigeants de la société en question.

Jusqu'au milieu du XVIIᵉ siècle, comptabilité et tenue des livres (ou des registres) était pratiquement des synonymes. Les registres constituaient des documents
d'ordre privé destinés aux seigneurs, aux marchands ou aux banquiers. Toutefois, un
événement important allait changer les choses : la création de sociétés vendant des
actions (c'est-à-dire des titres de participation) aux particuliers. Ces actionnaires

Déjà avant la révolution industrielle, les entreprises commencent à établir des rapports financiers destinés à leurs actionnaires ou aux autorités.

ne pouvaient pas tous s'installer dans les bureaux des sociétés pour en examiner les registres, même s'ils étaient en mesure de les comprendre. Il fallait donc pouvoir faire rapport, d'une manière ou d'une autre, auprès des actionnaires ; ce besoin est à l'origine de la création d'états financiers fiables, synthétisant avec précision l'information des registres. Il fallait aussi que le bilan décrive plus en détail les capitaux propres et leurs modifications. Ces détails étaient inutiles par le passé, à l'époque où l'entreprise n'appartenait pas à autant de personnes. De même, il a fallu établir une certaine réglementation de ces rapports. Par exemple, en 1657, Oliver Cromwell, le régent d'Angleterre, a exigé de la Compagnie des Indes qu'elle publie son bilan[9]. Ainsi ont pris forme les normes de calcul et de présentation de l'information financière qui jouent un rôle essentiel dans la comptabilité moderne et qui distinguent la comptabilité proprement dite de la tenue des livres qui s'y rattache. À ce stade, les changements se sont faits lentement, mais la révolution industrielle a accéléré le processus.

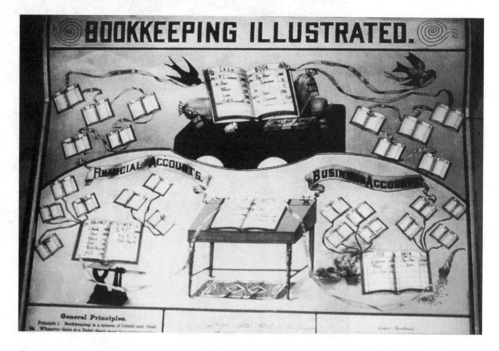

FIGURE 4.3

Détail d'une affiche sur la tenue des livres. Les rubans évoquent les rapports entre les comptes et les décisions commerciales. (Ursus Books and Prints Ltd., New York)

Au début du XIXᵉ siècle, les pratiques et méthodes de comptabilité générale connaissent un essor rapide.

Il s'est toutefois produit d'autres faits intéressants entre-temps. En 1670, une société célèbre a été fondée : la *Governor and Company of Adventurers of England Trading into Hudson's Bay*. La Compagnie de la Baie d'Hudson, qui regroupe notamment les magasins de détail La Baie et Zellers, a joué un rôle clé au cours des siècles et constitue encore aujourd'hui une entreprise canadienne importante. Divers registres tenus par ses nombreux employés répartis dans différentes régions existent toujours et fournissent une image détaillée de l'entreprise elle-même et des pratiques sociales et commerciales qui évoluaient au fil des années[10]. En 1720, l'effondrement spectaculaire de la Compagnie des Mers du Sud a été à l'origine de la première vérification écrite connue, effectuée en vue de déterminer l'actif de la compagnie[11]. À la fin du XVIIIᵉ siècle et au début du XIXᵉ siècle, la révolution industrielle allait

FIGURE 4.4   Un outil comptable précieux : la première calculatrice mécanique européenne, inventée par Blaise Pascal en 1642. Elle allait rapidement faire l'admiration du monde entier. Pascal était déjà connu comme homme de science et mathématicien lorsqu'il inventa cette calculatrice à l'âge de 19 ans. Il s'est également fait connaître en tant qu'inventeur du baromètre, entre autres réalisations, ainsi que comme philosophe, par la publication de ses célèbres *Pensées*. (The Bettmann Archive)

contribuer à l'essor du secteur commercial en Grande-Bretagne. Bientôt, les pratiques comptables tiendraient une place importante dans le système. En 1825, le Parlement britannique levait les interdictions séculaires relatives au commerce des actions des sociétés. C'était le début de l'ère moderne des marchés boursiers et des sociétés ouvertes. Quelques années plus tard, le Parlement exigeait que les bilans de ces sociétés soient vérifiés annuellement[12]. La comptabilité et la vérification continuaient d'évoluer en fonction des besoins changeants de la société.

À cette étape du développement des affaires en Angleterre, on s'intéresse non plus à la tenue des livres, mais plutôt à des sujets comme le choix de la méthode comptable pertinente, la déontologie ainsi que les normes, lois et règlements régissant les rapports comptables et la présentation de l'information financière. Nous poursuivrons cet aperçu historique à la section suivante.

⃝ Ù EN ÊTES-VOUS ?

Voici deux questions auxquelles vous devriez pouvoir répondre, compte tenu de ce que vous venez de lire :

1. Décrivez un événement touchant les affaires ou la société qui a eu des répercussions sur le développement de la comptabilité générale, ou le processus inverse (une invention touchant les normes et pratiques comptables qui a eu des conséquences sur le monde des affaires).

2. Au cours des siècles, la comptabilité générale est devenue de plus en plus complexe et a englobé des informations de plus en plus nombreuses. Pourquoi ?

4.3   L'HISTOIRE RÉCENTE DE LA COMPTABILITÉ GÉNÉRALE

Nous avons vu comment le développement du commerce et la demande d'information ont contribué à la création de la comptabilité en partie double, de la vérification et du bilan fondé sur des listes qui s'équilibrent. Nous en étions arrivés au début des années 1800. Nous allons maintenant survoler l'évolution de la comptabilité au siècle dernier, en poursuivant jusqu'à aujourd'hui. Nous décrirons donc la création de l'état des résultats et des normes de qualité qui sous-tendent la comptabilité d'exercice moderne. Nous nous contenterons d'un aperçu rapide, même si les innovations ont été nombreuses, notamment pendant les 30 dernières années. Pour en savoir davantage, consultez les références à la fin du chapitre[13].

L'état des résultats a été créé pour répondre aux besoins sur le plan de l'évaluation de la performance.

Avec l'augmentation de la taille et de la complexité des sociétés, les besoins en information sur la performance financière se sont accrus. Le portrait plutôt fixe présenté par le bilan ne suffisait plus aux divers groupes soucieux d'évaluer la performance des entreprises : investisseurs sur les marchés boursiers naissants ; gestionnaires professionnels, de plus en plus nombreux, distincts des propriétaires des entreprises ; ou même autorités gouvernementales désireuses de connaître les résultats des sociétés pour, entre autres, percevoir des impôts ! C'est donc au cours des 100 dernières années que l'état des résultats a acquis l'importance essentielle qui lui est aujourd'hui attribuée au sein des outils de communication de l'information financière. Dans la plupart des pays du monde, sa mesure de la performance financière est jugée essentielle à l'évaluation de l'activité économique et des résultats.

Les pratiques comptables du Canada ont été fortement influencées par les méthodes en usage au Royaume-Uni et aux États-Unis.

La comptabilité moderne, telle qu'elle est pratiquée au Canada, est le résultat du jeu de nombreuses forces économiques, sociales et politiques au Canada, en Grande-Bretagne (au Royaume-Uni) et aux États-Unis au cours des deux derniers siècles. En dépit de certaines variantes dans les trois pays, la comptabilité générale canadienne ne diffère pas beaucoup de celle qui est exercée en Grande-Bretagne et aux États-Unis. C'est que les pressions économiques et les autres facteurs d'évolution se sont exercés de manière semblable dans les trois pays. La pratique comptable canadienne s'est largement inspirée de la comptabilité anglaise du XIXe siècle[14], mais, au cours du XXe siècle, elle a subi davantage l'influence des changements survenus aux États-Unis, à mesure que cette grande puissance assurait sa prédominance économique. Le phénomène récent de la mondialisation de l'économie pourrait amener les pratiques comptables canadiennes à évoluer selon les normes internationales.

Les innovations au XIXe siècle[15]

Les méthodes comptables ont été remises en question par l'émergence des grandes sociétés à la durée de vie prolongée.

Jusqu'au début du XIXe siècle, la plupart des entreprises étaient créées dans un but bien précis et pour une durée fixe. Elles étaient financées par quelques propriétaires fortunés, et la fin des activités était fixée à une date donnée. La répartition des profits entre les propriétaires du projet ou de l'entreprise ne se faisait qu'à la fin, une fois l'actif vendu et le passif réglé ; le solde net leur était alors distribué. Lorsque les grandes usines de l'ère industrielle ont commencé à remplacer les projets à court terme comme forme principale d'entreprise commerciale, la méthode traditionnelle de financement et de répartition du profit s'est révélée insatisfaisante. Les coûts importants de construction et d'entretien de ces sociétés exigeaient habituellement de gros capitaux, que ne pouvaient fournir quelques propriétaires à eux seuls. De plus, de par la longue durée de vie des éléments d'actif, il était impensable d'attendre la liquidation de la société pour partager les bénéfices.

De 1830 à 1860, la Grande-Bretagne a adopté de nombreuses lois sur les sociétés commerciales. La nouvelle législation autorisait les sociétés constituées,

Les sociétés qui désiraient négocier leurs titres sur les marchés des capitaux devaient parallèlement fournir des renseignements pertinents aux investisseurs sur ces marchés.

aussi appelées **sociétés de capitaux** ou **sociétés par actions**, à vendre des actions sur les **marchés boursiers** (lesquels se nomment aussi **marché des capitaux** parce qu'on y négocie des actions qui, à l'origine, sont destinées à fournir des fonds, ou encore, des capitaux aux sociétés). Les nouveaux textes de loi énonçaient en outre une des grandes caractéristiques des sociétés : la responsabilité des propriétaires (c'est-à-dire des actionnaires) de la société à l'égard de ses créanciers était limitée à la part détenue par ces propriétaires, ou actionnaires, dans la société visée. Encore aujourd'hui, ces mêmes principes s'appliquent. La limitation des responsabilités provient du fait que les actionnaires, à titre individuel, ne pouvaient pas toujours être au courant des activités des administrateurs qu'ils avaient élus ou des directeurs nommés par les administrateurs. Par conséquent, la responsabilité des investisseurs ne devait pas dépasser le montant qu'ils avaient investi au départ dans l'entreprise. Bien entendu, aucun investisseur ne voulait perdre son placement de départ et donc, avec la création des marchés des capitaux, la demande d'information au sujet des sociétés a connu une augmentation.

Le statut juridique de la société définira, la plupart du temps, l'entité sur laquelle porteront les pratiques et les méthodes comptables.

La société moderne est définie, dans une large mesure, par la responsabilité limitée des propriétaires et par son existence jugée indépendante de celle de ces derniers. Les lois et les pratiques commerciales modernes compliquent la dynamique des marchés des capitaux et, dans certains cas, réduisent les dispositions de protection associées à la responsabilité limitée. Malgré tout, le principe qui veut que la société constitue une « personne morale », qui, sans avoir d'existence corporelle, a pourtant une existence juridique et peut agir d'elle-même et survivre même si ses propriétaires changent, est encore aujourd'hui au centre même des activités commerciales et de nombreux aspects de notre vie. En comptabilité générale, la personne morale correspond généralement à l'**entité économique** dont rendent compte les registres et les rapports de comptabilité. Comme nous l'avons indiqué au chapitre 2, la comptabilité générale peut également réunir un groupe de sociétés pour en présenter les états financiers consolidés ; aussi, peut-elle tout à fait s'appliquer à des entreprises qui ne constituent pas une personne morale, notamment les sociétés de personnes et les entreprises individuelles.

Les dividendes sont versés uniquement si la société a réalisé un bénéfice net.

Le problème du calcul précis et du partage équitable des bénéfices a amené les législateurs à exiger de chaque société un bilan annuel à l'intention des actionnaires et la présence d'un vérificateur chargé d'évaluer la validité de cet état financier. De plus, la loi stipulait que les sommes versées annuellement aux actionnaires ne pouvaient provenir de la vente d'immobilisations ou de toute autre diminution de la valeur de l'actif de la société. Les versements devaient se faire à partir des sommes générées annuellement par les actifs, une fois les dettes de l'exercice réglées. L'excédent pouvait être versé aux actionnaires. Ces dispositions sont proches des exigences relatives aux dividendes auxquelles les sociétés d'aujourd'hui doivent se soumettre (car les dividendes ne peuvent normalement être versés qu'à partir du bénéfice net). Les sociétés ont donc commencé à établir le calcul du bénéfice net en dressant des rapports et des énumérations à part, afin de prouver qu'elles avaient obtenu des résultats suffisants pour distribuer des dividendes ou pour émettre des nouvelles actions.

Ces exigences juridiques posaient un problème sur le plan comptable. En effet, il n'existait ni théories ni conventions comptables susceptibles de fournir une meilleure information sur les performances des sociétés et sur leurs autres aspects financiers. Jusqu'à la fin du XIXe siècle, il n'existait aucune association nationale d'experts-comptables en Grande-Bretagne (sauf la société des experts-comptables d'Édimbourg, qui avait reçu une charte royale en 1854, ce qui avait donné naissance à l'expression anglaise « chartered accountant », c'est-à-dire *comptable agréé*). Pendant cette période les méthodes de comptabilité générale ont été élaborées au fur et à mesure, en fonction des situations qui se présentaient, sans plan ni théorie d'ensemble. On utilisait certains modèles d'états financiers et des exemples tirés de la loi, ainsi que les états des résultats, mais il devenait toutefois nécessaire de jeter les bases rationnelles de la pratique comptable. Il fallait établir des principes de préparation des états financiers, qui pourraient s'appliquer à de nouvelles situations, avec l'expansion et la diversification des activités commerciales. Vers la fin du XIXe siècle, les tribunaux britanniques avaient chargé les experts-comptables et les vérificateurs de se prononcer sur l'exactitude et la fidélité des états financiers ; la Cour et les corps législatifs s'abstiendraient de prendre des décisions à cet égard. En 1894, Ernest Cooper, célèbre expert-comptable, exprimait ses craintes en ces termes : « [...] les responsabilités et les craintes du vérificateur, déjà fort nombreuses, vont s'étendre au-delà de tout ce que connaissent les autres gens de métier ou membres des professions[16] ». Les experts-comptables allaient devoir définir les droits, les responsabilités et les critères de compétence de la profession, comme l'avaient déjà fait les avocats, les ingénieurs et les médecins.

Les innovations au XXe siècle[17]

Au XXe siècle, la pratique comptable canadienne a commencé à se démarquer de celle de la Grande-Bretagne, tout en subissant une influence plus marquée de la part des États-Unis. Le système de gouvernement fédéral du Canada, moins centralisé que celui de la Grande-Bretagne, a amené la législation sur la comptabilité et les associations professionnelles d'experts-comptables du Canada à subir des influences tant nationales que provinciales. Par exemple, au tout début du siècle, l'Ontario a été la première province à adopter une loi ayant une incidence sur les méthodes comptables. Aujourd'hui, la **Commission des valeurs mobilières de l'Ontario (CVMO)** est le principal organisme de réglementation des marchés financiers canadiens. La CVMO collabore étroitement avec d'autres commissions des valeurs mobilières, entre autres, la **Commission des valeurs mobilières du Québec (CVMQ)**. La CVMO a donc une grande influence sur les méthodes comptables qu'utilisent les sociétés dont les actions se négocient aux bourses des valeurs mobilières (particulièrement à la **Bourse de Toronto**, la **Toronto Stock Exchange [TSE]**, la plus importante du pays, et à la Bourse de Montréal [BM]). Ainsi, il n'existe pas de commission nationale des valeurs mobilières au Canada ; aux États-Unis, au contraire, la **Securities and Exchange Commission (SEC)** a des fonctions de réglementation bien plus étendues que celles de la CVMO ou de la CVMQ.

En 1920, la loi canadienne obligeait les sociétés par actions à présenter des rapports sur leur situation financière et commençait à définir ses exigences quant au contenu de l'état des résultats. Ce dernier prenait de l'importance pour deux raisons : d'abord, de par les lois fiscales édictées en 1917, qui précisaient les règles à utiliser pour le calcul des produits et des charges et, aussi, de par l'augmentation des investissements en capital dans l'industrie canadienne, qui devait s'appuyer sur de meilleures mesures des résultats et des normes de publication financière plus complètes. En outre, si l'état des résultats gagnait de l'importance, c'était aussi en raison de la croissance des investissements américains dans l'industrie canadienne. Il fallait donc, comme aux États-Unis, préciser le calcul du bénéfice net et, par conséquent, celui des dividendes déclarés en fonction de celui-ci.

Au XIXe siècle, la comptabilité générale ne s'appuyait pas encore sur une base théorique d'ensemble.

Les Commissions des valeurs mobilières de l'Ontario (CVMO) et du Québec (CVMQ) ainsi que les Bourses de Toronto (TSE) et de Montréal (BM) jouent un rôle essentiel dans les méthodes et pratiques comptables en vigueur au Canada.

La loi sur l'impôt a aussi eu des répercussions importantes sur le développement de la comptabilité générale.

Les autorités de réglementation des marchés des capitaux se sont penchées avec une attention toujours plus vigilante sur les pratiques et méthodes comptables.

Certaines pressions s'exerçaient donc sur les sociétés pour qu'elles présentent davantage d'informations financières. Malgré tout, la prospérité générale qu'a connue l'Amérique du Nord dans les années 20 a empêché toute inquiétude sérieuse quant à la présentation de l'information financière. Le krach de 1929 et la grande crise qui a suivi devaient changer cela de façon définitive. À partir de 1930, les pratiques comptables, comme plusieurs volets des opérations touchant les finances ou la production, ont attiré l'attention des législateurs et du public, lesquels se montraient parfois extrêmement critiques. C'est vers le milieu des années 30 que la SEC a vu le jour aux États-Unis. Parallèlement, dans certaines provinces canadiennes, on a fondé des commissions des valeurs mobilières, comme la CVMO, en Ontario et la CVMQ au Québec. Ces organismes ont exercé une influence croissante sur les affaires et la comptabilité générale, depuis la Deuxième Guerre mondiale.

La réglementation de la comptabilité générale : les normes de comptabilité

Le *Manuel de l'ICCA* constitue la principale source de normes de comptabilité générale au Canada.

Les associations professionnelles d'experts-comptables ont commencé à élaborer des normes de comptabilité et de vérification plus rigoureuses, puis les ont imposées à leurs membres. De plus, en vertu des lois, le gouvernement s'est mis à exiger que les entreprises se conforment à ces normes. Au Canada, la *Dominion Association of Chartered Accountants* (association des comptables agréés, ancêtre de l'Institut Canadien des Comptables Agréés ou ICCA) soumettait des dossiers au Parlement concernant les problèmes comptables, publiait des bulletins suggérant des normes de comptabilité et de vérification et, vers la fin des années 1960, des normes officielles dans le *Manuel de l'ICCA*. (Si vous désirez lire une description de l'établissement des normes de comptabilité au Canada de 1864 à 1992, c'est-à-dire pendant 130 années, consultez l'article de Baylin *et al.*[18] indiqué dans les références à la fin du chapitre.) Les lois sur les sociétés commerciales et les règlements des commissions des valeurs mobilières ont conféré à ces normes un pouvoir considérable. Nous y ferons souvent référence dans ce manuel. Au Canada, nous ne disposons d'un ensemble détaillé de normes de comptabilité ayant force de loi que depuis quelques années ; ce phénomène est relativement nouveau dans la plupart des pays du monde, mais se répand de plus en plus vite à l'échelle de la planète.

Les recommandations des auteurs du *Manuel de l'ICCA* sont destinées à favoriser une communication fidèle de l'information financière.

Le *Manuel de l'ICCA* est un recueil de plusieurs centaines de feuilles volantes (une lecture idéale pour les nuits d'insomnie !) mis à jour chaque année. Il énonce les prises de position des responsables des normes sur la méthode à adopter pour trancher les difficultés suscitées par l'évolution constante des circonstances. Le *Manuel* traite de divers sujets relatifs à la comptabilité (et à la vérification). Il présente également des « recommandations » sur la marche à suivre quand surviennent des circonstances sur lesquelles les responsables des normes ont déjà réfléchi. Les auteurs du *Manuel* déclarent que leurs recommandations ne sauraient s'appliquer à toutes les situations possibles et que, dans certains cas, les comptables ont même intérêt à ne pas les suivre. Les comptables et les vérificateurs doivent donc faire preuve de jugement dans l'évaluation des difficultés touchant leur profession : bien entendu, ils ne peuvent tout simplement éviter de tenir compte du *Manuel*, mais ils ne doivent pas non plus en suivre aveuglément les prescriptions si elles ne s'appliquent pas aux problèmes de manière pertinente. Le *Manuel* énonce pour critère principal le principe suivant : les états financiers doivent présenter *fidèlement* la situation financière de la société. La **fidélité** constitue donc le critère fondamental de la comptabilité générale ; nous y reviendrons sous peu.

Le *Financial Accounting Standards Board* (FASB) constitue la principale source de normalisation de la comptabilité générale aux États-Unis.

Aux États-Unis, l'*American Institute of Accountants* (aujourd'hui appelée l'*American Institute of Certified Public Accountants* ou AICPA) a aussi commencé à présenter des recommandations portant sur la comptabilité et la vérification. L'AICPA publie encore aujourd'hui des normes de vérification. Cependant, au début des années 1970, son organisme de normalisation de la comptabilité, le *Accounting Principles Board*, a été remplacé par un nouvel organisme dépendant de l'AICPA: le **Financial Accounting Standards Board (FASB)**. La SEC (*Securities and Exchange Commission*) appuie en général les positions du FASB, qui agit à titre d'organisme de normalisation de la comptabilité générale aux États-Unis. Voilà qui donne au FASB un pouvoir important sur les pratiques comptables un peu partout au monde, y compris au Canada. De nombreuses normes comptables ont vu le jour aux États-Unis, où l'on dénombre plus de cent normes indépendantes établies par le FASB (la plupart sont extrêmement longues et complexes); de nombreuses décisions ont également été rendues par la SEC ces vingt dernières années.

Les normes de comptabilité générale proviennent, dans certains cas, d'autres organismes que l'ICCA et le FASB.

Comme nous le verrons dans ce manuel, de nombreux groupes interviennent dans l'élaboration des normes comptables et l'évolution de la comptabilité générale. Il existe, par exemple, des lois stipulant que l'on doit recourir à des méthodes comptables particulières dans le cas de certaines sociétés traitant des affaires particulièrement importantes, telles que les banques ou les sociétés de fiducie. D'autres associations créent parfois des précédents en matière comptable; les tribunaux, par les décisions rendues, établissent également une jurisprudence comptable dans d'autres secteurs. De nombreuses activités ont également lieu à l'échelle internationale. Ces travaux sont notamment le fait de la Fédération internationale des experts-comptables et du **Comité international de normalisation de la comptabilité (CINC)**, fondé en 1973, qui ont publié un grand nombre de normes internationales en comptabilité. Jusqu'à présent, ces normes sont moins contraignantes que les normes nationales, comme celles qu'édictent l'ICCA ou le FASB. Cependant, de grands efforts sont menés pour harmoniser ces normes afin que les investisseurs, les gestionnaires et les autres intéressés puissent se fier au contenu et à la qualité des états financiers, peu importe le pays où ils ont été préparés[19].

La comptabilité générale influe sur les activités économiques de notre société et évolue aussi en fonction de ces dernières.

Le XXe siècle a connu une forte croissance des activités commerciales et industrielles, des marchés financiers et des autres marchés des capitaux, du commerce international, des activités gouvernementales, du perfectionnement des techniques appliquées par les gestionnaires et les investisseurs, ainsi que des réseaux de communication qui relient tous ces phénomènes. À n'importe quelle heure du jour et de la nuit, une bourse de valeurs mobilières est en pleine activité quelque part dans le monde, et des investisseurs du monde entier y effectuent des opérations. L'activité commerciale bouillonne 24 heures par jour et 365 jours par année: elle s'appuie sur des informations financières transmises de façon électronique, sur papier, ou autrement. Or, la comptabilité générale est continuellement modelée par ces activités. Le modèle fondamental de comptabilité en partie double existe depuis des siècles, mais les modalités d'utilisation moderne de ce système et l'information supplémentaire qui lui est associée aujourd'hui vont bien au-delà de la description qu'en faisait Pacioli. Les mesures comptables de la situation et de la performance financières sont au cœur des structures politiques et économiques internationales. Par ailleurs, la comptabilité générale et ses normes constituent elles-mêmes des institutions puissantes, sur le plan politique et économique, dans notre société.

La comptabilité générale connaît de perpétuels changements qui suivent l'évolution de notre pays et du monde en général. (La comptabilité de gestion et d'autres volets de la comptabilité, qui dépassent la portée du présent manuel, continuent

Sebastien Rioux

Ceux et celles qui préparent et qui consultent les états financiers doivent rester à jour.

également de changer.) Est-ce à dire que chacun des changements apporte une amélioration? Non, pas plus que dans les autres secteurs de l'activité humaine. Nous désirons plutôt souligner que la comptabilité générale est une discipline vivante et dynamique. Une chose est sûre: les bilans et les états des résultats que nous connaissons aujourd'hui seront différents demain. Tout au long de cet ouvrage, nous nous efforcerons de vous faire comprendre pourquoi et comment la comptabilité est devenue ce qu'elle est aujourd'hui et quelles sont les pressions en jeu. Vous garderez ainsi à l'esprit un grand principe: la comptabilité n'est pas une discipline statique. Vous serez en mesure de mieux saisir les changements qui ne manqueront pas de se produire, et surtout, de vous y adapter. Si vous désirez rester à jour, n'hésitez pas à vous adresser aux ordres professionnels et aux associations de comptables, qui ont mis sur pied des sites Internet où figurent des renseignements précieux sur les nouvelles pratiques commerciales, les nouveautés comptables et les activités professionnelles. Voici quelques adresses (vous devez les faire précéder de la mention **http://www.**):

- Institut Canadien des Comptables Agréés: cica.ca
- CGA-Canada: cga-canada.org
- Société des comptables en management du Canada: cma-canada.org
- *American Institute of Certified Public Accountants*: aicpa.org
- *Institute of Chartered Accountants in England and Wales*: icaew.co.uk
- *Comité international de normalisation de la comptabilité*: iasc.org.uk

Les notions clés de la comptabilité générale se fondent sur les méthodes qui ont fait leurs preuves dans la pratique.

La comptabilité générale se fonde sur un ensemble étonnamment vaste de notions et de principes, afin de faciliter le travail des comptables qui préparent les états financiers, des vérificateurs qui les vérifient et, enfin, des utilisateurs qui les interprètent. Beaucoup d'encre a coulé au sujet des aspects conceptuels et théoriques de la comptabilité. Comme nous l'avons vu, divers groupes participent à l'établissement des normes de comptabilité générale et aux autres interventions de réglementation de l'information comptable. Bref, tous ces documents occupent plusieurs mètres de rayonnage dans les bibliothèques et les bureaux, de même qu'un espace considérable dans les bases de données informatisées et dans les sites Internet. Dans la présente section, nous vous donnerons un aperçu de la structure théorique de la comptabilité générale, en faisant porter notre attention sur certaines notions qui ont une valeur particulière pour les utilisateurs des renseignements comptables. Ces concepts ont été élaborés par des comptables, des chercheurs et des responsables des normes et sont fondés, d'une part, sur le simple bon sens, et, d'autre part, sur l'observation des pratiques valables. Ces grands principes servent de guide à tous ceux qui s'intéressent à la comptabilité générale (préparation, vérification et interprétation des états financiers) et sont aussi utiles aux étudiants qui désirent mieux comprendre les principes et les pratiques comptables. Pour faciliter le travail de ceux et celles qui consultent le *Manuel de l'ICCA*, ses auteurs accompagnent les normes exposées d'explications théoriques complètes. On trouve aussi dans l'ouvrage une section entière qui porte sur les notions de la comptabilité générale.

Toute analyse de la structure théorique de la comptabilité fait intervenir les **principes comptables généralement reconnus (PCGR)**. Les PCGR sont les règles, les normes et les pratiques habituelles que les sociétés sont censées suivre dans la préparation de leurs états financiers. Ces principes comprennent les **normes faisant autorité**, aussi appelées le **référentiel comptable**, émises par les organismes de normalisation (tels que l'ICCA au Canada et le FASB aux États-Unis) et auxquelles s'ajoutent les pratiques comptables courantes qui ne figurent pas expressément dans les normes en question. Consultez la figure 4.5 pour mieux comprendre la dynamique d'expansion des normes et des principes comptables.

Année après année, l'ensemble des normes faisant autorité augmente, tout comme le jeu des principes comptables généralement reconnus, encore plus vaste, qui englobe les normes et les pratiques reconnues. Pourtant, l'économie continue de gagner en complexité ; ni les normes ni les PCGR ne sont assez complets pour traiter de tous les cas possibles. Et la complexité des échanges économiques ne fera sans doute qu'augmenter ; on constatera toujours un écart entre les besoins en pratiques comptables judicieuses et les normes et méthodes faisant autorité, susceptibles de combler ces besoins. C'est peut-être une bonne chose : un ensemble de principes comptables qui pourrait traiter absolument toutes les situations possibles serait d'une complexité monstrueuse et pourrait même nuire à l'évolution souhaitable que doivent connaître les échanges économiques. L'écart qui sépare les pratiques faisant autorité ou les méthodes simplement acceptables et les besoins sur le plan des pratiques comptables judicieuses vient souligner le rôle important que continueront à jouer les experts-comptables dans notre société. C'est en faisant preuve de jugement et en mettant en application leur expertise qu'ils pourront trancher les problèmes de comptabilité générale.

> Les PCGR, ainsi que les normes faisant autorité, feront toujours place au jugement de l'expert-comptable.

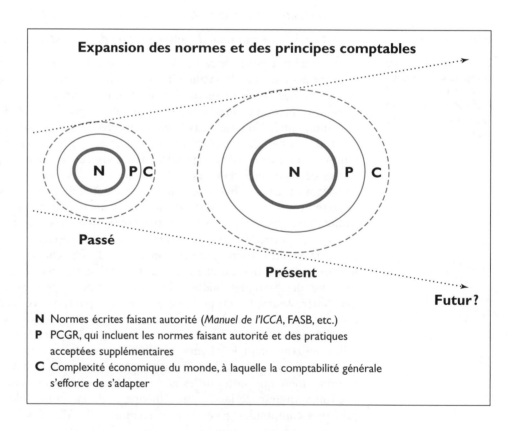

FIGURE 4.5

Expansion des normes et des principes comptables

Passé

Présent

Futur ?

N Normes écrites faisant autorité (*Manuel de l'ICCA*, FASB, etc.)
P PCGR, qui incluent les normes faisant autorité et des pratiques acceptées supplémentaires
C Complexité économique du monde, à laquelle la comptabilité générale s'efforce de s'adapter

Ù EN ÊTES-VOUS ?

Voici deux questions auxquelles vous devriez pouvoir répondre, compte tenu de ce que vous venez de lire :

1. Décrivez les besoins et les exigences des utilisateurs qui ont favorisé l'élaboration de l'état des résultats.

2. Pourquoi disposons-nous d'un ensemble de normes comptables ? Qui les établit ?

4.4   LES NOTIONS DE COMPTABILITÉ : LEUR USAGE DANS LA CRÉATION DE L'INFORMATION COMPTABLE

Dans la pratique, les comptables font appel à des notions théoriques pour guider leurs actions.

Comment font les comptables pour décider quelles sont les actions à accomplir ? Comment s'y prennent-ils pour mettre leurs décisions en pratique ? Nous vous présentons ici la grille théorique qui guide les comptables. Pour bien faire son travail, le comptable doit détenir des connaissances d'expert, une expérience considérable et faire preuve d'une vigilance sans relâche pour prendre connaissance des nouveaux problèmes et pour les résoudre. Les notions théoriques jouent un rôle essentiel en comptabilité parce qu'elles constituent une structure logique que les comptables mettent en application au quotidien afin de se pencher sur les problèmes, de prendre des décisions ou d'en recommander, et, enfin, d'expliquer les solutions proposées.

On peut distinguer trois groupes généraux de notions étroitement reliées, qui constituent l'assise des données présentées à la figure 4.6. Ces trois catégories concernent les pratiques comptables exécutées pour une société, pour un groupe d'entreprises ou pour toute autre entité comptable :

1. *Critères décisionnels* : comment répondre aux besoins des utilisateurs des informations comptables et de ceux qui payent les professionnels qui les établissent ;
2. *Principes comptables généralement reconnus* : structure théorique de la comptabilité générale ;
3. *Étapes de préparation* : mise en pratique des décisions par l'entité visée.

Toutes les pratiques comptables tournent autour d'une entité comptable, au cœur du processus.

Ces trois groupes de notions sont en évolution constante, par leurs interactions réciproques, et aussi, en raison de la nature changeante des activités commerciales et du milieu professionnel. Les flèches doubles indiquent ces flux. Vous constaterez qu'un mouvement circulaire s'établit : il ne possède ni début ni fin. C'est parce que le comptable est susceptible de commencer son travail à peu près n'importe quand et n'importe où, et qu'il devra aller et venir, en passant d'un élément à l'autre, pour accomplir son activité : mettre en pratique les principes de la comptabilité. Les flux dépendent également de la nature de l'**entité comptable**, c'est-à-dire de l'entreprise pour qui les activités de comptabilité sont effectuées. Les opérations comptables peuvent porter tout aussi bien sur le café du coin que sur les groupes de centaines de sociétés qui constituent une multinationale comme IBM ou une grande institution financière comme la Banque Royale. Cela dit, les critères décisionnels varient selon l'ampleur des activités envisagées. Les PCGR s'appliquent donc différemment aux étapes de préparation.

Voici un aperçu des grandes idées énumérées au sein de chaque catégorie. Vous apprendrez à les connaître plus en détail à mesure que vous les mettrez en applica-

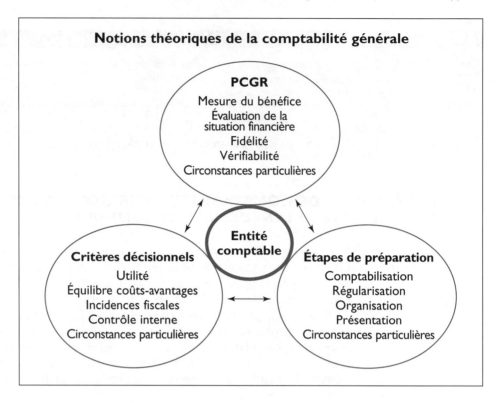

FIGURE 4.6

tion dans les activités de comptabilité pratiques qui vous seront proposées dans d'autres chapitres.

Au départ, les renseignements comptables doivent être utiles, de multiples façons.

Les critères décisionnels: ces critères renvoient aux besoins des actionnaires, des dirigeants, des créanciers et des autres personnes qui utilisent les renseignements comptables. Voici un survol des cinq ensembles d'idées dans ce groupe.

- *L'utilité:* la raison d'être de la comptabilité générale dépend de la **pertinence** (utilité pour les décisions) et de **l'importance relative** des éléments (importance des incidences sur les décisions ou sur les centres d'intérêt de l'utilisateur). La comptabilité doit avant tout être utile, en présentant les données **en temps opportun** (pour que les utilisateurs en disposent suffisamment tôt pour prendre une décision). N'oublions pas la valeur des informations comptables sur le plan de la *prédiction*, du calcul du partage *des résultats* (notamment les dividendes et les primes versées aux cadres), ainsi que de l'évaluation de la *performance*, de l'*imputabilité* et de la *responsabilité fiduciaire* des gestionnaires.

- *L'équilibre coûts-avantages:* comme toute autre activité de la société, la comptabilité doit procurer des avantages supérieurs à ses coûts. Le critère d'utilité doit être évalué en fonction des coûts de *préparation de l'information comptable*, en prenant aussi en considération les *conséquences* associées à la comptabilité... ou à l'absence de comptabilité. Ces conséquences pourraient comprendre des poursuites judiciaires et d'autres problèmes du même type, ainsi que des difficultés politiques ou sociales, ou même des faiblesses par rapport aux concurrents. La publication d'information pour répondre aux besoins de certains utilisateurs, tels que les actionnaires, peut s'avérer coûteuse si, par exemple, les concurrents prennent connaissance de ces renseignements et s'en servent.

- *Les incidences fiscales*: l'État prélève des taxes et des impôts importants, et les renseignements comptables sont utilisés à ce titre. Toute société assujettie à l'impôt (impôts des sociétés ou des particuliers, pour ses propriétaires) doit tenir compte des incidences fiscales des méthodes de comptabilité; dans bien des cas, les décisions comptables dépendent pour beaucoup des répercussions sur le plan des taxes et des impôts. Parfois, les décisions sont prises exclusivement en fonction des incidences fiscales.

- *Le contrôle interne*: les cadres sont chargés de gérer la société au nom de ses propriétaires. La gestion et le contrôle des activités et des actifs s'appuient fortement sur les renseignements comptables. Ainsi, dans bien des cas, les décisions comptables sont motivées par des considérations touchant le contrôle interne (de même que pour les incidences fiscales).

- *Les circonstances particulières*: toutes les entités pour lesquelles des opérations comptables sont effectuées ont des circonstances qui leur sont propres (selon le secteur visé, les méthodes commerciales, la situation financière, les caractéristiques juridiques et les préférences des gestionnaires quant aux informations). C'est pourquoi les critères de décision doivent être interprétés à la lumière de ces circonstances.

Les PCGR constituent un ensemble de notions théoriques et pratiques destinées à garantir la fidélité et l'utilité des renseignements comptables.

Les principes comptables généralement reconnus: ces principes constituent la structure théorique de la comptabilité générale; ils ont été élaborés au fil des ans pour tenir compte à la fois des critères de décision énoncés ci-dessus et de critères plus généraux, fixant la norme à suivre sur le plan social et professionnel. Ils sont au nombre de cinq:

- *La mesure du bénéfice*: la mesure du bénéfice est au cœur de la comptabilité générale, et les solutions adoptées sont évaluées selon des notions essentielles, la **constatation** et le **rapprochement des produits et des charges**. Les produits et les charges doivent être *constatés* (inscrits dans les livres) uniquement une fois qu'ils ont été réalisés ou engagés; ils doivent pouvoir être *rapprochés* pour que le bénéfice net, qui équivaut aux produits moins les charges, corresponde à la réalité.

- *L'évaluation de la situation financière*: l'évaluation de l'actif, du passif et des capitaux propres joue un rôle tout aussi important que la mesure du bénéfice. Les solutions sont choisies d'après le **principe du coût** et le **principe de prudence**, qui sont les deux notions fondamentales de l'évaluation. Le système d'information comptable se fonde d'abord et avant tout sur le **coût historique** — également connu sous le nom de coût ou de valeur d'origine — (la valeur de l'actif, du passif et des capitaux propres est établie selon des données antérieures et non postérieures à la date du bilan). Il est jugé important de faire preuve de *prudence* (pour éviter de surestimer ou de sous-estimer les données, en prenant toutes les précautions possibles) dans l'évaluation là où les valeurs d'acquisition ne conviennent pas (par exemple, quand la valeur d'un élément d'actif est devenue inférieure à son coût). Il s'agit d'éviter de fausser les chiffres par un optimisme ou un pessimisme exagérés.

- *La fidélité*: les renseignements de comptabilité générale doivent présenter les activités de la société de manière fidèle, ce qui passe par plusieurs principes. Il faut faire preuve d'*objectivité*. Les renseignements doivent être *neutres* (c'est-à-dire qu'il faut éviter de favoriser certains des utilisateurs) et *présenter une image fidèle*, c'est-à-dire qu'il faut faire état des faits en respectant ce qui s'est vraiment déroulé, sans tenir compte des intérêts des groupes qui aimeraient peut-être que les choses se soient passées différemment. Le principe de la *continuité de l'exploitation* est tout aussi important. L'utilisateur des informations doit pouvoir présumer que l'entité poursuivra ses activités dans un avenir prévisible, sauf avis contraire. À partir de cette hypothèse, il est donc possible d'appliquer le principe du coût et celui du rapprochement des produits et des charges (la méthode de la valeur de réalisation nette pourra être appropriée dans les cas où il est vraisemblable que l'entité cessera ses activités dans un avenir prévisible). Aussi, les renseignements doivent être *fiables*, c'est-à-dire compilés avec précision et exempts d'erreurs voulues ou commises par inadvertance. En outre, les utilisateurs pourront vouloir comparer les résultats de la société à ceux d'autres entités, ainsi qu'à ses résultats précédents. C'est pourquoi les informations doivent pouvoir être *comparées* à d'autres données et qu'elles doivent donc être *uniformes* au fil du temps. Tous ces principes sont censés garantir la validité des renseignements, pour éviter toute représentation trompeuse. Nous discuterons de ces règles plus en détail par la suite. Voici une liste des notions essentielles : **fidélité, objectivité, neutralité, continuité de l'exploitation, fiabilité, comparabilité** et **uniformité**.

- *La vérifiabilité :* si les renseignements comptables respectent les normes ci-dessus, alors n'importe quel observateur externe devrait pouvoir revenir en arrière et vérifier les méthodes utilisées pour en arriver à ces renseignements, en vue d'en évaluer la pertinence. Les informations comptables doivent donc toujours s'appuyer sur des documents et sur d'autres preuves, afin d'en permettre la vérification. Dans le respect du principe de la **vérifiabilité**, il faut que les registres comptables s'appuient sur des pièces justificatives et soient tenus soigneusement, afin qu'un **vérificateur externe** puisse les examiner.

- *Les circonstances particulières :* comme dans le cas des critères de décision, les principes énoncés plus haut doivent être interprétés et parfois repensés, en fonction des circonstances particulières à l'entité. Une méthode qui donne des résultats fidèles dans un cas pourrait aboutir à des données faussées, une fois appliquée à une entité dont les caractéristiques sont différentes (financement, gestion, participation des propriétaires ou perspectives).

Les étapes de préparation des renseignements comptables visent, elles aussi, l'utilité des renseignements.

Les étapes de préparation : la comptabilité passe par l'application d'une série d'activités et d'interventions destinées à compiler les renseignements que consulteront les utilisateurs. Ces activités sont généralement accomplies dans l'ordre donné ci-dessous ; il peut aussi arriver que les comptables décident de revenir en arrière et de reprendre une des étapes.

- *La comptabilisation :* c'est l'étape où les événements d'ordre économique et commercial sont transformés en données comptables, grâce au système de comptabilité en partie double.

- *La régularisation :* les données inscrites sont modifiées ou complétées par des renseignements supplémentaires, ou, parfois, pour répondre à des critères relevant des deux grands thèmes mentionnés ci-dessus (PCGR et critères décisionnels). C'est à cette étape que le comptable interprète consciemment les événements survenus.

- *L'organisation* : ici, les données comptabilisées et redressées sont organisées, mises en forme et regroupées par catégorie, pour établir les états financiers et les autres rapports fournis aux utilisateurs. Le comptable doit faire en sorte que toutes les informations présentent une vue d'ensemble de la société, en gardant à l'esprit, par exemple, que les décisions prises au sujet de la mesure des résultats se répercutent sur l'évaluation du bilan, et vice versa : les états financiers s'articulent.

- *La présentation* : il ne suffit pas de bien faire les comptes. Le comptable doit aussi décider quels sont les chiffres qui doivent être regroupés ou, au contraire, présentés indépendamment. Il lui incombe aussi d'accompagner ces chiffres de notes complémentaires, ainsi que d'autres informations présentées sous forme de commentaires, de tableaux ou de graphiques. Tout ceci relève de la **présentation** des renseignements financiers.

- *Les circonstances particulières* : encore une fois, comme pour les deux autres grands thèmes, les circonstances et conditions particulières à l'entité ont des conséquences sur les décisions prises. D'une société à l'autre, les systèmes, les problèmes et les méthodes comptables changent ; les comptables entreprennent donc des démarches quelque peu différentes dans chacune des sociétés.

Ù EN ÊTES-VOUS ?

Voici deux questions auxquelles vous devriez pouvoir répondre, compte tenu de ce que vous venez de lire :

1. En quoi la nature de l'entité comptable se répercute-t-elle sur les méthodes et les interventions comptables ?

2. Quelle est l'utilité de la structure théorique qu'énoncent les PCGR ?

4.5   EXEMPLE DE MISE EN APPLICATION DES NOTIONS THÉORIQUES COMPTABLES

Après cet exposé théorique, passons à un exemple plus concret. Nous allons partir des notions théoriques qui structurent la comptabilité générale et les utiliser pour interpréter les activités et les résultats de Provigo, dont les états financiers figurent à la fin de cet ouvrage. Commencez par lire les articles de presse suivants sur la société.

PROVIGO DOUBLE SES BÉNÉFICES*

Provigo a dégagé un bénéfice net record, soit plus du double de celui de 1996.

Le géant alimentaire a réalisé un bénéfice net de 84,9 millions pour l'exercice terminé le 31 janvier 1998, en regard de 38,8 millions un an plus tôt. Le bénéfice par action s'est établi à 80 ¢, contre 32 ¢ au cours de l'exercice précédent. Les ventes nettes ont atteint 5,96 milliards, comparativement à 5,83 milliards lors de l'exercice précédent.

En excluant les éléments inhabituels et le bénéfice net de la filiale C Corp., vendue au cours du deuxième trimestre de l'exercice, le bénéfice net de **Provigo** a augmenté de 9,9 % pour s'établir à 68,7 millions (66 ¢ par action), en comparaison de 62,5 millions (57 ¢ l'action) au cours de l'exercice précédent. « *Cette amélioration est principalement attribuable à un contrôle plus serré des stocks, à des gains en*

*Source : « Provigo double ses bénéfices », *Le Devoir*, 20 mars 1998, p. A8.

efficacité aussi bien en magasin que dans les fonctions de distribution et de soutien, et à une diminution du coût moyen de la dette », a souligné **Provigo**.

« Ces résultats sont le fruit des actions faites au cours des quatre dernières années pour assainir la situation financière de l'entreprise et consolider sa position de chef de file, a ajouté Pierre L. Mignault, président et chef de la direction de **Provigo**. *Contrairement aux exercices précédents, les résultats de l'exercice ne sont*

grevés d'aucune perte inhabituelle résultant de la radiation ou de la vente d'actifs. »

Parmi les éléments inhabituels, rappelons que **Provigo** complétait, le 14 avril 1997, la vente des actions de C Corp. (abritant les Provi-Soir) à Alimentation Couche-Tard, en contrepartie d'une somme au comptant d'environ 85 millions. Le gain résultant de la transaction s'élève à 15,1 millions. Ce gain a eu pour effet d'augmenter de 16 ¢ le bénéfice par action.

[...]

ALIMENTATION: UNE GUERRE SUR PLUSIEURS FRONTS*

La guerre de l'alimentation couve au Québec, territoire encore dominé à 70 % par **Métro-Richelieu** et **Provigo**. La concurrence se pointe de toutes parts et la lutte se jouera sur plusieurs fronts.

D'abord les prix: « La concurrence au Québec fera décliner les marges bénéficiaires qui sont d'environ 3 % au Québec, par rapport à 2 à 2,5 % en Ontario », a noté **Denyse Chicoyne**, de **Nesbitt Burns**, dans un rapport.

[...]

La réduction de la structure de coûts sera cruciale. « Tous implantent des systèmes de gestion qui permettent de limiter les pertes et d'augmenter la rentabilité », indique **Christian Cyr**, de **Tassé & Associés**.

Enfin, les investissements atteindront des niveaux records en 1998: 400 M$ chez **Loblaw**, 160 M$ chez **Provigo**, 150 M$ pour **Empire**, 70 M$ pour **Métro** et 210 M$ pour le **groupe Oshawa** (1999). « Les cinq grands acteurs canadiens à la Bourse augmenteront leur superficie de 10 % en 1998, par rapport à environ 5 % par année depuis deux ans », estime **Warren Fenton**, d'**Eagle & Partners**.

[...]

La menace étrangère

La concurrence viendra aussi de l'étranger: entrée de grandes surfaces et de magasins entrepôts en provenance des États-Unis. Ces grandes surfaces à escompte ont déjà gagné environ 20 % des parts de marché dans certaines régions canadiennes.

D'ailleurs, **Wal-Mart** pourrait vendre certains produits alimentaires ciblés à des prix de 20 à 30 % moins élevés, comme elle le fait présentement dans deux magasins ontariens. « Les dis-

tributeurs canadiens ne sont pas à la hauteur des standards mondiaux (magasins trop vieux et trop petits, coûts plus élevés, marges bénéficiaires plus basses, gestion des stocks moins efficace). Plusieurs ne sont pas prêts à affronter la concurrence. Nous nous attendons à une consolidation qui pourrait réduire le nombre de distributeurs canadiens de moitié », croit M. Fenton.

Et à la liste des futurs concurrents, il faut finalement ajouter les canaux de distribution non traditionnels, comme les pharmacies qui vont de plus en plus vers l'alimentation, et les *category killers*, ces marchands qui offrent une très grande variété de produits dans un créneau bien précis.

LA BATAILLE MODIFIE LE VISAGE BOURSIER DE L'ALIMENTATION

La bataille qui s'annonce rend les titres de l'alimentation moins défensifs que dans le passé. Des ratios cours-bénéfices (C-B) plus élevés ont rendu des titres moins appétissants.

Dans un contexte où la croissance des ventes sera plus faible, la pression sur les marges plus élevée et les bénéfices plus volatils, **Eagle & Partners** recommande de sous-pondérer l'alimentation. Mais, à leurs yeux, **Loblaw** et **Sobeys** sont les deux chaînes les plus susceptibles de survivre à la consolidation.

[...]

Pour les investisseurs patients, M. Cyr estime que le repli du titre de **Provigo** à 8,50 $ constitue une occasion d'achat en vue d'un prix cible de 11 $ d'ici deux ans. **Christiane Dubeau**, des **valeurs mobilières Desjardins**, croit que ce titre pourrait atteindre 10,80 $ d'ici 18 à 24 mois. Elle estime que la société a amélioré ses systèmes de logistique,

*Source: Stéphanie Grammond, « Alimentation: une guerre sur plusieurs fronts », *Les Affaires*, 18 avril 1998, p. 49.

réduisant ses coûts, et que ses ratios demeurent bas. Son bilan est toutefois plus faible que celui de ses concurrents.

Même si le ratio C-B de **Métro** est plus attrayant, Mme Chicoyne précise que la croissance des bénéfices sera plus lente, à moins que

Métro ne fasse une acquisition. M. Cyr recommande de conserver le titre, mais indique que les marges de Métro, parmi les meilleures de l'industrie, pourraient faiblir. Son cours cible est de 18 $.

[...]

PROVIGO POURSUIT SUR SA LANCÉE*

Provigo (Mtl, *PGV*, 8,95 $) a dégagé de bons résultats au cours du premier trimestre terminé le 25 avril 1998. Le distributeur en gros et au détail de produits alimentaires et de marchandises générales a accru son bénéfice net de 11,1 % à 18 M$ (0,17 $ l'action). Abstraction faite de la filiale **C Corp**, qui a été vendue au cours du second trimestre de l'exercice précédent, le bénéfice par action dilué a bondi de 30,8 %. Cette progression reflète, entre autres, le rachat des actions privilégiées au premier trimestre de l'an dernier.

Le chiffre d'affaires est demeuré stable à 1,3 milliard de dollars. Dans le groupe des supermarchés et des grandes surfaces à escompte, les ventes nettes se sont accrues de 3,3 % pour atteindre 1,1 milliard de dollars.

La marge bénéficiaire nette a touché 1,38 % des ventes au cours du trimestre, ce qui représente un nouveau sommet historique pour **Provigo**.

L'intégration des activités de mise en marché des réseaux de supermarchés **Provigo** et **Loeb** ainsi que l'amélioration des opérations en magasin ont grandement contribué à ce résultat.

« **Provigo** est sur la bonne voie pour atteindre sa cible de marge de 2 % d'ici trois ans », a déclaré **Christiane Dubeau**, analyste chez **Valeurs mobilières Desjardins**.

« Nous sommes satisfaits de la performance de tous les segments d'activité de la société. Nous croyons que la société réduira ses coûts et accroîtra son efficacité. »

L'analyste vient de réviser à la hausse ses prévisions de bénéfices nets pour les exercices 1999 et 2000 à 0,72 $ (+0,01 $) et à 0,83 $ (+0,03 $) respectivement. Mme Dubeau recommande l'achat du titre. Elle prévoit un cours cible de 11,25 $ pour les 12 à 18 prochains mois.

« Ces solides résultats nous incitent à poursuivre nos efforts visant à faire de **Provigo** le dis-

tributeur alimentaire le plus rentable au Canada et celui qui répond le mieux aux besoins des consommateurs », a déclaré **Pierre L. Mignault**, président et chef de la direction de **Provigo**.

Nouveau concept de supermarchés : 85 M$
Par ailllleurs, la société a décidé d'accélérer son programme de rénovation. Au cours des deux prochaines années, **Provigo** investira 85 M$ dans la transformation de 75 magasins **Provigo** et Loeb selon le nouveau concept de supermarchés mis au point par la société l'an dernier.

Les trois premiers supermarchés entièrement rénovés selon cette formule ont vu leurs ventes progresser de 39 % depuis la fin des travaux. Ces nouveaux établissements sont axés sur les produits frais et les solutions-repas.

« Ce nouveau concept, axé sur la fraîcheur, le service et la rapidité, nous distingue de nos concurrents, a indiqué M. Mignault. C'est un concept de supermarché de quartier qui répond parfaitement aux besoins des consommateurs d'aujourd'hui. »

En outre, **Provigo** entend poursuivre l'expansion de la bannière **Maxi & Cie**, qui selon la société, possède un fort potentiel de développement au Québec et en Ontario.

Lors de l'assemblée annuelle tenue le 31 mai, **Donna Soble Kaufman**, de Toronto, et **François Legault**, d'Outremont, ont été élus administrateurs de **Provigo**.

Le réseau de Supermarchés **Provigo** compte 162 établissements, tous situés au Québec. La chaîne Loeb regroupe 104 établissements, dont 92 en Ontario et 12 au Québec. De plus, la société compte 82 grandes surfaces à escompte **Maxi** et **Maxi & Cie** au Québec et en Ontario.

La société compte 37 500 employés (avec franchisés et marchands affiliés).

*Source : Rénée Claude Simard, « Provigo poursuit sur sa lancée », *Les Affaires*, 30 mai 1998, p. 75.

PROVIGO LANCE SA BIÈRE EXOTIQUE: LA HEK*

(MT) Après **Métro-Richelieu** et sa bière *mexicaine*, **Provigo** lance elle aussi sa bière *exotique*, destinée à sa clientèle friande de nouveautés: Hek.

Cette lager, qui puise son nom dans l'antiquité égyptienne, est offerte depuis la mi-juin dans les supermarchés de la chaîne, de même que chez *Maxi*, *Maxi & Cie* et *Loeb*.

Hek, c'est une bouteille transparente, surmontée d'un quartier de limette décidément dans l'ère du temps, et trois produits distincts: la blonde traditionnelle, la rousse et la blonde forte (6,2 % d'alcool).

*Source: «Provigo lance sa bière exotique: la Hek», *Les Affaires*, 20 juin 1998, p. 10.

Scénarios d'analyse des informations

D'après ces articles de presse, la société Provigo inc. a sans nul doute relevé de nombreux défis jusqu'à aujourd'hui et continuera d'en relever d'autres. Réfléchissons ensemble aux besoins de ceux et celles qui voudraient consulter les états financiers de cette société.

Scénario 1: le conseil doit évaluer la gestion du directeur général.

1. Le **conseil d'administration** dirige la société au nom des actionnaires. Le conseil doit s'appuyer sur les états financiers pour évaluer la performance des cadres supérieurs et prendre des décisions d'embauche touchant ces derniers; c'est particulièrement vrai pour le président-directeur général. Imaginons que vous êtes membre du conseil d'administration et que vous préparez une évaluation de la performance du directeur général de la société Provigo inc., à l'occasion de la prochaine réunion du conseil. Les états financiers au 31 janvier 1998 ont été présentés au conseil au préalable; l'évaluation portera, dans une large mesure, sur les données de ces états.

Scénario 2: un analyste financier doit formuler ses recommandations à l'égard des actions de la société (faut-il les conserver, les vendre, en acheter?).

2. Les actions de la société sont **inscrites à la cote** (c'est-à-dire qu'elles peuvent être achetées ou vendues sur les places boursières) des Bourses de Montréal et de Toronto (sous le symbole PGV; vous pourriez consulter les pages financières des journaux spécialisés et retrouver ce symbole pour voir quelle est la valeur des actions PGV). Imaginons que vous êtes analyste financier chez un courtier en valeurs mobilières et que vous préparez un rapport sur les bénéfices projetés. Vous devez faire des recommandations à l'égard des titres de la société Provigo inc.: faut-il les conserver? en acheter? les vendre? Que pensez-vous de la concurrence que se livrent les grandes sociétés d'alimentation et qui est décrite dans l'article du journal *Les Affaires* du 18 avril 1998? Vous disposez des états financiers au 31 janvier 1998 et vous vous en servirez pour justifier votre opinion.

Scénario 3: un chargé de prêts doit passer en revue le statut d'emprunteur de la société.

3. La société a emprunté plusieurs millions de dollars à la banque et détient des lignes de crédit (qui lui permettent d'emprunter sans préavis) de plusieurs millions de dollars. Imaginons que vous êtes chargé de prêts pour les services aux entreprises d'une banque. Vous devez mener une analyse régulière du statut d'emprunteur de la société. Il vous faut tenir compte de la qualité de ses résultats financiers et de ses actifs (dont certains ont été cédés en garantie des emprunts bancaires et pourraient donc être saisis si la société ne remboursait pas ses emprunts à temps). La performance financière est jugée importante parce qu'un solide bénéfice net accompagne généralement des capacités de

production de trésorerie, pour régler les emprunts. De bons antécédents indiquent que la société a toutes les chances de réaliser un bénéfice à l'avenir. Vous avez demandé les états financiers de janvier 1998 afin de procéder à votre analyse.

Scénario 4: un fournisseur doit décider s'il a intérêt à signer un contrat d'approvisionnement avec la société Provigo inc.

4. La société dépend d'un grand nombre de fournisseurs pour se procurer les produits qu'elle vend dans ses magasins. Pour donner satisfaction à ses clients, sur le plan de la qualité et du prix, elle doit sans cesse évaluer de nouveaux articles et voir s'il y a lieu de changer de fournisseurs pour les produits actuels. Imaginons que vous êtes le directeur des ventes d'un distributeur de fruits et légumes; vous envisagez de signer un contrat d'approvisionnement à long terme avec la société Provigo inc. Vous désirez passer ce contrat, car votre société a besoin de ce nouveau débouché. L'annonce de l'augmentation des ventes des supermarchés implantés selon le nouveau concept « fraîcheur, service, et rapidité » est inespérée (voir l'article du journal *Les Affaires* du 30 mai 1998). Toutefois, vous voulez tout d'abord vous assurer que vous serez payé. Plus encore, vous espérez que, si tout se passe bien, vous aurez l'occasion de prendre de l'expansion, avec la société Provigo inc. La plupart des renseignements dont vous avez besoin vous ont déjà été transmis. La société vous a également fourni ses états financiers de janvier 1998, et vous devez les examiner avant de prendre une décision.

Ces scénarios ont été choisis pour vous amener à mieux comprendre l'utilité des renseignements de comptabilité générale. Nous ne vous avons pas donné tous les éléments d'information. *Pour chacun des cas étudiés*, les états financiers ne correspondent qu'à une *partie* de l'ensemble des informations qui serviront à la prise des décisions. Comme nous l'avons vu précédemment, les états financiers peuvent être utilisés de multiples façons. Dans certains cas, les exigences sur le plan de la qualité de l'information sont bien différentes de celles dont nous traitons ici.

Les exigences quant à la qualité des renseignements financiers

Pensons à présent aux attentes des utilisateurs, dans ces scénarios, à l'égard des états financiers. Vous constaterez que nous revenons à des notions et à des principes de comptabilité essentiels décrits dans la section précédente. Les commentaires en italique vous donnent de plus amples explications.

Dans les quatre exemples de scénarios, les utilisateurs ont besoin d'une information fidèle.

1. Les états financiers ne doivent pas être délibérément trompeurs. Le chargé de prêts de la banque doit être convaincu que les états n'ont pas été préparés en vue de présenter la situation sous un jour favorable, à l'égard des risques de prêt. De même, le conseil d'administration souhaite que les états donnent une image objective de la gestion du directeur général.

   *Nous revenons ici au critère de **fidélité**. Ce critère revêt une telle importance que le rapport du vérificateur y fait référence explicitement. Les vérificateurs expriment leur opinion en déclarant que les états financiers « présentent fidèlement » la situation et les résultats financiers de la société. La comptabilité générale laisse place à l'interprétation et au jugement; les vérificateurs, même s'ils ne sont pas en mesure de déclarer que les états financiers sont exacts dans les moindres détails, peuvent toutefois en attester la fidélité.*

   *Comme nous l'avons expliqué à la section 4.4, le **rapprochement** figure parmi les critères essentiels inhérents à la fidélité, dans le choix des méthodes de comptabilité d'exercice: les produits et les charges doivent être déterminés par des moyens compatibles, pour que le bénéfice net (c'est-à-dire les produits*

Quiconque évalue la performance d'une entreprise s'attend à ce que les produits et les charges soient rapprochés.

moins les charges) soit une mesure logique. Le principe du rapprochement est au cœur de nombreuses méthodes de comptabilité telles celles qui s'appliquent aux impôts, aux stocks et au coût des marchandises vendues, à l'amortissement, aux régimes de retraite et aux garanties. Nous verrons cela plus en détail quand nous nous plongerons dans la préparation des informations comptables, dans les chapitres suivants.

2. La préparation des états financiers, au même titre que n'importe quelle autre activité, est coûteuse en temps et en argent. Pour la plupart des utilisateurs, il suffit que les états soient justes et fidèles quant aux éléments les plus importants; quelques erreurs mineures importent peu, surtout si la prévention de ces erreurs insignifiantes coûte cher (ce qui vient réduire le bénéfice net et les flux de trésorerie) ou retarde la publication des états. Le directeur des ventes du distributeur de fruits et légumes n'a absolument pas envie d'attendre cette publication pendant des semaines, tandis que les comptables de la société Provigo inc. s'acharnent sur des détails et corrigent une erreur de 10 $ dans la valeur des stocks de poivrons invendus (qui s'intègre à un total de plusieurs millions de dollars dans le poste « Stocks » du bilan).

Les utilisateurs ne se soucieront sans doute pas des erreurs peu importantes qui se seraient glissées dans l'information.

*C'est ici qu'intervient le critère de l'**importance relative** (c'est-à-dire du caractère significatif de l'information). Les états financiers doivent être fidèles en ce qui concerne les éléments les plus importants, pour que les utilisateurs soient convaincus qu'ils ne contiennent aucune erreur considérable. Le critère de l'importance relative figure, lui aussi, dans le rapport des vérificateurs: ces derniers déclarent que les états présentent fidèlement, « à tous égards importants », la situation financière de la société (la formulation peut changer d'un comptable à l'autre). Bien entendu, pour déterminer l'importance relative des informations, il faut exercer son jugement. Les comptables et les vérificateurs se penchent sur cette question depuis longtemps; de nombreuses enquêtes et études ont été effectuées pour tenter de mieux préciser les paramètres de ce critère. On estime en général qu'un élément, une erreur, une omission, une divulgation sont **importants** s'ils sont susceptibles de modifier la décision de quelqu'un. En général, l'importance relative est évaluée en comparant l'erreur possible au bénéfice net ou au total de l'actif. Par exemple, le comptable ou le vérificateur pourra estimer qu'un écart qui correspond à plus de 5 % du bénéfice net ou de 1 % du total de l'actif est important; toute erreur inférieure à ce niveau ne sera pas jugée grave. Toutefois, et vous l'avez peut-être deviné, les jugements sur l'importance relative dépendent en réalité des usages particuliers auxquels sera affectée l'information. Il faut aussi déterminer si l'erreur relève d'un hasard ou si elle signale plutôt l'existence de problèmes récurrents, qui peuvent dans certains cas révéler des tentatives de fraude.*

3. Les critères de fidélité et d'importance relative s'appuient sur une norme d'évaluation des méthodes comptables ou des chiffres. L'analyste financier voudra s'assurer que les états financiers de la société Provigo inc. sont fidèles à tous égards importants, compte tenu des méthodes comptables acceptées actuellement. Par exemple, dans l'état des résultats, les produits doivent correspondre aux définitions d'un analyste expert ou de tout autre utilisateur, pour ce type de société. Prenons un autre exemple: s'il s'agit d'un groupe de sociétés et que les états financiers sont consolidés, les lecteurs doivent pouvoir faire confiance à la société et savoir qu'elle a appliqué la méthode voulue dans le calcul des chiffres consolidés.

Les PCGR constituent la norme de qualité qui sert d'étalon de mesure dans l'évaluation des états financiers.

C'est ici qu'intervinrent les PCGR. Pour indiquer aux utilisateurs que les méthodes courantes ont été suivies, le rapport du vérificateur stipule également qu'il estime que les états financiers ont été préparés «conformément aux principes comptables généralement reconnus». Il ne faut pas en conclure qu'une seule méthode précise a été suivie: les PCGR font généralement place à plusieurs démarches acceptables, selon les circonstances. Ainsi, les vérificateurs indiquent simplement que les méthodes comptables et les chiffres qui en résultent correspondent, d'après eux, aux circonstances propres à cette société. N'oubliez pas que nous avons souligné l'importance des circonstances particulières à chaque entité, à la section précédente.

4. Les renseignements comptables sont censés présenter les forces économiques touchant la société et les dispositions prises par celle-ci pour réagir en conséquence. Il faut donc que ces renseignements correspondent à des phénomènes sous-jacents importants. Des états financiers fidèles rendent compte des événements en question, et les vérificateurs doivent pouvoir établir des liens entre les données comptables et les phénomènes eux-mêmes, pour vérifier les concordances. Le conseil d'administration doit pouvoir présumer que le chiffre d'affaires de la société est confirmé par diverses pièces justificatives (reçus, relevés bancaires, registres d'expédition et autres preuves de vente).

Tous les utilisateurs souhaitent que les états financiers soient fiables, ce qui revient à dire «vérifiables».

*Cette réflexion nous amène au critère de la **fiabilité**. Les états financiers doivent refléter les événements économiques survenus dans la société; les données présentées doivent concorder avec les preuves qui attestent les événements, et les chiffres doivent mesurer ces derniers de manière neutre, sans surestimer ni sous-estimer leur incidence. (D'après le critère de **vérifiabilité**, un observateur externe doit pouvoir retrouver, par ses propres moyens, les mêmes chiffres que ceux qui sont présentés dans les états, en vérifiant les pièces justificatives, en discernant les hypothèses et les estimations et en refaisant les calculs.)*

*Le Manuel de l'ICCA précise aussi qu'il importe de faire preuve de prudence dans l'évaluation de sommes inconnues, par exemple, en ce qui concerne les recouvrements futurs et la valeur des stocks invendus. Nous arrivons donc à un autre critère, la **prudence**. Ce critère, qui suscite souvent la controverse, stipule qu'en cas d'incertitude, les éléments d'actif, les produits d'exploitation et les résultats ne doivent pas être surestimés; à l'inverse, les éléments de passif, les charges et les pertes ne doivent pas être sous-estimés. Il s'agit de prendre des précautions et non pas de modifier délibérément des chiffres importants. Mais il est difficile de dire où s'arrête la prudence et où commence l'exagération; tout est affaire de jugement.*

La comptabilité «prudente» évite de surévaluer les éléments positifs des états financiers.

5. Les critères précédents ne laissent aucun doute là-dessus: les états financiers reflètent nécessairement les choix des personnes qui les ont préparés. Soulignons aussi que les chiffres présentés correspondent à des résumés de plusieurs comptes. Par exemple, le poste «Clients» ou «Dette à long terme» peut regrouper des douzaines ou des milliers de clients ou de créanciers différents. Le chargé de prêts voudra peut-être savoir quels sont les types d'emprunts à long terme qu'a contractés la société, afin d'évaluer les emprunts bancaires qu'elle a souscrits. En effet, la banque ne voudrait pas que la société se soit engagée auprès d'autres créanciers et qu'elle ne puisse plus la rembourser sans difficulté. L'analyste financier, quant à lui, voudra sans doute savoir si la société s'est engagée à émettre davantage d'actions (par exemple,

dans le cadre d'un régime d'intéressement des cadres supérieurs, en leur permettant d'acheter des actions à prix avantageux s'ils obtiennent de bons résultats), parce que l'émission de ces actions supplémentaires pourrait réduire la part du capital revenant à quiconque achèterait des actions dès maintenant.

*Nous touchons ici au principe de la **présentation de l'information financière**. Les états financiers comprennent une quantité importante de notes et de descriptions des comptes, destinées à préciser au lecteur quelles sont les méthodes comptables importantes qui ont été suivies (surtout quand elles s'écartent des pratiques courantes). Il s'agit aussi d'offrir des informations supplémentaires sur les dettes, le capital-actions, les engagements, les poursuites judiciaires et tout autre élément jugé utile ou nécessaire à la compréhension des états. Il est de plus en plus courant de présenter de nombreux renseignements qui viennent compléter les chiffres comptables. Souvent, plusieurs pages de notes sont annexées aux états financiers. Les sociétés présentent des informations additionnelles au fisc, aux autorités régissant les valeurs mobilières (notamment les Commissions des valeurs mobilières du Québec et de l'Ontario et la Securities and Exchange Commission américaine). Ces renseignements sont également fournis aux personnes qui ont des raisons de s'y intéresser (comme le chargé de prêts et l'analyste financier, dans nos exemples).*

En marge: Dans bien des cas, la société a tout intérêt à présenter des informations supplémentaires, qui vont au-delà des données comptables.

6. Le chargé de prêts et l'analyste financier étudient également le dossier d'autres sociétés. Ils aimeraient bien pouvoir comparer les états financiers de la société Provigo inc. à ceux de sociétés semblables, telles que d'autres chaînes de vente au détail. Il est parfois difficile de déterminer si une société a obtenu de bons ou de mauvais résultats, dans l'absolu. En revanche, toutes les données prennent leur sens une fois que l'on dispose d'un point de comparaison; il faut cependant que les états financiers soient préparés de manière comparable.

*Vous l'aviez deviné: nous en arrivons ici au principe de la **comparabilité**. Ce principe prendra une importance particulière au moment où nous étudierons les techniques d'analyse des états financiers, au chapitre 9.*

En marge: La plupart des utilisateurs souhaitent pouvoir comparer la performance de la société avec celle d'autres sociétés semblables.

7. Le chargé de prêts, l'analyste et les membres du conseil d'administration voudront aussi pouvoir étudier les tendances et l'évolution de la situation et de la performance financières. Le bénéfice net est-il en progression ou en régression, sur plusieurs années? Qu'en est-il des liquidités? Ou bien du ratio emprunts/capitaux propres? Il faut pouvoir être au courant des événements importants qui auraient pu se produire et qui rendraient les comparaisons difficiles, voire impossibles, d'un exercice à l'autre. De même, il faut savoir si la société a changé ses méthodes de comptabilité au fil du temps, car, de toute évidence, de telles modifications se répercutent directement sur la comparabilité des chiffres passés et présents.

*L'utilisation des mêmes méthodes comptables d'un exercice à l'autre relève du principe de **permanence des méthodes** ou **d'uniformité**. Auparavant, il était d'usage de spécifier, dans le rapport du vérificateur, que les états financiers avaient été préparés dans le respect du principe de l'uniformité; aujourd'hui, on présume que si la société respecte les PCGR, elle applique également des méthodes uniformes. Le vérificateur précisera à l'occasion quels sont les effets des changements dans les méthodes de comptabilité, le cas échéant, s'il s'agit d'éléments jugés importants.*

En marge: L'utilisation des mêmes méthodes comptables d'un exercice à l'autre facilite les comparaisons entre les états financiers.

La compatibilité et l'incompatibilité des principes comptables

Dès que l'on se met à réfléchir un peu plus attentivement aux critères et aux principes énoncés ci-dessus, on constate qu'ils ne sont pas forcément tous compatibles. Voici cinq exemples :

Les diverses notions qui constituent les PCGR ne font pas toujours bon ménage.

- Certains observateurs estiment que le principe de prudence nuit aux exigences de fidélité.

- Rappelons que, d'après le *Manuel de l'ICCA*, le respect des PCGR ne débouchera pas forcément sur un rapport fidèle de la situation, dans des circonstances inhabituelles.

- Si certaines sociétés à qui une entreprise X a des chances d'être comparée (c'est-à-dire ses concurrentes dans le secteur) modifient leurs méthodes de comptabilité, l'entreprise X devra trancher : doit-elle changer ses pratiques elle aussi, pour respecter le principe de la comparabilité, même si cette décision brisera l'uniformité par rapport aux chiffres établis pour ses exercices précédents ?

- De même, quand l'ICCA ou le FASB publient une norme de comptabilité nouvelle ou modifiée, le respect des nouvelles dispositions (c'est-à-dire des PCGR sous leur forme actuelle) va à l'encontre du principe d'uniformité pour toutes les sociétés qui n'utilisaient pas au préalable la nouvelle méthode, aujourd'hui approuvée.

- On a pu soutenir qu'il importe peu que les produits et les charges d'une société soient rapprochés dans le respect des normes, du moment que le problème est rendu public. Les défenseurs de cette thèse estiment que les utilisateurs des états financiers pourront corriger eux-mêmes les résultats pour mieux rapprocher les données, avec les renseignements pertinents en main. (Cependant, comme nous le verrons plus tard, il est parfois difficile de procéder à de tels redressements, en partie parce que les informations pertinentes, le plus souvent, ne sont pas fournies.)

Sur le plan de l'information, les besoins et les centres d'intérêt varient et entrent en conflit ; il en va de même pour les notions des PCGR.

Vous aurez peut-être l'impression que les PCGR ne sont pas très bien conçus, si de telles difficultés peuvent survenir. De nombreux observateurs ont critiqué les PCGR, jugés incohérents et insatisfaisants à certains égards. Maintes études ont été effectuées pour tenter de régler les difficultés, notamment un projet de plusieurs millions de dollars conduit pour le FASB : le *Conceptual Framework Project* (projet de cadre conceptuel). Ce projet a été lancé vers le milieu des années 1970 ; dix ans plus tard, il a dû être abandonné. Il semble bien qu'une même grille d'analyse, qu'une seule manière d'aborder les états financiers ne puissent intégrer *la totalité* des intérêts et des objectifs prioritaires conflictuels de tous les groupes : utilisateurs, comptables, préparateurs, et enfin, vérificateurs. Les principes de libre concurrence entre divers agents, dans notre système économique, nous amènent à écarter les solutions uniques, si logiques soient-elles en elles-mêmes. Ce qu'il nous faut, c'est bien un ensemble de principes certes imparfaits, mais aussi, et peut-être même surtout, souples. Bref, on trouve dans les PCGR de quoi satisfaire, mais aussi irriter, à peu près tout le monde !

Voici un exemple d'une incompatibilité absolument impossible à éviter :

- Il semble logique d'affirmer que les renseignements comptables ont intérêt à être le plus fiables possible. Or, pour obtenir des informations plus précises et plus fiables, il faut les préparer avec beaucoup de soin, les vérifier, demander au vérificateur de faire des contrôles et, dans certains cas, il importe d'attendre que certaines incertitudes importantes soient résolues, afin d'éviter d'avoir à jouer aux devinettes.

- D'un autre côté, les décideurs ont besoin d'information pertinente en fonction des décisions qu'ils ont à prendre, et ce, au moment où les choix doivent être arrêtés. Qu'est-ce à dire ? Les renseignements doivent leur être fournis **en temps opportun** : ils ne doivent pas être forcés d'attendre quand ils ont besoin de certaines données essentielles. La pertinence des décisions et la présentation des données en temps opportun sont deux notions clés qui viennent appuyer les PCGR, comme nous l'avons expliqué à la section précédente.

Prenons l'exemple d'une société qui souhaite présenter des informations sur le passif découlant du régime de retraite de ses employés. Elle a des milliers d'employés qui prendront leur retraite à divers moments au cours des 40 prochaines années, à moins qu'ils ne donnent leur démission, qu'ils ne meurent ou qu'ils ne soient congédiés avant. La rente versée dépendra de la rémunération des employés avant leur retraite, et les données à cet égard sont inconnues dans la plupart des cas. Il est difficile d'évaluer le salaire qui sera touché par les jeunes employés, compte tenu des incertitudes associées à l'avenir. Le passif au titre du régime de retraite dépend aussi du nombre d'années que vivront les employés retraités. Il faut aussi tenir compte d'un autre facteur : à leur décès, leur conjoint sera-t-il toujours vivant ? Faudra-t-il continuer à verser une rente au survivant ? La société s'efforce de mettre suffisamment d'argent de côté pour pouvoir verser ces pensions un jour ; elle touche des intérêts créditeurs sur les sommes épargnées à cette fin. Ces sommes dépendent donc, dans une certaine mesure, des intérêts créditeurs qui s'accumuleront en attendant que les employés touchent leur rente.

Mieux vaut des données approximatives fournies en temps opportun que des renseignements parfaitement précis présentés trop tard.

Les incertitudes sont donc extrêmement nombreuses, n'est-ce pas ? Quiconque souhaite évaluer le passif découlant du régime de retraite devra se fonder sur un ensemble d'approximations relatives aux événements futurs. Pour en arriver à un chiffre fiable, il faudrait en fait attendre 20 ou 30 ans, car à ce moment-là, la plupart des employés auront pris leur retraite. On pourrait aussi envisager d'attendre simplement quelques mois ou quelques années pour évaluer les tendances. Mais attendre 20 ou 30 ans ne nous fournira pas en temps opportun des informations pouvant être utilisées par ceux qui doivent prendre des décisions importantes dans l'immédiat (conseil d'administration, analyste financier, chargé de prêts et fournisseurs, pour les exemples donnés plus haut). Ces personnes doivent s'appuyer sur les informations les plus précises possibles pour l'instant, même si ces données se fondent nécessairement sur des estimations et des hypothèses.

En conclusion, précisons qu'il est presque impossible de disposer des renseignements les plus fiables au moment idéal. Avec le temps, certaines données deviennent de plus en plus fiables, mais de moins en moins pertinentes. Il faut donc trouver un point d'équilibre où les données sont à la fois pertinentes et fiables, en acceptant un compromis. La figure 4.7 illustre le problème de l'équilibre pertinence-fiabilité.

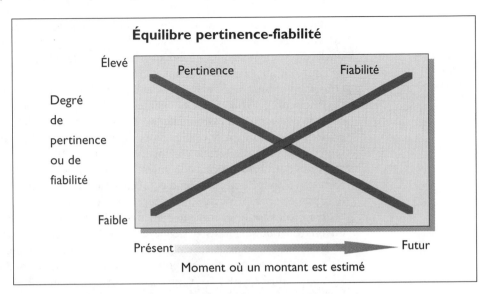

FIGURE 4.7

Ù EN ÊTES-VOUS ?

Voici deux questions auxquelles vous devriez pouvoir répondre, compte tenu de ce que vous venez de lire :

1. Vous venez d'ouvrir le rapport annuel de la société Provigo inc. et vous constatez que, d'après le rapport du vérificateur, les états financiers ont été préparés dans le respect des PCGR. Selon le vérificateur, quelles sont les notions relatives à la valeur de l'information qui font partie intégrante des PCGR ?

2. Les données comptables comme celles des états financiers de la société Provigo inc. peuvent-elles respecter tous les critères des PCGR et être à la fois pertinentes, fiables, fidèles et prudentes ?

4.6   LA NATURE DE LA PROFESSION COMPTABLE ET LA DÉONTOLOGIE

Le statut de membre d'une profession libérale et l'existence d'un code de déontologie sont des enjeux importants pour la comptabilité générale.

Cessons pour un temps de nous pencher sur les notions théoriques de la comptabilité et examinons certains des enjeux qui touchent ceux et celles qui travaillent dans le secteur de la comptabilité générale. La majorité d'entre eux estiment être membres des professions libérales et donc intervenir à titre de professionnels. Or, les systèmes de normes en évolution constante, tels que les PCGR donnent de bons résultats en partie parce que des professionnels, qui ont un comportement éthique, les appliquent. Les comportements éthiques résultent tout d'abord de normes personnelles, mais aussi de l'application de divers codes d'éthique écrits, que nous pouvons désigner sous le nom de **déontologie**, c'est-à-dire l'ensemble des devoirs du membre d'une profession libérale. Ceux qui auraient envie de commettre des actes contraires au code d'éthique savent que des pénalités importantes (notamment des amendes, des sanctions imposées par les associations professionnelles et même des peines d'emprisonnement) peuvent être imposées en cas de manquement.

Pour bien des gens aujourd'hui, les questions de rigueur professionnelle jouent un rôle clé. Certaines professions bénéficient d'un statut établi, comme les médecins, les avocats, les ingénieurs, les architectes et les experts-comptables. Si ces groupes ont un statut bien défini, c'est que, pour en faire partie, il faut avoir fait des études universitaires, avoir bénéficié d'une formation pratique dispensée par les pairs, et enfin, avoir subi des examens. En outre, leurs membres sont liés par un code de conduite professionnelle, ou de déontologie. La loi reconnaît à ces groupes professionnels un monopole dans leur spécialité. Les ordres professionnels regroupant les architectes, les médecins, les ingénieurs, les avocats et les autres membres des professions libérales légalement reconnues décernent des titres réservés; ils ont l'autorisation d'empêcher toute personne qui ne serait pas membre d'utiliser le titre professionnel réservé et d'exercer les fonctions en question. Ces ordres professionnels doivent convaincre le législateur (qui représente en fait les intérêts du public) qu'ils détiennent toute l'expertise voulue, qu'ils ont établi les codes de déontologie pertinents et que le titre porté par leurs membres doit faire l'objet d'une réglementation, pour le bien public. Au Canada, les CA, les CGA et les CMA, ainsi que les CPA, aux États-Unis, doivent subir des examens, respecter le code de déontologie et être membres d'un ordre professionnel qui établit diverses dispositions. C'est vrai aussi pour les experts-comptables dans de nombreux pays du monde.

Les comptables tout court, non accrédités, ne bénéficient pas des mêmes privilèges ou pouvoirs que les membres d'une association professionnelle. En fait, n'importe qui peut se faire appeler «comptable». Vous pourriez vous-même faire passer une annonce dans le journal, dans les Pages Jaunes ou dans n'importe quelle autre publication pour attirer des clients à titre de «comptable». Vous avez le droit d'utiliser l'appellation «comptable», mais pour porter le titre de CA, de CGA ou de CMA, vous devrez respecter divers critères, car il s'agit là de désignations professionnelles réservées, aux termes de la loi provinciale, comme bien d'autres appellations professionnelles. Les experts-comptables ont des droits particuliers et des devoirs aussi, accompagnés de restrictions (par exemple, leurs annonces doivent respecter certaines normes quant au contenu et au style). Les droits accordés aux membres d'une profession particulière sont assortis d'un engagement quant à la qualité du travail et au respect des normes de déontologie. Si un expert-comptable ne respecte pas les normes de conduite professionnelle voulues, il s'expose à des réprimandes ou à une expulsion de l'association, et aussi, à être traduit en justice. Personne n'est à l'abri d'un procès, bien sûr, mais les membres des professions libérales sont généralement tenus de respecter des normes encore plus strictes que les professionnels qui ne relèvent pas d'un ordre.

Tout bien considéré, être membre d'une association professionnelle apporte de nombreux avantages (services rendus à la collectivité, monopole sur un secteur d'activités, soutien des pairs, prestige et rémunération avantageuse). Mais attention: en retour, le professionnel accrédité doit s'acquitter de ses fonctions avec compétence, conformément au code de déontologie. Il est donc investi d'une responsabilité sociale. D'après les codes de déontologie, il faut non seulement avoir un comportement professionnel (par exemple, intégrité et objectivité), mais aussi veiller à maintenir le niveau d'expertise qui s'impose pour bien faire son travail. Il faut donc appliquer des méthodes (généralement exposées dans des documents tels que le *Manuel de l'ICCA*) qui permettront (le plus souvent) de respecter des normes strictes quant aux travaux effectués et aux résultats obtenus. De même, il importe de faire preuve de jugement et de prendre des décisions éclairées.

Les experts-comptables doivent respecter certaines normes d'expertise et de déontologie.

Les experts-comptables bénéficient d'un statut réservé, protégé par la loi et assorti de responsabilités.

Les experts-
comptables doivent
parfois faire face à des
problèmes d'éthique.

Voici des exemples de problèmes d'éthique auxquels pourraient avoir à faire face des experts-comptables. À titre de particulier ou en tant qu'utilisateur de rapports financiers ou de rapports de vérification, quelles seraient vos recommandations pour chacune de ces situations ?

- Marie travaille pour un cabinet d'experts-comptables et fait partie de l'équipe qui procède à la vérification externe des comptes de la société Industries Beauchamp inc. Le personnel de Beauchamp est très sympathique, et l'un des responsables propose même à Marie d'acheter l'une des chaînes stéréo de première qualité que vend la compagnie à un prix extrêmement avantageux... près de la moitié du prix de détail courant. Devrait-elle accepter ?

- Karim fait aussi partie de l'équipe de vérification externe déléguée chez Beauchamp. Il est membre d'une équipe de quilles et récemment, il a entendu un quilleur d'une autre équipe se vanter d'imposer à Beauchamp des frais d'impression systématiquement trop élevés. Karim devrait-il prévenir les cadres de Beauchamp ?

- Joanne et Henri tombent amoureux et décident de se marier. Ils sont tous les deux experts-comptables : Joanne est directrice de la comptabilité chez Beauchamp et veille à la préparation de tous les états financiers de la société. Henri, quant à lui, est l'un des associés du cabinet d'experts-comptables et se charge de la vérification externe des livres de Beauchamp. Henri doit-il confier la vérification à un autre associé ou même demander aux autres associés de cesser de procéder à la vérification des états financiers de Beauchamp (à titre d'associé, il touche une partie des honoraires associés à toutes les vérifications) ?

- Michel fait lui aussi partie de l'équipe de vérification externe déléguée chez Beauchamp. En procédant à certaines vérifications ponctuelles, il découvre que la société participe à des activités commerciales plutôt louches. Toute infraction à la loi qui semble violée peut déboucher sur des amendes importantes et même sur une peine d'emprisonnement. Michel devrait-il avertir la police ?

- Édith travaille elle aussi pour le même cabinet d'experts-comptables. Pendant sa vérification d'une autre société, Électronique Déclic ltée, elle découvre qu'un employé de Déclic fait payer trop cher à Beauchamp en appliquant une majoration trop élevée aux services rendus. D'après certains documents, les cadres de Déclic sont au courant et ferment les yeux, étant donné que leur bénéfice net augmente en conséquence. Édith devrait-elle aviser les cadres de Déclic de ce qu'elle a découvert ? Devrait-elle plutôt communiquer avec Henri, l'associé chargé de la vérification des comptes de Beauchamp ? Devrait-elle s'adresser aux cadres de Beauchamp ?

- Giorgio est l'un des associés du même cabinet d'experts-comptables. Son père possédait quelques actions de Beauchamp, ainsi qu'un portefeuille de titres d'autres sociétés. Il vient de mourir subitement et a légué toutes ses actions à son fils Giorgio. Giorgio devrait-il vendre les actions de Beauchamp ?

Les règles de
déontologie fixent
des paramètres pour
régler ces problèmes ;
il faut toutefois faire
preuve de jugement.

Nous pourrions continuer et trouver d'autres exemples. Faire partie d'une association professionnelle, c'est aussi avoir à relever de tels défis éthiques, qui sont parfois passionnants. Il n'est pas forcément possible de donner des réponses idéales aux cas présentés ci-dessus, mais voici tout de même certains éléments de réponse et de réflexion :

- Les vérificateurs externes sont censés pouvoir évaluer de manière indépendante les affaires de leurs clients. Marie ne devrait sans doute pas accepter cette offre, à moins qu'elle ne soit également proposée à l'ensemble des consommateurs dans n'importe quel point de vente. Si elle acceptait ce marché, son indépendance en souffrirait. Le vérificateur peut entretenir des rapports amicaux avec ses clients, mais il doit aussi préserver une certaine distance, pour protéger son indépendance et son intégrité.

- Karim doit aviser les cadres de Industries Beauchamp inc. et leur conseiller d'examiner de près leurs frais d'impression. Au cours de leur travail, les vérificateurs prennent connaissance de nombreuses informations confidentielles au sujet de leurs clients; ils doivent faire preuve d'une très grande prudence dans l'utilisation de ces données. Dans le cas présent, l'information n'a pas été obtenue sous le sceau du secret. Karim pourrait toutefois se trouver engagé dans un procès; il lui faudra donc demander conseil à un avocat avant de s'adresser aux gestionnaires de Beauchamp.

- Henri doit prendre des mesures pour cesser de vérifier les états financiers préparés par sa fiancée, afin de la protéger et de veiller à sa propre intégrité. Le cabinet d'experts-comptables a probablement établi des règles quant à ce type de relations. Il confiera sans doute le mandat à un autre associé afin d'éviter qu'Henri sache quoi que ce soit de la vérification de Beauchamp. Le cabinet devra peut-être renoncer à la vérification de Beauchamp (c'est sans doute ce qui se produirait aux États-Unis, par exemple). La direction de Beauchamp pourrait même l'exiger, en vue de protéger la crédibilité de ses états financiers vérifiés.

- Michel est plongé dans une situation extrêmement complexe. Il a pris connaissance de renseignements confidentiels et doit s'acquitter de ses devoirs envers la société. Il faudrait connaître plus de détails avant de pouvoir conseiller Michel. À tout le moins, Michel et le cabinet d'experts-comptables doivent consulter un avocat sans tarder. Dans la plupart des grandes sociétés, le conseil d'administration nomme un comité de vérification, afin de permettre aux vérificateurs externes de porter à l'attention des membres du conseil les critiques éventuelles touchant la direction. Le cabinet d'experts-comptables de Michel présenterait sans doute l'affaire au comité de vérification de Beauchamp.

- Édith vit elle aussi une situation plutôt particulière. D'une part, elle doit protéger la confidentialité des renseignements touchant son client, Déclic, et elle risque de commettre une erreur en renseignant une autre société sur les informations apprises pendant la vérification. Mais, d'un autre côté, sa société doit s'acquitter de ses responsabilités à l'égard des deux clients. Ici aussi, Édith et le cabinet d'experts-comptables auraient besoin de consulter un avocat.

- La plupart des cabinets d'experts-comptables ont établi des règles qui interdisent aux membres de leur équipe de détenir des intérêts dans toute société dont ils assurent la vérification. Giorgio devra sans doute vendre ses actions de Beauchamp.

Pour respecter les règles d'éthique, il faut bien réfléchir et tenir compte des circonstances complexes qui se présentent. Si vous désirez de plus amples informations sur la réflexion associée aux problèmes d'éthique, consultez l'ouvrage de Brooks[20] ou le rapport de Ponemon et Gabhart[21], que nous mentionnons dans les références à la fin du chapitre. Reportez-vous aussi à la grille d'analyse intégrée à l'étude de cas 4C, qui se trouve également à la fin du chapitre.

Ù EN ÊTES-VOUS ?

Voici deux questions auxquelles vous devriez pouvoir répondre, compte tenu de ce que vous venez de lire :

1. Pourquoi les experts-comptables doivent-ils respecter un code de déontologie ? Quelles sont les répercussions de ces contraintes sur leurs clients ?

2. À votre avis, quels sont les problèmes d'éthique posés par la situation suivante ? Pendant la vérification des Industries Beauchamp inc., Sonia découvre qu'un commis comptable dont l'enfant devait subir une opération coûteuse aux États-Unis a « emprunté » une somme importante, en puisant à même l'encaisse. Le commis a rendu l'argent peu de temps après, avant que quiconque ne se rende compte de « l'emprunt ». Cet employé, par ailleurs, a toujours fait preuve d'une grande compétence et d'un sérieux irréprochable. Depuis, la société a resserré ses méthodes de contrôle de l'encaisse. Il est peu probable que le commis soit en mesure de répéter ce vol (suivi d'une restitution). Sonia est l'unique personne au courant, hormis le commis lui-même, bien entendu.

4.7   LES NORMES DE COMPTABILITÉ : AFFAIRES INTERNATIONALES ET ORGANISMES NON COMMERCIAUX

Dans cet ouvrage, nous mettons principalement l'accent sur les sociétés commerciales, car nous jugeons que la complexité de ces entités est déjà bien suffisante pour une introduction aux états financiers ! Toutefois, de nombreux autres types d'organismes produisent eux aussi des états financiers. Leur structure se justifie par des raisons bien précises et leur comptabilité doit donc s'adapter aux particularités d'ordre juridique, institutionnel ou financier qui leur sont propres. Les organismes du secteur public et les organismes sans but lucratif constituent deux types courants d'organismes non commerciaux. Par ailleurs, nous nous concentrons ici sur les principes et méthodes comptables en vigueur au Canada, en faisant à l'occasion référence aux États-Unis. Mais n'oublions pas que la comptabilité générale s'exerce dans tous les pays, d'une manière ou d'une autre, et que vous devez être mis au courant des tendances à l'échelle internationale, afin d'être mieux outillé pour cheminer dans votre carrière.

Les organismes du secteur public

Les organismes du secteur public représentent les citoyens, mais n'ont pas de propriétaires. De plus, ils ne sont pas créés, en général, dans le but de réaliser ou d'accumuler des bénéfices. Par conséquent, les états financiers des organismes gouvernementaux diffèrent de ceux des sociétés commerciales à bien des égards :

La comptabilité générale effectuée pour les gouvernements reflète leurs particularités.

- Ils ne comprennent pas de rubrique « Capitaux propres » (habituellement, ils présentent uniquement un « solde des fonds » qui constitue l'excédent de l'actif du fonds sur le passif et les réserves de ce fonds).

- Ils ne présentent pas d'état des résultats (mais plutôt un état des recettes et dépenses, avec certains comptes de la comptabilité d'exercice, comme les débiteurs et les créditeurs à court terme, et d'autres comptes liés aux budgets autorisés et correspondant à divers règlements édictés par les corps législatifs).

- Ils ne tiennent généralement pas compte de l'amortissement, ou sinon, très peu (la mesure du bénéfice ne constituant pas un des objectifs de l'entité).

- Ils omettent les provisions pour les obligations à long terme, telles que les régimes de retraite des fonctionnaires et des contribuables (le gouvernement s'attend à en régler le coût au moyen des recettes fiscales futures).

- Ils n'effectuent pas de consolidation parce que divers fonds spéciaux nécessitent une comptabilisation distincte ainsi que des contrôles et des examens précis effectués par le législateur.

La comptabilité des organismes du secteur public connaît une évolution au Canada : de plus en plus, on y intègre les méthodes de comptabilité d'exercice que suivent les sociétés du secteur privé. Cela dit, étant donné que l'État édicte les lois, l'ensemble des normes établies par les associations comptables (notamment le *Manuel de l'ICCA*) ne fait pas autorité mais constitue simplement un modèle à suivre. La plupart des experts estiment que d'ici dix ans, la majorité des bilans des organismes du secteur public ressembleront de près à ceux des sociétés du secteur privé. Malgré tout, la notion de « bénéfice net », au centre des principes comptables en vigueur dans le secteur privé, s'écarte considérablement des objectifs que poursuit le gouvernement. Il est peu probable que le secteur public finisse par présenter un état des résultats qui se rapprocherait de celui du secteur privé.

Les organismes sans but lucratif

Les organismes sans but lucratif appliquent de plus en plus les principes de la comptabilité générale qu'emploient les sociétés du secteur privé.

Parmi les organismes sans but lucratif, on trouve un très vaste éventail d'entités : clubs privés, organismes humanitaires tels que la Croix-Rouge, équipes sportives, universités, partis politiques, centres de recherche, mouvements de scoutisme, Églises et syndicats. Les membres de tels organismes n'en sont pas propriétaires au même titre que les actionnaires d'une entreprise. Ils ne détiennent pas de droit de participation aux capitaux propres (l'actif moins le passif). Les membres de ces organisations ne visent pas non plus à réaliser des bénéfices, contrairement aux actionnaires des sociétés privées. En effet, la majorité de ces organismes sont créés en vue de fournir des services particuliers ou d'exercer des fonctions précises, sans lien avec les activités commerciales. Certaines méthodes comptables utilisées par ces organismes s'apparentent à celles qu'emploient les organismes du secteur public. Cependant, de nombreuses entités de ce genre, particulièrement celles qui se rapprochent des entreprises commerciales, appliquent assez fidèlement les méthodes de la comptabilité d'exercice, y compris le calcul de l'amortissement.

Les organismes sans but lucratif disposent souvent de fonds spéciaux, tels que les fonds de capital provenant des collectes de fonds, des subventions du gouvernement et des legs de particuliers. Pour que ces fonds soient gérés à part et que la comptabilité soit tenue indépendamment des autres activités (notamment les collectes de fonds courantes), il importe d'utiliser des méthodes de comptabilité parfois plus complexes que celles qu'emploient les sociétés du secteur privé. De même, l'amortissement et d'autres calculs propres à la comptabilité d'exercice sont, dans certains cas, plus compliqués. Les responsables s'efforcent actuellement de faire en sorte que la comptabilité de ces organismes soit, autant que possible, soumise à la même structure de PCGR que celle qui s'applique aux sociétés commerciales. Le *Manuel de l'ICCA* favorise cette évolution. Il n'est pas question pour autant de supprimer des caractéristiques clés, telles que la tenue de comptes indépendants pour certains fonds de capital. Il ne s'agit pas non plus de nuire au compte rendu fidèle et juste des activités sans but lucratif, en les présentant comme si elles étaient censées générer un bénéfice.

Les normes de comptabilité à l'échelle internationale

Beaucoup sont en faveur d'une harmonisation internationale des normes de comptabilité.

Dans le secteur de l'économie et des affaires en général, les enjeux internationaux sont de plus en plus importants. La comptabilité générale n'échappe pas à ce mouvement de mondialisation. Jusqu'ici, les normes des organismes nationaux ont eu préséance sur les normes internationales (ICCA au Canada, FASB aux États-Unis, et ainsi de suite). Cependant, comme nous l'avons déjà observé, le Comité international de normalisation de la comptabilité (**CINC**), a été fondé en 1973 et publie des normes lui aussi. Le CINC compte parmi ses membres près de 120 organismes de comptabilité nationaux dans quelque 90 pays; il a déjà émis plus de 30 normes indépendantes. Ces dernières portent sur les mêmes sujets que les normes semblables du Canada et des États-Unis: il s'agit d'élaborer des normes communes qui pourraient être appliquées par des sociétés œuvrant dans plusieurs pays et que chacun d'entre eux pourrait éventuellement mettre en application à l'échelle nationale. C'est ce que l'on appelle l'**harmonisation**; les normes comptables seraient semblables d'un pays à l'autre. Cette uniformisation favoriserait les échanges internationaux (commerce international, échanges sur les marchés boursiers, transferts de fonds et autres opérations d'échange internationales) ou, tout au moins, éviterait qu'ils ne soient entravés. À l'heure actuelle, les normes comptables varient considérablement d'un pays à l'autre. À l'extrême, certaines sociétés enregistrent des bénéfices énormes d'après les règles en usage dans un premier pays, et des pertes considérables selon les dispositions en vigueur ailleurs... bien entendu, pour le même exercice. Ce genre de problème est très gênant pour les comptables et les organismes de réglementation, tels que la SEC, la CVMQ et la CVMO, qui ont du mal à les régler.

Certains pays n'ont pas forcément les mêmes idées que les autres quant aux objectifs et aux principes qui soustendraient les normes de comptabilité internationales harmonisées.

Les pays industrialisés accueillent avec beaucoup d'enthousiasme les projets d'harmonisation des normes internationales; mais les comptables de ces pays ne désirent pas que leurs propres normes soient pour ainsi dire « diluées » et ramenées au niveau de celles des pays en voie de développement. Ces pays moins développés, pour leur part, n'ont pas forcément très envie d'adopter les méthodes de comptabilité d'exercice complexes en vigueur dans les pays fortement industrialisés. Les nations en voie de développement ne peuvent pas toujours s'appuyer sur les infrastructures juridiques, professionnelles et financières qui ont favorisé l'épanouissement de la comptabilité en Occident sur plusieurs centaines d'années, comme nous l'avons vu plus tôt. D'autre part, les gouvernements de nombreux pays attachent une grande importance à la comptabilité générale dans le cadre de la réalisation de leurs objectifs économiques et commerciaux, à l'échelle nationale. Ils ne désirent nullement accorder leur soutien à des méthodes de comptabilité qui, d'après eux, viendraient nuire à ces objectifs ou en entraver la réalisation. Par ailleurs, de nombreux gouvernements ne souscrivent pas à l'attitude « libérale » qu'ont adoptée le Canada, les États-Unis, le Royaume-Uni et d'autres pays semblables, où les normes de comptabilité énoncent simplement un cadre de référence à suivre. En effet, dans certains pays, des dispositions très précises ont été établies en ce qui concerne la comptabilité générale, qui doit être exécutée conformément aux objectifs fixés à l'échelle nationale et aux valeurs énoncées par l'État. Malgré tout, il y aurait un mouvement important en faveur de l'établissement de normes internationales solides et communes, acceptées par tous les principaux pays; il y a fort à parier que cet ensemble de normes existera un jour.

Les efforts d'harmonisation internationale progressent difficilement.

Afin d'illustrer le défi que constitue toute tentative d'harmonisation des normes, il suffit de songer aux efforts menés par le Canada, les États-Unis et le Mexique pour uniformiser les systèmes de comptabilité, depuis la signature de l'Accord de libre-échange nord-américain (ALÉNA). D'après une étude récente, *Financial Reporting in North America* (la communication de l'information financière en Amérique du Nord), de nombreuses différences ont été constatées entre les systèmes de comptabilité générale des trois pays[22]. Les sociétés canadiennes qui désirent traiter avec leurs partenaires commerciaux américains doivent déjà préparer un rapport de rapprochement, pour que leurs états financiers (établis selon les normes canadiennes) puissent être comparés avec les données qui auraient été obtenues si les états avaient été préparés d'après les normes américaines. Les experts savaient donc déjà que des différences notables existaient entre le Canada et les États-Unis, partenaires commerciaux de longue date. Dans l'étude, les spécialistes ont comparé les pratiques mexicaines aux pratiques américaines. Ils ont relevé 32 types de différences parmi un échantillon de sociétés. Ces différences portaient notamment sur des éléments cruciaux, par exemple, le contenu de l'EESF, le calcul des impôts reportés et le compte rendu des capitaux propres[23]. Il faudra du temps pour supprimer ces différences et certaines ne le seront sans doute jamais totalement, en raison des particularités de chacun des trois pays en ce qui touche les questions juridiques et commerciales ayant des répercussions sur les pratiques comptables. Et il faudra bien plus longtemps pour faire avancer les projets d'harmonisation qui font intervenir les quelque 90 pays membres du CINC !

◉ **Ù EN ÊTES-VOUS ?**

Voici deux questions auxquelles vous devriez pouvoir répondre, compte tenu de ce que vous venez de lire:

1. Quelles sont les raisons qui expliquent les différences constatées dans les états financiers des organismes du secteur public et des organismes sans but lucratif, comparativement à ceux des sociétés commerciales?

2. Quelles sont les entraves aux efforts d'harmonisation internationale des normes comptables?

4.8   LES GESTIONNAIRES ET LES NORMES COMPTABLES

Les normes comptables peuvent faciliter le travail des gestionnaires, à certains égards.

Les gestionnaires peuvent avoir plusieurs raisons de s'intéresser aux normes comptables. Sur le plan positif, ces normes devraient servir à :

1. Faciliter et préciser les rapports sur le rendement des gestionnaires.
2. Faciliter les comparaisons avec d'autres sociétés.
3. Réduire le coût de la comptabilité (les sociétés n'auront plus à élaborer et à créer leurs propres méthodes comptables).
4. Renforcer la crédibilité de la société aux yeux des utilisateurs des états financiers en général.
5. Faciliter l'évaluation des incidences sur le plan théorique et numérique des choix comptables et des décisions d'affaires confiés aux gestionnaires.

Les normes comptables peuvent gêner le travail des gestionnaires, à certains égards.

En revanche, les normes peuvent aussi comporter des aspects négatifs :

1. Les normes peuvent recommander la mise en œuvre de méthodes générales dont l'application n'est guère pratique pour certaines entreprises ou dans certaines situations et qui peuvent même déboucher sur des erreurs de mesure.
2. Certains gestionnaires n'ont nullement envie que leur rendement puisse être mesuré de manière aussi précise ou que les résultats de leur société puissent être faciles à comparer avec ceux d'autres entreprises.
3. Le respect de certaines normes complexes peut être fort coûteux pour les sociétés.
4. L'adoption de nouvelles normes peut entraîner des difficultés dans l'application des dispositions qui ont déjà été adoptées et qui s'appuient sur des informations comptables (emprunts, régime d'intéressement ou autres).

Certains gestionnaires n'hésitent pas à participer de très près à l'élaboration des normes et des méthodes comptables.

Compte tenu de ces raisons, vous comprendrez sans peine pourquoi la haute direction de nombreuses sociétés (de même que les cabinets d'experts-comptables qui ont ces entreprises pour clientes) prennent les normes comptables très au sérieux. Beaucoup de sociétés tentent d'influer sur les normes comptables en faisant pression sur les organismes de normalisation comme l'ICCA et le FASB, les commissions des valeurs mobilières et d'autres organismes gouvernementaux. À cet effet, ces sociétés mènent leurs propres études sur les incidences des normes envisagées, en cherchant l'appui de cabinets d'experts-comptables qui les aideront à éviter les répercussions négatives qu'elles redoutent et, parfois, en intentant des poursuites[24].

4.9   LA RECHERCHE COMPTABLE : JUGEMENT PROFESSIONNEL ET NORMES

Le jugement professionnel est au cœur de la comptabilité générale.

Les extraits suivants sont tirés d'une étude intitulée *Jugement professionnel et information financière*, dans laquelle on précise le lien entre les normes comptables et le **jugement professionnel** : il s'agit des jugements et des décisions des experts-comptables de même que des cadres qui préparent et vérifient les états financiers[25].

Le jugement professionnel qu'exercent ceux qui préparent et vérifient les données comptables constitue le fondement même de l'information financière. Sans la souplesse et la compréhension que procure le jugement professionnel, le système complexe des procédés, normes et règles de comptabilité générale serait lourd, froid, détaché de la réalité : bref, inutilisable. La présentation de l'information financière, au Canada comme à l'étranger, repose sur le jugement professionnel exercé à de nombreux niveaux, dans des circonstances variées, et par diverses personnes compétentes et expérimentées. [...]

L'information publiée est en grande partie numérique, elle présente un caractère factuel et objectif, et repose sur des procédés comptables appliqués de façon systématique. Pourtant, les messages ainsi véhiculés sont formulés, et souvent peut-être même déterminés, au terme d'un jugement professionnel approfondi. Voilà l'un des paradoxes de la comptabilité générale. [...] Dans la présente monographie comme dans d'autres recherches, on constate que deux comptables d'expérience peuvent fort bien émettre des jugements différents dans une situation identique et à partir des mêmes renseignements, ce qui peut donner lieu à des résultats comptables différents sur ces résultats.

Normes et jugement professionnel sont interdépendants.

Les auteurs de cette étude ont tiré plusieurs conclusions à partir de l'examen des liens unissant le jugement professionnel et les normes professionnelles :

1. Bien comprendre la relation entre le jugement et les normes professionnelles, c'est d'abord et avant tout comprendre la valeur et la qualité du jugement professionnel dans le cadre de la communication de l'information financière.
2. Les normes sont utiles pour réduire les risques inhérents à la nature imparfaite du jugement humain et pour transmettre avec efficacité les solutions élaborées par les experts de la profession quant aux problèmes courants de jugement. Elles permettent aussi de composer avec la subjectivité et la complexité de la comptabilité d'exercice ainsi qu'avec l'évolution permanente de l'environnement.
3. Le jugement professionnel intervient également pour assurer un roulement sans heurts du système des normes. Le jugement s'impose pour déterminer l'application particulière de normes générales, pour procéder aux estimations nécessaires et évaluer l'importance relative des éléments, et, aussi, pour faire en sorte que les états financiers transmettent l'information essentielle qui ressort des événements économiques. Le jugement favorise également l'évolution et l'adaptation des normes selon les modifications des circonstances.
4. Les normes se répercutent sur la nature du jugement professionnel et sur les cas où l'on devra faire appel à ce jugement ; elles limitent les choix et précisent les critères applicables, ce qui ne les empêche pas d'être parfois imprécises, contradictoires ou imparfaites à d'autres égards.
5. La relation jugement-normes revêt de l'importance non seulement pour les préparateurs et les vérificateurs des états financiers, mais aussi pour leurs utilisateurs.

Dans le chapitre 5 de la même étude, les auteurs analysent diverses raisons justifiant l'existence des normes professionnelles : réduction des risques d'erreur de jugement ; présentation des meilleures réflexions sur les solutions ; augmentation de l'efficacité dans la résolution des problèmes ; enfin, prise en considération de la complexité des affaires ainsi que des méthodes par lesquelles la comptabilité d'exercice rend compte de cette complexité.

Dans leur sommaire, les auteurs font les commentaires suivants :

La relation qui existe entre le jugement professionnel et les normes professionnelles est étroite et, dans la plupart des cas, cette relation est bilatérale. Des améliorations apportées aux normes contribueront à l'amélioration du jugement professionnel, et vice versa. Les préparateurs, les vérificateurs et les utilisateurs de l'information comptable ont tous intérêt à ce que cette relation soit efficace.

4.10   COMPRENEZ-VOUS BIEN CES TERMES ?

Voici la liste des termes utilisés et expliqués dans ce chapitre. Vérifiez que vous comprenez bien leur signification en *comptabilité* et, si certains vous semblent encore un peu confus, relisez les explications données dans le chapitre ou reportez-vous au glossaire à la fin du manuel.

Bourse de Toronto
(Toronto Stock Exchange
– TSE)
Comité international de
normalisation de la
comptabilité (CINC)
Commission des valeurs
mobilières du Québec
(CVMQ)
Commission des valeurs
mobilières de l'Ontario
(CVMO)
Communicaton de
l'information financière
Comparabilité
Comptabilité en partie
double
Conception fiduciaire
de la comptabilité
Conseil d'administration
Constatation des produits
et des charges

Continuité de l'exploitation
Coût historique
Déontologie
Entité comptable
Entité économique
Fiabilité
Fidélité
Financial Accounting
Standards Board (FASB)
Harmonisation
Importance relative
Inscrire à la cote (actions)
Jugement professionnel
Manuel de l'ICCA
Marché boursier
Marché des capitaux
Neutralité
Normes faisant autorité
Objectivité
Pacioli
Permanence des méthodes
Pertinence

Présentation de
renseignements
Présentation en temps
opportun
Principe du coût
Principes comptables
généralement reconnus
(PCGR)
Prudence
Rapprochement des produits
et des charges
Référentiel comptable
Securities and Exchange
Commission (SEC)
Société de capitaux
Société par actions
Tenue des livres
Uniformité
Vérifiabilité
Vérificateur externe

4.11   CAS À SUIVRE...

QUATRIÈME PARTIE

Données de la quatrième partie

La préparation du jeu d'états financiers de la société Mado inc., au 31 août 1997, a déjà été expliquée. Nous avons quitté Mado et Thomas au moment où ils préparaient la réunion du conseil d'administration. Ils s'interrogeaient alors sur les mesures à prendre pour tirer d'affaire leur entreprise. En examinant leurs états financiers, Mado et Thomas se sont posé des questions concernant leurs méthodes de comptabilité. Rappelons-nous qu'ils ne sont pas des experts-comptables et qu'ils souhaitent surtout faire prospérer leur entreprise. Voici donc certaines de leurs questions:

1. Doivent-ils embaucher un comptable pour « tenir leurs livres », ce qui les libérerait de cette tâche?
2. Leurs états financiers doivent-ils être préparés conformément aux recommandations du *Manuel de l'ICCA*?

3. Quels sont les éléments de ces états financiers, le cas échéant, qui exigent que des décisions stratégiques soient prises par Mado et Thomas à titre de propriétaires et de gestionnaires ?

4. Leur société doit-elle faire appel à un vérificateur externe ?

Résultats de la quatrième partie

1. L'engagement d'un comptable constitue en fait une question de préférence et d'argent. Si Mado et Thomas ne tiennent pas à faire ce travail et sont disposés à payer quelqu'un d'autre pour l'effectuer (et qu'ils en ont les moyens), libre à eux de le faire. Leur nouvel employé devrait être en mesure de répondre à leurs besoins, avec l'aide des logiciels dont ils disposent déjà. Cependant, cela ne les dispense pas de leurs responsabilités touchant la comptabilité et les états financiers, en tant que gestionnaires.

2. Non. Leurs états financiers ne doivent pas *forcément* suivre les recommandations du *Manuel*. Le *Manuel* est un guide et non une loi. Toutefois, leur société a été dûment constituée et ses statuts ont été déposés. D'après les articles de ces statuts, des états financiers annuels doivent être préparés selon des principes reconnus. Les statuts peuvent même, dans certains cas, faire référence directement ou implicitement au *Manuel*, qui sera jugé faire autorité. En outre, certains acteurs clés — comme les banquiers, les autres investisseurs, les acheteurs éventuels de l'entreprise, le fisc et les vérificateurs externes — peuvent s'opposer à la présentation d'états financiers qui s'écarteraient sensiblement des recommandations du *Manuel*.

3. D'après les états financiers dressés dans les deuxième et troisième parties, certains problèmes de comptabilité semblent se poser :

   • On dirait que l'amortissement a été calculé de manière assez simple. En soit, cela n'a rien de mauvais, mais pourtant, les calculs simples risquent de ne pas donner les montants utiles pour évaluer la performance de ce type d'entreprise.

   • Les stocks atteignent des niveaux élevés. Si les clients sont des établissements de détail sensibles aux variations saisonnières et aux autres fluctuations de la demande, la société pourrait se retrouver avec des articles démodés ; il lui faudra adopter une convention comptable pour évaluer ces articles à leur juste valeur (c'est-à-dire pour les réduire à leur valeur marchande courante).

   • Le bilan n'est pas très explicite au sujet du capital-actions autorisé et émis par la société, ni à propos du nombre d'actions et des droits des actionnaires. Mado et Thomas auraient avantage à inclure une note complémentaire dans les états financiers (c'est d'ailleurs ce que suggèrent les PCGR).

   • La société peut s'être engagée à acheter diverses marchandises pour une période précise, comme celle des Fêtes. Les utilisateurs des états financiers aimeraient sans doute être renseignés quant à ces engagements.

   • La société s'est installée dans des locaux loués et a engagé de fortes sommes pour améliorer les lieux. Pour les utilisateurs des états financiers, il serait souhaitable de disposer de plus de renseignements sur le bail, particulièrement sur sa durée et les droits de renouvellement.

   • Les utilisateurs des états financiers désireront en savoir davantage sur l'emprunt souscrit auprès du père de Thomas. S'agit-il effectivement d'un emprunt remboursable à vue ? Si c'est le cas, ce prêt est très semblable à l'emprunt bancaire. Aussi, quel est le taux d'intérêt prévu, le cas échéant ? Ces informations sont précieuses.

- L'état des résultats ne présente pas d'intérêts débiteurs ; pourtant, un emprunt bancaire important a été contracté. Il s'agit soit d'une erreur, soit d'un élément de passif non inscrit. (Autre possibilité : peut-être a-t-on payé les intérêts et sont-ils inclus dans les frais généraux ?)

- La banque a sans doute le droit de saisir les stocks et les comptes clients pour se faire rembourser son prêt, en cas de défaut de paiement. Ces conditions et les autres garanties données à la banque doivent être précisées.

- Il est courant de présenter séparément les salaires des administrateurs et des dirigeants (c'est-à-dire la rémunération de Mado et de Thomas) et ceux des autres membres du personnel.

4. Pour le moment, il n'est probablement pas nécessaire de faire vérifier les états financiers de Mado inc. La vérification coûte cher ! Toutefois, Mado et Thomas devront présenter des états financiers crédibles aux yeux du fisc, de la banque et des autres investisseurs. Il leur incombe donc de tenir leurs registres avec soin et de faire appel aux services d'un expert-comptable, à tout le moins pour réviser les états financiers et avoir la confirmation qu'ils ne contiennent pas d'erreurs importantes. (Le recours à un expert-comptable externe peut prendre diverses formes : simple avis, examen plus approfondi ou vérification complète.)

 4.12 SUJETS DE RÉFLEXION ET TRAVAUX POUR AMÉLIORER LA COMPRÉHENSION

PROBLÈME 4.1*
Explication des caractéristiques qui font d'une organisation une entité comptable

Expliquez brièvement pourquoi chacun des organismes suivants constitue une « entité comptable », pour laquelle des états financiers peuvent être dressés.

1. Les Bijoux Irène Gadbois (chapitre 1).
2. Les Messageries Vélo-Cité (chapitre 2).
3. Le Conglomérat pétrolier Exxon.
4. L'Université de Sherbrooke.
5. Mado inc. (la société du cas à suivre...).
6. Price Waterhouse, grande société d'experts-comptables.
7. La Municipalité de Laval.
8. McDonald, le géant de la restauration rapide, implanté à l'échelle internationale.

PROBLÈME 4.2*
Description des caractéristiques particulières de certains organismes distincts des sociétés commerciales

Les organismes et les sociétés énumérés à la page suivante ont certaines caractéristiques qui les obligent à tenir leurs comptes différemment des entreprises commerciales en général. Déterminez une ou deux de ces caractéristiques particulières, pour chacun des organismes suivants :

1. Le Gouvernement du Canada.
2. La chaîne de magasins Plus Bas Prix, administrée par un syndic de faillite, qui gère ses biens et ses stocks, procède à leur liquidation et en répartit le produit entre les créanciers.
3. La coopérative étudiante de votre université.
4. L'hôpital Sainte-Justine.
5. Le parc national de La Mauricie.

PROBLÈME 4.3*
Description du rôle des experts-comptables dans la comptabilité

Pourquoi les experts-comptables ont-ils un rôle important à jouer dans le domaine de la comptabilité générale? Répondez en énonçant les caractéristiques de rigueur et de professionnalisme associées au statut de membre d'une profession libérale qui, d'après vous, ont une incidence sur la nature des renseignements de comptabilité générale.

PROBLÈME 4.4*
Analyse et définition de certains principes et notions comptables

Trouvez les principes ou les notions comptables qui sous-tendent les énoncés suivants. Expliquez-en les effets sur les états financiers.

1. Les utilisateurs des états financiers doivent pouvoir être convaincus que les chiffres correspondent à des événements bien réels.
2. Les états financiers ne doivent pas présenter une vision trop optimiste de l'avenir.
3. Dans l'absolu, il est parfois difficile de déterminer si une société a obtenu de bons ou de mauvais résultats; en revanche, on peut en évaluer les résultats relatifs.
4. Les renseignements fournis par la comptabilité générale doivent être utiles à la fois pour comprendre le passé et pour envisager les perspectives d'avenir.
5. Le contenu des états financiers ne doit pas dépendre de celui qui les prépare.

PROBLÈME 4.5*
Transparence des états financiers: explication des dérogations aux PCGR

D'après le chapitre 1500, article .06 du *Manuel de l'ICCA*:

> Si l'on adopte un traitement comptable ou un mode de présentation aux états financiers qui s'éloignent des recommandations du Manuel, il faut les expliquer dans une note aux états financiers en indiquant également les motifs de la dérogation[26].

Faut-il en conclure qu'une société peut appliquer la méthode ou la présentation qu'elle juge la plus adaptée, indépendamment des recommandations officielles, du moment que les notes afférentes aux états financiers expliquent la situation? Pourquoi? Justifiez votre réponse et nuancez.

PROBLÈME 4.6*
Explication de l'origine de certains termes et de leur importance

Expliquez l'origine des termes suivants, en vous reportant à la section sur l'histoire de la comptabilité et des affaires. Indiquez quelle importance revêtent aujourd'hui ces notions pour la comptabilité générale:

1. Responsabilités fiduciaires.
2. Comptabilité en partie double.
3. Normes de comptabilité faisant autorité.
4. Comité international de normalisation de la comptabilité (CINC).
5. Mesure de la performance.
6. Marchés boursiers.

PROBLÈME 4.7*
Compatibilité et incompatibilité des normes : pertinence et fiabilité

Élisabeth est analyste financière et fait des recommandations aux clients de son employeur, les courtiers Valeurs MEB, sur les sociétés susceptibles de constituer un bon placement. Elle étudie les caractéristiques des actions et des autres titres de chacune des entreprises et apporte un soin particulier à l'analyse du bilan, de l'état des résultats et des autres états financiers. Ces documents lui fournissent des informations précieuses sur la performance de la société et ses perspectives d'avenir. Récemment, elle s'est rendu compte que certains des chiffres des états financiers n'étaient pas forcément exacts, surtout les évaluations des conséquences futures de certaines opérations conclues dans le passé. Il s'agit, par exemple, des créances non recouvrées et du passif découlant du régime de retraite. Elle est convaincue qu'il lui faut disposer de ces données pour bien mener son analyse, mais elle a tout de même l'impression désagréable que certains de ces chiffres importants ne sont guère fiables. Ce manque de fiabilité altère leur utilité ; pourtant, elle aimerait pouvoir s'y fier davantage.

Expliquez à Élisabeth pourquoi certains chiffres comptables sont présentés, même s'ils ne sont pas entièrement fiables.

PROBLÈME 4.8*
Mise en application des principes de la comptabilité générale

Dans la section 4.5, nous avons appliqué certains principes comptables à l'analyse des états financiers de la société Provigo inc. Reportez-vous aux états financiers des Industries Lassonde inc., qui vous ont été donnés en exemple dans les sections 2.6, 2.8 et 3.7. Indiquez pourquoi les notions de comptabilité suivantes auraient de l'importance aux yeux d'un investisseur qui consulte les états financiers de Lassonde afin de décider s'il a intérêt à acheter des actions de cette société. Donnez des précisions :

1. Fidélité.
2. Importance relative.
3. Comparabilité.
4. Uniformité.
5. Continuité de l'exploitation.
6. Prudence.
7. Information en temps opportun.
8. Présentation de l'information financière.

PROBLÈME 4.9*
Analyse d'une question d'éthique : indépendance et expertise

On estime généralement que les vérificateurs externes doivent être indépendants de leurs clients, afin de pouvoir faire preuve d'objectivité et de neutralité dans l'évaluation de la fidélité des états financiers. En outre, les vérificateurs externes doivent détenir des connaissances d'expert et bien connaître leurs clients, afin que leur travail puisse être effectué avec toute la compétence voulue.

Vous avez été nommé vérificateur externe d'une grande société ouverte, cotée en bourse, Jaffer inc. Elle s'ajoute à vos autres clients. Jaffer a connu des difficultés ces dernières années, et la haute direction a fait l'objet de critiques de la part des journalistes. Votre mandat de vérification des livres de Jaffer vous procurera des honoraires annuels d'environ 25 000 $. Peu après vous avoir confié la vérification, le directeur général de Jaffer vous offre un repas dans un restaurant chic et vous propose un contrat d'expert-conseil auprès de la société. Si vous acceptez, vous toucherez environ 100 000 $ par année ; tant que vous conserverez le mandat de vérificateur externe, vous conserverez ce contrat. En échange, vous fournirez des conseils au directeur général au sujet des stratégies d'affaires et financières. En fait, vous constatez qu'il s'agirait d'être le conseiller personnel du directeur général. Aussi, si vous devenez expert-conseil, vous en apprendrez beaucoup plus sur la société et vous pourrez sans aucun doute mettre en application ces connaissances supplémentaires dans votre travail de vérification.

Le directeur général vous demande de réfléchir à son offre. Pesez le pour et le contre. Présentez les arguments qui pourraient vous amener à refuser ce mandat de consultation ou, au contraire, à l'accepter. Donnez votre conclusion : devez-vous accepter ce contrat supplémentaire, oui ou non ?

PROBLÈME 4.10*
Histoire de la comptabilité générale au Canada

Un conférencier invité à prendre la parole pendant un congrès de gens d'affaires a fait la déclaration suivante : « La comptabilité générale, telle qu'elle est pratiquée au Canada, est le produit de l'histoire de notre pays et de l'évolution du système économique qui régit les affaires en Occident. Si certains événements de notre histoire avaient été différents, nos pratiques comptables auraient pu l'être elles aussi. »

Donnez quelques exemples tirés de l'histoire du Canada et de l'Occident en général pour illustrer l'argument présenté par ce conférencier.

PROBLÈME 4.11
Objectif et origine du bilan

Vous avez pris un emploi d'été comme commis dans un dépanneur. Un beau jour, le nouveau propriétaire s'approche de vous ; il brandit le bilan de l'établissement et déclare : « Tu m'as dit que tu étudiais la comptabilité. Pourrais-tu m'expliquer ce que c'est que cette histoire de bilan... je n'y comprends rien. Pourquoi y a-t-il deux côtés ? Et puis où a-t-on pêché cette méthode de mesure des activités ? » Répondez-lui.

PROBLÈME 4.12
Influences historiques encore présentes dans le bilan moderne

Certains observateurs ont pu dire que les affaires et la comptabilité se sont développées en parallèle. Les pratiques comptables ont évolué en fonction des besoins en information des utilisateurs. Encore aujourd'hui, on peut trouver des traces de ce mode d'évolution dans les états financiers modernes. Prenez le bilan de n'importe quelle société d'aujourd'hui et repérez deux éléments ou deux caractéristiques qui, d'après vous, dépendent directement d'un nouveau besoin ou d'une innovation dont on peut retrouver la trace dans l'histoire. À votre avis, pourquoi ces éléments ou caractéristiques sont-ils encore présents aujourd'hui ?

PROBLÈME 4.13
Exemples du développement connexe des affaires et de la comptabilité

Jusqu'ici, ce manuel a mis en évidence une grande idée : la comptabilité générale n'est pas un ensemble théorique indépendant de toutes les réalités. En fait, elle a évolué parallèlement au monde des affaires et à la société en général au fil des siècles ; parfois elle réagissait aux changements, parfois elle les suscitait. Donnez deux exemples de ce développement parallèle.

PROBLÈME 4.14
PCGR: choix et mise en application

Vous passez devant le bureau de votre patronne et vous l'entendez s'exclamer: «Ces principes comptables généralement reconnus me donnent des maux de tête! Que puis-je faire pour savoir lesquels il faut appliquer à mon entreprise et pour décider comment les mettre en œuvre?» Pour impressionner votre patronne, vous faites irruption dans son bureau et vous répondez à ses questions. Que lui dites-vous?

PROBLÈME 4.15
Bilan et état des résultats: mesure, évaluation et articulation

«Quand un comptable prépare le bilan et l'état des résultats, les principes qui sous-tendent l'évaluation du bilan et la mesure des résultats s'influencent réciproquement, parce que les deux états s'articulent, de par le recours à la comptabilité en partie double.»

Expliquez ce que signifie cet énoncé en vous référant à l'ensemble des PCGR décrits à la section 4.4.

PROBLÈME 4.16
PCGR: entre deux maux, il faut choisir le moindre

Rédigez un court texte (un ou deux paragraphes) sur le sujet suivant: «La seule chose qui pourrait être pire que l'ensemble complexe de pratiques, de normes et de théories qui composent les PCGR... serait l'*absence* de PCGR.»

PROBLÈME 4.17
Utilité des notions et des principes comptables

Harold est un chef d'entreprise audacieux et impatient. Vous travaillez pour lui et ce n'est pas de tout repos. Vous avez déjà quelques cheveux blancs de plus. Un jour, il revient d'un déjeuner avec son expert-comptable et affirme: «Cet animal m'a dit que certains principes et notions comptables sont les éléments clés qui expliquent l'utilité de mes états financiers... et qui justifient leur coût de mise en forme et de vérification. Évidemment, il veut que je lui paye ses honoraires! Je ne suis pas convaincu.»

Reportez-vous aux notions et aux principes exposés dans les sections 4.4 et 4.5 et choisissez-en cinq. Expliquez à Harold pourquoi ces cinq éléments sont utiles. Soyez bref et précis. Harold déteste les explications qui n'en finissent plus!

PROBLÈME 4.18
L'importance relative, une notion qui varie selon les utilisateurs

Voici une déclaration récente qu'a faite le président d'une grande société ouverte:

Selon notre vérificateur, les états financiers présentent une image fidèle de notre situation financière et des résultats de nos activités d'exploitation. Je l'ai interrogé pour savoir quels étaient ses critères pour juger que les états étaient fidèles. Il m'a répondu que les états financiers ne comportaient aucune erreur susceptible d'être jugée importante; les états sont donc fidèles, d'après lui.

Je crois que cette idée d'importance relative provoque une certaine confusion. Les différents utilisateurs de nos états financiers n'ont pas forcément la même idée de l'importance des données. Par exemple, les banquiers, les investisseurs institutionnels, les épargnants et les autorités fiscales ont tous des perceptions différentes quant à l'importance relative de l'information.

Discutez des problèmes que soulève le commentaire de ce chef d'entreprise.

PROBLÈME 4.19
Questions sur la comptabilité posées par le trésorier d'un club

René vient d'être élu trésorier du VéloClub, association de cyclotourisme, et le trésorier sortant vient de lui remettre les registres de comptabilité. Le club enregistre les produits d'exploitation selon les principes de la comptabilité d'exercice, mais consigne les charges uniquement selon la comptabilité de caisse (sans tenir compte de la comptabilité d'exercice). René a pris un cours de comptabilité des entreprises, mais n'est pas forcément très sûr de lui... il est un peu nerveux à l'idée d'avoir à assumer le poste de trésorier. Répondez aux questions que René vous a posées:

1. «Est-ce que je vais devoir respecter les PCGR quand je vais dresser les états financiers du club?»
2. «Jusqu'ici, le club n'avait pas d'état des résultats, mais plutôt un "état des recettes et des dépenses", qui indique les surplus, ou le déficit, pour chaque exercice. Pourquoi n'avons-nous pas d'état des résultats, comme une société commerciale?»
3. «Les membres du club se posent des questions sur toutes sortes de sujets: combien de membres avons-nous? D'où proviennent nos subventions? Quel a été le taux de réussite des diverses randonnées que nous avons organisées? Puis-je inclure ce type de renseignements dans les états financiers?»
4. «Faut-il faire vérifier les états financiers?»

PROBLÈME 4.20
Recours aux méthodes de comptabilité des entreprises pour les organismes sans but lucratif: le pour et le contre

Les organisations du secteur public et les organisations sans but lucratif devraient-elles faire appel aux méthodes de comptabilité d'exercice utilisées par les entreprises? Ce sujet soulève un débat, notamment pour les questions suivantes:

- Le calcul de l'amortissement, qui sert à mieux mesurer le bénéfice des entreprises en tenant compte du taux d'usure ou de vieillissement des immobilisations, peut-il s'appliquer aux actifs de nature publique, tels que les routes, les parcs et les voies d'eau?

- Peut-on affirmer que les organismes non commerciaux réalisent un genre de «bénéfice net», qui servirait à mesurer leur performance?

- Étant donné que, pour une entreprise, le bilan distingue les capitaux propres des actionnaires de l'actif et du passif, peut-on en établir un pour une entité qui n'a pas de propriétaire, mais qui se compose plutôt de membres, d'électeurs, de citoyens?

- Le recours à la comptabilité d'exercice dans les organismes non commerciaux est-il envisageable? L'ensemble des valeurs propres aux entreprises à but lucratif (efficacité, rentabilité et performance financière) pourrait-il s'appliquer à des organisations qui n'ont pas la même raison d'être?

Choisissez l'une des organisations suivantes et énumérez les facteurs qui vous feraient pencher pour ou contre le recours aux méthodes de comptabilité d'exercice:

a. Le Gouvernement du Canada.
b. L'Université de Montréal.
c. L'établissement religieux de votre collectivité (église, synagogue, mosquée...).
d. Le club auquel vous appartenez ou dont vous connaissez l'existence.
e. Parcs Canada.

PROBLÈME 4.21
Quelques points
de vue sur
la déontologie:
commentaires et
analyse

Voici quatre commentaires sur les responsabilités des experts-comptables. Pour chaque opinion, proposez un commentaire et une analyse de validité.

1. «Il est plutôt vain de parler de déontologie quand on discute du travail des comptables, car les tâches qu'ils effectuent sont de nature technique; il n'y a pas vraiment de choix à faire, aucun dilemme éthique.»

2. «Quand les comptables prétendent qu'ils font appel à leur jugement professionnel, ils évitent simplement de s'engager à fournir la réponse exacte; il s'agit peut-être aussi pour eux de dissimuler leur incompétence devant certains problèmes épineux.»

3. «Les CA, CGA et CMA ne sont pas vraiment des membres d'une profession libérale, parce qu'ils sont tenus de répondre aux besoins de leurs clients ou de leur employeur et n'ont pas d'obligations envers le public, contrairement aux véritables membres des professions libérales, comme les médecins et les avocats.»

4. «Respecter les normes d'éthique, c'est avoir le sens des responsabilités, des devoirs, bref, avoir de la conscience. Certains comptables sont des hommes et des femmes de conscience, mais quand les associations professionnelles se mettent en tête de mettre par écrit toutes sortes de règles de déontologie, les comptables cessent d'écouter la voix de leur conscience et se contentent de suivre des règles.»

PROBLÈME 4.22
(POUR LES AS!)
La justification et
la valeur des normes
comptables

Dans son discours devant un club de gens d'affaires, un professeur de comptabilité, qui décrivait les avantages de la libre concurrence, faisait les observations suivantes:

> Depuis 200 ans, on constate une augmentation importante des interventions de réglementation de la comptabilité générale, imputables aux associations professionnelles et aux agences du gouvernement. C'est ainsi que l'établissement des normes de comptabilité générale dépend aujourd'hui, pour une large part, de facteurs politiques. La comptabilité doit réagir et s'adapter aux enjeux de l'époque, au lieu d'être objective et stable. Ces tendances ont compliqué considérablement la mesure de la performance financière des sociétés et ont augmenté le coût des interventions comptables. À mon avis, la comptabilité générale entraîne aujourd'hui des coûts parfois supérieurs à ses avantages pour les sociétés.

Faites appel à votre culture générale et à votre bon sens, ainsi qu'à vos connaissances de la comptabilité, pour répondre brièvement aux questions suivantes. Il s'agit de questions de réflexion qui posent des problématiques importantes; il est difficile d'y fournir des réponses sans nuances. Vous pourriez aussi, à la fin du cours, réfléchir de nouveau à ce problème, pour voir dans quelle mesure votre réflexion aurait évolué.

1. À votre avis, pourquoi constate-t-on une volonté sociale de réglementation de la comptabilité générale? L'opinion publique semble souhaiter que les sociétés suivent des normes dans leurs pratiques comptables; pourquoi?

2. Pourrait-on imaginer que les coûts de la comptabilité soient supérieurs à ses avantages, aux yeux des entreprises, mais qu'elle ait tout de même sa valeur?

3. Les normes de comptabilité devraient-elles être établies dans le cadre de processus politiques ou plutôt toujours rester les mêmes, sans influence liée à l'évolution sociale?

4. Si le professeur a raison quand il affirme que la comptabilité générale et ses normes sont complexes et coûteuses, comment se fait-il qu'elles n'arrivent pas à prévenir des pratiques condamnables, comme le lissage du bénéfice et l'assainissement du bilan?

PROBLÈME 4.23 (POUR LES AS!) Des PCGR différents pour les PME: le pour et le contre

Plusieurs auteurs se sont interrogés sur la possibilité d'adopter des PCGR différents pour les PME, qui n'auraient alors pas à se conformer à la totalité des recommandations du *Manuel de l'ICCA*. D'après ces experts, les principes comptables en vigueur actuellement répondent plutôt aux besoins des grandes sociétés. Les PME ne devraient pas être forcées de mettre en pratique des recommandations qui n'ont guère d'utilité pour elles, ou dont les coûts ne sont pas justifiés par des avantages importants[27].

1. Il est avantageux d'établir un seul ensemble de PCGR pour toutes les sociétés, quelle que soit leur taille: justifiez ce point de vue.

2. À présent, prenez le contre-pied de cette affirmation: il vaudrait mieux que les PME disposent de leurs propres PCGR repensés. Donnez vos arguments.

PROBLÈME 4.24 (POUR LES AS!) La neutralité de la comptabilité: mythe ou réalité

Voici l'opinion d'un conférencier, donnée dans une allocution récente:

D'après de nombreux groupes (gouvernements, institutions financières, investisseurs et sociétés dans divers secteurs), les décisions comptables actuelles et proposées se répercutent sur leurs intérêts. En fait, les comptables tiennent compte des intérêts parfois contradictoires de tels groupes. Le problème, c'est que la comptabilité se dit neutre et libre de l'influence associée aux intérêts d'un groupe en particulier, quel qu'il soit[28].

Discutez-en.

PROBLÈME 4.25 (POUR LES AS!) Objectivité et indépendance des vérificateurs

1. Discutez des grands facteurs sociaux qui justifient le recours à des vérifications externes indépendantes.

2. Donnez des exemples de situations où il survient un conflit d'intérêt entre les préparateurs et les utilisateurs des états financiers.

3. Pourquoi le vérificateur doit-il absolument faire preuve d'indépendance et d'objectivité? Ces éléments sont-ils nécessaires dans toutes les professions?

PROBLÈME 4.26 (POUR LES AS!) Respect des PCGR: opinions divergentes des cadres supérieurs

Les cadres supérieurs d'une société doivent-ils être tenus responsables de l'état des comptes, si les normes de comptabilité faisant autorité préconisent des méthodes comptables auxquelles ils s'opposent? Justifiez votre réponse.

**PROBLÈME 4.27
(POUR LES AS!)
Circonstances
susceptibles de nuire
à l'indépendance du
vérificateur**

Patrice est l'associé chargé de la vérification de la société Bois et Boiseries ltée. Pour chacune des situations suivantes, indiquez dans quelle mesure l'indépendance de Patrice risque d'être remise en question.

1. Patrice et la directrice financière de Bois et Boiseries jouent au golf ensemble de temps en temps.
2. Pendant la vérification, Patrice constate que la société a de sérieux problèmes avec son système informatique. Bois et Boiseries confie au cabinet d'experts-comptables de Patrice un mandat important: procéder à une refonte du système informatique entier... avec des honoraires importants à la clé.
3. Dans le cadre de la vérification, Patrice intervient aussi pour déterminer les impôts à payer de l'exercice, en apportant notamment son appui pour la préparation des déclarations fiscales de la société. Pour ces conseils fiscaux, Patrice établit une note d'honoraires indépendante des frais de vérification.
4. Patrice exécutait la vérification des comptes de Bois et Boiseries avec un adjoint. Ce dernier a été embauché comme chef comptable de cette société. Il sera chargé de préparer tous ses états financiers.
5. Patrice doit présenter, de même que d'autres cabinets d'experts-comptables, une soumission exposant les honoraires de vérification pour le prochain exercice de Bois et Boiseries. Il décide de préparer une soumission très avantageuse; il estime que les honoraires qu'il percevra grâce aux services de consultation et de conseils fiscaux compenseront largement son manque à gagner sur le plan de la vérification.

**PROBLÈME 4.28
(POUR LES AS!)
Objectif et portée
des normes
comptables**

Bien souvent, les normes comptables faisant autorité ou les nouvelles dispositions proposées soulèvent la controverse. Par exemple, on peut réévaluer la manière dont certaines formes de capital-actions sont distinguées de la dette: en jugeant que les actions ont une durée limitée et qu'elles seront remboursées à une date précise, on peut estimer qu'elles correspondent à une dette plutôt qu'à un élément des capitaux propres. Voilà une idée qui paraît logique et, à première vue, inoffensive. Pourtant, l'instaurer peut modifier du tout au tout le ratio emprunts/capitaux propres d'une société; la société aura l'air terriblement endettée et les détenteurs de ces actions (envisagées comme des titres de créance) auront une toute autre perception de l'entreprise dont ils sont propriétaires. Dans un cas pareil, les défenseurs des normes soulignent que celles-ci présentent des méthodes objectives et neutres qui permettent d'aboutir aux meilleurs résultats possibles. Leurs détracteurs prétendent au contraire que les normes ne devraient pas compliquer la prise de décisions logiques sur le plan interne, mais simplement faire en sorte que de telles décisions (quand elles s'écartent des pratiques courantes) soient énoncées clairement. Les utilisateurs des états financiers seront alors en mesure d'évaluer les faits d'eux-mêmes. Les comités d'établissement de normes sont souvent pris entre l'arbre et l'écorce: il faut, d'une part, créer des normes valables (c'est-à-dire des mesures qui changent effectivement les pratiques de comptabilité générale, tout au moins pour certaines sociétés) mais, d'autre part, éviter d'imposer un fardeau inutile aux entreprises, à leurs propriétaires, à leurs comptables et aux autres intéressés.

Rédigez un commentaire d'un paragraphe dans lequel vous évaluerez la question suivante: les normes de comptabilité doivent-elles imposer des solutions aux sociétés, ou doivent-elles plutôt indiquer simplement les « meilleures pratiques » recommandées, que les sociétés peuvent choisir de suivre ou non ?

PROBLÈME 4.29 (POUR LES AS !) Uniformisation des méthodes comptables des partenaires de l'ALÉNA

Le Canada, le Mexique et les États-Unis ont tous signé l'Accord de libre-échange nord-américain (ALÉNA). D'autres pays envisagent de se joindre à eux, pour la totalité de l'accord ou pour certaines de ses dispositions uniquement. D'après vous, les signataires de l'ALÉNA doivent-ils tous respecter les mêmes principes comptables et présenter le même type d'états financiers ? Justifiez votre réponse.

PROBLÈME 4.30 (POUR LES AS !) La déontologie permet-elle de mieux comprendre les experts-comptables et les états financiers ?

Commentez l'opinion suivante, exprimée par un homme d'affaires qui venait d'entendre un professeur de comptabilité faire un exposé sur la déontologie dans le secteur comptable.

> Quand on vient me parler de déontologie comptable, j'ai toujours des doutes ; à mon avis, il s'agit d'abord et avant tout de faire preuve de bon sens. Prenons l'indépendance, par exemple : les vérificateurs externes sont indépendants et offrent donc un point de vue neuf sur les états financiers, par rapport à celui du vérificateur interne. C'est tout. Inutile de faire intervenir de grandes théories sur la déontologie pour s'en rendre compte. En général, nous nous efforçons tous de respecter des règles d'éthique. Un comptable soucieux des règles et des principes d'éthique pourra exiger des honoraires plus élevés qu'un comptable malhonnête. Je crois donc que les comptables ont tout intérêt à suivre ces règles et principes, simplement pour des raisons financières. Je ne voudrais pas que l'on me trouve cynique. Je me demande tout simplement dans quelle mesure ces discours sur la déontologie nous aident vraiment à mieux comprendre les activités des comptables et l'idéal auquel devraient tendre les états financiers.

ÉTUDE DE CAS 4A
Rapports environnementaux et PCGR

L'ÉCOLOGIE, NOUVEAU MOT D'ORDRE ?

Les sociétés sont de plus en plus nombreuses à dresser des rapports environnementaux annuels

Un certain nombre de sociétés canadiennes font leur examen de conscience écologique en dressant des rapports environnementaux annuels et suivent ainsi une tendance qui prend des allures de bousculade, d'après une étude internationale.

À l'instar des rapports annuels d'ordre financier, les rapports environnementaux permettent aux actionnaires, au personnel et aux clients d'évaluer la performance et les perspectives d'avenir des sociétés, en ce qui concerne l'environnement.

« Les investisseurs ont toujours pu établir des liens solides entre des pratiques de gestion saines et la prise en charge des responsabilités de l'entreprise à l'égard de la collectivité, déclare Bill Davis, directeur d'un groupe de travail sur les responsabilités des sociétés *(Task Force on the Churches and Corporate Responsibility)*. En publiant un rapport environnemental, les entreprises rendent publics des renseignements importants à ce sujet. »

Les actionnaires, les clients et les écologistes se précipitent sur ces rapports, mais la pratique n'est pas encore très répandue.

« Les sociétés canadiennes hésitent et procèdent par tâtonnements pour évaluer quelles sont les informations à fournir et pour déterminer si elles feront l'objet d'une vérification », déclare Nola Buhr, candidate au doctorat à l'école de commerce de la University of Western Ontario, à London, qui fait porter ses recherches sur les rapports environnementaux.

Les rapports environnementaux soumis par Monsanto Co., de Saint Louis, et par Norsk Hydro AS, de Norvège, ont connu un succès immédiat. Depuis, « des sociétés de plus en plus nombreuses, dans toutes les régions du globe, se bousculent pour établir leur propre rapport », affirment les experts de *Coming Clean*, récente étude internationale portant sur la question. Cette grande enquête a été parrainée, entre autres, par l'Institut international du développement durable, de Winnipeg, et par Deloitte Touche Tohmatsu International.

Le second rapport environnemental annuel établi par Produits forestiers Canadien Pacifique ltée décrit chacune des branches d'activités de la compagnie, avec graphiques et chiffres à l'appui pour assurer le suivi des progrès.

Exception faite du complexe de Thunder Bay, la plupart des usines de la société situées à Montréal ont réduit le total des particules suspendues dans leurs effluents, l'an dernier. La quantité de particules suspendues diffusées dans l'air a également diminué dans la plupart des établissements, mais non dans l'usine de papier journal de Dalhousie, au Nouveau-Brunswick.

Grâce à ce rapport, les cadres de Canadien Pacifique pourront mieux rassurer les actionnaires à l'occasion de l'assemblée annuelle qui aura lieu à Vancouver demain : oui, la direction prend les questions environnementales au sérieux. Les actionnaires seront donc à même de mesurer les défis que la société doit relever.

Produits forestiers Canadien Pacifique n'est pas l'unique société à publier des rapports écologiques. Foresterie Noranda inc. publiait son troisième rapport environnemental annuel cette année, et Shell Canada inc. diffusera bientôt son deuxième.

Depuis les années 1960, les sociétés réservent une partie de leur rapport annuel à l'analyse des questions environnementales. Ce n'est que depuis 1989 que la publication de rapports environnementaux indépendants a commencé à se répandre.

« Certains estiment que l'accident de l'Exxon Valdez a provoqué ce mouvement », déclare Nola Buhr.

C'est en mars 1989 que se produisait l'accident qui allait causer un immense déversement d'hydrocarbures sur les côtes de l'Alaska. Cette année-là, les cadres allaient soudain devoir se soucier de plusieurs facteurs clés : resserrement des règlements environnementaux, montée en puissance du mouvement écologique et craintes grandissantes des prêteurs quant aux responsabilités des sociétés à l'égard des zones polluées.

« Aujourd'hui, les institutions financières s'intéressent de près à la performance environnementale des actifs des sociétés à qui elles ont prêté de l'argent ; c'est tout aussi important pour ces institutions que les résultats financiers des sociétés qui gèrent les actifs en question », explique Jack MacLeod, qui était jusqu'en janvier dernier directeur général de Shell Canada, dont le siège social est à Calgary.

Outre les prêteurs et les actionnaires, les sociétés songent aussi aux clients et aux employés, qui sont autant de lecteurs clés des rapports environnementaux.

Un rapport positif peut servir d'avantage concurrentiel pour dynamiser la vente des produits de la société ou pour renforcer le moral des troupes.

Mais le recours de plus en plus fréquent aux rapports environnementaux parmi leurs concurrents force les sociétés à renforcer leurs énoncés rassurants, remplis de bonnes intentions, au moyen de données plus substantielles.

« Nous touchons la fin de la période euphorique préliminaire, pendant laquelle les premiers rapports ont été favorablement accueillis non pas tant en fonction des résultats qu'ils présentaient, mais tout simplement de par leur existence », estiment les auteurs du rapport *Coming Clean.*

Résultat ? De plus en plus de sociétés n'hésitent pas à présenter les aspects défavorables, de concert avec les bonnes nouvelles, dans leur rapport. Par exemple, Foresterie Noranda, qui relève de Noranda inc., de Toronto, déclarait dans son dernier rapport que la zone forestière qui n'a pas été régénérée de manière satisfaisante a augmenté : 3 250 hectares l'an dernier contre 1 600 hectares l'année précédente.

« Nous avons choisi de ne rien cacher, souligne John Roberts, vice-président des affaires environnementales chez Foresterie Noranda. Nous désirions éviter de présenter un rapport blanc comme neige, qui n'aurait guère de poids. »

Les sociétés qui décident d'établir un rapport environnemental doivent se dire qu'il s'agit en fait d'un processus de marketing, ou presque, explique Barry McDougall, directeur des services environnementaux, chez Deloitte & Touche, à Ottawa.

Il faut commencer par cibler le public à qui est destiné le rapport et déterminer le type d'information qui sera mis en évidence et présenté. La société doit également assurer un suivi en procédant à des sondages auprès du public, pour voir dans quelle mesure le rapport a répondu aux besoins et aux attentes des lecteurs, afin de pouvoir apporter les changements qui s'imposent.

« [Les sociétés] ne devraient pas s'inquiéter des imperfections du premier rapport, qui risque de ne pas répondre à toutes les attentes des lecteurs ; il s'agit d'un domaine en pleine émergence, et les choses ne seront pas faciles au début », précise Randy Billing, codirecteur des interventions environnementales chez Ernst & Young.

Quel objectif fixer ?

Un rapport environnemental réussi doit montrer aux actionnaires que leur société :

- a adopté une politique environnementale.
- a nommé un cadre supérieur chargé de la performance environnementale de la société.
- a formé un comité, aux échelons supérieurs, chargé d'assurer la direction et le contrôle des enjeux environnementaux.
- a établi des objectifs ou des cibles à respecter sur le plan de la performance environnementale.
- a réuni des données concrètes sur le respect (ou le non-respect) des lois et règlements environnementaux, et sur l'atteinte des objectifs environnementaux.
- a évalué les coûts des responsabilités sur le plan environnemental, comme dans le cas des zones polluées.
- est au courant des lois et règlements environnementaux en voie d'adoption et de leur incidence sur ses activités.
- procède à des analyses et à des examens suivis des résultats environnementaux dans ses divers établissements.
- fait vérifier son rapport par une équipe indépendante, si les coûts le permettent.
- est disposée à discuter de ses réussites et de ses échecs sur le plan environnemental.

Source : Casey Mahood, « Companies Rush to Come Clean », *The Globe and Mail*, 26 avril 1993, B1.

D'après vous, les notions et normes de comptabilité qui relèvent des PCGR (et que nous vous avons présentées dans ce chapitre) peuvent-elles ou doivent-elles s'appliquer aux rapports environnementaux ? Présentez les arguments positifs et négatifs en analysant un tel projet d'expansion et d'interprétation des PCGR. Tenez compte des motifs qui amènent les sociétés à dresser des rapports environnementaux et des éléments qui font leur intérêt, aux yeux des utilisateurs.

ÉTUDE DE CAS 4B
Resserrement éventuel des PCGR

Quelques comptables sont réunis un beau matin autour d'une tasse de café et discutent d'un éditorial présenté dans *The Financial Post*, dont l'auteur n'est pas tendre à l'égard des PCGR. Voici l'article en question.

LES PCGR : UN PEU PLUS DE RIGUEUR, QUE DIABLE !

Au Canada, l'information financière laisse à désirer. Il règne trop de confusion délibérée, autorisée par les lois, entérinée par des intervenants qui se donnent bonne conscience. Les PCGR, c'est-à-dire les principes comptables généralement reconnus, n'interdisent rien, sans pourtant tout autoriser.

La Commission des valeurs mobilières de l'Ontario procède à un examen attentif de l'un des volets de l'information financière : amener les sociétés à présenter les « faits ». Avec un peu de chance, les sociétés ouvertes seront bientôt tenues de toujours présenter avec fidélité les données financières pertinentes.

Et toute réflexion quant à l'information financière met en évidence le problème de l'interprétation de ces prétendus « faits », c'est-à-dire de la tonalité que veut bien leur donner la société qui les établit. Et c'est là qu'interviennent les incertitudes associées aux PCGR.

En fait, de par la loi, toutes les sociétés ouvertes doivent présenter leurs informations financières en respectant les principes comptables généralement reconnus.

Mais voilà le problème : les PCGR sont plutôt élastiques. Comme un ballon de baudruche, les bénéfices ou les actifs des entreprises peuvent subir une expansion ou une diminution considérable, dans le respect des PCGR, en fonction des efforts des comptables.

En d'autres termes, les sociétés ouvertes peuvent, si elles le désirent, adopter une approche prudente, sage et circonspecte dans leurs rapports financiers, ou, au contraire, donner dans la fantaisie débridée. C'est une affaire de choix.

Voilà un état de choses insatisfaisant. Les comptables et les autorités doivent préciser les PCGR, pour que les investisseurs soient en mesure de comprendre ce qui se passe dans les sociétés où ils ont investi leurs précieuses économies.

Voici certains exemples de sociétés qui ont réussi à faire passer un chameau par le chas des PCGR. Pour tous les exemples donnés ici, les pratiques comptables mises en application respectent les limites légales imposées par les PCGR.

Une grande société de fiducie déclare un bénéfice de 16 millions de dollars, qui aurait pu tout aussi bien être interprété comme une perte de 12 millions de dollars.

Une société de portefeuille décide soudain de reclasser certains placements à court terme pour en faire des investissements à long terme, ce qui soulève une pléthore de problèmes d'évaluation et de liquidités.

Une brasserie capitalise une partie de ses charges, ce qui soulève une controverse. Cette pratique permet d'optimiser les actifs et les bénéfices, du même coup.

Certaines sociétés intègrent les données financières de leurs filiales en utilisant la comptabilisation à la valeur d'acquisition, négligeant ainsi les pertes éventuelles, au lieu d'employer la valeur de consolidation, qui tient compte des pertes.

Une autre société adopte des calendriers d'amortissement qui s'étendent sur une période plus longue que ceux des autres sociétés du secteur, sans donner d'explication. Et la liste pourrait s'allonger.

Quand on présente ces cas aux experts-comptables, ils nous répondent avec une certaine aisance : d'après eux, les PCGR doivent être suffisamment souples pour autoriser le compte rendu de situations inhabituelles.

Pourtant, certains représentants des autorités de réglementation brossent un tableau un peu plus noir de la situation. Trop souvent, les experts-comptables se contentent de suivre les prescriptions imposées. Lorsqu'on demande à un comptable de justifier une présentation peu rigoureuse des faits, il répond, le plus souvent : « Il n'y a rien qui m'interdise de le faire ! »

Eh bien, si les comptables sont enclins à suivre des règles, resserrons les dispositions des PCGR. C'est la solution.

Trop souvent, les investisseurs sont désorientés par la marge de manœuvre trop importante implicitement laissée par les PCGR. Un peu plus de rigueur, que diable !

Source : « It's Time to Narrow the GAAP Gap », *The Financial Post*, 29-31 janvier 1994, S1.

Voici certains commentaires des comptables réunis ce matin-là. Qu'en pensez-vous ?

« Ces journalistes veulent toujours pourfendre les comptables et les vérificateurs. Ils n'ont pas compris que nous sommes des professionnels et que nous prenons des décisions en faisant preuve de jugement. Pour les exemples donnés, il existait sûrement des circonstances qui justifiaient les méthodes employées par les comptables et les vérificateurs concernés. Et même en admettant qu'il y a eu des écarts dans ces cas, ce n'est qu'une poignée d'exemples. Pourquoi ne pas souligner que la plupart du temps, les comptables et les vérificateurs n'ont rien à se reprocher ? Cela n'intéresserait pas les lecteurs, j'imagine... »

« Il ne faut pas trop critiquer les journalistes. Ils jouent un rôle important dans la mise en application des PCGR. Après tout, c'est là que nous découvrons si les pratiques que nous recommandons sont vraiment *généralement acceptées* ! N'oublions pas certains des retentissements dans les médias qui ont débouché sur des améliorations dans les méthodes comptables. Vous souvenez-vous des problèmes touchant la fusion d'intérêts communs ? Et les problèmes de comptabilité des gouvernements et des organismes sans but lucratif ? »

« Vous savez, cet article m'amène à me demander quels sont les avantages que procurent les PCGR à la société en général. Je me souviens d'avoir lu un article après un accident d'avion. Le journaliste avançait deux points de vue : les règlements ne sont pas suffisamment stricts pour éviter les accidents ; mais d'autre part, chaque fois que l'on s'envole dans les airs dans un tube en aluminium, on prend un risque, et tôt ou tard, un avion finira par s'écraser, règles ou pas. Investir dans des entreprises et les gérer est au moins aussi risqué que prendre un avion ; personne ne devrait s'attendre à ce que les PCGR suppriment tous les risques. Les gens doivent apprendre à se familiariser avec les principes comptables et à bien connaître les sociétés dans lesquelles ils placent leur argent. Ils seront ainsi en mesure de déceler les problèmes éventuels. »

« À mon avis, il vaut mieux des PCGR souples, qui permettent aux sociétés d'adapter les données financières à leurs circonstances particulières, au lieu d'essayer de contrôler chaque virgule et chaque chiffre avec des règles détaillées. À long terme, je suis sûr que les principes souples sont moins onéreux, en général. Des règles extrêmement précises se traduiraient par des coûts énormes sur le plan du travail comptable, des calculs informatiques et de la paperasserie – des coûts bien supérieurs à ceux qu'entraîneront la présence de quelques sociétés malhonnêtes parmi une majorité qui sont intègres. »

« Je crois que ce journaliste met en lumière le côté négatif des règles trop précises. Quand tout est énoncé dans le détail, les vérificateurs et les comptables n'ont qu'à suivre des règles, au lieu de vraiment faire preuve de jugement. En fait, on pourrait reprendre cet argument pour démontrer que les PCGR sont déjà beaucoup trop précis. »

« Mais ce n'est pas du tout ce que veut dire cet éditorial. Le rédacteur estime que les comptables voient les règles comme des contraintes, qui les empêchent de faire ce qu'ils veulent, non pas comme des guides pour favoriser des pratiques et des méthodes judicieuses. L'auteur estime que les comptables se sentent libres de faire tout ce que les règles n'interdisent pas. Comme s'ils ne faisaient jamais preuve de jugement professionnel ! »

ÉTUDE DE CAS 4C
Problèmes d'éthique : la situation d'un chef comptable

Voici la description d'une étude de cas qui soulève certains problèmes d'éthique. Vous pourrez, si vous le désirez, consulter le cadre d'analyse visant la prise de décisions éthiques, présentée après l'étude de cas[29].

Claude exerçait les fonctions de chef comptable dans une municipalité. Il devait assurer le suivi et le contrôle du système informatique de la ville, utilisé principalement pour tenir les dossiers financiers (facturation et perception des taxes, budgets, charges d'exploitation et paye) ainsi que pour les services (parcs et piscines, entre autres) ; d'autres intervenants municipaux utilisaient également le système, notamment les services policiers, les pompiers, le bureau de l'aide sociale et ainsi de suite. Des contraintes budgétaires récentes ainsi que certains perfectionnements technologiques avaient amené le conseil municipal à fonder un groupe de travail pour examiner les défis et proposer des solutions ; Claude en assurait la direction. Le groupe de travail avait pour mandat de trouver des façons d'économiser pour affecter des fonds à d'autres activités essentielles, notamment les services offerts à divers groupes de citoyens désavantagés.

Mais voilà : Claude a récemment été congédié par le Conseil, pour cause d'« insubordination » et d'« incompétence », dans le cadre des activités du groupe de travail. Le Conseil a été particulièrement irrité par deux problèmes.

1. Le groupe de travail a mis sur pied un système informatique intégré permettant l'enregistrement des appels d'urgence et des interventions requises. Le système d'intervention en cas d'urgence était relié au dossier des impôts fonciers et à d'autres archives contenant des renseignements sur les citoyens, en vue de décourager tout abus et de vérifier que la municipalité faisait payer les services fournis à qui de droit. Cette dernière en retirerait des avantages financiers considérables ; par contre, les interventions en cas d'urgence seraient retardées, et le droit à la vie privée des appelants ne serait pas toujours respecté. Claude s'inquiétait, parce que les retards pourraient entraîner des décès, et la non-confidentialité des données pourrait amener les personnes dans le besoin à s'abstenir de téléphoner. Malgré tout, après réunion du groupe de travail et du comité des finances du Conseil, sous la présidence du maire, Claude a reçu des instructions précises : il lui fallait ne pas tenir compte de ces préoccupations, étant donné que les avantages acquis grâce au nouveau système permettraient d'économiser des fonds, et donc, d'aider d'autres personnes dans le besoin. Claude hésitait tout de même et avait l'impression qu'il fallait absolument éviter de nuire à l'intervention d'urgence ; c'était payer trop cher les avantages obtenus. À titre de responsable du système informatique et de chef du groupe de travail, Claude a rédigé une note de service confidentielle à l'intention du maire, en lui indiquant que les instructions du comité des finances soulevaient certaines difficultés et en donnant toutes ses raisons. Malheureusement, quelqu'un a obtenu copie de cette note de service et l'a fait parvenir au journal du quartier... avec des résultats retentissants qui ont beaucoup gêné les membres du Conseil.

2. En faisant enquête sur le premier problème, les membres du Conseil en ont découvert un second. À la première étape des activités du groupe de travail, une liste des usages abusifs des ressources et des services municipaux avait été élaborée, afin que le nouveau système puisse être conçu pour diminuer la fréquence de ces abus, voire les éliminer. La liste comportait toutes sortes de délits : citoyens qui évitaient de payer des impôts fonciers après des améliorations apportées à leur domicile ; nettoyage et enlèvement de la neige exécutés

en priorité dans les rues où résidaient des citoyens influents ; demandes multiples d'aide sociale, pour une même personne ; employés municipaux prenant des congés non autorisés ; envoi de plusieurs ambulances à une même adresse, en cas d'appel d'urgence, en raison d'une entrée en double des informations ; rabais supérieurs aux réductions autorisées sur les droits perçus pour certaines activités, pour les personnes aînées ; enfin, pots-de-vin offerts par certains entrepreneurs aux employés municipaux qui leur confiaient des contrats. Pour garantir l'efficacité du groupe de travail, étant donné que tous les problèmes ne pouvaient être réglés en même temps, Claude avait décidé de raccourcir la liste ; le groupe de travail devait se concentrer uniquement sur les délits les plus importants. Il avait mûrement réfléchi dans son évaluation des problèmes prioritaires, en vue d'éliminer les délits qui, malgré les sommes éventuellement importantes en jeu, lui semblaient tout de même tolérables sur le plan social, comme les rabais accordés aux aînés. Mais les membres du Conseil ne l'entendaient pas de cette oreille. Ils ont vivement critiqué les décisions de Claude à cet égard ; selon eux, il n'aurait jamais dû prendre ces décisions à leur place.

CADRE D'ANALYSE VISANT LA PRISE DE DÉCISIONS ÉTHIQUES

Un outil pratique à mettre en œuvre

I. Dégagez le problème.

A. Présentez brièvement la situation, en indiquant les circonstances et les faits pertinents que vous serez en mesure de réunir dans les délais impartis. Mieux vaut bien sûr des renseignements précis ; toutefois, il faut aussi agir en temps opportun : si vous attendez trop pour recueillir davantage d'informations, certaines possibilités d'action, susceptibles d'être les meilleures, pourraient disparaître.

B. Quelles sont les décisions à prendre ? N'oubliez pas que vous devez peut-être tenir compte de plus d'un décideur et que leurs interactions jouent sans doute un rôle clé.

C. Qui doit prendre les décisions ? Qui sont les décideurs dont il faut tenir compte ?

II. Énumérez les solutions possibles.

Indiquez les options possibles à chaque étape de la prise de décision, pour chaque décideur. Dans un deuxième temps, il vous faut déterminer quelles sont les conséquences probables des diverses décisions. N'oubliez pas de prendre en considération les répercussions positives et négatives, non seulement pour vous, pour votre société ou vos clients, mais aussi pour toutes les personnes concernées.

III. Faites appel à vos ressources éthiques pour définir les facteurs importants, sur le plan moral, associés à chacune des solutions.

A. Les principes : souvenez-vous que ces principes vous proposent une orientation générale et ne constituent pas des règles à appliquer sans réflexion. Posez-vous certaines questions :

[1] Cette décision empiéterait-elle sur l'autonomie de quelqu'un ? Par cette décision, serais-je en train d'exploiter les autres ou de les traiter avec paternalisme ? Certaines promesses ont-elles été faites ? Les autres ont-ils des attentes légitimes à mon égard, parce que je suis membre d'une profession libérale ou que j'exerce un poste de responsabilité ?

[2] Vais-je nuire à quelqu'un envers qui j'ai des obligations en général ou en particulier, à titre professionnel, ou simplement à titre d'être humain ?

[3] Devrais-je prendre des mesures pour empêcher que des torts soient causés à quelqu'un ou même réparer des torts déjà causés ? Devrais-je, par mes actions, améliorer la situation des autres ?

[4] Suis-je en train d'agir de manière juste et équitable ?

[5] Qu'est-ce que « quelqu'un de bien » ferait dans ces circonstances ?

B. Les politiques et les autres sources, notamment les normes professionnelles, les directives de la société, la jurisprudence et la sagesse traditionnelle (traditions religieuses ou culturelles).

C. Les caractéristiques contextuelles qui vous semblent importantes, telles que les relations établies dans le passé avec les divers intéressés.

D. Le jugement personnel : le vôtre, celui de vos associés et pairs, et celui de vos amis ou conseillers de confiance peuvent s'avérer inestimables. Bien sûr, quand vous discutez d'une décision difficile avec ceux et celles qui vous entourent, vous devez respecter l'anonymat du client et de l'employeur. Il est particulièrement important de débattre de ces questions quand d'autres décideurs interviennent (employeur, collègues, clients ou associés).

Vos collègues expérimentés pourront vous fournir une aide précieuse. Dans certaines sociétés soucieuses de ne rien laisser au hasard, on trouve des comités d'éthique ou des arbitres qui fournissent des conseils. Vos amis ou les personnes en qui vous avez confiance pourront vous aider simplement en vous écoutant et en étant de bon conseil.

IV. Proposez des solutions possibles et mettez-les à l'essai.

A. Procédez à une analyse de sensibilité. Évaluez votre choix d'un œil critique : quels facteurs devraient changer pour que vous en arriviez à modifier votre décision ?

B. Songez aux effets de chacun des choix sur ceux des autres intéressés responsables. Est-ce que vous leur facilitez ou leur compliquez la tâche ? Donnez-vous le bon exemple ?

C. Demandez-vous ce qu'un membre expérimenté, intègre et honnête de votre profession ferait en pareil cas.

D. Formulez votre choix sous forme de maxime susceptible de s'appliquer à d'autres cas semblables.

E. Êtes-vous toujours satisfait de votre choix ? Si c'est le cas, allez de l'avant. Sinon, réfléchissez aux facteurs qui motivent votre gêne, afin d'élaborer une nouvelle règle générale qui pourrait vous donner satisfaction.

V. Faites un choix et assumez-le.

Une fois votre décision prise, vous devez l'assumer. Il vous faudra accepter que vous vous êtes peut-être trompé ou que votre décision n'est pas forcément la meilleure. Il s'agit surtout de faire un bon choix, compte tenu des renseignements disponibles, et non pas de viser la perfection.

Source : Michael McDonald, « A Framework for Ethical Decision-Making Software. »

R ÉFÉRENCES

1. Judith Stone, « Big Brewhaha of 1800 B.C. », *Discover*, janvier 1991, p. 14. (La citation est de Fritz Maytag, propriétaire de l'Anchor Brewing Company de San Francisco.)

2. Vous trouverez des renseignements sur l'histoire de la comptabilité et des affaires dans diverses sources. Toute une gamme de revues professionnelles et universitaires s'intéressent à la question et il existe même une revue de comptabilité qui s'y attache en exclusivité : le *Accounting Historians Journal*. Consultez les références ci-dessous pour en savoir davantage.

3. George J. Coustourous, *Accounting in the Golden Age of Greece : A Response to Socio economic Changes*, Champaign, Illinois, Center for International Education and Research, Université de l'Illinois, 1979.

4. Orville R. Keister, « The Mechanics of Mesopotamian Record-Keeping », dans *Contemporary Studies in the Evolution of Accounting Thought*, Michael Chatfield, éditeur, Belmont, Californie, Dickenson Publishing Company Inc., 1968, p. 12 à 20.

5. O. ten Have, *The History of Accounting*, Palo Alto, Californie, Bay Books, 1976, p. 27 à 30.

6. *Ibid.*, p. 30 à 46.

7. *Ibid.*, p. 56 à 74.

8. Michael Chatfield, « English Medieval Bookkeeping : Exchequer and Manor », dans *Contemporary Studies in the Evolution of Accounting Thought*, p. 36.

9. ten Have, *History*, p. 67.

10. Peter C. Newman, *Company of Adventurers*, Markham, Ontario, Viking/Penguin Books, 1985, p. xii.

11. C. J. Hasson, « The South Sea Bubble and M. Shell », dans *Contemporary Studies in the Evolution of Accounting Thought*, p. 86 à 94.

12. Ross M. Skinner, *Accounting Standards in Evolution*, Toronto, Holt, Rinehart and Winston, 1987, p. 15 à 16.

13. Vous trouverez des renseignements sur l'histoire de la comptabilité et des affaires dans diverses sources. Toute une gamme de revues universitaires et professionnelles s'attachent à ce sujet, notamment le *Accounting Historians Journal*, que nous avons mentionné ci-dessus. Pour obtenir des renseignements sur le Canada, nous vous conseillons de consulter l'ouvrage de George Murphy (dir), *A History of Canadian Accounting Thought and Practice*, New York, Garland Publishing Inc., 1993.

14. George Murphy, « Corporate Reporting Practices in Canada : 1900-1970 », The Academy of Accounting Historians, *Working Paper Series*, vol. 1, 1979.

15. Certaines des idées exposées dans cette section ont été développées d'après les notions exposées dans l'ouvrage de Ross Skinner, *Accounting Standards in Evolution* (voir la référence 12). Pour obtenir des renseignements complets sur l'évolution des normes comptables, consultez la première partie de l'ouvrage de Skinner.

16. *Ibid.*, p. 23.

17. Certaines des idées de cette section ont été élaborées d'après les informations présentées par Murphy dans « Corporate Reporting Practices ».

18. G. Baylin, L. MacDonald et Alan J. Richardson, « Accounting Standard-Setting in Canada : 1864-1992, A Theoretical Analysis of Structural Evolution », *Journal of International Accounting & Taxation*, 5(1), 1996, p. 113 à 131.

19. Pour mieux comprendre les diverses sources des normes de la comptabilité générale canadienne, consultez l'ouvrage de Christina S. R. Drummond et Alister K. Mason, *Guide to Accounting Pronouncements & Sources*, 4e éd., Toronto, Institut Canadien des Comptables Agréés, 1995. En ce qui concerne les divers fondements des états financiers dans le monde, consultez *The Spicer & Oppenheim Guide to Financial Statements Around the World*, New York, John Wiley & Sons, 1989. Enfin, vous trouverez un bref aperçu des origines des normes internationales de comptabilité dans l'entrevue « Setting New Standards », *CGA Magazine*, février 1991, p. 36 à 43. Pour obtenir plus de renseignements sur les théories qui sous-tendent les normes de comptabilité générale, consultez l'ouvrage de William R. Scott, *Financial Accounting Theory*, édition canadienne, Scarborough, Ontario, Prentice-Hall, 1997.

20. Leonard J. Brooks, *Professional Ethics for Accountants*, West Publishing, 1995.

21. L.A. Ponemon et D. R. L. Gabhart, *Ethical Reasoning in Accounting and Auditing*, Vancouver, CGA-Canada Research Foundation, 1993.

22. *Financial Reporting in North America*, étude conjointe entreprise par l'Institut Canadien des Comptables Agréés, l'Instituto Mexicano de Contadores Públicos, AC, et le Financial Accounting Standards Board – FASB (publication disponible auprès des trois organismes), 1995.

23. *Financial Reporting in North America*, p. 119.

24. R. L. Watts et J. L. Zimmerman, *Positive Accounting Theory*, Englewood Cliffs, New Jersey, Prentice-Hall, 1986. Les chapitres 7 à 10 examinent tout particulièrement en quoi les normes de comptabilité et la présentation de l'information financière intéressent la direction; les auteurs fournissent de nombreux exemples à l'appui.

25. M. Gibbins et A. K. Mason, *Jugement professionnel et information financière*, Toronto, Institut Canadien des Comptables Agréés, 1989. Les extraits proviennent du chapitre 1, p. 1 et 2; du chapitre 5, p. 40 et du sommaire, p. xvi.

26. *Manuel de l'ICCA* (31 décembre 1996), Institut Canadien des Comptables Agréés, Toronto, Canada. Tout changement par rapport à la version originale relèverait de la seule responsabilité de l'auteur, des adaptatrices et de l'éditeur, et n'aurait pas été révisé ni approuvé par l'ICCA.

27. Adapté de l'examen final uniforme des comptables agréés de 1979. Institut Canadien des Comptables Agréés, Toronto, Canada.

28. Adapté de l'examen final uniforme des comptables agréés de 1984. Institut Canadien des Comptables Agréés, Toronto, Canada.

29. L'étude de cas 4C s'inspire d'un cas réel proposé par Michael McDonald, professeur à l'Université de Colombie-Britannique.

La pratique de la comptabilité générale

2ᵉ PARTIE

- Dans les chapitres 5 et 6, nous étudierons le fonctionnement du système comptable qui sous-tend les états financiers. Vous aurez également l'occasion de vous entraîner à la tenue des livres, ce qui vous aidera à comprendre comment la comptabilité brosse un portrait de l'entreprise.

- Dans les chapitres 7 et 8, nous verrons comment les chiffres enregistrés par la comptabilité dépendent de choix fondamentaux relatifs à la façon de mesurer les faits économiques en cours. Nous apprendrons comment sont faits ces choix et quelles sont leurs conséquences sur l'information.

5 CHAPITRE

Les opérations et les comptes

5.1   Aperçu du chapitre

Notions de base : comptabilité en partie double, opérations et comptes.

Ce chapitre met l'accent sur les principes de base de la comptabilité. Nous y apprendrons comment la **comptabilité en partie double** enregistre les faits économiques en tant qu'**opérations** comptables et les résume sous forme de comptes, qui sous-tendent les états financiers. Ici s'ouvre le volet pratique de ce manuel. Si jamais vous devenez comptable, ces notions fondamentales seront pour vous des acquis très importants. Si jamais vous ne le devenez pas, elles vous permettront néanmoins de comprendre d'où proviennent les chiffres comptables et, par conséquent, d'améliorer votre capacité à utiliser ce type d'information dans votre carrière.

Sachant que tous les professeurs n'enseignent pas ces notions dans le même ordre, ce chapitre repose sur la prémisse que vous n'avez peut-être pas étudié les chapitres précédents. Ainsi, des termes importants y sont expliqués, même s'ils avaient déjà été abordés dans les chapitres antérieurs. Si vous avez déjà étudié ces chapitres, ces explications seront pour vous d'utiles révisions. *Le temps est peut-être venu de vous rappeler que les termes en caractères gras sont importants. Ils figurent en fin de chapitre sous la rubrique « Comprenez-vous bien ces termes ? » et sont définis dans le glossaire inclus à la fin du manuel, juste au cas où le contexte ou les commentaires en marge ne seraient pas suffisants. Si vous n'êtes pas sûr de la signification d'un terme, allez vite vérifier sa définition.*

Ce chapitre et les trois suivants vous expliquent comment fonctionne le système comptable.

Dans ce chapitre, nous vous enseignerons quelques techniques de base pour préparer l'information de la comptabilité générale en vous conformant aux procédures d'enregistrement des faits qui peuvent être utilisés pour générer les comptes dont proviennent les états financiers. Au cas où vous n'auriez pas encore lu le chapitre 2, vous pourrez vous reporter au besoin à des informations au sujet de la présentation du bilan (section 2.2) et de l'état des résultats (section 2.7) pour vous aider à comprendre comment sont organisés les comptes dans les états financiers. Nous approfondirons au cours des trois prochains chapitres les bases posées ici, en décrivant de façon plus complète la pratique de la comptabilité. À la fin du chapitre 8, vous serez en mesure de bien comprendre la façon dont les comptables perçoivent l'information et les procédures qui y conduisent, ainsi que le fonctionnement global du système comptable, allant de la simple tenue des livres à la constatation de phénomènes d'affaires complexes dans les comptes et les états financiers.

5.2   LA COMPTABILITÉ GÉNÉRALE : FILTRE DES OPÉRATIONS

La comptabilité est un système d'information qui filtre et résume les données pour les besoins des utilisateurs.

Les **systèmes d'information** tels que la comptabilité filtrent et préparent l'information : ils sélectionnent les renseignements provenant du monde, rassemblent les résultats dans des banques de données, organisent et résument ces données en vue de produire des catégories particulières d'information. Ce filtrage et cette synthèse se font pour deux raisons principales :

- Il est difficile d'utiliser une masse d'information brute non organisée.

- Il est très rentable, du point de vue économique, d'avoir recours à une seule personne, ou à un seul système, qui organise ces données en fonction des besoins des différents utilisateurs, ou du même utilisateur à différents moments.

Les systèmes d'information sont sélectifs et tentent de ne garder que l'information pertinente.

Pour illustrer la première de ces raisons, prenons l'exemple de la presse écrite : les rédacteurs en chef regroupent les articles et les rubriques, de manière à ce que nous sachions où trouver ce que nous voulons. Il y a une section des sports, une section loisirs, une page pour le courrier des lecteurs, et ainsi de suite. On pourrait aussi garder la presse comme exemple de la deuxième raison : bien qu'aucun journal ne contienne exactement ce que vous cherchez, le contenu satisfait suffisamment la plupart des gens pour que le journal soit publié à un coût peu élevé. Pensez à ce qu'il vous en coûterait d'engager vous-même des journalistes pour recueillir de l'information sur mesure. Pour exécuter ce travail, tout système d'information doit faire des choix : il doit passer au crible toutes les données disponibles et ne retenir que celles qui sont reliées à l'objectif visé. Vous n'escomptez pas que votre journal vous offre des reproductions sur papier glacé de toiles de Rembrandt que vous puissiez encadrer ou qu'il imprime vos résultats universitaires. Pour cela, vous vous adressez à d'autres sources d'information.

Le système d'information comptable dépend de ce qu'on a décidé d'y enregistrer.

Un système d'information de gestion est en soi limité. Il peut seulement révéler ce que ses capteurs ont recueilli lorsqu'il cherche ou filtre de l'information extraite des événements en cours. Aucun système d'information ne dit « la vérité », car il ne peut transmettre que l'information pour laquelle il a été conçu ou qu'il a été autorisé à recueillir[1]. La figure 5.1 illustre cette situation :

• La brèche dans le mur représente en quelque sorte le filtre du système ou sa « fenêtre sur le monde ».

L'opération est la fenêtre sur le monde de la comptabilité générale.

• Une fois qu'un élément d'information brute a été admis, l'activité d'enregistrement entre en fonction et cet élément est intégré dans la banque de données. En comptabilité, l'élément est inscrit dans les comptes manuels ou informatisés, les registres, le grand livre et les grands livres auxiliaires.

• Les données de cette banque sont ensuite organisées pour produire une information utilisable (en comptabilité : les états financiers et les rapports).

Le système comptable doit enregistrer les opérations de façon régulière.

En comptabilité, nous désignons généralement par l'expression « **tenue des livres** » la partie gauche de la figure, soit l'enregistrement des données et certaines activités courantes de classement et de synthèse. Nous désignons la partie droite, soit la

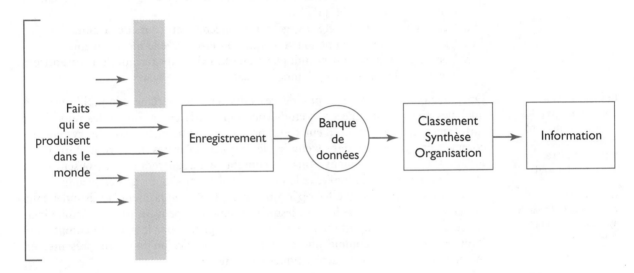

FIGURE 5.1

transformation des données en information destinée aux utilisateurs, par les termes « comptabilisation » ou « présentation de l'information ». L'information comptable se retrouve dans le produit final du système, soit les états financiers et les notes complémentaires.

Les rapports comptables s'appuient uniquement sur les données recueillies. Par conséquent, si vous devez les déchiffrer, il vous faut comprendre comment la comptabilité filtre, relève et choisit les faits qui doivent être inscrits dans sa banque de données. Le filtre de la comptabilité, sa fenêtre sur le monde, c'est l'**opération**. Habituellement, si un fait ou un événement économique constitue une opération, il est enregistré dans la banque de données de comptabilité générale ; si ce n'est pas le cas, le système comptable n'en tient pas compte. (Nous verrons dans les chapitres 6, 7 et 8 que l'une des raisons justifiant les techniques de comptabilité d'exercice est de faire ressortir des événements, ou même des données non événementielles, que le système de tenue des livres basé sur les opérations a laissés de côté ou a mal traités.)

Voici des exemples d'opérations comptables. Elles doivent être enregistrées régulièrement par le système comptable :

   a. Le service de la paie émet un chèque pour régler un employé.

   b. Un client règle comptant un compte qu'il doit depuis le mois précédent; en contrepartie, on lui remet un reçu.

   c. Un vendeur prépare une facture pour une cliente, concernant la vente de marchandises qui sont en sa possession et qu'elle promet de payer ultérieurement.

   d. Le caissier en chef dépose la recette journalière à la banque.

   e. L'entrepôt reçoit des pièces de rechange pour le camion de livraison, accompagnées d'une facture provenant du fournisseur.

Par ailleurs, voici des exemples de faits qui ne constituent *pas* des opérations et qui, par conséquent, ne seront pas enregistrés par le système comptable:

   i. La présidente de la société s'est cassé une jambe en faisant du ski.

   ii. Le directeur du service du crédit a le sentiment qu'un certain client ne va jamais rembourser le compte qu'il doit.

   iii. L'entrepôt principal a été ravagé par un incendie au cours de la nuit.

   iv. Un client commande une machine qui doit être livrée le mois suivant.

   v. Les rapports immobiliers indiquent que la valeur du terrain de l'entreprise a augmenté de 14 % depuis l'année passée.

Les faits qui ne constituent pas des opérations ne sont pas enregistrés de façon régulière, voire pas du tout.

On pourrait enregistrer certains de ces faits dans le système comptable grâce à quelques ajustements que nous étudierons plus tard; par exemple, les faits (ii) et (iii). Cependant, beaucoup d'entre eux ne seront jamais inclus dans un système de comptabilité générale; par exemple, le fait (i). D'autres ne seront enregistrés qu'après un autre événement. Ainsi, le comptable enregistrera le fait (iv) seulement lorsque la machine sera livrée, et le fait (v), seulement si le terrain est vendu.

Les opérations comptables: échange ayant eu lieu, tiers, preuve, dollars.

Qu'est-ce qui distingue les opérations comptables de la première liste des faits présentés dans la seconde liste — lesquels, même s'ils peuvent tous avoir une incidence économique importante, ne sont pas enregistrés par le système comptable? Pour être considéré comme une opération comptable, un fait doit présenter en même temps les *quatre* caractéristiques suivantes:

   1. *Échange*: il doit y avoir **échange** de marchandises, d'argent, d'instruments financiers (comme des chèques ou des obligations), ou d'autres éléments ayant une valeur économique, et cet échange doit *avoir eu lieu*.

   2. *Tiers*: l'échange doit se faire entre l'entreprise qui comptabilise l'opération et un tiers, comme un client, un propriétaire, un fournisseur, un employé, un banquier ou un percepteur d'impôt.

   3. *Preuve*: il doit exister une trace de ce qui s'est produit (sur papier ou sur un support informatisé).

   4. *Dollars*: on doit pouvoir mesurer le fait en dollars ou selon l'unité monétaire en vigueur dans le pays où l'opération est effectuée.

Si vous vous représentez l'entité que l'on enregistre comme une sphère, les deux premières caractéristiques signifient qu'une opération est un fait qui traverse la surface de la sphère, en échangeant quelque chose provenant de l'intérieur de la sphère, avec quelque chose provenant de l'extérieur de celle-ci. Les deux dernières caractéristiques sont complémentaires, puisque la comptabilité a besoin d'une preuve physique et de dollars pour qu'un fait soit enregistré.

Les caractéristiques de l'opération indiquent la nature et la valeur de l'information comptable.

Les opérations reposent sur la notion juridique et économique d'échange.

- Premièrement, les opérations sont liées à la notion juridique et économique de réalisation d'un contrat, conformément à laquelle une contrepartie est reçue ou cédée en échange de biens ou de services. Pour reconnaître un fait comme une opération, la comptabilité générale se base sur la convention juridique fondamentale qui régit le système économique et social. Ce n'est donc pas par hasard que la comptabilité enregistre à titre d'opérations les faits qui ont une grande importance sur le plan légal et sur celui des affaires.

Les opérations sont à la base de la comptabilité générale en tant que système d'information rétrospectif.

- Deuxièmement, ces caractéristiques justifient en grande partie le choix du **coût historique** comme base de la comptabilité générale, lequel repose fortement sur l'opération. Si une opération a *déjà* eu lieu, on doit la retrouver dans le système comptable et dans les états financiers. C'est du passé. Si l'opération ne s'est pas encore produite, elle ne constitue pas encore un fait juridique et ne doit donc pas figurer dans le système comptable au coût historique.

On possède de la documentation sur les opérations, on peut donc vérifier les enregistrements.

- Troisièmement, les caractéristiques de l'opération fournissent la base à partir de laquelle les enregistrements peuvent être vérifiés par la suite, procédé visant à assurer la crédibilité de l'information comptable. Les faits qui ne présenteraient pas ces caractéristiques seraient difficiles à vérifier ultérieurement et manqueraient inévitablement de crédibilité en tant que mesures de la performance ou de la situation financières.

Considérons les faits de la première liste et vérifions s'ils possèdent bien les caractéristiques d'une opération :

	Échange	Tiers	Preuve	Dollars
a.	heures travaillées, argent	employé	chèque	montant du chèque
b.	dette du client, argent	client	reçu	montant du reçu
c.	promesse, marchandises	client	facture	prix de vente
d.	argent en main, argent en banque	banque	bordereau de dépôt	montant du dépôt
e.	marchandises, promesse	fournisseur	facture	coût d'achat

Les faits de la seconde liste ne possèdent pas certaines de ces caractéristiques, notamment celle qui a trait à l'échange. Le fait (iv), par exemple, ne constitue pas encore un échange parce que la machine n'a pas été livrée.

Les enregistrements sont «redressés» afin d'intégrer des données qui ne constituent pas des opérations.

Qu'arrive-t-il si un comptable n'est pas satisfait de l'ensemble des données enregistrées par un système et souhaite redresser ces données en vue de montrer certaines catégories de faits qu'il estime importantes pour mesurer la performance ou la situation financières ? Il peut le faire en apportant à la banque de données certaines modifications qu'on appelle **régularisations**, ou bien **écritures de régularisation**, par lesquelles on présente de nouvelles données ou on modifie l'inscription de données antérieures. Pour décider s'il faut procéder à de telles modifications et déterminer quel montant en dollars elles nécessiteront, il faut posséder à la fois de solides compétences et un bon jugement puisque ces modifications se rapportent à des faits qui ne constituent pas des échanges externes, ne sont pas accompagnés des preuves habituelles ou ne peuvent être facilement mesurés en dollars. Les éléments (ii) et (iii) de la seconde liste ci-dessus sont des exemples de faits qui font habituellement l'objet de régularisations, alors que ce n'est pas le cas de l'élément (v), car il est trop éloigné de la comptabilité au coût historique. Vous approfondirez vos connaissances sur les régularisations dans les trois prochains chapitres portant sur la comptabilité d'exercice.

Dans cet ouvrage, nous nous intéressons principalement à la partie « comptabilité » (côté droit) de la figure précédemment étudiée : décider des régularisations à effectuer, de la présentation des rapports, des notes complémentaires et d'autres activités du même genre. N'oublions pas que le système d'enregistrement des opérations est à la base de tout ce processus, et que la précédente définition d'une opération donne au système comptable une grande partie de sa précieuse objectivité.

 Ù EN ÊTES-VOUS ?

Voici deux questions auxquelles vous devriez pouvoir répondre, compte tenu de ce que vous venez de lire :

1. Pourquoi une « opération » est-elle importante pour le système comptable ?

2. Comment établir une distinction entre les opérations et les faits qui ne sont pas des opérations ?

5.3 L'ENREGISTREMENT DES OPÉRATIONS : COMPTABILITÉ EN PARTIE DOUBLE

Il existe plusieurs façons de s'initier au fonctionnement du système de **comptabilité en partie double**. Nous l'étudierons pour commencer du point de vue du bilan, puis nous passerons aux opérations elles-mêmes. Les deux façons de procéder sont équivalentes, mais vous vous sentirez peut-être plus à l'aise avec l'une des deux approches.

Le bilan et la comptabilité en partie double

Un bilan équilibré nécessite un système d'enregistrement en partie double équilibré.

Une bonne façon de comprendre comment fonctionne la comptabilité en partie double est de commencer par le bilan, qui est le résumé de toutes les opérations enregistrées (incluant toutes les régularisations enregistrées aussi selon la méthode en partie double). Le bilan comporte deux côtés. Pour l'instant, appelons *ressources* la partie gauche et *sources* des ressources, la partie droite. Le bilan est équilibré, ce qui signifie que la valeur en dollars de toutes les ressources inscrites à gauche est équivalente à la valeur en dollars de toutes les sources inscrites à droite. Si le bilan est équilibré, *toutes les opérations et les régularisations doivent également l'être*, c'est-à-dire que leur incidence sur les deux côtés du bilan doit préserver cet équilibre :

- Si une ressource augmente, une source doit augmenter du même montant, ou une ressource doit diminuer du même montant, ou l'on doit avoir une combinaison d'augmentations des sources et de diminutions des autres ressources qui équivaut à l'augmentation originale de la ressource.

- Inversement, si une ressource diminue, une source doit baisser du même montant, ou une autre ressource doit augmenter du même montant, ou l'on doit avoir une combinaison de diminutions des sources et d'augmentations des autres ressources qui équivaut à la diminution originale de la ressource.

C'est tout simplement de l'arithmétique. La comptabilité en partie double n'est qu'une forme de notation algébrique, dans laquelle l'égalité de l'équation (l'**équation comptable**) doit être maintenue.

Pour certaines raisons qui eurent un jour leur importance, mais dont l'explication s'est maintenant perdue dans la nuit des temps, les augmentations de ressources, du côté gauche, sont appelées **débits**, et les augmentations des sources, du côté droit, sont appelées **crédits**. (De façon un peu déroutante, les ressources *négatives*, à gauche, sont aussi appelées crédits, et les sources *négatives*, à droite, sont aussi appelées débits. La comptabilité générale n'utilise que deux termes pour décrire ces quatre effets, ce qui présente certains avantages, comme nous le découvrirons en comprenant mieux le fonctionnement de la comptabilité.) Voici à quoi ressemble le bilan :

Débit : l'actif augmente, le passif ou les capitaux propres baissent.

Crédit : le passif ou les capitaux propres augmentent, l'actif baisse.

Ressources (gauche)		Sources (droite)
Éléments positifs (débits)		**Éléments positifs (crédits)**
Éléments négatifs (crédits)	=	**Éléments négatifs (débits)**
Total des ressources		**Total des sources**
Actif	**=**	**Passif + Capitaux propres**

Comme vous le voyez, ces appellations sont arbitraires : les débits constituent des additions à gauche et des soustractions à droite, alors que les crédits sont des additions à droite et des soustractions à gauche. Les débits sont des augmentations de l'actif ou des diminutions du passif et des capitaux propres, tandis que les crédits sont des augmentations du passif et des capitaux propres ou des diminutions de l'actif.

Pour le moment, voici deux exemples simples de comptabilité en partie double :

1. Achat de marchandises pour la vente :

   a. La ressource (actif) est un ajout au stock de marchandises non vendues ;
   b. La source (un élément de passif, puisqu'un créditeur constitue la source) est une obligation de payer le fournisseur, donc une dette envers le fournisseur.

Si le coût des marchandises s'élève à 452 $, cela nous donne :

Le débit de 452 $ est équivalent au crédit de 452 $. Le bilan reste donc équilibré.

- un *débit* de 452 $ — un ajout au **compte** de la ressource, dans le cas présent, le stock de marchandises invendues ; et

- un *crédit* de 452 $ — un ajout au **compte** de la source, dans le cas présent, l'obligation envers le fournisseur.

[Notes manuscrites :]
- Débit ↑ gauche (Ressources)
- Crédit ↑ droit (sources)
- Crédit : Ressource négative
- Débit : source négative

Le bilan reste équilibré grâce à cette inscription en partie double, puisque les ressources et les sources augmentent en même temps de 452 $.

Ressources		Sources
Augmentation (débit) 452 $		Augmentation (crédit) 452 $
Augmentation de l'actif 452 $	=	Augmentation du passif 452 $ (pas de changement des capitaux propres)

2. Emprunt à long terme à la banque :

   a. La ressource (actif) constitue un ajout à la somme d'argent déjà en caisse ;

   b. La source (un élément de passif) est une obligation de rembourser la banque ; c'est donc une dette envers la banque.

Si l'emprunt représente, disons 1 000 $, nous avons :

- Un ajout à l'élément d'actif « encaisse » faisant augmenter le total des ressources de 1 000 $; et

- Un ajout à l'élément de passif « emprunt bancaire à long terme » qui fait également augmenter le total des sources de 1 000 $.

Une fois encore, le bilan reste équilibré.

> Le débit de 1 000 $ équivaut au crédit de 1 000 $. Le bilan reste donc équilibré.

Ressources		Sources
Augmentation (débit) 1 000 $		Augmentation (crédit) 1 000 $
Augmentation de l'actif 1 000 $	=	Augmentation du passif de 1 000 $ (pas de changement des capitaux propres)

3. Si nous additionnons les deux enregistrements précédents, nous obtenons :

Actif augmenté d'un total de 1 452 $	=	Passif augmenté d'un total de 1 452 $ (pas de changement des capitaux propres)
Total des débits = 1 452 $		Total des crédits = 1 452 $

Enregistrement des opérations et comptabilité en partie double

> Pour la comptabilité en partie double, l'échange suppose que quelque chose est reçu et que quelque chose est donné.

L'enregistrement des opérations maintient l'équilibre du bilan, mais nous devons également nous attarder sur les opérations elles-mêmes. Lors d'une opération, il y a un **échange**. Celui-ci fait intervenir deux parties, où chacune donne quelque chose à l'autre et reçoit quelque chose de l'autre. Le génie — et le mot n'est pas trop fort — de la comptabilité en partie double, c'est qu'elle permet à l'entreprise qui tient les comptes d'inscrire les deux parties de l'échange en même temps. Ces deux aspects, formulés au moyen de questions, se présentent comme suit :

a. Qu'est-il arrivé aux ressources (à l'actif) de l'entreprise?

(L'actif constitue la richesse de l'entreprise. Vous pouvez donc considérer que c'est pour cette raison que l'entreprise a conclu l'opération: gagner des ressources, ou si nécessaire, en abandonner.)

b. Quel est l'autre aspect du changement des ressources?

(Lors d'un échange, on obtient une ressource seulement si quelque chose est donné en contrepartie: une autre ressource, une promesse de paiement ultérieur ou un investissement de la part des propriétaires. La ressource, ou disons l'argent, a-t-elle été fournie par un client ou empruntée? L'a-t-on obtenue en réalisant une vente ou en disposant d'un élément d'actif? A-t-elle été investie par un propriétaire ou cédée à un fournisseur ou à un employé pour rembourser une dette ou pour acquérir un nouvel élément d'actif? Ou encore, a-t-elle été versée à un propriétaire comme dividende?)

La comptabilité en partie double signifie que les débits sont toujours équivalents aux crédits.

Comme nous l'avons vu précédemment, le système utilisé pour la comptabilisation des opérations fait intervenir les débits et les crédits:

Les débits sont des augmentations de l'actif.	**Les crédits sont des augmentations du passif ou des capitaux propres (les produits et les bénéfices accroissent les capitaux propres et sont par conséquent des crédits).**
	Débits = **Crédits**

Les crédits sont des diminutions de l'actif.	**Les débits sont des diminutions du passif ou des capitaux propres (les charges et les dividendes réduisent les capitaux propres et sont par conséquent des débits).**
	Crédits = **Débits**

Dans un échange, les deux parties enregistrent les opérations chacune de leur côté grâce à un système en partie double.

Puisqu'une opération est un échange, il est intéressant d'observer que les *deux parties* intéressées vont l'enregistrer, chacune de leur côté. Si l'entreprise A reçoit de l'argent provenant de services rendus à une entreprise B, l'entreprise A enregistre une augmentation de son encaisse (un débit) et un produit (une augmentation des capitaux propres, un crédit), tandis que l'entreprise B enregistre une diminution de son encaisse (un crédit) et une charge (une diminution des capitaux propres, un débit). Les deux entreprises tirent profit de l'échange: l'entreprise A reçoit de l'argent en échange de ses services (produit pour A), et l'entreprise B obtient la valeur du service (charge pour B) en échange de l'argent.

Voici des exemples d'échanges, qui montrent la façon dont les deux parties ayant conclu l'opération en inscriront les deux aspects. Par convention, on inscrit généralement les débits en premier. Cependant, cela n'apparaît pas toujours ici afin que vous puissiez vous concentrer sur les parallèles entre les enregistrements des parties A et B.

Partie A	Partie B
1. Guy emprunte 1 000 $ à la banque.	**La banque prête 1 000 $ à Guy.**
Guy inscrit:	La banque inscrit:
Débit Encaisse 1 000 $	*Crédit* Encaisse 1 000 $
Crédit Emprunt à payer 1 000 $	*Débit* Créance à recevoir 1 000 $
pour inscrire l'emprunt	pour inscrire le prêt
fait à la banque.	consenti à Guy.
2. Luc paie une facture de téléphone de 500 $ qu'il a déjà inscrite.	**La compagnie de téléphone reçoit les 500 $.**
Luc inscrit:	La compagnie inscrit:
Crédit Encaisse 500 $	*Débit* Encaisse 500 $
Débit Comptes fournisseurs 500 $	*Crédit* Comptes clients 500 $
pour inscrire le paiement	pour inscrire la réception
de la facture.	du paiement de Luc.
3. Hélène paie 400 $ comptant à Georges pour ses conseils juridiques.	**Georges reçoit les 400 $ d'Hélène pour ses conseils juridiques.**
Hélène inscrit:	Georges inscrit:
Débit Frais juridiques 400 $	*Crédit* Produits 400 $
Crédit Encaisse 400 $	*Débit* Encaisse 400 $
pour inscrire le paiement	pour inscrire l'argent reçu
relatif aux conseils	pour les conseils
juridiques reçus.	juridiques.

Voilà des exemples simples illustrant plusieurs caractéristiques du système de tenue des livres (dont l'appellation provient du fait que pendant des centaines d'années les enregistrements comptables ont été consignés dans des livres reliés — malgré l'arrivée des ordinateurs, de nombreuses entreprises utilisent encore des « livres », comme nous le verrons plus tard):

Les opérations sont enregistrées dans des comptes, lesquels sont à la base des états financiers.

a. Chaque inscription en partie double nécessite au moins un compte qui est *débité*, et au moins un compte qui est *crédité*. Les **comptes** renferment toutes les opérations et les éventuelles régularisations et, par conséquent, ils reflètent tout ce qui est enregistré dans le système. On utilise directement ces comptes lors de la préparation des états financiers (à l'exception de l'état de l'évolution de la situation financière, lequel, comme l'explique le chapitre 3, ne découle pas directement des comptes).

Pour chaque écriture, la somme des débits doit être égale à la somme des crédits.

b. Ces inscriptions en partie double sont appelées des **écritures de journal**. Une écriture peut comporter autant de comptes qu'il est nécessaire pour inscrire l'opération, mais elle doit être enregistrée de sorte que *la somme des débits soit égale à la somme des crédits*. Si ce n'est pas le cas, l'égalité de l'équation comptable n'est plus vérifiée (en d'autres termes, les livres ne sont plus équilibrés).

c. Habituellement, on présente en premier lieu les débits de chaque écriture; les débits sont inscrits à gauche, et les crédits, à droite. Cette présentation n'est pas nécessaire du point de vue arithmétique, mais le fait de tenir les comptes toujours de la même façon en favorise la compréhension.

La tenue des livres fait intervenir plusieurs détails de procédure très utiles.

d. On omet généralement les signes de dollars, simplement pour gagner du temps lorsqu'on passe les écritures. L'opération doit être mesurable en dollars; il est donc redondant d'inscrire les signes de dollars.

e. On écrit d'ordinaire une courte explication au-dessous de chaque écriture pour rappeler la nature de l'opération. Encore une fois, cette explication n'est pas nécessaire, mais elle favorise également la compréhension.

f. Chaque écriture doit aussi être datée et, habituellement, numérotée de façon qu'aucun doute ne subsiste quant au moment de l'enregistrement de l'opération. (Cela n'a pas été fait dans les exemples précédents.) La date peut aussi être importante à des fins légales et fiscales et, évidemment, elle est nécessaire au moment de la préparation des états financiers, car elle indique au cours de quel exercice a eu lieu l'opération.

Une fois l'opération conclue, les deux parties l'enregistrent chacune de leur côté, puisqu'il s'agit pour l'une et l'autre d'un échange.

g. On dit que «le débit d'une personne correspond au crédit d'une autre personne». Vous pouvez le constater dans les exemples précédents. Le débit (augmentation) de l'encaisse de Guy correspond à un crédit (diminution) de l'encaisse de la banque. L'argent de la banque est devenu celui de Guy. Le débit d'Hélène relatif à des frais juridiques correspond au crédit de Georges relatif à un produit. Le produit de Georges équivaut à la charge d'Hélène. Ces exemples mettent en lumière l'une des caractéristiques de la notion comptable d'opération, soit l'échange.

h. Les exemples ci-dessous illustrent différents types d'opérations:

• Guy se procure un bien — de l'argent —, et ce bien est financé par l'emprunt qu'il effectue à la banque (augmentation de l'actif, augmentation du passif).

• La banque réorganise son actif; elle a moins d'argent en caisse, mais une créance de plus (diminution de l'actif, augmentation de l'actif).

• Luc a moins d'argent puisqu'il s'est acquitté d'une dette (diminution de l'actif, diminution du passif).

• La compagnie de téléphone réorganise son actif, elle possède plus d'argent en caisse, mais perd une créance à recevoir (augmentation de l'actif, diminution de l'actif).

• Hélène a moins d'argent étant donné la dépense qu'elle a engagée, ce qui diminue son bénéfice et, par conséquent, ses capitaux propres (diminution de l'actif, diminution des capitaux propres).

• Georges a augmenté son encaisse du fait qu'il a reçu une somme d'argent pour service rendu, ce qui accroît son bénéfice et par conséquent ses capitaux propres (augmentation de l'actif, augmentation des capitaux propres).

On peut enregistrer les écritures par catégories d'opérations dans des livres spéciaux.

Les entreprises qui ont beaucoup d'opérations à inscrire — ce qui est souvent le cas — ne créent pas une écriture distincte pour chaque opération, mais utilisent plutôt des livres spéciaux pour chaque catégorie d'opérations, tels qu'un journal des ventes, un journal des encaissements et un journal des décaissements. Il se peut qu'une société enregistre tous les débits provenant des ventes au comptant dans le journal (registre) des encaissements et tous les crédits, reliés à ces opérations, dans le livre (registe) auxiliaire des ventes. Ces registres (et le bilan) ne seront équilibrés que s'ils présentent tous deux le même total. En les tenant séparément, on applique ainsi une mesure de contrôle interne utile. Les personnes chargées de la tenue des deux registres doivent être très attentives, sinon les totaux ne seront pas les mêmes. (Nous étudierons plus longuement ces registres spéciaux au chapitre 6.)

Par ailleurs, de nombreux systèmes de tenue des livres sont informatisés; il existe de nombreux logiciels comptables qui effectuent cette tâche. Ces systèmes ne produisent pas forcément des enregistrements semblables à ceux des exemples précédents, mais leur objectif reste le même: faire en sorte que le total des débits soit égal au total des crédits.

Les exemples étudiés plus haut sont relativement simples. Voici, à présent, un exemple d'opération plus complexe pour vous rendre compte de la façon dont les règles établies précédemment sont maintenues malgré cette complexité. Le 14 décembre 1998, la société Sablon ltée a fait l'acquisition d'une entreprise prospère dont le propriétaire, Ronald Legrand, avait décidé de prendre sa retraite.

- Le prix a été fixé à 523 000 $ mais, comme la société Sablon ltée manquait un peu de liquidités, elle a financé son acquisition par un emprunt de 150 000 $ à la banque. De plus, le vendeur a accepté d'attendre quelques années avant de recevoir une partie du prix d'achat, moyennant une hypothèque à long terme de 178 000 $ sur le terrain et le bâtiment.
- Par conséquent, Sablon ltée n'a dû débourser que 195 000 $ puisés à même son encaisse (le versement total s'élève à 345 000 $, y compris l'argent emprunté).
- Sablon ltée a acquis les biens suivants aux valeurs fixées par elle et Ronald Legrand: comptes clients, 57 000 $; stock, 112 000 $; terrain, 105 000 $; bâtiment, 194 000 $; matériel, 87 000 $; comptes fournisseurs que Sablon ltée paiera, 69 000 $.
- La somme de ces valeurs (nette des montants à payer) est de 486 000 $. Le prix de 523 000 $ est de 37 000 $ plus élevé, de sorte que Sablon ltée inscrira la différence à titre d'« écart d'acquisition » attribuable à la prospérité de l'entreprise, à son emplacement favorable et à la fidélité de sa clientèle. (On peut concevoir l'écart d'acquisition comme la différence entre le prix payé pour un groupe d'éléments d'actif et de passif et les valeurs individuelles de ces éléments: « le tout est plus grand que la somme de ses parties. »)

Pour inscrire cette opération, la société Sablon ltée passera l'écriture suivante:

14 décembre 1998		Débits	Crédits
Dt Comptes clients	(actif à court terme)	57 000	
Dt Stock	(actif à court terme)	112 000	
Dt Terrain	(actif à long terme)	105 000	
Dt Bâtiment	(actif à long terme)	194 000	
Dt Matériel	(actif à long terme)	87 000	
Ct Comptes fournisseurs	(passif à court terme)		69 000
Dt Écart d'acquisition	(actif à long terme)	37 000	
Dt Encaisse	(actif à court terme)	150 000	
Ct Encaisse	(actif à court terme)		345 000
Ct Emprunt bancaire	(passif à court terme)		150 000
Ct Hypothèque à payer	(passif à long terme)		178 000
Pour inscrire l'acquisition de l'entreprise de Ronald Legrand.			

Il s'agit là d'une longue écriture!

- Elle satisfait à l'exigence arithmétique selon laquelle la somme des débits doit être égale à la somme des crédits (742 000 $).

- Pour enregistrer l'opération, on attribue aux comptes des intitulés appropriés (d'autres sociétés ou d'autres teneurs de livres pourraient avoir choisi des intitulés différents).

- On utilise les abréviations habituelles de Dt pour les débits et Ct pour les crédits.

⊙ Ù EN ÊTES-VOUS ?

Voici deux questions auxquelles vous devriez pouvoir répondre, compte tenu de ce que vous venez de lire:

1. Quels effets auront sur le bilan les opérations suivantes? Willy ltée reçoit 20 000 $ en argent d'un actionnaire en échange de 5 000 $ d'actions nouvellement émises et promet de lui rembourser les 15 000 $ restants dans trois ans. (Augmentation de l'élément d'actif Encaisse de 20 000 $; augmentation de l'élément des capitaux propres Capital-actions de 5 000 $; augmentation de l'élément de passif Dette à long terme de 15 000 $. Résultat: augmentation totale de l'actif de 20 000 $ et augmentation totale des sources de l'actif de 20 000 $.)

2. Inscrivez l'opération suivante dans les comptes de la société Willy ltée. Celle-ci a utilisé l'argent de l'actionnaire pour acheter un gros camion qui lui a coûté 89 000 $. Elle a versé 20 000 $ comptant et s'est adressée à la société de crédit du concessionnaire pour financer le reste de la somme. (Dt Camion — actif, 89 000 $; Ct Encaisse — actif, 20 000 $; Ct Emprunt pour camion — passif, 69 000 $. Le résultat consiste en une augmentation nette du total de l'actif de 69 000 $; une augmentation totale des sources de l'actif de 69 000 $. La somme des débits est de 89 000 $, et la somme des crédits, de 89 000 $.)

5.4   INFORMATIONS SUPPLÉMENTAIRES SUR LES COMPTES

Les comptes contiennent toutes les opérations et les régularisations. Ils sont à la base des états financiers.

Le bilan, l'état des résultats et l'état des bénéfices non répartis sont préparés à partir des comptes, lesquels ont tous été tenus selon le système en partie double, de sorte que le montant total en dollars de tous les comptes dont le solde est débiteur soit égal au montant total de tous les comptes dont le solde est créditeur. Mais qu'est-ce qu'un compte exactement? Utilisons la définition suivante: un compte sert à l'inscription en dollars d'événements comptables liés à un élément particulier d'actif, de passif, des capitaux propres, des produits ou des charges. L'incidence nette de ces événements produit un débit ou un crédit appelé **solde** du compte.

Le compte Encaisse d'une société pourrait se présenter comme suit:

ENCAISSE					
Date	Description	Numéro	Débits	Crédits	Solde
1er décembre 1998	1er dépôt	1	10 000		10 000 Dt
2 déc.	Dépôt	3	1 146		11 146 Dt
2 déc.	Chèque	7		678	10 468 Dt
2 déc.	Chèque	8		2 341	8 127 Dt

Le grand livre général renferme tous les comptes et doit être équilibré (les débits égaux aux crédits).

Une balance de vérification est une liste de tous les soldes des comptes permettant de s'assurer que le grand livre est équilibré.

Vous avez maintenant une idée du contenu d'un compte. Chaque compte constitue vraiment un sommaire utile des écritures qui s'y rapportent. Quant au bilan, c'est un récapitulatif de tous les soldes de comptes. Le **grand livre général** contient l'ensemble de tous les comptes (actif, passif, capitaux propres, produits et charges) à partir desquels on prépare les états financiers. Comme il renferme tous les comptes, issus eux-mêmes d'écritures équilibrées, le grand livre général doit être équilibré (la somme des comptes débiteurs doit être égale à la somme des comptes créditeurs) et mener à un bilan équilibré. Une des procédures normales de tenue des livres consiste à vérifier que le grand livre est équilibré (des erreurs ont pu s'y introduire): on additionne les soldes débiteurs et les soldes créditeurs, et on s'assure qu'ils sont bien équivalents. On appelle cette procédure la balance de vérification.

Vous pouvez imaginer le grand livre comme un ensemble de pages où figurent les comptes (de vraies pages ou des représentations sur un système informatisé) comme celui représenté ci-dessus, où la somme de tous les comptes débiteurs est égale à la somme de tous les comptes créditeurs. Le schéma de la figure 5.2 peut s'avérer très utile. Il reproduit la présentation du bilan apparaissant au début de la section 2.2 et comprend le compte Encaisse vu à la page précédente:

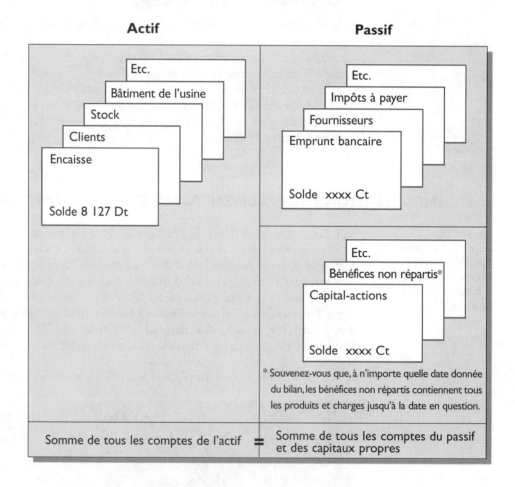

FIGURE 5.2

Un compte en T est une représentation d'un compte du grand livre, utilisé à des fins d'analyse ou de démonstration.

À des fins de démonstration et d'analyse, les comptables et les professeurs de comptabilité utilisent souvent la version simplifiée d'un compte qu'on appelle **compte en T**. On prépare cette version en incluant seulement les colonnes des débits et des crédits du compte, sans calculer chaque fois le solde. Voici comment se présenterait le compte en T de l'exemple ci-dessus :

ENCAISSE	
10 000	678
1 146	2 341
11 146	3 019
8 127	

Voici quelques exemples de la façon dont on calcule les soldes des comptes. La présentation des comptes peut varier. À l'origine, les comptes étaient juste des pages de livres manuscrites, comme on l'a vu plus haut. Les systèmes comptables informatisés modernes peuvent présenter les comptes sous différentes formes, mais ils respectent toujours les règles arithmétiques montrées précédemment.

a. Supposons au départ que le solde de l'encaisse d'une entreprise s'élève à 500 $. Si l'on encaisse en premier lieu 400 $, et 750 $ par la suite et que l'on effectue deux décaissements — l'un de 300 $ et l'autre de 525 $ —, le compte Encaisse devrait présenter un solde de 825 $ (au débit puisqu'il s'agit du solde positif d'un compte d'actif).

Encaisse = 500 $ Dt + 400 $ Dt + 750 $ Dt − 300 $ Ct − 525 $ Ct = 825 $ Dt

b. Supposons au départ que le compte Capital-actions s'élève à 1 000 $. Si l'on émet d'autres actions pour une valeur de 400 $ (ce qui entraîne l'encaissement des 400 $ mentionnés en a), le compte Capital-actions devrait présenter un solde de 1 400 $ (au crédit puisqu'il s'agit du solde positif d'un compte des capitaux propres).

Capital-actions = 1 000 $ Ct + 400 $ Ct = 1 400 $ Ct

c. Supposons au départ que les montants à payer aux fournisseurs s'élèvent à 950 $. Si l'on rembourse 300 $ à l'un d'eux (le décaissement de 300 $ mentionné en a), le compte Fournisseurs devrait présenter un solde de 650 $ (au crédit parce qu'il s'agit du solde positif d'un compte du passif).

Fournisseurs = 950 $ Ct − 300 $ Dt = 650 $ Ct

d. Si l'on vend des marchandises au comptant pour 750 $ (le second encaissement mentionné en a), et s'il n'y a pas d'autres ventes au cours de la période, un compte intitulé Ventes devrait présenter un solde de 750 $. Ce solde sera créditeur parce que, comme nous l'avons vu précédemment dans le chapitre, les produits constituent l'une des composantes du bénéfice net, qui fait lui-même partie des bénéfices non répartis, lesquels représentent un compte des capitaux propres.

Ventes (dans les capitaux propres) = 0 $ Ct + 750 $ Ct = 750 $ Ct

e. Si l'on verse 525 $ pour payer le loyer (le second décaissement mentionné en a), et s'il n'y a pas d'autres frais de loyer au cours de la période, un compte intitulé Loyer devrait présenter un solde de 525 $. Ce solde sera débiteur parce que, en diminuant le bénéfice, les charges ont un effet négatif sur les bénéfices non répartis, qui constituent un compte des capitaux propres.

Loyer (dans les capitaux propres) = 0 $ Dt + 525 $ Dt = 525 $ Dt

Le solde des comptes du bilan est continuellement ajusté.

Le solde des comptes du bilan est continuellement ajusté, tant qu'il se produit des faits qui ont une incidence sur lui.

Cependant, les comptes de l'état des résultats et le compte Dividendes servent à inscrire les produits, les charges et les dividendes d'un seul exercice à la fois. Lorsque l'exercice se termine, les soldes de ces comptes sont virés dans le compte Bénéfices non répartis du bilan, ce qui remet les comptes en question à zéro pour les enregistrements de l'exercice suivant. On appelle **clôture** l'opération qui consiste à virer les soldes des comptes de produits, de charges et de dividendes dans le compte des bénéfices non répartis.

On ferme régulièrement les comptes de produits, de charges et de dividendes pour les virer dans le compte des bénéfices non répartis.

Les états financiers sont des documents de synthèse et ne présentent pas tous les détails du système comptable sous-jacent. Par exemple, un poste du bilan appelé Débiteurs peut présenter un montant de 145 290 $, qui est en fait la somme de quatre soldes de comptes :

Les chiffres des états financiers peuvent englober les soldes de plusieurs comptes individuels.

- Clients, 129 300 $, plus
- Prêts consentis aux employés, 5 000 $, plus
- Avances sur frais de déplacement, 3 860 $, plus
- Montant dû par une société affiliée, 7 130 $.

Autre exemple : un état des résultats pourrait comprendre un poste appelé Ventes, dont le montant s'élèverait à 329 540 $, mais qui serait la somme du solde de deux comptes : Ventes à crédit, 301 420 $ et Ventes au comptant, 28 120 $.

 Ù EN ÊTES-VOUS ?

Voici deux questions auxquelles vous devriez pouvoir répondre, compte tenu de ce que vous venez de lire :

1. Comment les opérations et les régularisations, enregistrées au moyen d'écritures, se retrouvent-elles finalement dans les états financiers ?

2. Le grand livre général de la société Amis ltée comporte les soldes des comptes suivants au 31 janvier : Encaisse, 550 Dt ; Clients 1 750 Dt ; Stock, 2 200 Dt ; Terrain, 1 000 Dt ; Usine 4 100 Dt ; Amortissement cumulé de l'usine, 1 320 Ct ; Emprunt bancaire, 900 Ct ; Fournisseurs, 1 430 Ct ; Dette à long terme, 2 400 Ct ; Capital-actions, 1 000 Ct ; Bénéfices non répartis (après la clôture de tous les comptes de produits, de charges et de dividendes), 2 550 Ct. Quelles sont les sommes des comptes débiteurs et des comptes créditeurs de la balance de vérification du grand livre et les totaux du bilan à cette date ? (Somme des débits = somme des crédits = 9 600 ; total de l'actif du bilan = total du passif et des capitaux propres = 8 280. La différence entre les deux totaux correspond à l'amortissement cumulé, un solde créditeur qui est déduit de l'actif du bilan.)

5.5 COMMENT LES DÉBITS ET LES CRÉDITS FONT FONCTIONNER LE SYSTÈME COMPTABLE

Cette section illustre comment le système comptable utilise les débits et les crédits pour inscrire les faits et, à partir de ces enregistrements, produire des états financiers. Nous nous concentrerons tout d'abord sur le bilan. Dans la section 5.6, l'exemple s'étendra à d'autres états financiers.

Cappumania ltée est une petite société qui exploite un comptoir de café dans le hall d'un immeuble de bureaux. L'illustration 5-1 montre le bilan de la société à la fin du mois de mars 1998.

5-1

Illustration

Cappumania ltée Bilan au 31 mars 1998			
Actif		**Passif et Capitaux propres**	
Actif à court terme :		Passif à court terme :	
Encaisse	4 000 $	Fournisseurs	1 200 $
Nourriture non vendue	800	Taxes de vente et	
Fournitures	1 900	autres taxes à payer	600
	6 700 $		1 800 $
		Passif à long terme :	
Actif à long terme :		Emprunt pour acheter	
Matériel	9 000	du matériel	5 000
Amortissement cumulé	(1 500)		6 800 $
	7 500 $	Capitaux propres :	
		Capital-actions	3 000 $
		Bénéfices non répartis	4 400
			7 400 $
	14 200 $		14 200 $

On peut relever le solde de ces comptes sur le bilan ou vice versa.

Ces comptes font partie de l'actif et ont donc des *soldes débiteurs* :

- Encaisse, Nourriture non vendue, Fournitures et Matériel

Ce compte est un élément d'actif négatif et, par conséquent, son solde est *créditeur* :

- Amortissement cumulé

Ces comptes font partie du passif et des capitaux propres et ont donc des soldes *créditeurs* :

- Fournisseurs, Taxes de vente et autres à payer, Emprunt pour acheter du matériel, Capital-actions et Bénéfices non répartis

Nous savons déjà que les comptes sont équilibrés puisque le bilan l'est aussi (total de gauche = total de droite). Faisons malgré tout une balance de vérification pour démontrer que la somme de tous les débits est égale à la somme de tous les crédits (nous omettrons les signes de dollars) :

Comptes	Soldes des comptes	
	Débits	Crédits
Encaisse	4 000	
Nourriture invendue	800	
Fournitures	1 900	
Matériel	9 000	
Amortissement cumulé		1 500
Fournisseurs		1 200
Taxes de vente et autres taxes à payer		600
Emprunt pour achat de matériel		5 000
Capital-actions		3 000
Bénéfices non répartis		4 400
	15 700	15 700

Le bilan peut réaménager les comptes du grand livre, mais l'équilibre doit être maintenu.

Alors, c'est équilibré ! Comme on le remarquait dans l'encadré « Où en êtes-vous ? », à la fin de la section précédente, puisque le compte Amortissement cumulé, dont le solde est créditeur, est soustrait du compte Matériel, le total des débits n'atteint pas le même montant que le total de l'actif. De la même façon, le total des crédits n'est pas le même que le total du passif et des capitaux propres. Cependant, cette façon de réaménager les comptes du bilan permet de toujours obtenir des comptes équilibrés, même si les totaux changent.

Voyons à présent comment les quatre opérations suivantes, toutes survenues le 1er avril 1998, sont inscrites selon la comptabilité en partie double (sans s'occuper de savoir s'il s'agit d'un système comptable manuel ou informatisé) :

1. Cappumania paie 500 $ de taxes.
2. Cappumania achète de nouvelles fournitures coûtant 450 $, elle paie 100 $ comptant et règlera le reste plus tard.
3. Un actionnaire reçoit des actions supplémentaires pour avoir remboursé personnellement 1 100 $ sur l'emprunt pour achat de matériel.
4. Cappumania achète comptant une nouvelle fontaine à café de 200 $.

Voici les écritures de journal :

Débit   Crédit

L'opération 1 diminue un poste de l'actif et un poste du passif.

1. *Incidence sur la ressource* : L'encaisse est réduite.
   L'encaisse est un compte débiteur, donc un effet négatif sur l'encaisse est un crédit.
   Incidence sur la source : Le compte Taxes est réduit.
   Un élément de passif est un crédit. Donc, un effet négatif serait un débit.

	Débit	Crédit

Écriture :

Dt Taxes de vente et autres taxes à payer (passif)   500

    Ct Encaisse (actif)   500

Méthode en partie double : Il y a un débit et un crédit, et ils sont égaux.(Généralement, on inscrit d'abord les débits, mais le plus important reste que, pour chaque écriture, Dt = Ct.)

L'opération 2 augmente un élément d'actif et en réduit un autre, et augmente un élément de passif.

2. *Incidence sur les ressources* : Le compte Fournitures augmente de 450 $. C'est un élément d'actif; il s'agit donc d'un débit. Le compte Encaisse diminue de 100 $. C'est donc un crédit, comme ci-dessus.

Incidence sur les sources : Dans le passif, le compte Fournisseurs augmente de 350 $, alors il s'agit d'un crédit.

Écriture :

Dt Fournitures (actif)   450

    Ct Encaisse (actif)   100

    Ct Fournisseurs (passif)   350

Méthode en partie double : Il y a un débit et des crédits, et le débit est égal à la somme des crédits. (Une écriture peut comporter n'importe quel nombre de débits et de crédits tant que leurs sommes sont égales.)

L'opération 3 réduit un élément de passif et augmente un élément des capitaux propres, sans avoir d'incidence sur l'actif.

3. *Incidence sur les ressources* : Aucune.

Incidence sur les sources : L'emprunt pour le matériel, un élément de passif, diminue de 1 100 $. Il s'agit donc d'un débit. Le capital-actions, un compte des capitaux propres, augmente de 1 100 $. Il s'agit d'un crédit.

Écriture :

Dt Emprunt pour le matériel (passif)   1 100

    Ct Capital-actions (capitaux propres)   1 100

Méthode en partie double : Cette opération n'a d'incidence que sur la partie droite du bilan. Néanmoins, le bilan reste équilibré car, du côté droit, un compte augmente tandis qu'un autre diminue du même montant.

L'opération 4 augmente un élément d'actif et en réduit un autre, sans autre incidence.

4. *Incidence sur les ressources* : Le compte Matériel, un élément d'actif, augmente de 200 $. Il s'agit donc d'un débit. L'encaisse baisse de 200 $. C'est encore un crédit, comme dans les opérations 1 et 2.

Incidence sur les sources : Aucune.

Écriture :

Dt Matériel (actif)   200

    Ct Encaisse (actif)   200

Méthode en partie double : Cette opération ne touche aussi qu'un seul côté du bilan. Cette fois, il s'agit de l'actif, mais l'écriture équilibrée maintient l'équilibre du bilan.

Le report des comptes signifie l'inscription des écritures dans les comptes du grand livre.

On enregistre (« reporte ») ces écritures en les additionnant aux précédents soldes des comptes (31 mars) ou en les soustrayant de ceux-ci. C'est ce qui vous est proposé dans l'illustration 5-2, qui utilise un chiffrier électronique (dans ce cas, Excel®ᵈ de Microsoft, cependant d'autres chiffriers électroniques sont tout aussi utiles). *De façon arbitraire*, on a décidé d'inscrire les débits comme des montants positifs et les crédits comme des montants négatifs. Ce qui ne signifie pas que les débits sont bons et les crédits, mauvais !

5-2

Illustration

	A	B	C	D	E	F
1	Exemple de Cappumania ltée sous forme de feuille de calcul électronique					
2						
3			31 mars 98			1ᵉʳ avril 98
4			Balance de			Balance de
5			vérification	Opérations*		vérification
6			Débit ou crédit	Débits	Crédits	Débit ou crédit
7						
8	Encaisse		4 000		(1) −500	3 200
9					(2) −100	
10					(4) −200	
11	Stock de nourriture non vendue		800			800
12	Fournitures		1 900	(2) 450		2 350
13	Matériel (coût)		9 000	(4) 200		9 200
14	Amortissement cumulé		−1 500			−1 500
15	Fournisseurs		−1 200		(2) −350	−1 550
16	Taxes de vente et autres taxes à payer		−600	(1) 500		−100
17	Emprunt pour matériel		−5 000	(3) 1 100		−3 900
18	Capital-actions		−3 000		(3) −1 100	−4 100
19	Bénéfices non répartis		−4 400			−4 400
20						
21		Totaux	0	2 250	−2 250	0

* Les chiffres entre parenthèses font référence aux quatre opérations décrites plus haut. (Ils ne figurent pas normalement sur les feuilles de calcul.)

Les systèmes comptables sont globalement conçus de la même façon, mais peuvent différer par leur présentation et par quelques détails.

Vous pouvez constater, d'après la feuille de calcul électronique, que la balance de vérification du 31 mars était équilibrée, puisqu'en additionnant tous les débits et en soustrayant tous les crédits on obtient 0. Les écritures sont aussi équilibrées étant donné que la somme des débits est égale à la somme des crédits. La balance de vérification du 1ᵉʳ avril est équilibrée, tout comme l'était celle du 31 mars.

Il serait peu probable que l'on prépare un autre bilan, dès le lendemain du 31 mars 1998. Cependant, pour poursuivre notre exemple, examinons le bilan après l'enregistrement des quatre opérations (voir l'illustration 5-3).

5-3

Illustration

Cappumania ltée **Bilan au 1er avril 1998**			
Actif		**Passif et Capitaux propres**	
Actif à court terme :		Passif à court terme :	
Encaisse	3 200 $	Fournisseurs	1 550 $
Nourriture non vendue	800	Taxes de vente et	
Fournitures	2 350	autres taxes à payer	100
	6 350 $		1 650 $
Actif à long terme :		Passif à long terme :	
Matériel	9 200 $	Emprunt pour acheter	
Amortissement cumulé	(1 500)	du matériel	3 900
	7 700 $		5 550 $
		Capitaux propres :	
		Capital-actions	4 100 $
		Bénéfices non répartis	4 400
			8 500 $
	14 050 $		14 050 $

En résumé, la comptabilité procède ainsi :

- D'abord, on enregistre les opérations dans un livre grâce à une écriture en partie double.

- Puis, on enregistre (reporte) les écritures dans les comptes.

- Ensuite, on vérifie l'équilibre du livre des comptes grâce à la balance de vérification.

- Enfin, on utilise la balance de vérification pour préparer le bilan.

Ce processus fait intervenir de nombreux choix, jugements et détails. La plupart des systèmes comptables ont leur propre présentation pour les écritures et les comptes, mais vous connaissez à présent les principes de base.

OÙ EN ÊTES-VOUS ?

Voici deux questions auxquelles vous devriez pouvoir répondre, compte tenu de ce que vous venez de lire :

1. Le 1er avril 1998 survient une cinquième opération. Cappumania ltée rembourse 800 $ de son emprunt pour le matériel. Passez l'écriture appropriée pour enregistrer cette opération (Dt Emprunt pour le matériel, 800 ; Ct Encaisse, 800).

2. Une sixième opération survient également le 1er avril 1998 : Cappumania achète pour 1 550 $ de nouveau matériel à un actionnaire, qui reçoit en contrepartie le même montant en capital-actions. Quels seraient les chiffres du nouveau bilan au 1er avril, après l'enregistrement des opérations 5 et 6 : encaisse, actif à court terme, total de l'actif, total du passif, total des capitaux propres, et total du passif et des capitaux propres ? (2 400 $, 5 550 $, 14 800 $, 4 750 $, 10 050 $, 14 800 $.)

5.6   LES DÉBITS ET LES CRÉDITS, LES PRODUITS ET LES CHARGES

Dans la section 5.5, nous avons vu comment on utilisait les écritures et les comptes pour enregistrer les faits considérés comme des opérations dans le système comptable en partie double. L'exemple de Cappumania ltée se réduisait aux comptes du bilan. Nous poursuivons cet exemple afin d'y intégrer les comptes de l'état des résultats; nous procéderons ensuite à la **clôture** de ces comptes pour les reporter aux bénéfices non répartis, ce qui nous permettra d'illustrer l'**articulation** entre l'état des résultats et le bilan. Ensuite, nous passerons, dans la section 5.7, à un autre exemple qui nous permettra de produire un ensemble d'états financiers à partir d'un ensemble de comptes.

Nous commençons avec les comptes du bilan de la société au 1ᵉʳ avril 1998, représenté dans l'illustration 5-3. Ajoutons à présent une année d'activité à ce point de départ, soit l'exercice terminé le 31 mars 1999, que nous appellerons ci-dessous l'exercice 1999.

Voici une liste de dix éléments d'information, soit une combinaison d'opérations courantes et de régularisations de fin d'exercice. Vous observerez qu'ils sont tous inscrits selon la même technique d'écritures de journal équilibrées. Un ensemble complet d'écritures viendra ensuite.

1. Les produits de l'exercice 1999 se chiffraient à 89 740 $. Le café fait principalement des affaires en argent comptant. Donc, sur cette somme, 85 250 $ ont été encaissés, et le reste représente les ventes à crédit.

2. Les frais généraux pour 1999 s'élevaient à 67 230 $, sans compter l'amortissement ni les impôts sur le bénéfice. La plupart de ces opérations étant faites à crédit (achat de fournitures, etc.), seulement 2 120 $ représentaient des achats au comptant.

3. À la fin de l'exercice (31 mars 1999), il s'est avéré que la nourriture non vendue et que les fournitures en main avaient coûté respectivement 550 $ et 1 740 $. Par conséquent, il faut réduire le compte Stock de nourriture de 250 $ (800 $ − 550 $), et le compte Fournitures de 610 $ (2 350 $ − 1 740 $). L'utilisation de ces stocks fait partie des frais d'exploitation. Ces réductions seront incluses dans les frais généraux de la société.

4. L'amortissement de l'exercice 1999 se chiffrait à 2 380 $.

5. Les impôts sur le bénéfice pour 1999 étaient estimés à 4 460 $. (On parle d'estimation, car la société n'en connaîtra le montant exact qu'une fois que le ministère du Revenu et Revenu Canada auront émis leurs évaluations officielles, appelées avis de cotisation.)

6. Le conseil d'administration de la société a déclaré un dividende de 1 000 $.

7. Les recouvrements des ventes à crédit ont totalisé 3 330 $ durant l'exercice.

8. Les paiements aux fournisseurs pour les achats à crédit ont totalisé 59 420 $ durant l'exercice.

9. La société a effectué un paiement partiel de 3 000 $ sur ses impôts durant l'exercice.

10. Seulement 800 $ du dividende avaient été versés à la fin de l'exercice.

Les produits représentent des augmentations des capitaux propres et sont donc des crédits.

Nous pouvons maintenant passer les écritures nécessaires pour enregistrer ces activités. Pour mieux comprendre ces écritures, rappelez-vous que :

• Le bénéfice augmente les bénéfices non répartis, lesquels constituent un compte des capitaux propres, c'est-à-dire un compte créditeur sur le bilan. Ainsi, tout ce qui favorise le bénéfice est un crédit. Un produit constitue donc un compte créditeur.

Les charges représentent une diminution des capitaux propres et sont donc des débits.

- Inversement, tout ce qui réduit le bénéfice diminue les bénéfices non répartis et les capitaux propres. Il s'agit alors d'un débit. Une charge représente donc un compte au solde débiteur. Lorsqu'on déclare des dividendes (lesquels ne représentent pas une charge), ils sont déduits directement des bénéfices non répartis. Par conséquent, de telles déductions constituent des débits puisqu'elles diminuent les capitaux propres.

Tous les effets de ces données sont représentés dans le tableau comptable suivant. (Le tableau vous est déjà familier, mais rappelons qu'il peut vous aider à vérifier que vous comprenez bien les écritures):

Débits	Crédits
Augmentation de l'actif	Diminution de l'actif
Diminution du passif	Augmentation du passif
Diminution des capitaux propres:	Augmentation des capitaux propres:
Dividendes déclarés	Capital d'apport
Charges	Produits

Voici les écritures relatives aux dix éléments évoqués plus haut:

1. **Produits**
   Ct Produits (augmentation des capitaux propres)   89 740
   Dt Encaisse (augmentation de l'actif)   85 250
   Dt Clients (Augmentation de l'actif)   4 490
2. **Frais généraux**
   Dt Frais généraux (diminution des capitaux propres) 67 230
   Ct Encaisse (diminution de l'actif)   2 120
   Ct Fournisseurs (augmentation du passif)   65 110
3. **Utilisation des stocks**
   Ct Nourriture non vendue (diminution de l'actif)   250
   Dt Frais généraux (diminution des capitaux propres)   250
   Ct Fournitures (diminution de l'actif)   610
   Dt Frais généraux (diminution des capitaux propres)   610
4. **Amortissement du matériel**
   Dt Amortissement de l'exercice
      (diminution des capitaux propres)   2 380
   Ct Amortissement cumulé(diminution de l'actif)   2 380
5. **Estimation de la charge fiscale**
   Dt Impôts sur le bénéfice
      (diminution des capitaux propres)   4 460
   Ct Taxes de vente et autres taxes à payer
      (augmentation du passif)   4 460
6. **Dividende déclaré**
   Dt Bénéfices non répartis
      (diminution des capitaux propres)   1 000
   Ct Dividende à payer (augmentation du passif)   1 000
7. **Recouvrement des comptes clients**
   Dt Encaisse (augmentation de l'actif)   3 330
   Ct Clients (diminution de l'actif)   3 330
8. **Paiement des comptes fournisseurs**
   Ct Encaisse (diminution de l'actif)   59 420
   Dt Fournisseurs (diminution du passif)   59 420

> 9. **Paiement partiel des impôts sur le bénéfice**
>   Ct Encaisse (diminution de l'actif)   3 000
>   Dt Taxes de vente et autres taxes à payer
>   (diminution du passif)   3 000
> 10. **Versement partiel du dividende**
>   Ct Encaisse (diminution de l'actif)   800
>   Dt Dividende à payer (diminution du passif)   800

Le chiffrier électronique permet de présenter le grand livre général et ses comptes d'une autre façon.

Nous pouvons reporter ces dix écritures dans les comptes de la société en nous servant de la feuille de calcul électronique que nous avions utilisée dans la section 5.5. L'illustration 5-4 présente le résultat obtenu. Observez que les chiffres du 1ᵉʳ avril 1998, avec lesquels nous avions terminé dans la section 5.5 sont maintenant les chiffres de départ, dans la première colonne. (Nous aurions pu poursuivre en ajoutant de nouvelles colonnes à droite du tableau : les actuelles colonnes D, E et F seraient devenues G, H et I. Mais notre exemple aurait été trop lourd.) Nous avons besoin de nouveaux comptes (tels que les clients et les produits) pour passer ces écritures. Nous les avons mis en italique dans le tableau. *La feuille de calcul représente le grand livre général de Cappumania. Chaque ligne (ou les lignes multiples pour Encaisse) de la feuille de calcul est un enregistrement des écritures du compte nommé sur cette même ligne. Ainsi, chaque ligne illustre l'un des comptes du grand livre décrits à la section 5.4. Les systèmes comptables peuvent utiliser des présentations différentes, mais ils font tous la même chose !*

5-4
....

Illustration

	A	B	C	D	E	F
I	Exemple de Cappumania ltée sous forme de feuille de calcul électronique (suite)					
2						
3			Iᵉʳ avril 98			31 mars 99
4			Balance de	Faits et	Faits et	Balance de
5			vérification	Opérations *	Opérations *	vérification
6			Débit ou crédit	Débits	Crédits	Débit ou crédit
7						
8	Encaisse		3 200	(1) 85 250	(2) −2 120	26 440
9				(7) 3 330	(8) −59 420	
I0					(9) −3 000	
II					(10) −800	
I2	*Clients*		0	(1) 4 490	(7) −3 330	I 160
I3	Nourriture non vendue		800		(3) −250	550
I4	Fournitures		2 350		(3) −610	I 740
I5	Matériel		9 200			9 200
I6	Amortissement cumulé		−1 500		(4) −2 380	−3 880
I7	Fournisseurs		−1 550	(8) 59 420	(2) −65 110	−7 240
I8	Taxes de vente et autres taxes à payer		−100	(9) 3 000	(5) −4 460	−1 560
I9	*Dividende à payer*		0	(10) 800	(6) −1 000	−200
20	Emprunt pour matériel		−3 900			−3 900
21	Capital-actions		−4 100			−4 100
22	Bénéfices non répartis		−4 400	(6) 1 000		−3 400
23	*Produits*		0		(1) −89 740	−89 740
24	*Frais généraux*		0	(2) 67 230		68 090
25				(3) 250		

	A	B	C	D	E	F
26				(3) 610		
27	Amortissement de l'exercice		0	(4) 2 380		2 380
28	Charge fiscale		0	(5) 4 460		4 460
29						
30		Totaux	0	232 220	−232 220	0
31						
32						
33						
34						
35						

* Les chiffres entre parenthèses font référence aux 10 opérations décrites dans le texte. (Ils ne figurent pas normalement sur les feuilles de calcul.)

La feuille de calcul électronique fait à la fois office de balance de vérification et de grand livre.

Les comptes de l'état des résultats font partie du grand livre et sont donc indispensables à son équilibre.

Vous pouvez vérifier que tout est encore équilibré. La somme des débits et la somme des crédits des dix écritures se chiffrent à 232 220 $ et, au 31 mars 1999, le total des comptes est à zéro (souvenez-vous que, *de façon arbitraire*, les débits sont montrés comme des montants positifs, et les crédits, comme des montants négatifs). La **balance de vérification** du grand livre est représentée par la colonne du 31 mars 1999. Vous pouvez donner au chiffrier électronique la consigne d'additionner automatiquement les lignes et les colonnes au fur et à mesure que vous reportez les écritures. Ainsi, vous pouvez voir tout de suite si vous avez commis une erreur de calcul.

Afin de mettre en évidence le calcul du bénéfice à partir d'un ensemble élargi de comptes, l'illustration 5-5 propose une seconde version de la feuille de calcul que nous venons de voir. Cette seconde version ne diffère de la première que parce que l'on peut y lire le calcul des sous-totaux des comptes du bilan et de l'état des résultats. Vous remarquerez que le bénéfice (la différence entre les produits et les charges) s'élève à 14 810 $. Il s'agit d'un crédit, puisqu'il augmente les capitaux propres. Vous remarquerez également que, sans les comptes de l'état des résultats, les comptes du bilan ne sont pas équilibrés et présentent une différence de 14 810 $. Nous réglerons ce problème très bientôt.

5-5

Illustration

	A	B	C	D	E	F
38	**Exemple de Cappumania ltée sous forme de feuille de calcul électronique (suite)**					
39	**(avec des sous-totaux pour mettre en évidence le calcul du bénéfice)**					
40						
41			1er avril 98			31 mars 99
42			Balance de	Faits et	Faits et	Balance de
43			vérification	Opérations	Opérations	vérification
44			Débit ou crédit	Débits	Crédits	Débit ou crédit
45						
46	Encaisse		3 200	85 250	−2 120	26 440
47				3 330	−59 420	
48					−3 000	
49					−800	
50	*Clients*		0	4 490	−3 330	1 160
51	Nourriture non vendue		800		−250	550
52	Fournitures		2 350		−610	1 740
53	Matériel		9 200			9 200
54	Amortissement cumulé		−1 500		−2 380	−3 880

	A	B	C	D	E	F
55	Fournisseurs		−1 550	59 420	−65 110	−7 240
56	Taxes de vente et autres taxes à payer		−100	3 000	−4 460	−1 560
57	Dividende à payer		0	800	−1 000	−200
58	Emprunt pour matériel		−3 900			−3 900
59	Capital-actions		−4 100			−4 100
60	Bénéfices non répartis		−4 400	1 000		−3 400
61	**Sous-totaux du bilan**		0	157 290	−142 480	14 810
62	Produits		0		−89 740	−89 740
63	Frais généraux		0	67 230		68 090
64				250		
65				610		
66	Amortissement de l'exercice		0	2 380		2 380
67	Charge fiscale		0	4 460		4 460
68	**Sous-totaux de l'état des rés.**		0	74 930	−89 740	−14 810
69						
70		Totaux	0	232 220	−232 220	0

L'illustration 5-6 présente l'état des résultats de la société pour 1999 avec les soldes des comptes de l'état des résultats pris sur la feuille de calcul du 31 mars 1999.

5-6

Illustration

Cappumania ltée		
État des résultats pour l'exercice terminé le 31 mars 1999		
Produits		89 740 $
Charges :		
Frais généraux	68 090 $	
Amortissement	2 380	70 470
Bénéfice avant impôts		19 270 $
Estimation des impôts sur le bénéfice		4 460
Bénéfice net de l'exercice		14 810 $

Le virement des produits et des charges aux bénéfices non répartis permet de maintenir le grand livre équilibré.

Avant de poursuivre avec l'état des bénéfices non répartis et le bilan, observons comment les comptables clôturent les comptes de produits et de charges. Il s'agit ici de virer le solde de ces comptes aux bénéfices non répartis. Les comptes de produits et de charges sont alors remis à zéro et peuvent être utilisés pour l'année suivante (l'an 2000). L'écriture de clôture illustre également comment ces montants peuvent être déplacés de compte en compte, afin de regrouper les comptes ou de redisposer les soldes d'une manière plus commode.

Lors de la clôture des comptes de produits et de charges, chaque compte dont le solde est créditeur est débité de ce montant, et chaque compte dont le solde est débiteur est crédité de ce montant. La différence entre les montants débiteurs et créditeurs est imputée au compte Bénéfices non répartis. Tous les comptes se retrouvent alors à zéro, et le bénéfice net (ou la perte nette) est intégré au compte Bénéfices non répartis :

Dt Produits	89 740 $	
Ct Frais généraux		68 090
Ct Amortissement de l'exercice		2 380
Ct Impôts sur le bénéfice		4 460
Ct Bénéfices non répartis (bénéfice net)		14 810

Cette écriture est reportée dans les comptes de la feuille de calcul de l'illustration 5-7. Les montants de clôture sont en italique gras. Vous noterez que tous les soldes des comptes de produits et de charges sont maintenant à zéro et que les bénéfices non répartis se chiffrent à 18 210 $. Les comptes du bilan du 31 mars 1999 sont maintenant équilibrés, ce que vous pourrez vérifier à la ligne des sous-totaux du bilan.

5-7

Illustration

	A	B	C	D	E	F
71	**Exemple de Cappumania ltée sous forme de feuille de calcul électronique (suite)**					
72	**(avec le virement du bénéfice aux bénéfices non répartis)**					
73						
74			1er avril 98			31 mars 99
75			Balance de	Faits et	Faits et	Balance de
76			vérification	Opérations	Opérations	vérification
77			Débit ou crédit	Débits	Crédits	Débit ou crédit
78						
79	Encaisse		3 200	85 250	−2 120	26 440
80				3 330	−59 420	
81					−3 000	
82					−800	
83	*Clients*		0	4 490	−3 330	1 160
84	Nourriture non vendue		800		−250	550
85	Fournitures		2 350		−610	1 740
86	Matériel		9 200			9 200
87	Amortissement cumulé		−1 500		−2 380	−3 880
88	Comptes fournisseurs		−1 550	59 420	−65 110	−7 240
89	Taxes de vente et autres taxes à payer		−100	3 000	−4 460	−1 560
90	*Dividende à payer*		0	800	−1 000	−200
91	Emprunt pour matériel		−3 900			−3 900
92	Capital-actions		−4 100			−4 100
93	Bénéfices non répartis		−4 400	1 000	*−14 810*	−18 210
94	**Sous-totaux du bilan**		**0**	**157 290**	**−157 290**	**0**
95	*Produits*		0	*89 740*	−89 740	0
96	*Frais généraux*		0	67 230	*−68 090*	0
97				250		
98				610		
99	*Amortissement de l'exercice*		0	2 380	*−2 380*	0
100	*Charge fiscale*		0	4 460	*−4 460*	0
101	**Sous-totaux de l'état des rés.**		**0**	**164 670**	**−164 670**	**0**
102						
103		Totaux	0	321 960	−321 960	0

Nous pouvons maintenant préparer les deux autres états financiers. L'illustration 5-8 les présente.

Cappumania ltée État des bénéfices non répartis pour l'exercice terminé le 31 mars 1999	
Bénéfices non répartis en début d'exercice	4 400 $
Plus le bénéfice de l'exercice	14 810
	19 210 $
Moins le dividende déclaré durant l'exercice	1 000
Bénéfices non répartis en fin d'exercice	18 210 $

Cappumania ltée
Bilan au 31 mars 1999

Actif		Passif et capitaux propres	
Actif à court terme:		**Passif à court terme:**	
Encaisse	26 440 $	Fournisseurs	7 240 $
Clients	1 160	Taxes de vente et	
Nourriture non vendue	550	autres taxes à payer	1 560
Fournitures	1 740	Dividende à payer	200
	29 890 $		9 000 $
Actif à long terme:		**Passif à long terme:**	
Coût du matériel	9 200 $	Emprunt pour acheter	
Amortissement		du matériel	3 900
cumulé	(3 880)		12 900 $
	5 320 $		
		Capitaux propres:	
		Capital-actions	4 100 $
		Bénéfices non répartis	18 210
			22 310 $
	35 210 $		35 210 $

Les trois états financiers s'articulent, car ils sont tous issus du grand livre général.

Et voilà, vous y êtes! Cet exemple illustre comment la comptabilité accumule de l'information sur les activités grâce à des écritures reportées dans les comptes. Il montre également comment on prépare les états financiers à partir des comptes. Vous pouvez constater comment *s'articulent* les trois états financiers puisqu'ils reposent tous sur le système comptable en partie double:

- On crée un ensemble de comptes, lesquels sont équilibrés (la somme des soldes débiteurs = la somme des soldes créditeurs);

- D'après ces comptes, on produit:

  ▶ l'état des résultats, le bénéfice net qui est viré à

  ▶ l'état des bénéfices non répartis, les bénéfices cumulés qui sont virés au

  ▶ bilan qui récapitule tous les comptes.

Ainsi, les activités qui ont une incidence sur le bénéfice en ont également une sur le bilan grâce au système en partie double. Si nous reprenons les écritures ci-dessus, par exemple :

Les écritures qui ont une incidence sur le bénéfice doivent avoir une incidence d'un montant équivalent sur le bilan.

- L'écriture 1 augmente l'actif du bilan et augmente les produits dans l'état des résultats (augmentant du même coup le bénéfice, qui est viré aux bénéfices non répartis, ce qui accroît les capitaux propres et maintient le bilan équilibré) ;

- L'écriture 2 diminue l'actif du bilan et augmente le passif, de même qu'elle augmente les charges dans l'état des résultats (réduisant du même coup le bénéfice, et donc les capitaux propres, ce qui maintient le bilan équilibré).

Nous retrouverons souvent ce type de relation entre les états financiers. C'est la base de l'un des plus importants usages des états financiers, soit l'analyse en vue d'évaluer la performance et la situation financières de l'entreprise.

Ù EN ÊTES-VOUS ?

Voici deux questions auxquelles vous devriez pouvoir répondre, compte tenu de ce que vous venez de lire :

1. À la fin de l'exercice 1997, la société Chapeaux ltée présentait des bénéfices non répartis de 29 490 $. Au cours de l'exercice 1998, ses produits se sont chiffrés à 112 350 $, ses frais généraux à 91 170 $, l'amortissement à 6 210 $ et la charge fiscale à 3 420 $. La société a également déclaré des dividendes de 5 000 $. À la fin de l'exercice 1998, la société a fermé ses comptes en préparation de 1999. Après la clôture, quel était le solde des comptes suivants : Produits, Frais généraux, Amortissement de l'exercice, Impôts sur le bénéfice et Bénéfices non répartis ? (Vous devriez obtenir 0 $, 0 $, 0 $, 0 $ et 36 040 $.)

2. La première opération de la société en 1999 a été le versement de 1 200 $ pour le premier mois de loyer de son magasin. Quelle est son incidence sur : l'actif, le passif, le bénéfice de 1999, les bénéfices non répartis, les capitaux propres ? (Vous devriez obtenir : diminution de 1 200 $; pas d'incidence ; diminution de 1 200 $; diminution de 1 200 $; diminution de 1 200 $.)

5.7   AUTRE EXEMPLE DE PRÉPARATION

Le processus comptable devrait devenir intuitif pour vous, c'est pourquoi cet exemple fait appel à l'intuition.

Afin de saisir le fonctionnement de la comptabilité, vous devez bien comprendre que les états financiers reflètent, grâce aux comptes, les activités de l'entreprise. Par conséquent, cette section propose un exemple de préparation des états financiers fondée sur une approche intuitive, plutôt que sur l'inscription des opérations comme dans la section précédente.

L'état des résultats et l'état des bénéfices non répartis renseignent sur la performance financière d'une entreprise au cours d'une période donnée. Comme nous l'avons vu dans l'exemple de Cappumania ltée, on peut dresser un bilan au début d'une période, et un autre à la fin. Voici donc l'ordre séquentiel des états financiers :

1. **Bilan d'ouverture de la période**
2. **État des résultats de la période**
3. **État des bénéfices non répartis de la période**
4. **Bilan de clôture de la période**

Les états financiers sont conçus pour raconter une histoire intégrée (articulée).

L'exemple de l'entreprise Tapalœil que nous vous présentons ci-dessous illustre plusieurs éléments, dont les suivants :

- la préparation des états des résultats et des bénéfices non répartis à partir des comptes ;

- le fonctionnement de la **comptabilité d'exercice** dans la détermination du bénéfice net ;

- le portrait que les comptes brossent des opérations de l'entreprise ; et

- la séquence présentée ci-dessus, liant (articulant) les bilans d'ouverture et de clôture aux deux autres états financiers.

Tapalœil ltée est une petite société établie dans l'est du Québec. Elle loue ses locaux, fait toutes ses ventes à crédit (les clients ne paient pas lorsqu'ils prennent possession des articles, mais plus tard, à la réception de la facture. Les ventes produisent donc des comptes clients jusqu'à ce que l'argent soit versé). L'entreprise a seulement trois charges : le coût des marchandises vendues, le loyer et les impôts sur le bénéfice. Le coût des marchandises vendues (CMV) correspond au coût engagé par la société pour acquérir et préparer les marchandises qu'achètent les clients. C'est une charge que la société engage dans le but de réaliser des bénéfices.

À la fin de son dernier exercice financier, le 30 septembre 1997, le bilan de l'entreprise Tapalœil se présentait comme suit :

5-9
....
Illustration

Tapalœil ltée Bilan au 30 septembre 1997			
Actif		Passif et Capitaux propres	
Actif à court terme :		Passif à court terme :	
Encaisse	800 $	Achats à payer	600 $
Clients	400	Loyer à payer	300
Stock	900	Capitaux propres :	
		Capital-actions	500
		Bénéfices non répartis	700
	2 100 $		2 100 $

Au cours de l'exercice terminé le 30 septembre 1998, l'entreprise a inscrit dans ses comptes l'information suivante :

1. Ventes à crédit, 10 000 $;

2. Recouvrement des comptes clients, 9 600 $;

3. Achat de marchandises destinées à la vente, 6 100 $;

4. Paiements aux fournisseurs, 6 300 $;

5. Coût des marchandises vendues, 6 400 $;

6. Loyer annuel exigé par le locateur, 2 400 $;

7. Loyer payé au locateur, 2 900 $;

8. Impôts à payer sur les bénéfices de l'exercice, 350 $;

9. Dividendes en espèces déclarés et versés aux actionnaires, 450 $.

Après l'inscription de ces neuf éléments, les comptes de l'entreprise présentaient les soldes suivants :

	Débits	Crédits
Encaisse (800 $ + 9 600 $ − 6 300 $ − 2 900 $ − 450 $)	750 $	
Clients (400 $ + 10 000 $ − 9 600 $)	800	
Stock (900 $ + 6 100 $ − 6 400 $)	600	
Achats à payer (600 $ + 6 100 $ − 6 300 $)		400 $
Dividende à payer (450 $ − 450 $)		0
Loyer à payer (300 $ + 2 400 $ − 2 900 $)	200	
Impôts à payer sur les bénéfices de l'exercice		350
Capital-actions (aucun changement)		500
Bénéfices non répartis (pas encore modifiés par la clôture)		700
Dividendes déclarés et versés	450	
Ventes à crédit		10 000
Coût des marchandises vendues	6 400	
Loyer	2 400	
Impôt sur le bénéfice	350	
	11 950 $	11 950 $

Vous devriez percevoir de façon intuitive les changements concernant les comptes.

Avant de dresser les états financiers, assurons-nous que nous comprenons les changements qui se sont produits dans les comptes entre 1997 et 1998 :

a. L'encaisse a augmenté à la suite des recouvrements et a diminué lors des paiements effectués aux fournisseurs, au locateur et aux actionnaires.

b. Les comptes clients ont augmenté du montant des ventes à crédit et ont diminué du montant des recouvrements.

c. Le stock a augmenté en raison des achats de marchandises et a diminué du coût des marchandises vendues aux clients.

d. Les achats à payer ont augmenté du montant des achats effectués à crédit et ont diminué en raison des paiements versés aux fournisseurs.

e. Les dividendes à payer ont augmenté lors de la déclaration des dividendes et diminué lorsqu'ils ont été versés.

f. Le loyer à payer a augmenté du montant exigé par le locateur et a diminué par suite du paiement effectué. Au cours de l'exercice, le locateur a reçu plus d'argent qu'il n'en réclamait, de sorte que le montant relatif au loyer change de signe ; il est maintenant inscrit au débit et devient un « loyer payé d'avance ». De nombreux comptes peuvent avoir un solde parfois débiteur, parfois créditeur selon les circonstances, comme lorsqu'un paiement en trop a été effectué. Même l'encaisse peut avoir un solde au crédit : si vous émettez trop de chèques, vous pouvez vous retrouver avec un découvert et, dans ce cas, le solde de l'encaisse sera négatif parce que, au lieu de posséder de l'argent dans votre compte, vous serez endetté envers la banque.

g. Le solde du compte Impôts à payer est entièrement constitué du montant que la société doit payer cette année, compte tenu du fait qu'elle ne devait rien à la fin de l'exercice précédent.

Préparons maintenant les états financiers selon la méthode de la comptabilité d'exercice en suivant l'ordre séquentiel proposé plus haut. Le bilan d'ouverture étant fait, préparons l'état des résultats :

5-10

Illustration

Tapalœil ltée État des résultats pour l'exercice terminé le 30 septembre 1998		
Produits		10 000 $
Frais d'exploitation :		
Coût des marchandises vendues	6 400 $	
Loyer	2 400	8 800
Bénéfice avant impôts		1 200 $
Impôts sur le bénéfice		350
Bénéfice net de l'exercice		850 $

Le bénéfice établi selon la comptabilité d'exercice dépend des événements économiques, et non des variations de l'encaisse.

Ainsi, le **bénéfice en comptabilité d'exercice** (« **bénéfice net** ») est de 850 $. Il ne correspond pas à la variation de l'encaisse ; il constitue une mesure des événements économiques qui se sont produits au cours de l'exercice, événements qui n'ont pas tous eu une incidence sur l'encaisse. Voici d'autres faits résumés dans l'état :

- Les clients ont acheté en promettant de payer 10 000 $ au total. En comptabilité d'exercice, ce montant de 10 000 $ constitue un produit, quel que soit le montant encaissé (9 600 $).

- Les clients ont acheté des marchandises qui ont coûté 6 400 $ à la société Tapalœil ltée. Ce montant correspond au CMV selon la comptabilité d'exercice, quel que soit le montant des achats (6 100 $).

- L'entreprise a reçu une facture de loyer de 2 400 $. Selon la comptabilité d'exercice, ce montant correspond à la charge de loyer, quel que soit le montant payé au locateur (2 900 $).

Le bénéfice établi selon la comptabilité d'exercice est complexe et ne se limite pas au suivi de l'encaisse.

- La société doit payer des impôts sur le bénéfice de 350 $. Ce montant correspond à la charge fiscale établie selon la comptabilité d'exercice, même si les impôts de l'exercice n'ont pas encore été payés.

Afin de mettre en évidence la nature du bénéfice en comptabilité d'exercice, nous pouvons le rapprocher des variations de l'encaisse, comme suit :

Bénéfice en comptabilité d'exercice d'après l'état des résultats		850 $
Augmentation des comptes clients (encore plus d'argent non encore recouvré)	(400 $)	
Diminution du stock non vendu (libère de l'argent)	300	
Diminution des achats non payés (exige de l'argent)	(200)	
Passage du loyer à payer au loyer payé à l'avance (exige de l'argent)	(500)	
Augmentation des impôts à payer (une charge non payée en argent)	350	(450)
Bénéfice en comptabilité de caisse		400 $
Dividende versé		(450)
Diminution de l'encaisse pour l'exercice (800 $ au début, 750 $ à la fin)		50 $

Nous voyons donc que le bénéfice en comptabilité d'exercice met en jeu plus de phénomènes que les variations de l'encaisse. (Si vous avez déjà étudié le chapitre 3, vous aurez identifié le rapprochement ci-dessus à la rubrique « Exploitation » de l'état de l'évolution de la situation financière.

Notez que les dividendes ne figurent pas dans l'état des résultats. On les considère comme une distribution du bénéfice et non comme une charge engagée en vue de générer un produit. Les dividendes sont présentés dans l'état des bénéfices non répartis à l'illustration 5-11.

5-11

Illustration

Tapalœil ltée État des bénéfices non répartis pour l'exercice terminé le 30 septembre 1998	
Solde d'ouverture (30 septembre 1997)	700 $
Plus bénéfice net de l'exercice, figurant dans l'état des résultats	850
	1 550 $
Moins dividendes déclarés	(450)
Solde de clôture (30 septembre 1998)	1 100 $

Après la clôture, seuls les comptes du bilan possèdent des soldes ; les comptes de l'état des résultats sont à zéro.

L'état des bénéfices non répartis sert de transition entre l'état des résultats et le bilan. Nous pouvons constater cela de deux façons. Premièrement, nous pouvons fermer les comptes de l'état des résultats et les dividendes et les virer dans les bénéfices non répartis, et faire *ensuite* la liste des **comptes après clôture**.

Listes des comptes après clôture (Balance de vérification)

	Débits	Crédits
Encaisse	750 $	
Clients	800	
Stock	600	
Achats à payer		400 $
Loyer payé d'avance	200	
Impôts à payer sur le bénéfice de l'exercice		350
Capital-actions		500
Bénéfices non répartis (700 $ + 10 000 $ − 6 400 $ − 2 400 $ − 350 $ − 450 $)		1 100
	2 350 $	2 350 $

Les bénéfices non répartis contiennent tous les bénéfices passés, moins les dividendes.

Les comptes sont encore équilibrés, mais les bénéfices non répartis contiennent à présent toute l'information des états des résultats et des bénéfices non répartis. Par conséquent, ils représentent l'accumulation de tous les bénéfices (les produits moins les charges) moins tous les dividendes versés depuis les débuts de la société.

Nous pouvons maintenant dresser un bilan comparatif aux 30 septembre 1998 et 1997 (illustration 5-12).

5-12

Illustration

Tapalœil ltée
Bilan au 30 septembre 1998
(les chiffres au 30 septembre 1997 sont présentés à titre de comparaison)

	1998	1997
Actif		
Actif à court terme:		
Encaisse	750 $	800 $
Clients	800	400
Stock	600	900
Loyer payé d'avance	200	—
	2 350 $	2 100 $
Passifs et capitaux propres		
Passif à court terme:		
Achats à payer	400 $	600 $
Loyer à payer	—	300
Impôts à payer sur le bénéfice de l'exercice	350	0
	750 $	900 $
Capitaux propres:		
Capital-actions	500 $	500 $
Bénéfices non répartis	1 100	700
	1 600 $	1 200 $
	2 350 $	2 100 $

La comptabilité d'exercice en partie double permet de faire le lien entre l'état des résultats et le bilan.

Les soldes des comptes du bilan de 1998 se composent des soldes de 1997, plus ou moins les produits et les charges, et plus ou moins les autres opérations. (Par exemple, les comptes clients de 1998 correspondent au solde de 1997, plus les produits de 1998, et moins les recouvrements de 1998.) Comme nous l'avions déjà vu avec l'exemple de Cappumania, dans la section 5.6, on reprend ici une caractéristique essentielle de la comptabilité d'exercice et du système de la comptabilité en partie double : le calcul du bénéfice implique le calcul des montants figurant sur le bilan, et vice versa. L'état des résultats et le bilan sont intimement et nécessairement liés, et un changement dans l'un entraîne systématiquement un changement dans l'autre. Vous pouvez constater, d'après les calculs de Tapalœil et les écritures de Cappumania que, chaque fois que le bénéfice varie (à cause d'un changement dans un compte de produits ou de charges), le bilan varie du même montant. Il est important de saisir ce point crucial pour bien comprendre la comptabilité générale, et nous y reviendrons fréquemment.

Ù EN ÊTES-VOUS ?

Voici deux questions auxquelles vous devriez pouvoir répondre, compte tenu de ce que vous venez de lire :

1. Au début de l'exercice, les comptes clients de la société Grimaud ltée s'élevaient à 5 290 $. Au cours de l'exercice, les ventes à crédit ont été de 39 620 $ et l'entreprise a reçu 41 080 $ de ses clients. Quel sera le solde des comptes clients à la fin de l'exercice ? (3 830 $)

2. La société Grimaud ltée a présenté un bénéfice net s'élevant à 2 940 $ et, au cours de l'exercice, elle a déclaré un dividende de 900 $ à ses actionnaires. Au début de l'exercice, les bénéfices non répartis se chiffraient à 7 410 $. Quel est le solde des bénéfices non répartis, *après la clôture des comptes* ? (9 450 $)

5.8   LES GESTIONNAIRES ET LA TENUE DES LIVRES

Les livres fournissent les données sur lesquelles l'information est bâtie.

Peu nombreux sont les gestionnaires qui estiment que la tenue des livres est un sujet passionnant. Elle est pourtant primordiale pour eux. La tenue des livres et des comptes correspondants fournit les données fondamentales à partir desquelles on prépare l'information comptable. Par conséquent, dans la mesure où les décisions des gestionnaires et l'évaluation de leur rendement dépendent de l'information comptable, elles sont marquées par la nature même de ces données. Par exemple, si certains faits ne sont pas reconnus comme des opérations par le système de tenue des livres, ils ne pourront pas non plus apparaître dans les états financiers. La frustration qu'entraîne ces limites conduit souvent les gestionnaires à vouloir passer outre aux règles du système comptable en effectuant des redressements et des régularisations (dont il sera plus longuement question dans les chapitres 7 et 8). Toutefois, étant donné qu'une telle intervention comporte un aspect de « manipulation », elle est souvent inefficace pour convaincre les utilisateurs, et la frustration des dirigeants demeure.

Vous avez vu que la comptabilité générale commence avec une opération qui se caractérise principalement par le fait qu'un échange *a eu lieu*. La base du système comptable, par conséquent, demeure un registre rétrospectif de faits ou d'événements économiques. Il est donc difficile pour les gestionnaires de l'utiliser pour prédire les événements et les choix futurs. Bien que l'orientation « historique » de la comptabilité donne un point de départ fiable, entre autres qualités, et bien que les utilisateurs aient sans aucun doute besoin de savoir ce qui s'est passé en vue d'évaluer la performance, de nombreux dirigeants déplorent que la comptabilité ne fournisse pas d'information prévisionnelle. Certains la comparent même à une voiture que l'on conduirait en regardant seulement dans le rétroviseur, jamais devant soi ! Cela peut aller si la route est droite et totalement prévisible d'après ce que l'on voit dans son rétroviseur, mais cela ne fonctionne plus si la route est cahoteuse et balayée par le vent. Lorsque nous prédisons l'avenir, nous sommes guidés par le passé. De la même façon, les prédictions des gestionnaires sont guidées par les résultats passés que montre la comptabilité générale. Cependant, le gestionnaire a également besoin de beaucoup d'autres informations. Et c'est probablement ainsi que les choses doivent être : il n'y a aucune raison de supposer que la comptabilité doit donner aux dirigeants tout ce dont ils ont besoin. Si la comptabilité remplit sa mission comme il se doit, elle offre aux gestionnaires une bonne base de travail qui doit être étayée par d'autres informations afin que ceux-ci puissent mener à bien leur tâche.

Les registres rétrospectifs de la comptabilité générale ne fournissent qu'une partie de l'information dont les gestionnaires ont besoin.

5.9   LA RECHERCHE COMPTABLE : LA COMPTABILITÉ GÉNÉRALE DOIT-ELLE DÉPENDRE DES OPÉRATIONS ?

Nous avons compris, dans ce chapitre, que la comptabilité générale repose sur un système de tenue des livres qui enregistre les opérations et se garde de relever les faits qui ne sont pas des opérations. Nous verrons dans les chapitres suivants que la comptabilité d'exercice a entraîné l'implantation d'une importante structure d'événements non opérationnels qui s'ajoute à la structure d'événements opérationnels et qui la complète. Ainsi, la comptabilité moderne réussit à enregistrer de l'information qui ne dépend pas des opérations. Cependant, certains comptables et autres critiques se demandent souvent si la **base d'opérations** est la référence idéale dans tous les cas.

La comptabilité à la valeur actuelle propose une voie autre que celle de la comptabilité traditionnelle.

L'un des arguments en faveur de nouvelles approches de la comptabilité consiste à avancer que les gestionnaires, les investisseurs et d'autres utilisateurs de l'information comptable aimeraient connaître la valeur actuelle de l'actif et du passif, et non ce qu'ils valaient lorsqu'ils ont été enregistrés à partir d'une opération qui peut avoir eu lieu des années auparavant. Par exemple, au lieu du **coût d'origine** d'un immeuble, le bilan montrerait sa valeur actuelle. On a également avancé que l'on ne devrait pas mesurer le bénéfice selon la comptabilité d'exercice (laquelle utilise, par exemple, l'amortissement du coût d'origine pour enregistrer l'utilisation de la valeur de l'immeuble au fil du temps), mais plutôt d'après le changement subi par la valeur actuelle au cours de la période couverte par l'état des résultats. D'après les méthodes de la comptabilité d'exercice exposées dans ce manuel, un immeuble qui a coûté 2 000 000 $, il y a 8 ans, et qui est amorti sur 20 ans d'utilisation entraînerait une charge d'amortissement annuelle de 100 000 $ et apparaîtrait sur le bilan à son coût de 2 000 000 $, moins l'amortissement cumulé jusque-là, soit 800 000 $. Sa valeur comptable nette serait de 1 200 000 $. Les défenseurs de la **comptabilité à la valeur actuelle** affirment que l'on devrait présenter l'immeuble à sa valeur actuelle et faire correspondre les charges liées à son utilisation au déclin de cette valeur depuis l'année précédente. Supposons que la valeur actuelle s'élevait à 1 530 000 $ à la fin de l'exercice précédent et à 1 320 000 $ à la fin du présent exercice ; l'immeuble serait alors inscrit à 1 320 000 $ sur le bilan de fin d'exercice et non au montant conventionnel de 1 200 000 $. L'amortissement serait de 210 000 $ (1 530 000 $ − 1 320 000 $) pour le présent exercice, et non de 100 000 $.

La comptabilité à la valeur actuelle semble être une bonne idée. Elle est intuitive. Lorsque vous achetez une voiture, par exemple, vous vous inquiétez de sa perte de valeur pour la revente : c'est cette diminution de valeur dont la comptabilité à la valeur actuelle souhaite rendre compte. Lorsque vous vous demandez si vous êtes assez riche, vous pensez à la valeur de votre voiture sur le marché des véhicules d'occasion, celle qu'enregistrerait la comptabilité à la valeur actuelle. Dans les années 1960, 1970 et au début des années 1980, des auteurs comme E.O. Edwards, P.W. Bell, R.J. Chambers et R.R. Sterling ont étudié de nouvelles avenues permettant d'améliorer la comptabilité générale en se rapprochant des valeurs actuelles. De nombreuses recherches, théoriques et autres, se sont penchées sur la comptabilité à la valeur actuelle. Ces études se sont interrogées, entre autres, sur la signification de « valeur actuelle ». Est-ce que « valeur actuelle » doit signifier ce que vous devriez *obtenir* pour la voiture ou ce que vous *auriez à payer* pour acheter une voiture similaire ? Ces deux valeurs peuvent être proches, mais ne sont pas toujours équivalentes comme vous le savez certainement si vous avez déjà essayé de vendre une voiture et d'en acheter une nouvelle. Certaines expériences ont été faites sur les valeurs actuelles. Ainsi, au Canada, au milieu des années 1980, on a incité les entreprises à essayer cette méthode tout en présentant leurs états financiers habituels.

Cependant, la recherche a démontré de façon assez convaincante que le temps de la comptabilité à la valeur actuelle n'était pas encore venu. Elle est plus séduisante dans les périodes de grande inflation, lorsque le coût d'origine des opérations tend à s'éloigner grandement de leur valeur réelle. Mais l'inflation n'a pas été très élevée depuis quelques années ! De plus, on s'entend généralement sur la définition de ce qu'est une opération, mais il est plus difficile de s'entendre sur la valeur actuelle à utiliser, car *il n'y a pas eu* d'événement qui permettrait d'établir une valeur précise. La valeur actuelle est donc inévitablement hypothétique : il n'y a pas de bons documents pour la vérifier, et puis, s'informer auprès d'un agent immobilier ou d'un concessionnaire automobile ne conduit qu'à une échelle de prix et à beaucoup de désaccords. En outre, les valeurs actuelles sont encore plus éloignées de l'information sur les flux de l'encaisse que les chiffres de la comptabilité d'exercice. La plupart des chercheurs en comptabilité ont conclu que la comptabilité générale

De nombreuses études et recherches ont été consacrées à la comptabilité à la valeur actuelle.

Malgré tout, la comptabilité à la valeur actuelle ne s'est pas révélée supérieure à l'approche conventionnelle du coût d'origine.

basée sur les opérations risque d'être utilisée pendant encore plusieurs années. Pourtant, tout le monde n'en est pas convaincu, c'est pourquoi vous continuerez probablement de trouver, pour certains événements, des suggestions qui auront tendance à s'éloigner des opérations. Une de ces suggestions sera peut-être adoptée un jour pour l'ensemble des événements économiques !

5.10   COMPRENEZ-VOUS BIEN CES TERMES ?

Voici la liste des termes utilisés et expliqués dans ce chapitre. Vérifiez que vous comprenez bien leur signification en *comptabilité* et, si certains vous semblent encore un peu confus, relisez les explications données dans le chapitre ou reportez-vous au glossaire à la fin du manuel.

Actif	Coût d'origine
Articulation	Coût historique
Balance de vérification	Crédit (Ct)
Base d'opérations	Débit (Dt)
Bénéfice en comptabilité	Échange
d'exercice	Écriture de journal
Bénéfice net	Écriture de régularisation
Capitaux propres	Équation comptable
Clôture	Grand livre général
Comptabilité à la valeur	Opération
actuelle	Passif
Comptabilité d'exercice	Régularisation
Comptabilité en partie double	Report
Compte	Solde (d'un compte)
Compte en T	Système d'information
Compte après	Tenue des livres
clôture	

5.11   CAS À SUIVRE...

CINQUIÈME PARTIE

Données de la cinquième partie

Dans la deuxième partie, nous présentions les états financiers couvrant les six premiers mois d'activité de la jeune entreprise. Voici à présent la balance de vérification du grand livre général du 31 août 1997 qui a été utilisée pour préparer ces états financiers.

Comptes débiteurs		Comptes créditeurs	
Encaisse	4 507 $	Emprunt bancaire	75 000 $
Clients	18 723	Fournisseurs	45 616
Stock	73 614	Emprunt à payer	15 000
Automobile	10 000	Capital-actions	125 000
Améliorations locatives	63 964	Produits	42 674
Matériel et mobilier	29 740	Amortissement cumulé —	
Ordinateur	14 900	automobile	1 000
		Amortissement cumulé —	
Logiciels	4 800	améliorations locatives	6 396
Frais de constitution	1 100	Amortissement cumulé —	
Coût des marchandises vendues	28 202	matériel	744
Salaire — Mado	15 000	Amortissement cumulé —	
Salaire — Thomas	9 280	ordinateur	1 490
Salaire — autre	1 200	Amortissement cumulé —	
Frais de déplacement	8 726	logiciels	480
Téléphone	2 461		
Loyer	12 000		
Services publics	1 629		
Frais généraux et de bureau	3 444		
Amortissement —			
automobile	1 000		
Amortissement —			
améliorations locatives	6 396		
Amortissement —			
matériel	744		
Amortissement — ordinateur	1 490		
Amortissement — logiciels	480		
	313 400 $		313 400 $

Alarmés par la perte qu'a subie l'entreprise au cours des six premiers mois (perte de 49 378 $, calculée dans la deuxième partie) et la tendance à la baisse de l'encaisse (diminution de 200 493 $, calculée dans la troisième partie), Mado et Thomas ont adopté des mesures draconiennes au cours des six mois suivants. Ils ont concentré leurs efforts sur les ventes, pressant autant que possible les boutiques de payer leurs comptes, sans compromettre leurs relations avec ces clients. Ils ont réduit le niveau de leur stock et, de manière générale, ils ont tenté d'alléger les frais de leur entreprise, comme Thomas le proposait.

Voici les événements qui se sont produits au cours des six mois terminés le 28 février 1998, regroupés et répertoriés afin de pouvoir y faire référence par la suite:

a. Les produits pour cette période s'élèvent à 184 982 $. Il s'agit essentiellement de ventes à crédit. (Nous apprendrons plus tard qu'ils ont perçu et payé la taxe sur les produits et services (TPS) et la taxe de vente provinciale (TVQ) au cours de cette période, mais nous n'en tiendrons pas compte pour le moment afin d'éviter de compliquer les choses.)

b. Les recouvrements des comptes clients au cours de la période atteignent 189 996 $.

c. Les achats, tous à crédit, pour cette période s'élèvent à 71 004 $.

d. Les paiements aux fournisseurs au cours de cette période atteignent 81 276 $. (Pour conserver son encaisse, la société continue de compter sur la patience de ses fournisseurs, plus que ne le voudrait Thomas. Mais, de cette façon, l'entreprise évite les intérêts débiteurs, car les fournisseurs n'en réclament pas, contrairement à la banque.)

e. Le coût des marchandises vendues s'élève à 110 565 $ pour cette période.

f. Le dénombrement du stock au 28 février 1998 révèle que le coût du stock est de 33 612 $. (Ce qui a permis à Thomas de déduire que certains articles manquaient, car le stock était un peu moins important que ne le laissaient entrevoir les ventes réalisées.)

g. Thomas décide de combiner les trois comptes de salaire en un seul, et ce, à partir du 1er septembre 1997.

h. Pour cette période, les salaires s'élèvent à 42 000 $. L'entreprise les a payés au complet à l'exception de 2 284 $ qu'elle devait au gouvernement en impôts sur le revenu et autres retenues salariales et de 2 358 $ en salaires nets qu'elle devait aux employés à la fin du mois de février.

i. Voici les divers frais d'exploitation pour cette période : déplacements, 1 376 $; téléphone, 1 553 $; loyer 12 000 $; services publics, 1 956 $; frais généraux et de bureau, 2 489 $. Au 28 février, toutes ces dépenses étaient payées, sauf 1 312 $.

j. L'entreprise a acheté comptant du matériel au coût de 2 650 $, le 3 novembre 1997.

k. L'emprunt bancaire a augmenté et diminué au cours de la période. L'entreprise a contracté un emprunt additionnel de 32 000 $ et remboursé 59 500 $.

l. Des intérêts bancaires de 4 814 $ ont été payés au cours de la période, dont une partie couvre la période précédant le 31 août 1997, laquelle n'avait pas été incluse dans les comptes à cette date.

m. Malheureusement, du point de vue personnel comme sur le plan financier, la santé du père de Thomas s'est détériorée au cours de l'automne, et celui-ci a demandé que son prêt lui soit remboursé. L'entreprise l'a fait le 15 décembre 1997, en y ajoutant des intérêts s'élevant à 1 425 $.

L'employé, dont on a fait mention dans une partie précédente, a été embauché en août et a examiné la comptabilité de la société. Les faits ci-dessus sont l'aboutissement de centaines d'opérations distinctes, inscrites par cet employé. En voici un résumé ci-dessous. Avant de consulter les résultats, tentez de les journaliser !

Résultats de la cinquième partie

Voici les écritures de la période qui va du 1er septembre 1997 au 28 février 1998, correspondant aux faits énumérés ci-dessus. Pour plus de clarté, nous n'y ajoutons pas les explications ni les mentions Dt et Ct, qui sont implicitement indiquées par la place qu'occupent les chiffres (les débits sont à gauche). Comme il s'agit d'écritures récapitulatives, on omet les dates.

a.	Clients	184 982	
	Produits		184 982
b.	Encaisse	189 996	
	Clients		189 996
c.	Stock	71 004	
	Fournisseurs		71 004

Résultats de la cinquième partie (suite)	d. Fournisseurs	81 276	
	Encaisse		81 276
	e. Coût des marchandises vendues	110 565	
	Stock		110 565
	f. Écart d'inventaire négatif	441	
	Stock		441
	(73 614 $ + 71 004 − 110 565 $ − 33 612 $)		
	g. Salaires	25 480	
	Salaire — Mado		15 000
	Salaire — Thomas		9 280
	Salaire — Autre		1 200
	h. Salaires	42 000	
	Retenues à la source à payer		2 284
	Salaires à payer		2 358
	Encaisse (par déduction)		37 358
	i. Frais de déplacement	1 376	
	Téléphone	1 553	
	Loyer	12 000	
	Services publics	1 956	
	Frais généraux et de bureau	2 489	
	Fournisseurs		1 312
	Encaisse (par déduction)		18 062
	j. Matériel et mobilier	2 650	
	Encaisse		2 650
	k. Encaisse	32 000	
	Emprunt bancaire		32 000
	Emprunt bancaire	59 500	
	Encaisse		59 500
	l. Intérêts débiteurs	4 814	
	Encaisse		4 814
	m. Emprunt à payer	15 000	
	Intérêts débiteurs	1 425	
	Encaisse		16 425

Le report de ces écritures donne les soldes suivants pour les comptes du grand livre général au 28 février 1998. Ils sont classés par ordre de présentation dans le bilan, comme on le fait couramment, mais certes pas toujours. Les crédits sont indiqués entre parenthèses.

Comptes	Solde au 31 août 97	Opérations jusqu'au 28 février 1998	Solde au 28 février 98
Encaisse	4 507	189 996 (81 276) (37 358) (18 062) (2 650) 32 000 (59 500) (4 814) (16 425)	6 418
Clients	18 723	184 982 (189 996)	13 709
Stock	73 614	71 004 (110 565) (441)	33 612

Comptes (suite)	Solde au 31 août 97	Opérations jusqu'au 28 février 1998	Solde au 28 février 98
Automobile	10 000	0	10 000
Amortissement cumulé — automobile	(1 000)	0	(1 000)
Améliorations locatives	63 964	0	63 964
Amortissement cumulé — améliorations locatives	(6 396)	0	(6 396)
Matériel et mobilier	29 740	2 650	32 390
Amortissement cumulé — matériel et mobilier	(744)	0	(744)
Ordinateur	14 900	0	14 900
Amortissement cumulé — ordinateur	(1 490)	0	(1 490)
Logiciels	4 800	0	4 800
Amortissement cumulé — logiciels	(480)	0	(480)
Frais de constitution	1 100	0	1 100
Emprunt bancaire	(75 000)	(32 000) 59 500	(47 500)
Fournisseurs	(45 616)	(71 004) 81 276 (1 312)	(36 656)
Retenues à la source à payer	0	(2 284)	(2 284)
Salaires à payer	0	(2 358)	(2 358)
Emprunt à payer	(15 000)	15 000	0
Capital-actions	(125 000)	0	(125 000)
Produits	(42 674)	(184 982)	(227 656)
Coût des marchandises vendues	28 202	110 565	138 767
Salaire — Mado	15 000	(15 000)	0
Salaire — Thomas	9 280	(9 280)	0
Salaire — autre	1 200	(1 200)	0
Salaires	0	25 480 42 000	67 480
Frais de déplacement	8 726	1 376	10 102
Téléphone	2 461	1 553	4 014
Loyer	12 000	12 000	24 000
Services publics	1 629	1 956	3 585
Frais généraux et de bureau	3 444	2 489	5 933
Intérêts débiteurs	0	4 814 1 425	6 239
Écart d'inventaire négatif	0	441	441
Amortissement — automobile	1 000	0	1 000
Amortissement — améliorations locatives	6 396	0	6 396
Amortissement — matériel et mobilier	744	0	744
Amortissement — ordinateur	1 490	0	1 490
Amortissement — logiciels	480	0	480
Totaux nets	0	0	0

5.12 SUJETS DE RÉFLEXION ET TRAVAUX POUR AMÉLIORER LA COMPRÉHENSION

PROBLÈME 5.1*
Pour ou contre les données détaillées dans les états financiers

Les états financiers sont des documents de synthèse représentant des milliers d'opérations. Les journaux financiers et les analystes fournissent des informations encore plus condensées au sujet des entreprises. Pourquoi les utilisateurs acceptent-ils ou même préfèrent-ils une information condensée à des données détaillées ? Dans quelle mesure est-il important pour l'utilisateur de comprendre les méthodes et les hypothèses qui sont à la base de ces documents de synthèse ?

PROBLÈME 5.2*
Inscription d'opérations simples

Les faits énumérés ci-dessous ont tous eu lieu le 15 décembre 1998. Présentez l'écriture nécessaire pour inscrire chaque fait dans les comptes de la société A pour l'exercice terminé le 31 décembre 1998. S'il n'y a pas d'écriture à passer, mentionnez-le et expliquez pourquoi. Dans la plupart des cas, il n'est pas nécessaire de poser des hypothèses mais, au besoin, vous pouvez le faire.

  a. On embauche un nouveau directeur général dont le salaire annuel sera de 60 000 $.
  b. La société A reçoit une facture de 200 $ d'un journal qui publiera une annonce publicitaire le 31 décembre 1998. La société dispose de 60 jours pour payer cette facture.
  c. La société A achète une obligation moyennant 2 000 $ comptant. L'obligation arrivera à échéance dans trois ans et aura alors une valeur de 2 500 $ grâce aux intérêts.
  d. Un paysagiste accepte d'apporter des améliorations au terrain que possède la société A. Le prix convenu pour le travail est de 700 $.
  e. Un client commande 900 $ de marchandises et verse un acompte de 300 $.
  f. La société paie comptant 600 $ de primes d'assurance pour la période allant du 1er décembre 1998 au 30 novembre 1999.

PROBLÈME 5.3*
Constatation et inscription des opérations

Les faits suivants sont survenus chez Baillard ltée le mois dernier. Déterminez, pour chacun d'eux, s'il s'agit ou non d'une opération, et expliquez pourquoi. S'il s'agit d'une opération, passez *deux* écritures : l'une pour Baillard ltée et l'autre, pour la deuxième partie concluant l'opération.

  a. Un client commande pour 6 000 $ de marchandises, lesquelles doivent lui être expédiées le mois prochain.
  b. Un autre client paie 528 $ à l'entreprise pour des services de consultation en marketing.
  c. Le prix des actions de Baillard a augmenté de 0,50 $. Puisqu'elles sont au nombre de 100 000, l'augmentation représente 50 000 $.
  d. Baillard a fait passer une annonce à la télévision et a promis de payer à la chaîne 2 000 $ le mois prochain.
  e. Un des employés a fait des heures supplémentaires s'élevant à 120 $. On lui versera cette somme le mois prochain.
  f. La société a dû rembourser 50 $ à un adolescent, dont le tee-shirt a été déchiré lorsqu'on l'a attrapé en train de s'enfuir après un vol à l'étalage.

g. Baillard a reçu une livraison de marchandises destinées à la vente. L'entreprise a payé 1 000 $ comptant et s'est engagée à payer les 12 250 $ restants quelques jours plus tard.

h. Baillard a payé les 12 250 $ restants.

i. La société a fait un don de 500 $ pour soutenir un parti politique. (Ce don s'avérera plus tard contraire aux lois électorales, au grand embarras de l'entreprise.)

j. La Grande Banque a accordé à l'entreprise un prêt à court terme de 20 000 $.

PROBLÈME 5.4*
Écriture pour l'acquisition d'une entreprise

La société Ambitions ltée a acheté une partie de l'entreprise d'un concurrent qui a décidé de réduire sa production. Pour un prix de 4 200 000 $ (1 000 000 $ comptant et le reste payable en quatre versements annuels plus des intérêts de 12 % par année), Ambitions a acquis un stock, un terrain, un magasin de détail, un mobilier et du matériel, ainsi que des droits de concession qu'elle a respectivement évalués à 280 000 $, 1 500 000 $, 1 800 000 $, 470 000 $ et 40 000 $. Ambitions ltée a accepté également de rembourser un emprunt bancaire de 130 000 $ garanti par le stock.

Passez l'écriture nécessaire pour inscrire l'acquisition de la société Ambitions ltée.

PROBLÈME 5.5*
Écritures et états financiers pour une petite entreprise débutante

Gérard Labrèche, étudiant de deuxième année à l'université, en a assez du travail d'été sous-payé et temporaire. Il décide donc avec enthousiasme de mettre sur pied une entreprise de vente de hot-dogs dans les parcs de la ville pendant l'été.

Sa société, Labrèche ltée, commence ses opérations le 1ᵉʳ janvier 1998 et termine sa première année d'exploitation le 31 décembre 1998. Voici les faits qui sont survenus au cours de l'année :

a. Le 1ᵉʳ janvier 1998, la société a émis 100 actions à 1 $ chacune. De plus, le père de Gérard a prêté 5 000 $ à la société. Aucune condition de remboursement et aucuns frais d'intérêt ne sont rattachés à ce prêt.

b. Le 1ᵉʳ janvier 1998, Labrèche ltée a négocié un contrat avec un boucher local afin de pouvoir entreposer ses fournitures dans son réfrigérateur. En pensant à l'avenir, la société a signé une entente de deux ans qui doit expirer le 31 décembre 1999. Selon cette entente, des paiements de 120 $ et de 130 $ doivent être effectués le 1ᵉʳ janvier 1998 et le 1ᵉʳ janvier 1999 respectivement.

c. Le 1ᵉʳ juin 1998, Labrèche ltée a acheté comptant la nourriture nécessaire pour l'été, qui se compose de 500 douzaines de pains à hot-dogs à 1 $ la douzaine et de 500 douzaines de saucisses à 3 $ la douzaine.

d. Le 1ᵉʳ juin 1998, Labrèche ltée a acheté deux comptoirs à hot-dogs portatifs au coût de 300 $ chacun à un vendeur qui se retirait des affaires. La société a accepté de payer 100 $ à l'achat au vendeur et le solde, plus un intérêt annuel de 10 %, le 31 décembre 1998. La société a également dépensé 60 $ pour la réfection des comptoirs à hot-dogs. La valeur économique des comptoirs sera complètement « amortie » à la fin de la première saison et, par conséquent, les frais correspondants sont entièrement imputés à l'exercice 1998.

e. Au cours de cet exercice, les ventes de Labrèche ltée se sont élevées à 7 000 $.

f. La société a embauché une étudiante pour exploiter un des deux comptoirs ; l'étudiante a reçu 800 $ par mois pendant les trois mois au cours desquels elle a travaillé pour la société (de juin à août).

Voici d'autres renseignements qui ne sont pas encore inscrits dans les comptes :

g. Le stock au 31 décembre 1998 se compose de :

Pains à hot-dogs	10 douzaines
Saucisses	10 douzaines

h. Le taux d'imposition de la société est de 20 %. Les impôts dus ont été payés le 31 décembre 1998.

i. Tous les engagements contractuels de la société ont été respectés au 31 décembre 1998.

j. Le 31 décembre 1998, la société a déclaré et versé un dividende de 5 $ par action.

1. Passez les écritures nécessaires pour inscrire les faits ci-dessus dans les livres de Labrèche ltée, pour l'exercice terminé le 31 décembre 1998.

2. Dressez un bilan au 31 décembre 1998 et les états des résultats et des bénéfices non répartis pour l'exercice terminé à cette date.

3. L'entreprise Labrèche ltée est-elle une réussite ? Lui conseilleriez-vous de recommencer l'expérience l'été prochain ? Tenez compte à la fois des aspects qualitatifs et des états financiers que vous avez dressés.

PROBLÈME 5.6*
Explication du système comptable reposant sur les opérations

Votre patronne vient juste de revenir d'un dîner d'affaires. Un comptable y expliquait le fonctionnement de la comptabilité. Il a fait ce commentaire qui reste obscur pour votre patronne : « Chaque système d'information doit commencer quelque part pour recueillir des données. La comptabilité commence avec des opérations commerciales. Ainsi, la comptabilité générale présente un historique minutieux de l'entreprise et non une mesure de sa valeur actuelle. »

Expliquez ce commentaire à votre patronne.

PROBLÈME 5.7*
Préparation d'un bilan à partir d'opérations simples

Voici le bilan de l'entreprise Fabricolo ltée au 31 juillet 1998 :

Fabricolo ltée Bilan au 31 juillet 1998			
Actif		**Passif et capitaux propres**	
Actif à court terme :		Passif à court terme :	
Encaisse	24 388 $	Emprunt bancaire	53 000 $
Clients	89 267	Fournisseurs	78 442
Stock	111 436	Impôts à payer	12 665
Charges payées		Tranche à court terme	
à l'avance	7 321	de l'hypothèque	18 322
	232 412 $		162 429 $
Actif à long terme :		Passif à long terme :	
Terrain	78 200 $	Hypothèque	
Usine	584 211		213 734 $
	662 411 $	Passif découlant du	
		régime de retraite	67 674
Amort. cum.	(198 368)	Prêt des actionnaires	100 000
	464 043 $		381 408 $
		Capitaux propres :	
		Capital-actions émis	55 000 $
		Bénéfices non répartis	97 618
			152 618 $
	696 455 $		696 455 $

Le 1er août 1998, la société Fabricolo a effectué les opérations suivantes :

1. Elle a remboursé 10 000 $ du prêt des actionnaires.
2. Elle a recouvré 11 240 $ sur un compte client.
3. Elle a acheté de nouveaux stocks de marchandises à crédit pour 5 320 $.
4. La société a émis de nouvelles actions d'une valeur de 22 000 $.
5. Le produit de l'émission des actions a été utilisé pour rembourser une partie de l'emprunt bancaire.
6. Elle a fait l'acquisition de nouveaux terrains au coût de 52 000 $. Elle a versé 12 000 $ comptant et a pris une hypothèque à long terme pour le reste.
7. Elle a acheté à crédit 31 900 $ de nouveau matériel pour l'usine. Elle doit payer 13 900 $ dans 6 mois et le reste dans 24 mois.

Préparez un nouveau bilan au 1er août 1998, en prenant ces opérations en considération. Vous pouvez procéder directement en calculant l'effet de chaque opération sur les comptes du bilan, employer un chiffrier électronique ou encore utiliser un ensemble de comptes inscrits sur papier.

PROBLÈME 5.8*
Préparation des états financiers à partir d'opérations

À la fin de l'année passée, Filmor ltée, une compagnie de l'industrie du film, présentait les comptes de bilan suivants (dans le désordre):

Encaisse	23 415	Capital-actions	20 000
Fournisseurs	37 778	Matériel de bureau	24 486
Amort. cum.	11 134	Clients	89 455
Bénéfices non répartis	51 434	Stock de fournitures	10 240
Dette à long terme	15 000	Impôts à payer	12 250

Voici le résultat des activités de la société pour cette année:

a. Les produits, tous réalisés à crédit, se sont chiffrés à 216 459 $.

b. Les charges de production se sont élevées à 156 320 $, dont 11 287 $ ont été réglés au comptant, le reste étant à crédit.

c. L'amortissement du matériel de bureau s'élève à 2 680 $ pour l'année. (Ceci constitue une charge, soit un débit, ainsi qu'une augmentation du solde de l'amortissement cumulé, soit un crédit.)

d. La société a acheté à crédit de nouvelles fournitures coûtant 8 657 $ et a utilisé 12 984 $ de fournitures pendant l'année.

e. L'impôt sur le bénéfice à payer a été estimé à 12 319 $ pour l'année.

f. Le conseil d'administration a déclaré un dividende de 25 000 $.

g. Les recouvrements auprès des clients ont totalisé 235 260 $.

h. Les paiements aux fournisseurs se chiffraient à 172 276 $.

i. Le paiement des impôts s'est élevé à 18 400 $.

j. Un remboursement de 5 000 $ a été fait sur la dette à long terme.

k. Le dividende a été versé comptant aux actionnaires.

1. Pour commencer, préparez le bilan de Filmor ltée à la fin de l'exercice précédent.

2. Enregistrez les activités de cette année en passant les écritures appropriées et en reportant ces écritures aux comptes (en travaillant sur papier ou avec un chiffrier électronique).

3. Préparez une balance de vérification de vos comptes pour montrer qu'ils sont équilibrés (si vous utilisez un chiffrier électronique, celui-ci devrait le faire pour vous).

4. À partir de ces comptes, préparez les états financiers suivants:

   • l'état des résultats pour cette année.

   • l'état des bénéfices non répartis pour cette année.

   • le bilan à la fin de cette année (il pourrait être utile de dresser un bilan comparatif de cette année et de la précédente).

5. Commentez ce que révèlent ces trois états financiers sur la performance de l'entreprise et sur sa situation financière à la fin de l'année. Diriez-vous que la société se porte mieux cette année que l'année passée?

PROBLÈME 5.9*
Explication et inscription des changements dans les soldes des comptes

Les dix changements suivants ont été observés dans les comptes de Boisvert ltée. Expliquez ce qui a dû causer chacun de ces changements et passez l'écriture correspondante. Voici un exemple : augmentation de l'encaisse, 5 000 $; augmentation de l'emprunt bancaire, 5 000 $. L'explication serait que l'entreprise a emprunté 5 000 $ à la banque. Écriture : Dt Encaisse 5 000, Ct Emprunt bancaire 5 000.

1. Augmentation des comptes fournisseurs de 573 $, augmentation des frais de réparation de 573 $.
2. Augmentation des produits de 1 520 $, augmentation de l'encaisse de 200 $, augmentation des comptes clients de 1 320 $.
3. Augmentation du capital-actions de 2 000 $, augmentation de l'encaisse de 2 000 $.
4. Diminution des bénéfices non répartis de 500 $, diminution de l'encaisse de 500 $.
5. Diminution des comptes clients de 244 $, augmentation de l'encaisse de 244 $.
6. Diminution de l'hypothèque de 1 000 $, diminution de l'encaisse de 1 000 $.
7. Augmentation du stock de 2 320 $, augmentation des comptes fournisseurs de 2 320 $.
8. Diminution du stock de 400 $, augmentation du coût des marchandises vendues de 400 $.
9. Augmentation du bâtiment de 25 000 $, diminution de l'encaisse de 5 000 $, augmentation de l'hypothèque à payer de 20 000 $.
10. Diminution des produits de 249 320 $ (ramené à zéro), augmentation des bénéfices non répartis de 249 320 $.

PROBLÈME 5.10*
Explication de termes sans utiliser le jargon comptable

Expliquez les termes suivants en utilisant des mots qu'un non-comptable pourrait comprendre (c'est-à-dire, sans utiliser le jargon de la comptabilité) :

1. Opération
2. Clôture
3. Débit
4. Débiter quelque chose
5. Compte
6. Grand livre général
7. Balance de vérification

PROBLÈME 5.11
Comptabilisation des opérations en partie double : force et faiblesse

Dans une envolée qui témoigne de sa passion pour la comptabilité, le professeur Lechiffre a déclaré : « Le système de comptabilisation des opérations en partie double constitue la plus grande force et la plus grande faiblesse de la comptabilité générale. » Il a ensuite expliqué ce commentaire. Comment l'expliqueriez-vous si vous étiez à sa place ?

PROBLÈME 5.12
Identification des faits à des opérations

Les faits suivants se sont produits à la brasserie Milson ltée. Pour chacun d'eux, indiquez s'il s'agit d'une opération comptable pour Milson ltée, et, en quelques mots, expliquez pourquoi.

a. Un grand réservoir contenant du moût de bière s'est brisé, et tout le moût a été perdu.
b. Un actionnaire important a vendu 50 000 actions en bourse.

    c. La société a acheté une brasserie mexicaine au coût de 60 000 000 $.

    d. On a reçu une facture concernant la publicité télévisée de la semaine prochaine.

    e. Un bar a pris livraison de sa commande hebdomadaire de bière Milson.

PROBLÈME 5.13
Identification et inscription des opérations

Les faits suivants se sont produits aujourd'hui chez Ballons gonflables ltée, une société de publicité et de tourisme qui utilise des montgolfières. Pour chacun des faits mentionnés ci-dessous, déterminez s'il s'agit ou non d'une opération comptable pour Ballons gonflables ltée et dites pourquoi. S'il s'agit d'une opération comptable, passez l'écriture nécessaire.

    a. Le président, découragé des piètres résultats des ventes, a sauté d'un ballon à environ 300 mètres d'altitude. Son salaire était de 75 000 $ par année.

    b. La veuve du président a immédiatement intenté une poursuite de 500 000 $ contre la société, arguant que c'est le stress causé par son travail qui a poussé le président au suicide.

    c. La société s'est entendue avec le propriétaire du bâtiment pour lui verser 10 000 $ afin de réparer le toit qui a été endommagé par la chute du président.

    d. Lorsque le suicide du président a été rendu public, l'actionnaire Jules Dussault a vendu ses actions à Henry Lheureux pour une somme de 18 000 $, alors qu'elles lui avaient coûté 20 000 $.

    e. Ayant appris le geste du président, et préoccupé de son incidence possible sur le cours des actions, le conseil d'administration a déclaré un dividende de 25 000 $ qui doit être versé deux semaines plus tard ; le conseil espère soutenir ainsi le moral des actionnaires.

PROBLÈME 5.14
Identification et inscription des opérations

Les faits suivants se sont produits le 1er février 1998. Pour chacun, présentez, s'il y a lieu, l'écriture qui permettrait d'inscrire l'opération dans les comptes de la société Sigouin ltée en indiquant clairement de quel compte du bilan il s'agit. Formulez toutes les hypothèses qui vous semblent nécessaires.

    a. La société a acheté des fournitures qu'elle pense utiliser immédiatement. Le prix d'achat de ces fournitures s'élève à 5 000 $. On a payé seulement 2 000 $ comptant à la livraison. Le solde doit être payé dans 30 jours.

    b. La société a décidé de louer un véhicule de service au coût de 4 800 $ par année. Le 1er février 1998, elle signe un contrat de location qui prendra effet le 1er mars. Sigouin ltée a versé 400 $ comptant à la société de location le 1er février, montant qui correspond au loyer de mars 1998.

    c. Certains des réparateurs de Sigouin ltée n'étaient pas occupés le 1er février. Le directeur leur a fait repeindre l'intérieur de l'entrepôt. Présumez que le salaire des réparateurs (300 $) a été payé comptant à la fin de la journée.

    d. Une actionnaire a vendu son automobile à la société. Le véhicule lui avait coûté 15 000 $ deux ans auparavant. En tenant compte de l'usure, un tel véhicule aurait valu environ 8 000 $ le 1er février 1998. L'actionnaire n'a pas reçu d'argent en contrepartie, mais elle s'attend à être payée plus tard.

e. On a reçu une facture de 5 000 $ pour des travaux de réparation et d'entretien effectués en décembre 1997. L'exercice financier de la société se termine le 31 décembre. Cette charge n'a pas été inscrite dans les états financiers de 1997.

PROBLÈME 5.15
Identification et inscription des opérations

La société Dubuisson ltée exploite un grand magasin qui se trouve en banlieue. Au cours du mois, les faits suivants se sont produits. Pour chacun, dites s'il s'agit d'une opération comptable. Si c'est le cas, expliquez brièvement pourquoi et passez l'écriture nécessaire. Indiquez où vous voulez que chaque compte apparaisse dans les états financiers. S'il ne s'agit pas d'une opération comptable, expliquez brièvement pourquoi.

a. Dubuisson ltée a emprunté 500 000 $ à la Banque générale du Québec. Elle doit rembourser la somme dans trois ans, mais le remboursement de l'emprunt peut être exigé dans un délai de 10 jours si Dubuisson ltée n'effectue pas l'un des versements mensuels d'intérêt qui commencent le mois prochain.

b. Le détaillant a commandé pour 300 000 $ de marchandises destinées à la vente ; ces marchandises doivent être livrées dans 40 jours et le détaillant a envoyé un acompte de 10 000 $ avec sa commande.

c. La société a renouvelé son bail pour la location du magasin et signé une entente selon laquelle le loyer mensuel passera de 21 000 $ à 23 000 $ dans trois mois.

d. La société Dubuisson ltée a été accusée de réclamer des prix exorbitants pour sa principale gamme de marchandises. À la bourse, la nouvelle a fait passer le cours de ses actions de 10 $ à 8,50 $. La société possède 1 000 000 d'actions en circulation sur le marché boursier.

e. La société a déclaré un dividende de 0,50 $ par action à payer dans une semaine sur le million d'actions en circulation. La nouvelle a fait monter le cours de ses actions de 0,40 $.

PROBLÈME 5.16
Préparation du bilan à partir des opérations

Fatiguée d'une carrière sans possibilité d'avancement au sein d'une grande société, Manon a décidé de lancer sa propre entreprise de fabrication et de vente de pâtes fraîches, ainsi que de sauces d'accompagnement et d'ustensiles de cuisine. Cela lui a pris plusieurs semaines avant de s'installer et de réaliser sa première vente.

Dressez un bilan approximatif pour la nouvelle entreprise de Manon, Pasta ltée. Enregistrez ensuite (en utilisant une feuille de papier ou un chiffrier électronique) les faits (opérations) suivants, qui ont eu lieu au cours des semaines de préparation et dressez le bilan de la société à la fin de cette période d'installation.

1. Manon a mis 45 000 $ d'économies personnelles dans un nouveau compte bancaire ouvert au nom de la société. Elle a décidé que 35 000 $ de ce montant seraient convertis en actions de la société et que le reste constituerait un prêt, en espérant que celle-ci serait capable de la rembourser dans quelques années.

2. Manon a également apporté à la société sa vaste collection de recettes et sa camionnette. Elle estime que les recettes valent environ 500 $, et la camionnette, environ 7 500 $. Elle n'est pas pressée d'être remboursée pour ces biens, mais pense qu'ils doivent être inclus dans l'actif de la société.

3. Un groupe d'amis et de parents ont versé 25 000 dollars à la société en contrepartie d'actions.

4. La société a loué un local dans un petit centre commercial et a versé 2 000 $ de loyer à l'avance.

5. Un autre ami, qui n'avait pas d'argent mais voulait participer, a accepté de faire quelques rénovations et travaux de peinture dans le nouveau local en échange de quelques actions de la société. Manon et l'ami se sont mis d'accord pour dire que le travail effectué aurait coûté 4 500 $ si elle avait dû demander à quelqu'un d'autre de le faire.

6. La société a acheté une grande quantité de matériel de cuisine et de rangement au prix de 63 250 $; elle a versé 28 000 $ comptant et s'est engagée à payer le reste en cinq versements annuels égaux, commençant dans 6 mois.

7. Les fournitures pour la fabrication des pâtes ont coûté 4 720 $ et les ustensiles de cuisine pour la revente, 3 910 $. La société a versé 1 000 $ comptant et s'est engagée à payer le reste dans 60 jours.

8. La société a obtenu une autorisation de crédit de 20 000 $ de la banque et en a profité pour emprunté 2 500 $ sur ce montant, remboursable sur demande. Manon a dû garantir personnellement cette marge de crédit.

9. La société a payé un avocat 1 800 $ pour les frais de constitution.

PROBLÈME 5.17
Révision de la séquence comptable allant des opérations aux états financiers

Afin de vous distraire de vos études en gestion, vous vous êtes inscrit à un club de sport. Après une bonne journée d'entraînement, certains membres se sont plaints de la comptabilité du club. Celui-ci semblait disposer d'importantes sommes d'argent grâce aux cotisations des membres, aux locations d'équipement et à d'autres sources. Malgré tout, les membres ne sont pas vraiment sûrs de sa situation financière. Un des plus anciens membres se charge de la tenue des livres et des états financiers. On dit de lui qu'il « est foncièrement honnête, mais qu'il commence à être mêlé ».

On vous demande de prendre la parole lors de la prochaine réunion d'affaires du club, non pas pour critiquer le teneur de livres, mais plutôt pour expliquer aux autres membres comment fonctionnent la tenue des livres et le système comptable, en commençant par les opérations et en terminant par les états financiers du club. Préparez un plan de votre présentation.

PROBLÈME 5.18
Explication de l'importance de la tenue des livres à un gestionnaire

François, président de Grignotines ltée, a reçu de mauvaises nouvelles. Le fidèle comptable de la société a décidé de se retirer afin de se lancer dans l'agriculture, et François doit agir rapidement. Deux options s'offrent à lui : embaucher un autre comptable ou bien faire appel aux services d'un comptable externe travaillant à son compte. François n'avait jamais pris conscience auparavant que la tenue des livres coûtait de l'argent puisque l'ancien comptable travaillait dans la société depuis plusieurs années et que son salaire faisait partie de la charge salariale. Mais ces frais lui apparaissent à présent très clairement : il se rend compte que, quelle que soit l'option choisie, la société devra débourser des milliers de dollars par an.

François se demande jusqu'à quel point la comptabilité justifie ces frais importants. Aidez-le à comprendre l'importance de la comptabilité pour son travail de gestionnaire, en lui expliquant notamment ce que la nature du système de tenue des livres signifie par rapport à l'information que reçoivent le gestionnaire et les autres utilisateurs sur la société.

PROBLÈME 5.19
Explication et inscription des changements du solde des comptes

Voici de nouveaux changements qui se sont produits dans les comptes de Boisvert ltée (reportez-vous au problème 5.9 pour les premiers changements et pour l'exemple). Expliquez en quelques mots les raisons possibles de chacun de ces changements et passez les écritures correspondantes.

1. Diminution des comptes fournisseurs de 3 220 $, diminution de l'encaisse de 3 220 $.
2. Augmentation de l'impôt sur le bénéfice de 5 900 $, diminution de l'encaisse de 5 000 $, augmentation de l'impôt sur le bénéfice à payer de 900 $.
3. Augmentation des avances sur frais de déplacement de 200 $, diminution de l'encaisse de 200 $.
4. Diminution des avances sur frais de déplacement de 200 $, augmentation de l'encaisse de 11 $, augmentation des frais de déplacement de 189 $.
5. Augmentation de l'encaisse de 350 $, augmentation des acomptes des clients de 350 $.
6. Augmentation de la charge salariale de 3 000 $, augmentation des salaires à payer de 2 400 $, augmentation des retenues à la source à payer de 600 $.
7. Augmentation du matériel de 5 200 $, augmentation du capital-actions de 5 200 $
8. Diminution du capital-actions de 1 000 $, diminution de l'encaisse de 1 000 $.
9. Augmentation de l'encaisse de 1 200 $, augmentation des comptes clients de 3 300 $, augmentation des produits de 4 500 $, diminution du stock de 2 750 $, augmentation du coût des marchandises vendues de 2 750 $.
10. Diminution du coût des marchandises vendues de 147 670 $ (ramené à zéro), diminution des bénéfices non répartis de 147 670 $.

PROBLÈME 5.20
Préparation des états financiers à partir des opérations

Boissons ltée est une entreprise qui a démarré cette année avec environ 100 000 $ d'encaisse apportés par le propriétaire, Roger Soif, en échange de 35 000 $ en capital-actions et de la promesse de la société de lui rembourser le reste d'ici 5 ans. La société loue ses locaux et son matériel ; elle ne possède donc pas d'éléments d'actif à long terme. Les opérations ci-dessous se sont produites au cours de cette première année. Enregistrez ces opérations en passant les écritures nécessaires, reportez-les aux comptes du grand livre général (à la main ou en utilisant un chiffrier électronique), et dressez ensuite l'état des résultats et l'état des bénéfices non répartis pour cet exercice, ainsi que le bilan de fin d'exercice.

Voici les opérations de l'exercice :

a. La société a acheté au total pour 298 420 $ de stock à la fin de l'exercice. Elle a payé l'essentiel de cette somme, à l'exception de 43 960 $.
b. Les employés ont gagné 122 080 $ en salaires au cours de l'année. Sur cette somme, la société a versé 90 300 $ aux employés, 18 340 $ en impôts et autres retenues et doit encore, à la fin de l'exercice, 11 520 $ aux employés et 1 920 $ en retenues.
c. Les clients ont acheté 495 610 $ de marchandises pendant l'année, dont 300 890 $ ont été payées comptant, et le reste, accordées à crédit. Sur cette somme, seulement 22 540 $ n'ont pas été encaissés à la fin de l'exercice.
d. Les marchandises achetées par les clients ont coûté 249 880 $ dollars à la société. De plus, 4 210 $ de ces marchandises ont mystérieusement disparu cette année, probablement volées en magasin.
e. La société a également eu un total de 68 830 $ de charges diverses qu'elle a payées comptant, sauf 2 310 $.

f. La société a estimé ses impôts annuels sur le bénéfice à 12 650 $ mais, puisqu'elle est une jeune entreprise, elle n'a rien à verser avant l'année prochaine.

g. À la fin de l'exercice, la société déclare un dividende de 10 000 $, qu'elle doit verser au début de l'année prochaine et investit 50 000 $ d'encaisse dans un certificat de dépôt à court terme, à la banque.

PROBLÈME 5.21
Écriture de clôture

Passez l'écriture de clôture des comptes de Boissons ltée (problème 5.20) à la fin de l'exercice et présentez les comptes de la société après la clôture, pour démontrer qu'ils sont équilibrés au début du nouvel exercice.

PROBLÈME 5.22
Préparation d'un état de l'évolution de la situation financière

Si vous avez étudié le chapitre 3, vous devriez être en mesure de dresser l'état de l'évolution de la situation financière de Boissons ltée, d'après les états financiers que vous avez préparés au problème 5.20. Remarquez qu'aucun dividende n'a été versé; l'état de l'évolution de la situation financière ne comportera donc pas de données sous la rubrique « Dividende ». Si vous présentez le dividende déclaré sous cette dernière (plutôt que sous la rubrique « Activités d'exploitation »), vous devrez tenir compte que la somme n'a pas encore été versée et vous verrez que l'effet net sera de zéro.

PROBLÈME 5.23
(POUR LES AS!)
Inscription des opérations et préparation des états financiers à partir de comptes et de faits

Afin de diversifier ses activités, le joueur de hockey Marius Meilleur a ouvert une boutique de vêtements de sport pour enfants. Il a constitué sa société sous le nom de Merveilles de Marius ltée, et la boutique a ouvert ses portes le 1er septembre 1997.

Nous présentons ci-dessous les soldes des comptes et d'autres renseignements relatifs à la société Merveilles de Marius ltée pour l'exercice terminé le 31 août 1998. À partir de cette information, préparez un état des résultats pour cet exercice.

Encaisse	2 600 $
Clients	3 500
Stock de vêtements (après l'incendie)	30 000
Chiffre d'affaires	240 000
Salaires et charges sociales	27 500
Loyer payé d'avance	2 000
Mobilier et agencement	15 500
Amortissement cumulé	3 000
Impôts sur le bénéfice	7 000
Emprunt à payer	8 000
Fournisseurs	23 000
Placement dans Numéro Un ltée	10 000
Stock vendu (coût des marchandises vendues)	100 000
Achat de fournitures	14 500
Loyer	24 000
Capital de l'actionnaire	15 000
Amortissement	3 000
Frais de constitution	1 900
Intérêts sur l'emprunt	500
Frais généraux d'exploitation	5 000
Dividendes à payer	2 000
Dividendes déclarés	4 000
Perte attribuable à l'incendie de l'entrepôt	40 000

Voici quelques explications concernant les éléments précédents.

a. Le 20 août 1998, quelqu'un a mis le feu à l'entrepôt, et 40 000 $ de marchandises ont brûlé. Cette perte n'aura pas d'incidence fiscale.

b. L'emprunt doit être remboursé moyennant des paiements annuels de 2 000 $ plus les intérêts. Les remboursements doivent avoir lieu le 31 août de chacune des quatre prochaines années. Les soldes ci-dessus tiennent compte du paiement en capital et en intérêt du 31 août 1998.

c. Le placement se compose d'actions de Numéro Un ltée, une société fermée, et Marius n'a pas l'intention de vendre ces actions dans un proche avenir.

d. Le 30 août 1998, le conseil d'administration a déclaré des dividendes de 4 000 $ dont 2 000 $ ont été versés le 31 août 1998; les 2 000 $ restants seront payés le 12 septembre 1998.

On doit ajouter quatre faits supplémentaires:

e. Les fournitures sont incluses dans les charges au moment où elles sont achetées. Le 31 août 1998, on a dénombré un stock de fournitures restantes de 9 000 $. Les soldes ci-dessus ne tiennent pas compte de cette valeur.

f. Le 31 août 1998, un client ramène au magasin des vêtements qu'il avait payés 450 $. On lui remet un bon d'achat, qu'il pourra utiliser à n'importe quel moment de l'année prochaine. Les vêtements en question, qui avaient coûté 225 $ à la société, sont retournés dans le stock puisqu'ils n'avaient même pas été sortis de leur emballage. Ce fait n'est pas représenté dans les soldes des comptes ci-dessus.

g. Tard dans la journée du 31 août, Marius reçoit une offre de 18 000 $ pour les actions de la société Numéro Un ltée. Marius ne veut pas vendre, même si on lui offre un prix supérieur à ce qu'il a lui-même payé pour les actions.

h. Un conseiller fiscal a estimé que l'impôt sur le bénéfice de l'exercice aurait dû être de 6 250 $. La société pourrait donc obtenir un remboursement d'impôt.

1. Passez une écriture pour chacun des faits de (e) à (h) qui le nécessite.
2. Dressez l'état des résultats de Merveilles de Marius ltée pour 1998.
3. Dressez un état des bénéfices non répartis pour le même exercice.
4. Dressez le bilan de la société au 31 août 1998.
5. Si vous avez étudié le chapitre 3, préparez un état de l'évolution de la situation financière pour l'exercice 1998. Supposez que la société a commencé l'année avec seulement 15 000 $ d'encaisse, apportés par Marius, en échange desquels il a reçu du capital-actions. Notez que la rubrique « Dividende » de l'EESF présenterait un dividende versé net de 2 000 $ (4 000 $ déclarés moins 2 000 $ à payer).

PROBLÈME 5.24 (POUR LES AS!)
Écritures pour une opération complexe

En septembre 1998, Marius Meilleur (du problème 5.23) s'est envolé vers Québec en vue d'assister à l'assemblée annuelle de sa société, Merveilles de Marius ltée, spécialisée dans les vêtements pour enfants. Après avoir attendu en vain qu'un ami vienne le chercher à l'aéroport, Marius a décidé que ses fréquents déplacements d'affaires vers Québec justifiaient l'achat d'un véhicule. Il s'est rendu immédiatement chez Sainte-Foy Ford pour rencontrer Guy Charron et a fixé son choix sur une

Mustang décapotable rouge. Le prix officiel était de 25 000 $, mais le vendeur a dit à Marius qu'elle ne lui coûterait que 23 000 $ s'il la prenait tout de suite. (Ce prix était encore supérieur au coût de l'automobile pour Sainte-Foy Ford, soit 18 000 $.)

Marius savait, par la publicité faite par Sainte-Foy Ford que, s'il versait un acompte de 1 000 $ au maximum, le concessionnaire réduirait le prix de la voiture du même montant. Il a donc rappelé cette offre à Guy Charron et a ainsi obtenu une autre réduction de 1 000 $. En outre, Marius a négocié des conditions lui permettant de payer uniquement la moitié du prix de l'automobile (1 000 $ comptant plus 10 000 $ plus tard) et de faire pour Sainte-Foy Ford cinq annonces publicitaires à la télévision au cours de l'année suivante au lieu de payer le solde de 11 000 $. À ce moment, l'entente étant conclue, Marius a téléphoné à la Banque du Nord pour obtenir un emprunt remboursable sur demande pour couvrir le solde de 10 000 $. Après s'être assuré que les fonds seraient versés immédiatement sur son compte, il a fait un chèque pour payer l'automobile et il est reparti au volant de celle-ci, sans toutefois ouvrir le toit, car il faisait −35 °C !

1. Passez une écriture pour inscrire la vente de l'automobile faite par Sainte-Foy Ford. N'oubliez pas de déduire le coût du véhicule du stock. Indiquez clairement la place de chaque compte dans les états financiers. (Ne vous préoccupez pas des impôts sur le bénéfice ni de la commission du vendeur.)
2. Du point de vue de Marius Meilleur, l'achat de cette automobile devrait-il être inscrit dans les comptes de Merveilles de Marius ltée ou être considéré comme un achat personnel ? Justifiez votre réponse.
3. Passez une écriture pour inscrire l'achat de l'automobile dans les comptes de Marius ou de Merveilles de Marius ltée, selon la réponse que vous avez donnée au point 2. Suivez les mêmes consignes et posez les mêmes hypothèses qu'au point 1.

PROBLÈME 5.25 (POUR LES AS !) Comment combiner la valeur actuelle et le coût d'origine ?

Dans la section 5.9, nous avons évoqué le fait que certaines personnes aimeraient mieux s'appuyer sur la valeur actuelle dans leurs états financiers (par exemple, la valeur marchande de l'actif, du passif et des bénéfices serait déterminée par le changement subi par cette valeur pendant l'année) plutôt que par les coûts d'origine des opérations qu'utilise la comptabilité générale. Le problème, c'est que, même si la valeur actuelle peut sembler plus appropriée dans l'immédiat à la prise de décisions, elle n'est pas très fiable ; il faut en effet tenir compte de nombreuses estimations et hypothèses pour la déterminer (y compris l'hypothèse que la société obtiendrait la valeur marchande de son actif si elle le vendait). Les montants d'origine, reposant sur des opérations ayant eu lieu, sont peut-être beaucoup plus fiables, mais ils sont moins pertinents. Par exemple, qui s'intéresse au coût d'un immeuble acquis des années auparavant et apparaissant toujours au bilan ? Sa valeur marchande actuelle ne serait-elle pas beaucoup plus appropriée ?

Dans le chapitre 4 (section 4.5), un graphique illustrait la relation entre pertinence et fiabilité. Au cas où vous n'auriez pas étudié ce chapitre, voici ce graphique de nouveau :

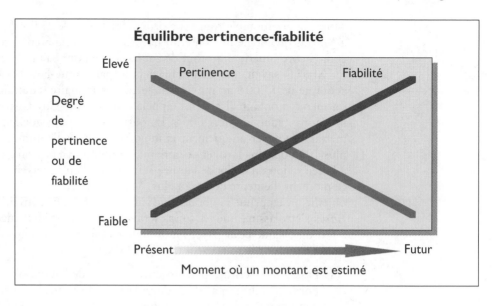

Discutez de ce problème, et efforcez-vous de suggérer des moyens de combiner le meilleur des deux approches, soit l'approche du coût d'origine et l'approche de la valeur actuelle. Existe-t-il un moyen de préparer les états financiers de sorte qu'ils soient à la fois pertinents et fiables ?

PROBLÈME 5.26 (POUR LES AS!) Explication et inscription des changements dans les soldes des comptes (certains sont incomplets)

Les comptes de Brando ltée ont connu les changements suivants, dont certains ne sont pas complètement décrits. Vous devrez donc imaginer ce qui s'est passé. Indiquez en quelques mots les causes probables de chacun de ces changements et passez l'écriture correspondante, en accord avec votre explication. (Reportez-vous au début du problème 5.9 pour en avoir un exemple simple.)

1. Diminution du stock de 387 $, augmentation de l'écart d'inventaire négatif de 387 $.
2. Diminution des bénéfices non répartis de 5 000 $, diminution de l'encaisse de 2 000 $.
3. Diminution des placements dans la société Bozon ltée (ramenés à zéro) de 40 000 $, augmentation de l'encaisse de 5 000 $.
4. Diminution de la dette à long terme de 10 000 $, augmentation du capital-actions de 10 000 $.
5. Augmentation du stock de 3 290 $, diminution de l'encaisse de 748 $.
6. Augmentation des primes à payer de 5 200 $.
7. Augmentation des charges à la suite de la perte d'un procès de 40 200 $, augmentation des frais juridiques de 11 340 $.
8. Augmentation de l'emprunt remboursable sur demande de 32 000 $.
9. Augmentation des comptes clients de 24 000 $, augmentation du stock de 36 000 $, augmentation de l'actif de l'usine de 100 000 $, augmentation de l'écart d'acquisition de 40 000 $.
10. Diminution des charges (ramenées à zéro) de 743 210 $, diminution des produits (ramenés à zéro) de 730 670 $.

**PROBLÈME 5.27
(POUR LES AS!)**
**Écritures et états
financiers d'un
commerce de
voitures d'occasion**

Vous avez décidé d'accepter un travail de comptable à temps partiel chez un de vos amis, Paul Lecompte, qui exploite un commerce de voitures d'occasion, Autobaines. Les livres de Paul se limitent essentiellement à un carnet de chèques et à un registre de dépôts bancaires. Il paie tous ses achats par chèques et fait toujours une description de l'achat sur la souche du chèque attachée au carnet. Il décrit aussi chaque dépôt sur le double du bordereau de dépôt, qu'il conserve.

Paul aime que les choses soient simples. Il loue un petit terrain avec un bureau de vente meublé au coût de 1 000 $ par mois (électricité et chauffage compris). Il ne vend pas de pièces de rechange et ne fait pas l'entretien des automobiles. Le capital-actions de son entreprise est de 50 $, donc les bénéfices non répartis représentent le gros de son investissement. Il n'a pas d'employés et se verse à lui-même un salaire de 3 000 $ par mois. Au 31 janvier 1998, il doit à la banque une somme de 20 000 $, dont le taux d'intérêt est de 12 % (1 % par mois) et qui est remboursable à vue. À cette même date, tous les intérêts ont été payés. Son stock d'automobiles non vendues (que Paul a toutes payées comptant) au 31 janvier se présente comme suit :

Stock d'automobiles non vendues au 31 janvier 1998	Prix d'achat
Ford 1994	4 500 $
Volkswagen 1992	4 000
Oldsmobile 1991	5 000
Camaro 1992	7 500
Mazda 1993	4 800
Toyota 1991	6 200
	32 000 $

Paul vous a garanti que tout l'argent et tous les chèques reçus en février 1998 avaient été déposés à la banque. Ses encaissements et ses décaissements pour février sont les suivants :

Chèque	Date	Description (payé à, etc.)	Montant
51	1er	Gestion immobilière XL — loyers de février et de mars 1998	2 000 $
52	4	Gestion immobilière XL — aménagement du bureau de vente	4 000
53	10	J. Durand — achat Chrysler 1993 payée comptant	6 500
54	15	Paul Lecompte — salaire de février 1998	3 000
55	22	Enchères d'Auto Suprêmes — achat de 3 automobiles (Lincoln 1991, 8 500 $; Nissan 1994, 6 000 $; Honda 1992, 4 500 $)	19 000
56	28	Banque Royale — paiement complet des intérêts de février	200
		Total des décaissements	34 700 $

Chèques émis au cours du mois de février 1998 (d'après les souches des chèques) — *titre du tableau ci-dessus*

Argent et chèques reçus en février 1998 (d'après les doubles des bordereaux de dépôt)		
Date	Description (reçu de, etc.)	Montant
6	H. Bigras — vente Camaro payée au complet	10 000 $
12	B. Caron — vente Oldsmobile payée au complet	7 400
19	Autos d'occasion centre ville — vente Mazda et Ford, payées au complet	10 300
28	Emprunt bancaire additionnel	5 000
	Total des encaissements	32 700 $

Paul vous précise qu'aucune autre automobile n'a été achetée ni vendue en février, qu'il n'avait pas de dettes et que personne ne lui devait d'argent au 31 janvier ni au 28 février 1998. Vous apprenez aussi que le solde du compte bancaire d'Autobaines s'élevait à 6 800 $ au 31 janvier 1998. *Ne tenez pas compte des taxes de vente pour ce problème.*

1. Dressez le bilan d'Autobaines au 31 janvier 1998 (calculez les bénéfices non répartis par déduction).
2. Inscrivez les opérations de février 1998 sous forme d'écritures de journal.
3. Reportez ces opérations dans le grand livre général d'Autobaines.
4. Dressez un bilan au 28 février 1998, ainsi que les états des résultats et des bénéfices non répartis pour la période de un mois terminée le 28 février 1998.
5. Dressez une liste des automobiles non vendues au 28 février 1998 avec leur coût d'achat. Le total de ces montants devrait correspondre au solde du compte Stock du grand livre général et du bilan au 28 février 1998.
6. Comparez le bénéfice net de Paul pour le mois de février avec le changement du solde de son compte bancaire entre le 31 janvier et le 28 février 1998. Pourquoi ces montants diffèrent-ils ?
7. Quels avantages y a-t-il pour Paul à dresser des états financiers mensuels ? (Dans le passé, Paul ne préparait des états financiers qu'une fois par année à des fins fiscales.)

ÉTUDE DE CAS 5A
La comptabilité au coût d'origine et les opérations d'une société du secteur alimentaire

Vous trouverez dans les pages qui suivent certaines informations sur le marché et les produits, l'état des résultats (« l'état des opérations »), les notes complémentaires et les résultats des activités, tirés du rapport annuel de Aliments Maple Leaf inc., la société de transformation de produits alimentaires la plus importante au Canada. D'après le rapport annuel, la société œuvre dans trois secteurs d'activités : le Groupe des produits de la viande, le Groupe des produits de boulangerie et le Groupe agro-alimentaire.

Lisez ces informations, puis réfléchissez au genre d'affaires que fait la société et aux questions suivantes :

1. Quelles sont les principales opérations que nous nous attendons à trouver dans les états financiers de Aliments Maple Leaf inc.?
2. À quelles opérations spécialisées et inhabituelles la société peut-elle faire face?
3. Quelles sont, selon vous, les forces et les faiblesses de l'approche de la comptabilité au coût historique utilisée chez Aliments Maple Leaf inc.?

ALIMENTS MAPLE LEAF INC.

LE GROUPE DES PRODUITS DE LA VIANDE

Les Viandes Maple Leaf

Les Viandes Maple Leaf est le plus important fournisseur de viandes fraîches et préparées au pays. Cette division comprend trois unités d'exploitation, soit Les Viandes préparées Maple Leaf, Porc Maple Leaf et le Service alimentaire Maple Leaf.

Les Volailles Maple Leaf

Les Volailles Maple Leaf est le transformateur de volaille le plus important du Canada. Cette entreprise prépare des produits de poulet et de dinde frais et congelés, à la valeur ajoutée.

Rothsay

Rothsay est l'une des plus grandes entreprises d'équarissage du Canada. Le Groupe des produits de la viande a effectué 1 225 millions de dollars de ventes pour l'exercice terminé le 31 décembre 1996. Son bénéfice d'exploitation a été de 33 millions de dollars, et son actif total se chiffrait à 498 millions de dollars.

LE GROUPE DES PRODUITS DE BOULANGERIE

Les boulangeries au Canada

Les boulangeries au Canada sont gérées par Les Produits alimentaires C.F.L. Ltée, entreprise dans laquelle la société détient une participation de 69 %. Seule boulangerie canadienne d'envergure nationale, cette entreprise confectionne des produits de boulangerie frais et congelés et des produits de spécialité, dont les pâtes alimentaires fraîches et les sauces.

Les boulangeries aux États-Unis

Maple Leaf Bakery, aux États-Unis, confectionne des bagels et des produits de boulangerie de spécialité.

Les services de franchisage

Les Services de franchisage d'Aliments Maple Leaf comprennent Beignes Country Style et Buns Master. Le Groupe des produits de boulangerie a effectué 684 millions de dollars de ventes pour l'exercice terminé le 31 décembre 1996. Son bénéfice d'exploitation a atteint 40 millions de dollars, et son actif total s'élevait à 434 $ millions.

LE GROUPE AGRO-ALIMENTAIRE

Shur-Gain

Shur-Gain est reconnue comme l'un des principaux fournisseurs canadiens d'aliments pour le bétail, en raison de ses recherches, des programmes d'alimentation et des provendes de qualité qu'elle met au point. Shur-Gain fabrique aussi des aliments pour les animaux de compagnie et des aliments pour poissons.

LE COMMERCE INTERNATIONAL DE DENRÉES

Les Aliments Maple Leaf International est la société de commerce international de denrées alimentaires la plus importante du Canada. La Compagnie Seafood Products Limitée transforme le saumon et les œufs de hareng pour les vendre principalement sur les marchés asiatiques.

Le Groupe agro-alimentaire a effectué 1 301 millions de dollars de ventes pour l'exercice terminé le 31 décembre 1996. Son bénéfice d'exploitation a été de 39 millions de dollars et son actif total se chiffrait à 345 millions de dollars pour cet exercice.

États consolidés des opérations
Exercices terminés les 31 décembre

(en milliers de dollars canadiens, sauf les montants par action)	1996	1995
Chiffre d'affaires	3 210 129 $	3 067 575 $
Bénéfice d'exploitation, avant les éléments inhabituels	112 316 $	86 173 $
Éléments inhabituels (note 4)	—	(97 716)
Bénéfice (perte) d'exploitation	112 316	(11 543)
Autres produits (note 12)	15 516	26 751
Bénéfice avant les intérêts et les impôts sur le revenu	127 832	15 208
Intérêts débiteurs (note 13)	45 687	36 794
Bénéfice (perte) avant les impôts sur le revenu	82 145	(21 586)
Impôts sur le revenu (note 14)	32 144	14 427
Bénéfice (perte) avant la part des actionnaires sans contrôle	50 001	(36 013)
Part des actionnaires sans contrôle	7 911	7 712
Bénéfice net (perte)	42 090 $	(43 725) $
Bénéfice (perte) par action	0,46 $	(0,52) $
Nombre moyen pondéré d'action (en millions)	92,2	83,8

Notes complémentaires (extraits)

4. Éléments inhabituels

Au cours de l'exercice 1995, une charge de 97,7 millions de dollars (80,5 millions de dollars, déduction faite des impôts) a été inscrite relativement aux coûts associés à la réduction des valeurs comptables de plusieurs activités et éléments d'actif secondaires et aux coûts engagés pour mener à terme un programme de restructuration. La direction a relevé un certain nombre d'activités et d'investissements secondaires, principalement les activités d'aménagement immobilier et les minoteries de la société. En décembre 1995, la société a vendu ses terrains réservés à l'aménagement, situés à Maple, à une société de personnes qu'elle a formée avec un promoteur immobilier. En 1996, elle a mené à terme la vente de la plupart de ses minoteries au Canada. Un montant de 23 millions de dollars relatif à la réduction de la valeur de l'écart d'acquisition se rapportant aux entreprises secondaires est compris dans la somme imputée aux résultats de l'exercice 1995.

Notes complémentaires (extraits)
(suite)

12. Autres produits

	1996	1995
Quote-part du bénéfice des sociétés associées	5 552 $	3 763 $
Gain réalisé à la vente de terrains réservés à l'aménagement	6 366	13 361
Gain découlant de l'expropriation d'un bien immobilier	—	4 500
Gain découlant de la vente de biens-fonds et de matériel	2 446	3 162
Autres produits	1 152	1 965
	15 516 $	26 751 $

13. Intérêts débiteurs

	1996	1995
Intérêts débiteurs sur la dette à long terme	43 945 $	34 958 $
Intérêts débiteurs sur la dette à court terme, Déduction faite des intérêts créditeurs	1 742	1 836
	45 687 $	36 794 $

14. Impôts sur le revenu

La charge d'impôts est différente du montant qui serait obtenu en appliquant le taux réglementaire combiné, comme suit :

	1996	1995
Charge (recouvrement) d'impôts selon le taux réglementaire combiné	35 566 $	(10 355)$
Augmentation (diminution) des impôts sur le revenu imputable aux éléments suivants :		
Crédit d'impôt pour bénéfices de fabrication et de transformation	(3 574)	(400)
(Gains) pertes non imposables	(1 720)	(200)
Augmentations à la juste valeur	2 157	15 446
Amortissement non déductible de l'écart d'acquisition	1 627	7 246
Quote-part du bénéfice des sociétés associées	(2 144)	(1 284)
Impôts des grandes sociétés	1 726	2 177
Écart entre le bénéfice comptable et le bénéfice imposable	(293)	722
Autres	(1 201)	1 075
	32 144 $	14 427 $

ALIMENTS MAPLE LEAF INC.

RÉSULTATS DES ACTIVITÉS *(Extraits)*

Les Aliments Maple Leaf inc. et ses filiales («Aliments Maple Leaf» ou la «société») ont obtenu de bons résultats en 1996 qui témoignent des avantages certains de la mise en œuvre du plan en sept points pour la première année complète.

La société a investi 103,3 millions de dollars dans des acquisitions stratégiques clés afin de renforcer ses points forts et de mettre l'accent sur ses principaux secteurs d'activité. Elle a fait l'acquisition des entreprises suivantes : les divisions du porc frais et des viandes préparées de Burns Foods, y compris la division Gainers, Venice Bakeries, Bella Pasta et West Coast Bakery. Aux États-Unis, elle a ajouté Cambridge Bakery et Pioneer French Bakery à son portefeuille d'entreprises.

La société a réalisé un gain de 21,2 millions de dollars à la vente de Belize Mills Limited et de sa participation de 90% dans Barbados Mills Limited. Après clôture de l'exercice, Aliments Maple Leaf a vendu l'actif de la société Les Moulins Maple Leaf inc., filiale dans laquelle elle détenait une participation de 50%. La société a reçu le produit net de la vente de cette entreprise, soit 32,6 millions de dollars, au mois de mars 1997.

En 1996, la société a engagé des dépenses en immobilisations de 83,2 millions de dollars. Elle prévoit que ses dépenses en immobilisations excéderont 125 millions de dollars pour l'exercice 1997.

Aliments Maple Leaf a réalisé un chiffre d'affaires de 3,21 milliards de dollars, ce qui représente une hausse de 4,7 pour cent sur celui qui a été enregistré en 1995. Le bénéfice d'exploitation, avant les éléments inhabituels, qui était de 86,2 millions de dollars en 1995, a progressé de 30% pour atteindre 112,3 millions de dollars. Le bénéfice par action s'est établi à 0,46$ en 1996, en hausse de 53% sur le bénéfice pro forma par action de 0,30$ en 1995. *(Le bénéfice pro forma par action, avant les éléments inhabituels, de 0,30$ pour 1995 reflète les intérêts débiteurs additionnels que la société aurait engagés aux premier et deuxième trimestres de 1995 si le changement apporté à la structure de la dette de la société avait eu lieu au début de 1995 plutôt que le 24 avril 1995).*

Les autres produits ont diminué et sont passés de 26,8 millions de dollars en 1995 à 15,5 millions de dollars en 1996, principalement en raison des profits moins élevés qui ont été réalisés sur la vente de biens immobiliers.

Les intérêts débiteurs nets se sont chiffrés à 45,7 millions de dollars en 1996, comparativement à 36,8 millions de dollars en 1995. Jusqu'au moment de son acquisition, en avril 1995, la société avait une trésorerie nette positive. Les intérêts débiteurs pro forma étaient de 55,9 millions de dollars en 1995. En 1996, la société a réalisé des produits à la vente d'éléments d'actif secondaires et tiré profit des faibles taux d'intérêt à court terme. Le coût d'emprunt moyen pondéré réel de la société était de 7,3% au 31 décembre 1996 après redressement pour tenir compte des contrats d'échange de taux d'intérêt (voir les notes 8 et 9 afférentes aux états financiers consolidés).

Le taux d'imposition effectif s'est établi à 39,1%, en 1996. Le taux d'imposition de la société est abordé dans la note 14 afférente aux états financiers consolidés.

Le conseil d'administration a déclaré un dividende trimestriel de 0,04$ par action pour chaque trimestre en 1996, pour un dividende global de 0,16$ par action pour l'exercice. La société n'a pas l'intention, à l'heure actuelle, de modifier le taux de dividende.

ÉTUDE DE CAS 5B
Évaluation du coût de la comptabilité et de la tenue des livres

Nous vous présentons ci-dessous un article paru dans la revue *Business Week*, « Les comptables sur la sellette ». Discutez du point de vue défendu dans l'article sur le coût de la comptabilité et de la tenue des livres. (L'article mentionne les « D et R » : les frais de déplacement et de représentation. L'article considère également la comptabilité et la tenue des livres comme faisant partie de la « fonction financière » d'une entreprise : tout le monde ne le formulerait pas de la même façon, mais on rappelle ainsi que la comptabilité et les états financiers font partie de l'ensemble de la gestion financière et du contrôle des activités.)

LES COMPTABLES SUR LA SELLETTE

La menace des compressions plane sur les services financiers

Lorsque Union Carbide Corp. s'est séparée de ses filiales de gaz industriels, il y a deux ans, cela a déclenché une restructuration massive à l'échelle de toute la société, destinée à réduire les coûts d'environ 400 millions de dollars. Pour le directeur financier, John K. Wulff, l'exercice fut très révélateur. Il a décidé de déterminer les coûts de la société en ce qui concerne des opérations très simples comme l'émission des chèques, le report des écritures dans les livres comptables et l'examen des rapports de frais de déplacements et des comptes de dépenses, et de comparer les résultats avec ceux d'autres sociétés.

Ses conclusions ? Les opérations de Carbide étaient extrêmement coûteuses. Émettre une simple facture revenait à 9,45 $, alors que les autres sociétés dépensaient en moyenne 8 $, et les plus performantes moins de 1 $. Une écriture de journal coûtait 16,22 $ à la société — environ 10 fois ce que payent d'autres grandes entreprises. Par contre, les formulaires de frais de déplacement et de représentation de Carbide revenaient seulement à la moitié de la moyenne des 20 $ habituellement dépensés par les autres sociétés. Mais, de façon générale, la performance de la société Carbide pouvait être grandement améliorée. « Je savais que les coûts de notre société étaient élevés, dit Wulff, mais pour ceux liés à certains domaines, telle la comptabilité générale, j'étais un peu surpris. »

Depuis lors, Wulff s'est attelé à réduire les coûts des opérations financières de façon draconienne. Plus de 200 emplois ont été supprimés, ce qui a permis d'économiser plus de 20 millions de dollars.

« **LES SERVICES PARTAGÉS.** » L'expérience de Carbide, et celle d'autres grandes sociétés américaines prenant des mesures similaires, nous offre des leçons surprenantes. Ces derniers temps, Carbide a passé beaucoup de temps à restructurer les opérations manufacturières, avec une gestion plus serrée du stock et en essayant d'accélérer le cycle de fabrication des produits. Cependant, ces mêmes sociétés — d'un zèle exemplaire pour réduire les coûts de fabrication des produits — ont permis aux comptables de se laisser aller. À présent, les directeurs financiers sont en train de réviser les finances, comme l'ont été les activités de fabrication et de commercialisation à la fin des années 1980. Des sociétés aussi diverses que Johnson & Johnson et General Electric ont découvert qu'elles pouvaient réduire de plus du tiers leurs coûts de facturation aux clients, de paie des employés et de traitement des chèques. « Cela va devenir l'ordre du jour de toutes les sociétés au cours des cinq prochaines années », prévoit le conseiller Robert. W. Gunn, qui a aidé des sociétés comme Hewlett Packard, Shell et US West à repenser leur gestion financière.

À plusieurs égards, les changements en cours s'apparentent à ceux qui avaient touché le domaine des ventes. Pour améliorer le rendement des comptables, General Electric utilise exactement les mêmes techniques de planification des processus de travail que celles qu'elle emploie pour accélérer la production des appareils électroménagers. Mais, d'un autre côté, ce courant est contraire aux derniers dogmes des conseillers en gestion. Les grandes sociétés dominantes, qui essaient activement de ramener la prise de décision au niveau de base, s'efforcent tout aussi rapidement de centraliser leurs fonctions financières pour les ramener à un ou deux centres de données régionaux faisant partie d'un système qui porte le nom de « services partagés ». Au lieu que chaque service ait son directeur financier et ses opérations comptables, les services en activité deviennent les « clients » de cette fonction financière centralisée. « Une fois que nous aurons pris le contrôle de ces fonctions, nous pourrons les restructurer », affirme Waltz Hazelton, le directeur des opérations comptables pour Xerox Corp.

L'INCIDENCE. C'est exactement ce qui s'est produit chez General Electric. Leurs usines dispersées utilisaient à un moment jusqu'à 34 systèmes de paie différents. Mais, au cours des cinq dernières années, GE a canalisé le travail de cinq centres comptables régionaux vers un unique mégacentre à Fort Myers, en Floride. Chemin faisant, le nombre des travailleurs des services financiers s'est vu réduit à 600, chutant de 40 %. « Ils travaillent différemment », explique Robert Frigo, directeur des services d'opérations comptables chez GE. « On utilise beaucoup plus les moyens électroniques et les techniques de réseau local ». Robert Frigo remarque également qu'en ayant moins de travailleurs, on a aussi besoin de moins de superviseurs.

Le directeur financier de Johnson & Johnson, Clark H. Johnson, dit qu'il a compris dans les années 1980, lorsque la société a participé à une étude sur la performance. Le sondage a révélé que la plupart des grandes sociétés dépensaient environ 2,3 % de leur ventes annuelles en charges indirectes pour le service des finances. « Nous étions à 2,8 % et cela nous a ébranlé », remarque Johnson.

Forte de ces données, la société J&J a commencé une fusion qui combinait les centres de données régionaux et prenait en charge l'utilisation de livres et de systèmes de comptes fournisseurs uniformes. « Nous avions 100 usines et 106 personnes s'occupant de la paie, explique Johnson. Aujourd'hui, seulement 28 personnes sont affectées à la paie des 40 000 employés. » Au bout du compte, J&J a supprimé près du tiers des postes du service des finances, soit 600 emplois, et ce, même si les ventes ont augmenté de 30 %.

Les compressions ont une incidence sur le bénéfice net. Johnson affirme que, au cours des quatre dernières années, la société a réduit de 84 millions de dollars son budget comptable à l'échelle internationale. Pour organiser ces licenciements, la société a, selon Johnson, fait appel à des programmes de retraite anticipée et s'est efforcée de muter les travailleurs concernés à d'autres emplois au sein de la société. Et Johnson a réduit de beaucoup le nombre de travailleurs temporaires embauchés pour s'occuper des surcharges de travail de bureau.

Cet effort a encouragé Johnson à aller encore plus loin dans la voie des économies. Autrefois, il fallait 26 jours à J&J pour fermer les livres. Maintenant, on ne met plus que sept jours. « Mon objectif est d'atteindre deux jours, explique Johnson. Nous le devons vraiment à l'informatisation, ainsi qu'à un changement d'attitude. » Johnson a également supprimé la clôture mensuelle des livres, qui est devenue trimestrielle, et il a aussi éliminé beaucoup de paperasse liée à l'énorme personnel financier. « Nous produisions beaucoup trop de papiers, que personne n'avait le temps d'utiliser », dit-il.

Chez Ford Motor, la tentative amorcée au milieu des années 1980 pour réduire les coûts de 20 % dans le service des comptes fournisseurs s'est vite transformée en une restructuration massive du système d'approvisionnement de la société. Par le passé, Ford commandait une pièce et, lorsque le fournisseur l'avait livrée, les comptables essayaient de faire correspondre le bon de commande avec un formulaire émis sur les quais de réception et de rapprocher cela de la facture du vendeur. Lorsque les trois documents concordaient, on effectuait le paiement au vendeur. Des armées de commis comptables passaient des heures à courir après les formulaires manquants.

De nos jours, le commis commande une pièce, saisit cette commande dans une base de données électronique, et attend ensuite la livraison. Lorsque la pièce arrive, un employé de la réception vérifie les données afin de s'assurer que la pièce en question avait bien été commandée, puis le cas échéant, il approuve la réception. En même temps, il fait en sorte que l'ordinateur émette directement le paiement au vendeur.

UNE TRADITION INDÉLOGEABLE. Les changements effectués chez Ford, J&J et GE et d'autres sociétés ont entraîné d'autres conséquences que les réductions des coûts et les compressions de personnel. Robert Frigo de chez GE explique que le but visé est l'intégration complète du personnel des finances dans la stratégie générale de la société. Au lieu de se contenter de contrôler les rapports de frais de déplacement et de représentation, les travailleurs peuvent maintenant recueillir de l'information sur les habitudes de dépenses de la société qui amènent à conclure de meilleures affaires avec les fournisseurs. «Cela représente plus que payer les factures, assure Robert Frigo. Nous essayons de nous concentrer sur la valeur ajoutée plutôt que sur le traitement des opérations.»

Mais les changements sont lents à pénétrer certaines sociétés où la fonction financière est souvent un terrain protégé. Alors que des sociétés comme GE ou Xerox ouvrent la marche, de nombreuses entreprises se contentent de s'accommoder des coûts grandissants de leurs services financiers. «Je dirais que la plupart des gens tâtonnent», commente Patrick J. Keating, un professeur de commerce à l'université de San José, qui s'est penché sur la question. «De nombreux travailleurs de la finance sont tellement aveuglés par la tradition qu'ils ne peuvent même pas visualiser leurs objectifs.»

C'est bien dommage. Un consultant, M. Gunn, explique que le personnel financier représente environ 5 % des employés des grandes entreprises et, dans certains cas, plus de 10 % — il y a là des économies potentielles. Les sociétés qui saisissent ces occasions peuvent gagner une bonne longueur d'avance sur les concurrents internationaux. En effet, les sociétés américaines sont beaucoup plus avancées dans la restructuration de leurs activités administratives que leurs concurrents d'outre-mer. «Je pense que c'est ce qui va nous permettre de devancer les Japonais», appuie M. Gunn.

C'est peut-être aller un peu loin, mais il s'agit d'une initiative que n'importe quelle société américaine peut apprécier.

Source: «Les comptables sur la sellette», *Business Week*, 14 mars 1994, p. 75 et 76.

® ÉFÉRENCE

1. Si vous souhaitez obtenir une description plus approfondie d'un système comptable qui intègre la prise de décision de l'utilisateur, reportez-vous à l'article de Robert H. Crandall, «Information Economics and Accounting Theory» publié dans *The accounting Review* du mois de juillet 1969 (p. 457 à 466). Depuis lors, beaucoup de travaux ont porté sur le domaine des *systèmes d'information de gestion* dans l'optique de développer des systèmes qui répondent convenablement aux besoins de prise de décision. Et une grande partie de ces travaux font intervenir des sujets comptables.

CHAPITRE 6

La tenue des livres et le contrôle interne

6.1 Aperçu du chapitre

Dans ce chapitre, nous allons approfondir les notions concernant la tenue des livres, présentées au chapitre 5.

Au chapitre précédent, nous avons expliqué le système de **comptabilité en partie double** basé sur les **opérations**. Dans le présent chapitre, nous approfondirons l'étude de la **tenue des livres**, en analysant les **pièces justificatives**, soit les documents sur papier qui servent à comptabiliser les diverses opérations, et la **régularisation** des registres d'opérations courantes. Nous nous pencherons également sur le **contrôle interne**, l'une des principales utilisations des registres comptables, en dehors de la production des états financiers.

Voici les éléments qui seront abordés :

- le rôle des registres bien tenus et du système d'enregistrement qui sous-tend l'information comptable présentée dans les états financiers et ailleurs ;

- l'utilisation des écritures de journal en partie double pour régulariser les registres comptables, voire n'importe quel ensemble de comptes ;

- l'obligation pour la direction d'exercer un contrôle sur l'encaisse, les clients, le stock, les fournisseurs et autres comptes d'actif et de passif, ainsi que le rôle du système comptable dans la communication d'informations importantes sur le contrôle interne ;

- des exemples précis de méthodes comptables qui doivent à la fois assurer un contrôle et fournir des informations destinées à la préparation des états financiers : les comptes de contrepartie utilisés pour comptabiliser les créances douteuses et l'amortissement, et les écritures nécessaires pour assurer le suivi de la taxe sur les produits et services (TPS) et de la taxe de vente du Québec (TVQ).

Les registres comptables sont nécessaires au contrôle, et leur utilité ne se limite pas à la préparation des états financiers.

Aux chapitres 7 et 8, nous verrons comment la méthode de la comptabilité d'exercice s'applique à une grande variété de sujets comptables et commerciaux. Ces chapitres s'appuient sur les notions de base présentées au chapitre 5 et dans le présent chapitre. Vous devez donc acquérir une bonne compréhension de la tenue des registres comptables.

6.2   LES REGISTRES COMPTABLES

L'importance de la bonne tenue des registres

Les registres fournissent des renseignements essentiels aux gestionnaires et à ceux qui évaluent leur rendement.

Il est très important que les registres soient complets et précis : ils fournissent des observations sur l'entreprise et racontent son histoire. Sans savoir ce qui est arrivé, les investisseurs et les gestionnaires ne peuvent pas faire de projets d'avenir, correctement évaluer les différentes options ni tirer d'enseignement du passé. Dans le contexte financier actuel, relativement complexe, où les entreprises prennent de plus en plus d'expansion, le nombre d'opérations est beaucoup trop élevé pour que quiconque puisse en assurer le suivi sans tenir des registres détaillés (écrits ou, comme c'est souvent le cas de nos jours, informatisés). Les registres fournissent la base des extrapolations concernant l'avenir, des informations servant à l'évaluation et à la récompense du rendement, ainsi que du **contrôle interne** de l'actif d'une entreprise. De surcroît, le contrôle n'assure pas seulement une protection systématique contre le vol et les pertes, mais offre aussi des informations juridiques ou des données destinées aux assurances. Cependant, la tenue des livres coûte de l'argent et, par conséquent, les registres doivent justifier leur coût. Le degré de complexité des registres est une décision de gestion, au même titre que la détermination des prix ou la mise en marché des produits.

Voici un extrait tiré d'un livret publié par la Banque Royale du Canada à l'intention des nouveaux entrepreneurs :

Sans registres comptables valables, l'entreprise avance à l'aveuglette.

> Il est essentiel d'adopter un bon système de classement de vos documents et de vos pièces comptables, ce qui vous économisera temps et efforts quand votre entreprise aura le vent dans les voiles. En plus de vous aider à vous acquitter de vos obligations vis-à-vis du fisc, la bonne tenue de votre comptabilité vous permettra de disposer d'un outil de gestion crucial. Si vos livres sont conçus en fonction des besoins particuliers de votre exploitation, vous pourrez facilement suivre vos résultats, vérifier que votre rendement est conforme à vos attentes et évaluer votre performance en comparant vos ratios à ceux d'entreprises similaires. Le fait d'être renseigné sur ce qui se passe (et sur ce qui ne se passe pas) assez rapidement pour pouvoir agir en conséquence peut être déterminant pour le succès ou l'échec de votre entreprise[1].

Toujours dans le même livret, on trouve plusieurs exemples d'usage des registres. On y explique qu'ils permettent de respecter les exigences des lois, de préparer les plans d'action et de marketing de l'entreprise, de mesurer et d'analyser les résultats, de contracter des assurances et de contrôler la gestion.

Résumé des procédures de la comptabilité générale

On prépare l'information comptable à partir de méthodes bien définies.

Voici la marche à suivre pour obtenir des états financiers vérifiés. Elle a été définie dans les chapitres précédents, mais nous la reprenons ici :

1. Inscrire les **opérations** sous forme d'**écritures de journal** ou enregistrer les opérations quotidiennes, comme les **encaissements** ou les chèques émis, dans des journaux auxiliaires.

2. Procéder au **report** des opérations dans les **comptes**.

3. Choisir les conventions comptables qui seront appliquées de façon constante pour l'enregistrement des informations sur la performance et la situation financières de l'entreprise (vous trouverez d'autres données sur les principales conventions dans ce chapitre, puis dans les chapitres 7 et 8).

4. En accord avec les conventions comptables choisies, procéder à la régularisation des comptes, en effectuant les corrections et les autres **ajustements** nécessaires (vous en trouverez des exemples dans ce chapitre, puis dans les chapitres 7 et 8).

5. À partir des comptes, passer ensuite à la préparation du bilan, de l'état des résultats et de l'état des bénéfices non répartis.

6. Dresser l'état de l'évolution de la situation financière à partir des trois autres états et des données supplémentaires sur les variations de l'actif, du passif et des capitaux propres.

7. Préparer les notes concernant les conventions comptables adoptées et les autres notes complémentaires, et ajouter les chiffres comparatifs de l'exercice précédent.

8. Faire vérifier l'ensemble complet des états financiers et des notes complémentaires (généralement, le processus de vérification débute plus tôt, avant la fin de l'exercice et avant la préparation des états financiers).

9. Joindre le rapport du vérificateur à l'ensemble des états financiers et des notes complémentaires, et faire approuver et signer le bilan par le conseil d'administration.

10. Publier un document comprenant les états financiers, les notes complémentaires et le rapport du vérificateur.

11. Quelque part après l'étape 5, procéder à la **clôture** des comptes de résultats, de dividendes et d'ajustement des bénéfices non répartis et les reporter dans les bénéfices non répartis afin de les ramener tous à zéro pour préparer l'étape 1 de l'exercice financier suivant (les comptes du bilan sont utilisés pendant l'exercice suivant et, pour cette raison, on ne les ferme pas).

Le système comptable sous-jacent

Dans cette section, nous récapitulons brièvement certains des mécanismes du système comptable qui sous-tendent les étapes 1 et 2 de la marche à suivre ci-dessus. Vous verrez ainsi comment les opérations peuvent être présentées dans les livres de comptes, qui constituent la matière première des états financiers. N'oubliez cependant pas qu'il s'agit d'une description très générale; nous devons donc laisser plusieurs éléments de côté afin de rendre notre présentation plus claire. Aujourd'hui, dans la plupart des entreprises, les « livres » dont nous parlons ci-après sont remplacés par des supports informatisés.

a. Les pièces justificatives et le cycle des opérations: un cas réel

La tenue des livres repose sur des **pièces justificatives** attestant qu'une opération a bien eu lieu. On conserve ces documents afin de déceler d'éventuelles erreurs dans les registres comptables et de les corriger, d'en effectuer la vérification, de les présenter en cas de litige et d'étayer les déclarations d'impôts sur les bénéfices ou les actions en justice. Les opérations, quant à elles, reflètent les différents événements de l'exploitation d'une entreprise. Voici des exemples concernant l'entreprise Pro Centre Informatique ltée (PCI).

Les bons de commande constituent un exemple de documents importants nécessaires à la comptabilité.

1. La société PCI vend des produits qu'elle achète d'autres entreprises. La commande de produits répondant à la demande des clients constitue une première étape essentielle, mais *n'est pas* une opération comptable en soi. C'est pourquoi on n'inscrit pas les commandes dans les comptes. Il est cependant primordial pour PCI de les enregistrer et de pouvoir les retrouver. Elle utilise donc des formulaires de « **bons de commande** » (figure 6.1). Vous constaterez que le bon de commande est daté et numéroté, afin qu'on puisse le retrouver au besoin. Tous les articles commandés y sont inscrits afin que le client puisse comparer cette liste à la marchandise que le fournisseur lui fait parvenir.

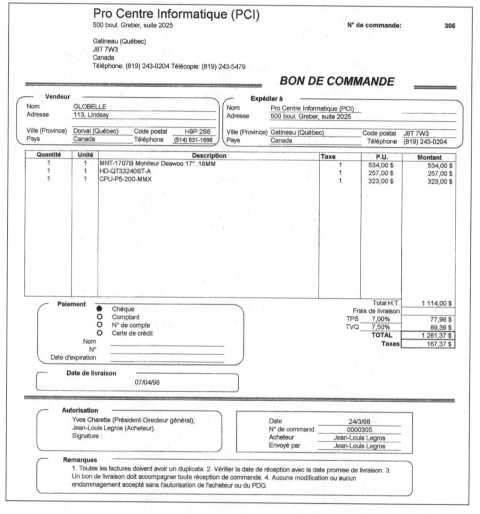

FIGURE 6.1

Lorsqu'une marchandise est acceptée, un échange (une opération) a lieu, et il faut l'enregistrer.

2. Lorsqu'on reçoit les articles commandés, on les compare aux bons de commande et aux bordereaux des fournisseurs pour s'assurer que tout est en ordre. Lorsque PCI accepte une livraison, cela constitue une opération comptable et on doit enregistrer l'achat, par exemple, en augmentant le compte *Stock* (Dt − Actif) et le compte *Fournisseurs* (Ct − Passif). On enregistre également les retours de marchandises aux fournisseurs, en procédant dans le sens contraire : on diminue le compte *Stock* (Ct − Actif) et aussi le compte *Fournisseurs* (Dt − Passif). La figure 6.2 donne un exemple d'enregistrement courant des échanges entre PCI et l'un de ses fournisseurs habituels : notez les achats de marchandises enre-

gistrés lors de précédentes livraisons et le retour d'un lot de marchandises (−904,80 $). Vous verrez également que la société s'attend à recevoir un escompte de 26,92 $ en payant son compte à temps.

Lundi, le 23 février 1998					Pro Centre Informatique (PCI)			
			Âge détaillé des comptes à payer par numéro de fournisseur					
Numéro	Nom		Téléphone		Nom de contact			
# Facture	Date	Original	Escompte	Paiement	Solde	0-30 jours	31-60 jours	61 jours +
0000066	Globelle		(514) 631-1686		Roch			
1466205	18/12/97	2 889,88	0,00	0,00	2 889,88	0,00	2 889,88	0,00
1467416	19/12/97	328,19	0,00	0,00	328,19	0,00	328,19	0,00
1468231	22/12/97	302,46	0,00	0,00	302,46	0,00	302,46	0,00
1468258	22/12/97	1 419,87	0,00	0,00	1 419,87	0,00	1 419,87	0,00
1469248	23/12/97	647,26	0,00	0,00	647,26	0,00	647,26	0,00
1469340	23/12/97	573,19	0,00	0,00	573,19	0,00	573,19	0,00
1470619	29/12/97	904,80	0,00	0,00	0,00	0,00	0,00	0,00
1470619	15/01/98	-904,80	0,00	0,00	0,00	0,00	0,00	0,00
1500653	12/02/98	708,55	14,16	0,00	694,39	694,39	0,00	0,00
1438674	13/02/98	638,15	12,76	0,00	625,39	625,39	0,00	0,00
Sous-totaux		7 507,55	26,92	0,00	7 480,63	1 319,78	6 160,85	0,00
						Total	7 480,63	

FIGURE 6.2

Le paiement des marchandises, qu'il soit effectué par chèque, par virement automatique ou en argent comptant, doit toujours être enregistré.

3. Lorsque PCI paie son fournisseur, un **chèque** est émis, et la copie de ce chèque constitue une **pièce justificative** pour enregistrer le paiement de l'opération comme suit : diminution du compte *Fournisseurs* (DT − Passif) et diminution du compte *Encaisse*, ou *Banque* (CT − Actif). La figure 6.3 reproduit un chèque de PCI. Comme vous pouvez le constater, il porte aussi un numéro et un espace pour inscrire la date d'émission. Il comporte également d'autres détails pouvant servir de référence, plus tard, en cas de problème. De nombreuses sociétés utilisent à présent les **transferts électroniques de fonds (TEF)**, qui permettent de virer de l'argent du compte bancaire de l'acheteur directement dans celui du fournisseur, sans émettre de chèque. C'est ainsi que vous procédez lorsque vous utilisez votre carte bancaire dans une boutique pour tirer le montant de vos achats de votre compte bancaire, ou lorsque vous réglez par des prélèvements automatiques l'assurance de votre véhicule ou autres factures mensuelles. Mais, bien sûr, les paiements peuvent toujours être effectués en argent !

FIGURE 6.3

Les factures attestent l'activité essentielle de la société, à savoir gagner des produits.

4. La vente est la raison d'être de la société PCI. Une fois qu'on réalise une vente, on prépare une **facture** sur laquelle il faut préciser divers détails utiles. Une copie de cette facture confirme l'opération de vente inscrite comme une augmentation du compte *Clients* (DT − Actif) et une augmentation du compte *Ventes* (CT − Produits). Elle confirmerait également un virement électronique si PCI et son client utilisaient le transfert électronique de fonds. (Dans le système d'inventaire informatisé de la société, les factures permettent également d'enregistrer le coût des marchandises vendues, emportées par le client : augmentation du compte *Coût des marchandises vendues* (DT − Charges) et diminution du compte *Stock* (CT − Actif). La figure 6.4 présente un exemple de facture. Vous constaterez que la taxe fédérale, ou **taxe sur les produits et services (TPS)**, est de 104,65 $ et que la taxe provinciale, ou **taxe de vente du Québec (TVQ)**, est de 103,98 $. La facture justifie donc d'augmenter le compte *Clients* (DT − Actif) d'un montant équivalent au total des deux taxes et d'augmenter le compte *TPS à payer* (CT − Passif) et le compte *TVQ à payer* (CT − Passif). L'augmentation du compte *Clients* du montant des deux taxes ne fait pas partie des produits de PCI, c'est un montant qui est prélevé pour le compte des gouvernements fédéral et provincial. (Nous étudierons bientôt plus en détail le fonctionnement des taxes de vente comme la TPS et la TVQ).

Les encaissements complètent le cycle : commande, achat, paiement, vente et recouvrement.

5. Le recouvrement est le dernier événement que nous illustrerons. Lorsqu'un client paie PCI, ce paiement est enregistré dans la liste des encaissements du jour. Cette liste représente la pièce justificative qui atteste l'opération d'**encaissement** enregistrée comme suit : augmentation du compte *Encaisse* (DT − Actif) et diminution du compte *Clients* (CT − Actif). Elle atteste également le dépôt bancaire effectué ce jour-là. De cette manière, si un problème se présente, quelqu'un peut consulter le relevé bancaire mensuel, retrouver les dépôts qui y figurent et remonter jusqu'à un client. La figure 6.5 montre la liste des encaissements d'une journée.

BPCI utilise également d'autres pièces justificatives. Il existe autant de pièces justificatives qu'il existe de sociétés. Chaque société adapte les pièces justificatives à ses propres besoins, en particulier pour fournir des preuves légales et pour attester l'enregistrement des opérations comptables. Cependant, on note deux grandes constantes, qu'il s'agisse de sociétés, de gouvernements, de clubs sportifs ou d'autres organismes : (1) il existe toujours des pièces justificatives à l'appui du système comptable, (2) ces pièces justificatives sont adaptées aux besoins de chaque établissement et, pour cette raison, elles peuvent ne ressembler à celles d'aucune autre organisation.

b. Les livres-journaux

On enregistre chronologiquement les opérations comptables à partir des pièces justificatives. Ces enregistrements chronologiques, qui représentent l'**écriture originaire** des opérations dans le système comptable, se font dans des journaux que nous appelons également **livres-journaux**. Pour chacune des opérations comptables, les livres-journaux indiquent quels sont les comptes débités ou crédités.

Pro Centre Informatique

PCi

500 boul. Gréber, suite 202
Gatineau, Qc J8T 7W3
téléphone: (819) 243-0204
télécopieur: (819) 243-5769
Adresse électronique :

255, rue Papineau, bureau 2
Papineauville, Qc J0V 1R0
téléphone: (819) 427-6002

B U L L E T I N	
Date	N° facture

Vendu à :
COMPTANT SPECIAL

Expédié à :

Date	N° de commande du client	Notre n° de référence	Via	Notre n° de T.P.S. R121256861
08/12/1997		9 1121538		Notre n° de T.V.Q. 1003673550
Termes		Vendeur (euse)		N° de taxe provinciale (client)
Payable sur livraison		Jean-Louis Legros		

Quantité			Description	Prix unitaire	Montant
N° du produit	Commande	Expédiée			
MB-P5-ACER-AP5T	1	1	CARTE MAITRESSE ACER AP5T, 512K CACHE,CH No de série : 3574216635KC	1495.00	1,495.00
CPU-P5-166-MMX	1	1	PROCESSEUR PENTIUM 166MHZ MMX	.00	.00
8MEG	2	2	MEMOIRE VIVE 8M0	.00	.00
CRT-CL5440-1M	1	1	CARTE VIDEO MPEG 1MEG CIRRUS LOGIC No de série : PCI0146	.00	.00
HD-QT32110SG-A	1	1	DISQUE QUANTUM 2.1GB,12MS, 64K, 3.5" F-A No de série : 842725852163	.00	.00
FLP-1.44	1	1	LECTEUR DE DISQUETTE 1.44 MEG No de série : PCI0256	.00	.00
CRT-16P-BRAVO	1	1	CARTE DE SON BRAVO 16P, 3D , PNP No de série : 73830953	.00	.00
CD-PAN-24X-I	1	1	CD ROM 24X PANASONIC INTERNE No de série : PCI0244	.00	.00
DVR-SPK-DOWA-80	1	1	HAUT PARLEUR DOWA 80 WATTS CHACUN	.00	.00
MDM-GVC-33.6-I	1	1	MODEM GVC 33.6 INTERNE No de série : 102168	.00	.00
CS-MINITOWER	1	1	BOITIER MINI-TOWER No de série : PCI0205	.00	.00
PWR-230W	1	1	BLOC D'ALIMENTATION 230 No de série : PCI0215	.00	.00
MNT-DTK-1436D	1		MONITEUR DAYTEK 1436D 14" .28 SVGA NI DI	.00	.00
CLV-KTR-K3	1	1	CLAVIER SOFT TOUCH KEYTRONIC BIL. 101 K3	.00	.00
MS-DEX	1	1	SOURIS DEXXA 2B	.00	.00
LGC-WND95-CD	1	1	LOGICIEL WINDOWS 95 CD FRANCAIS	.00	.00

Message au client		
	Total partiel	1,495.00
A T T E N T I O N !!! A CAUSE D'UNE GREVE POSSIBLE, S.V.P. NE PAS POSTER LES CHEQUES, APPELLEZ NOUS...	Taxe fédérale	104.65
	Taxe provinciale	103.98
Pci a son nouveau journal mensuel Inscrivez-vous sur la liste d'envoie!	Total	1,703.63

Conditions:

Intérêts de 2% par mois perçus sur comptes passés-dûs.
Toute réclamation doit être effectuée dans les dix jours suivant
la réception des marchandises.
Aucun retour accepté sans autorisation écrite.

Veuillez noter que la marchandise demeure la propriété
de PCI Enr. jusqu'à paiement complet de cette facture.

FIGURE 6.4

Les livres-journaux comprennent un journal général et des journaux (registres) auxiliaires. Généralement, on regroupe les opérations de même nature ou répétitives et on les inscrit dans le journal auxiliaire correspondant. Voici quelques exemples de journaux auxiliaires.

On utilise un journal auxiliaire ou des registres électroniques pour inscrire toutes les opérations courantes et répétitives.

- Le **journal des ventes**, qui répertorie toutes les ventes en respectant l'ordre des factures;

- Le **journal des encaissements**, qui dresse la liste de tous les montants reçus des clients (la liste des recettes de PCI en constitue une variante);

- Le livre des chèques ou **journal des décaissements**, où l'on inscrit tous les chèques émis, en respectant l'ordre des numéros. Les sociétés ont habituellement des livres des chèques (et des comptes bancaires) distincts pour les principales catégories d'opérations, telles que le paiement des fournisseurs, les salaires des employés, les salaires des dirigeants et le versement des dividendes. Le registre des décaissements effectués par TEF ou par d'autres moyens de paiement électroniques est automatiquement tenu à jour par le système.

```
Mercredi, le 9 Juillet 1997                                                    1 - Pro Centre Inf
Periode :01                                  Journal de caisse-recettes  Lot :008
------------------------------------------------------------------------------------------------
Numero  Numero                     G/L ou                                           Montant
Cheque   Client  Nom du Client     Facture    Date   Escompte  Encaisse Remarque    du Cheque
------------------------------------------------------------------------------------------------
        2431313 LA CAPITALE        00025110 02/05/97           203.77
                                   00025288 20/05/97          (203.77)

        2432440 VILLE DE GATINEAU  00025294 21/05/97            (0.10)                 24.24
                                   CORR     21/02/97            24.34

        2465817 NOTAIRE ANNE CASWELL 00024737 20/03/97          58.34
                                   00025133 05/05/97           (28.49)
                                   DEPOT    07/04/97           (29.85)

        5619223 OPTION TRAVAIL OUTAOUAIS 00025451 12/06/97      96.90                    .04
                                   00025452 12/06/97           (96.86)

        5637084 NAV CANADA         00024117 10/01/97            (1.04)                 (1.04)

        5680041 BOUCHER ET ASSOCIES, AVOCATS 00025523 17/06/97 170.93
                                   00025524 17/06/97          (170.93)

        5957500 VILLE DE HULL      00025077 29/04/97           393.14
                                   00025089 01/05/97          (393.14)

        6637618 NORMAND CHARLEBOIS 00023746 18/11/96            (3.37)                 (3.37)

        7703139 VIDEO LAPECHE      DEPOT    27/06/96           (14.81)                (14.81)

        7715758 GAUDREAU LUC       00020588 30/10/95           (75.00)                (75.00)

        7723011 CENTRE COMMUNAUTAIRE JURIDIQ 00025217 12/05/97  53.00
                                   00025218 13/05/97           (53.00)

        7752720 LA SOCIETE DE PORTEFEUILLE 00023435 09/10/96  (500.00)                 (4.29)
                                   00024208 20/01/97           327.06
                                   00024355 10/02/97           168.65

        7759595 CORPORATION APPROVISIONNEMEN 00025424 10/06/97 1,004.41
                                   00025605 26/06/97        (1,004.41)

        7766075 RENAUD & SENECAL (RECLAMATIO 00023093 27/08/96  4.00                    6.00
                                   00024568 06/03/97            2.00

        9836141 PROMUTUEL L'OUTAOUAIS 00022157 26/04/96       (80.06)                 (80.06)

                                                            ----------- -----------
        Total                                                 148.29)                148.29)
        Total de la periode                                 17,302.43                148.29)
```

FIGURE 6.5

Le journal général est utilisé pour les régularisations et les opérations moins courantes.

Chaque société possède également un « **journal général** », qui sert principalement aux **écritures** portant sur des opérations pour lesquelles un **journal auxiliaire** n'est pas prévu. Nous avons souvent utilisé les écritures de journal au chapitre 5. Comme toujours en comptabilité, on doit inscrire ces opérations et les garder à portée de la main pour pouvoir s'y référer ultérieurement. Elles doivent s'appuyer sur des pièces justificatives ou sur certains calculs pour qu'on puisse les vérifier par la suite (ou tout simplement pour qu'on puisse encore les comprendre lorsqu'on aura oublié leur raison d'être). Le journal général sert aussi aux régularisations et à d'autres ajustements, comme nous l'expliquerons plus tard.

c. Les grands livres

Les grands livres sont des livres ou des fichiers, pouvant aussi être informatisés, dans lesquels une page et un numéro de code sont attribués à chaque compte traité par le système comptable. Chaque compte ou page contient un résumé de toutes les opérations relatives à ce compte particulier. (Souvenez-vous de l'ensemble des comptes présentés sous forme de pages, au début de la section 5.4.)

Le grand livre général comprend tous les comptes qui sous-tendent les états financiers.

Le **grand livre général** est un document dans lequel on retrouve tous les comptes d'actif, de passif, de capitaux propres, de produits et de charges de l'entreprise. Il est la colonne vertébrale de tout le système comptable et constitue la base à partir de laquelle on prépare le bilan, l'état des bénéfices non répartis et l'état des résultats. Ce grand livre prend la forme d'un « registre », ou occupe simplement un espace sur le disque d'un ordinateur. Actuellement, la plupart des sociétés tiennent leurs comptes sur ordinateur et impriment les données selon les besoins. Comme nous l'avons vu au chapitre 5, on prépare régulièrement une **balance de vérification** de tous les comptes du grand livre général, accompagnés de leur solde (à la fin de chaque mois, par exemple), de façon à montrer que le grand livre est équilibré, c'est-à-dire que la somme des soldes débiteurs est égale à la somme des soldes créditeurs. On appelle « **plan comptable** » la liste de tous les comptes d'une entreprise sans leurs soldes. Cette liste est très utile pour concevoir le système comptable, le réviser et le relier à la présentation des états financiers.

Les grands livres auxiliaires répertorient les détails concernant les comptes de contrôle ou collectifs, comme les comptes de contrôle clients.

Les **grands livres auxiliaires** — le grand livre auxiliaire des clients et le grand livre auxiliaire des fournisseurs en sont deux exemples. Si une société décide d'accorder un crédit à ses clients, elle voudra peut-être tenir un compte pour chacun d'entre eux. L'ensemble de ces comptes formera le grand livre auxiliaire des comptes clients. On vérifie l'équilibre de ce grand livre auxiliaire en s'assurant que le total des soldes des comptes clients équivaut à celui du compte correspondant dans le grand livre général, soit le compte de contrôle clients. Autrement dit, le **compte de contrôle** (ou **compte collectif**) du grand livre général, soit le compte utilisé pour préparer les états financiers, doit présenter le même solde que le total des soldes des comptes clients individuels. Un livre auxiliaire n'est pas équilibré lorsque les débits sont équivalents aux crédits, mais plutôt lorsque son total équivaut au montant du compte original du grand livre général. La vérification de cette concordance est un moyen important de s'assurer que les comptes clients individuels, par exemple, sont exacts. Les grands livres auxiliaires font donc partie du **contrôle interne** du système; leurs détails n'apparaissent pas dans les états financiers, mais ils attestent la validité du compte de « contrôle » principal qui y figure.

Ù EN ÊTES-VOUS ?

Voici deux questions auxquelles vous devriez pouvoir répondre, compte tenu de ce que vous venez de lire :

1. Pourquoi les registres bien tenus et les pièces justificatives soigneusement conservées sont-ils importants ?

2. Dites à quoi servent chacune des pièces justificatives et chacun des registres ci-après : le bon de commande, la facture, le journal des encaissements, le journal des décaissements, le grand journal, le grand livre général, le livre auxiliaire des comptes clients.

6.3   UN EXEMPLE DE TENUE DES LIVRES : LA TROUPE DE THÉÂTRE L'ÉTOILE DU NORD

Dans les chapitres précédents, nous avons donné des exemples de tenue des livres sans réelle mise en pratique. Par conséquent, pour vous aider à retenir toutes ces connaissances, nous allons prendre un exemple précis et suivre les faits économiques, des opérations aux états financiers. Dans cette section, nous présenterons notre exemple en partie. Nous le poursuivrons à la prochaine section, où il sera question des ajustements en comptabilité d'exercice et des états financiers.

Un groupe de jeunes acteurs de la ville de Hull, au Québec, décident de former une troupe pour participer à divers festivals de théâtre expérimental et à d'autres festivals d'été qui se tiennent au Canada. Voici les faits qui ont marqué la première production de la troupe de théâtre l'Étoile du Nord, présentée à l'occasion de l'un des principaux événements de théâtre expérimental, qui a eu lieu à Québec pendant l'été 1998.

1. La troupe de théâtre (en réalité, une société de personnes sans caractère officiel) a été formée le 5 novembre 1997. On a ouvert un compte bancaire au nom de la troupe. Six acteurs ont accepté de verser 500 $ chacun, mais seulement au moment où le besoin de cet argent se ferait sentir.

2. En décembre 1997, la troupe s'est inscrite au festival de théâtre expérimental d'août 1998 et a dû payer 400 $ de frais de participation. Chaque acteur a versé 75 $ du montant fixé afin de couvrir ces frais.

3. En janvier 1998, la direction du festival a avisé la troupe qu'elle avait été acceptée et que sept spectacles avaient été prévus.

4. La troupe aura à payer des droits d'auteur après les représentations. En mars 1998, elle s'est entendue avec l'auteur à ce propos.

5. Les répétitions ont débuté en mars. On a acheté des costumes et d'autres accessoires au coût de 470 $. Afin de payer ces achats, chacun des acteurs a versé 100 $, à l'exception de Fred qui n'avait pas d'argent à ce moment-là, mais qui a promis de payer plus tard.

6. Au début du mois d'août, l'une des actrices, Hélène, est allée en voiture à Québec pour visiter le théâtre et régler certains détails. Le voyage lui a coûté 290 $ en essence et dépenses diverses, montant que la troupe lui a remboursé en entier après avoir reçu encore 100 $ de chacun des membres, sauf de Fred, qui, au moins de juillet, était toujours sans le sou.

7. À la mi-août, quelques jours avant la date de la première, les six acteurs se sont rendus à Québec en voiture. Ils ont habité chez des amis et ont consacré leur temps à la construction du décor de la pièce et à la préparation des accessoires. Ils ont dû dépenser 610 $ en matériaux, montant qui devait leur être remboursé une fois la pièce terminée. L'essence pour la voiture et les chambres de motel qu'ils ont prises pour une nuit ont coûté 190 $. Les acteurs qui ont assumé ces dépenses devaient également être remboursés à la fin des représentations.

8. La première de la pièce a eu lieu devant un public assez peu enthousiaste. La direction du festival a réalisé 960 $ (8 $ × 120 places) de recettes et versé 897 $ à la troupe le jour même, après avoir déduit 63 $ de taxes de vente. On a déposé cette somme dans le compte bancaire de la troupe par l'intermédiaire d'une succursale de Québec.

Tout système comptable doit répondre aux besoins de l'entreprise et s'adapter à son degré de complexité.

Nous allons maintenant déterminer comment (le cas échéant) ces opérations sont inscrites et compilées selon un système comptable très simple. Remarquez que, bien que ce système soit beaucoup plus simple que celui utilisé par des sociétés plus importantes, il répond probablement aux besoins de la jeune troupe. Toute entreprise doit adopter un système comptable qui correspond à son niveau de complexité.

Étape 1 : les pièces justificatives

Les six jeunes acteurs, qui ont gardé leur travail en parallèle, ont assidûment préparé le spectacle, sans se préoccuper de la comptabilité. Ils savaient cependant qu'ils devaient garder des preuves de leurs dépenses, raison pour laquelle l'un d'eux a conservé toutes les pièces justificatives dans une boîte. Le lendemain de la première, la boîte contenait les pièces suivantes, qui témoignaient des événements précédents :

Les registres d'une entreprise peuvent avoir à leur appui de nombreuses sortes de pièces justificatives.

1. Une attestation d'ouverture de compte, signée par la banque et deux des acteurs associés, ainsi que les chèques et les bordereaux de dépôt non utilisés. Quant à l'entente sur le versement de 500 $ par chacun des membres de la troupe, elle était tout simplement inscrite sur le coin d'un napperon en papier provenant d'un restaurant de Hull, où ils s'étaient tous réunis pour célébrer leur projet. On y trouvait le nom des six membres ainsi que celui de la troupe, et le chiffre 500 $, mais aucune signature n'avait été apposée.

2. Dans la boîte se trouvaient aussi un relevé bancaire faisant état d'un dépôt de 450 $ et de l'émission d'un chèque de 400 $, ainsi que ce même chèque traité et un reçu de la direction du festival pour les frais de 400 $.

3. La lettre d'acceptation par la direction du festival.

4. Une note gribouillée au sujet des accords sur les droits d'auteur passés par téléphone.

5. Les chèques et les factures traités, pour un montant de 470 $, ainsi qu'un relevé bancaire indiquant le dépôt de 500 $ et les 470 $ de chèques. On y trouvait également une note rappelant que Fred devait encore payer 100 $.

6. Un relevé bancaire faisant état d'un dépôt de 500 $ et d'un chèque de 290 $, ainsi que le chèque traité et différentes factures justifiant les frais de déplacement de 290 $. Une autre note indiquait que Fred était toujours fauché.

7. Des factures de 610 $ pour les accessoires et de 190 $ pour les frais de déplacement.

8. Un reçu pour le dépôt de 897 $. Un rapport du théâtre portant la mention « 897 $ » se trouvait aussi dans la boîte.

Étape 2 : l'inscription des opérations dans un journal

L'illustration 6-1 donne l'exemple d'une page du **journal général** où sont inscrites les opérations. Dans la pratique, il est nécessaire d'avoir des dates précises, mais nous ne connaissons ici que les mois. Nous nous en contenterons. Habituellement, dans les journaux et les registres, les chiffres sont inscrits au cent près, mais nous nous en dispenserons. Nous fournirons et inscrirons d'autres informations dans la seconde partie de l'exemple, à la section 6.4.

Illustration

		Troupe de théâtre l'Étoile du Nord **Journal général**		
Nᵒ	Date	Description	Débits	Crédits
1.	Nov. 97	Pas d'opération, donc pas d'écriture		
2a.	Déc. 97	Encaisse (banque)	450	
		Capital des associés		450
		Contribution initiale des partenaires : 6 × 75 $, d'après le relevé bancaire		
2b.	Déc. 97	Frais de participation	400	
		Encaisse (banque)		400
		Frais versés en vue de la participation au festival de 1998		
3.	Jan. 98	Pas d'opération, donc pas d'écriture		
4.	Mars 98	Pas d'opération, donc pas d'écriture		
5a.	Mars 98	Encaisse (banque)	500	
		Capital des associés		500
		Contribution supplémentaire de cinq partenaires : 5 × 100 $ (pas de contribution de Fred)		
5b.	Mars 98	Frais de costumes et accessoires	470	
		Encaisse (banque)		470
		Achats de costumes et d'accessoires, d'après les factures des fournisseurs		
6a.	Juil. 98	Encaisse (banque)	500	
		Capital des associés		500
		Contributions supplémentaires de cinq partenaires : 5 × 100 $ (pas de contribution de Fred)		
6b.	Juil. 98	Frais de déplacement	290	
		Encaisse (banque)		290
		Remboursement à Hélène de ses frais pour le voyage à Québec		
7a.	Août 98	Frais de déplacement	190	
		À payer aux associés		190
		Enregistrement de l'avance versée par ceux qui ont dépensé de l'argent pour que la troupe se rende à Québec		

6-1

Illustration
(suite)

Nº	Date	Description	Débits	Crédits
7b.	Août 98	Frais de costumes et d'accessoires	610	
		À payer aux associés		610
		Enregistrement de l'avance versée		
		par plusieurs personnes pour		
		payer les costumes et les		
		accessoires achetés à Québec		
8.	Août 98	Encaisse (banque)	897	
		Produit de la représentation		897
		Recette de la première		

Étape 3 : le report (résumé) des écritures dans le grand livre général

À l'illustration 6-2, on trouve les opérations reportées dans les comptes du **grand livre général**. Ces comptes figurent dans l'ordre où les écritures ont été passées, et pas nécessairement dans l'ordre de présentation du bilan ou de l'état des résultats.

6-2

Illustration

Troupe de théâtre l'Étoile du Nord
Grand livre général

Encaisse (banque)

Date	Écriture	Débit	Crédit	Solde
Déc. 97	2a	450		450 Dt
Déc. 97	2b		400	50 Dt
Mars 98	5a	500		550 Dt
Mars 98	5b		470	80 Dt
Juil. 98	6a	500		580 Dt
Juil. 98	6b		290	290 Dt
Août 98	8	897		1 187 Dt

Capital des associés

Date	Écriture	Débit	Crédit	Solde
Déc. 97	2a		450	450 Ct
Mars 98	5a		500	950 Ct
Juil. 98	6a		500	1 450 Ct

Participation au festival

Date	Écriture	Débit	Crédit	Solde
Déc. 97	2b	400		400 Dt

Costumes et accessoires

Date	Écriture	Débit	Crédit	Solde
Mars 98	5b	470		470 Dt
Août 98	7b	610		1 080 Dt

Illustration (suite)

Déplacements

Date	Écriture	Débit	Crédit	Solde
Juil. 98	6b	290		290 Dt
Août 98	7a	190		480 Dt

À payer aux associés

Date	Écriture	Débit	Crédit	Solde
Août 98	7a		190	190 Ct
Août 98	7b		610	800 Ct

Produit de la représentation

Date	Écriture	Débit	Crédit	Solde
Août 98	8		897	897 Dt

Étape 4: la balance de vérification pour s'assurer que le grand livre est équilibré

Et maintenant, comme nous pouvons le constater selon l'illustration 6-3, le grand livre est bel et bien équilibré!

Illustration

Troupe de théâtre l'Étoile du Nord Balance de vérification du grand livre général à la mi-août 1998		
Compte	Débit	Crédit
Encaisse (banque)	1 187	
Capital des associés		1 450
Participation au festival	400	
Costumes et accessoires	1 080	
Déplacements	480	
À payer aux associés		800
Produit de la représentation		897
TOTAUX	3 147	3 147

Ce sera tout pour le moment. Notre objectif était de montrer que ce sont les opérations et les pièces justificatives qui sous-tendent les soldes des comptes utilisés pour préparer les états financiers. L'étape 4 nous a permis d'obtenir certains soldes de comptes. À la section suivante, nous poursuivrons cet exemple afin d'illustrer les méthodes de régularisation et la façon d'apporter des corrections.

Ù EN ÊTES-VOUS ?

Voici deux questions auxquelles vous devriez pouvoir répondre, compte tenu de ce que vous venez de lire :

1. Vous êtes propriétaire d'une entreprise. Votre comptable vient de vous présenter la balance de vérification de fin de mois des comptes de votre établissement. Selon vous, quels sont les principaux livres utilisés par le comptable pour obtenir cette liste de soldes ?

2. Votre comptable fait irruption dans votre bureau pour s'excuser d'avoir oublié de reporter dans le grand livre général le journal des ventes au comptant du mois. Le journal indiquait que les recettes provenant des ventes au comptant du mois s'élevaient à 6 782 $. Quels sont les comptes du grand livre qui comportent des erreurs à cause de cet oubli ? À combien se chiffre cette erreur ? (Les comptes Encaisse et Produits seront sous-évalués de 6 782 $.)

6.4   LES AJUSTEMENTS EN COMPTABILITÉ D'EXERCICE

Nous avons vu que les registres des opérations constituent l'essentiel du système de comptabilité générale. Cependant, il faut en général ajuster ces registres, pour qu'ils puissent servir à la comptabilité d'exercice. Les trois principaux **ajustements** sont les suivants :

Pour corriger les erreurs, il faut faire certains ajustements.

a. La correction des erreurs découvertes dans les registres d'opérations.

b. L'inclusion des redressements courants, tels que les produits gagnés mais non recouvrés, les charges engagées mais non encore payées, l'argent reçu des clients avant que les produits qui s'y rattachent n'aient été gagnés et l'amortissement des immobilisations. Les ajustements à apporter dépendent du degré de complexité du système comptable. Certains systèmes comptables très perfectionnés vont au-delà de l'inscription des opérations et effectuent régulièrement de nombreux ajustements, alors que des systèmes plus simples nécessitent, en fin d'exercice financier, un ensemble particulier d'écritures d'ajustement. La plupart des entreprises font le suivi des ventes et des achats effectués à crédit. Ces ventes non recouvrées et ces achats non payés constituent des produits à recevoir et des charges à payer ; ils reposent sur les opérations et sont fréquents, de sorte qu'ils sont systématiquement enregistrés. Souvent, les grandes entreprises inscrivent chaque mois leurs intérêts débiteurs et les autres charges qui s'accumulent. Elles prévoient mensuellement une provision pour l'amortissement et les autres charges relatives aux biens utilisés. De nombreuses petites entreprises ne le font qu'au moment de produire leurs états financiers annuels.

Il faut ajuster certains comptes particuliers qui ne sont pas comptabilisés de façon régulière.

On fait aussi des ajustements pour refléter des choix comptables et les estimations qui peuvent en découler et qui sont nécessaires à la préparation des états financiers.

c. La reconnaissance d'événements peu courants ou d'estimations nécessaires pour que les états financiers illustrent la substance économique et commerciale de la performance et de la situation financières de l'entreprise, selon la direction (ou les vérificateurs). Citons comme exemples une réduction des chiffres du bilan (réduction de valeur) pour des immobilisations dont la valeur économique a été modifiée en raison de fluctuations des valeurs marchandes ou d'une mauvaise gestion, une modification de la façon dont les garanties sont comptabilisées par suite de poursuites en justice mettant en cause la qualité des produits, ainsi qu'une réévaluation des impôts exigibles sur les bénéfices, sur la base d'amendements aux lois fiscales récemment annoncés.

Les ajustements en comptabilité d'exercice sont inscrits en partie double, tout comme les opérations:

- il faut inscrire un débit dans un ou plusieurs comptes;

- il faut inscrire un crédit dans un ou plusieurs comptes;

- il faut que la somme des débits soit égale à la somme des crédits.

Les écritures d'ajustement sont nécessaires au bon fonctionnement de la comptabilité d'exercice.

Les experts-comptables appellent les écritures d'ajustement, **écritures de régularisation**. Elles s'apparentent aux écritures, mais elles ne touchent pas l'encaisse, sauf s'il faut corriger des erreurs. Leur but est de raffiner les chiffres enregistrés à partir des opérations afin de préciser l'histoire racontée par les registres d'opérations. *Elles sont nécessaires au bon fonctionnement de la comptabilité d'exercice.*

L'objectif de la comptabilité d'exercice est d'améliorer la mesure de la performance et de la situation financières de l'entreprise. Cependant, puisqu'il existe différentes méthodes comptables, la comptabilité d'exercice peut se prêter à la manipulation des résultats et à la production de documents trompeurs. N'importe qui peut passer une écriture de régularisation afin de modifier les chiffres des états financiers; ce qui est important, c'est de savoir si cet ajustement est approprié (ou si on n'a pas omis un ajustement nécessaire). C'est pourquoi les vérificateurs prêtent une attention particulière aux régularisations effectuées par les entreprises. La plupart des critiques formulées à l'égard des rapports financiers portent sur les régularisations subjectives de la comptabilité d'exercice, car elles s'appuient sur le jugement plutôt que sur les registres des opérations, qui eux sont plus objectifs et plus vérifiables. La majorité des experts-comptables estiment que, malgré son caractère subjectif et les critiques dont elle fait l'objet, la comptabilité d'exercice est supérieure à la comptabilité de caisse, parce qu'elle permet un enregistrement plus complet et plus représentatif de la performance économique. Tout le monde n'est pas d'accord sur ce point; c'est pourquoi la théorie financière moderne met davantage l'accent sur les flux de trésorerie que sur la mesure du bénéfice prise par la comptabilité d'exercice. Nous reviendrons sur ce sujet au chapitre 9.

En comptabilité d'exercice, il est important de n'effectuer que les ajustements appropriés.

Un exemple: la troupe de théâtre l'Étoile du Nord (II)

Les mécanismes à la base des écritures de régularisation et de correction sont simples. Ils affectent les comptes d'actif, de passif et de capitaux propres (y compris les produits et les charges) que vous connaissez bien à présent. Pour illustrer le fonctionnement de ces mécanismes et les états financiers qui en résultent, reprenons l'exemple des six jeunes acteurs qui participent au festival de théâtre expérimental. À la section 6.3, nous avons vu comment on effectuait la tenue des livres. Nous avons laissé la troupe l'Étoile du Nord à la fin de l'étape 4 du processus comptable, soit l'établissement de la balance de vérification (voir l'illustration 6-3).

Les acteurs ont constaté que c'était une bonne chose de dresser un ensemble d'états financiers dès la fin du festival. Ils ont fixé comme date d'établissement des états financiers le 26 août 1998.

Avant la fin de la production de la pièce, seulement trois nouvelles opérations financières ont eu lieu (nous poursuivons l'énumération commencée à la section 6.3):

Nous reprenons notre exemple compte tenu de la balance de vérification de l'illustration 6-3.

9. L'Étoile du Nord a versé 320 $ à une imprimerie locale pour l'impression des programmes et des dépliants décrivant la troupe. Ces programmes et dépliants ont été distribués aux spectateurs qui sont venus voir la pièce et ont aussi été utilisés, de façon générale, pour faire la promotion de la pièce. Ces documents, utilisés dès la première soirée, n'ont été payés que deux jours plus tard.

10. La troupe a remboursé 525 $ des montants dus pour les accessoires et les costumes.

11. La pièce a connu un succès mitigé. À cause d'une critique peu élogieuse, les spectateurs n'étaient pas nombreux au début, mais, aux dernières représentations, la salle a été plus remplie, et les recettes ont atteint 4 840 $. Puisque la troupe n'a pas été invitée à participer aux événements qui ont eu lieu en marge du festival, le 26 août 1998 lui a semblé une date aussi appropriée qu'une autre pour évaluer sa situation financière.

Étape 5 : les écritures de régularisation et de correction

Plusieurs faits ont dicté des choix et des ajustements en vue de la préparation des états financiers du 26 août :

> Les écritures de journal et les écritures de régularisation se ressemblent, seuls leurs objectifs diffèrent.

12. L'auteur de la pièce attendait qu'on lui paie ses droits, qui avaient été fixés à 450 $.

13. Les frais de retour à la maison, qui devaient être remboursés aux différents membres de la troupe, s'élevaient à 215 $.

14. On avait dépensé 1 080 $ en costumes et accessoires. La troupe estimait qu'il y avait environ 420 $ de matériel non réutilisable. Le reste pouvait être utilisé pour au moins cinq contrats, dont le festival expérimental qui venait d'avoir lieu. La troupe a décidé de continuer à jouer et de garder les costumes et les accessoires en stock, en prévision des prochaines productions. Ils représentent donc une valeur future pour la troupe et, à ce titre, figureront au bilan.

15. Tous les programmes et dépliants n'avaient pas été distribués. Les programmes n'avaient plus d'utilité, mais les dépliants décrivant la troupe pourraient aider à trouver de nouveaux contrats et servir à la publicité. Ainsi, des dépliants valant environ 80 $ pouvaient encore servir.

16. Après avoir vérifié auprès de la banque, l'un des acteurs a estimé que, au 26 août, le compte bancaire aurait produit 20 $ d'intérêts. Ce n'était pas beaucoup, mais tout le monde désirait que les états financiers soient précis, et ce montant est suffisamment important pour y figurer.

17. Les acteurs se sont mis d'accord pour partager en parts égales tout bénéfice ou toute perte. Fred, l'acteur qui n'avait pas d'argent, a déclaré qu'au lieu d'effectuer un remboursement en espèces, il verserait aux autres membres une partie de sa part du bénéfice en contrepartie des 200 $ qu'il n'avait pas payés, afin de s'acquitter de sa dette.

L'illustration 6-4 illustre les écritures de journal permettant d'*inscrire* les trois nouvelles opérations en encaisse et de *régulariser* les comptes pour traduire l'incidence des informations additionnelles.

Troupe de théâtre l'Étoile du Nord Journal général				
Nº	Date	Description	Débits	Crédits
9.	Août 98	Programmes et dépliants	320	
		Encaisse (banque)		320
		Programmes et dépliants à distribuer pendant les représentations		
10.	Août 98	À payer aux associés	525	
		Encaisse (banque)		525
		Remboursement partiel aux associés pour les costumes et les accessoires		
11.	Août 98	Encaisse (banque)	4 840	
		Produits des représentations		4 840
		Recettes des représentations suivantes		
12.	Août 98	Frais de droits d'auteur	450	
		Fournisseurs		450
		Droits d'auteur à payer		
13.	Août 98	Frais de déplacement	215	
		À payer aux associés		215
		Frais de retour à la maison		
14a.	Août 98	Costumes et accessoires	660	
		Frais de costumes et d'accessoires		660
		Capitalisation de la valeur future des costumes et des accessoires		
14b.	Août 98	Amortissement	132	
		Amortissement cumulé		132
		Amortissement des costumes et des accessoires : 1/5 du coût pour le contrat du festival 1998		
15.	Août 98	Stock de dépliants	80	
		Programmes et dépliants		80
		Reconnaissance du stock de dépliants encore utilisables		
16.	Août 98	Intérêts à recevoir	20	
		Intérêts créditeurs		20
		Estimation des revenus du compte bancaire au 26 août 1998		
17.	Août 98	Capital des associés (Fred)	200	
		Capital des associés (autres)		200
		Virement de Fred en faveur des autres partenaires pour rembourser les 200 $ non versés conformément à l'entente initiale. *(Remarquez que cette écriture n'a pas d'incidence sur les chiffres des états financiers, mais permet de constater*		

6-4

**Illustration
(suite)**

un fait économique, à savoir que Fred accepte de s'acquitter de sa dette en versant une partie de son capital à ses associés. Ce fait est important pour les associés. L'écriture a une incidence sur les soldes de chacun des associés et non sur le total du compte de capital.)

Étape 6 : le report des opérations restantes et des régularisations en comptabilité d'exercice

Les écritures précédentes doivent être reportées, comme celles de la section 6.3. Faites-le vous-même, en commençant par les soldes des comptes de la balance de vérification de l'illustration 6-3. Obtenez-vous les mêmes résultats que ceux de la balance de vérification présentée à l'illustration 6-5 ?

Étape 7 : une autre balance de vérification

L'illustration 6-5 montre la balance de vérification au 26 août 1998, laquelle utilise les comptes originaux de l'étape 4 (section 6.3) et les comptes additionnels nécessaires pour effectuer les écritures de l'étape 5, présentées ci-dessus. Les associés ont décidé de reclasser les comptes des registres selon l'ordre dans lequel ils apparaîtront dans les états financiers afin d'en faciliter la compréhension.

6-5

Illustration

Troupe de théâtre l'Étoile du Nord Balance de vérification du grand livre général au 26 août 1998		
Comptes	**Débit**	**Crédit**
Encaisse (banque)	5 182	
Intérêts à recevoir	20	
Stock de dépliants	80	
Costumes et accessoires	660	
Amortissement cumulé		132
Fournisseurs		450
À payer aux associés		490
Capital des associés		1 450
Produits des représentations		5 737
Amortissement	132	
Frais de costumes et d'accessoires	420	
Frais d'inscription	400	
Programmes et brochures	240	
Droits d'auteur	450	
Frais de déplacement	695	
Intérêts créditeurs		20
TOTAUX	8 279	8 279

Si vous n'arrivez pas aux mêmes soldes, examinons comment certains d'entre eux ont été obtenus, en commençant par la balance de vérification de la mi-août de la section 6.3 :

Encaisse (banque) = 1 187 \$ − 320 \$ − 525 \$ + 4 840 \$ = 5 182 \$
À payer aux associés = 800 \$ − 525 \$ + 450 \$ + 215 \$ = 940 \$
Produits des représentations = 897 \$ + 4 840 \$ = 5 737 \$
Costumes et accessoires = 1 080 \$ − 660 \$ = 420 \$
Frais de déplacement = 480 \$ + 215 \$ = 695 \$

Les états financiers qui vont être dressés le 26 août sont « intérimaires » : ce ne sont pas des états de fin d'exercice, c'est pourquoi les comptes de l'exercice ne seront pas fermés à ce moment-là. *S'ils l'étaient*, l'**écriture de clôture** serait la suivante :

Les comptes de produits et de charges sont en général clôturés seulement à la fin de l'exercice.

Dt	Produits des représentations	5 737	
Ct	Amortissement		132
Ct	Costumes et accessoires		420
Ct	Frais d'inscription		400
Ct	Programmes et brochures		240
Ct	Droits d'auteur		450
Ct	Frais de déplacement		695
Dt	Intérêts créditeurs	20	
Ct	Capital des associés		3 420

Jusqu'à maintenant, les associés ont réalisé un bénéfice de 3 420 \$. D'après l'entente entre les six acteurs, chacun d'eux touchera un sixième de ce montant de 3 420 \$, soit 570 \$. Tout comme dans une société par actions, les bénéfices de cette troupe ne seront pas tous retirés par les associés. D'ailleurs, au 26 août, aucun d'eux n'a retiré sa part. C'est ce que reflètent les illustrations 6-6, 6-7, 6-8 et 6-9.

Étape 8 : les états financiers du 26 août

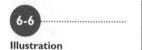
6-6
Illustration

Troupe de théâtre l'Étoile du Nord État des résultats période du 15 novembre 1997 au 26 août 1998		
Produits des représentations		5 737 \$
Charges :		
Amortissement des costumes et des accessoires	132 \$	
Costumes et accessoires non réutilisables	420	
Frais d'inscription	400	
Programmes et dépliants	240	
Droits d'auteur	450	
Frais de déplacement	695	2 337
Bénéfice d'exploitation		3 400 \$
Autres produits (intérêts créditeurs)		20
Bénéfice des associés pour la période (*note 1*)		3 420 \$

6-7

Illustration

Troupe de théâtre l'Étoile du Nord État du capital des associés période du 5 novembre 1997 au 26 août 1998	
Capital de départ	0 $
Apports au cours de la période	1 450
Bénéfice de la période, d'après l'état des résultats	3 420
Retraits au cours de la période	0
Capital à la fin de la période (*note 2*)	4 870 $

6-8

Illustration

Troupe de théâtre l'Étoile du Nord Bilan au 26 août 1998		
Actif		
Actif à court terme:		
Encaisse (banque)	5 182 $	
Intérêts créditeurs	20	
Stock de dépliants	80	5 282 $
Actif à long terme:		
Costumes et accessoires (coût)	660 $	
Moins amortissement cumulé	132	528
TOTAL		5 810 $
Passif et capitaux propres		
Passif à court terme:		
Fournisseurs		940 $
Capital des associés (*note 2*)		4 870
TOTAL		5 810 $

6-9

Illustration

Troupe de théâtre l'Étoile du Nord État de l'évolution de la situation financière période du 5 novembre 1997 au 26 août 1998	
Activités d'exploitation:	
Bénéfice des associés pour la période	3 420 $
Plus amortissement	132
Augmentation des intérêts à recevoir et du stock	(100)
Augmentation des comptes fournisseurs	940
Liquidités provenant de l'exploitation	4 392 $
Activités d'investissement:	
Acquisition de costumes et d'accessoires	(660)
Activités de financement:	
Apports des associés	1 450
Liquidités générées pendant la période et disponibles à la fin	5 182 $

> **Troupe de théâtre l'Étoile du Nord**
> **Notes afférentes aux états financiers**
> **du 26 août 1998**
>
> 1. La troupe est une société de personnes composée de six acteurs qui partagent également les bénéfices et les pertes. Aucune provision n'a été faite dans les états financiers concernant les salaires des associés ou les dépenses personnelles, comme l'impôt sur le revenu.
> 2. Le 26 août 1998, les soldes du capital des six associés sont les suivants :
>
> | | Ass. A | Ass. B | Ass. C | Ass. D | Ass. E | Ass. F | Total |
> |---|---|---|---|---|---|---|---|
> | Apports | 275 $ | 275 $ | 275 $ | 275 $ | 275 $ | 75 $ | 1 450 $ |
> | Virements | 40 | 40 | 40 | 40 | 40 | (200) | 0 |
> | Bénéfice | 570 | 570 | 570 | 570 | 570 | 570 | 3 420 $ |
> | Capital | 885 $ | 885 $ | 885 $ | 885 $ | 885 $ | 445 $ | 4 870 $ |

 Ù EN ÊTES-VOUS ?

Voici deux questions auxquelles vous devriez pouvoir répondre, compte tenu de ce que vous venez de lire.

1. Pourquoi les écritures de régularisation sont-elles nécessaires ?

2. Inscrivez les écritures de régularisation nécessaires pour les éléments nouveaux suivants, trouvés par les associés de la troupe l'Étoile du Nord après l'étude des états financiers présentés aux illustrations 6-6, 6-7, 6-8 et 6-9. Expliquez l'incidence de chacun de ces éléments (a) sur le bénéfice et (b) sur les liquidités pour la période qui a commencé avec la création de la troupe. (1) Une facture non payée de 131 $ de frais de déplacement qui aurait dû être enregistrée ; (2) Le stock de dépliants valait en réalité 180 $, et non 80 $. (Première écriture : Dt Frais de déplacement 131, Ct À payer aux associés 131. Diminution du bénéfice de 131 $. L'encaisse n'est pas touchée, donc pas d'incidence sur les liquidités. Seconde écriture : Dt Stock de dépliants 100, Ct Programmes et dépliants 100. Augmentation du bénéfice de 100 $. L'encaisse n'est pas touchée, elle n'a donc pas d'incidence sur les liquidités.)

6.5   UN AUTRE EXEMPLE D'AJUSTEMENTS EN COMPTABILITÉ D'EXERCICE

Toute balance de vérification avant régularisations est basée sur l'enregistrement des opérations courantes.

Afin que vous compreniez bien comment fonctionnent les ajustements en comptabilité d'exercice, voici un nouvel exemple. À la fin de son exercice financier, Perrault ltée a établi la balance de vérification préliminaire qui figure à l'illustration 6-10. Les comptables appellent souvent **balance de vérification avant régularisations** cette balance de vérification préliminaire, qui nécessite quelques ajustements à la clôture de l'exercice. Puisque tous les comptes n'ont pas encore de soldes définitifs, les comptes de produits et de charges n'ont pas encore été fermés et virés aux bénéfices non répartis.

6-10

Illustration

Balance de vérification préliminaire de fin d'exercice de Perrault ltée		
	Débits	Crédits
Encaisse	23 000	
Clients	78 000	
Stock	216 000	
Frais payés d'avance	6 000	
Terrain	80 000	
Bâtiment	240 000	
Mobilier et agencements	110 000	
Amortissement cumulé		180 000
Placement dans Rodier ltée	60 000	
Emprunt bancaire		70 000
Fournisseurs		112 000
Hypothèque à payer		150 000
Capital-actions		75 000
Bénéfices non répartis (avant clôture)		193 000
Produits		620 000
Coût des marchandises vendues	409 000	
Frais d'exploitation	114 000	
Amortissement de l'exercice	35 000	
Intérêts débiteurs	18 000	
Impôt sur les bénéfices	11 000	
	1 400 000	1 400 000

Les éléments suivants ne sont pas encore intégrés à la balance de vérification préliminaire :

Les ajustements permettent de modifier certains comptes en fonction d'informations qui ne proviennent pas des opérations courantes.

a. Les frais payés d'avance n'ont pas été redressés depuis l'exercice dernier. Le montant exact de frais payés d'avance à la fin de l'exercice est de 4 000 $.

b. Le placement dans la société Rodier ltée semble être une mauvaise affaire. La direction pense qu'on doit l'inscrire à 25 000 $, sa valeur marchande actuelle.

c. En s'appuyant sur les estimations du comptable, on devrait augmenter de 2 000 $ les intérêts à payer sur l'hypothèque et l'emprunt bancaire.

d. La direction pense qu'on devrait inscrire un produit additionnel de 15 000 $, gagné grâce à certains contrats spéciaux conclus avec les clients.

e. Le coût des marchandises vendues correspondant à ce produit additionnel est de 7 000 $, et ce montant devrait être retranché du compte Stock.

f. La direction pense qu'on devrait faire un ajustement concernant la provision pour garanties, car certains des produits vendus cette année présentaient des défauts de fabrication. Les frais de garanties futurs, calculés en fonction des ventes de cette année, sont estimés à 3 000 $. Tous ces frais sont susceptibles d'être engagés au cours du prochain exercice.

g. Un client est décédé lors d'une randonnée à ski, et la société a de bonnes raisons de penser qu'elle ne récupérera jamais les 1 000 $ qu'il lui devait à la fin de l'exercice.

h. En raison de tous les changements énumérés plus tôt, le montant préliminaire du bénéfice avant impôt de la société qui était de 44 000 $ (620 000 $ − (409 000 $ + 114 000 + 35 000 + 18 000), est réduit à 9 000 $; le montant estimatif de l'impôt sur le bénéfice devrait donc être de 3 000 $. Puisque la société a déjà versé 11 000 $ d'impôt (calculés selon le bénéfice préliminaire), elle devrait recevoir un remboursement de 8 000 $ d'ici quelques mois.

Passons les écritures de régularisation nécessaires pour refléter, dans le système comptable, les informations et les calculs qui précèdent :

Les écritures de régularisation se présentent de la même manière que les autres écritures de journal.

a. Dt	Frais d'exploitation	2 000	
	Ct Frais payés d'avance		2 000
Pour réduire les frais payés d'avance de 6 000 $ à 4 000 $.			
b. Dt	Perte sur placement (une charge)	35 000	
	Ct Placement dans Rodier ltée		35 000
Pour ramener le placement à sa valeur actuelle de 25 000 $.			
c. Dt	Intérêts débiteurs	2 000	
	Ct Intérêts à payer		2 000
Pour enregistrer les intérêts courus sur l'hypothèque et sur l'emprunt bancaire.			
d. Dt	Clients	15 000	
	Ct Produits		15 000
Pour constater les produits provenant des contrats spéciaux.			
e. Dt	Coût des marchandises vendues	7 000	
	Ct Stock		7 000
Pour constater le CMV relatif à l'écriture (d).			
f. Dt	Frais de garanties (ou Frais d'exploitation)	3 000	
	Ct Provision pour garanties		3 000
Pour enregistrer les frais estimatifs de garanties.			
g. Dt	Créances douteuses	1 000	
	Ct Clients		1 000
Pour radier un compte client qui n'a jamais été recouvré.			
h. Dt	Impôt à recevoir	8 000	
	Ct Impôt sur les bénéfices		8 000
Pour réduire la charge d'impôts et enregistrer le remboursement de l'impôt estimatif.			

Une balance de vérification après régularisations fournit un portrait plus juste qu'une balance de vérification non régularisée.

Le report de ces régularisations au grand livre général nous donne la **balance de vérification après régularisations** de l'illustration 6-11. Nous y retrouvons des comptes qui ne figuraient pas dans la balance de vérification avant régularisations. Les ajustements en comptabilité d'exercice rendent les comptes plus complexes et donnent un aperçu plus complet de l'entreprise, car cette méthode intègre des données qui s'ajoutent aux informations fournies par les opérations courantes.

À présent, les états financiers de la société peuvent être dressés à partir de la balance de vérification régularisée. Faites-le comme exercice. Vous devriez obtenir un total de l'actif à court terme de 336 000 $, un actif à long terme net de 275 000 $, un total du passif à court terme de 187 000 $, un passif à long terme de 150 000 $, des capitaux propres de 274 000 $ (y compris des bénéfices non répartis après clôture de 199 000 $) et un bénéfice net de 6 000 $.

6-11

Illustration

Balance de vérification de clôture après régularisations de Perrault ltée		
	Débits	Crédits
Encaisse	23 000	
Clients	92 000	
Impôt à recevoir	8 000	
Stock	209 000	
Frais payés d'avance	4 000	
Terrain	80 000	
Bâtiment	240 000	
Mobilier et agencements	110 000	
Amortissement cumulé		180 000
Placement dans Rodier ltée	25 000	
Emprunt bancaire		70 000
Fournisseurs		112 000
Intérêts à payer		2 000
Provision pour garanties		3 000
Hypothèque à payer		150 000
Capital-actions		75 000
Bénéfices non répartis (avant clôture)		193 000
Produits		635 000
Coût des marchandises vendues	416 000	
Frais d'exploitation	116 000	
Amortissement de l'exercice	35 000	
Créances douteuses	1 000	
Frais de garanties	3 000	
Intérêts débiteurs	20 000	
Perte sur placement	35 000	
Impôt sur les bénéfices	3 000	
	1 420 000	1 420 000

Ù EN ÊTES-VOUS ?

Voici deux questions auxquelles vous devriez pouvoir répondre, compte tenu de ce que vous venez de lire :

1. La direction de la société Brazeau ltée veut constater des produits de 12 000 $, qu'elle estime avoir gagnés à la suite d'un contrat passé avec un client. Elle n'a encore reçu aucun paiement de ce client et rien n'a été constaté antérieurement. Quelle écriture faudrait-il passer pour réaliser cette décision de la direction ? (Dt Clients 12 000 $; Ct Produits 12 000 $)

2. La direction de Brazeau ltée souhaite également constater, en raison de la garantie nouvellement offerte sur ses produits, une charge relative aux frais de garanties futurs sur chaque article vendu. La direction estime que, pour les ventes effectuées depuis le début de l'exercice, ces frais s'élèvent à 3 200 $. Quelle écriture devrait-on passer dans ce cas ? (Dt Charge pour garanties, 3 200 $; Ct Provision pour garanties, 3 200 $)

6.6   LE CONTRÔLE INTERNE

La tenue des livres sert au contrôle ainsi qu'à la préparation des états financiers.

La tenue des livres ne sert pas seulement à rassembler les données en vue de la préparation des états financiers. Un système de tenue des livres approprié doit permettre de surveiller les ressources, donc de décourager le détournement des biens de l'entreprise ou l'utilisation inefficace de ses ressources. Il ne doit cependant pas être exagérément lourd. Les livres aident également la direction à veiller à la gestion efficace de l'entreprise et, de façon générale, au contrôle de ses activités. Ce **contrôle interne** ne relève pas uniquement de la tenue des livres : la protection physique des biens, les assurances et une supervision adéquate des employés constituent aussi des facteurs importants du contrôle interne. Les pièces justificatives concernant Pro Centre Informatique ltée, de la section 6.2, font partie du système de contrôle interne de la société : elles sont numérotées et datées, et comportent beaucoup de détails. On peut ainsi les utiliser en cas de problème.

Voici une brève introduction à cet aspect intéressant de la tâche de gestionnaire — aspect que les experts-comptables et les vérificateurs considèrent comme faisant partie de leur champ de compétence. Vous comprendrez ainsi que la tenue des livres et la comptabilité en général ne visent pas seulement la préparation des états financiers. Le *Manuel de l'ICCA* (paragraphe 5200.03) nous donne la définition suivante du contrôle interne :

> Le contrôle interne s'entend de l'ensemble des lignes directrices et mécanismes de contrôle établis et maintenus par la direction en vue de faciliter la réalisation de son objectif d'assurer, dans la mesure du possible, la conduite ordonnée et efficace des affaires de l'entité. La responsabilité de l'exercice d'un contrôle interne adéquat fait partie de la responsabilité générale que la direction assume relativement aux activités quotidiennes de l'entité[2].

Les principales composantes du contrôle interne

Comme il est précisé dans l'extrait du *Manuel de l'ICCA* présenté auparavant, le contrôle interne fait partie des responsabilités de la direction. Voici quelques moyens qui permettent à cette dernière d'exercer un contrôle adéquat:

Contrôle: gestion compétente.

1. *Une gestion compétente de l'entreprise.* Un bon gestionnaire doit surveiller l'actif de l'entreprise et s'assurer que les différentes tâches, y compris la tenue des livres, sont bien faites. Une entreprise bien gérée possède un environnement de contrôle efficace, et ses livres se recoupent. Elle a également à sa tête des gestionnaires qui remarquent rapidement si quelque chose va mal. Un bon système de contrôle interne contribue à la rentabilité et à l'efficacité que recherchent les dirigeants compétents.

Contrôle: registres efficaces.

2. *Le maintien de registres efficaces.* Un ensemble de registres complet et cohérent, comme celui de Pro Centre Informatique ltée, illustré à la section 6.2, constitue un système qui permet de corriger les erreurs rapidement et favorise une bonne performance générale, car les registres assurent une surveillance régulière et servent de base au calcul du salaire horaire et à l'évaluation du rendement, des primes et d'autres éléments incitatifs. Les registres permettent également la vérification d'opérations qu'on veut retrouver afin de déterminer la cause de certains problèmes. Un système de tenue des livres efficace va bien au-delà des opérations comptables (nous avons vu l'exemple du système de bons de commande de PCI), mais les registres comptables sont certainement au cœur de ce système. De nombreuses entreprises modernes ont intégré leurs registres comptables ainsi que d'autres registres permettant un **système d'information de gestion** à la prise de décisions à différents niveaux et à l'évaluation de la gestion de l'établissement.

Contrôle: utilisation des informations contenues dans les registres.

3. *L'utilisation des registres pour agir et s'informer.* Malheureusement, dans de nombreuses sociétés, on semble tenir des livres seulement pour la forme. Nous avons tous déjà constaté comme il est fastidieux de remplir des formulaires en plusieurs exemplaires sans raison apparente. Si la direction ne veille pas aux registres, l'entreprise gaspille de l'argent. Pire encore, les employés en viennent à penser que ces registres n'ont pas d'importance et que les erreurs n'y seront ni relevées ni corrigées. Cela peut sérieusement entraver le contrôle exercé grâce à la tenue des livres, et l'on risque de produire des registres qui ne permettront pas aux gestionnaires de se renseigner sur les événements économiques, car ils seront truffés d'erreurs ou mal adaptés aux besoins actuels de l'entreprise.

Contrôle: séparation des tâches.

4. *La séparation de la tenue des livres et de la gestion de l'actif.* Le fait d'avoir des registres montrant la quantité disponible de chaque élément d'actif à n'importe quel moment constitue un moyen efficace de protéger des biens comme l'encaisse, les comptes clients et le stock. Cependant, si la personne qui gère physiquement un élément d'actif (disons l'encaisse) tient aussi les registres qui s'y rapportent, elle peut alors dissimuler les erreurs ou les fraudes en trafiquant ces derniers. Les experts-comptables appellent la séparation de la tenue des livres et de la gestion de l'actif, la **séparation des tâches**. Une personne perçoit l'argent, et une autre tient les registres de l'encaisse. Ainsi, si l'une ou l'autre commet une erreur, on notera une différence entre l'argent dont on dispose et le montant inscrit dans le registre. On peut alors retrouver l'origine de cette erreur et la corriger. On peut également appliquer la séparation des fonctions au système de tenue des livres: par exemple, une personne peut tenir le grand livre général avec le total des comptes clients, et une autre, le grand livre auxiliaire des comptes

clients, avec la liste détaillée des soldes des clients. Il est difficile pour les petites entreprises comptant peu d'employés de répartir suffisamment le travail pour diviser les tâches importantes. On doit cependant s'efforcer de le faire dans la mesure du possible. S'il n'y a pas de séparation des tâches, le patron doit surveiller attentivement les éléments d'actif importants, comme l'encaisse et le stock.

Contrôle: traitement équitable des employés.

5. *La motivation et la rémunération équitable des employés.* D'une manière plus positive, le contrôle interne permet de rémunérer et de récompenser correctement les employés pour le travail qu'ils effectuent. Ainsi, ils seront prêts à faire un bon travail et ne seront pas tentés de subvertir le système de tenue des livres ou les autres systèmes de contrôle. Les employés mécontents se moquent de savoir si les choses vont mal pour l'entreprise ou peuvent même se réjouir si elle subit des pertes. Le contrôle assuré par la séparation des tâches est neutralisé si les personnes concernées «conspirent» (sont complices) pour couvrir les erreurs et les fraudes. Bien que l'on ne puisse jamais totalement empêcher ce genre de méfaits, les risques diminuent quand les employés sont satisfaits.

Contrôle: signature d'un contrat d'assurance.

6. *L'assurance sur l'actif.* Comme toute chose, le contrôle interne doit justifier son coût. Il est probablement rentable d'avoir un contrôle interne vigilant portant sur les principales activités de l'entreprise (par exemple, l'achat et la vente de marchandises). Cependant, dans certaines circonstances imprévisibles, les systèmes de contrôle, aussi élaborés qu'ils soient, s'avèrent inefficaces. Certains événements comme les tremblements de terre ou les incendies échappent totalement, ou presque, au contrôle de la direction. Il est donc profitable de protéger les investissements des propriétaires en contractant une assurance contre certains risques pour lesquels les systèmes de contrôle interne ne peuvent pas fournir de protection adéquate. Cette précaution présente un avantage de plus: les sociétés d'assurances désirent obtenir beaucoup de renseignements sur la façon dont l'entreprise protège et gère son actif. Répondre à leurs questions à ce sujet permet d'améliorer les contrôles.

Contrôle: protection physique de l'actif.

7. *La protection physique de l'actif matériel.* Cette méthode de contrôle est assez évidente, mais elle est également facile à négliger. Il faut garder des biens comme l'encaisse, le stock et les outils sous clé, les entreposer correctement ou les protéger par d'autres moyens. Beaucoup d'entreprises se montrent trop négligentes, en particulier en ce qui concerne l'accès à leur stock. Et il est parfois important de protéger des éléments d'actif auxquels on a tendance à ne prêter aucune attention. Par exemple, de nombreux fabricants produisent des déchets qui peuvent avoir beaucoup de valeur. Ainsi, un fabricant canadien qui gardait ses déchets dans la cour a fini par découvrir que des sous-produits valant plusieurs milliers de dollars avaient été jetés par-dessus la clôture et revendus à la casse.

Un contrôle interne efficace relève d'une gestion sensée de l'entreprise.

Le contrôle interne ne s'arrête pas là. La conception de systèmes de contrôle efficaces nécessite une bonne compréhension des objectifs de la direction, une juste mesure entre des contrôles serrés, mais coûteux, et des contrôles insuffisants, mais bon marché, une bonne connaissance des systèmes informatiques et des autres systèmes de tenue des livres, et beaucoup d'intuition pour saisir les motivations et les comportements humains les plus subtils. Il faut également un certain bon sens: une protection complète est impossible, et faire crouler l'entreprise sous la paperasse, afin d'assurer sa totale protection, n'est guère la clé d'un bon système de contrôle interne. Étudions maintenant des exemples de contrôle interne pour quatre éléments importants : l'encaisse, les retenues à la source et le prélèvement des taxes, les comptes de contrepartie pour les comptes clients et l'amortissement cumulé, ainsi que le stock.

Ù EN ÊTES-VOUS ?

Voici deux questions auxquelles vous devriez pouvoir répondre, compte tenu de ce que vous venez de lire :

1. Quel est le but d'un bon système de contrôle interne ?

2. Quelles sont les composantes d'un système de contrôle interne ?

6.7   LE CONTRÔLE INTERNE DE L'ENCAISSE

L'encaisse est habituellement le bien le plus susceptible d'être volé en raison de sa liquidité et de sa nature généralement impersonnelle.

> Un cas réel : Michel, aide-vérificateur dans une petite ville du nord du Québec, a été chargé de faire à l'improviste un contrôle de l'argent liquide d'une boutique de vêtements de la localité. Il a constaté qu'il y avait moins d'argent que prévu d'après les calculs des vérificateurs, basés sur les registres de vente et les dépôts bancaires. Michel s'est vu accuser par le comptable de la boutique d'avoir lui-même volé l'argent pendant qu'il le comptait. Il a même appelé la police et a insisté pour qu'on le fouille afin de prouver qu'il n'avait rien volé. Il s'est avéré que le comptable prenait de l'argent dans la caisse et modifiait les registres des ventes pour couvrir le vol — un cas classique de mauvais contrôle interne par manque de séparation des tâches, car le comptable avait accès à la fois à la caisse et aux registres de l'encaisse. Ce vol a pu être découvert grâce à l'intervention surprise de Michel, qui a comparé l'encaisse et les registres des ventes avant que le comptable ait pu falsifier ceux-ci pour camoufler la différence. Ce dernier a été renvoyé et a promis de rembourser, même s'il était difficile de dire combien d'argent manquait puisqu'il falsifiait les livres depuis des années. Le propriétaire de la boutique a reproché aux vérificateurs de ne pas avoir « prévu cette perte ». Les vérificateurs ont prouvé qu'ils l'avaient bel et bien mis en garde, mais qu'il avait rétorqué que cela lui coûterait trop cher d'employer quelqu'un d'autre pour tenir les registres des ventes ou pour surveiller l'encaisse.

Les principes généraux de la section précédente s'appliquent aussi à la situation particulière du contrôle de l'encaisse.

Pour les ventes au comptant, un des contrôles les plus courants consiste à utiliser des caisses enregistreuses fermées à clé ou d'autres types de registres soigneusement vérifiés. Les caisses enregistreuses (comme on peut en voir dans tous les supermarchés) impriment habituellement sur un ruban sous clé un numéro séquentiel pour chaque opération. Une seule personne détient la clé, par exemple un superviseur, qui compare l'argent en caisse et les ventes enregistrées. Les recettes perçues doivent alors figurer sur le ruban. La personne qui détient la clé doit faire le compte de l'argent avec le caissier, comparer ce montant avec les recettes des ventes et, lors du changement de caissier, vérifier que les numéros sur le ruban sont consécutifs. Pour que ce système fonctionne, il ne faut pas qu'il y ait de complicité entre les gens qui contrôlent l'encaisse et ceux qui vérifient les registres. Cette complicité est souvent difficile à prévenir, c'est pourquoi il est avantageux qu'au moins une autre personne surveille l'ensemble du processus.

Un cas réel : Dans une grande société, une **petite caisse** était gardée à la réception et utilisée pour payer des achats peu importants, comme les fournitures de bureau et les envois par messager. La réceptionniste disposait de 1 000 $ et, une fois que ce montant était presque épuisé, elle remettait les reçus dans une enveloppe et était remboursée pour l'argent dépensé, de sorte que 1 000 $ restaient toujours dans la petite caisse. Le contrôle interne s'effectuait comme suit : la réceptionniste devait toujours avoir dans la petite caisse de l'argent comptant et des reçus pour un total de 1 000 $. Ce que la société ignorait, c'est que la réceptionniste était de mèche avec le livreur de la papeterie où la société achetait l'essentiel de ses fournitures de bureau, et que les factures de cette entreprise, payées à même la petite caisse, étaient toutes considérablement gonflées. La société payait bien plus qu'elle n'aurait dû pour les fournitures, mais personne ne le savait puisque les employés qui les recevaient ne voyaient jamais les factures, que la réceptionniste gardait comme preuve des paiements effectués. Les employés qui remboursaient la réceptionniste, eux, ne voyaient pas les fournitures et ne savaient donc pas que les factures avaient été gonflées. Le vol et la complicité entre la réceptionniste et le livreur n'ont été découverts que longtemps après que tous deux eurent déménagé dans une autre ville : quelqu'un a remarqué que le coût des fournitures de bureau était tout d'un coup beaucoup moins élevé qu'auparavant ! La société n'a jamais su combien d'argent lui avait été dérobé, mais la somme dépassait probablement 10 000 $.

La numérotation est une technique de contrôle qui aide à repérer les erreurs.

L'utilisation de factures numérotées, à copies multiples, comme chez PCI, constitue une autre mesure de contrôle de l'argent provenant des ventes. Les copies des factures sont vérifiées par une personne qui compare, d'une part, les ventes au comptant et le registre des encaissements et, d'autre part, les ventes à crédit et les soldes du grand livre auxiliaire des comptes clients. On fait des recherches dès que les numéros ne se suivent plus. Pour que ce contrôle fonctionne, les superviseurs doivent s'assurer qu'une facture est bien émise pour chaque opération de vente. On peut aussi vérifier régulièrement le stock et le comparer avec les ventes enregistrées. Cette dernière mesure permet généralement, sinon d'éviter que les employés ne vendent à leur profit des marchandises appartenant à l'entreprise, au moins de déceler ce genre de fraude.

Prenons l'exemple du magasin Le Professionnel, qui a vendu des marchandises pour un total de 10 000 $ en un mois, selon les factures se trouvant dans un coffre fermé à clé. Si le stock représentait une valeur de 25 000 $ au début du mois et de 14 000 $ à la fin (en fonction du prix de détail des marchandises), le magasin aurait dû vendre pour 11 000 $ de marchandises. La différence de 1 000 $ peut être expliquée par l'un des faits suivants :

1. Quelqu'un peut avoir pris 1 000 $ provenant de la vente de marchandises, sans avoir établi de facture pour ce montant.
2. Quelqu'un peut avoir volé 1 000 $ de marchandises à l'étalage.
3. Il se peut que le dénombrement du stock ne soit pas exact, ou que d'autres erreurs aient été commises.

La combinaison des contrôles relatifs à l'encaisse et des contrôles relatifs au stock est utile pour ces deux éléments d'actif.

Il y a donc d'autres raisons que le vol commis par des employés pour expliquer l'écart. Toutefois, le contrôle du stock permet de mettre en lumière les diverses possibilités et de faire des recherches.

Ces exemples de mesures de contrôle de l'encaisse vous ont été présentés en vue d'illustrer les diverses utilisations des documents comptables, en dehors de la préparation des états financiers. Nous ne voulons pas laisser entendre que les employés ou les clients sont des escrocs, mais montrer que la direction doit agir avec prudence en ce qui concerne ses responsabilités fiduciaires vis-à-vis des biens de l'entreprise. Elle doit veiller à ne pas mettre les employés ni d'autres personnes dans des situations où ils pourraient être tentés de voler et aussi à rémunérer les personnes responsables de l'encaisse suffisamment bien pour qu'elles ne se croient pas sous-payées et donc en droit de toucher à la caisse.

Un cas réel : Une société de camions blindés fait du convoyage de fonds : elle recueille les recettes des supermarchés et d'autres magasins, puis les porte dans les banques. La société fait confiance à ses employés et n'a jamais eu de problèmes. Généralement, deux personnes se trouvent dans les camions, le conducteur et un accompagnateur, assis à l'arrière. Les deux personnes ont plusieurs formulaires à signer et, d'une certaine façon, elles se surveillent mutuellement : il y a souvent dans le camion un million de dollars ou plus en argent non marqué, et donc, impossible à identifier. Parfois, lorsqu'un des deux employés est malade, en vacances, ou appelé à travailler ailleurs, le chauffeur doit conduire le véhicule et aussi ramasser l'argent. Lors d'une de ces journées où le camion transportait une somme considérable, le conducteur, apparemment sur un coup de tête, s'en est emparé et s'est enfui vers des contrées lointaines !

● Ù EN ÊTES-VOUS ?

Voici deux questions auxquelles vous devriez pouvoir répondre, compte tenu de ce que vous venez de lire :

1. Jean est responsable d'une petite caisse de 200 $. Lorsqu'il a compté son argent aujourd'hui, il ne lui restait que 45,95 $, et il a décidé qu'il devait renflouer sa caisse. Par conséquent, il a demandé un chèque à l'entreprise, fournissant les reçus à l'appui de sa demande. Quel montant doit-il demander, et quel était le total des reçus qui accompagnaient sa demande ? (La réponse est 154,05 $ pour les deux questions.)

2. Le magasin Le Professionnel a commencé le mois avec 1 200 $ en caisse et un stock (prix de détail) de 26 700 $. Le magasin a enregistré des ventes de 9 500 $ ce mois-ci. Il a reçu pour 7 800 $ de nouvelles marchandises au prix de détail et possédait 2 300 $ en caisse à la fin du mois. Combien d'argent a déposé le magasin ce mois-ci et combien de marchandises au prix de détail devrait-il avoir en stock à la fin du mois ? (8 400 $ = 1 200 $ + 9 500 $ − 2 300 $; 25 000 $ = 26 700 $ + 7 800 $ − 9 500 $. Vous pouvez constater l'intégration du contrôle de l'encaisse et du contrôle du stock, car les 9 500 $ de ventes apparaissent dans les deux calculs.)

6.8   LE CONTRÔLE DES TAXES DE VENTE PRÉLEVÉES ET DES RETENUES À LA SOURCE DES EMPLOYÉS

Nous avons jusqu'ici décrit la comptabilité d'exercice comme une méthode permettant d'aller au-delà des flux monétaires afin de produire une mesure plus précise du bénéfice et une meilleure évaluation des comptes du bilan. Mais, ce faisant, elle crée des enregistrements qui sont très importants du point de vue du contrôle interne. En voici trois exemples :

- L'écriture « Dt Clients, Ct Produits » constate les produits réalisés mais pas encore recouvrés. Elle crée de ce fait le compte Clients, qui devient alors la représentation de ce que les clients doivent à l'entreprise. Ce compte, souvent

2ᵉ partie   La pratique de la comptabilité générale

La comptabilité
d'exercice fournit
des comptes collectifs
ou de contrôle très
efficaces.

appelé le **compte collectif** des comptes clients, s'appuie sur un grand livre auxiliaire, ou liste des montants dus par chacun des clients. Il constitue une partie très importante du système de contrôle. En effet, il devient difficile d'oublier l'existence d'un client ou de négliger de lui accorder un crédit s'il a payé, car ce compte collectif doit refléter tout ce que les clients ont promis de payer, moins tout ce qu'ils ont payé, à n'importe quelle date.

- Les écritures (a) « Dt Stock, Ct Fournisseurs ou Encaisse » et (b) « Dt Coût des marchandises vendues, Ct Stock » donnent également lieu à la création d'un compte collectif pour le stock. Les marchandises au prix de détail du magasin Le Professionnel en sont un exemple (voir la section précédente). Vous trouverez plus d'informations sur l'utilisation des registres comptables pour le contrôle du stock à la section 6.10.

- L'écriture « Dt Charges ou Stock, Ct Fournisseurs » donne lieu à la création d'un compte collectif pour les comptes fournisseurs, qui indique les montants dus aux fournisseurs à n'importe quelle date.

Dans cette section, nous allons voir que les registres comptables permettent de retrouver des éléments de passif à court terme importants, autres que les comptes fournisseurs du dernier exemple ci-dessus. En effet, ils permettent de faire le suivi de *l'argent que l'entreprise prélève pour le bénéfice d'autrui*. Voici deux exemples qui concernent pratiquement toutes les entreprises et entités autres :

a. La perception des **taxes de vente** auprès des clients pour le compte des gouvernements. Cet argent n'appartient pas à l'entreprise — celle-ci agit plutôt comme un percepteur de taxes pour le compte du gouvernement, à qui elle doit verser cet argent. Lorsque vous achetez un article et que le magasin ajoute la taxe de vente provinciale du Québec (TVQ), la taxe fédérale sur les produits et services (TPS) ou la combinaison TPS-TVH (la taxe de vente harmonisée a été adoptée dans certaines provinces canadiennes ; elle fonctionne essentiellement comme la TPS du point de vue comptable), il s'agit de votre contribution, et le magasin n'est qu'un intermédiaire entre vous et le gouvernement.

b. Les retenues concernant les impôts, les contributions au régime de retraite, les cotisations syndicales, les primes d'assurance-maladie, etc., effectuées à même la paie des employés. Vous connaissez sûrement ces **retenues à la source** : votre salaire brut est de 250 $, par exemple, mais votre chèque de paie n'indique que 180 $ à cause de tous les montants retenus. De nouveau, l'entreprise (ou l'employeur) agit comme intermédiaire ; elle remet votre impôt sur le revenu et vos autres contributions aux gouvernements, au syndicat, à la société d'assurances, etc.

Le prélèvement des
taxes de vente et les
retenues à la source
créent des obligations
envers des tiers.

Examinons ces exemples afin de voir comment les registres donnent des totaux de contrôle et comment chacun d'entre eux traite de circonstances économiques et juridiques particulières.

Le prélèvement des taxes de vente

Examinons un exemple simple. Au Québec, lorsqu'une entreprise réalise une vente de 100 $, on ajoute en premier lieu la taxe sur les produits et services (TPS) de 7 % et, ensuite, la taxe de vente provinciale (TVQ) de 7,5 %, calculée sur le total du prix de vente et de la TPS. Voici l'écriture comptable qui en découle :

Dt Encaisse ou Clients	115,03 $	
Ct Produits		100,00 $
Ct TPS à payer		7,00
Ct TVQ à payer		8,03

Cependant, le processus ne s'arrête pas là. L'entreprise peut normalement déduire de la TPS et de la TVQ prélevées les taxes qu'elle paie elle-même lors de ses achats ou de ses autres dépenses. Ainsi les taxes dues aux gouvernements fédéral et provincial ne sont que la différence entre la taxe prélevée et la taxe correspondante payée. Supposons, pour compléter l'exemple précédent, que l'entreprise a acheté le stock vendu au coût de 70 $ avant taxes. L'écriture comptable est la suivante :

Dt Stock	70,00 $	
Dt TPS à payer	4,90	
Dt TVQ à payer	5,62	
Ct Fournisseurs		80,52

Les soldes des comptes de TPS et de TVQ à payer correspondent aux sommes perçues mais non encore remises.

L'entreprise ne doit que 2,10 $ au gouvernement fédéral et 2,41 $ au gouvernement provincial, comme l'indiquent les comptes collectifs de TPS à payer et de TVQ à payer.

Cet exemple permet de comprendre comment le système de comptabilité d'exercice produit des comptes collectifs ou de contrôle très utiles pour la TVQ, pour la TPS, ou pour d'autres taxes de vente à payer au gouvernement. Les comptes collectifs peuvent être aussi complexes que l'exigent les lois fiscales (dans cet exemple, nous avons fait abstraction de nombreuses complications, entre autres, toutes les exceptions et exemptions prévues par les lois sur les taxes de vente).

Les retenues à la source

La comptabilité doit assurer le suivi des retenues à la source ainsi que des avantages sociaux.

Les retenues à la source entraînent certaines complications que le système comptable doit traiter. Par exemple, il faut normalement envoyer chaque montant retenu à un endroit différent : ainsi, l'impôt sur le revenu va aux gouvernements provincial et fédéral, la cotisation syndicale, au syndicat, etc. La seconde complication vient du fait que l'employeur doit souvent payer des « avantages sociaux » *en plus* des retenues à la source de l'employé, par exemple, les sommes versées à la Régie des rentes du Québec ou au Régime de pensions du Canada, l'assurance-emploi et plusieurs types d'assurances médicales ou autres. Par conséquent, le salaire que gagne l'employé ne constitue pas la seule charge pour l'employeur. Le système comptable se charge de tout cela sans difficulté.

Supposons qu'un employé gagne 1 100 $ et que les retenues suivantes sont faites : impôt sur le revenu 200 $, assurance-emploi 40 $, cotisation syndicale 50 $, assurance médicale 65 $. Il recevra seulement un montant net de 745 $. En outre, l'employeur doit payer des avantages sociaux : assurance-emploi 45 $, cotisation à la Commission de la santé et de la sécurité du travail (CSST) 15 $, assurance médicale 67 $. Donc, pour l'employeur, le coût total de cet employé pour la période en question est de 1 100 $, plus les avantages, soit 1 227 $. Voyons comment les registres comptables indiqueraient tout cela (avec les deux écritures ci-après ou avec une écriture combinée) :

Dt Salaires	1 100	
Ct Impôt à payer		200
Ct Assurance-emploi à payer		40
Ct Cotisations syndicales à payer		50
Ct Assurance médicale à payer		65
Ct Salaires à payer ou Encaisse		745
Dt Avantages sociaux	127	
Ct Assurance-emploi à payer		45
Ct CSST à payer		15
Ct Assurance médicale à payer		67

Tous les comptes crédités de l'exemple sont des comptes collectifs ou de contrôle pour les paiements à effectuer.

Les soldes des comptes collectifs montrent combien de cotisations il reste encore à verser : 200 $ d'impôt sur le revenu, 85 $ d'assurance-emploi, 50 $ de cotisations syndicales, 132 $ de primes d'assurance médicale et 15 $ de cotisation à la Commission de la santé et de la sécurité du travail. Comme pour les exemples portant sur les taxes de vente, les soldes de ces comptes collectifs montrent quels montants sont les retenues à la source et (ou) les montants dus par les employeurs pour les avantages sociaux, moins les sommes versées aux organismes concernés. Le compte des salaires à payer est également un compte collectif indiquant combien, au total, il faut verser aux employés. Par conséquent, son solde est égal à la somme des salaires nets gagnés par ceux-ci, moins ce qui leur a déjà été versé.

Ù EN ÊTES-VOUS ?

Voici deux questions auxquelles vous devriez pouvoir répondre, compte tenu de ce que vous venez de lire :

1. Le mois dernier, la société Apex a enregistré des ventes au comptant de 18 000 $ et a prélevé sur ces ventes 1 445 $ de TVQ et 1 260 $ de TPS. De plus, Apex a payé elle-même 778 $ de TVQ et 679 $ de TPS sur ses propres achats de 9 700 $ de marchandises. Comment doit-on enregistrer les ventes et les achats, et quels montants de TPS et de TVQ doit-on pour ce mois ? (Dt Encaisse 20 705 $, Ct Produits 18 000 $, Ct TVQ à payer 1 445 $, TPS à payer 1 260 $. Dt Stock 9 700 $, Dt TVQ à payer 778 $, Dt TPS à payer 679 $, Ct Encaisse 11 157 $, TVQ à payer = 667 $, TPS à payer = 581 $.)

2. Durant le même mois, les employés d'Apex ont gagné des salaires de 9 000 $, sur lesquels on a retenu au total 2 200 $. Sur ces salaires, Apex doit payer 2 400 $ en avantages sociaux. Quel est le total des charges reliées aux employés ce mois-ci ? Le salaire net des employés ? Le total des paiements à verser pour le mois ? (11 400 $, 6 800 $, 4 600 $)

6.9 LES COMPTES DE CONTREPARTIE

Dans cette section, nous présentons le fonctionnement de comptes d'un genre particulier. Les **comptes de contrepartie** ont des soldes qui sont à l'inverse de ceux des comptes collectifs auxquels ils sont associés. Par exemple, les comptes de contrepartie des comptes d'actif ont des soldes créditeurs qui sont contraires aux soldes débiteurs correspondants. On les utilise pour gérer des ajustements, généralement concernant les charges, séparément des comptes de l'actif, du passif et des capitaux propres auxquels ils sont reliés. Par conséquent, ils permettent d'effectuer les régularisations sans modifier ces comptes. Nous verrons plus loin en quoi cela peut s'avérer utile.

On utilise les comptes de contrepartie pour que certaines régularisations des charges ne modifient pas les comptes collectifs correspondants.

Nous étudierons ici les principaux comptes de contrepartie: l'amortissement cumulé et la provision pour créances douteuses. Ces comptes illustrent comment le système comptable peut atteindre un objectif (la constatation des charges) et, dans ce cas, *éviter* de faire obstacle à un autre objectif (le contrôle) en créant des comptes qui reconnaissent les charges, mais ne changent pas les comptes collectifs qui s'y rattachent (immobilisations et clients).

L'amortissement cumulé

L'amortissement cumulé est le compte de contrepartie des biens immobilisés amortissables.

Les comptes d'**amortissement cumulé** sont des comptes de contrepartie utilisés pour cumuler l'**amortissement** de l'actif immobilisé, corporel ou incorporel.

Au moment où l'on constate pour la première fois la charge périodique correspondant à l'utilisation du bien, on crée un compte de contrepartie. Par exemple, la charge annuelle de 100 000 $, prévue pour l'amortissement d'un bâtiment, sera constatée de cette façon:

Dt Amortissement	100 000	
Ct Amortissement cumulé		100 000

Le débit est porté à un compte de charges de l'état des résultats. Le crédit est porté au compte de contrepartie de l'actif. Le crédit aurait pu être porté au compte Bâtiment de l'actif. Toutefois, en utilisant plutôt un compte de contrepartie, sans modifier le compte où le coût du bien est enregistré, on peut présenter dans le bilan à la fois le coût d'acquisition du bien et le montant cumulé de l'amortissement constaté antérieurement. La présentation de ces deux éléments permet aux utilisateurs de savoir approximativement depuis combien de temps ce bien est en exploitation. Ainsi le compte d'actif est un compte collectif représentant la liste des éléments d'actif et leur coût, laquelle peut être vérifiée périodiquement pour s'assurer que l'on possède toujours tous les éléments énumérés. Rappelons-nous que le montant de l'**amortissement cumulé** présenté dans le bilan correspond au montant d'amortissement *cumulé pendant la période d'utilisation du bien* jusqu'à présent, tandis que l'on peut déterminer le montant d'amortissement imputé à *cet exercice* (pour rapprocher cette charge des produits que l'utilisation de ce bien est censée avoir permis de réaliser) à partir du compte **Amortissement** de l'état des résultats ou de l'amortissement ajouté au bénéfice figurant dans l'état de l'évolution de la situation financière.

Le cumul de l'amortissement est crédité au compte de contrepartie et non au compte d'actif.

Prenons le cas d'une fourrière qui décide d'acheter un nouveau camion pour ramasser les animaux errants. Si le camion coûte 50 000 $ et que l'amortissement de l'exercice est fixé à 8 000 $, voici l'écriture qui devra être passée annuellement:

Dt Amortissement	8 000	
Ct Amortissement cumulé		8 000

La valeur comptable nette est égale au coût moins l'amortissement cumulé.

Dans le bilan, le compte d'actif relatif au camion continuera de présenter un solde de 50 000 $ mais, chaque année, le compte de contrepartie d'amortissement cumulé augmentera de 8 000 $. En déduisant l'amortissement cumulé du compte d'actif à long terme, nous obtenons un montant qui correspond à la **valeur comptable nette**. Donc, nous aurons :

	Coût	Amortissement cumulé	Valeur comptable nette
Date d'achat	50 000 $	0 $	50 000 $
Fin du 1er exercice	50 000	8 000	42 000
Fin du 2e exercice	50 000	16 000	34 000

Si le camion était vendu à n'importe quel moment, son coût serait éliminé du grand livre général tout comme le serait le compte de contrepartie. *La contrepartie n'a de signification que par comparaison avec le coût* et, lorsque le camion n'est plus là, ni l'un ni l'autre de ces comptes n'est utile. Supposons que le camion est vendu 37 000 $ à la fin de la seconde année. Nous aurons alors les écritures suivantes :

En cas de disposition, on élimine en même temps le coût de l'élément d'actif et l'amortissement cumulé correspondant.

Dt Encaisse	37 000	
Ct Actif camion (*en éliminant le coût*)		50 000
Dt Amortissement cumulé du camion		
(*en éliminant la contrepartie*)	16 000	
Ct Gain sur disposition du camion		
(compte de produits accessoires		
de l'état des résultats)		3 000

Le gain est simplement la différence entre le produit de la disposition et la valeur comptable nette à la date de la transaction.

En cas de disposition, on élimine en même temps le coût de l'élément d'actif et l'amortissement cumulé correspondant.

Un gain ou une perte sur la disposition d'un élément d'actif représente la différence entre le produit de la disposition et la valeur comptable nette.

- Si le produit de la disposition avait été de 29 000 $, le débit à l'encaisse aurait été de 29 000 $ et nous aurions eu un débit de 5 000 $ pour la perte sur la disposition (un compte de charges accessoires de l'état des résultats), soit la différence entre le produit de la disposition et la valeur comptable nette.

On peut dire que la radiation est une disposition sans produit.

- Supposons que, à la fin de la deuxième année, le camion a été utilisé pour ramasser des chiens particulièrement méchants, atteints d'une maladie très contagieuse. On doit se débarrasser du camion, et la compagnie d'assurances refuse de payer quoi que ce soit, car un tel risque n'avait pas été envisagé au moment de la signature du contrat d'assurance. Nous sommes en présence de ce que les comptables appellent une « **radiation** », c'est-à-dire une disposition sans produit. Nous devons éliminer le coût de 50 000 $ du camion en créditant le compte d'actif Camion, éliminer la contrepartie de 16 000 $ en débitant le compte Amortissement cumulé, et inscrire la différence en débitant le compte Perte sur la disposition. Le compte Perte sur la disposition peut aussi être remplacé par un compte de radiation (un autre compte de charges accessoires de l'état des résultats) ou, dans certaines circonstances, par un élément extraordinaire. On dit que la valeur comptable nette a été radiée. Vous pouvez constater que les gains, les pertes et les radiations ne sont que des variations sur un même thème :

  ▶ Produits supérieurs à 0 et à la valeur comptable nette : gain sur la disposition.

  ▶ Produits supérieurs à 0 et égaux à la valeur comptable nette : pas de gain ni de perte.

▶ Produits supérieurs à 0 et inférieurs à la valeur comptable nette : perte sur la disposition.

▶ Produits égaux à 0, donc inférieurs à la valeur comptable nette : radiation, perte sur la disposition.

Lorsque les biens incorporels, comme l'écart d'acquisition, les brevets ou les redevances de franchise sont amortis, on se contente souvent de déduire l'amortissement cumulé du coût de l'actif sur le bilan, sans l'inscrire séparément (ou l'indiquer dans une note complémentaire), comme dans le cas de l'amortissement cumulé des biens corporels. Cependant, à des fins de contrôle interne (pour pouvoir retrouver les coûts de l'actif), on peut ouvrir un compte d'amortissement cumulé dans le grand livre et le déduire du compte du coût de l'actif lorsqu'on prépare le bilan. Les gains, les pertes et les radiations relatifs à de tels biens sont calculés exactement comme nous l'avons fait plus haut pour les biens corporels.

Les entreprises ont souvent des centaines de comptes, tenus séparément pour des raisons de contrôle interne. Ces comptes sont, la plupart du temps, regroupés par catégories (éléments d'actif, de passif et de capitaux propres). Nous ne voyons donc au bilan que les chiffres combinés, selon les catégories utilisées. Examinons maintenant un exemple de compte qui est traditionnellement tenu à part dans le grand livre, mais *n'apparaît pas* séparément dans le bilan.

La provision pour créances douteuses

Jetons un coup d'œil sur un compte de contrepartie très courant, le compte **Provision pour créances douteuses**. Lorsqu'une société vend des marchandises à crédit à un client, il existe toujours un risque que celui-ci ne paie pas. Par conséquent, le recouvrement d'une partie des ventes à crédit reste incertain. Pour rapprocher la charge de **créances douteuses** (qui résultera du non-recouvrement probable de certains produits constatés au cours de l'exercice), il faut déduire ce montant des produits dans l'état des résultats de l'exercice au cours duquel la vente a eu lieu. Supposons que, par expérience ou par clairvoyance, la société sait qu'environ 500 $ de ventes à crédit ne seront pas encaissées. Voici l'écriture nécessaire pour constater cette charge :

Dt Créances douteuses	500	
Ct Provision pour créances douteuses		500

Le crédit de cette écriture est porté à un compte de contrepartie de l'actif, comme nous l'avons fait pour l'amortissement. (Mais alors que le compte Amortissement cumulé figurait dans la section de l'actif à long terme du bilan, le compte Provision pour créances douteuses fait partie de l'actif à court terme.) On ne déduit pas ce montant directement du compte Clients parce que, même après la période normale de recouvrement, la société tentera encore d'encaisser l'argent et ne désire donc pas modifier le montant de son compte Clients.

À des fins de contrôle, le total des soldes individuels doit être le même que celui du compte Clients. C'est d'ailleurs pour cette raison qu'il ne faut pas changer le montant d'un compte simplement parce que son recouvrement est incertain. En fait, la création des comptes de créances douteuses et de provision pour créances douteuses traduit une incertitude : il existe un doute sur la possibilité de recouvrement de certains comptes, et ce doute est enregistré comme une charge, mais la société n'a pas encore abandonné tout espoir.

Le côté crédit de l'écriture des créances douteuses est porté au compte de contrepartie Provision pour créances douteuses.

Le fait d'avoir un compte de contrepartie Provision pour créances douteuses permet de garder à part le compte collectif Clients.

On crée le compte de charge et son compte de contrepartie lorsque le recouvrement est douteux, même s'il reste encore de l'espoir.

La principale différence entre ce cas et celui de l'amortissement est la suivante : on ne présente dans le bilan que le montant net de la différence entre les comptes Clients et Provision pour créances douteuses. On considère que ce compte de contrepartie est moins utile pour les utilisateurs du bilan que le compte de contrepartie de l'amortissement cumulé ; c'est aussi une information qui, si elle est divulguée, peut prêter à diverses interprétations. De plus, on présente toujours l'amortissement dans l'état des résultats, mais il est rare qu'on y présente les créances douteuses, qui sont simplement intégrées aux autres charges.

Après avoir vainement tenté, pendant des mois, de recouvrer les sommes dues par un client, une société peut finalement décider de radier ce compte. On doit alors passer une autre écriture. Supposons que le compte en question s'élevait à 100 $ (il faisait partie des comptes dont le recouvrement était incertain lors de la création de la provision pour créances douteuses ci-dessus). L'écriture de **radiation** est alors la suivante :

> Dt Provision pour créances douteuses   100
>   Ct Clients   100

L'écriture élimine complètement le compte des registres de la société, mais vous remarquerez qu'elle n'a pas d'incidence sur les charges (ni, par conséquent, sur le bénéfice). Cette incidence a été constatée au préalable, au moment où la provision et la charge correspondante ont été comptabilisées. La radiation d'un compte fait habituellement l'objet d'un contrôle assez serré, et on prend bien soin de vérifier tous les paiements reçus. La raison en est assez évidente : si on radie un compte, il disparaît des livres et si, ensuite, le client harcelé finit par payer, la personne qui reçoit le paiement pourrait tout bonnement le garder sans en informer l'entreprise, et personne ne s'en apercevrait.

Vous remarquerez que l'on ne traite pas cette radiation de la même manière que les radiations d'actif à long terme décrites plus haut. En effet, la provision pour créances douteuses est censée s'appliquer à l'ensemble des comptes clients. On ne sait pas nécessairement *à quels comptes* en particulier correspondait la provision pour créances douteuses : par exemple, les 500 $ pour créances douteuses reposaient probablement sur la moyenne calculée d'après l'expérience, c'est-à-dire que, disons, 15 % des comptes datant de plus de 40 jours ne sont pas recouvrés. Nous n'avons pas besoin de savoir exactement quels sont les comptes dont le recouvrement est incertain afin de créer un compte de provision pour créances douteuses couvrant l'ensemble du risque encouru. Notez qu'on avait un compte de contrepartie pour chaque amortissement cumulé, comme celui du bâtiment ou du camion. Par contre, on ne crée pas de compte de contrepartie pour chaque compte client. C'est pourquoi on a éliminé à la fois le compte client non recouvré de l'actif et un montant équivalent de provision pour créances douteuses lors de la radiation effectuée ci-dessus.

Les radiations pour créances douteuses peuvent déséquilibrer le système si elles sont suffisamment importantes. Par exemple, dans le cas cité ci-dessus, que se passerait-il si l'on devait radier un montant de 800 $ des comptes clients ? Ce montant est supérieur à celui contenu dans la provision pour créances douteuses ! Il existe des méthodes permettant d'ajuster la provision pour créances douteuses afin de tenir compte de tels problèmes, mais nous n'en parlerons dans ce manuel qu'à l'occasion du court exemple qui suit.

Voici une dernière illustration de l'utilisation et de l'effet d'un compte de provision pour créances douteuses.

Au moment de la radiation, le doute concernant le recouvrement a été remplacé par la perte d'espoir.

La radiation des créances douteuses réduit le compte Clients et le compte Provision pour créances douteuses sans modifier le bénéfice.

L'écriture de radiation suppose que le compte avait déjà fait l'objet d'une provision pour créances douteuses.

Les comptes clients moins la provision pour créances douteuses égalent le montant recouvrable estimatif.

- La société Bonbons ltée vend ses produits à des détaillants. À la fin de l'année 1997, ses comptes clients s'élevaient à 53 000 $, et sa provision pour créances douteuses à 3 100 $. *Par conséquent, le montant recouvrable estimatif des comptes clients se chiffrait à 49 000 $ à la fin de cette même année.*

- En 1998, la société a réalisé des ventes à crédit pour un total de 432 800 $ et a recouvré un montant de 417 400 $ que lui devaient ses clients. Par conséquent, à la fin de 1998, les comptes clients se chiffraient à 68 400 $ (53 000 $ + 432 800 $ − 417 400 $).

À la fin de l'exercice, après l'analyse de la liste des comptes clients, on détermine les radiations et on rajuste le montant de la provision pour créances douteuses.

- Après avoir examiné la liste des comptes clients, le directeur des ventes a établi qu'un total de 1 200 $ de ces comptes était pratiquement impossible à recouvrer et devait donc être radié. En plus, on avait besoin d'une provision totale pour créances douteuses de 4 200 $ à la fin de 1998.

Voici les écritures à effectuer :

Radiation des créances douteuses :

Dt Provisions pour créances douteuses	1 200	
Ct Clients		1 200

Provision relative aux comptes dont le recouvrement est incertain :

Dt Créances douteuses	2 300	
Ct Provision pour créances douteuses		2 300

(Solde de la provision   = 3 100 $ − 1 200 $ = 1 900 $)
Provision nécessaire à la fin de 1998   = 4 200 $
Ajustement de la provision = 4 200 $ − 1 900 $ = 2 300 $)

Le solde du compte Clients s'élève maintenant à 67 200 $ (68 400 $ − 1 200 $) et celui de son compte de contrepartie, à 4 200 $.

- Par conséquent, à la fin de 1998, *la valeur estimative du recouvrement des comptes clients (la valeur nette présentée dans le bilan)* est de 63 000 $.

- La charge de créances douteuses de 1998 se chiffre à 2 300 $.

- La radiation des créances irrécouvrables a fait disparaître quelques comptes de la liste des clients, mais n'a pas eu d'incidence sur le bénéfice ni sur la valeur nette du bilan. Vous pouvez constater cet effet en reprenant l'exemple ci-dessus sans l'écriture de radiation des créances irrécouvrables (première écriture) :

Les régularisations de fin d'exercice prennent en considération toutes les provisions pour créances douteuses et les radiations précédentes.

  ▶ Si aucun compte n'avait été radié, le solde de la provision serait encore de 3 100 $, comme l'année précédente.

  ▶ Si on analyse la liste des comptes clients, on remarque qu'il y a 4 200 $ de créances douteuses et 1 200 $ de créances irrécouvrables. Le solde ajusté de la provision pour créances douteuses devrait donc être de 5 400 $.

  ▶ Si on soustrait les 3 100 $ de ce total, il reste 2 300 $. De cette façon, la seconde écriture et, par conséquent, la charge de créances douteuses seront les mêmes que dans l'exemple précédent.

▶ Les comptes clients se chiffreraient alors à 68 400 $, et la provision, à 5 400 $. Ainsi, la valeur estimative du recouvrement de ces comptes (la valeur présentée dans le bilan) serait toujours de 63 000 $.

Comme beaucoup d'autres éléments en comptabilité, les comptes de contrepartie ont pour but de fournir des informations utiles aux utilisateurs des états financiers. Ils peuvent également servir de mesures de contrôle interne.

◉ Ù EN ÊTES-VOUS ?

Voici deux questions auxquelles vous devriez pouvoir répondre, compte tenu de ce que vous venez de lire :

1. La société Argile ltée possède un bâtiment de 438 000 $. Au début de l'exercice, l'amortissement cumulé du bâtiment s'élevait à 233 000 $. On a vendu le bâtiment 190 000 $ vers la fin de l'exercice, après avoir enregistré un amortissement cumulé supplémentaire de 34 000 $. Quelles étaient les écritures permettant de constater l'amortissement et la disposition du bâtiment (tout en montrant le gain ou la perte sur la disposition) ? (Dt Amortissement 34 000, Ct Amortissement cumulé 34 000, Dt Encaisse (produit) 190 000, Ct Bâtiment (coût) 438 000, Dt Amortissement cumulé 267 000, Ct Gain sur la vente 19 000).

2. Argile possède aussi des comptes clients. À la fin de l'exercice, le total du compte collectif Clients est de 321 000 $, et le solde du compte Provision pour créances douteuses, de 22 000 $ (après la constatation d'une charge de créances douteuses de 11 000 $ pour l'exercice). Après examen, la direction a estimé que 5 000 $ des comptes étaient irrécouvrables et devaient être radiés, après quoi la provision devait également être augmentée de 7 000 $. À combien se chiffrent les créances douteuses pour l'exercice et, à la fin de l'exercice, le compte collectif Clients, le compte Provision pour créances douteuses, ainsi que le montant recouvrable estimatif des comptes clients ? (18 000 $; 316 000 $; 24 000 $; 292 000 $)

6.10   LE CONTRÔLE DU STOCK

Nous avons vu qu'il était primordial de bien tenir les registres pour pouvoir fournir des informations justes aux utilisateurs internes et externes. Une grande partie des documents et des registres concernent le contrôle du stock. Ce contrôle constitue un enjeu important pour la direction parce qu'un pourcentage élevé du fonds de roulement peut être lié au stock. Ce dernier peut être périssable ou devenir désuet s'il est conservé trop longtemps. De plus, en raison des caractéristiques de certains articles, les risques de vol peuvent être élevés.

Le contrôle du stock se distingue de la présentation du stock dans les états financiers.

Selon la nature du stock et les objectifs de la direction, on peut utiliser diverses méthodes de contrôle interne. Nous vous présentons ci-après les trois méthodes le plus couramment appliquées dans les entreprises. Chacune fournit une quantité différente d'informations, à un coût différent. Il est important de remarquer que le choix du système de contrôle du stock relève de la tenue des livres et non de la façon de présenter l'information. La direction décide tout simplement de la méthode de comptabilisation du stock. Nous verrons, au chapitre 8, la façon dont le stock est présenté dans les états financiers.

La méthode de l'inventaire permanent

Selon cette méthode, toute marchandise reçue est ajoutée aux marchandises déjà en main. Lorsque des articles sont vendus, on les déduit du total inscrit. Par conséquent, la méthode de l'inventaire permanent permet de connaître le nombre d'articles qui devraient être en stock à tout moment :

- la quantité en stock au début de la période ;

- plus les quantités achetées durant la période ;

- moins les quantités vendues durant la période ;

- égale la quantité qui devrait être en stock à la fin de la période.

Les registres qui sont tenus selon la méthode de l'inventaire permanent indiquent quelle quantité de marchandises devrait être en stock.

On parle de **méthode de l'inventaire permanent** du fait que le système comptable dispose de données continuellement mises à jour sur la quantité de marchandises qui devraient être en stock. Si l'inventaire physique ne révèle pas la même quantité, la société sait qu'il y a eu perte, vol ou erreur dans les registres.

Si, pour chaque article, on associe le coût à la quantité, on peut évaluer le coût total du stock à n'importe quel moment, sans avoir à compter des articles et à leur attribuer un coût.

Stock d'ouverture (vérifié par dénombrement, si on le souhaite)
+ Achats de marchandises (comptabilisés)
− Articles vendus (comptabilisés)
= Stock de clôture (vérifié par dénombrement, si on le souhaite)

Selon la méthode de l'inventaire permanent, le coût des marchandises vendues est déduit du stock, lorsqu'on réalise une vente.

Dans la plupart des exemples donnés ici, nous avons supposé qu'on utilisait la méthode de l'inventaire permanent, car les achats de marchandises ont été inscrits comme débits au compte Stock de l'actif, et le coût des marchandises vendues a été crédité au compte Stock de l'actif et débité du compte **Coût des marchandises vendues (CMV)**.

La méthode de l'inventaire au prix de détail

Cette méthode s'apparente à celle de l'inventaire permanent, sauf que les registres tiennent compte du prix de vente des marchandises plutôt que des quantités ou des coûts. Selon la **méthode de l'inventaire au prix de détail**, on attribue à un service ou à une succursale le montant total des ventes (prix de vente multiplié par la quantité) de tous les articles reçus et destinés à la vente. On déduit ensuite le produit des ventes de ce montant total, au fur et à mesure que les articles sont vendus. Cela permet de relier le contrôle du stock au contrôle de l'encaisse, comme dans l'exemple du magasin Le Professionnel, présenté à la section 6.7. À n'importe quel moment, dans le service ou la succursale en question, le total du stock évalué au prix de détail, plus les ventes réalisées au comptant et à crédit (ou encore par carte de crédit) depuis le dernier enregistrement des produits devrait être identique au total de la valeur courante de détail, calculée comme suit :

- prendre le total du prix de détail de toutes les marchandises reçues par le service (en stock au début de la période et reçues durant la période en question),

- déduire les ventes réalisées par le service (vérifiées par les méthodes de contrôle de l'encaisse et des paiements par carte de crédit) :

- la différence est égale aux marchandises en stock, au prix de détail.

La méthode de l'inventaire au prix de détail s'apparente à la méthode de l'inventaire permanent, mais utilise les prix de vente au lieu des coûts d'achat.

Si un inventaire au prix de détail ne donne pas comme résultat la valeur totale prévue, on sait que certains articles ont été perdus ou volés, ou qu'une erreur s'est glissée dans les registres. On peut estimer le coût total du stock en déduisant la majoration moyenne du total de la valeur au prix de détail courante. Toutefois, la méthode de l'inventaire au prix de détail se révèle un peu compliquée en pratique, parce qu'il faut tenir compte des démarques, des articles retournés, des prix spéciaux et des autres ajustements des prix de détail des différents éléments composant le stock.

La méthode de l'inventaire périodique

La méthode de l'inventaire périodique ne s'appuie pas sur des registres indiquant combien d'articles devraient se trouver en stock.

Lorsqu'on achète des marchandises, on les place dans les rayons ou dans l'entrepôt, et lorsqu'elles sont vendues ou utilisées, on les en retire. Avec les deux systèmes de contrôle précédemment évoqués, on tient des registres pour consigner ces mouvements, afin d'établir les quantités en main ou les valeurs en stock. Si l'entreprise ne tient pas des registres complets de ces fluctuations du stock, elle ne possède pas d'information sur la quantité de marchandises qui devrait se trouver en stock. La seule manière de le savoir est de procéder à un dénombrement. Puisque ce type d'inventaire n'est fait qu'à certains intervalles, lorsqu'on a besoin de connaître la valeur du stock pour dresser les états financiers ou pour signer un contrat d'assurance, on se sert de cette méthode, plutôt faible sur le plan du contrôle comptable, appelée **méthode de l'inventaire périodique**. Bien que l'on puisse y associer certaines caractéristiques de contrôle interne, comme la protection physique et l'assurance, cette méthode, qui n'implique pas la tenue de registres parallèles, est moins précise que les deux précédentes. Contrairement à celles-ci, elle ne permet pas de rapprocher les dénombrements et les registres afin de découvrir les erreurs, étant donné que ces registres n'existent pas. Mais cette méthode est simple et économique puisqu'on n'a pas de registres à tenir continuellement à jour. La tenue des livres coûte cher !

> **Stock d'ouverture (dénombrement)**
> **+ Achats (comptabilisés)**
> **– Stock de clôture (dénombrement)**
> **= Marchandises vendues (par déduction)**

Dans la méthode de l'inventaire périodique, le CMV est déduit : les marchandises qui ne sont pas en stock sont considérées comme vendues.

Puisque la quantité de marchandises apparemment vendue est déterminée par *déduction* (elle n'est pas connue), vous comprenez qu'en réalité ces marchandises peuvent ne pas avoir été vendues. Elles ont pu être perdues ou volées, elles ont pu s'évaporer, etc. Ainsi, d'après la méthode de l'inventaire périodique, le coût des marchandises vendues (coût des marchandises dénombrées en début d'inventaire + coût des achats − coût des marchandises dénombrées en fin d'inventaire) englobe aussi toutes ces autres possibilités.

Le contrôle du stock et de l'encaisse : concessionnaires d'automobiles et cafés

La méthode de l'inventaire permanent peut s'avérer coûteuse sur le plan de la tenue des livres (de même que la méthode de l'inventaire au prix de détail, bien que l'on doive probablement tenir des registres des ventes de toute façon et que le coût supplémentaire du contrôle de l'inventaire ne soit pas forcément élevé). La direction doit payer quelqu'un pour inscrire, trier et compiler l'information.

Quelles sont les entreprises qui utilisent la méthode de l'inventaire permanent ? Le concessionnaire d'automobiles de votre région en constitue un bon exemple. Les voitures coûtent cher et, par conséquent, si l'on veut en offrir un choix intéressant

Plus grande est la valeur que l'on accorde au contrôle de l'inventaire, plus grandes sont les chances que l'on utilise la méthode de l'inventaire permanent.

aux clients, on doit investir un montant très important. En raison du coût élevé des véhicules et du besoin de suivre leurs mouvements pour des raisons de permis et d'assurance, les numéros de série et d'autres informations permettant l'identification sont disponibles et généralement inscrits dans divers registres. Les automobiles deviennent rapidement désuètes du fait que les goûts des clients changent, et le coût d'un vol est toujours élevé même lorsqu'il s'agit d'un seul véhicule. De plus, en raison du nombre relativement peu élevé d'automobiles vendues, le coût de la tenue des livres est bas. Tous ces facteurs favorisent et facilitent l'utilisation d'un système d'inventaire permanent.

Un café local, que nous appellerons ici Cafbec, est un autre exemple d'entreprise qui utilise la méthode de l'inventaire permanent en tant que système de contrôle du stock. Voici comment procède Cafbec pour contrôler son stock de café. Grâce à ce système, le gérant sait toujours de combien de café il dispose.

1. Lorsqu'il reçoit les grains de café de l'entrepôt, il inscrit à la fois le coût et la quantité de chaque catégorie de grains.
2. Il sort les grains de café des casiers et il en moud des quantités standard. Il inscrit ces données sur les « feuilles d'utilisation quotidienne ».
3. Le café moulu est réparti au poids dans les filtres et préparé selon les besoins.
4. Au moment de la vente, le montant de chaque tasse est inscrit dans la caisse enregistreuse informatisée, qui comptabilise les tasses vendues. En outre, du fait que le gérant sait combien chaque cafetière produit de tasses ainsi que le nombre de grammes de café nécessaire par cafetière, la quantité exacte de café utilisée est calculée et inscrite à la fin de chaque journée. C'est aussi à ce moment qu'on inscrit les ventes.

Le système est renforcé par la combinaison de deux contrôles sur plusieurs éléments d'actif à la fois, comme celui du stock et celui de l'encaisse.

Les registres de contrôle fournissent des données permettant de rapprocher les différences et de repérer les erreurs.

Un autre aspect intéressant du contrôle du stock de Cafbec est son lien avec le contrôle de l'encaisse. Le contrôle de l'encaisse s'effectue au moyen de la caisse enregistreuse et du nombre de tasses de café vendues. La caisse enregistreuse est informatisée et contient un code distinct pour chaque article vendu au comptoir. Donc, elle permet de contrôler le stock chaque fois qu'on y inscrit une vente. Une vente implique le retrait de cet article du stock. Pour s'assurer que toutes les ventes sont inscrites dans la caisse, Cafbec compare les ventes de café au nombre de tasses vendues. Pour ce faire, on calcule chaque jour la quantité de tasses que l'on a en stock. Chaque matin et chaque soir, on fait le dénombrement des tasses. Toutes les tasses abîmées (habituellement celles qui sont tachées ou percées) sont mises à part et dénombrées à la fin de la journée pour permettre un meilleur rapprochement avec le montant inscrit dans la caisse. (Souvenez-vous de la technique importante du **rapprochement de comptes**, décrite à la section 1.7.) Le rapprochement ressemble à peu près à ceci :

Tasses : Nombre de tasses au début de la journée
  + Nombre de nouvelles tasses reçues de l'entrepôt ce jour-là
  − Nombre de tasses restantes à la fin de la journée
  − Nombre de tasses abîmées
  = Nombre de tasses vendues

Ventes : Nombre de tasses vendues
  × Prix de vente de la tasse de café
  = Produit des ventes de café de la journée

Le montant des ventes établi à partir du nombre de tasses de café vendues est ensuite rapproché du montant indiqué par la caisse enregistreuse et de la quantité de café restante. La quantité de café utilisée pour les ventes de la journée est ensuite calculée et enregistrée, de sorte que l'on puisse déterminer tout écart d'inventaire ou déficit d'encaisse.

Mais divers problèmes peuvent surgir. En voici un: le système de contrôle bien ordonné de Cafbec s'est récemment compliqué en raison de l'habitude des clients d'apporter de plus en plus souvent leur propre tasse! La tenue des livres, comme les autres aspects de la comptabilité, doit s'adapter à ces changements.

Les écritures de journal relatives au stock: exemple de la société Baudry ltée

La société Baudry utilise la méthode de l'inventaire permanent. Voici les données du dernier exercice:

Clients au début de l'exercice	40 000 $	Stock d'ouverture	23 000 $
Achats pendant l'exercice (tous au comptant)	114 000	Ventes (toutes à crédit)	150 000
Encaissements pendant l'exercice	115 000	Stock de clôture (dénombrement)	28 000

La société établit ses prix de vente en majorant de 50 % le coût d'achat (c'est-à-dire que le prix de vente est égal à 150 % de ce coût). Uniquement dans le but de faciliter les choses, supposons que la totalité des ventes, des achats et des recouvrements ont été faits en une seule opération. Voici le récapitulatif des écritures comptables de la société:

a. Achats	Dt Stock	114 000	
	Ct Encaisse		114 000
	Achats pendant l'exercice		
b. Ventes	Dt Clients	150 000	
	Ct Ventes		150 000
	Ventes à crédit pendant l'exercice		
c. Coût des marchandises vendues	Dt Coût des marchandises vendues (CMV)	100 000	
	Ct Stock		100 000
	CMV: 150 000 $ de produits moins 50 % de majoration du coût d'achat		
d. Redressement à la suite du dénombrement	Dt Écart d'inventaire négatif	9 000	
	Ct Stock		9 000
	L'écart indique que le stock aurait dû être de 23 000 $ + 114 000 $ − 100 000 $ = 37 000 $, mais le dénombrement indique seulement 28 000 $.		

e. Recouvrements	Dt Encaisse	115 000	
	Ct Clients		115 000
	Recouvrement des comptes		
	pendant l'exercice		

Étudions ici deux comptes, afin que vous compreniez bien comment les chiffres comptables permettent le contrôle:

Le compte Stock:	Stock d'ouverture	23 000 $
	Achats	114 000
	Coût des marchandises vendues	(100 000)
	Estimation du stock en main	37 000
	Régularisation pour pertes*	(9 000)
	Stock de fermeture après régularisations	28 000 $

* Car le dénombrement indique qu'il y a moins d'articles en stock que prévu.

Si la société n'utilisait pas le système de contrôle permanent (c'est-à-dire si elle utilisait la méthode de l'inventaire périodique), nous aurions les 23 000 $ de départ, plus les 114 000 $ d'achats, moins les 28 000 $ d'articles dénombrés à la fin, pour un coût des marchandises vendues apparent de 109 000 $. Vous pouvez constater que, si nous avions eu des registres permanents, nous aurions su que ce chiffre représentait la somme de 100 000 $ (le coût des marchandises réellement vendues) et de 9 000 $ (les articles manquants). Les deux méthodes donnent les mêmes produits et le même total de charges, soit 109 000 $, mais elles renseignent la direction de manière différente.

Le compte Clients:	Début d'exercice	40 000 $
	Ventes	150 000
	Recouvrements	(115 000)
	Solde de fin d'exercice	75 000 $

Nous pouvons vérifier auprès des clients, ou autrement, que ce montant est véritablement un élément d'actif recouvrable.

Un contrôle de l'encaisse découle de ce qui précède. En effet, les recouvrements des comptes clients font partie des encaissements, donc du système de contrôle de l'encaisse.

Ù EN ÊTES-VOUS ?

Voici deux questions auxquelles vous devriez pouvoir répondre, compte tenu de ce que vous venez de lire :

1. Quel est le rôle de la tenue des livres dans le contrôle interne ?

2. La société Grosbois ltée applique la méthode de l'inventaire permanent. Au début du mois, l'entreprise disposait d'un stock de 145 890 $. Les achats du mois s'élèvent à 267 540 $, et le coût des marchandises vendues totalise 258 310 $. À la fin du mois, le dénombrement révèle un stock de 152 730 $. À combien s'élève, le cas échéant, l'écart d'inventaire négatif du mois ? (2 390 $)

6.11   LES GESTIONNAIRES, LA TENUE DES LIVRES ET LE CONTRÔLE

La direction est responsable du contrôle interne de l'entreprise.

Grâce à la tenue des comptes et des registres correspondants, les systèmes comptables fournissent des informations utiles aux gestionnaires. Ainsi, ces derniers peuvent assumer leurs responsabilités importantes de gestion des biens et de contrôle de l'entreprise. Les responsabilités qu'ils assument relativement au contrôle interne sont de plus en plus mises en évidence et, dans la plupart des rapports annuels, on trouve une mention à cet égard. L'illustration 6-12 en propose un exemple qui décrit les liens entre le contrôle interne, les états financiers, les vérificateurs externes, les vérificateurs internes et la responsabilité de la direction. Ce document est tiré du rapport annuel de la Banque de Nouvelle-Écosse.

6-12

Illustration

Rapport annuel de 1997 de la Banque de Nouvelle-Écosse
Rapport de la direction

La direction de la Banque de Nouvelle-Écosse répond de l'intégrité et de l'objectivité de l'information financière figurant dans le présent rapport annuel. Les états financiers consolidés ont été dressés conformément aux exigences de la Loi sur les banques en matière d'information financière et aux directives émises par le Surintendant des institutions financières du Canada, qui sont conformes, à tous égards importants, aux principes comptables généralement reconnus. Les états financiers consolidés présentent des montants qui sont, par nécessité, établis selon les meilleures estimations et au meilleur jugement de la direction en tenant dûment compte de leur importance relative. L'information financière présentée ailleurs dans le présent document est conforme à celle des états financiers consolidés.

La direction reconnaît depuis toujours qu'il est important que la Banque maintienne et renforce les normes de conduite les plus élevées dans toutes ses activités, y compris la préparation et la diffusion d'états qui présentent fidèlement la situation financière de la Banque. À cet égard, la direction a mis au point et maintient un système de comptabilité et de présentation de l'information qui prévoit les contrôles internes nécessaires, de sorte que les opérations sont correctement autorisées et comptabilisées, les biens protégés contre les pertes attribuables à un usage ou à une cession non autorisés et les passifs dûment comptabilisés. Le système comporte aussi des politiques et des procédés écrits, le choix judicieux et la formation appropriée d'employés qua-

6-12
....

**Illustration
(suite)**

lifiés, la mise en place de structures organisationnelles assurant une division précise et appropriée des responsabilités, ainsi que la communication de politiques et de directives sur les opérations à l'échelle de la Banque.

Le système de contrôle interne est renforcé par une équipe professionnelle de vérificateurs internes qui examine périodiquement tous les aspects des activités de la Banque. De plus, l'inspecteur général de la Banque a pleinement et librement accès au comité de vérification du conseil d'administration.

Le Surintendant des institutions financières du Canada effectue, au moins une fois par année, l'examen des affaires de la Banque ainsi que toute enquête à leur sujet qu'il peut juger nécessaire, pour s'assurer que les dispositions de la Loi sur les banques relatives à la sécurité des intérêts des déposants, des créanciers et des actionnaires de la Banque sont dûment observées et que la situation financière de la Banque est saine.

Le comité de vérification, entièrement composé d'administrateurs externes, examine les états financiers consolidés, de concert avec la direction et les vérificateurs indépendants, avant qu'ils soient approuvés par le conseil d'administration et soumis aux actionnaires de la Banque.

Le comité de révision du conseil d'administration, entièrement composé d'administrateurs externes, examine toutes les opérations entre apparentés ayant une incidence importante sur la Banque et fait état de ses conclusions au conseil d'administration.

KPMG et Price Waterhouse, les vérificateurs indépendants nommés par les actionnaires de la Banque, ont vérifié les états financiers consolidés de la Banque conformément aux normes de vérification généralement reconnues et ont exprimé leur opinion dans le rapport ci-après adressé aux actionnaires. Les vérificateurs communiquent librement avec le comité de vérification, qu'ils rencontrent périodiquement, afin de discuter de leur vérification et de leurs conclusions en ce qui a trait à l'intégrité de l'information financière et comptable de la Banque et à l'adéquation des contrôles internes.

Peter C. Godsoe
Président du conseil et chef de la direction

Bruce R. Birmingham
Président

Robert W. Chisholm
Vice-président du conseil et chef des affaires financières

Toronto, le 26 novembre 1997

6.12   LA RECHERCHE COMPTABLE : LA VALEUR DE LA COMPTABILITÉ GÉNÉRALE DANS LE CONTRÔLE INTERNE

Jusqu'à présent, nous avons indiqué plusieurs utilisations possibles de l'information comptable, dont les suivantes :

   a. l'évaluation du rendement de la direction dans le but de récompenser ou de sanctionner les gestionnaires ;

b. la prévision de la rentabilité future d'une entreprise, dans le but d'investir dans cette dernière ou de lui consentir un prêt (nous étudierons ces points plus en détail au chapitre 9);

c. la répartition des bénéfices de la société entre différents groupes : primes à la direction, impôts sur les bénéfices, dividendes aux propriétaires, et ainsi de suite;

d. le maintien d'un contrôle interne des biens et des activités journalières, telles que les ventes, les recouvrements et les frais engagés.

Beaucoup de recherches ont été menées sur les trois premières utilisations mentionnées ci-dessus, et beaucoup d'autres sont encore en cours.

Beaucoup de recherches ont été menées sur les trois premières utilisations. Généralement, on comprend bien le rôle de la comptabilité générale, y compris ses forces et ses faiblesses par rapport à ces utilisations, bien que de nombreuses questions de détail fassent toujours l'objet d'études. On pense, par exemple, à la capacité de la comptabilité d'exercice de prédire la performance financière mieux qu'une méthode fondée sur les flux de l'encaisse : on sait bien que l'information fournie par la comptabilité d'exercice change la situation du tout au tout, mais on ignore cependant quand et comment cela se produit. Il est clair que la comptabilité générale a de la valeur sur le plan de ces trois utilisations, à tel point que l'usage de l'information qu'elle transmet est inscrit dans les lois sur l'impôt sur les bénéfices et fait partie des stipulations de nombreux contrats de rémunération de la direction générale.

La recherche sur le contrôle de la gestion ne met pas l'accent sur le rôle de la comptabilité générale.

Bien peu de recherches ont été conduites au sujet de la valeur de la comptabilité générale, et plus précisément de la quatrième utilisation, soit le contrôle interne. Même s'il est clair que valeur il y a, on ne sait trop d'où elle provient exactement. Découle-t-elle, par exemple, de l'attention générale portée aux registres bien tenus, de la séparation des tâches et des autres méthodes de contrôle mentionnées à la section 6.6, ou des procédures de débit et de crédit en partie double qu'utilise la comptabilité générale, comme les méthodes de contrôle de l'inventaire décrites à la section 6.10? Il est également évident qu'un bon contrôle de la gestion et la prévision d'un bon rendement tendent à aller de pair, mais la façon particulière dont le contrôle et la prévisibilité interagissent n'a pas encore été élucidée. La plus grande partie de la recherche comptable s'est attachée aux prédictions relatives à la performance future d'une entreprise et à l'évaluation de cette performance. L'Institut Canadien des Comptables Agréés a ouvert la voie de la recherche sur le contrôle interne. En effet, l'ICCA a établi une commission des « critères de contrôle », destinée à mener des recherches sur les moyens d'améliorer le contrôle interne et à fournir des directives aux entreprises et à d'autres organismes, ainsi qu'aux comptables professionnels.

Comme vous l'avez sûrement remarqué, nous avons parlé ici de potentiel de recherche, plutôt que de résultats! Peut-être qu'un des lecteurs de cet ouvrage décidera d'effectuer une étude afin de combler ce vide!

6.13   COMPRENEZ-VOUS BIEN CES TERMES ?

Voici la liste des termes utilisés et expliqués dans ce chapitre. Vérifiez que vous comprenez bien leur signification en *comptabilité* et, si certains vous semblent encore un peu confus, relisez les explications données dans le chapitre ou reportez-vous au glossaire à la fin du manuel.

Ajustement
Amortissement cumulé
Amortissement de l'exercice
Balance de vérification
Balance de vérification
    après régularisations
Balance de vérification
    avant régularisations
Bon de commande
Chèque
Clôture
Comptabilité en partie
    double
Compte
Compte collectif
Compte de contrepartie
Compte de contrôle
Contrôle interne
Coût des marchandises
    vendues (CMV)
Créances douteuses
Écriture de clôture

Écriture de journal
Écriture de régularisation
Écriture originaire
Encaissement
Facture
Grand livre auxiliaire
Grand livre général
Journal auxiliaire
Journal des décaissements
Journal des encaissements
Journal des ventes
Journal général
Livre-journal
Méthode de l'inventaire
    au prix de détail
Méthode de l'inventaire
    périodique
Méthode de l'inventaire
    permanent
Opération
Petite caisse
Pièces justificatives

Plan comptable
Provision pour créances
    douteuses
Radiation
Rapprochement
Régularisation
Report
Retenue à la source
Séparation des tâches
Système d'information
    de gestion
Taxe de vente
Taxe de vente du Québec
    (TVQ)
Taxe sur les produits et
    services (TPS)
Tenue des livres
Transfert électronique
    de fonds (TEF)
Valeur comptable nette

6.14 CAS À SUIVRE...

SIXIÈME PARTIE

Données de la sixième partie

Après l'inscription des opérations du 28 février 1998 (voir la cinquième partie), la balance de vérification du grand livre général de la société Mado inc. se présentait comme suit (les crédits sont entre parenthèses):

Encaisse	6 418	Capital-actions	(125 000)
Clients	13 709	Produits	(227 656)
Stock	33 612	Coût des marchandises vendues	138 767
Automobile	10 000	Salaire — Mado	0
Amortissement cumulé — automobile	(1 000)	Salaire — Thomas	0
Améliorations locatives	63 964	Salaire — Autre	0
Amortissement cumulé — améliorations locatives	(6 396)	Charge salariale	67 480
Matériel et mobilier	32 390	Frais de déplacement	10 102
Amortissement cumulé — matériel et mobilier	(744)	Téléphone	4 014
Ordinateur	14 900	Loyer	24 000
Amortissement cumulé — ordinateur	(1 490)	Services publics	3 585

(suite)		*(suite)*	
Logiciels	4 800	Frais généraux et de bureau	5 933
Amortissement cumulé			
— logiciels	(480)	Intérêts débiteurs	6 239
Frais de constitution	1 100	Écart d'inventaire négatif (charge)	441
Emprunt bancaire	(47 500)	Amortissement — automobile	1 000
Fournisseurs	(36 656)	Amortissement — améliorations locatives	6 396
Retenues à la source à payer	(2 284)	Amortissement — matériel	744
Salaires à payer	(2 358)	Amortissement — ordinateur	1 490
Emprunt à payer	0	Amortissement — logiciels	480

Il était temps de dresser les états financiers pour l'exercice terminé le 28 février 1998. Avant de pouvoir le faire, il fallait toutefois procéder aux régularisations suivantes:

a. À partir des calculs d'amortissement effectués durant les six premiers mois, les montants pour le deuxième semestre étaient les suivants:

- automobile, améliorations locatives, ordinateur et logiciels: 6 mois × 20 % du coût;
- matériel et mobilier: 6 mois × 10 % du coût.

Les charges à inscrire pour le deuxième semestre seraient donc: automobile, 1 000 $; améliorations locatives, 6 396 $; ordinateur, 1 490 $; logiciels, 480 $; matériel et mobilier, 1 620 $.

b. L'intérêt couru sur l'emprunt bancaire au 28 février est de 230 $.

c. Malheureusement, certaines boutiques ont connu des difficultés financières. Un client qui devait 894 $ a fait faillite, et le recouvrement de certains autres comptes, s'élevant à 1 542 $, est incertain.

d. Thomas a fait appel à un expert-comptable local à quelques reprises. Il n'a pas encore reçu de facture pour les services fournis, mais il estime que la société devait environ 280 $ au comptable à la fin du mois de février.

e. On a déterminé que les produits comprenaient un acompte de 500 $, fait par un client pour une commande spéciale d'articles qui ne sont pas encore arrivés d'Afrique.

f. Les frais généraux et de bureau incluent le coût d'une police d'assurance qui s'élève à 1 050 $. La police est en vigueur pendant deux ans, à partir du 1er mars 1997.

g. Mado et Thomas ont décidé qu'ils devraient rembourser à la société les frais d'utilisation de l'automobile correspondant à leur usage personnel: Mado devrait rembourser 200 $, et Thomas, 425 $. Ces frais d'utilisation avaient été inclus dans le compte Frais de déplacement.

h. Mado a constaté que la liste des comptes clients qu'elle a établie n'est pas exacte. Après avoir effectué une vérification, elle a découvert que des marchandises d'une valeur de 2 231 $, expédiées à la fin janvier, n'avaient pas encore été facturées. Le coût des marchandises expédiées a bien été déduit du compte Stock et imputé au compte Coût des marchandises vendues.

i. Thomas a décidé que les taxes de vente, qui ont été incluses dans les comptes fournisseurs, devraient figurer dans un compte à part. Le montant de la TVQ, dû le 28 février, s'élève à 1 000 $, et celui de la TPS, à 843 $. À partir du 1er mars, ce compte sera utilisé pour la TPS et la TVQ perçues et versées.

Résultats de la sixième partie

Voici les écritures de régularisation nécessaires au 28 février 1998, compte tenu des renseignements fournis à la page précédente :

a. Amortissement — automobile	1 000	
Amortissement cumulé — automobile		1 000
Amortissement — améliorations locatives	6 396	
Amortissement cumulé — améliorations locatives		6 396
Amortissement — ordinateur	1 490	
Amortissement cumulé — ordinateur		1 490
Amortissement — logiciels	480	
Amortissement cumulé — logiciels		480
Amortissement — matériel et mobilier	1 620	
Amortissement cumulé — matériel et mobilier		1 620
b. Intérêts débiteurs	230	
Fournisseurs		230
c. Créances douteuses	2 436	
Provision pour créances douteuses		
(894 $ + 1 542 $ = 2 436 $)		2 436
Provision pour créances douteuses	894	
Clients		894
d. Frais généraux et de bureau	280	
Fournisseurs		280
e. Produits	500	
Produits reportés (passif)		500
f. Assurance payée d'avance	525	
Frais généraux et de bureau		
(1 050 $ pour deux ans = 525 $ par année)		525
g. Clients	625	
Frais de déplacement		
(200 $ + 425 $ = 625 $)		625
h. Clients	2 231	
Produits		2 231
i. Fournisseurs	1 843	
TVQ à payer		1 000
TPS à payer		843

Après avoir effectué le report des écritures de régularisation dans la balance de vérification présentée au début de cette sixième partie, on obtient en date du 28 février 1998 la balance après régularisations suivante (comme d'habitude, les crédits sont indiqués entre parenthèses) :

Encaisse	6 418	Produits reportés (passif)	(500)
Clients	15 671	Capital-actions	(125 000)
Provision pour créances			
douteuses	(1 542)	Produits	(229 387)
Stock	33 612	Coût des marchandises vendues	138 767
Assurance payée d'avance	525	Créances douteuses	2 436
Automobile	10 000	Salaire — Mado	0
Amortissement cumulé			
— automobile	(2 000)	Salaire — Thomas	0
Améliorations locatives	63 964	Salaire — Autre	0
Amortissement cumulé			
— améliorations locatives	(12 792)	Charge salariale	67 480
Matériel et mobilier	32 390	Frais de déplacement	9 477
Amortissement cumulé			
— matériel et mobilier	(2 364)	Téléphone	4 014
Ordinateur	14 900	Loyer	24 000
Amortissement cumulé			
— ordinateur	(2 980)	Services publics	3 585
Logiciels	4 800	Frais généraux et de bureau	5 688
Amortissement cumulé			
— logiciels	(960)	Intérêts débiteurs	6 469
Frais de constitution	1 100	Écart d'inventaire négatif (charge)	441
Emprunt bancaire	(47 500)	Amortissement — automobile	2 000
Fournisseurs	(35 323)	Amortissement	
Taxe de vente à payer	(1 843)	— améliorations locatives	12 792
Retenues à la source à payer	(2 284)	Amortissement — matériel	2 364
Salaires à payer	(2 358)	Amortissement — ordinateur	2 980
Emprunt à payer	0	Amortissement — logiciels	960
	71 434		(71,434)

Cela suffit pour le moment! Ces balances de vérification serviront à préparer les états financiers dans les autres parties de ce cas à suivre.

6.15 SUJETS DE RÉFLEXION ET TRAVAUX POUR AMÉLIORER LA COMPRÉHENSION

PROBLÈME 6.1*
Préparation des écritures de régularisation nécessaires

Vous êtes le comptable de Bureau plus ltée. Vous examinez la balance de vérification avant régularisations de l'exercice et considérez les informations suivantes. Pour chaque donnée, décidez si un redressement des comptes est nécessaire et, si tel est le cas, passez l'écriture correspondante.

a. Une livraison de marchandises, arrivée le dernier jour de l'exercice, n'a pas été inscrite. Le coût de ces marchandises est de 11 240 $, et ce montant a été payé normalement trois semaines plus tard.

b. D'après l'évaluation du comptable, depuis le dernier paiement à la banque, les intérêts sur l'emprunt bancaire s'élèvent à 330 $.

c. Au cours des derniers jours de l'exercice, le cours des actions à la Bourse de Montréal a chuté d'environ 0,20 $. La société a 500 000 actions en circulation.

d. Une erreur s'est glissée dans le calcul de l'amortissement de l'exercice. Afin de rectifier cette erreur, il faut constater une charge additionnelle de 14 500 $.

e. Un client devant 2 100 $ a fait faillite le dernier jour de l'exercice, et Bureau plus a perdu l'espoir de recouvrer ce montant.

f. Une étude de la provision pour créances douteuses indique que celle-ci doit être augmentée de 780 $.

g. Lors d'une réunion du conseil d'administration, le dernier jour de l'exercice, on a autorisé des augmentations de salaire annuelles totalisant 11 100 $. Ces augmentations, qui devaient entrer en vigueur le lendemain, étaient destinées au président de la société et aux cadres supérieurs.

h. Deux mois avant la fin de l'exercice, la société a pris une assurance pour 12 mois, au coût de 2 400 $ et a débité ce montant du compte de charges d'assurance.

i. L'un des encaissements crédités aux produits des ventes correspond à un acompte de 400 $, versé par un client sur une commande qui sera livrée une semaine après la fin de l'exercice.

j. Vous avez déterminé que l'une des principales commandes avait été livrée le dernier jour de l'exercice, mais enregistrée seulement trois jours plus tard. La commande se chiffrait à 7 200 $, et les marchandises ont coûté 3 300 $ à Bureau plus. Le client a payé deux semaines plus tard.

PROBLÈME 6.2*
Explication des composantes du système de contrôle interne

Voici comment fonctionne le système de contrôle interne de la société Ingre ltée. Expliquez l'utilité de chacune de ces mesures :

a. Une personne tient à jour les registres des comptes clients, et une autre reçoit l'encaisse et fait les dépôts ;

b. La réceptionniste est chargée de la petite caisse ;

c. La société utilise la méthode de l'inventaire au prix de détail ;

d. La société garde le stock sous clé dans l'entrepôt ;

e. Chaque mois, le comptable rapproche les soldes des comptes de passif où sont enregistrés les différentes retenues à la source des employés et les registres de salaires et de paiement.

PROBLÈME 6.3*
Opérations commerciales courantes

Voici deux listes. Celle de gauche décrit *la moitié* d'une opération commerciale courante, celle de droite contient différents types d'opérations. Faites correspondre les éléments des deux listes.

a. Diminution des comptes fournisseurs
b. Diminution des comptes clients
c. Augmentation des comptes clients
d. Diminution des retenues à la source à payer
e. Augmentation de l'actif de l'usine
f. Augmentation de l'écart d'acquisition
g. Augmentation du stock
h. Diminution du stock
i. Diminution des bénéfices non répartis
j. Augmentation des taxes de vente à payer

1. Acquisition d'un élément d'actif à long terme
2. Acquisition d'une autre société
3. Recouvrement de sommes dues par les clients
4. Coût des marchandises vendues
5. Dividende déclaré
6. Marchandises achetées
7. Paiement des impôts aux gouvernements
8. Paiement aux fournisseurs
9. Produits gagnés
10. Taxes prélevées pour le compte du gouvernement

PROBLÈME 6.4*
Questions sur les comptes clients et les créances douteuses

Voici comment la société Créations Dragon présentait les comptes du grand livre général pour le dernier exercice, selon la méthode en T. La société vend seulement à crédit à des détaillants de tout le pays. Le premier montant de chaque compte correspond au solde du début de l'exercice; le dernier montant, sous la ligne horizontale, correspond au solde de fin d'exercice. Les autres montants sont des opérations et des redressements effectués au cours de l'exercice.

Clients		Provision pour créances douteuses		Créances douteuses	
244 620			11 914	0	
1 693 784					
	1 599 005				
			9 117	9 117	
	8 293	8 293			
331 106			12 738	9 117	

Répondez à ces questions:

1. À combien s'élèvent les produits de la société pour l'exercice?
2. Quel est le montant des produits recouvrés durant l'exercice?
3. Quel est le montant des produits irrécouvrables?
4. Quel est le montant des charges découlant du risque de vendre à crédit, pour l'exercice?
5. En moyenne, combien la société a-t-elle perdu sur chaque dollar de vente?
6. Quelle était la valeur estimative du recouvrement des comptes clients à la fin de l'exercice?
7. Quelle était la valeur estimative du recouvrement des comptes clients *avant* la radiation des comptes irrécouvrables?

PROBLÈME 6.5*
Explication des termes comptables en langage courant

Votre tante, une femme d'affaires réputée, apprend que vous faites des études en comptabilité et vous demande de lui expliquer les termes apparaissant ci-après. Votre tante est une femme intelligente, elle réussit bien dans la vie et, peut-être pour cette raison, se méfie du jargon professionnel. C'est pourquoi elle vous demande des réponses brèves, directes, sans termes techniques.

a. Régularisations
b. Comptes de contrepartie
c. Contrôle interne
d. Écriture de clôture
e. Journal général
f. Radiation des comptes irrécouvrables

PROBLÈME 6.6*
Reconnaissance et description de régularisations courantes

La liste ci-après décrit *un côté* des ajustements courants en comptabilité d'exercice. Décrivez le but de ces régularisations et complétez l'écriture. Énoncez toutes les hypothèses qui sont, selon vous, nécessaires.

    a. Ct Amortissement cumulé
    b. Ct Intérêts courus à payer
    c. Dt Provision pour créances douteuses
    d. Dt Assurance payée d'avance
    e. Ct Provision pour garanties
    f. Ct Provision pour créances douteuses
    g. Ct Impôt à payer
    h. Ct Produits reçus d'avance
    i. Dt Stock
    j. Ct Primes à payer

PROBLÈME 6.7*
Questions sur l'actif et l'amortissement d'une usine

Voici comment la société Fabricor ltée présentait les comptes du grand livre général pour le dernier exercice, selon la méthode en T. Le premier montant de chaque compte correspond au solde du début de l'exercice; le dernier montant, sous la ligne horizontale, correspond au solde de fin d'exercice. Les autres montants sont des opérations et des redressements effectués au cours de l'exercice.

Actif de l'usine		Amortissement cumulé		Amortissement	
5 497 888			1 977 321	0	
1 032 568					
	843 992	411 883			
			793 220	793 220	
	89 245	59 200			
5 597 219			2 999 458	793 220	

Répondez à ces questions:

1. Quelle était la portion estimative de l'actif de l'usine utilisée pour générer des produits durant l'exercice?
2. Combien a-t-on dépensé pour l'acquisition d'éléments supplémentaires d'actif de l'usine?
3. Les éléments d'actif de l'usine, qui ont coûté 843 992 $, ont généré 350 000 $ de produits lors de leur disposition. Leur vente entraîne-t-elle un gain ou une perte? Passez l'écriture nécessaire pour enregistrer cette cession.
4. Des éléments d'actif de l'usine, qui ont coûté 89 245 $, ont été enlevés et radiés, sans générer de produits. Passez l'écriture nécessaire pour enregistrer la radiation.
5. Quelle était la valeur comptable nette des éléments d'actif de l'usine à la fin de l'exercice?

PROBLÈME 6.8*
Enregistrement des taxes de vente et des retenues à la source des employés

La société La Montagnarde ltée propose des excursions en haute montagne et gère les boutiques Blanche-Neige dans plusieurs stations de ski. Vous trouverez ci-après deux groupes d'opérations que la société a effectuées récemment. Les paiements indiqués correspondent aux montants dus avant ces opérations, car ils ont été versés après les opérations qui ont généré ces montants.

a. La société a réalisé des produits de 72 000 $ sur lesquels on a facturé 5 778 $ de TVQ et 5 040 $ de TPS. Les clients ont payé 69 030 $ sur le total au cours du mois, et la société espérait recouvrer le reste dans un délai de 60 jours. La société a versé 3 900 $ de TVQ au gouvernement provincial et 3 200 $ de TPS au gouvernement fédéral. Les paiements de TPS et de TVQ étaient inférieurs, car la société a payé 1 840 $ de TPS et 1 878 $ de TVQ sur ses 26 286 $ d'achats.

b. Les salaires des employés s'élèvent à 39 250 $, dont la société a déduit 11 180 $ d'impôts sur le revenu et 4 990 $ d'autres retenues à la source. Sur ces salaires, la société doit 6 315 $ en avantages sociaux. Dans le courant du mois, elle a versé 12 668 $ d'impôts sur le revenu au gouvernement, ainsi que 11 894 $ à différents organismes gouvernementaux, fonds de pension, etc., relativement à d'autres cotisations et avantages sociaux.

Inscrivez les opérations décrites ci-dessus.

PROBLÈME 6.9*
Description des pièces justificatives et des livres-journaux

On prépare les états financiers à partir des soldes des comptes du grand livre général. Ces soldes ont à leur appui de nombreuses pièces justificatives et livres-journaux. Décrivez les principaux types de pièces justificatives utilisés en comptabilité générale ainsi que les livres-journaux qui sont préparés à partir de ces documents.

PROBLÈME 6.10*
Comparaison de la méthode de l'inventaire périodique et de la méthode de l'inventaire permanent

Vous êtes le chef comptable d'un grossiste en chaussures qui applique la méthode de l'inventaire périodique pour comptabiliser son stock. À partir des livres de la société, que vous supposez exacts, vous obtenez les informations suivantes :

a. Au début de l'année, le stock s'élevait à 246 720 $.

b. Les achats de l'exercice totalisent 1 690 000 $. Sur ces achats, 1 412 000 $ ont été effectués à crédit, c'est-à-dire qu'on a crédité ce montant aux comptes fournisseurs, au moment de l'achat.

c. Le solde de clôture des comptes fournisseurs dépasse de 47 500 $ le solde d'ouverture.

d. Selon le dénombrement de fin d'exercice, le montant des marchandises en stock s'élève à 324 800 $.

1. Calculez le coût des marchandises vendues selon la méthode de l'inventaire périodique.

2. Posez maintenant comme hypothèse que la société applique la méthode de l'inventaire permanent et que vos registres indiquent qu'on a vendu pour 1 548 325 $ de marchandises en stock (au coût) au cours de l'exercice. Passez l'écriture nécessaire pour rétablir le stock à sa valeur exacte à la fin de l'exercice. Comment savons-nous que la société doit effectuer ce redressement ?

3. Si la méthode de l'inventaire permanent assure en général un meilleur contrôle du stock pour la direction, pourquoi toutes les sociétés ne l'utilisent-elles pas ?

PROBLÈME 6.11*
Inscription et report des écritures de régularisation nécessaires dans les comptes non régularisés, puis clôture des comptes

Voici les comptes non régularisés de la société Tremblay ltée à la fin de son premier exercice :

Encaisse	25 600	Taxes de vente à payer	3 220
Clients	88 200	Hypothèque	185 780
Stock	116 900	Capital-actions	275 000
Terrain	100 000	Produits	349 600
Bâtiments et matériel	236 100	Coût des marchandises	
Fournisseurs	74 900	vendues	142 500
Retenues à la source à payer	2 500	Frais d'exploitation	181 700

La société a déterminé qu'il fallait faire les ajustements de fin d'exercice énumérés ci-après :

    a. On doit faire une provision pour créances douteuses de 2 400 $.

    b. On doit enregistrer un amortissement de 13 000 $.

    c. On doit enregistrer des produits additionnels de 11 200 $.

    d. Le CMV correspondant au point (c) se chiffre à 4 600 $.

    e. Les intérêts courus sur l'hypothèque à la fin de l'exercice s'élèvent à 900 $.

    f. Le conseil d'administration a accordé une prime de 5 000 $ au président.

    g. On évalue les impôts de l'exercice à 2 700 $. Aucun impôt n'a été payé jusqu'à présent.

1. Effectuez ces ajustements sous forme d'écritures de journal.
2. Reportez-les dans les comptes (en créant de nouveaux comptes, au besoin).
3. Préparez une balance de vérification après régularisations.
4. Clôturez les comptes de charges et de produits, et reportez les montants dans les bénéfices non répartis.
5. Calculez le bénéfice net, le fonds de roulement et les capitaux propres.

PROBLÈME 6.12
Explication de l'utilité de la tenue des livres à un homme d'affaires

Lors d'une dégustation de vins et fromages, organisée par l'Association des étudiants en comptabilité, les gens d'affaires de la région se sont joints aux jeunes. Le propriétaire d'une petite entreprise a déclaré : « Toute cette information comptable dont on vous parle à vous, les étudiants, ne me concerne pas. Je viens juste de démarrer mon entreprise. Je n'ai que cinq employés : quatre hommes à l'atelier pour la production et une femme chargée des livraisons et de la réception. Je me déplace sur demande pour promouvoir ma société, de sorte que je connais parfaitement le vrai moteur de mon entreprise : les ventes. Ma femme règle les factures et paie les salaires toutes les deux semaines. À l'occasion, je fais quelques chèques moi-même. Tout est simple et se passe bien ; pourquoi donc ajouter à tout cela une tenue des livres coûteuse et laborieuse ? Tous ces livres et ces états financiers, c'est bien pour les grandes sociétés ouvertes. Personnellement, je peux me passer de toutes ces complications. »

    Que répondriez-vous à cet homme d'affaires ?

PROBLÈME 6.13
Pièces justificatives nécessaires et objectif de la balance de vérification

1. Dressez une liste des pièces justificatives nécessaires pour appuyer les opérations inscrites dans un système comptable et décrivez, en quelques mots, l'utilité de chacune d'elle.
2. Pourquoi le teneur de livres (ou le système comptable informatisé) produit-il régulièrement une balance de vérification des comptes du grand livre général?

PROBLÈME 6.14
Évaluation des énoncés sur la comptabilité et la tenue des livres

Dites si vous êtes d'accord ou non avec les énoncés ci-après et expliquez brièvement votre réponse.

a. Le terrain est classé dans l'actif à long terme du bilan.
b. Les principes comptables généralement reconnus (PCGR) sont énoncés dans le texte des lois promulguées par les gouvernements.
c. Si un fait répond aux quatre critères qui permettent de le considérer comme une opération, il sera immanquablement inscrit dans le système comptable d'une entreprise.
d. Les achats et les ventes d'actions émises par une société cotée à la Bourse de Montréal ne sont pas des opérations qui doivent être comptabilisées dans les livres d'une société.
e. La méthode de l'inventaire permanent fournit un meilleur contrôle interne du stock que la méthode de l'inventaire périodique.
f. Un système de contrôle interne de l'encaisse bien conçu doit prévenir les vols d'argent commis par les employés.

PROBLÈME 6.15
Explication de la nature et des objectifs du contrôle interne à un dirigeant

Josée, l'une de vos amies, a accepté la présidence d'une société locale. Au cours d'une réunion à laquelle vous participiez, un expert-comptable a dit à Josée qu'elle était responsable du contrôle interne de la société. Lorsque l'expert-comptable a quitté la salle, Josée s'est tournée vers vous et vous a demandé: «Qu'est-ce que le contrôle interne et pourquoi devrais-je m'en occuper?» Répondez-lui en utilisant un langage clair, c'est-à-dire sans l'accabler de termes trop techniques.

PROBLÈME 6.16
Indication des pièces justificatives; inscription des opérations dans le journal et dans le grand livre

Voici une liste de six opérations d'une nouvelle entreprise, les Chaussettes de Josiane:

a. Josiane, une jeune entrepreneuse, décide que le premier Festival annuel des Neiges constitue pour elle une occasion de gagner de l'argent en vendant des chaussettes de laine. (On prévoit des records de froid.) Elle demande à la Banque Colossale de lui prêter 2 000 $ à très court terme et obtient le prêt en donnant son auto en garantie.
b. Elle achète 200 paires de chaussettes chez le Roi du Bas ltée, à 3 $ la paire.
c. Elle obtient un permis de vendeur de la ville de Rimouski. Ce permis lui coûte 65 $ qu'elle paie immédiatement.
d. Elle loue un stand pour une période de six jours, à 25 $ par jour, et paie ce loyer d'avance.
e. Pour annoncer son commerce, elle commande une enseigne à un graphiste. Elle lui coûte 140 $, montant qu'elle n'a pas encore payé.
f. Elle vend ses 200 paires de chaussettes, au prix de 5,40 $ la paire, au cours des deux premiers jours du festival (les 15 et 16 février).

1. Indiquez les pièces justificatives que Josiane devrait avoir à l'appui de chaque opération qu'elle inscrit dans ses registres comptables.
2. Passez une écriture pour constater chacune des opérations.
3. Reportez les opérations dans un ensemble simple de comptes du grand livre général.
4. Préparez une balance de vérification du grand livre pour prouver qu'il est équilibré.

PROBLÈME 6.17
Inscription d'écritures de régularisation simples, puis préparation des états financiers

Il s'agit de la suite du problème 6.16. concernant les Chaussettes de Josiane. Avez-vous fait la balance de vérification des opérations de l'entreprise à la fin du deuxième jour d'exploitation? Sinon, la voici.

Compte	Débit	Crédit
Encaisse	2 265	
Emprunt bancaire		2 000
Stock de chaussettes	600	
Frais d'exploitation	355	
Fournisseurs		140
Ventes		1 080
TOTAUX	3 220	3 220

Le second jour d'exploitation, Josiane a vendu l'une de ses dernières paires de chaussettes au directeur de la banque où elle a fait son emprunt. Cette personne a voulu voir ses états financiers pour ces deux jours. Josiane étant plus que ravie de ses débuts en affaires (elle voulait retourner le soir même acheter des centaines de paires de chaussettes supplémentaires, si elle était capable de trouver un fournisseur), elle a aussitôt entrepris la préparation d'un jeu d'états financiers. En examinant le grand livre et la balance de vérification (dressée pour le problème 6.16), Josiane a toutefois remarqué qu'elle devrait régler plusieurs problèmes avant de dresser ses états financiers.

a. Elle a inscrit les ventes de chaussettes dans le journal, mais n'a passé aucune écriture pour rendre compte de la diminution de son stock. Toutes les chaussettes ont été vendues, mais il reste encore un solde au compte de stock.
b. Elle a décidé qu'elle pourrait encore tirer avantage de la location payée. Rappelez-vous qu'elle a payé la location pour six jours, de sorte qu'il lui en reste quatre.
c. Elle pense que l'enseigne a été inscrite dans le mauvais compte: elle a encore de la valeur et ne constitue pas seulement une charge (bien qu'elle soit tombée deux fois et qu'elle ait été endommagée, détérioration que Josiane évalue à 10 %).
d. Elle évalue à environ 5 $ l'intérêt impayé sur son emprunt bancaire.

1. Passez les écritures nécessaires pour constater ces informations additionnelles dans les comptes de Josiane.
2. Préparez une autre balance de vérification afin de vous assurer que les comptes sont équilibrés.

3. À partir de la balance de vérification et des autres informations mentionnées précédemment et dans le problème 6.16, préparez un jeu complet d'états financiers pour les deux premiers jours d'exploitation de l'entreprise de Josiane. (Si vous avez étudié le chapitre 3, incluez l'état de l'évolution de la situation financière et toutes les notes complémentaires que vous jugez appropriées.)

PROBLÈME 6.18
Inscription des écritures de régularisation

Passez si nécessaire une écriture de régularisation pour chacun des éléments suivants, intervenus lors de la préparation des états financiers de la société Ajax, le 31 janvier 1998.

1. On doit enregistrer une pile de factures dont le montant total est de 3 124 $.
2. Un client a versé un acompte de 500 $ sur une commande spéciale, laquelle n'est pas encore arrivée. On a inclus cet acompte dans le montant des ventes de la journée où il a été versé.
3. La société doit 123 000 $ sur un emprunt bancaire. Les intérêts de 8 % ont été payés pour la dernière fois 23 jours avant la fin de l'exercice.
4. L'inventaire de fin d'exercice a révélé que l'on avait en stock 87 943 $ de marchandises. Le compte du stock (méthode de l'inventaire permanent) indiquait un solde de 89 221 $ le même jour.
5. À la fin du mois de janvier, le compte des avances faites aux employés pour les frais de déplacement présentait un solde de 3 200 $. Les comptes de frais, reçus après cette date, indiquaient que les employés avaient dépensé 1 823 $ de ce montant à la fin janvier.
6. Le responsable du crédit a décidé de radier certains comptes clients irrécouvrables s'élevant à 320 $.
7. Après une étude du régime de retraite des employés de la société, on a décidé d'y ajouter un montant additionnel de 38 940 $. Ce montant représente les avantages de retraite gagnés par les employés durant l'exercice. Il sera versé au régime de retraite en mars 1998.
8. Un procès intenté à une autre entreprise a permis de constater que l'un des brevets de la société était sans valeur. La direction a donc décidé de le radier. Il figurait dans les comptes, à un coût de 74 500 $, et son compte de contre-partie d'amortissement cumulé atteignait 42 100 $.
9. Une recherche sur les paiements effectués par chèque durant le mois de février a révélé que 5 430 $ de ces paiements étaient reliés à des charges engagées avant la fin janvier.
10. Le 25 janvier, le conseil d'administration a déclaré un dividende de 150 000 $ devant être versé à la mi-février 1998.

PROBLÈME 6.19
Inscription des écritures de régularisation

Le comptable de Pizzacroûte ltée, une boulangerie qui se spécialise dans la fabrication des croûtes de pizza pour les établissements de restauration rapide, travaille sur la comptabilité de fin d'exercice de la société. Pour chacun des éléments mentionnés ci-après, indiquez (s'il y a lieu) ce qu'il faut faire et présentez les écritures nécessaires. Utilisez les intitulés de votre choix pour les comptes, mais indiquez clairement la rubrique des états financiers où ils doivent figurer et expliquez clairement vos écritures. Il s'agit du premier exercice de la société.

1. La société a payé 1 120 $ pour des produits de nettoyage et des fournitures de bureau; la totalité de ces produits et fournitures a été passée en charges. Le comptable s'aperçoit que la société doit 114 $ pour des fournitures, lequel

montant n'a pas été inscrit, et qu'elle possède encore des fournitures valant 382 $, qui pourront être utilisées au cours de l'exercice suivant.

2. Les ventes de la société se font toutes à crédit parce que ses clients sont des restaurants, des magasins et des établissements comme les hôpitaux. Tous les encaissements ont été inscrits comme des produits de vente. Le comptable a additionné les factures des clients qui n'ont pas encore été encaissées. Le total est de 11 621 $.

3. Tous les achats de farine et d'autres matières premières ont été passés en charges, et il ne reste pas de stocks importants de produits finis à la fin de l'exercice parce que la production de chaque nuit est expédiée le matin, afin que les croûtes restent fraîches. Cependant, à la fin de l'exercice, il reste un stock de matières premières d'une valeur de 6 210 $.

4. Les achats de petits outils et de pièces détachées (encore en main) se chiffrent à 238 $ et ont été imputés à l'exercice.

5. Le comptable découvre une facture impayée de 900 $ pour des frais de publicité. La campagne publicitaire avait été prévue et les contrats avaient été signés avant la fin de l'exercice, mais elle ne devait commencer qu'après la fin de l'exercice.

6. Le président de la société voudrait capitaliser 2 316 $ de frais de réparation et d'entretien plus 50 % des frais de chauffage, d'électricité et autres engagés durant les réparations, afin de constater l'augmentation de valeur du matériel et des installations ayant une valeur. Cette situation est inhabituelle pour la société, puisque les frais de réparation ont permis d'augmenter la durée de vie utile de ces éléments d'actif.

7. Les employés sont payés à la fin de chaque semaine. À la fin de l'exercice, la société doit 1 802 $ aux employés et elle devra aussi payer des retenues d'impôts à la source et d'autres retenues sur ces salaires non payés, pour un montant de 481 $.

8. La société a effectué tous les paiements relatifs à l'hypothèque sur le bâtiment en temps voulu. Depuis le dernier versement, les intérêts sur l'hypothèque s'élèvent à 187 $ (selon l'estimation du comptable), mais le prochain versement régulier ne doit être effectué que dans dix jours.

9. Le conseil d'administration de la société a déclaré un dividende de 14 000 $ aux actionnaires. La réunion au cours de laquelle le dividende a été déclaré s'est tenue trois jours avant la fin de l'exercice, mais le dividende ne sera versé que deux mois après la fin de l'exercice.

10. Dans le contrat de travail du directeur général, il est précisé qu'une prime de 8 % du bénéfice de la société, avant impôts et primes, lui sera versée à la fin du premier trimestre de chaque exercice. Le comptable a calculé que le bénéfice avant impôts du premier exercice se chiffrerait à 38 226 $, après régularisations et corrections.

PROBLÈME 6.20
Calcul de la provision pour créances douteuses et de la charge correspondante

Infotech ltée a éprouvé beaucoup de difficultés à recouvrer ses comptes clients. Pour l'exercice 1998, la société a établi une provision pour créances douteuses de 43 000 $, ce qui porte le solde du compte correspondant à 71 000 $. À la fin de 1998, les comptes clients se chiffraient à 415 000 $. Lors de la vérification de fin d'exercice, il a été décidé qu'il y avait pour 54 000 $ de plus de créances douteuses et qu'il fallait radier 36 000 $ de comptes clients dont le recouvrement avait été considéré comme incertain.

Calculez les éléments suivants :

    a. La charge de créances douteuses de l'exercice 1998.

    b. Le solde de la provision pour créances douteuses à la fin de 1998.

    c. Le recouvrement estimatif des comptes clients à la fin de 1998.

PROBLÈME 6.21
Calculs selon la méthode de l'inventaire permanent et selon la méthode de l'inventaire périodique

La société Colibri ltée applique la méthode de l'inventaire permanent pour le contrôle de son stock. On dispose des données suivantes :

Stock d'ouverture	
(100 000 unités coûtant 5 $ pièce)	500 000 $
Achats durant l'exercice	
(850 000 unités coûtant 5 $ pièce)	4 250 000 $
Ventes durant l'exercice	
(865 000 unités vendues 11 $ pièce)	9 515 000 $
Stock de fermeture	
(70 000 unités coûtant 5 $ pièce)	350 000 $

1. Calculez le coût des marchandises vendues pendant l'exercice, compte tenu du fait que l'entreprise applique la méthode de l'inventaire permanent.

2. Si la société avait appliqué la méthode de l'inventaire périodique, quel aurait été le coût des marchandises vendues pendant l'exercice ?

3. L'application de la méthode de l'inventaire permanent est coûteuse. Le choix de cette méthode est-il justifié dans le cas de Colibri ltée ?

PROBLÈME 6.22
Reconstruction des écritures à partir des comptes en T

Électronique Dubois est un nouveau magasin de détail qui vend surtout de menus articles tels que des interrupteurs, des plaques de circuits imprimés et du fil électrique. Nous présentons ci-après les comptes du grand livre de l'entreprise sous la forme de comptes en T, dans lesquels ont été passées les écritures du premier mois d'exploitation de l'entreprise.

Encaisse				Clients				Fournitures payées d'avance	
(a) 30 000	(c) 1 200			(e) 900	(g) 650			(i) 300	
(f) 1 300	(h) 1 000			(f) 1 400					
(g) 650	(j) 560								

Matériel			Stock			Fournisseurs	
(c) 3 600			(b) 5 000	(e) 540		(h) 1 000	(b) 5 000
				(f) 1 620			(d) 700

Effets à payer			Actions ordinaires			Ventes	
(j) 500	(c) 2 400			(a) 30 000			(e) 900
							(f) 2 700

Fournitures			Intérêts débiteurs			Coût des marchandises vendues	
(d) 700	(i) 300		(j) 60			(e) 540	
						(f) 1 620	

Pour chacune des opérations de (a) à (j), passez et expliquez l'écriture qui a servi à reporter les montants dans les comptes du grand livre.

PROBLÈME 6.23
Préparation de l'état des résultats compte tenu des opérations et des régularisations

(Ce problème fait suite au problème 5.16 concernant la société Pasta ltée. Vous devriez d'abord relire ce dernier. Il n'est cependant pas nécessaire d'y avoir répondu en détail avant de vous attaquer à celui-ci.)

Voici quelques événements qui se sont produits dans la nouvelle société de Manon au cours des six derniers mois d'exploitation. Compte tenu de ces événements, préparez un état des résultats pour cette période. (Si vous avez résolu le problème 5.16, vous pouvez aussi enregistrer les événements et dresser le bilan à la fin de ces six mois.)

1. Des clients ont acheté des pâtes, des sauces, des ustensiles de cuisine, etc., pour lesquels ils ont promis de payer 87 340 $. Au terme des six mois, Manon a recouvré 78 670 $ de ce montant. Elle a repris 420 $ de marchandises défectueuses (qu'elle a dû jeter). Elle a abandonné l'espoir de recouvrer 510 $ et espère encaisser les 7 740 $ restants d'ici un mois ou deux.

2. Manon a acheté 32 990 $ de denrées alimentaires et de fournitures de fabrication de pâtes, ainsi que 19 320 $ d'ustensiles pour la revente. Au terme des six mois, elle a versé 47 550 $ à ses fournisseurs pour ces achats et pour ceux qu'il lui restait à payer à la fin de la période d'installation (voir le problème 5.16).

3. Le coût de fabrication des pâtes et des sauces achetées par les clients a été, pour Manon, de 31 840 $. Ainsi, à la fin des six mois, elle avait encore 5 870 $ de denrées et de fournitures en réserve. Les ustensiles et les autres articles vendus aux clients ont coûté 9 110 $ à l'achat, et à la fin de la période, Manon possédait encore 14 120 $ de marchandises destinées à la revente.

4. Voici les estimations de Manon pour les six mois : amortissement du matériel, 3 950 $; amortissement des améliorations locatives, 450 $; amortissement de la camionnette, 750 $. Elle ne sait pas trop quoi faire des recettes culinaires, car elle a constaté qu'elles avaient beaucoup de valeur, ni des frais de constitution, car la société pourrait exister pendant des années.

5. La société a payé 8 000 $ de loyer durant les six mois. Le propriétaire demande 2 000 $ par mois. Même si, au début de la période, Manon a payé 2 000 $ d'avance, son loyer est maintenant en retard de 2 000 $. Elle promet de payer plus rapidement à l'avenir.

6. La société a payé le premier versement de 7 050 $ sur le matériel, plus 1 410 $ d'intérêts sur sa dette totale (à 8 % par an). Le second versement sera exigible l'année prochaine.

7. L'emprunt bancaire de 2 500 $ a été remboursé, ainsi que les 80 $ d'intérêts.

8. En consultation avec les autres propriétaires, Manon a fixé son salaire à 2 100 $ par mois. Elle n'a touché que 8 000 $ de cette somme. La société a payé 950 $ à Revenu Canada en déductions fiscales et doit encore 190 $. Manon a décidé d'encaisser les 3 460 $ dollars restants d'ici quelques mois, lorsqu'elle voudra partir en vacances.

9. Les charges diverses pour la période de six mois se sont élevées à 6 440 $. De ce montant, Manon devait seulement 760 $ à la fin de la période.

10. Le comptable de Manon a dit que la société ne devait à ce jour aucun impôt sur les bénéfices, mais qu'il y aurait probablement une petite dette fiscale à la fin de l'exercice. Il estime que la société devra environ 1 500 $ sur le bénéfice des six premiers mois.

11. Tout le monde s'entend pour dire que l'on ne doit pas encore déclarer de dividendes aux propriétaires, mais on espère qu'environ 3 000 $ du bénéfice des six premiers mois seront finalement payés en dividendes.

PROBLÈME 6.24
Enregistrement des opérations et des redressements relatifs à l'actif à long terme

Vous trouverez ci-après différentes informations concernant la première année d'exploitation de Bazou ltée. Pour chacune d'entre elles, passez une ou plusieurs écritures pour enregistrer toute opération ou correction nécessaire. Répondez ensuite aux questions qui se trouvent à la fin de la liste.

a. Bazou a acheté une usine à une autre société le premier jour de l'exercice. Le prix total était de 4 500 000 $, soit 1 000 000 $ pour le terrain, 2 300 000 $ pour le bâtiment et 1 200 000 $ pour le matériel déjà installé dans l'usine. Afin de financer cet achat, Bazou a obtenu un prêt hypothécaire de 2 500 000 $ à 7 % (le premier paiement de 250 000 $ plus les intérêts sont exigibles le premier jour du prochain exercice). La société a aussi émis des actions valant 500 000 $ et payé 1 500 000 $ comptant.

b. Afin de rénover et d'améliorer l'usine selon ses besoins, Bazou a immédiatement dépensé 400 000 $ sur le bâtiment et 800 000 $ en matériel nouveau. Elle a payé ces sommes comptant, en partie grâce à l'argent tiré de la vente du matériel acheté avec l'usine, inutilisable pour ses opérations. Le coût de ce matériel était de 450 000 $, et Bazou en a obtenu 469 000 $.

c. L'amortissement de l'exercice a été évalué à 135 000 $ pour le bâtiment (5 % par an) et à 155 000 $ pour le matériel (10 % par an).

d. À la toute fin de l'exercice, on a vendu 45 000 $ comptant du matériel qui avait coûté 70 000 $. On a utilisé cet argent pour payer une partie du premier versement sur l'hypothèque.

1. Quelle était la valeur comptable nette de l'usine à la fin de l'exercice ?
2. Quelle est l'incidence de ces quatre éléments d'information sur le bénéfice de l'exercice ?

PROBLÈME 6.25
Questions concernant les comptes de contrepartie et les radiations

Voici une liste partielle des comptes d'actif et de l'état des résultats de la société Bombage ltée :

Fournisseurs	6 479 322 $
Provision pour créances douteuses	87 233
Placement dans Magnifico ltée (coût)	1 200 000
Matériel et meubles (coût)	7 999 356
Amortissement cumulé sur matériel et meubles	2 865 401
Créances douteuses	43 297
Amortissement du matériel et des meubles	788 554

1. Combien coûte à la société le crédit consenti aux clients qui ne pourront probablement pas payer au cours de cet exercice ?
2. Combien coûtent à la société le matériel et les meubles utilisés durant ses activités d'exploitation au cours de cet exercice ?
3. Calculez : (a) la valeur recouvrable nette des comptes clients et (b) la valeur comptable nette du matériel et des meubles.
4. Après avoir vu les chiffres ci-dessus, l'expert-comptable de Bombage ltée a décidé que 53 522 $ des comptes clients irrécupérables devaient être radiés. Quelle en sera l'incidence sur : a) les comptes clients, b) la provision pour créances douteuses, c) la charge de créances douteuses et d) la valeur recouvrable nette des comptes clients ?

5. L'expert-comptable a également décrété qu'une partie des meubles n'était d'aucune utilité pour l'entreprise et devait être radiée. Comme l'on ne s'attendait pas à tirer profit de leur vente, on a décidé d'en faire don à un organisme de charité. Ces meubles avaient coûté 42 500 $, et l'amortissement cumulé était de 39 200 $. Quelle sera l'incidence de cette décision sur : a) le coût du matériel et des meubles, b) l'amortissement cumulé du matériel et des meubles, c) la valeur comptable nette du matériel et des meubles et d) le bénéfice de l'exercice ?

6. L'expert-comptable a également suggéré que l'on radie 80 % du placement dans Magnifico. En effet, Magnifico connaît des problèmes financiers majeurs et Bombage ltée serait incapable de tirer de sa vente plus de 20 % de son coût. Quelle sera l'incidence d'une telle décision sur : a) l'ensemble de l'actif de Bombage et b) le bénéfice de l'exercice ?

PROBLÈME 6.26
Questions sur les taxes de vente et les retenues à la source des employés

Voici une liste partielle des comptes de Farfelu ltée :

Taxes de vente à payer (TPS et TVQ)	2 330 $
Impôt retenu à la source à payer	3 640
Autres retenues et avantages sociaux à payer	2 880
Salaires à payer	9 450
Produits	243 530
Salaires	120 360
Avantages sociaux	31 420

1. La société n'a pas de compte de charges pour les taxes de vente, bien qu'elle en ait pour l'impôt sur les sociétés et pour les taxes foncières sur son bâtiment. Pour quelle raison ?

2. La société n'a pas de compte de charges pour l'impôt retenu à la source, même si elle doit verser cet impôt au gouvernement. Pour quelle raison ?

3. Après une certaine période, les montants débités des salaires seront-ils égaux aux montants crédités aux salaires à payer ? Justifiez votre réponse.

4. Après que l'on a déterminé les soldes ci-dessus, la société a réalisé une vente de 10 000 $ et facturé 7 % de TPS et 7,5 % de TVQ. Quels sont les comptes parmi ceux de la liste ci-dessus qui ont été modifiés par cette vente, de quelle façon, et de combien ?

5. Après que l'on a déterminé les soldes ci-dessus, la société a également versé 1 000 $ à son expert-comptable, montant sur lequel elle a payé 7 % de TPS et 7,5 % de TVQ. Lesquels des comptes ci-dessus ont été modifiés par ce paiement, de quelle façon, et de combien ?

6. Le comptable de la société voulait émettre des chèques aux gouvernements fédéral et provincial pour payer la somme totale de la TPS et de la TVQ. Compte tenu des questions 4 et 5, quel serait le montant de ces chèques ?

7. Après que l'on a déterminé les soldes ci-dessus, certains employés ont rendu des relevés d'heures supplémentaires totalisant 575 $. De ce montant, la société devait 120 $ en congés payés, en cotisations au régime de retraite et en divers avantages sociaux, et a déduit 140 $ pour les impôts et 93 $ pour les autres retenues. Lesquels des comptes ci-dessus ont été modifiés, de quelle façon, et de combien ?

**PROBLÈME 6.27
(POUR LES AS!)
Discussion sur
les comptes de
contrepartie et
les taxes de vente**

1. La plupart des sociétés soustraient le compte de contrepartie (la provision pour créances douteuses) du solde des comptes clients du bilan et ne présentent ainsi que la valeur recouvrable nette de ces comptes. Par ailleurs, c'est une pratique courante selon les PCGR d'inscrire le compte de contrepartie pour les immobilisations amortissables (l'amortissement cumulé) séparément sur le bilan, ou bien dans une note, afin que le lecteur puisse connaître le coût des immobilisations, l'amortissement cumulé correspondant et la valeur comptable nette des immobilisations. Les comptes de contrepartie relatifs à d'autres éléments d'actif à long terme, tels que l'amortissement cumulé des brevets ou de l'écart d'acquisition, ne sont généralement pas révélés, afin que le lecteur des états financiers ne soit informé que de leur valeur comptable nette, comme dans le cas des comptes clients. Ces distinctions vous semblent-elles particulièrement inopportunes ou inutiles? Selon vous, ne serait-il pas mieux de présenter tous les comptes de contrepartie ou, au contraire, de n'en révéler aucun?

2. Il est courant d'affirmer que les taxes de vente, comme la TPS et la TVQ, étant perçues pour le compte du gouvernement, sans bénéfice pour la société qui les prélève, ne sont pas des charges qu'elle engage. L'entreprise agit comme un percepteur de taxes et n'est qu'un intermédiaire entre les clients et les gouvernements. Cependant, les clients ont tendance à considérer que les taxes de vente font partie du coût d'achat des produits et services. Ainsi, si la société baisse ses prix, ils sont contents de voir les taxes de vente baisser aussi. En fait, les clients seraient encore plus contents si la société ne facturait pas la taxe explicitement, mais envoyait simplement une portion de ses produits au gouvernement à titre de taxe (comme les ventes « pas de TPS » pour lesquelles, si le client paie, disons 10,00 $, le produit de la société correspond seulement à 100/107 de cette somme, soit 9,35 $, et la taxe à 7 % de 9,35 $, soit 0,65 $). Que pensez de l'approche selon laquelle les taxes de vente représenteraient une charge pour l'entreprise?

**PROBLÈME 6.28
(POUR LES AS!)
Problèmes de
contrôle de
l'encaisse**

La plupart des sociétés ont beaucoup de mal à contrôler leur encaisse, tant pour ce qui est de l'argent liquide que de l'argent de leurs comptes bancaires. En réalité, il est souvent plus difficile de contrôler l'encaisse que les autres biens.

1. Selon vous, pourquoi est-il si difficile de contrôler l'encaisse?
2. Énumérez les problèmes de contrôle que vous prévoyez dans chacun des cas suivants. En répondant, essayez de visualiser les mouvements de l'argent liquide, ainsi que de celui des comptes bancaires.

   a. Argent encaissé au comptoir d'un restaurant spécialisé dans la restauration rapide.
   b. Salaires payés aux ouvriers qui travaillent sur un grand chantier de construction d'une autoroute.
   c. Dons à la Fondation du cœur, recueillis par des bénévoles qui ont fait du porte-à-porte.
   d. Argent déposé dans les parcomètres de la municipalité.
   e. Argent confié à la réceptionniste pour payer les livreurs, les achats urgents de fournitures et autres dépenses mineures du même genre.

**PROBLÈME 6.29
(POUR LES AS!)
La tenue des livres
et les besoins en
contrôle d'une
entreprise**

Vous avez sans doute déjà fréquenté des établissements qui, comme le café Cafbec (section 6.10), font partie d'une chaîne. Pensez à un autre établissement du même type et à ses problèmes de tenue des livres et de contrôle, puis répondez aux questions suivantes :

1. Quels sont les facteurs propres à son milieu que la société doit surveiller pour planifier et contrôler ses opérations ?
2. Du point de vue du propriétaire de l'entreprise, quels sont les problèmes de contrôle que l'information comptable peut aider à résoudre ? Quel sera l'effet de la croissance de l'entreprise sur ces problèmes de contrôle ?
3. En quoi l'usage croissant de la technologie informatique a-t-il une incidence sur le choix de la méthode de contrôle du stock adoptée par une petite entreprise telle que Cafbec ?
4. De quel secours peuvent être les livres comptables de l'entreprise dans des domaines tels que les assurances, le respect des lois relatives aux salaires et le paiement de l'impôt sur les bénéfices ?

**PROBLÈME 6.30
(POUR LES AS!)
La rentabilité d'un
nouveau système
de contrôle**

La société X envisage d'adopter un nouveau système de contrôle du stock dont l'exploitation annuelle lui reviendra à 480 000 $. Le coût moyen de financement de l'actif de l'entreprise est de 8 %. Le système de contrôle devrait permettre de réduire le stock de 25 % en moyenne par rapport à son niveau actuel de 2 000 000 $, sans incidence sur les produits (10 000 000 $ par année), mais avec des répercussions sur d'autres éléments :

Diverses pertes relatives au stock	Actuellement	Avec le nouveau système
Vol ou perte de marchandises	1 % des produits	négligeable
Articles rendus invendables à cause des changements de la mode	8 % des produits	3 % des produits
Articles rendus invendables à cause de la détérioration	5 % des produits	inchangé

Le nouveau système est-il rentable ?

**PROBLÈME 6.31
(POUR LES AS!)
Correction des
comptes par
suite des erreurs
effectuées par le
comptable**

La société Biscuitos ltée vient de nommer au poste de comptable l'employé qui a travaillé comme goûteur de biscuits pendant des années. Le président ne s'intéresse pas à la comptabilité et pense qu'elle est sans importance. C'est pour cette raison que le goûteur a obtenu ce titre même s'il ne connaît rien à la comptabilité. Vous trouverez ci-après les événements qui se sont produits dans la société et les écritures passées en relation avec ces événements. Corrigez ou complétez le travail du comptable.

a. La société a émis des actions qu'elle a vendues à ses employés. Le comptable a débité l'encaisse et crédité les produits de 100 000 $.
b. La société a acheté un camion 58 000 $, en payant 15 000 $ comptant et en finançant le solde sur 5 ans par emprunt bancaire. Le comptable a débité le compte d'actif Camion et crédité l'encaisse de 15 000 $.

c. Le comptable a enregistré un amortissement de 16 200 $ pour l'exercice, dont 10 % s'applique au camion, en accord avec les méthodes de la société. Ce montant de 16 200 $ a été débité du compte d'amortissement et crédité du compte d'amortissement cumulé.

d. La société a vendu 200 $ une machine à découper les biscuits dont elle n'avait plus besoin. La machine avait coûté 2 100 $ et avait cumulé un amortissement de 1 660 $. Le comptable a décidé que ces 200 $ devaient être crédités à l'encaisse. C'est ce qu'il a fait, mais il n'a pas terminé l'écriture, brisant ainsi l'équilibre du grand livre général. Sachant que le grand livre général doit être équilibré, le comptable y a ajouté un compte appelé Charges non équilibrées où il a débité les 200 $ afin que tout rentre dans l'ordre.

e. Au cours de l'exercice, la société a déduit 78 200 $ en retenues d'impôts à la source du salaire des employés et a versé cet argent au gouvernement. Lorsque les impôts retenus à la source ont été versés au gouvernement, le comptable a débité la charge d'impôts sur les bénéfices et a crédité l'encaisse. Le compte Salaires à payer de la société indiquait un solde assez important à la fin de l'exercice, car on n'avait versé aux employés que les montants nets.

f. À la fin de l'exercice, le compte Stock indiquait un solde de 6 400 $. La société utilise la méthode de l'inventaire permanent. Le comptable estimait que ce montant était un peu trop élevé puisque la société avait assez bien vendu ses biscuits au fur et à mesure de leur fabrication — le marché des vieux biscuits n'est pas très florissant ! Lorsqu'on a fait l'inventaire des biscuits ce jour-là, leur coût s'élevait à seulement 3 700 $. Le reste avait apparemment été mangé par des employés, des rats, des clients, etc. Le comptable ne savait pas du tout s'il fallait passer une écriture et, dans le doute, ne l'a pas fait.

g. À la fin de l'exercice, la société devait 120 $ d'intérêts sur son emprunt bancaire. Le comptable a débité les intérêts débiteurs et crédité les intérêts à payer de 120 $.

h. Biscuitos a vendu des biscuits à crédit à des cafés. La société n'a jamais eu de créances douteuses et n'a donc jamais eu besoin de constituer de provision à cet effet. Mais à la fin de cet exercice, deux de ses clients ont connu des difficultés financières. L'un deux avait été contraint de fermer par ordre du ministère de la Santé et avait cessé son exploitation, devant encore 320 $ à Biscuitos. Le second s'était mis à payer de plus en plus lentement depuis qu'une chaîne de café nationale avait ouvert un établissement juste à côté du sien, et le comptable doutait fort qu'il paierait les 405 $ dus. Il a donc inscrit toutes ces opérations en débitant la charge de créances douteuses et en créditant les comptes clients de 85 $ (405 $ – 320 $).

i. Un client passant une grosse commande de biscuits à livrer plus tard s'est présenté à l'usine et a versé un acompte de 200 $ le dernier jour de l'exercice. Ce montant a été inclus dans les ventes au comptant de la journée.

j. Le dernier jour de l'exercice, la société a déclaré un dividende de 5 000 $, à payer dans les 20 jours suivants. Le comptable a débité les dividendes et crédité les bénéfices non répartis de 5 000 $.

k. Le bénéfice net de l'exercice s'élevait à 44 320 $, selon les calculs du comptable. Ce montant a été crédité aux bénéfices non répartis et débité de l'encaisse.

**PROBLÈME 6.32
(POUR LES AS!)
Reconnaissance
des causes des
changements**

Voici une liste de changements intervenus dans des soldes de comptes ou de combinaisons de comptes. Pour chacun d'eux, déterminez *tous* les types d'opérations *ou* de régularisations qui pourraient en être la cause.

a. Diminution des comptes clients;
b. Diminution de la valeur recouvrable nette des comptes clients;
c. Diminution du stock;
d. Augmentation des frais payés d'avance;
e. Diminution de la valeur comptable nette du matériel;
f. Augmentation du passif à court terme;
g. Diminution des capitaux propres.

**PROBLÈME 6.33
(POUR LES AS!)
Analyse de
l'incidence des
décisions sur les
montants nets des
comptes clients**

La société Cuisinette ltée vend des ustensiles de cuisine aux détaillants. Ces derniers temps, elle a de plus en plus de mal à recouvrer ses comptes clients. Elle a même été forcée d'envisager d'augmenter son compte de provision pour créances douteuses. À la fin du dernier exercice, les comptes clients se chiffraient à 784 000 $ et, à la fin de cet exercice, ils atteignaient 1 132 000 $. La provision pour créances douteuses se chiffrait à 34 000 $ à la fin du dernier exercice et n'a pas encore été révisée pour l'exercice en cours. Par contre, la société a passé certains comptes clients directement en charges. Ainsi la charge de créances douteuses englobe, entre autres, un solde de 29 000 $ provenant de ces radiations pour l'exercice. La société envisage trois mesures différentes pour refléter ses difficultés actuelles en matière de recouvrement :

a. Radier directement les comptes additionnels apparemment irrécouvrables, totalisant 43 500 $;
b. Redresser le compte de provision pour créances douteuses à 78 000 $ pour inclure les comptes de (a) et certains comptes incertains, mais attendre pour radier les autres comptes irrécouvrables;
c. Combiner (a) et (b) en augmentant la provision, pour inclure tous les comptes irrécouvrables et incertains, puis radier ceux qui sont irrécouvrables.

Analysez ces trois possibilités en calculant pour chacune d'elles ce que seraient les soldes régularisés : (1) des comptes clients, (2) de la provision pour créances douteuses et (3) de la charge de créances douteuses. Montrez également quelles en seraient les incidences sur : (4) la valeur recouvrable nette des comptes clients, (5) le fonds de roulement et (6) le bénéfice de l'exercice.

**PROBLÈME 6.34
(POUR LES AS!)
Courte rédaction
sur divers sujets**

Rédigez un court texte sur chacun des sujets suivants. N'hésitez pas à sortir du cadre de ce chapitre pour donner votre avis ou rendre compte de votre expérience personnelle.

a. Les liens entre la responsabilité des dirigeants d'une société en matière de contrôle interne et leur obligation de réaliser des bénéfices pour les actionnaires.
b. Le rôle du système de comptabilité en partie double dans le contrôle interne.
c. L'importance des pièces justificatives pour la crédibilité de l'information comptable.

d. Le lien entre la façon dont l'entreprise inscrit ses opérations et les types d'ajustements nécessaires pour atteindre les objectifs de la comptabilité d'exercice.

e. Le rôle du système comptable en ce qui concerne l'obligation légale de l'entreprise de percevoir les taxes au nom des gouvernements.

PROBLÈME 6.35 (POUR LES AS!)
Analyse de l'incidence d'une série de régularisations sur le bénéfice net

Le comptable d'Industral ltée a effectué une série de régularisations de fin d'exercice. Voici les comptes du bilan avant et après ces régularisations. Essayez de déterminer quelle régularisation est à l'origine du changement du solde de chacun d'eux et précisez son incidence sur le bénéfice net de l'exercice.

	Avant régularisations	Après régularisations
Encaisse	17 500	17 500
Clients	84 900	82 600
Provision pour créances douteuses	6 400	7 200
Stock	110 600	109 200
Frais payés d'avance	4 200	9 000
Terrain	35 000	35 000
Usine	248 200	245 200
Amortissement cumulé	103 700	100 900
Investissements	75 000	55 000
Emprunt bancaire	74 000	74 000
Fournisseurs	81 600	83 200
Charges à payer	2 100	3 400
Salaires et retenues à payer	13 400	13 400
Taxes de vente à payer	2 800	2 800
Impôt à payer	600	9 200
Hypothèque à payer	74 000	74 000
Impôts reportés	32 100	34 300
Provision pour garanties	22 000	18 200
Capital-actions	100 000	100 000
Bénéfices non répartis	8 300	32 900

ÉTUDE DE CAS 6A
Les registres et le contrôle interne pour les opérations de détail de Petro-Canada

Vous trouverez ci-après un extrait du rapport annuel de Petro-Canada faisant référence aux opérations de raffinage et à la commercialisation (vous pouvez également visiter le site Internet de la société : http//www.petro-Canada.ca). Vous avez déjà pris de l'essence chez Petro-Canada ou dans l'une des stations de ses nombreux concurrents? Imaginez donc que vous êtes en train d'acheter de l'essence et une tablette de chocolat, et que Petro-Canada doit commercialiser ces articles. Discutez de la façon dont cette société exploite sa vente d'essence en gros et au détail, puis expliquez (a) les types d'opérations qui doivent, selon vous, se produire dans ce type d'entreprise et la tenue des livres qui serait appropriée, (b) les régularisations de fin d'exercice qui peuvent s'avérer nécessaires et (c) les problèmes de contrôle interne susceptibles de survenir.

RAPPORT ANNUEL DE PETRO-CANADA 1997

Raffinage et commercialisation

Cinq années d'amélioration constante ont permis au secteur du raffinage et de la commercialisation de Petro-Canada de tirer parti des occasions offertes en 1997 par un marché porteur pour les produits pétroliers raffinés. Le bénéfice lié aux activités d'exploitation du secteur d'aval s'est établi au niveau record de 225 millions de dollars, en hausse de 95 millions de dollars par rapport à 1996, et la Société a atteint de nouveaux sommets au chapitre de l'utilisation des raffineries, des ventes de produits pétroliers raffinés et des débits des établissements. Les coûts unitaires ont diminué pour s'établir à 6,4 cents par litre, comparativement à 6,6 cents par litre en 1996.

L'attention soutenue accordée par Petro-Canada à l'amélioration des processus commerciaux a permis à ses raffineries de fonctionner à pleine capacité en 1997. Par ailleurs, les programmes de commercialisation se sont traduits par des volumes de ventes au détail records, un accroissement des revenus non pétroliers et des débits moyens par établissement de ventes au détail plus élevés que ceux des concurrents intégrés. Petro-Canada s'appuiera sur cette assise pour obtenir encore plus de succès grâce à un projet de cœntreprise avec Ultramar Diamond Shamrock, qui fera de la nouvelle société en nom collectif le chef de file incontesté du secteur d'aval au Canada et un concurrent de taille dans le nord des États-Unis.

Fonctionnement efficient des raffineries

L'objectif de Petro-Canada dans le domaine du raffinage est d'être un producteur de produits pétroliers ayant de faibles coûts. Depuis 1992, la Société a mis l'accent sur l'accroissement de la productivité, de la fiabilité et de la flexibilité de ses trois raffineries et de son usine de lubrifiants.

Grâce à une gestion efficace des aspects contrôlables de l'entreprise, les activités de raffinage de Petro-Canada ont apporté une solide contribution au bénéfice du secteur d'aval en 1997. Le bénéfice d'exploitation tiré des activités de raffinage et d'approvisionnement s'est établi à 143 millions de dollars, en hausse de 56 millions de dollars par rapport à 1996. Les ventes de produits pétroliers raffinés se sont établies à 48 500 mètres cubes par jour, soit 11 % de plus qu'en 1996.

Les raffineries de Petro-Canada ont fonctionné à pleine capacité en 1997, cinquième année consécutive où l'on a constaté une amélioration de l'utilisation. Les raffineries ont traité en moyenne 46 700 mètres cubes de pétrole brut par jour au cours de 1997, soit une augmentation de 4 % par rapport aux volumes de 1996. Les débits

globaux plus élevés aux raffineries d'Edmonton, d'Oakville et de Montréal ont contribué à réduire les coûts de traitement unitaires.

Compte tenu d'un taux d'utilisation de 103 %, le volume de brut traité a dépassé la capacité nominale des installations en dépit des arrêts non prévus qui sont survenus à Edmonton et à Oakville. Lors de chacun de ces incidents, la réaction rapide du personnel a entraîné un temps d'arrêt minimal et des coûts plus bas que prévu.

Démontrant la valeur de l'intégration dans les domaines du raffinage et de la commercialisation, Petro-Canada a utilisé sa capacité de traitement considérable de pétrole brut lourd pour répondre à la forte demande de bitume dans l'est du Canada, bénéficiant du même coup des écarts plus marqués entre les prix du brut lourd et du brut léger utilisés comme charges d'alimentation.

Bond dans les ventes au détail grâce à l'attrait de la marque

Le bénéfice d'exploitation tiré des activités de commercialisation a atteint le chiffre record de 82 millions de dollars en 1997, ce qui représente près du double du bénéfice réalisé au cours de l'exercice précédent.

Le débit annuel moyen des quelque 1 780 établissements de ventes au détail de Petro-Canada s'est établi à 3,4 millions de litres par établissement, soit une hausse de près de 10 % par rapport au débit de 3,1 millions de litres enregistré en 1996. Petro-Canada s'est classée au premier rang des sociétés pétrolières intégrées nationales en 1997 pour ce qui est du débit des établissements de ventes au détail.

Petro-Canada tire partie de la force de sa marque et de son positionnement auprès des clients comme « La station d'ici pour les gens d'ici ». Le nombre de clients obtenant des primes grâce au programme de fidélisation Petro-Points a continué d'augmenter au cours de la troisième année d'existence du programme, dépassant trois millions de foyers. Plus de 40 % des ventes au détail de produits pétroliers en 1997 étaient liées au programme Petro-Points. Petro-Canada continue d'améliorer le programme Petro-Points en créant davantage d'options pour l'échange des points.

La Société continue de revitaliser son réseau de ventes au détail grâce à son nouveau concept d'établissement. Les établissements conformes à la nouvelle image, avec leur aspect moderne et invitant, permettent à Petro-Canada de se démarquer de la concurrence et coûtent également moins cher à exploiter et à entretenir. À la fin de l'exercice, environ 10 % des établissements de ventes au détail de la Société avaient été convertis au nouveau concept.

L'expansion du réseau de dépanneurs de Petro-Canada est un autre élément important de sa stratégie de commercialisation. Les établissements SuperStop comptent parmi les établissements de la Société qui vendent le plus d'essence, les plus achalandés d'entre eux enregistrant des débits annuels de 15 à 20 millions de litres. Le premier établissement SuperRelais a ouvert ses portes à Montréal en 1997. D'ici la fin de 1998, Petro-Canada comptera au total 87 établissements SuperStop et SuperRelais.

Petro-Canada suit de près les tendances de consommation et l'évolution des besoins des clients. En 1997, la Société a mis à l'essai, dans certains établissements, un terminal portatif qui permet aux clients des stations avec service d'effectuer des opérations par carte de débit ou de crédit sans avoir à sortir de leur véhicule. Cette technologie est une autre innovation pratique pour les clients et tire parti de la tendance à l'utilisation accrue des cartes de débit. Les terminaux seront mis à la disposition des détaillants de Petro-Canada d'ici la fin de 1998.

ÉTUDE DE CAS 6B
La place des opérations, du contrôle et de la comptabilité de Bell Canada dans un contexte social élargi

Bell Canada, filiale de BCI inc., est le plus grand fournisseur de services de télécommunications du Canada. Bell offre des services d'appels locaux et interurbains ainsi que de nombreux produits et services connexes (allez visiter le site Internet de la compagnie : http://www.bell.ca). À un niveau local, Bell subit la concurrence de sociétés de câble, des satellites et d'Internet, pour n'en citer que quelques-uns. À cette concurrence s'ajoute celle des sociétés d'interurbains, de plus en plus nombreuses, comme Sprint et AT&T. Pensez à l'usage que vous faites maintenant du téléphone et à ce qui pourrait se produire à l'avenir. Puis, lisez les extraits suivants, tirés du rapport annuel de Bell Canada pour 1996, qui traite des mesures prises au cours de cet exercice pour surmonter certains de ces obstacles.

LE CHANGEMENT COMME MODE DE VIE

De l'évolution vertigineuse ayant mené du simple téléphone aux communications multimédias a émergé un nouveau type de clients, assoiffés de connaissance et à la recherche non seulement de produits et services mais aussi de solutions. Pour répondre à leurs exigences, le nouveau Bell a élargi l'éventail des choix proposés et s'est efforcé de faciliter les contacts. Il en est résulté des ensembles de services adaptés à des segments de marché déterminés ainsi qu'une gamme complète de produits nouveaux et différents qui permettront aux utilisateurs d'exploiter le potentiel de la technologie de l'information de pointe.

Bell est devenu plus accessible ; les clients d'affaires et de résidence peuvent, dans certains cas, activer eux-mêmes des fonctions par commande vocale ou en mode interactif. Résultat : les services sont fournis plus rapidement et à un coût moindre.

La restructuration de Bell, en mai 1996, a donné naissance aux Services de communications de Bell Canada (SCBC). Désormais guichet unique, les SCBC proposent aux clients des solutions globales avec une facilité et une efficacité accrues, qu'il s'agisse de la transmission de la voix, de données ou d'images.

Les SCBC ont d'abord segmenté leur marché pour que Bell puisse offrir des ensembles de services de communications aux clients ayant des besoins communs. À la faveur de cette nouvelle stratégie, une récente campagne de publipostage s'adressait spécifiquement aux petites entreprises et aux entrepreneurs à domicile.

Des solutions aux besoins de tous les jours

Bell est consciente que convivialité et prix abordable figurent en tête de liste parmi les priorités des consommateurs. En juin 1996, l'entreprise lançait le téléphone à écran **Vista**[1]**350** ; facile à utiliser, il donne accès à des services électroniques de pointe comme la banque à domicile et le téléachat. Le succès remarquable du **Vista 350** — en six mois seulement, plus de 200 000 appareils ont été mis en service au Québec et en Ontario — démontre que Bell offre le type de services à valeur ajoutée pour lesquels les clients sont prêts à payer.

Avec la nouvelle carte à puce Mondex, qui accroîtra la capacité du **Vista 350**, Bell veut mettre les transactions électroniques à la portée de ses clients. À l'essai à Guelph (Ontario), la carte Mondex permet aux consommateurs de télécharger des sommes de leur compte bancaire et de faire des achats avec la monnaie électronique stockée en mémoire.

Une efficacité accrue pour la clientèle d'affaires

Les clients d'affaires se tournent de plus en plus vers Bell pour obtenir des solutions susceptibles de stimuler leur productivité et de leur faire gagner une longueur d'avance sur le marché canadien aussi bien qu'à l'étranger. Alignées sur la structure de l'industrie, les équipes sectorielles verticales de Bell contribuent à la réussite de leurs clients grâce à une connaissance approfondie de leur secteur d'activité respectif (ex. santé, fabrication, vente au détail, éducation et gouvernements). La solution « centre d'appels » de Bell et son nouveau système de réponse vocale interactive contribuent aussi à accroître l'efficacité des clients. Assistées par l'équipe de conseillers en centres d'appels, les entreprises optimisent leurs ressources en automatisant les contacts les plus courants avec la clientèle et en acheminant aux préposés les appels plus complexes qui rapportent.

Les clients d'affaires peuvent également opter pour l'impartition à Bell de toutes leurs fonctions « centre d'appels » ; ils restent ainsi à la fine pointe du progrès technologique sans avoir à investir des sommes considérables dans le matériel et la formation.

Une entente historique conclue entre Bell Canada et IBM Canada laisse entrevoir un avenir prometteur pour le secteur des centres d'appels entre autres. En conjuguant leur technologie respective — télécommunications et informatique — les deux entreprises font bénéficier la clientèle d'affaires de solutions réseau de bout en bout.

Les attentes des clients : notre priorité

À l'heure de la convergence des technologies de transmission voix, données et multimédias, Bell met tout en œuvre pour répondre aux besoins actuels et futurs de ses clients, quelle que soit l'envergure de leurs activités.

Prenons le cas de **Sympatico**[2], service d'accès au réseau Internet mis en marché par Bell et ses partenaires de l'Alliance Stentor. À la fin de 1996, près de 180 000 Canadiens y étaient abonnés.

---

[1] Marque de commerce de Northern Telecom.
[2] Marque de commerce de Société en commandite MédiaLinx Interactif.

Accessible dans toutes les provinces et tous les territoires, **Sympatico** est assurément pancanadien.

Encouragée par la politique fédérale sur la convergence, Bell est à évaluer les possibilités du multimédia afin de tirer profit de ses réseaux à très large bande. Des essais techniques à domicile sont prévus pour tester des ensembles comprenant le câble, des services interactifs, l'accès haute vitesse à Internet et d'autres services en ligne. Cette expérience doit avoir lieu à Repentigny (Québec) et à London (Ontario). Ces initiatives annoncent une nouvelle ère des communications, les ensembles de services multimédias permettant aux clients de Bell de jouir d'un choix plus vaste et d'une valeur accrue. Occupant l'avant-scène, Bell Canada développera du contenu et des applications qui généreront des revenus et ouvriront aux clients la porte électronique de l'avenir.

UNE ÉQUIPE DÉTERMINÉE À GAGNER

L'évolution de Bell, d'une entreprise monopolistique à un fournisseur de communications tous services, a radicalement transformé ses perspectives tout comme les méthodes de travail, les compétences requises et les responsabilités assumées par son personnel.

Plus que jamais, les employés ont à cœur la qualité du service depuis longtemps associée à Bell. Toutefois, le contexte actuel exige aussi de nouvelles compétences et une attitude plus audacieuse, plus compétitive.

Pour gérer son réseau numérique, Bell n'a besoin que d'un nombre restreint de personnes ayant des aptitudes bien différentes de celles exigées par le passé. D'autre part, afin de servir adéquatement sa clientèle dépassant les sept millions, l'entreprise ne cesse de renforcer son équipe Marketing et Ventes. Les cinq centres de marketing direct récemment mis sur pied comptent près de 2 000 employés.

Pour le client, la valeur se trouve rehaussée du fait que les employés ont accès en temps réel à toute l'information pertinente sur le client, les produits et les prix. La rationalisation des processus contribuera en outre à atténuer l'impact de la réduction de l'effectif.

Ainsi, la configuration automatisée des réseaux permet aux techniciens d'accélérer le service depuis sa commande jusqu'à son activation.

Le nouveau Bell exige de tous un effort considérable, mais les occasions n'ont jamais été aussi nombreuses de faire preuve de leadership et de prendre des risques stratégiques. Cette orientation vers les résultats ne peut être que mutuellement avantageuse.

Dans la nouvelle structure de Bell, chaque division est responsable de sa contribution aux résultats finals de l'entreprise. Et responsabilité et rétribution vont de pair. En effet, le Programme de rémunération incitative axé sur l'équipe prévoit une rétribution additionnelle quand son atteints certains objectifs financiers ou relatifs à la satisfaction de la clientèle. En outre, le nouveau programme de rémunération des cadres met en corrélation salaire et création de valeur. Par de telles initiatives, Bell resserre le lien direct qui unit la qualité des décisions des employés et le renouveau concurrentiel de la compagnie.

LES LEADERS DE DEMAIN
FACE AUX DÉFIS ACTUELS

Bell est une entreprise reconnue pour son engagement social de longue date. Dans un monde où le savoir est considéré comme la plus précieuse des ressources, ce sont la jeunesse et l'éducation qu'elle privilégie.

En mars 1996, Bell et ses partenaires Stentor annonçaient le versement d'une contribution de 12 millions de dollars à RESCOL, initiative conjointe gouvernement-industrie qui reliera toutes les écoles primaires et secondaires canadiennes à l'autoroute de l'information d'ici la fin de l'année scolaire 1996-1997. En outre, par le biais du programme SOS-NTIC, Bell et ses partenaires Télébec, Québec-Téléphone et Société GRICS aident des écoles du Québec à intégrer à leurs activités éducatives de nouvelles technologies de l'information et des communications.

Pour marquer le 120ᵉ anniversaire de l'invention du téléphone, l'entreprise a gracieusement distribué dans les écoles du Québec et de l'Ontario plus de 8000 exemplaires d'un CD-ROM sur la vie et l'œuvre d'Alexander Graham Bell.

Maintenant dans leur dixième année, les Expo-sciences Bell stimulent la créativité scientifique et technologique de 1,2 million de jeunes Québécois du primaire et du secondaire. Dans le cadre de son action auprès des collectivités qu'elle dessert, Bell appuie l'effort individuel. En témoigne l'initiative De tout cœur lancée par Carol Anne Cole, ancienne dirigeante de Bell à la retraite, qui a survécu à un cancer du sein. La vente de petits cœurs en étain a permis de recueillir près de 210 000 $, y compris un don important de Bell, pour la recherche sur cette maladie.

Tandis que l'entreprise contribue à l'établissement de lignes d'assistance à l'intention des jeunes, ses employés participent bénévolement à nombre de campagnes de financement.

Que ce soit dans les domaines de l'éducation, de la santé, de la culture, de la recherche technologique ou de la protection de l'environnement, Bell améliore la qualité de vie des Canadiens. Et cette tradition continuera de se développer, tout comme Bell elle-même.

UNE VALEUR CONCRÈTE POUR LES ACTIONNAIRES

La décision de Bell de se transformer en une entreprise plus vigoureuse et plus concurrentielle porte fruit comme en témoignent des flux de trésorerie disponibles positifs pour la première fois en plus de 50 ans.

Poursuivant sur sa lancée, Bell prévoit continuer d'améliorer ses flux de trésorerie et son bénéfice net pour l'exercice en cours.

Cet optimisme s'appuie sur une hausse soutenue de ses produits, sur l'amélioration de sa structure des coûts, de même que sur l'adoption de nouvelles méthodes de gestion axées sur la valeur.

Les futurs investissements de Bell exigeront une solide assise financière. À cet égard, les flux de trésorerie disponibles de 204 millions de dollars dégagés de ses activités en 1996 ont grandement contribué à l'amélioration de son bilan. La

cote de crédit A (élevée) dont elle jouit n'en sera que raffermie.

Pour donner plus de poids aux méthodes de gestion des coûts et de contrôle des dépenses en immobilisations, il a fallu établir d'importantes mesures internes.

Conçue selon les principes de l'analyse de la valeur économique, la gestion axée sur la valeur (GAV) oblige l'entreprise à recentrer ses efforts. Davantage qu'un simple mot d'ordre, la GAV offre aux employés un ensemble de méthodes et d'outils qui leur permettra de jouer un rôle plus actif dans la création de valeur pour les actionnaires.

Bell est en train de revoir sa façon de contrôler ses dépenses en immobilisations. Ainsi, le dimensionnement du réseau se fait dorénavant selon la méthode du juste-à-temps. Jumelées à d'autres initiatives de transformation de l'entreprise, de telles mesures permettront à Bell de maintenir ses investissements aux niveaux actuels, malgré les ponctions que peuvent nécessiter certaines améliorations apportées au réseau (communication ATM, LNPA, OC-192, etc.).

Même si la saine gestion de ses coûts explique en bonne partie le redressement de son bilan, Bell mise sur l'augmentation de son chiffre d'affaires pour produire des taux de rendement qui répondent aux attentes des actionnaires et qui permettent de nouveaux investissements. La vigueur de sa croissance dépend toutefois en grande partie de décisions imminentes de l'organisme de réglementation.

Bell poursuit son offensive en faveur de décisions qui rejailliraient favorablement sur ses flux de trésorerie, surtout en ce qui a trait à la structure tarifaire du service local. Sa persévérance commence à porter fruit puisque la première hausse tarifaire générale depuis treize ans a été décrétée en début d'année.

La restructuration des tarifs locaux — qui consiste à rapprocher les prix des coûts — n'est cependant qu'un des facteurs dont dépend la vigueur financière de Bell Canada.

L'entreprise s'est donc attaquée au problème du déficit du service local, principalement au moyen d'une augmentation mensuelle de 2 $ pour les abonnements résidentiels en 1996 et 1997. Elle a également demandé une augmentation additionnelle de 2$ par mois pour 1998. Ces hausses contribuent notablement au rééquilibrage recherché, mais elles n'empêcheront pas les coûts de demeurer supérieurs aux produits.

D'autres importantes questions de réglementation attendent leur dénouement, dont la transférabilité des numéros locaux, ainsi que le dégroupement et l'interconnexion des services. Les décisions qui seront rendues à cet égard détermineront dans quelle mesure les règles du jeu seront les mêmes pour tous sur un marché concurrentiel.

Déterminée à améliorer le rendement de ses capitaux propres, Bell accorde une attention particulière à sa capacité d'autofinancement. En renforçant sa situation financière, Bell sera en meilleure posture pour effectuer les investissements nécessaires à sa croissance dans un environnement de plus en plus complexe et de plus en plus exigeant.

Après avoir lu les commentaires de Bell Canada et avoir réfléchi à la vocation du téléphone en cette fin de millénaire, rappelez-vous les types de comptabilité et les mesures de contrôle interne mentionnés dans ce chapitre et au chapitre 5. La comptabilité générale en partie double s'appuyant sur les opérations vous renseigne-t-elle de façon satisfaisante sur la performance de la société de téléphone Bell Canada et sur la manière dont elle contrôle ses opérations? Jusqu'à quel point l'approche de la comptabilité générale que vous avez étudiée est-elle adaptée au monde compétitif que doit affronter une société comme Bell Canada? Quelles sont les forces de l'approche de la comptabilité générale et quelles sont ses faiblesses et ses lacunes? Que pensez-vous de l'information présentée dans les états financiers, qui découlent de la comptabilité générale en partie double? Cette information est-elle utile?

(R) ÉFÉRENCES

1. Banque Royale du Canada, « Pour prendre un bon départ », série *Vos affaires*, 1990, p. 37.
2. *Manuel de l'ICCA*, paragraphe 5200.03. Tout changement par rapport à la version originale relèverait de la seule responsabilité de l'auteur ou de l'éditeur et n'aurait pas été révisé ni approuvé par l'ICCA.

7

CHAPITRE

Les produits et les charges en comptabilité d'exercice

7.1   Aperçu du chapitre

Le principal rôle de la comptabilité d'exercice est de déterminer le moment où il est opportun de constater les événements économiques dans les comptes.

Dans les chapitres précédents, nous avons montré comment mettre en place la **comptabilité d'exercice** à l'aide de la comptabilité en partie double, et nous avons décrit les états financiers découlant de ce processus. La comptabilité d'exercice est au cœur de la comptabilité générale et, par conséquent, c'est elle qui donne une signification aux informations contenues dans les états financiers.

Dans ce chapitre et dans le suivant, nous nous tournerons vers les considérations pratiques et conceptuelles ainsi que vers les considérations d'affaires qui sous-tendent la comptabilité d'exercice. L'objectif primordial de la comptabilité d'exercice est de permettre à la comptabilité générale de prendre en compte toutes les opérations financières de l'entreprise, et non pas seulement les opérations impliquant un transfert d'argent (ce que fait la comptabilité de caisse). Avec la comptabilité d'exercice, on peut enregistrer (*constater*, comme disent les comptables) les produits, les charges, l'actif et le passif *avant* ou *après* le moment où le transfert d'argent a eu lieu. On utilise pour ce faire la méthode qui consiste à débiter ou à créditer un montant. La grande question est de savoir *quand* on doit constater les montants qui figurent dans l'état des résultats et dans le bilan, en les enregistrant dans les comptes. Par exemple, puisque l'on peut inscrire les produits à un autre moment que celui où l'argent change de mains, par exemple, lorsqu'on débite les comptes clients et crédite les produits avant que les clients ne paient, quand convient-il de procéder de cette façon? Quels sont les preuves, les principes et les hypothèses qui permettent de constater les opérations, avant ou après le transfert d'argent?

La comptabilité d'exercice se base sur des principes et des conventions.

Dans ce chapitre, vous étudierez :

- quand et comment constater (inscrire) les produits ;

- quand et comment constater les charges ;

- quand et comment constater l'actif et comment le relier aux produits et aux charges ;

- quand et comment constater le passif et comment le relier aux produits et aux charges ;

- comment mettre au point les conventions qui sous-tendent ces processus de constatation afin que les états financiers forment un ensemble cohérent.

Nous découvrirons que tous ces éléments sont étroitement liés par le biais de divers principes et méthodes comptables, comme ceux de **fidélité**, de **rapprochement des produits et des charges**, de **mesure du bénéfice**, d'**évaluation du bilan**, d'**articulation des états financiers**, et autres. Les notions contenues dans ce chapitre vous permettront de comprendre le cadre général de la comptabilité d'exercice. Au chapitre 8, nous examinerons des exemples particuliers, parmi lesquels l'évaluation du stock et le coût des marchandises vendues, ainsi que le calcul de l'amortissement.

7.2 QU'EST-CE QUE LA COMPTABILITÉ D'EXERCICE ?

La comptabilité d'exercice est la principale forme de comptabilité générale actuellement utilisée dans le monde. Ce chapitre a été structuré à partir des éléments essentiels présentés dans les chapitres antérieurs et de l'introduction de la section 1.6. On y expose la raison d'être de la comptabilité d'exercice, et on explique ce qui la distingue de la comptabilité de caisse.

La comptabilité d'exercice se fonde sur des estimations et sur le jugement ; elle est subjective.

La comptabilité d'exercice existe tout simplement parce que les informations sur le flux de trésorerie ne sont pas suffisamment complètes pour permettre d'évaluer la performance ou la situation financières d'une entreprise. Pour réussir, les entreprises doivent évidemment suivre l'évolution des flux de trésorerie, mais elles doivent faire d'autres démarches en plus. Elles doivent aller au-delà des flux de trésorerie pour évaluer de façon plus générale leur performance économique de même que leurs ressources et obligations. À cette fin, elles doivent recourir à des estimations et au jugement, et faire des choix comptables qui, à leur tour, rendent les résultats beaucoup moins précis qu'elles le voudraient et encore plus subjectifs que ne le sont les données sur les flux de trésorerie.

Imaginons la conversation suivante entre un étudiant et un parent, comptable de profession :

Le comptable : Eh bien ! Tu as travaillé tout l'été à la boutique Deluxe. Ça s'est bien passé ?

L'étudiant : Formidable ! J'ai rencontré des gens vraiment intéressants, j'ai appris beaucoup sur la vente au détail et j'ai décidé de poursuivre mes études en marketing.

Le comptable : Je te demandais plutôt combien d'argent tu avais gagné !

L'étudiant : Voyons ça : au total, pour les quatre mois, j'ai touché 5 460 $. Il me reste 3 530 $ en banque ; je crois donc avoir dépensé 1 930 $. Évidemment, 3 530 $ pour un été de travail, cela ne paraît pas beaucoup! Toutefois, la boutique me doit encore la paie de la dernière semaine.

Le comptable: Comment as-tu dépensé ces 1 930 $?

L'étudiant: J'ai dépensé une partie de cet argent au casse-croûte du coin, je suis un peu sorti le soir et j'ai fait cette excursion au lac, mais j'ai aussi acheté quelques bons vêtements pour la rentrée scolaire, ce répondeur téléphonique et cette belle calculatrice qui me servira pour mon cours de comptabilité.

Le comptable: N'oublie pas que tu dois rembourser l'argent que ton oncle Paul t'a prêté en mai. Tu dois aussi calculer ce montant dans l'argent de ton compte de banque. Tu as donc dépensé plus de 1 930 $. Tu as promis à ton oncle de lui rembourser à la fin de l'été le montant qu'il t'a prêté, plus les intérêts. Il y a aussi tes frais de scolarité pour l'année prochaine. Et, est-ce que tu ne dois pas de l'argent à un ami pour l'essence que vous avez dû acheter pour vous rendre au lac ?

L'étudiant: Je ne pense pas qu'il faille compter les frais de scolarité parce que je n'aurai à les payer que lorsque je serai inscrit. Même si... c'est pour cette raison que j'ai travaillé cet été. À vrai dire, je ne sais plus si mon été a vraiment été une réussite !

La comptabilité d'exercice intègre plusieurs phénomènes en plus des flux de trésorerie de l'exercice.

Cet exemple illustre plusieurs des problèmes auxquels la comptabilité d'exercice doit faire face, notamment:

1. Plus on y pense, plus la mesure de la performance financière ou de la situation financière semble complexe, et moins l'encaisse semble constituer une mesure satisfaisante en elle-même.
2. Une partie de l'argent gagné pourrait ne pas encore être encaissée (la paie pour la dernière semaine de travail).
3. De même, il se peut que certaines dépenses engagées ne soient pas encore déboursées (l'essence pour l'excursion au lac).
4. Certains paiements en espèces concernent des biens qui ont encore une valeur économique à la fin de la période (le répondeur, la calculatrice, et peut-être les vêtements).
5. À la fin de la période, des obligations rattachées à certains encaissements peuvent subsister (le prêt de l'oncle Paul).
6. Les biens durables peuvent se détériorer au cours de la période (tous les vêtements achetés pendant l'été n'auront pas conservé leur valeur, en raison des nouvelles tendances de la mode; le répondeur et la calculatrice sont maintenant des biens usagés).
7. Des obligations peuvent s'accumuler au cours de la période (les intérêts sur l'emprunt à l'oncle Paul).
8. On se demande parfois si certains éléments doivent être inclus dans la mesure de la performance financière d'une période ou dans la mesure de la situation financière à un moment donné (les frais de scolarité).

La comptabilité d'exercice doit rester pertinente et, en même temps, fiable.

Vous devez considérer la comptabilité d'exercice comme une tentative visant à mesurer la performance et la situation financières d'une façon plus précise que par la simple évaluation de l'encaisse. Ce ne sont que des compromis: évidemment, plus on se rapproche de l'encaisse, plus la mesure est précise; toutefois, elle est aussi plus limitée et donne moins de renseignements. Plus les experts-comptables tentent de rendre les états financiers pertinents sur le plan économique, plus ils doivent y inclure des estimations et d'autres sources d'imprécision ou d'erreur. Si l'on se reporte au graphique portant sur le compromis à trouver entre la pertinence et la fiabilité (voir la section 4.5), on remarque que la comptabilité d'exercice aspire à plus de pertinence, mais aux dépens de la fiabilité. Pour parer à ce manque de fiabilité, plusieurs règles et normes régissent la comptabilité d'exercice, et on exige normalement un grand nombre de preuves à l'appui des chiffres. On s'attend à ce que les sociétés optent en faveur de conventions ou de méthodes sensées, et qu'elles les gardent au fil des ans, à moins d'avoir de bonnes raisons de les changer.

 Ù EN ÊTES-VOUS ?

Voici deux questions auxquelles vous devriez pouvoir répondre, compte tenu de ce que vous venez de lire :

1. Si la comptabilité d'exercice produit des chiffres moins précis ou objectifs que les opérations de caisse seules, quelle est son utilité ?

2. Au cours de sa première année d'exploitation, Aflot ltée a recouvré 85 000 $ auprès de ses clients, payé comptant des factures de 74 000 $ et acheté un camion pour 50 000 $, en empruntant 40 000 $ à la banque. Elle a donc terminé l'année avec 1 000 $ en banque. Si, à la fin de l'exercice, la société avait 13 000 $ de revenus non recouvrés et 4 000 $ de charges non payées, et si, d'après les estimations, 5 000 $ de la valeur du camion avaient été amortis, quel serait le bénéfice de l'exercice réalisé par cette société ? (15 000 $: dans l'évaluation du bénéfice de l'exercice, il faut inclure certains montants hors caisse ou qui ne sont pas encore transformés en espèces, les produits non recouvrés, les charges non payées et l'amortissement, et ne pas compter les montants d'encaisse, l'achat du camion et le prêt bancaire.)

7.3   LE FONDEMENT THÉORIQUE DE LA COMPTABILITÉ D'EXERCICE

La comptabilité d'exercice constate les phénomènes économiques, qu'ils se soient ou non matérialisés par un encaissement ou un décaissement.

La comptabilité d'exercice a le rôle fondamental de constater dans les états financiers les faits, les estimations et les jugements importants relatifs à la mesure de la performance financière, qu'ils se soient ou non matérialisés par un encaissement ou un décaissement. Pour simplifier, nous pourrions dire que l'objectif est de constater les flux économiques en plus des flux de trésorerie. Afin de clarifier cette idée, nous nous intéresserons dans ce chapitre à la constatation des produits et des charges, mais nous établirons également des liens avec l'évaluation de l'actif et du passif du bilan.

Abordons la comptabilité d'exercice à partir de certains éléments de base. Nous avons déjà rencontré dans ces pages ces quatre pierres angulaires, mais nous en redonnons ici une brève définition :

- Les **produits** représentent les augmentations des ressources économiques provenant des clients. Nous pouvons dire que l'obtention de ces produits est la raison d'être de toute entreprise.

- Les **charges** représentent les diminutions des ressources économiques destinées à payer les employés, les fournisseurs, le fisc, etc. Elles résultent des activités commerciales menées pour réaliser des produits et pour servir la clientèle. Nous pouvons dire que les charges sont le prix à payer pour réaliser des produits.

- Le **bénéfice net** est la *différence* entre les produits et les charges pour une certaine période : un mois, un trimestre ou une année. Nous pouvons dire que le bénéfice net mesure le succès de l'entreprise dans ses efforts pour réaliser plus de produits qu'il ne lui en coûte pour les obtenir.

Le rapprochement des produits et des charges est censé produire une mesure logique du bénéfice net.

- Le **rapprochement** est une évaluation *logique* du bénéfice, qui permet de s'assurer que l'on mesure les produits et les charges de la même façon afin que le calcul du bénéfice net, obtenu en déduisant les charges des produits, offre un résultat ayant une signification. Nous pouvons dire que le rapprochement assure la **cohérence** de la comptabilité d'exercice.

Remarquez certaines caractéristiques de ces éléments fondamentaux :

Les produits et les charges sont des notions économiques dont le sens va au-delà des opérations en argent.

- Les produits et les charges sont les augmentations et les diminutions de ressources économiques. Ces variations peuvent être représentées par le type d'événements économiques constatés par la comptabilité fondée sur les échanges, dont nous avons parlé au chapitre 5. Mais elles peuvent également inclure d'autres types d'événements, comme ceux qui interviennent lors des écritures de régularisation (voir le chapitre 6). Elles peuvent ainsi comprendre des événements qui interviennent avant ou après le transfert d'argent, aussi bien qu'au moment où il s'effectue.

Des produits et des charges correctement mesurés devraient permettre d'obtenir un bénéfice net qui reflète bien la réalité.

- Le bénéfice net dépend de la façon dont les produits et les charges sont mesurés et, si on le comptabilise en le séparant de ces derniers, il ne sera pas vraiment le reflet de la réalité. Les comptables ne doivent pas, ou ne devraient pas, déterminer le montant du bénéfice net d'abord, puis enregistrer les produits et les charges de façon à obtenir ce résultat. Ils doivent plutôt mesurer les produits et les charges avec le plus de précision possible et laisser le bénéfice net s'exprimer par la différence entre ces produits et ces charges.

Outre l'opération de rapprochement, de nombreux critères permettent de s'assurer que les produits, les charges et le bénéfice sont exacts.

- Par le rapprochement, on essaie d'accorder les mesures des augmentations de ressources économiques et celles des diminutions de ressources économiques. C'est une opération logique, mais pas comme on pourrait se l'imaginer. Par exemple, si les produits sont surestimés et que, pour le rapprochement, les charges le sont aussi, le montant du bénéfice net peut être plus ou moins exact, étant donné que les surestimations peuvent s'annuler dans les grandes lignes. Cependant, les montants des produits et des charges seront erronés, comme le seront, par conséquent, tous les comptes qui s'y rattachent, par exemple les comptes clients et les comptes fournisseurs. Si la méthode de constatation des produits est mauvaise, cela ne rime à rien de s'entêter à conserver une telle méthode pour comptabiliser les charges uniquement à des fins de rapprochement. De nombreux autres critères interviennent donc dans la constatation des produits et des charges ainsi que dans la mesure du bénéfice, pour ajuster le système et garantir l'exactitude des montants rapprochés. Ces critères comprennent la fidélité, la comparabilité, l'uniformité et la prudence, et autres notions abordées au chapitre 4, aux sections 4.4 et 4.5. À ces critères s'ajoutent des méthodes détaillées permettant de déterminer combien de produits ont été réalisés et combien de charges ont été engagées. Ces méthodes seront expliquées dans ce chapitre et dans le suivant.

Une structure théorique pour mesurer le bénéfice en comptabilité d'exercice

L'objectif de la comptabilité d'exercice est d'élargir l'évaluation de la performance et de la situation financières par la constatation des phénomènes qui se produisent avant ou après le flux de trésorerie ou en même temps que celui-ci. Cette comptabilité est d'autant plus complexe qu'elle ne se limite pas au simple suivi des opérations monétaires, comme nous l'avons déjà vu avec les régularisations, les comptes de contrepartie, les comptes collectifs et autres procédés abordés au chapitre 6.

Voyons comment cela fonctionne en nous concentrant pour le moment sur les produits et les charges. L'illustration 7-1 présente la constatation des produits et des charges ainsi que les flux de trésorerie qui lui sont associés. Il faut se souvenir que la comptabilité d'exercice *ne néglige pas les flux de trésorerie*; elle permet simplement de reconnaître les produits et les charges *avant* ou *après* les encaissements ou les paiements en question.

La comptabilité d'exercice porte sur les flux de trésorerie ainsi que sur les phénomènes économiques antérieurs et postérieurs.

Illustration

Sommaire de la constatation des produits et des charges en comptabilité d'exercice		
	Produits	Charges
(1) Commencez avec les opérations de caisse		
	Dt Encaisse	Dt Charges
	Ct Produits	Ct Encaisse
(2) Étirez le temps de manière à constater les produits et les charges *avant* les opérations de caisse		
(a) Constatation	Dt Clients	Dt Charges
	Ct Produits	Ct Fournisseurs[#]
(b) Opération de caisse	Dt Encaisse	Dt Fournisseurs[#]
	Ct Clients	Ct Encaisse

Remarquez que la somme des écritures 2(a) et 2(b) est égale au montant de l'écriture 1. Les comptes clients et fournisseurs sont des comptes provisoires que l'on utilise pour permettre la constatation *antérieure* des produits et des charges; ils sont éliminés au moment où le flux de trésorerie se matérialise.

(3) Étirez le temps dans l'autre sens de manière à constater les produits et les charges après les opérations de caisse		
(a) Opération de caisse	Dt Encaisse	Dt Actif*
	Ct Produit constaté d'avance**	Ct Encaisse
(b) Constatation	Dt Produit constaté d'avance**	Dt Charges
	Ct Produits	Ct Actif*

Remarquez que la somme des écritures 3 (a) et 3 (b) est égale à celle de l'écriture (1). L'actif* et le produit constaté d'avance** sont des comptes provisoires permettant de constater a posteriori les produits et les charges ; ils sont éliminés au moment de la constatation.

Des éléments de passif autres que les comptes fournisseurs peuvent intervenir, par exemple les intérêts courus, les impôts à payer, la provision pour garanties, les obligations relatives aux régimes de retraite et les impôts reportés ou futurs.

* Les exemples de comptes d'actif que l'on doit débiter au moment de l'opération de caisse comprennent les stocks, les primes d'assurance payées d'avance et les immobilisations.

** Le produit constaté d'avance est un compte de passif provisoire utilisé pour inscrire l'opération de caisse avant que le produit n'ait été gagné. C'est le cas, par exemple, des acomptes que les clients effectuent.

La comptabilité d'exercice doit déterminer essentiellement le *moment où il est opportun* de constater les produits et les charges.

L'illustration 7-1 peut être légèrement modifiée, selon le calendrier présenté à l'illustration 7-2 qui montre les dix différentes sortes d'écritures de journal intervenant dans le système de constatation des produits et des charges. On peut voir ainsi comment la comptabilité d'exercice peut choisir un autre *moment* que celui des opérations de caisse.

Les écritures de l'illustration 7-2 ont été libellées pour montrer clairement comment la comptabilité d'exercice distingue la constatation des produits et des charges des flux de trésorerie qu'ils génèrent. Les écritures *P* constatent les produits ; la première le fait avant, la deuxième après le flux de trésorerie, et la troisième au même moment. Les écritures *C* constatent les charges ; la première le fait avant, la deuxième après le flux de trésorerie, et la troisième au même moment. Les écritures *T* concernent les opérations reliées aux entrées de flux de trésorerie provenant des produits constatés avant, après ou au même moment. Les écritures *V* enregistrent les paiements versés, les sorties de flux de trésorerie reliés aux charges constatées avant, après ou en même temps. La lettre *A* fait référence aux constatations antérieures aux flux de trésorerie et *Z*, aux constatations postérieures.

La comptabilité d'exercice distingue la constatation des produits et des charges des flux de trésorerie qu'ils génèrent.

7-2
Illustration

Constatation des produits et des charges en comptabilité d'exercice		
Choix du moment par rapport aux flux de trésorerie	**Produits et recouvrements**	**Charges et paiements**

Constatation antérieure au flux de trésorerie	*PA* Dt Clients
	      Ct Produits
		CA Dt Charges
		      Ct Fournisseurs

Opérations de caisse :		

Concernant une constatation antérieure	*TA* Dt Encaisse
	      Ct Clients
		VA Dt Fournisseurs
		      Ct Encaisse

Produits et charges au comptant	*PT* Dt Encaisse
	      Ct Produits
		CV Dt Charges
		      Ct Encaisse

Choix du moment par rapport aux flux de trésorerie	Produits et recouvrements	Charges et paiements

Concernant une constatation postérieure	TZ Dt Encaisse
	   Ct Produit constaté d'avance
		VZ Dt Actif
		   Ct Encaisse

Constatation après flux de trésorerie	PZ Dt Produit constaté d'avance
	   Ct Produits
		CZ Dt Charges
		   Ct Actif

Résumé		
Constatation avant flux de trésorerie	Écriture de produits PA	Écriture de charges CA
Produit de trésorerie s'y rattachant	Écriture de recouvrement TA	Écriture de paiement VA
Produits et charges au comptant	Écriture de prod./recouvr. PT	Écriture de Charges/paiement CV
Flux de trésorerie concernant une constatation postérieure	Écriture de recouvrement TZ	Écriture de paiement VZ
Constatation après flux de trésorerie	Écriture de produits PZ	Écriture de charges CZ

La comptabilité d'exercice est un système d'écritures logique.

La comptabilité d'exercice est un système flexible qui peut enregistrer plusieurs phénomènes.

Voici quelques exemples concernant la société Northern Gear limitée (NG) qui vous aideront à comprendre comment fonctionne le système de comptabilité d'exercice. Vous devriez à présent voir comment les écritures et les régularisations se regroupent et font de la comptabilité d'exercice un système. Ces exemples montrent également comment la comptabilité d'exercice intègre dans le système des éléments plus compliqués, comme la taxe de vente provinciale (TVQ) et la taxe sur les produits et services (TPS) ainsi que les retenues à la source.

Ces écritures ne couvrent pas tout le champ d'action de la comptabilité d'exercice, et vous pourrez certainement penser à des événements qui combinent certaines des entrées données dans l'exemple, comme acheter du stock à crédit. Ce serait un débit porté au stock (*comme le débit de l'écriture VZ*) et un crédit porté non pas à l'encaisse, comme l'illustrait l'écriture VZ, mais aux comptes fournisseurs (*comme le crédit de l'écriture CA*). L'achat à crédit de nouvelles machines ou d'autres éléments d'actif à long terme sera comptabilisé de la même manière. La comptabilité d'exercice est relativement flexible et peut traiter toutes sortes d'opérations et de régularisations. Il suffit de déterminer ce qu'il faut débiter et ce qu'il faut créditer, comme nous le verrons dans le présent chapitre, ainsi qu'au chapitre 8. *Réfléchissez aux modèles d'écritures fournis dans l'exemple*, sans essayer de mémoriser des détails, comme les lettres d'identification utilisées. N'essayez pas de retenir le modèle de l'écriture *PA*. Efforcez-vous plutôt de vous souvenir comment la comptabilité d'exercice constate les produits lorsqu'ils sont réalisés avant qu'on encaisse l'argent. Il ne faut pas apprendre les écritures par cœur, il faut les comprendre.

[note manuscrite en marge :] Remplacer « Produit constaté d'avance » par « Produit Reportés »

Constatation antérieure aux flux de trésorerie

Produits (écriture PA)

NG a réalisé une vente à crédit	Dt	Clients	2 464	
		Ct Produits		2 200
		Ct Taxes de vente à payer		264

Charges (écriture CA)

Travail des employés pour lequel les salaires ont été versés plus tard	Dt	Salaires	1 860	
		Ct Déductions à la source à payer		340
		Ct Salaires à payer		1 520
Intérêts dus sur un prêt bancaire	Dt	Intérêts débiteurs	240	
		Ct Intérêts à payer		240
Conseil juridique obtenu, plus taxes	Dt	Honoraires professionnels	500	
	Dt	Taxes de vente à payer	35	
		Ct Honoraires à payer		535

Flux de trésorerie reliés à une constatation antérieure

Recouvrement (écriture TA)

| Un client fait un versement | Dt | Encaisse | 1 100 | |
| | | Ct   Clients | | 1 100 |

Paiements effectués (écriture VA)

La société a payé un fournisseur	Dt	Fournisseurs	775	
		Ct Encaisse		775
La société a versé des retenues à la source aux organismes concernés	Dt	Déductions à la source à payer	825	
		Ct Encaisse		825

Produits et charges au comptant

Produits au comptant (écriture PT)

Un client fait un achat	Dt	Encaisse	90	
		Ct Taxes de vente à payer		10
		Ct Produits		80

Charges au comptant (écriture CV)

| NG a fait un don à une œuvre de charité | Dt | Don | 100 | |
| | | Ct   Encaisse | | 100 |

La société a acheté des marchandises,
  plus taxes

Dt	Stock	210
Dt	Taxes de vente à payer	15
Ct	Encaisse		225

Flux de trésorerie reliés à une constatation postérieure

Recouvrement (écriture TZ)

Un client a payé d'avance la marchandise
  qu'il a commandée

Dt	Encaisse	784
Ct	Produit constaté d'avance		784

Paiement (écriture VZ)

NG a acheté comptant de
  nouvelles machines

Dt	Actif (machines et outillage)	5 200
Ct	Encaisse		5 200

La société a acheté des marchandises,
  plus TPS

Dt	Stock	2 300
Dt	Taxes de vente à payer	161
Ct	Encaisse		2 461

La société a payé d'avance la prime
  d'assurance

Dt	Actif (assurance payée d'avance)	840
Ct	Encaisse		840

Constatation postérieure aux flux de trésorerie

Produits (écriture PZ)

La commande payée d'avance par
  le client lui a été envoyée

Dt	Produit constaté d'avance	784
Ct	Taxes de vente à payer		84
Ct	Produits		700

Charges (écriture CZ)

Coût des marchandises vendues lors
  d'une semaine de soldes

Dt	Coût des marchandises vendues	23 611
Ct	Stocks		23 611

Amortissement pour une année

Dt	Amortissement	41 500
Ct	Amortissement cumulé		41 500

Assurance d'un mois

Dt	Assurance	70
Ct	Assurance payée d'avance		70

Ù EN ÊTES-VOUS ?

Voici deux questions auxquelles vous devriez pouvoir répondre, compte tenu de ce que vous venez de lire:

1. Comment procède la comptabilité d'exercice pour séparer les produits réalisés de l'encaissement de l'argent? Est-il toujours nécessaire de distinguer ces deux éléments, ou peuvent-ils se produire en même temps?

2. Comment peut-on dire que la charge d'amortissement et le coût des marchandises vendues sont des exemples de même nature?

7.4 LE CHOIX DES CONVENTIONS COMPTABLES

La comptabilité d'exercice utilise une variété de comptes pour représenter des valeurs économiques.

Nous avons vu que, malgré certaines complications, la comptabilité d'exercice peut utiliser, dans les grandes lignes, la méthode suivante pour constater les charges et les produits:

- Pour constater le produit avant recouvrement, on crée un compte d'actif (généralement un compte clients), qui représente la valeur économique gagnée jusqu'à ce que l'on encaisse le montant.

- Pour constater une charge avant paiement, on crée un compte de passif (à court terme comme les fournisseurs, les salaires à payer ou les impôts à payer, ou bien à long terme comme les montants affectés aux régimes de retraite, les provisions pour garanties ou les impôts reportés ou futurs), qui représente la valeur économique perdue jusqu'à ce que l'argent soit versé.

- Pour constater un produit après recouvrement, on crée un compte de passif (acompte des clients ou produit reporté), qui représente l'engagement vis-à-vis du client jusqu'à ce que la valeur économique soit gagnée en fournissant au client les biens ou services pour lesquels il a payé.

- Pour constater une charge après paiement, on crée un compte d'actif (à court ou à long terme), qui représente la ressource disponible jusqu'à ce que la valeur économique soit consommée.

La comptabilité d'exercice étant un système, on ne peut pas prendre des décisions désordonnées concernant le moment où il est opportun d'inscrire les différentes constatations et autres écritures décrites ci-dessus et dans la section précédente, ainsi que la marche à suivre dans ce cas. Bien au contraire, l'entreprise doit arrêter son **choix de conventions comptables** concernant la manière dont elle entend mener sa comptabilité d'exercice.

Qu'est-ce qu'une convention comptable?

La direction doit fournir des directives sur les méthodes que la comptabilité d'exercice doit suivre.

Imaginez le scénario suivant: le comptable de la société Magasin Géant ltée doit décider s'il faut ou non inscrire chaque facture concernant une vente dans les produits (créditer le compte «Produits» et débiter le compte «Encaisse» ou «Clients»). Comme il est souvent dans le doute, il téléphone chaque fois au président pour lui demander quelle est la marche à suivre. Un peu ridicule, n'est-ce pas? Voici pourquoi chaque entreprise doit décider *à l'avance* et dans *les grandes lignes* le type d'opération correspondant à une vente qui sera inscrite au titre de produits. Il faudra ensuite communiquer cette décision au teneur de livres, qui devra s'y conformer et qui n'aura pas à téléphoner au président chaque fois qu'il devra effectuer une écriture. Ce dernier pourrait alors se consacrer à la gestion de son entreprise plutôt que d'avoir à parler au teneur de livres toutes les cinq minutes.

Une **convention comptable** est une décision prise d'avance par une société sur la méthode d'inscription ou de constatation d'un élément, sur le moment où il est opportun de le faire et sur les conditions à respecter. Habituellement, les entreprises choisissent des conventions comptables dans des domaines tels que :

- le moment et la manière de constater des produits (chapitre 7) ;

- la façon de calculer l'amortissement d'une usine ou du matériel (chapitre 8) ;

- la façon de mesurer le stock et la méthode de calcul du coût des marchandises vendues (chapitre 8) ;

- la façon de mesurer les créances, y compris les créances douteuses (chapitres 6 et 7) ;

- l'identification des dépenses relatives aux immobilisations qui doivent être capitalisées (ajoutées au compte de l'actif correspondant) et celles qui doivent être imputées aux charges dans un compte de frais d'entretien et de réparations, par exemple.

Les conventions comptables s'appliquent à tous les éléments des états financiers.

Pour présenter des états financiers ayant une signification, il faut faire plusieurs choix. Lorsque vous déterminez l'endroit où un compte doit paraître dans les états financiers (par exemple, dans le passif à court terme plutôt que dans le passif à long terme), vous faites un choix de convention comptable.

Sans un choix de conventions comptables, on ne peut pas interpréter et analyser correctement les états financiers. Si l'on ignore comment les états financiers ont été préparés, on peut difficilement s'en servir intelligemment. C'est pour cette raison que la première note complémentaire annexée aux états financiers contient habituellement un résumé des **principales conventions comptables** de l'entreprise. Les autres notes nous donnent plus de détails sur les conventions comptables importantes de la société. Vous verrez, à la fin du manuel, que la société Provigo inc. présente ses principales conventions comptables juste avant les autres notes qui donnent plus de renseignements sur ses conventions comptables les plus importantes.

Les principales conventions comptables sont indiquées dans les notes afférentes aux états financiers.

Les entreprises évitent de surcharger le lecteur avec une description détaillée de chaque convention comptable : celles qui sont évidentes ou qui suivent des règles standard qu'un lecteur averti devrait connaître ne sont pas mentionnées. Par exemple, la définition de l'actif et du passif à court terme est bien connue, et une société ne l'évoquera que si elle ne procède pas de la manière prévue par le lecteur averti. Et l'un des principaux objectifs de ce manuel est de faire de vous des lecteurs avertis !

Pourquoi doit-on faire des choix ?

La comptabilité d'exercice ne peut fonctionner si l'on n'a pas choisi des conventions comptables.

Bien qu'elle se base principalement sur des données quantitatives, la comptabilité n'est pas une science pure. Qu'ils le veuillent ou non, ceux qui préparent des états financiers sont obligés de faire des choix, principalement pour les raisons suivantes :

1. La place d'un compte dans les états financiers a une valeur informative. Par exemple, le fait d'inscrire un compte dans le court ou dans le long terme, ou encore un produit dans l'exploitation ou dans un autre compte de produits

peut avoir des conséquences importantes. Le **classement des comptes** est donc une étape importante.

2. Même pour une simple inscription des opérations dans les livres comptables (tenue des livres), il faut décider de ce que l'on considère comme une opération, du compte que l'on utilisera, de la méthode de constatation que l'on appliquera.

3. Comme nous l'avons déjà précisé, l'objectif de base de la comptabilité d'exercice est de raffiner le système d'enregistrement des opérations de façon à ce qu'il présente une image, la plus fidèle possible, des résultats et de la situation financière de l'entreprise du point de vue économique. Pour atteindre cet objectif, il faut recourir au jugement et à des critères tels que le rapprochement, la fidélité et la substance économique. La comptabilité d'exercice *oblige* par conséquent les sociétés à faire des choix quant aux mesures à prendre pour obtenir les chiffres comptables, aux notes à fournir et aux méthodes à utiliser.

4. Au Canada, aux États-Unis, au Royaume-Uni, en Nouvelle-Zélande et dans bien d'autres pays, les gouvernements et les organismes de réglementation qui établissent les principes comptables (comme l'ICCA et le FASB) ont été prudents. Ils n'ont pas déterminé des règles pour toutes les situations et n'exigent pas des entreprises qu'elles suivent ces règles de façon aveugle. Ils préfèrent laisser aux entreprises le choix des méthodes qu'elles adoptent, leur permettant ainsi d'adapter leur comptabilité à leur propre situation, ce qui va dans le sens de notre système économique de libre entreprise. On s'attend à ce que les intervenants sur les marchés boursiers, les analystes financiers et les autres utilisateurs d'états financiers possèdent une connaissance suffisante de la comptabilité et de l'entreprise pour prendre des décisions aussi éclairées que celles qu'ils devraient prendre pour acheter les produits de l'entreprise ou pour effectuer d'autres échanges avec elle.

   Il faut noter que les autorités de nombreux pays (comme la Chine, la France, l'Allemagne et le Japon) imposent des méthodes comptables beaucoup plus strictes que le Canada. Le présent chapitre serait présenté différemment si l'on étudiait les méthodes comptables de ces pays; on se concentrerait alors davantage sur la façon d'appliquer les méthodes comptables approuvées, et moins sur les choix à arrêter parmi diverses méthodes acceptables.

5. Comme les états financiers comprennent à la fois des chiffres, des notes complémentaires et d'autres renseignements, on doit souvent choisir parmi plusieurs possibilités, par exemple, devrait-on redresser les montants relatifs à un événement, le mentionner dans une note explicative, ou les deux. Par exemple, si la société a été poursuivie en justice par un client mécontent, faut-il présenter ce fait dans les comptes du passif? Ne faudrait-il pas plutôt le mentionner uniquement dans les notes complémentaires, ou encore le présenter dans le passif et l'accompagner d'une note explicative? Ou peut-être faut-il traiter cet événement d'une autre façon?

> Tous les pays ne donnent pas autant de choix comptables aux entreprises que le Canada.

> L'inscription d'un événement dans les comptes ou sa présentation dans les notes complémentaires, ou les deux, relèvent d'un choix.

> La structure théorique décrite au chapitre 4 est essentielle, car elle permet de faire des choix éclairés de conventions comptables.

Critères généraux concernant les choix de conventions comptables

Lorsqu'elles doivent décider de la méthode de comptabilisation des produits, du stock, de l'amortissement ou d'autres éléments (*y compris* les renseignements à présenter par voie de note), les sociétés doivent tenir compte des critères suivants et de la manière dont ils s'appliquent à la situation particulière qui dicte un choix de convention comptable:

1. **fidélité** (objectivité, absence de biais, représentation de la substance économique de la situation);
2. **rapprochement** (ajustement de la constatation des produits et des charges au processus économique et comparaison des charges avec les produits auxquels elles se rapportent);
3. **uniformité** dans le temps;
4. **comparabilité** des informations fournies par les états financiers avec celles émanant d'autres sociétés (en particulier, au sein d'un même secteur d'activité);
5. conformité avec les **normes faisant autorité** et avec les autres aspects des **principes comptables généralement reconnus**;
6. **importance relative** des informations pour les utilisateurs réels et potentiels (influence sur les décisions qu'ils pourraient prendre);
7. **prudence** (prise en compte des pertes anticipées mais non des gains anticipés avant que la transaction n'ait eu lieu).

De plus, il faut tenir compte de divers critères propres à un choix comptable en particulier: par exemple, le coût de la mise en application de la convention comptable, l'incidence fiscale, les considérations concernant le contrôle interne, et autres conséquences sur le plan des affaires. Nous y reviendrons dans ce chapitre et dans le suivant.

Dans quelle mesure dispose-t-on d'une liberté de choix?

Les choix de conventions comptables sont régis par des normes officielles et, dans les grandes lignes, par les PCGR.

L'exposé historique du chapitre 4 nous a montré que, autrefois, les sociétés étaient plus libres qu'aujourd'hui de décider des informations qu'elles allaient ou non révéler. De nos jours, certaines lois dictent l'utilisation de méthodes de présentation particulières, notamment dans le cas des informations concernant les transactions entre une société et ses actionnaires. Mais, plus important encore, il existe une grande variété de normes comptables qui orientent les choix comptables des entreprises. Certaines de ces normes — par exemple celles qui définissent la façon de présenter les états financiers des filiales dans les états financiers consolidés — émanent d'organismes faisant autorité, tels que l'Institut Canadien des Comptables Agréés (l'ICCA). D'autres normes, comme celles qui établissent que les entreprises doivent déduire leur amortissement lorsqu'elles calculent le bénéfice, font partie d'un ensemble moins défini de procédés, généralement reconnus à cause d'une pratique établie. Les **principes comptables généralement reconnus** (**PCGR**) (voir le chapitre 4) sont formés de l'ensemble des normes formellement reconnues ou acceptées en raison d'une pratique établie.

Dans certains domaines, les choix ont déjà été faits par un organisme de réglementation ou par le pouvoir législatif; dans d'autres, ils découlent de la pratique reconnue; ailleurs encore, puisqu'il n'existe pas de directives de ce genre, l'entreprise est libre de prendre ses propres décisions. Nous en donnerons des exemples plus loin dans le manuel.

Jugement professionnel et normes professionnelles

Les normes ne peuvent pas tout couvrir, c'est pourquoi les gens ont toujours besoin d'user de leur jugement.

Même lorsqu'il existe une norme faisant autorité ou une tradition clairement établie, la nécessité d'adapter la convention comptable aux conditions particulières d'une entreprise oblige les spécialistes qui préparent et vérifient l'information à exercer leur jugement. Comme il est précisé dans la «Préface des recommandations concernant la comptabilité» du *Manuel de l'ICCA*:

[Le conseil des normes comptables est conscient de] l'impossibilité d'énoncer des règles si générales qu'elles puissent convenir à tous les cas [...] aucune règle ne saurait se substituer au jugement du praticien pour décider de la bonne présentation d'une situation donnée dans les états financiers ou de la bonne pratique à suivre dans un cas donné[1].

Une étude portant sur le rôle du « jugement du praticien » dans la présentation de l'information financière a rappelé plusieurs raisons pouvant expliquer l'existence de normes professionnelles et a analysé leur relation avec le jugement professionnel[2]. Nous résumons ci-dessous les points importants, que nous classons en deux catégories :

1. **La raison d'être des normes professionnelles**

   - Elles permettent à la profession d'assumer sa responsabilité sociale qui consiste à réduire le risque d'erreur ou d'inexactitude.

   - Elles sont le fruit d'une sagesse collective qui a permis de résoudre des problèmes difficiles ou complexes.

   - Elles favorisent une plus grande efficacité, car, sans elles, chacun devrait résoudre de nouveau tous les problèmes de présentation.

   - Elles établissent la politique officielle gouvernant la profession et fournissent ainsi une certaine protection aux experts-comptables et aux vérificateurs.

   - Elles favorisent une résolution consensuelle des problèmes auxquels il pourrait être difficile de trouver objectivement de « bonnes réponses » et elles communiquent les solutions.

2. **La relation entre le jugement professionnel et les normes professionnelles**

   - Les normes diminuent le besoin (et les risques qui en découlent) de faire appel à un jugement individuel impartial.

   - Les normes procurent un cadre à l'intérieur duquel on peut exercer son jugement pour trouver des solutions aux problèmes irrésolus.

   - Il faut exercer son jugement pour déterminer si une norme donnée s'applique à une situation particulière.

   - Il faut exercer son jugement pour appliquer les normes, en particulier lorsqu'elles nécessitent des estimations et des répartitions, ou qu'elles prêtent à des interprétations.

   - Il est nécessaire d'exercer son jugement pour déterminer si la substance de la situation concorde avec l'esprit de la norme, c'est-à-dire avec les opérations, et les faits sous-jacents (« le principe de la primauté de la substance sur la forme »).

   - Il faut exercer son jugement pour concilier les normes relativement statiques et les situations en perpétuel changement.

Les normes professionnelles sont le fruit d'une sagesse collective et des conseils prodigués.

Le jugement professionnel repose sur la connaissance des normes, mais peut également s'en écarter.

La manipulation

Le choix de conventions comptables donne-t-il l'occasion aux gestionnaires de fausser l'image que présentent les états financiers, de façon à montrer les choses telles qu'ils souhaiteraient qu'elles soient plutôt que sous leur « vrai » jour ? D'une

Les choix qui s'offrent à la comptabilité d'exercice rendent possible la manipulation des résultats.

manière générale, on peut répondre par l'affirmative. En fait, toute la comptabilité d'exercice repose sur l'idée qu'une société peut choisir la façon de présenter ses résultats et sa situation financière. Entre le choix de conventions comptables qui s'appliquent aux situations propres à la société et en présentent une image fidèle, et le choix de conventions comptables qui permettront de présenter les faits de la façon désirée, même si elles sont moins fidèles, la frontière est très étroite. *La grande majorité des sociétés et leurs gestionnaires sont scrupuleux en ce qui concerne leur comptabilité*, et s'efforcent de produire des états financiers fidèles, qui correspondent à la fois aux normes éthiques et à de bonnes pratiques d'affaires. Malheureusement, nous apprenons cependant régulièrement que certaines sociétés se sont écartées du droit chemin et ont manipulé leurs comptes de façon à rendre leur situation plus avantageuse et à camoufler des résultats embarrassants.

Une comptabilité téméraire peut présenter la société sous un jour plus favorable.

Voici quelques exemples auxquels l'utilisateur des états financiers pourrait réfléchir lorsqu'il évalue la situation d'une entreprise. Ce sont des exemples de ce que les comptables et les journaux financiers appellent une **comptabilité téméraire** : la recherche des méthodes et des conventions comptables qui permettent aux gestionnaires d'atteindre leurs objectifs concernant la croissance, le financement, les primes, etc., mais qui semblent violer des principes comme la fidélité ou la prudence.

- Par exemple, dans le but d'obtenir des bénéfices plus élevés, une société peut choisir certaines méthodes plutôt que d'autres pour comptabiliser les comptes clients, les stocks, l'amortissement et bien d'autres comptes. Elle pourrait produire des estimations optimistes des produits gagnés, de la durée d'utilisation des immobilisations, de la valeur de brevets ou de frais d'exploration.

- Une autre société, préoccupée par sa charge fiscale, peut faire des choix qui auront pour effet de réduire son bénéfice et, par conséquent, les impôts à payer.

- Après avoir promis à la banque que le fonds de roulement serait maintenu à un niveau donné, une société peut choisir des méthodes comptables qui l'aideront à montrer des fonds de roulement aussi élevés que possible. Ainsi, elle peut classer des créances à long terme dans l'actif à court terme ou des obligations dont l'échéance sera probablement à court terme dans le passif à long terme.

Le « nettoyage du bilan » permet d'afficher des résultats médiocres dans l'immédiat et de meilleurs résultats plus tard.

Le « **nettoyage du bilan** » est un exemple éloquent de **manipulation** du bénéfice, qu'on peut aussi rencontrer (nous en avons d'ailleurs fait mention à la section 2.10). Voici comment cela fonctionne : la direction d'une société qui a connu de mauvaises années peut multiplier les charges (par exemple, en diminuant le niveau des stocks, les comptes clients ou les immobilisations incorporelles) avec l'idée que la société fait de toute façon l'objet de critiques, et que ces critiques ne seront pas beaucoup plus mauvaises si les résultats paraissent encore plus faibles. En imputant ces frais supplémentaires aux charges immédiatement, et non plus tard, la société diminue les charges futures, de sorte que les bénéfices futurs sembleront meilleurs. La société semblera ainsi avoir « repris le dessus » rapidement. La direction espère, par suite de cette manipulation, que le mérite de cette reprise lui reviendra, même si la réalité est faussée.

Il ne faudrait pas exagérer les dangers de la manipulation. Peu de gestionnaires s'adonnent à l'escroquerie en comptabilité ; la plupart d'entre eux sont honnêtes et se préoccupent vraiment de la fidélité et de la fiabilité de leur comptabilité.

La prudence est de mise lorsqu'on s'appuie sur un ensemble d'états financiers.

Cependant, le danger de la manipulation est toujours présent, de sorte que les experts-comptables, les vérificateurs et les utilisateurs qui s'appuient sur le bénéfice et sur les autres mesures pour prendre leurs décisions doivent rester vigilants. Il faut tout particulièrement se méfier des états financiers qui n'ont pas été vérifiés ou, au moins, examinés par des vérificateurs indépendants.

Quelques points techniques

Le choix de conventions comptables n'a généralement pas d'incidence sur l'encaisse et les flux de trésorerie.

1. *Les flux de trésorerie.* Les choix de conventions comptables n'ont généralement pas d'incidence sur l'encaisse et les flux de trésorerie. Les conventions comptables sont appliquées à l'aide des écritures de comptabilité d'exercice censées aller au-delà de l'encaisse et n'ont donc généralement pas d'incidence directe sur celle-ci. On peut noter certains effets indirects ou futurs, en particulier concernant les impôts. Mais, au moment du choix de la convention comptable, celle-ci n'a pas d'incidence sur l'encaisse ni sur les flux de trésorerie, à moins qu'un compte de caisse ne soit en cause (l'un des rares exemples est celui d'une société qui reclasse un dépôt qui figurait auparavant dans le compte de l'encaisse, pour l'imputer au compte des placements à long terme). Comme nous l'avons noté au chapitre 3, et comme nous le verrons de nouveau aux chapitres 9 et 10, l'état de l'évolution de la situation financière (EESF) est un état financier très utile, en partie parce qu'il permet de déterminer quelles conventions comptables ont pu éloigner un peu trop le bénéfice des flux de trésorerie.

Le choix de conventions comptables qui a une incidence sur le bénéfice doit également en avoir une sur le bilan.

2. *Le double effet des changements.* Puisque les états financiers sont étroitement liés entre eux, grâce à la comptabilité en partie double, la plupart des changements apportés aux conventions ont une incidence à la fois sur le bilan et sur l'état des résultats. *Ils doivent avoir une incidence sur les deux, s'ils en ont une sur le bénéfice net.* Voici quelques exemples :

Comptes du bilan	Principaux comptes de l'état des résultats
Placements temporaires	Produits ou charges ne provenant pas de l'exploitation
Clients	Produits, créances douteuses
Stock	Coût des marchandises vendues
Charges à payer ou payées d'avance	Divers comptes de charges
Propriété et usine	Charge d'amortissement
Biens incorporels	Charge d'amortissement
Passif	Divers comptes de charges
Capitaux propres	Aucun*

* Les transactions avec les propriétaires, par exemple émission ou rachat d'actions et versement de dividendes, ne sont généralement pas considérées comme faisant partie de la mesure du bénéfice. Cependant, il existe certaines exceptions — mais nous ne les étudierons pas dans le présent manuel.

Le mode de classement et les faits qui seront présentés s'inscrivent également dans le choix des conventions comptables.

3. *Le classement et la publication.* On peut faire des choix de conventions comptables dans deux domaines (outre l'exemple de comptes de capitaux propres ci-dessus) sans que cela modifie le bénéfice :

- Les conventions relatives au **classement des comptes** (les décisions concernant l'endroit où les comptes doivent être inscrits sur le bilan ou sur l'état des résultats) n'ont pas d'incidence sur le bénéfice car, contrairement aux conventions relatives aux constatations, elles ne concernent pas à la fois le bilan et l'état des résultats, mais seulement l'un ou l'autre de ces états.

- Les conventions relatives à la **présentation** des informations portent sur les explications des montants figurant dans les états financiers et dans les notes complémentaires. En vertu de ces conventions, il faut également indiquer tout changement apporté, le décrire et calculer l'incidence qu'il a eue sur les états financiers. On doit accorder un effet rétroactif à de nombreux changements. Ainsi, si l'on modifie la méthode de constatation des produits, il faudra recalculer les états financiers des dernières années sur cette nouvelle base. Par conséquent, si une société a changé sa convention comptable dans un certain domaine, les chiffres des années précédentes, figurant dans le rapport de l'exercice courant, doivent être recalculés.

 Ù EN ÊTES-VOUS ?

Voici deux questions auxquelles vous devriez pouvoir répondre, compte tenu de ce que vous venez de lire :

1. Li Thang, un investisseur avisé, a du mal à comparer les états financiers de deux sociétés dans lesquelles il pensait investir. Voici dans quels termes il exprime son mécontentement : « On laisse trop de place au jugement en comptabilité ! Pourquoi permet-on aux sociétés de choisir leurs conventions comptables ? Pourquoi ne leur dit-on pas tout simplement quoi faire ? » Quels sont les avantages et les inconvénients de cette liberté de choix des conventions comptables ?

2. Le président de Débats ltée, une firme de sondages à visée politique, se demande comment comptabiliser les frais importants reliés à la constitution de listes téléphoniques et d'adresses. Doit-on inclure ces frais dans l'actif de la société ou les déduire comme des charges ? Quels critères devrait utiliser le président afin de décider comment comptabiliser ces frais ?

7.5   L'EXERCICE FINANCIER

Pour mesurer les résultats et la situation financière d'une entreprise, il faut établir sur quel laps de temps on veut effectuer l'évaluation.

Les états financiers ont tous une dimension temporelle. Les bilans sont dressés à des moments déterminés et les trois autres états financiers couvrent des périodes bien précises. Néanmoins, les activités d'exploitation et les autres activités économiques de l'entreprise se déroulent sans interruption. Donc, si les états financiers doivent être dressés à une date précise ou s'ils doivent commencer et se terminer à des dates précises, on doit trouver une quelconque façon de diviser ces activités en **exercices financiers**. La comptabilité d'exercice s'impose alors, car elle est conçue pour intégrer les phénomènes économiques qui se produisent avant ou après les opérations de caisse (voir la section 7.3). Mais comment la comptabilité d'exercice divise-t-elle en périodes les registres et les régularisations ?

Prenons comme exemple le problème suivant. La société Quantin ltée gagne des produits grâce à des travaux menés à bien les uns après les autres. Les fonds entrent une ou deux fois pendant l'exécution de chaque travail, et les sorties de fonds pour payer les charges ont lieu environ un mois après que ces dernières ont été engagées.

Si nous devons calculer le bénéfice net de 1998, par exemple, à l'aide de la comptabilité d'exercice, nous pouvons utiliser les différentes catégories d'écritures présentées à la section 7.3. Nous pouvons constater les produits et les charges avant ou après les encaissements ou les décaissements. Mais comment procéder ? Afin de pouvoir distinguer l'année 1998 de 1997 et de 1999, nous devons trouver un moyen de marquer un temps d'arrêt dans les registres comptables, malgré le fait que les activités d'exploitation se déroulent sans discontinuité. Le bénéfice net de 1998 est une mesure de la valeur économique ajoutée grâce aux travaux exécutés *au cours de cet exercice*. Par l'intermédiaire du critère de **rapprochement**, on peut obtenir cette mesure en calculant l'augmentation des ressources (produits) moins leur diminution (charges). Pour déterminer ces produits et ces charges, on doit appliquer des méthodes comparables, afin que la différence donne un montant de bénéfice fiable. Les travaux ayant une incidence en 1998 sont les suivants :

	Produits	Charges
Travail n° 39		
Début du travail		novembre 1997
Acompte versé par le client	décembre 1997	
Commencement du décaissement pour les frais engagés		janvier 1998
Travail terminé		février 1998
Fin du décaissement pour les frais engagés		mars 1998
Reste du montant versé par le client	avril 1998	
Travail n° 40		
Début du travail		mars 1998
Commencement du décaissement pour les frais engagés		avril 1998
Totalité du montant versé par le client	septembre 1998	
Travail terminé		octobre 1998
Fin du décaissement pour les frais engagés		novembre 1998
Travail n° 41		
Acompte versé par le client	novembre 1998	
Début du travail		novembre 1998
Commencement du décaissement pour les frais engagés		décembre 1998
Travail terminé		mars 1999
Fin du décaissement pour les frais engagés		avril 1999
Solde du montant versé par le client	avril 1999	

La comptabilité d'exercice doit constamment répartir les activités commerciales sur plusieurs exercices financiers.

Essayons de procéder dossier par dossier:

- Le travail n°40 semble le plus simple. Tous les produits ont été gagnés et encaissés en 1998. Toutes les charges ont été engagées et payées en 1998.

- Le cas du travail n°39 est plus délicat. Il y a eu deux encaissements: un en décembre 1997 et un autre en avril 1998. Si l'encaissement de décembre 1997 était inférieur au montant des produits réalisés à la fin de l'exercice, on devrait avoir un *compte client* créé pour le reste des produits gagnés mais non recouvrés à la fin de l'exercice. Cependant, si l'encaissement de décembre 1997 était *supérieur* au montant des produits gagnés à la fin de l'exercice, on devrait créer un *passif de produit constaté d'avance* pour la portion non gagnée. Quant aux frais, ils posent deux problèmes. Premièrement, ceux qui ont été engagés en décembre ne seront pas payés avant le mois de janvier; il faut donc les inscrire dans un compte fournisseurs au 31 décembre 1997. Deuxièmement, le montant des charges constatées en 1997 devrait être rapproché des produits constatés pour 1997, afin que la différence, soit le bénéfice net, ait une signification.

- Le travail n°41 présente le même type de difficultés que le n°39, sauf qu'il faut arrêter les comptes convenablement à la fin de 1998.

- Ainsi, pour 1998, les produits, les charges et le bénéfice net qui en découle seront une combinaison de la partie des produits et des charges du travail n°39 *non* constatée en 1997, de la totalité des produits et des charges du travail n°40, ainsi que de la portion des produits et des charges du travail n°41 constatée en 1998. Il faut donc démarquer avec précision la fin de 1997 et de 1998, si l'on veut que le calcul des produits, des charges et du bénéfice net pour 1998 soit juste. C'est pourquoi les résultats de 1998 comprennent des estimations des travaux n°39 et n°41 qui influent également sur la fidélité des résultats pour 1997 et 1999. Les produits et les charges découlant de ces travaux doivent être correctement *répartis* entre les exercices concernés, et les résultats de tous ces exercices dépendront de la qualité de ces répartitions.

La répartition des produits et des charges est l'un des problèmes importants de la comptabilité d'exercice. On fait beaucoup d'efforts pour déterminer si les produits sont imputés aux bons exercices, si certaines factures impayées devraient être prises en compte, si les marchandises et les fournitures sont réellement en stock, etc. Plus les opérations concernant les produits et les charges d'une entreprise sont importantes et peu fréquentes, plus l'évaluation est difficile. Celle-ci est donc plus facile à réaliser lorsque les entreprises effectuent des opérations simples et fréquentes. Mais, même dans ce cas-là, il peut être difficile de savoir exactement où en est l'entreprise si des milliers d'opérations sont en cours vers la fin d'un exercice.

Quand devrait commencer et se terminer l'exercice (comptable) financier? Les sociétés ont un choix initial à faire, mais une fois qu'elles l'ont fait, certaines habitudes et règles fiscales les obligent généralement à se conformer indéfiniment à ce choix. Elles peuvent choisir une fin d'exercice qui tombe à une période relativement calme, afin qu'il n'y ait pas trop d'opérations inachevées et que la démarcation des produits et des charges se fasse plus nettement. La date qui est choisie est appelée la **date de l'arrêté des comptes**. En pratique, la plupart des sociétés arrêtent leur exercice financier au 31 décembre.

L'*Information financière publiée au Canada 1997* révèle que, en 1996, 132 des 200 sociétés recensées avaient choisi le 31 décembre pour clôturer leur exercice

Pour mesurer le bénéfice, il faut distinguer les produits des charges, mais il faut aussi pouvoir les rapprocher.

L'imputation des produits et des charges à une certaine période influe également sur les autres périodes.

La juste démarcation des produits et des charges est souvent une tâche difficile.

La plupart des sociétés arrêtent leur exercice financier le 31 décembre, mais elles peuvent choisir n'importe quelle autre date.

financier. Les autres sociétés ont des dates de clôture dans tous les autres mois, comme Provigo inc. qui a un exercice financier d'exactement 52 semaines et dont la date de fin d'exercice financier de 1996 était le 25 janvier 1997. Parfois, elles peuvent aussi choisir une date qui ne tombe pas à la fin du mois[3]. Bien que, par tradition, pour des raisons historiques ou fiscales, la majorité des sociétés optent pour le 31 décembre, les rares entreprises qui choisissent une autre date ont, pour la plupart, de nombreuses raisons de le faire, dont un meilleur rapport avec le cycle d'affaires « naturel » de la société (certains magasins de chaînes alimentaires choisissent des dates coïncidant avec le début ou la fin des récoltes, et certains détaillants préfèrent ne pas choisir le 31 décembre, pour éviter la folle période de Noël). Mais le choix d'autres dates peut également être une question de tradition. « C'est le cas de nombreuses firmes, qui choisissent des dates inhabituelles sans qu'on en connaisse la raison. Ces dates sont rapidement coulées dans le béton. Procter & Gamble, par exemple, clôture ses livres à la fin du mois de juin sans que personne puisse se souvenir de la raison. Un changement est-il probable ? Jamais de la vie[4]. »

◉ Ù EN ÊTES-VOUS ?

Voici deux questions auxquelles vous devriez pouvoir répondre, compte tenu de ce que vous venez de lire :

1. Pourquoi l'exercice financier est-il un sujet si important en comptabilité générale ?

2. La société Produits Fermiers ltée songe à changer sa convention comptable concernant la constatation des produits, afin de mieux rapprocher les produits et les charges. Nous sommes en 1998. La convention en question augmenterait les produits de 1998 de 53 200 $. Les comptes clients, à la fin de 1997, augmenteraient de 38 900 $, et à la fin de 1998 de 92 100 $, la différence de 53 200 $ représentant l'effet des produits de 1998. Si l'on décidait de changer de convention, combien de produits pourrait-on déplacer de l'exercice 1998 à celui de 1997, et de l'exercice de 1999 à celui de 1998 ? (38 900 $, 92 100 $)

7.6 LA CONSTATATION DES PRODUITS

Fiabilité / Pertinence

On peut déterminer le bénéfice pour la durée de vie d'une firme à partir des flux de trésorerie, sans tenir compte des produits et des charges.

On peut dire qu'il est facile de déterminer le bénéfice réalisé par une société au cours de son existence. Au terme de son exploitation, toutes les charges ont entraîné des décaissements et tous les produits gagnés, des encaissements. Il n'est pas nécessaire de faire appel à la comptabilité d'exercice ni de procéder à des estimations puisqu'on connaît les résultats avec certitude. Pour la durée de vie d'une entreprise, le bénéfice correspond simplement à la différence entre la somme totale des apports de capitaux des propriétaires et la somme des retraits qu'ils ont effectués, plus l'argent qui reste à la fin.

Puisque les prises de décisions ne peuvent attendre la fin de la vie d'une entreprise, on doit recourir à la comptabilité d'exercice.

La difficulté de présenter le bénéfice à des intervalles réguliers, comme l'exigent les décideurs économiques qui doivent obtenir des informations sur l'exploitation de l'entreprise, réside dans le fait qu'il faut trouver un moyen de diviser en périodes distinctes des opérations qui se poursuivent dans le temps. Il en résulte qu'un bénéfice calculé plus tôt, afin de pouvoir évaluer la performance de l'entreprise sur des périodes plus courtes, est inévitablement sujet à des estimations et à des jugements, puisque l'histoire complète n'est connue qu'à la fin. Mais personne n'a envie d'attendre si longtemps.

Pour la pertinence, il faut constater tôt; pour la fiabilité, il faudrait attendre.

Nous voici revenus à la relation entre la pertinence et la fiabilité dont il faut tenir compte dans la mesure du bénéfice (à la section 4.5, nous avons évoqué les problèmes de la pertinence et de la fiabilité des estimations, et nous y avons fait allusion de nouveau au début de ce chapitre). Si on comptabilise les produits et les charges tôt au cours de l'exercice de façon à les rendre plus pertinents pour la prise de décisions, ils seront moins fiables (moins précis) que si on les comptabilise plus tard, lorsque les résultats des différentes activités économiques sont mieux connus. Puisque cette relation est très importante dans la comptabilité d'exercice, la figure 7.1 l'illustre de nouveau, la reliant maintenant au moment où les phénomènes sont constatés dans les comptes.

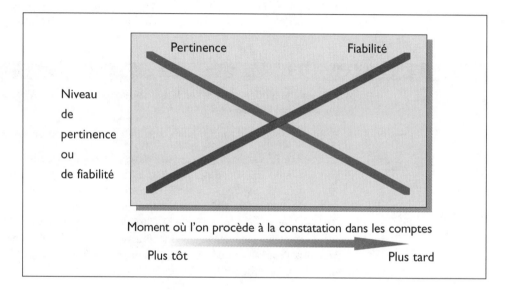

FIGURE 7.1

Simplification de l'événement clé

Si nous devons décrire les opérations d'une entreprise pendant une période donnée en calculant le bénéfice de cette période, nous devons trouver un moyen permettant de mesurer le montant attribuable à la période. Pour y parvenir, il faut:

- déterminer combien de produits on peut *constater* au cours de cette période;

- *rapprocher* ensuite ces produits et les charges qui ont été engagées pour les réaliser.

Le bénéfice est le résultat de la synchronisation de la constatation des produits et des charges.

Le **bénéfice**, soit la croissance de la valeur grâce aux opérations de l'entreprise, n'est que la *différence* entre les produits et les charges constatés. La constatation des produits est importante car, selon le principe du rapprochement, les charges constatées, et donc la mesure du bénéfice, devraient correspondre aux produits réalisés. Cela devient plutôt compliqué, en pratique, comme vous pouvez l'imaginer. Par exemple, certaines charges ne sont reliées aux produits qu'indirectement, puisqu'elles se matérialisent au fur et à mesure que le temps passe (par exemple, les intérêts) ou au moment où la direction prend d'autres décisions (par exemple, les dons, la recherche et le développement, ou l'entretien). Disons cependant, pour simplifier, que la constatation des produits est la première étape dans la mesure du bénéfice.

Mais quels sont les produits, ou les charges, pour une période donnée? Sur le plan économique comme sur le plan des affaires, le bénéfice est obtenu grâce aux diverses décisions prises par l'entreprise. On peut se fonder sur toute une série d'activités pour réaliser un bénéfice et conséquemment, générer des produits et supporter des charges:

- le démarrage de la firme en tout premier lieu;

- l'achat ou la constitution de stocks;

- la publicité;

- la vente;

- l'expédition de la marchandise aux clients;

- la facturation;

- les encaissements;

- la prestation de services en vertu des garanties.

Comment devrions-nous constater les produits lorsque les activités se déroulent comme nous l'avons montré ci-dessus? En constater une petite partie à la fois, à mesure que chaque activité se déroule? Nous obtiendrions ainsi une approximation du processus économique sous-tendant les activités de l'entreprise. Ce serait pertinent mais, en même temps, très subjectif et imprécis, car il est difficile de dire ce qu'apporte chaque activité. Par exemple, lorsqu'une entreprise vient tout juste de commencer son exploitation, comment déterminez-vous quel bénéfice elle va générer? Une telle méthode serait également très coûteuse et il faudrait que des armées de comptables soient constamment en train de mesurer le moindre petit changement entraîné par chacune des différentes activités. Il faudrait en plus effectuer une multitude d'écritures pour constater chaque changement de la valeur. La figure 7.2 illustre la croissance présumée de la valeur produite par les exemples d'activités énumérés ci-dessus.

Se contenter de comptabiliser les produits au moment où un événement clé a lieu est pratique, mais ennuyeux du point de vue théorique.

Pour plus d'objectivité et de vérifiabilité, et pour des raisons d'économie aussi, les experts-comptables choisissent *une* des activités de la séquence proposée ci-dessus. Ils décident qu'il s'agit-là, dans cette séquence, d'un «événement clé» qui peut être facilement mis au jour par des pièces justificatives, et ils constatent les produits à ce moment-là. Il s'agit d'une simplification, car on aurait clairement pu constater certains produits plus tôt, au moment où se déroulaient d'autres activités, et d'autres produits, plus tard, au moment où de nouvelles activités auraient lieu. En théorie, nous pouvons dire que les produits sont sous-constatés avant l'événement clé, et qu'ils sont surconstatés, après. C'est ce qu'illustre la figure 7.2. L'événement clé est représenté par la ligne verticale en pointillé à la fin de l'activité de livraison.

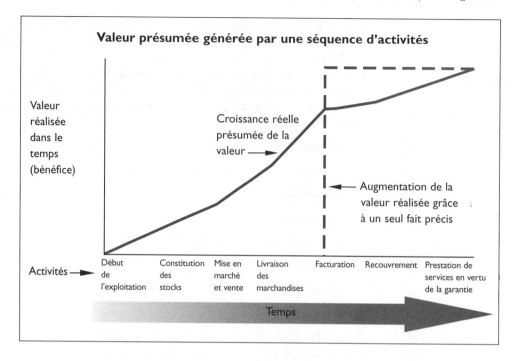

FIGURE 7.2

Les produits gagnés avant cet événement ne sont pas reconnus par le système comptable. Donc, la valeur produite par les activités qui se situent à sa gauche n'est pas reconnue tant qu'on n'a pas constaté 100 % de cette valeur en une seule fois. Jusqu'à ce que le reste des activités soient menées à bien, le résultat demeure une surconstatation (à droite de la ligne en pointillé) de la valeur, car il y a encore des choses à faire.

Pour constater les produits lorsque l'événement clé a eu lieu, nous effectuons une écriture comme suit (les écritures *PA*, *PT* et *PP* de la section 7.3) :

La constatation des produits exige l'enregistrement de l'actif obtenu pour les biens ou services vendus.

Dt	Clients ou	
	encaisse ou	
	produits constatés d'avance	XXXX
Ct	Produits		XXXX

La livraison de marchandises ou la prestation de services est l'événement clé le plus courant dont on tient compte pour constater les produits.

Pour certaines grandes sociétés, comme celles qui construisent des centrales électriques ou des oléoducs, ou des sociétés comme Quantin ltée dont il est question à la section 7.5, il est utile d'estimer les produits à plusieurs moments, ce qui signifie qu'il faut morceler le montant des produits et journaliser chaque portion par une nouvelle écriture, comme nous l'avons montré ci-dessus, plutôt que de passer globalement une seule écriture. Nous verrons comment constater les produits, et par conséquent le bénéfice, en plusieurs petites étapes, mieux adaptées à une valeur continuellement croissante. Cependant, la plupart des sociétés utilisent à des fins de simplification, la pratique de l'événement clé. *La livraison des marchandises ou la prestation de services est l'événement clé que l'on utilise le plus couramment.*

Critères de constatation des produits

La constatation des produits devient ainsi la première étape dans la détermination du bénéfice de l'exercice. On a formulé les critères de constatation analysés ci-après dans le but de s'assurer qu'un produit ne sera constaté qu'au moment où l'on disposera de la preuve objective qu'il a effectivement été réalisé, ce qui permet de vérifier la fiabilité du résultat. Normalement, pour pouvoir constater un produit, il faut que *les quatre* critères ci-dessous aient été respectés. La plupart des entreprises choisissent comme événement clé celui qui se rapproche le plus de ces critères. Cependant, comme nous le verrons, il y a des exceptions à cette règle (comme toujours!).

Pour pouvoir constater un produit, il faut normalement que ces quatre critères aient été respectés.

1. Tous (ou pratiquement tous) les biens ou services qui devaient être fournis au client l'ont été effectivement (le critère de «livraison» mentionné plus tôt).
2. La majeure partie des frais ayant permis d'obtenir ces produits ont été engagés; les frais qui restent peuvent être évalués avec suffisamment de précision.
3. Le montant du produit peut être mesuré en dollars avec suffisamment de précision.
4. L'entreprise a obtenu une somme d'argent, une promesse concernant le versement d'une somme d'argent (un compte client) ou un autre bien qui peut être mesuré avec suffisamment de précision.

Bien que les critères ci-dessus semblent assez clairs, on doit encore exercer son jugement pour déterminer s'ils ont été respectés. Par exemple, comment définir le moment où «pratiquement» tous les services ont été fournis? Est-ce lorsque 100%, 90% ou 80% des biens ou des services ont été fournis? Pour résoudre ce genre de problème, on peut se reporter aux critères du processus de réalisation des produits auxquels on se réfère couramment pour décider à quel moment constater ces derniers. Comme nous l'avons noté plus haut, le critère le plus courant est le moment de la livraison. Nous examinerons ces critères à la section 7.7.

⦿ Ù EN ÊTES-VOUS ?

Voici deux questions auxquelles vous devriez pouvoir répondre, compte tenu de ce que vous venez de lire:

1. Pourquoi l'«événement clé» est-il une simplification, et pourquoi est-il utilisé quand même?

2. Supposons que, grâce à un contrat de construction, la société Les Bâtiments de luxe a réalisé graduellement 1 000 000$ de produits comme suit: 10% à la signature du contrat, 20% lorsqu'elle a coulé les fondations, 40% lorsqu'elle a terminé l'extérieur, 20% lorsqu'elle a terminé l'intérieur et 10% lorsque le propriétaire a emménagé et que la société a mené à bien toutes les finitions. Pour ce contrat, les charges de la société se sont élevées à 850 000$, engagées en suivant la même progression que les produits. Si on utilisait la livraison comme événement clé, quel serait le montant des produits, des charges et du bénéfice net que l'on pourrait constater à cette étape? Et combien aurait-on gagné ou engagé à ce moment-là? (On reconnaîtrait 100% des produits, des charges et du bénéfice net: 1 000 000$; 850 000$; 150 000$. En supposant que la livraison a eu lieu lorsque le propriétaire a pris possession des lieux, on aurait gagné ou engagé seulement 90% des montants ci-dessus: produits gagnés: 900 000$; charges engagées: 765 000$; bénéfice réalisé 135 000$. L'utilisation d'un seul événement clé aurait entraîné une sous-estimation du bénéfice avant qu'il ait lieu et une surestimation après.)

7.7 LES MÉTHODES DE CONSTATATION DES PRODUITS

Examinons de nouveau l'écriture qui constate les produits (voir la section 7.6):

Dt	Clients ou		
	encaisse ou		
	produits constatés d'avance	XXXX	
Ct	Produits		XXXX

En gardant cette écriture à l'esprit, examinons les cinq méthodes de comptabilisation des produits les plus courantes.

I. À la livraison (moment de la vente ou de l'expédition)

Le moment de la livraison répond généralement aux critères de constatation des produits mentionnés à la section 7.6.

Dans la plupart des usines, des entreprises de prestation de services et des commerces de détail, on constate le produit lorsque le bien ou le service est vendu. On dit habituellement qu'il y a vente dès que les marchandises ou les services sont livrés, ou au moins expédiés à l'acheteur, ou bien lorsque le titre de propriété a été transféré à l'acheteur.

- À ce moment, presque tous les services ont été fournis, les conditions et le prix ont été fixés, et l'argent a été versé en contrepartie ou, du moins, on est presque certain qu'on le recevra.

- Même s'il subsiste un certain risque lorsqu'on fait crédit, on peut en général l'estimer d'une façon suffisamment précise et déduire cet élément du produit brut, en le passant au compte « Créances douteuses », comme nous l'avons expliqué à la section 6.9.

- La constatation du produit à la **date de la vente** peut aussi poser un autre problème: la possibilité du retour des marchandises et l'obligation d'assurer les services en vertu des garanties offertes sur les marchandises vendues. Dans ce cas aussi, on peut en général estimer le risque avec suffisamment de précision et le comptabiliser au titre de charge d'exploitation de manière à pouvoir le rapprocher des produits de l'exercice.

La date de livraison coïncidant avec la date de vente constitue une méthode de constatation tellement répandue que la plupart des sociétés ne mentionnent pas qu'elles l'utilisent dans leurs états financiers. Vous devez tenir pour acquis que la date de livraison au moment de la vente est l'événement clé à considérer à moins que l'on vous informe que l'entreprise utilise l'une des quatre méthodes ci-après.

2. Au cours de la production

La constatation des produits en une seule fois pour des travaux qui s'étalent sur plusieurs exercices fausse le bénéfice pour tous ces exercices.

Il arrive parfois que le processus de production se poursuive pendant plusieurs exercices, comme dans le cas de la construction d'un bâtiment, de routes, de navires et autres travaux de longue durée. Dans une telle situation, si une entreprise attendait jusqu'à la livraison pour constater le produit, il se pourrait que, lors d'un ou de plusieurs exercices, elle n'ait aucun produit à constater. La totalité des produits devrait alors être constatée une fois le travail achevé. Cette méthode aurait pour effet de fausser la présentation des résultats de l'entreprise pendant le déroulement du travail: certaines années, les produits seraient nuls et soudain, une année, ils seraient démesurément élevés, et ce, même si la société a travaillé consciencieusement, sans interruption, tout au long du contrat. Ce phénomène a été présenté plus tôt sous la rubrique « Où en êtes-vous ? ».

On peut constater fidèlement les produits pendant la production en usant de prudence.

Dans le domaine du bâtiment et dans d'autres domaines similaires, il est peu probable que l'on mène de front plusieurs travaux (ou très peu, comparativement au nombre de pizzas dont un comptoir de restauration rapide tire ses produits). De plus, on possède généralement suffisamment de pièces justificatives concernant ces travaux pour pouvoir estimer et vérifier la valeur ajoutée. Par conséquent, dans le but de fournir aux utilisateurs une information utile et de faire en sorte que les faits économiques en cours soient reflétés dans les livres, on constate les produits en cours de production. (Avec le rapprochement, cela signifie qu'on constate également les charges et donc le bénéfice durant la production.) Voici un extrait du rapport annuel de 1997 de Mont Saint-Sauveur International qui indique l'utilisation de cette méthode.

« *Constatation des revenus* [...] Le bénéfice provenant des unités en construction vendues est comptabilisé selon la méthode de l'avancement des travaux[5]. » Cette méthode de constatation de l'avancement des travaux est suivie avec **prudence** : si un projet a l'air de rapporter de l'argent (des produits supérieurs aux charges), alors on constate une portion de ces produits lors de l'exercice où cette portion semble avoir été gagnée. Par contre, si un projet semble devoir entraîner des pertes (des produits inférieurs aux charges), on reconnaît sur-le-champ la totalité de la perte anticipée.

La constatation des produits en cours de production ne peut se faire sans une bonne dose de jugement.

La **méthode de l'avancement des travaux** est la méthode la plus courante de constatation des produits en cours de production. Elle suppose que l'on détermine la partie du travail qui a été achevée pendant l'exercice en cours et que l'on constate à ce moment-là le produit relatif à la portion réalisée ainsi que les charges afférentes et, par conséquent, le bénéfice. On effectue souvent ces calculs en évaluant la partie des coûts totaux engagés au cours de l'exercice, comme nous l'avons fait pour le problème de la rubrique précédente « Où en êtes-vous ? ». Pour constater les produits de cette façon, il faut que le total des coûts puisse être estimé avec suffisamment de précision, que le prix total du contrat (les produits totaux) soit connu avec suffisamment de certitude et qu'on soit suffisamment sûr de recouvrer l'argent. L'utilisation de l'adverbe « suffisamment » indique bien ici que la méthode de l'avancement des travaux fait fortement appel à l'exercice du jugement professionnel !

Prenons le cas de la société Construction Boisvert, qui s'est vue confier la réalisation d'un ouvrage. Les travaux seront étalés sur trois ans ; ils lui rapporteront au total 4 000 000 $ et lui coûteront 3 400 000 $. Avant la constatation des charges, on inscrit les coûts de l'ouvrage dans un compte de type stock appelé « Coûts de construction en cours » ou encore « Travaux en cours ». Comme les autres comptes de stock, celui-ci retient les coûts jusqu'à ce qu'on les rapproche des produits. Par contre, lorsque l'on constate les charges au même moment que les produits, la portion des coûts de construction rattachée aux produits est débitée directement du compte « Coût des marchandises vendues ». C'est ce qui se passe dans l'exemple qui suit. Le bénéfice total pour ce contrat est donc de 600 000 $. À la fin de la première année, 20 % des travaux sont accomplis, à la fin de la deuxième année, 65 % et, à la fin de la troisième année, 100 %. Si l'on ne tient pas compte de certaines complications qui peuvent surgir lorsque les produits et les coûts ne se matérialisent pas comme prévu, voici le type d'écritures que l'on passe pour constater les produits selon la méthode de l'avancement des travaux (*et synchroniser les charges*) au cours de la production. Pour faciliter la présentation, tous les montants sont en milliers de dollars.

	Année 1	Année 2	Année 3
Avancement des travaux au cours de l'année	20 %	45 %	35 %
Constatation des produits :			
Dt Comptes clients	800	1 800	1 400
Ct Produits	800	1 800	1 400
Portion des produits gagnée chaque année			
Constatation des charges :			
Dt Coût des marchandises vendues	680	1 530	1 190
Ct Construction en cours	680	1 530	1 190
Portion rapprochée des produits			
Bénéfice de chaque année	120 $	270 $	210 $

La méthode de l'avancement des travaux permet d'étaler les produits et le bénéfice sur plusieurs exercices financiers.

Vous pouvez observer ici les effets du *choix du moment* sur la comptabilité d'exercice. Les écritures annuelles ont pour effet d'*étaler le bénéfice de 600 000 $ sur trois ans* : 20 % la première année, 45 % la deuxième et 35 % la troisième.

3. À la fin de la production

Cette méthode reporte tous les produits et le bénéfice à la fin du processus.

La méthode de l'avancement des travaux permet de constater les produits au fur et à mesure. Cependant, on peut aussi attendre que le travail soit terminé pour constater les produits. Cette méthode, appelée **méthode de l'achèvement des travaux**, s'apparente à la méthode de constatation à la date de la vente, à moins que le travail ne dure très longtemps, c'est-à-dire qu'il ne couvre plusieurs exercices financiers. Dans ce cas, cette méthode est *très prudente*, car on ne comptabilise rien pendant une longue période, puis on constate tous les produits d'un seul coup. Cette distorsion sera délibérément introduite, car on considère que l'on ne peut pas prétendre avoir gagné des produits ou réalisé un bénéfice avant que la marchandise ne soit livrée, même si cela prend plusieurs exercices financiers. Ce serait comme si vous n'aviez reçu aucune note durant vos cours jusqu'à la dernière journée des classes. Ce jour-là vous les auriez toutes d'un coup, et vous ne sauriez qu'alors si vous avez réussi ou échoué vos quatre années d'études. Dans l'exemple de la société Construction Boisvert, si l'on n'avait reconnu qu'à la fin des travaux les produits et les charges afférentes, le bénéfice réalisé pour chaque exercice financier de la période du contrat aurait été de :

- 0 $ la première année ;

- 0 $ la deuxième année ;

- 600 000 $ la troisième année.

Cette méthode diffère considérablement de la première, laquelle est plus adéquate d'un point de vue économique.

En comparaison avec la méthode de l'avancement des travaux, le bénéfice serait :

- de 120 000 $ *inférieur* la première année ;

- de 270 000 $ *inférieur* la deuxième année ;

- de 390 000 $ *supérieur* la troisième année.

Si l'entreprise désire connaître les résultats qu'elle aurait obtenus si elle avait utilisé la méthode de l'achèvement des travaux, elle a là la réponse (sans tenir compte de l'impôt sur les bénéfices).

S'il n'y a pas encore de client, mais que la production est terminée, est-il logique de constater alors les produits ? Cette méthode ne convient que dans des circonstances très précises : par exemple lorsque les marchés pour le produit en question sont garantis, les prix, stables et les frais de mise en marché, minimes. Autrefois, la fin de la production était le moment que choisissaient les propriétaires des mines d'or : ils pouvaient espérer vendre toute leur production puisqu'il existait un cours mondial de l'or et que les gouvernements garantissaient un marché. Ce n'est plus le cas maintenant pour les mines d'or. Aujourd'hui, seul le secteur des producteurs agricoles, soumis à des quotas gouvernementaux, constate ses produits à la fin de la récolte, avant même de trouver des clients. C'est le cas, par exemple, du blé que le Canada produit. La méthode de l'achèvement des travaux serait inadéquate pour un entrepreneur qui construit des maisons qu'il compte vendre plus tard. Aucun marché garanti n'existe pour ce type de biens. Conformément aux critères énumérés à la section 7.6, avant de constater les produits, il devrait plutôt attendre que la vente soit conclue.

S'il n'y a pas encore de client, la méthode de l'achèvement des travaux demeure peu appropriée.

4. À l'encaissement

S'il existe un doute sérieux quant à la possibilité de recouvrer un montant découlant d'une opération de vente de biens ou services, la constatation du produit est reportée au moment de l'encaissement. Cette méthode est appelée **méthode de la constatation en fonction des encaissements**. Cela ne signifie pas que, chaque fois qu'une entreprise fait crédit à un client, elle reporte la constatation du produit ; elle ne le fera que lorsque le risque est grand et qu'elle ne peut évaluer avec suffisamment de précision le montant recouvrable, ou qu'elle ne peut prévoir avec suffisamment de précision la possibilité du recouvrement. Ce type de retard intervient lorsque les critères de constatation ne sont pas respectés. Cependant, la plupart des entreprises inscrivent dans les comptes clients des produits constatés mais non encore recouvrés.

La constatation des produits à l'encaissement est une exception, et non la règle.

La constatation des produits à l'encaissement est une méthode particulièrement judicieuse dans le cas d'opérations immobilières de nature spéculative, pour lesquelles le recouvrement de l'argent dépend de certaines conditions imprévisibles (par exemple, les propriétaires d'un centre commercial qui parviennent à louer un certain nombre de locaux commerciaux selon un pourcentage des revenus générés par les locataires). Les opérations ne seront en effet constatées comme produits que lorsque l'argent aura été reçu.

Les ventes « à tempérament » illustrent également la pertinence de l'utilisation de cette méthode de constatation. Comme la plus grande partie des produits ne seront recouvrés qu'au bout d'une longue série de versements échelonnés et qu'on n'est pas du tout certain que le client effectuera réellement tous ses paiements, on constate le produit par étapes, au fur et à mesure qu'on reçoit les paiements.

Dans certaines conditions particulières, on doit constater les produits à l'encaissement.

La méthode des ventes à tempérament est assez complexe, mais, en principe, il s'agit seulement d'une façon de constater les produits à l'encaissement. Bon nombre d'entreprises n'accordent pas de crédit à leurs clients, et ne vendent qu'au comptant. Les établissements spécialisés dans la restauration rapide, les cafés, certains cinémas et de nombreuses autres entreprises qui n'acceptent que de l'argent constatent les produits à l'encaissement, car ils n'ont pas d'autre choix. (Remarquez que les paiements par carte de crédit sont généralement considérés comme des paiements au comptant. La seule créance qui pourrait exister dans ce cas découlerait du traitement en retard de la facture globale expédiée à la société émettrice de la carte de crédit. Il ne s'agirait donc pas d'un crédit autorisé à des clients individuels.)

5. À un moment donné après l'encaissement

Certaines circonstances peuvent exiger qu'on retarde la constatation des produits après l'encaissement.

Il est également possible de *reporter* la constatation pendant un certain temps *après* l'encaissement. Même si on a reçu la contrepartie monétaire, il se peut que l'on ne constate pas tous les produits immédiatement en raison, par exemple, d'une politique de remboursement garanti ou d'un règlement du type « satisfaction garantie ou argent remis ». Lors de l'encaissement, on porte un crédit à un compte de passif à court terme (« Produits reportés »).

Dt Encaisse

Ct Produits contatés d'avance ou Acomptes reçus

On reconnaîtra les produits ultérieurement, normalement à la fin de la période où un remboursement pourrait avoir lieu ou à l'expiration de la garantie de service après-vente :

Dt Produits contatés d'avance ou Acomptes reçus

Ct Produits

(Vous reconnaîtrez ici les écritures *PT* et *PZ* de la section 7.3.)

Les acomptes reçus des clients ne deviennent des produits qu'au moment de la livraison des biens ou des services.

On reporte la constatation des revenus après l'encaissement si, pour une raison quelconque, le client a payé d'avance : par exemple, les abonnements aux magazines ou les abonnements à des centres sportifs. Il s'agit d'une méthode très prudente, mais ce n'est pas vraiment pour cette raison qu'on l'utilise. C'est plutôt parce que, jusqu'à la livraison des biens ou des services, les produits, donc le bénéfice, n'ont pas encore été gagnés et que, par conséquent, les critères de constatation des produits n'ont pas été remplis. Un comptable soucieux de la fidélité de ces écritures doit attendre qu'ils le soient.

Ù EN ÊTES-VOUS ?

Voici deux questions auxquelles vous devriez pouvoir répondre, compte tenu de ce que vous venez de lire :

1. Dans quelles circonstances chacune des cinq méthodes de constatation des produits est-elle appropriée ?

2. Durant l'exercice, la société Brumante ltée a terminé et facturé des travaux totalisant 150 000 $ de produits, dont l'un comporte une promesse de remboursement de 10 000 $ si le client n'est pas satisfait. À la fin de l'exercice, la société a terminé un travail rapportant des produits de 14 000 $ mais ne l'a pas facturé, car le client n'a pas pris possession de la marchandise. À la fin de l'année, d'autres travaux pouvant apporter d'éventuels produits de 45 000 $ étaient terminés à 60 %. On a recouvré 132 000 $ sur les travaux facturés, ainsi que 10 000 $ sur le travail terminé mais non encore livré, et 20 000 $ sur les travaux inachevés. Quels seront les produits de l'exercice selon chacune des cinq méthodes de cette section ? (1 : 150 000 $; 2 : 191 000 $ (150 000 $ + 14 000 $ + 0,60 × 45 000 $) ; 3 : 164 000 $ (150 000 $ + 14 000 $) ; 4 : 162 000 $ (132 000 $ + 10 000 $ + 20 000 $) ou seulement 132 000 $, si on veut agir avec prudence ; 5 : 140 000 $ (150 000 $ − 10 000 $). (Constatez la variété des réponses et soyez conscient qu'il existe d'autres approches qui pourraient donner d'autres montants !)

7.8   LE RAPPROCHEMENT DES PRODUITS ET DES CHARGES

Généralement, les charges constatées lors d'un exercice sont censées être engagées afin de générer les produits de ce même exercice.

En vertu du principe de rapprochement, il faut faire coïncider le moment de la **constatation des charges** avec celui de la constatation des produits. En fait, il s'agit de débiter les comptes de charges et de créditer les comptes de produits parallèlement. En pratique, on le fait couramment pour la plupart des charges. Lorsqu'on engage des charges comme les salaires, les intérêts, le chauffage, les taxes foncières ou les frais de publicité, on les constate en supposant qu'elles ont été engagées pour aider à gagner des produits pendant le même exercice. Parfois, le délai est un peu étiré; par exemple, la publicité peut favoriser l'obtention des produits après la fin de l'exercice en cours. Cependant, plutôt que de déterminer de façon subjective l'incidence d'une telle charge sur les exercices subséquents, les entreprises préfèrent inscrire simplement ces frais lorsqu'ils sont engagés, et les rapprocher des produits de l'exercice en cours.

Un franchisé achète le droit d'utiliser une marque, par exemple, sous certaines conditions particulières.

Dans certains cas, cependant, la comptabilité doit être plus précise. Dans l'exemple de Construction Boisvert, nous avons vu comment on rapprochait les charges et les produits constatés au cours des travaux. Afin de vous permettre d'entrevoir comment la comptabilité d'exercice peut améliorer la synchronisation de la constatation des produits et des charges, nous vous proposons un autre exemple, tiré d'un domaine qui a pris beaucoup d'expansion durant la dernière décennie, soit le domaine du **franchisage**.

Charlie ltée est un franchiseur, c'est-à-dire une société qui vend le droit de commercialiser ses produits dans certaines régions géographiques particulières. Par exemple, un franchisé peut payer 25 000 $ pour avoir le droit d'ouvrir un restaurant Charlie ltée dans la ville de Trois-Rivières, et personne d'autre n'aura le droit d'ouvrir un restaurant à la même enseigne dans la même ville.

Les produits de la vente de franchises sont comptabilisés sur plusieurs années, comme les produits dans l'industrie de la construction.

Imaginons que la direction de la société estime qu'il faut trois ans pour qu'un établissement de ce genre devienne rentable et qu'elle sait que, durant cette période, elle devra lui apporter un soutien considérable. Supposons que le calendrier des flux de trésorerie et les activités d'un restaurant de ce genre, pour un droit de franchisage type de 25 000 $, se rapprochent des données ci-dessous. Le « pourcentage des redevances » gagnées peut être déterminé d'après le montant des produits recouvrés ou d'après les frais engagés pour soutenir le nouvel établissement. Toutefois, en raison du type d'efforts qu'ont à fournir la société et ses franchisés, la direction a établi une convention générale selon laquelle on constate 40 % des produits la première année d'une franchise et 30 %, lors de chacune des deux années suivantes. (Cela ressemble beaucoup à la méthode de l'avancement des travaux expliquée plus tôt, ce qui n'est pas accidentel. La comptabilité des franchises se base sur une méthode qui ressemble à celle de l'avancement des travaux.)

Exercice	Sommes payées par le franchisé	Frais engagés pour aider le franchisé	Pourcentage des redevances gagnées
1	15 000 $	4 000 $	40 %
2	5 000	3 000	30 %
3	5 000	1 000	30 %
	25 000 $	8 000 $	100 %

Si on se sert des estimations de la direction concernant le pourcentage des redevances gagnées, qui doivent servir de base à la constatation des produits, on constatera le produit provenant de cette vente comme suit:

- Première année: 10 000 $ (40 % × 25 000 $); et

- Deuxième et troisième années: 7 500 $ par année (30 % × 25 000 $ par exercice).

On constate les charges reliées à la franchise selon une méthode qui permet de les rapprocher des produits.

Selon le principe du rapprochement des produits et des charges, les frais engagés pour aider le franchisé doivent être constatés dans les mêmes proportions, ainsi les charges seront constatées comme suit:

- Première année: 3 200 $ (40 % × 8 000 $); et

- Deuxième et troisième années: 2 400 $ par année (30 % × 8 000 $ par exercice).

Ici, le rapprochement des charges génère un bénéfice dans la même proportion que les produits.

Le principe du rapprochement suppose aussi que le bénéfice qui dérive du contrat soit réparti de la même façon. Le bénéfice total prévu est de 17 000 $ (25 000 $ moins 8 000 $) et, selon le processus de rapprochement, sa répartition est la suivante:

- Première année: 6 800 $ (40 % de 17 000 $, soit 10 000 $ de produits moins 3 200 $ de charges constatées); et

- Deuxième et troisième années: 5 100 $ (30 % de 17 000 $ par année, soit 7 500 $ de produits moins 2 400 $ de charges constatées).

Les tableaux ci-dessous montrent le bénéfice réalisé et les différences entre le bénéfice établi selon la comptabilité d'exercice et le bénéfice établi selon la comptabilité de caisse:

	Bénéfice établi selon la comptabilité d'exercice			Bénéfice établi selon la comptabilité de caisse		
	(a)	(b)	(c)	(d)	(e)	(f)
Exercices	Produits	Charges	Bénéfices	Encaissements	Décaissements	Bénéfices
1	10 000 $	3 200 $	6 800 $	15 000 $	4 000 $	11 000 $
2	7 500	2 400	5 100	5 000	3 000	2 000
3	7 500	2 400	5 100	5 000	1 000	4 000
	25 000 $	8 000 $	17 000 $	25 000 $	8 000 $	17 000 $

	Différences		
Exercices	(a)–(d)	(b)–(e)	(c)–(f)
1	(5 000) $	(800) $	(4 200) $
2	2 500	(600)	3 100
3	2 500	1 400	1 100
	0 $	0 $	0 $

La comptabilité d'exercice et la comptabilité de caisse produisent à la fin les mêmes résultats en empruntant des voies différentes.

Remarquez le *découpage dans le temps* effectué par la comptabilité d'exercice. Au terme des trois exercices, la comptabilité d'exercice et la comptabilité de caisse produisent le même bénéfice, soit 17 000 $, mais, pour y arriver, les deux méthodes suivent des voies différentes ! Pour l'exercice 1, le bénéfice établi selon la comptabilité d'exercice est inférieur de 4 200 $ à la rentrée de fonds nette de 11 000 $ mais, pour les exercices 2 et 3, le bénéfice établi selon la comptabilité d'exercice est plus élevé que les rentrées de fonds nettes. L'état de l'évolution de la situation financière fait concorder les deux méthodes.

Toutes les méthodes de gestion des comptes, qui permettent de comptabiliser un bénéfice différent du flux monétaire, supposent la création de comptes du bilan qui « retiennent » les différences jusqu'à ce qu'elles disparaissent. Ces comptes sont appelés, par exemple, « Comptes clients », « Stock », « Travaux en cours », « Coûts des contrats non facturés », « Produits reportés » et « Comptes fournisseurs ». Les détails de leur fonctionnement sont souvent complexes et chaque société utilise son propre système.

Ù EN ÊTES-VOUS ?

Voici deux questions auxquelles vous devriez pouvoir répondre, compte tenu de ce que vous venez de lire :

1. En quoi le rapprochement des produits et des charges est-il important ?

2. Supposons que les données sur la société Charlie Itée soient identiques sauf que les pourcentages des honoraires gagnés et des charges engagées seraient de 20 %, de 40 % et de 40 %. Calculez les montants suivants : le bénéfice en comptabilité d'exercice pour chacun des exercices 1, 2 et 3 et le bénéfice total ; la différence entre ce bénéfice et le bénéfice en comptabilité de caisse, pour chacun des exercices 1, 2, 3 et la différence totale (3 400 $; 6 800 $; 6 800 $; 17 000 $; (7 600) $; 4 800 $; 2 800 $; 0 $.)

7.9   LES CRÉANCES

Les comptes clients

Dans les comptes clients, on inscrit des produits constatés mais non encaissés.

Dans la plupart des comptes clients, on inscrit des *produits constatés mais non encaissés*, au moyen d'une écriture comptable fondée sur la comptabilité d'exercice qui se présente comme suit : Dt/Clients, Ct/Produits. Ces créances découlent des activités quotidiennes de l'entreprise, et, comme il s'agit d'activités commerciales, on parle de **comptes clients**. On les inclut dans l'actif à court terme parce qu'on prévoit habituellement les recouvrer en l'espace d'un an. Tous les intérêts réclamés aux personnes qui paient en retard s'ajoutent au solde, au moyen d'une écriture de ce type : Dt/Clients, Ct/Intérêts créditeurs (produits autres que les produits d'exploitation, souvent classifiés comme produits accessoires).

La mesure des comptes clients

L'actif à court terme devant se transformer rapidement en argent, selon les PCGR, on doit réduire la valeur comptable de ce type d'actif, si elle ne semble pas correspondre à la valeur comptable escomptée. On parle alors de **méthode de la valeur**

Si leur montant recouvrable est susceptible de diminuer, les comptes clients sont alors réduits par un compte de contrepartie appelé «Provision pour créances douteuses».

minimale ou encore de **méthode d'évaluation au moindre du coût et de la valeur marchande**. L'actif à court terme est inscrit à son coût, à moins que sa valeur marchande (montant recouvrable estimé) ne soit inférieure. Si cette dernière est supérieure au coût, on n'en tient pas compte, car aucune opération n'a encore eu lieu. Ainsi, la méthode de la valeur minimale est une méthode prudente: elle anticipe les pertes possibles, mais ne tient pas compte des gains éventuels. Souvent le recouvrement des comptes clients est incertain. Les sociétés éprouvent fréquemment des difficultés à recouvrer leurs créances, en particulier lorsque le temps écoulé après la vente s'allonge. Donc, si on prévoit dans l'immédiat que le montant du recouvrement sera moins élevé que le montant initialement prévu, on doit réduire le montant de la créance en fonction du montant que l'on pense pouvoir recouvrer. Cette méthode de réduction des comptes clients par le biais d'un compte de contrepartie, «**Provision pour créances douteuses**», a été présentée à la section 6.9.

Ce qui figure dans le bilan n'est généralement que le montant recouvrable estimatif net.

Le montant recouvrable estimatif correspond au montant net des comptes clients moins la provision pour créances douteuses, le compte de provision pour créances douteuses ayant pour fonction d'estimer la valeur comptable nette au moindre du coût (montant total des ventes) et de la valeur marchande (montant recouvrable estimatif à court terme). Dans le bilan, les comptes clients sont inscrits à cette valeur comptable nette. La plupart des sociétés n'indiquent ni le montant total des comptes clients ni la provision pour créances douteuses; elles présentent uniquement la valeur comptable nette, et ce probablement parce qu'elles ne veulent pas que les concurrents connaissent la proportion des comptes clients qui est difficile à recouvrer. D'après l'*Information financière publiée au Canada 1997*, seulement 30 des 200 sociétés étudiées en 1996 indiquaient le montant de la provision pour créances douteuses[6].

Les autres créances

On peut séparer les autres créances des comptes clients, si elles sont importantes.

Outre les comptes clients, il existe deux autres grandes catégories de créances. Si les montants sont importants, on les présente dans un poste distinct de celui des comptes clients. Si ce n'est pas le cas, on les inclut dans ces derniers. Selon l'*Information financière publiée au Canada 1997*, 77 des 200 sociétés recensées ont présenté en 1996 plus d'une catégorie de créances[7].

- La première catégorie regroupe les **effets à recevoir**. Ceux-ci font l'objet d'un contrat signé entre l'acheteur et le vendeur, spécifiant les modalités de remboursement, le taux d'intérêt et, souvent, d'autres détails de nature juridique. Les effets à recevoir sont fréquemment utilisés dans le cas de créances importantes à long terme, comme celles qui proviennent de la vente d'automobiles, de maisons ou d'appareils ménagers, de même que d'un financement par les banques ou les sociétés de crédit. On présente les effets à leur **valeur actualisée** (on n'inclut dans l'actif que les intérêts qui se sont déjà accumulés et non les intérêts futurs). Au besoin, on utilise un compte de «Provision pour effets douteux».

- La seconde catégorie englobe les prêts consentis aux employés, aux dirigeants et aux actionnaires, les avances versées à des filiales, les remboursements des impôts à venir, ainsi que les autres créances qui *ne proviennent pas* de l'exploitation. Ces créances sont comptabilisées et évaluées comme les comptes clients et les effets à recevoir mais, du fait que certaines d'entre elles constituent des cas particuliers, les sociétés mentionnent souvent par voie de notes aux états financiers les raisons de leur existence et les autres faits qui les concernent.

Voici deux questions auxquelles vous devriez pouvoir répondre, compte tenu de ce que vous venez de lire :

1. Que représente le montant net présenté au bilan pour les comptes clients ?

2. D'après vous, y a-t-il de fortes chances que vous puissiez voir dans les états financiers des sociétés, de façon distincte, les comptes de provision pour créances douteuses et les créances autres que les comptes clients ? Justifiez votre réponse.

7.10   LES CHARGES PAYÉES D'AVANCE ET LES CHARGES À PAYER

Les charges payées d'avance sont des dépenses engagées avant que l'avantage en soit tiré.

Les **charges payées d'avance** constituent des éléments d'actif, parce que la dépense a été effectuée pour des services qui seront reçus ultérieurement. On les classe habituellement dans l'actif à court terme, car l'avantage qu'on en tire ne va généralement pas au-delà de l'exercice suivant. Mais s'il porte sur une plus longue période, l'entreprise peut, à juste titre, présenter une charge payée d'avance à long terme (seulement si le montant est suffisamment important pour justifier un tel classement). On comptabilise une charge payée d'avance chaque fois qu'un service est payé avant la fin de l'exercice et que le montant payé couvre une période qui dépasse la fin de l'exercice. C'est le cas, par exemple, des primes d'assurance lorsque la période couverte par la police dépasse la date de fin d'exercice, ou des impôts fonciers basés sur l'échéancier de la municipalité et non sur la date où se termine l'exercice de la société.

Les charges payées d'avance ont une valeur parce qu'elles réduisent les décaissements futurs et non parce qu'elles entraînent des encaissements.

Les charges payées d'avance ne sont pas des éléments d'actif du même type que les créances (qui sont recouvrées en espèces) ou les stocks (qui sont convertis en espèces). Elles résultent de la comptabilité d'exercice, lorsque la constatation des charges se fait après les décaissements. Comme nous l'avons indiqué plus tôt dans ce chapitre, les charges payées d'avance sont présentées dans le bilan pour la même raison que les stocks et les immobilisations : puisqu'il existe une valeur comptable, cette dernière ne doit pas encore être déduite au titre de charge. Dans le cas présent, la valeur comptable réside dans le fait que l'entreprise a déjà déboursé de l'argent et qu'elle n'aura pas à le faire durant l'exercice suivant. Les charges payées d'avance n'ont donc pas nécessairement de valeur marchande, mais elles ont une valeur économique étant donné qu'elles représentent des ressources futures. Cette valeur économique est représentée par la valeur comptable inscrite au bilan.

Les charges à payer représentent des engagements contractés au cours de l'exercice, mais payables lors de l'exercice suivant.

Les **charges à payer** sont des éléments de passif, habituellement à court terme. Leur comptabilisation répond aux mêmes préoccupations de répartition dans le temps que celles soulevées par les charges payées d'avance. Dans ce cas, toutefois, la sortie de fonds se produit *après* la fin de l'exercice. Nous avons déjà vu l'exemple des intérêts à payer sur un emprunt bancaire. Voici un autre exemple, celui de la société Argot ltée, dont l'exercice financier se termine le 30 juin et qui paie des impôts fonciers à la municipalité. Les impôts fonciers s'appliquent à l'année civile :

- Une partie des impôts fonciers de 1998 est une charge payée d'avance lorsque les impôts fonciers sont réglés en entier avant la fin de juin, date de clôture de l'exercice financier.

- Les impôts fonciers de 1998 sont des charges à payer à la fin de l'exercice financier s'ils ne sont payés qu'en juillet, soit après la clôture de l'exercice.

Par conséquent, *les charges payées d'avance et les charges à payer constituent les deux côtés de la même médaille* et illustrent le décalage qui existe entre le décaissement et l'utilisation de la valeur économique. Elles résultent du fait que la comptabilité d'exercice tente d'organiser les charges de manière à ce qu'elles reflètent l'utilisation économique plutôt que les flux de trésorerie. Les comptes de charges payées d'avance et de charges à payer sont présentés dans l'actif ou le passif, selon le moment où arrive le flux monétaire et le moment où la charge est constatée. Ainsi, vous retrouverez souvent un même type d'éléments, présentés au titre de charges payées d'avance dans l'actif ou au titre de charges à payer dans le passif, ou même dans l'actif durant un exercice et dans le passif au cours de l'exercice suivant. Quelques exemples courants sont les primes d'assurance, les impôts fonciers, les commissions des représentants, les intérêts, les permis et les impôts sur les bénéfices de l'exercice (impôts à payer s'ils sont exigibles ou impôts remboursables s'ils ont été payés en trop). De même, il arrive que certains éléments de passif soient comptabilisés lorsque les clients effectuent des paiements en trop, et que certains des éléments d'actif soient comptabilisés en raison de sommes trop élevées versées par une société à ses fournisseurs.

En voici un exemple. Dépanneur 24 heures ltée possède dans une localité dix petits magasins qui font partie d'une chaîne nationale. Chaque année, la société verse une redevance à la chaîne, lui donnant le droit d'utiliser son logo, et paie aussi d'autres droits au cours de l'année civile. Quelle que soit la date où la redevance est payée, sa valeur économique s'applique à l'année civile. L'exercice de la société se termine, cependant, le 30 septembre. Cette situation est illustrée ci-dessous à la figure 7.3. C'est à cause de tels décalages qu'on voit apparaître des charges payées d'avance et des charges à payer.

Selon la date de paiement, une charge peut être soit à payer, soit payée d'avance.

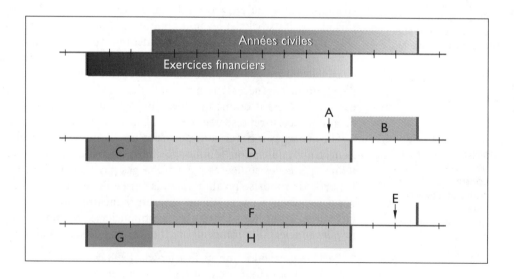

FIGURE 7.3

Les charges imputent la redevance à l'exercice financier sans égard à la date où elle est payée.

Considérons les effets de deux dates de paiement différentes.

1. La société paie sa redevance annuelle le 31 août de chaque année (point A sur le graphique central de la figure 7.3).

   - Le 30 septembre, soit à la fin de l'exercice financier, la redevance pour l'année civile a été payée. Il y a donc une charge payée d'avance pour les trois mois restants (période B sur le graphique central).

   - La charge de chaque exercice financier inclut 3/12 de la redevance de l'année précédente (payée d'avance à la fin de l'année précédente, soit la période C sur le graphique central) plus 9/12 de la redevance de l'année en cours (la portion non payée d'avance à la fin de cette année, soit la période D sur le graphique central).

De nouveau, la charge de redevance est imputée à l'exercice financier sans égard à la date du paiement.

2. La société paie sa redevance annuelle le 30 novembre de chaque année (point E sur le graphique du bas de la figure).

   - Le 30 septembre, soit à la fin de l'exercice financier, la société n'a pas encore versé de redevance pour cette année civile. Il y aura donc une charge à payer (passif) pour 9/12 de la redevance de l'année civile en cours (période F sur le graphique du bas).

   - Les charges de chaque exercice financier comprennent 3/12 de la redevance de l'année précédente (la portion non payée à la fin de la dernière année, soit la période G sur le graphique du bas) plus 9/12 de la redevance de l'année en cours (la portion à payer à la fin de l'année, soit la période H sur le graphique du bas).

La charge ne dépend pas de la date du paiement; prises en compte ensemble, elles donnent lieu à un actif ou à un passif.

La comptabilité d'exercice a inscrit une charge payée d'avance (actif) dans le premier cas et une charge à payer (passif) dans le second cas, afin de calculer la même charge: 3/12 de la redevance de la dernière année, plus 9/12 de celle de cette année (les périodes C et D sont les mêmes que les périodes G et H). *La nature aléatoire de la date de paiement n'a pas d'incidence sur la charge, mais elle modifie le bilan.* Les comptes d'actif ou de passif du bilan sont la conséquence de la méthode de la comptabilité d'exercice qui permet de mesurer convenablement les charges (et, par conséquent, le bénéfice) tout en tenant compte de la date de paiement de la redevance. Dans le cas de ces comptes payés d'avance ou à payer, nous pourrions dire que les montants inscrits au bilan sont seulement des reliquats de la combinaison particulière des charges engagées et des paiements; ils n'ont pas de signification plus profonde.

⊙ Ù EN ÊTES-VOUS ?

Voici deux questions auxquelles vous devriez pouvoir répondre, compte tenu de ce que vous venez de lire:

1. Pourquoi le compte du bilan relié à une charge particulière peut-il être un actif de charges payées d'avance à la fin d'une année et un passif de charges à payer à la fin d'une autre année?

2. La société Rondeau ltée paie ses primes d'assurance le 30 septembre de chaque année, pour l'exercice débutant à cette date. Cette année, la prime (payée en septembre dernier) était de 5 280 $ et, pour l'année suivante, elle est estimée à 5 400 $. Si la fin de l'exercice financier de la société tombe le 31 juillet, quelle est au 31 juillet de cette année l'assurance payée d'avance ou l'assurance à payer ? Si la société ne parvient pas à payer sa prime de l'année suivante avant le 1er novembre, quelle sera l'assurance payée d'avance ou l'assurance à payer qui devrait figurer sur le bilan trimestriel du 31 octobre ? (Actif, 880 $ (2/12 × 5 280 $) ; passif, 450 $ (1/12 × 5 400 $).

7.11   LE COÛT D'UN BIEN : LES COMPOSANTES DE BASE

Les principes permettant de déterminer le coût d'un bien sont importants pour la constatation des charges et l'évaluation de l'actif, car un débit ajouté à une charge réduit le bénéfice de l'exercice, alors que le même débit ajouté à un actif augmente la valeur de l'actif dans l'immédiat et réduit le bénéfice futur par le biais de l'amortissement, du coût des marchandises vendues, ou d'autres charges découlant de la consommation de l'actif. Dans ce cas-là, comment détermine-t-on s'il faut imputer un débit — disons pour une dépense concernant un bâtiment — au bâtiment ou aux frais de réparation ?

La valorisation au coût d'origine n'est pertinente que si l'entreprise continue d'être exploitée (principe de la continuité de l'exploitation).

En vertu du principe du **coût d'origine**, le bilan doit être établi sur la base du **coût historique** d'un élément d'actif, lequel repose sur le postulat de la **continuité de l'exploitation**. L'actif sera donc amorti selon son utilisation normale sans qu'on ait à tenir compte de son prix de vente courant ni de sa valeur marchande. C'est ainsi qu'on comptabilise tous les éléments d'actif à long terme, à moins que leur valeur n'ait été modifiée de façon permanente, auquel cas on les inscrira probablement à leur valeur du marché. Pour l'actif à court terme, comme le stock, on applique la **méthode d'évaluation au moindre du coût et de la valeur marchande**, afin de n'utiliser le coût que lorsqu'il est inférieur à la valeur du marché ; et celle-ci que lorsqu'elle est inférieure au coût.

De nombreuses dépenses peuvent être engagées pour un élément d'actif, en plus du simple coût qui figure sur la facture.

Apparemment, la détermination du prix d'un élément d'actif semble chose facile. Vous achetez un camion 25 000 $ et vous inscrivez ce montant dans le bilan. Toutefois, un actif peut vous coûter plus que le montant qui figure sur la facture. Par exemple, vous devrez payer pour faire peindre le nom de votre société sur le camion. Est-ce un élément d'actif ou des frais de publicité ? Ou encore, prenons l'exemple d'une imposante machine de fabrication informatisée, qui coûte à elle seule 500 000 $. Avant même de la mettre en marche, vous devez faire certains réaménagements : assurer le contrôle de la température ambiante, surélever le plancher pour laisser passer les fils et installer un système d'extinction automatique d'incendie. Vous devez, par conséquent, aménager une pièce pour que votre machine puisse fonctionner. Ces dépenses s'ajoutent au prix d'origine de votre machine.

Le coût d'un actif comprend les dépenses visant à le préparer en vue de son utilisation immédiate ainsi que les dépenses visant plus tard à l'améliorer.

Ces coûts, appelés coûts d'installation (ou de préparation), constituent un bon exemple des dépenses comprises dans le coût de l'actif. Le **coût d'un élément d'actif** inclut tous les frais requis pour le *préparer en vue de son utilisation*. Une fois qu'il est mis en service, son coût est amorti selon le flux des produits qu'il permet de générer. Dans les années suivant l'acquisition, on devra de nouveau se demander s'il faut modifier son coût au moment de faire des réparations. En cas de réparation majeure ou d'amélioration apparente, vous devez vous demander si sa productivité et son efficacité ont été améliorées, ou si sa durée d'utilisation s'est prolongée. Si c'est le cas, on parle d'une **amélioration du bien** et l'on doit capitaliser le coût de celle-ci (l'ajouter au coût de l'élément d'actif). Si ce n'est pas le cas, il faut constater le coût dans les charges, par exemple, en l'inscrivant dans un compte appelé « Frais d'entretien et de réparations ». Les montants engagés dans des améliorations sont souvent passés en charges directement, car ils servent alors seulement à l'entretien de l'actif pour contrer l'usure normale, plutôt qu'à une amélioration par rapport à l'état initial.

Ces idées sont résumées à la figure 7.4. La courbe ascendante sur la gauche représente l'accumulation des dépenses jusqu'à ce que le coût du bien soit établi, au moment où il est mis en service. Après quoi, la valeur comptable nette diminue à mesure que l'on utilise l'actif. On inscrit l'amélioration effectuée en ajoutant une dépense au coût d'origine si, et seulement si, la dépense en accroît la valeur économique ou la durée d'utilisation (cette dernière apparaît sur la figure, avec la nouvelle courbe d'amortissement, située à droite de l'ancienne).

Quels sont exactement les coûts nécessaires pour rendre un actif prêt à l'usage ? C'est parfois difficile à déterminer. Par exemple, supposons qu'une entreprise construise une nouvelle machine de production en utilisant la main-d'œuvre et les ressources dont elle dispose.

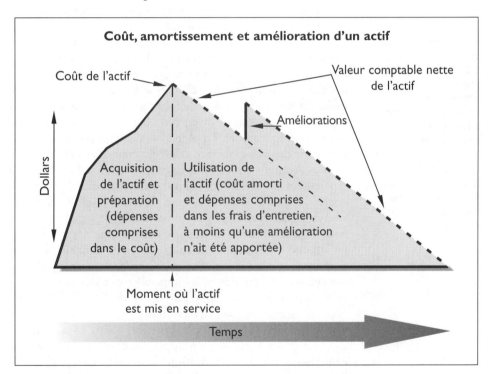

FIGURE 7.4

Il peut s'avérer difficile de déterminer si certaines dépenses augmentent réellement la valeur économique de l'actif.

Le coût d'un actif de ce type, qu'une entreprise construit pour son propre usage plutôt que de l'acheter tout fait, doit inclure évidemment le coût des matériaux et de la main-d'œuvre nécessaires à la fabrication. Mais faut-il inclure aussi le salaire des employés-cadres, qui auraient été payés de toute façon ? Si on le fait, cela accroît le coût de l'actif et diminue les frais de supervision, ce qui amène une augmentation du bénéfice à court terme. Qu'en est-il des intérêts sur les sommes empruntées pour financer la construction de la machine ? L'entreprise a-t-elle emprunté de l'argent pour pouvoir payer plus tôt et bénéficier ainsi de meilleurs prix sur les matériaux ? Dans ce cas, peut-on relier les intérêts au coût du bien ? Ou alors, l'entreprise manquait-elle seulement d'argent, les intérêts, dans ce cas, étant reliés à une piètre situation financière plutôt qu'au coût du bien lui-même? C'est une question de jugement et cela dépend de la situation. Par prudence, la plupart des entreprises n'incluent pas les intérêts sur les fonds empruntés dans le coût des biens. Par contre, certaines le font, comme les centrales électriques, qui empruntent de l'argent durant les années où elles font construire les usines. Les intérêts ne seront inclus que s'ils commencent à courir avant la mise en service du bien, et non après. On inclura probablement les salaires des superviseurs au cours de la construction, si ces personnes ont aidé à produire un actif satisfaisant et ne pouvaient pas accomplir d'autres tâches utiles pour l'entreprise pendant ce temps.

On utilise des pratiques comptables reconnues pour établir le coût des biens, exactement comme on le fait dans les autres domaines de la comptabilité.

Les entreprises se servent souvent de méthodes ou pratiques comptables reconnues pour déterminer quelles dépenses, comme les frais de supervision ou les intérêts, elles doivent inclure dans le coût des éléments d'actif. Ces méthodes sont conçues afin d'assurer une certaine cohérence dans le calcul des coûts, d'adapter la comptabilité au contexte particulier de l'entreprise, et de satisfaire à certains autres critères comme la prudence.

Le stock constitue un autre élément d'actif pour lequel la détermination du coût peut s'avérer difficile. Dans le cas de marchandises achetées, cela est assez simple. On utilise à la base le montant qui figure sur la facture, plus les frais de transport, d'entreposage et de manutention.

La détermination du coût du stock et le traitement des coûts indirects nécessitent des pratiques comptables combinées à l'utilisation d'un jugement éclairé.

Lorsqu'il s'agit de la fabrication de stocks, il faut prendre certaines décisions. Comme pour un bien construit par l'entreprise, on inclut habituellement le coût des matériaux, ou des matières premières, et celui de la main-d'œuvre directe. Qu'en est-il des charges indirectes? Les **charges indirectes** (ou coûts indirects) sont les frais reliés indirectement au processus de fabrication, tels que les salaires des comptables et des superviseurs, les frais d'entretien du bâtiment, y compris l'électricité, le loyer, l'amortissement et l'assurance. La plupart des entreprises de fabrication incluent ces coûts ou une partie de ceux-ci dans le calcul du coût des stocks de produits finis non vendus.

La capitalisation d'une charge réduit les charges, ce qui fait augmenter l'actif et le bénéfice.

Les décisions concernant ce que l'on inclut dans le coût d'un élément d'actif se répercutent sur le bilan et l'état des résultats d'une entreprise. Supposons que, cette année, la société Gondole ltée a déboursé 100 000 $ pour les salaires des superviseurs ayant participé à la construction de nacelles à Mont-Tremblant. Si, cette année, on se contente de déduire cette charge des produits, on réduit le bénéfice et les impôts de l'exercice. Par contre, si on l'ajoute aux nacelles, le total de l'actif sera plus élevé, et donc le bénéfice et les impôts le seront également. Au cours des années qui suivent, le bénéfice et les impôts seront moins élevés en raison de l'amortissement supérieur sur le coût plus élevé de l'actif. Ainsi, en plus d'une évaluation appropriée et fidèle de l'élément d'actif, la décision concernant le salaire des superviseurs permet de modifier le bénéfice, l'actif et la charge fiscale au cours de cet exercice et des suivants. On appelle souvent ce type de décision le choix entre la **capitalisation** et la **constatation de charges** (soit inclure les dépenses concernant l'élément d'actif dans le coût de ce dernier, soit les déduire au titre de charges dans l'exercice en cours). Nous en reparlerons plus loin. Si on a déjà comptabilisé la charge, une écriture pour la capitaliser débite l'élément d'actif correspondant et crédite le compte de charges. Ainsi, une écriture de *capitalisation* s'oppose à une écriture d'*amortissement*: la capitalisation réduit les charges et augmente l'actif, alors que l'amortissement fait exactement le contraire.

En résumé, les composantes du coût d'un bien comprennent tous les frais qui sont nécessaires à son utilisation, qu'il s'agisse de rendre un ordinateur prêt à traiter des informations, ou de transformer les stocks en marchandises. L'illustration 7-3 donne la liste des composantes habituelles du coût d'un bien.

7-3

Illustration

Composantes habituelles du coût d'un bien

a. **Stock**
- Coût des matières premières ;
- Coût de la main-d'œuvre ;
- Coût d'entreposage ;
- Coût de manutention avant la vente ;
- Coûts indirects de production tels que le chauffage, l'électricité et les salaires des superviseurs.

b. **Terrain**
- Coût d'achat, y compris les commissions du courtier en immobilier ;
- Frais engagés pour libérer le droit de propriété de toute servitude, par exemple, frais juridiques et frais de recherche du titre de propriété ;
- Frais de nettoyage, de drainage et d'aménagement paysager.

c. **Bâtiment (acheté)**
- Coût d'achat ;
- Frais de rénovation ou d'amélioration ;
- Peinture et décoration initiales.

d. **Bâtiment (construit par l'entreprise)**
- Matériaux ;
- Main-d'œuvre ;
- Frais d'excavation, d'arpentage, de conception et d'études de faisabilité ;
- Frais d'assurance durant la construction ;
- Certains frais indirects et même des frais de financement de la construction.

e. **Matériel acheté**
- Coût d'achat, taxes comprises ;
- Frais de transport ;
- Frais d'installation ;
- Frais de rodage ;
- Modifications devant augmenter la durée d'utilisation ou la valeur du bien.

f. **Améliorations locatives d'une propriété louée**
- Matériaux, main-d'œuvre et autres coûts des améliorations ;
- Peinture et décoration initiales des installations louées.

Ù EN ÊTES-VOUS ?

Voici deux questions auxquelles vous devriez pouvoir répondre, compte tenu de ce que vous venez de lire :

1. Les Fabricants Magnat ltée viennent de construire une nouvelle usine, en utilisant la main-d'œuvre et les équipements de la société pour l'essentiel du travail. Le comptable de l'entreprise a déclaré qu'il faut capitaliser différents coûts pour présenter dans le bilan des chiffres reflétant le coût de la construction du bâtiment. Que veut dire le comptable et à quels types de coûts fait-il référence ?

2. Comment une société détermine-t-elle à quel moment elle doit arrêter d'ajouter les dépenses au coût d'un nouveau bâtiment et commencer à les inscrire aux frais de réparation et d'entretien ?

7.12　LES ÉLÉMENTS DU PASSIF

Comme nous l'avons vu à la section précédente pour l'actif, le passif est important parce qu'il a un effet autant sur le bilan que sur le bénéfice. Son incidence sur la mesure du bénéfice découle surtout de son lien avec les charges. Celles-ci proviennent de deux sources :

- La *consommation de l'actif* : constatation de la charge pendant ou après le flux de trésorerie (écritures CV et CZ, d'après la section 7.3), comme les charges payées comptant, le coût des marchandises vendues et l'amortissement ;

- L'*engagement du passif* : la constatation des charges avant le flux de trésorerie (écriture CA, d'après la section 7.3), comme les comptes fournisseurs, les impôts à payer, le passif découlant du régime de retraite et les provisions pour garanties.

Le passif fait partie du bilan, mais il influe également sur le bénéfice, essentiellement par le biais des charges.

Parfois, on associe également le passif avec les produits, par exemple par l'intermédiaire des produits reportés dans le cas de produits encaissés avant d'être gagnés ; cependant, ce sont surtout les charges qui influent sur la mesure du bénéfice.

Nous allons récapituler ici quelques aspects des **conventions comptables** qui régissent le passif, relativement à sa valorisation dans le bilan et à son lien avec la mesure du bénéfice. Seuls quelques éléments seront réellement nouveaux, mais ce résumé vous sera certainement utile. Vous trouverez plus d'informations sur les éléments particuliers du passif dans les chapitres à venir.

Les dettes légales

On inscrit les dettes à la valeur qu'elles avaient au moment où elles ont été contractées.

Les dettes légales suivantes sont inscrites au moment où elles ont été contractées et le montant présenté correspond au montant dû : les emprunts bancaires, les comptes fournisseurs, les salaires à payer, les avantages sociaux à payer, les taxes de vente perçues et dues aux gouvernements, la dette obligataire, les prêts hypothécaires, etc. Examinons quelques détails :

- Ici, c'est encore la comptabilité au **coût d'origine** qui s'applique. Les montants présentés correspondent aux montants dus au moment où la dette a été contractée, moins ce qui a déjà été payé. Il s'agit normalement des montants qui seront réellement remboursés, mais parfois ce n'est pas le cas. Par exemple, si les obligations sont émises à escompte (à un prix inférieur à leur valeur nominale), on présente initialement le montant de l'émission, qui sera augmenté graduellement jusqu'au montant dû à la date d'échéance. Par exemple, si des obligations d'une valeur nominale de 1 000 $, avec échéance dans dix ans, sont vendues 930 $, on inscrit dans le passif ce montant initial de 930 $, qu'on augmentera graduellement jusqu'à 1 000 $ au cours de la période. La constatation de cet écart (70 $) représente un surplus d'intérêt à payer pendant ce temps.

- On ne comptabilise pas la dette à sa valeur marchande même si la signification économique de cette dette pouvait être améliorée par une telle constatation. Voici les trois éléments qui *ne seront pas constatés* :

On n'inclut pas dans les dettes les intérêts futurs, l'inflation ni les fluctuations de la valeur marchande.

  ▶ Les intérêts qui devront être payés mais qui ne sont pas encore cumulés. Par exemple, si une dette arrive à échéance dans deux ans, on ne tient pas compte des intérêts qui seront dus au cours des deux prochaines années et on calcule seulement les intérêts déjà courus.

▸ L'inflation, même si l'endettement est moins dangereux en période d'inflation parce que les dollars avec lesquels on rembourse la dette ont une valeur moindre que ceux qu'on a reçus au moment de l'emprunt.

▸ Les variations de la valeur marchande de la dette publique. Par exemple, même si les taux d'intérêt augmentent au point que les obligations de 1 000 $ se vendent aujourd'hui 780 $ sur le marché des obligations, on les présente toujours à une valeur qui se situe entre le prix d'émission de 930 $ et les 1 000 $ qu'il faudra rembourser.

• À moins de preuve contraire, on présume que la société continuera son exploitation et, par conséquent, on présente les dettes au montant qui devra normalement être remboursé et non à la valeur de liquidation qui pourrait être négociée avec les créanciers, si la société connaissait de sérieuses difficultés financières.

• Pour les dettes importantes, on doit présenter certaines clauses légales, habituellement par voie d'une note aux états financiers. Les principaux renseignements fournis portent sur les taux d'intérêt de la dette (particulièrement dans le cas d'une dette à long terme), les biens ou autres titres donnés en garantie, les conditions de remboursement, ainsi que d'autres conditions particulières comme la possibilité de transformer la dette en titres de participation.

• On classe les dettes en trois catégories : les dettes à très court terme ou les prêts remboursables à vue, les autres dettes à court terme qui arrivent à échéance au cours de l'exercice suivant, et les dettes à long terme. Les dettes à court terme incluent, s'il y a lieu, la tranche de la dette à long terme échéant dans l'année. Ce point est important, car, comme nous l'avons vu plus tôt, seule la fraction du **principal** exigible dans l'exercice suivant doit être classée dans le passif à court terme. Si, par exemple, Jocelyne doit 71 000 $ sur son hypothèque et si, au cours de l'année suivante, elle effectue 12 versements mensuels de 1 000 $, incluant les intérêts − les intérêts au cours de l'année s'élevant à 6 400 $ − le passif à court terme sera de 5 600 $ (12 000 $ − 6 400 $), et le passif à long terme de 65 400 $ (71 000 $ − 5 600 $). Les intérêts de 6 400 $ ne sont pas pris en considération parce qu'ils ne sont pas encore dus. Sa dette totale s'élève à 71 000 $ (5 600 $ + 65 400 $), et non à 77 400 $ ni à 83 000 $.

Comptes à payer à court terme

On comptabilise les intérêts à payer, les frais estimatifs de service après vente, les impôts à payer estimatifs et d'autres dettes estimatives à court terme non encore exigibles légalement en inscrivant un débit à un compte de charges et un crédit à un compte de passif à court terme. Quoique ces éléments ne constituent pas encore des dettes réelles, on les présente de la même façon que les dettes légales.

Comptes à payer à long terme

Théoriquement, les comptes à payer à long terme constituent en quelque sorte la version à long terme des comptes à payer à court terme. Comme ces derniers, on les crée en débitant un compte de charges. Étant donné, toutefois, que le paiement ne sera pas effectué avant longtemps, on porte le crédit à un compte de passif à long terme. De nombreux montants figurant dans ces comptes sont des estimations très

On évalue le passif en se fondant sur le principe de la continuité de l'entreprise et sur la capacité de payer de celle-ci.

Les notes afférentes aux états financiers contiennent généralement des détails sur les dettes à long terme importantes.

La portion à court terme des dettes à long terme représente la tranche des paiements du principal de l'année suivante.

Les comptes à payer à court terme sont comptabilisés avec les dettes légales dans la section du passif à court terme.

Bien que souvent imprécis, les comptes à payer à long terme sont néanmoins considérés comme pertinents.

approximatives: on les inscrit au titre de conséquences futures d'ententes conclues en vue d'engendrer des bénéfices aujourd'hui. Le principal objectif est donc, ici, de mesurer le bénéfice plutôt que de préciser la valeur de ces éléments dans le bilan. En se rapportant au lien entre la pertinence et la fiabilité, on considère que les montants estimés des futurs paiements sont utiles pour les utilisateurs des états financiers, même s'ils sont moins fiables.

On inscrit les comptes à payer à long terme à la valeur actualisée des futurs paiements estimatifs.

Les comptes à payer à long terme ne constituent pas une dette au moment présent. De plus, le moment où ils devront être réglés et les montants exacts qui seront exigibles font l'objet d'estimations. Ces comptes à payer se basent souvent sur la **valeur actualisée** des flux de trésorerie estimatifs futurs, compte tenu du principe énoncé précédemment, selon lequel on ne constate pas les avantages futurs. (La valeur actualisée représente le montant total des paiements futurs moins tout intérêt qu'ils comprendraient, car les intérêts sont à payer dans le futur et ne sont donc pas encore des éléments de passif. La valeur actualisée est censée représenter la valeur « principale » du passif (ou le capital), ce qui l'apparente à une hypothèque dont le total des paiements excéderait le principal, car les paiements futurs comprendraient les intérêts. Nous nous pencherons plus longuement sur la notion de valeur actualisée à la section 10.2 du chapitre 10.)

Voici quelques exemples de comptes à payer à long terme:

a. *Provision pour garanties*: frais futurs estimatifs relatifs aux prestations de services reliées aux produits vendus (le produit est déjà constaté). Constatation de la charge: Dt Charge pour garantie, Ct Provision pour garanties. Paiement: Dt Provision pour garanties, Ct Encaisse.

Le passif découlant d'un régime de retraite est l'exemple type d'un montant dont le calcul complexe demeure toutefois imprécis.

b. *Passif découlant d'un régime de retraite*: frais futurs estimatifs de prestations de retraite assurées aux employés pour des services qu'ils ont déjà rendus. Par exemple, si un employé a travaillé pendant cinq ans et que ces années de travail lui donnent le droit d'obtenir des prestations de retraite dans trente ans, la valeur actualisée estimative de ce droit sera inscrite dans le passif. L'argent versé au prestataire sera déduit du passif. Vous pouvez imaginer le problème que pose l'estimation de ce passif en pensant à tous les événements qui peuvent se produire pendant ces trente années: l'employé peut mourir, être renvoyé ou quitter son emploi. Par ailleurs, les taux d'intérêt (qui ont servi au calcul de la valeur actualisée) ont sans doute varié, et le régime de retraite peut lui-même être modifié, même rétroactivement. Les lois régissant ces régimes peuvent elles aussi changer, et ainsi de suite. Constatation des charges: Dt Charges de retraite, Ct Passif découlant d'un régime de retraite. Paiement: Dt Passif découlant d'un régime de retraite, Ct Encaisse.

c. *Autres avantages accordés aux retraités*: Depuis les recommandations du Financial Accounting Standard Board des États-Unis, publiées à la fin des années 80, ces éléments sont traités de la même façon que le passif découlant d'un régime de retraite, et cela entraîne les mêmes sortes de difficultés. À cause d'une participation importante des gouvernements du Canada et du Québec au financement des soins médicaux, ces obligations ne sont généralement pas aussi importantes pour les entreprises canadiennes qu'elles le sont pour les entreprises américaines, où elles représentent parfois des milliards de dollars. Constatation des charges: Dt Charges sociales, Ct Passif découlant d'avantages postérieurs à l'emploi. Paiement: Dt Passif découlant d'avantages postérieurs à l'emploi, Ct Encaisse.

Les impôts reportés sont des charges à long terme controversées.

d. *Impôts reportés* : Cet élément de passif, qui est habituellement inscrit dans le passif à long terme, mais peut aussi l'être dans le passif à court terme, provient des écarts de temps entre le calcul du bénéfice comptable et le calcul du bénéfice imposable. Les **impôts reportés** constituent un élément de passif important dans beaucoup de bilans et proviennent de la différence fondamentale entre les PCGR et les lois fiscales. Ils sont controversés, car, à cause du montant élevé qu'ils représentent, les gens peuvent penser que l'entreprise ne paie pas son impôt sur les bénéfices. Cependant, ils existent même si l'entreprise paie jusqu'au dernier cent l'impôt exigé par la loi. La façon de calculer les impôts reportés varie d'un pays à l'autre ; le Canada a décidé de calquer davantage sa méthode sur celles d'autres pays. L'écriture de constatation de la charge est Dt Impôts sur le bénéfice (portion reportée), Ct Impôts reportés. Le paiement est plus complexe et les impôts reportés peuvent également constituer un élément de passif à court terme ou même un élément d'actif. Nous examinerons plus en détail les impôts reportés au chapitre 10.

Le financement hors bilan

Certains financements qui ne font pas partie des dettes légales doivent être considérés comme un passif au titre d'obligation économique.

Les sociétés cherchent parfois à obtenir des sources de financement qui ne correspondent pas à la définition comptable du passif ou des capitaux propres et qui, par conséquent, ne sont pas présentées dans la partie droite du bilan. Les utilisateurs des états financiers peuvent s'inquiéter du fait que la direction pourrait précisément chercher de telles sources de financement parce qu'elles ne seront pas présentées dans le bilan et n'auront donc pas d'incidence sur le ratio emprunts/capitaux propres ni sur le ratio du fonds de roulement. Il peut même arriver que ces sources de financement ne soient pas mentionnées du tout, et alors, l'utilisateur n'aura aucune idée des obligations financières qu'elles créent pour l'entreprise. C'est pourquoi les experts ont décidé de préciser les normes comptables concernant l'une de ces sources : la location à long terme d'immobilisations importantes. Cette dernière doit être considérée comme un élément du passif et constatée comme telle, ainsi que nous l'expliquerons au chapitre 8. Cette source de financement a, par conséquent, été introduite dans le bilan sous l'intitulé « Obligation au titre des contrats de location-acquisition », où elle pourrait bien être prise pour une hypothèque ou n'importe quelle autre obligation à long terme.

Certaines obligations importantes n'appartenant pas au passif peuvent ne pas être présentées du tout, même dans les notes complémentaires.

À tout moment, on conclut de nouvelles ententes financières, et leur incidence éventuelle sur le bilan, selon les conventions comptables adoptées par la société, constituera un facteur qui pourrait les rendre acceptables et couramment utilisables. Voici quatre exemples de sources de financement qui peuvent ou non être présentées dans le bilan et (ou) dans les notes afférentes aux états financiers :

- les contrats de location-exploitation ;

- la vente des droits de recouvrement des comptes clients en vue d'accélérer les rentrées de fonds en contrepartie d'obligations éventuelles, assumées envers l'acheteur de ces droits ;

- les engagements financiers découlant de contrats d'approvisionnement à long terme, en vue d'obtenir des conditions favorables ;

- l'utilisation de filiales ou de sociétés associées pour emprunter de l'argent, afin que l'obligation ne soit pas présentée dans le bilan de la société mère.

Ù EN ÊTES-VOUS ?

Voici deux questions auxquelles vous devriez pouvoir répondre, compte tenu de ce que vous venez de lire :

1. Quels sont les principes prédominants sur lesquels se fondent les chiffres qui figurent au passif du bilan ?

2. La société Wong ltée vient d'obtenir une hypothèque. Elle doit verser des paiements mensuels de 2 000 $, incluant les intérêts, pendant les dix prochaines années, pour un total de 240 000 $. Le montant principal de l'emprunt est de 176 000 $, les 64 000 $ restants constituant des intérêts futurs. De plus, durant l'année suivante, les 24 000 $ de paiements comprendront 11 000 $ d'intérêts et 13 000 $ de principal. À combien se chiffrent l'hypothèque, la valeur actualisée des paiements futurs et la tranche à moins d'un an de l'hypothèque ? (176 000 $, idem, 13 000 $).

7.13 RÉVISION DE LA MARCHE À SUIVRE

À présent, puisque la comptabilité en partie double n'a plus de secrets pour vous, vous savez que, lorsqu'un compte est modifié, un autre doit l'être également. Étudions les exemples suivants :

a. *Cycle des produits*

Constatation : Dt Clients
                Ct Produits

Recouvrement : Dt Encaisse
                Ct Clients

b. *Cycle des créances douteuses*

Provision :   Dt Créances douteuses
                Ct Provision pour créances douteuses

Radiation :   Dt Provision pour créances douteuses
                Ct Clients

c. *Cycle d'achat de marchandises (méthode de l'inventaire permanent)*

Achat :   Dt Stock
                Ct Fournisseurs

Paiements :   Dt Fournisseurs
                Ct Encaisse

Constatation : Dt Coût des marchandises vendues
                Ct Stock

d.   *Cycle de capitalisation/amortissement/disposition*

Acquisition :	Dt Actif à long terme
	Ct Encaisse ou Passif à long terme
ou Capitalisation :	Dt Actif à long terme
	Ct Charges
Amortissement avec compte de contrepartie :	
	Dt Amortissement
	Ct Amortissement cumulé
ou Amortissement sans compte de contrepartie :	
	Dt Amortissement
	Ct Actif à long terme
Disposition :	Dt Encaisse (Produit de disposition)
	Ct Actif à long terme (coût)
	Dt Amortissement cumulé
	Ct ou Dt Gain ou perte sur la disposition
Réduction ou radiation :	Ct Actif à long terme (coût)
	Dt Amortissement cumulé
	Dt Réduction ou radiation

OÙ EN ÊTES-VOUS ?

Voici deux questions auxquelles vous devriez pouvoir répondre, compte tenu de ce que vous venez de lire :

1. Le terme « radiation » est utilisé en référence à l'actif à long terme et aux comptes clients. Que signifie ce terme dans chacun de ces cas et en quoi diffère-t-il ?

2. Les comptes clients de Filmat s'élèvent à 78 490 $, à la fin de 1998. Le compte de provision pour créances douteuses était de 2 310 $, mais on a décidé de l'augmenter de 1 560 $, et, ensuite, de radier 1 100 $ de comptes irrécouvrables. À combien s'élevaient la valeur recouvrable nette des comptes clients apparaissant dans le bilan à la fin de 1998 et celle des créances douteuses pour 1998 ? (74 620 $; 1 560 $)

7.14   LES GESTIONNAIRES ET LES HYPOTHÈSES ÉCONOMIQUES EN COMPTABILITÉ D'EXERCICE

La comptabilité d'exercice est plus complète que la comptabilité de caisse.

La comptabilité d'exercice a pour but d'aller au-delà des flux de trésorerie et de présenter une image fidèle des bénéfices réalisés et de la situation financière. Du point de vue des gestionnaires, cela entraîne plusieurs conséquences importantes :

• Puisqu'elle mesure plus globalement la performance et la situation financières, la comptabilité d'exercice devrait mieux refléter que les flux de trésorerie ce qu'un gestionnaire essaie de réaliser. De ce point de vue, elle est séduisante pour les gestionnaires qui veulent être évalués équitablement et qui souhaitent comparer leur entreprise à d'autres.

Cependant, la comptabilité d'exercice est toujours limitée par le principe du coût historique.

- Son attrait dépend également de la fidélité avec laquelle elle arrive à représenter la performance des gestionnaires. Cet élément est cependant souvent une source de frustration pour les gestionnaires, car, s'appuyant sur les coûts historiques ou d'origine, la comptabilité d'exercice rend mieux compte du rendement passé que des résultats futurs, alors que les gestionnaires sont souvent davantage intéressés par l'évolution future de la situation financière.

La comptabilité rend compte des résultats obtenus, et non des motivations des gestionnaires.

- La comptabilité se heurte ici à un problème fondamental. Les gestionnaires agissent en fonction de leurs attentes, mais la comptabilité ne peut observer leurs attentes, seulement leurs actes. (Les attentes n'étant généralement pas observables, ce problème ne concerne pas uniquement la comptabilité d'exercice.) Par conséquent, la comptabilité rend compte des résultats des actes, et non des raisons qui les ont motivés (sauf de façon implicite). Les gestionnaires peuvent donc avoir le sentiment que les états financiers ont des lacunes, car ils n'expliquent pas ce qui sous-tend les produits, les charges, l'actif et le passif.

La comptabilité d'exercice ne rend pas toujours très bien compte de la valeur économique.

- Pour la plupart d'entre nous, les bénéfices devraient être définis comme des modifications de la valeur de la société. On peut dire que les bénéfices économiques sont synonymes d'augmentation de la valeur[8]. Les variations de la valeur dépendent de la performance des gestionnaires, mais également des attentes du marché face à la valeur marchande de l'actif et de l'entreprise dans son ensemble. Cependant, les comptables doivent s'appuyer sur des preuves, et non sur des attentes, pour pouvoir constater les produits et les charges et les rapprocher afin de mesurer le bénéfice. De ce point de vue, la comptabilité d'exercice ne rend pas très bien compte de la définition économique du bénéfice ni de la lutte que livrent les gestionnaires pour augmenter la valeur de leur société.

La comptabilité d'exercice tend à être plus prudente qu'optimiste.

- Les pratiques de la comptabilité d'exercice exigent des preuves à l'appui des écritures et une certaine prudence dans l'estimation de l'incidence des événements futurs (en présentant les pertes possibles, mais non pas les gains potentiels). Pour les gestionnaires recherchant une évaluation équitable de leur performance, la comptabilité peut paraître démesurément prudente dans son évaluation de l'avenir et biaisée, en raison de la correction à la baisse de ses mesures. La comptabilité d'exercice va au-delà des flux de trésorerie, et les gestionnaires aimeraient qu'elle aille encore plus loin et qu'elle rende aussi compte de leurs prévisions.

La comptabilité d'exercice dépend du jugement.

- Les critères relatifs au moment où il faut constater les produits et les charges et à la façon de le faire se fondent sans aucun doute sur l'exercice du jugement. Par conséquent, selon de nombreux gestionnaires, ces critères sont à la fois arbitraires et subjectifs. Comme nous l'avons vu auparavant, certains gestionnaires peuvent être tentés de manipuler les résultats comptables et se servir des méthodes de la comptabilité d'exercice pour le faire. Mais il faut dire également que de nombreux gestionnaires reprochent à la comptabilité d'exercice d'être trop malléable et flexible et préféreraient moins de subjectivité et de jugement. La prudence n'est pas l'apanage des comptables et des vérificateurs; de nombreux gestionnaires y recourent également.

La théorie financière moderne met plus l'accent sur les flux de trésorerie que sur le bénéfice.

- La théorie financière moderne, qui influence les évaluations faites par les marchés financiers, les banques et les spécialistes en « prises de contrôle », s'intéresse davantage aux flux de trésorerie (particulièrement, à la valeur actuelle des flux de trésorerie prévus, sujet qui sera abordé au chapitre 10), mais, comme nous l'avons vu, les flux de trésorerie ne correspondent pas nécessairement aux bénéfices établis selon la comptabilité d'exercice. Plus la période est courte et plus l'écart est grand (par exemple, les flux de trésorerie et le bénéfice de l'exercice seront probablement similaires sur une période de dix ans, mais il est improbable qu'ils le soient sur une période de un mois!) Cependant, puisque les prévisions concernant les bénéfices et les flux de trésorerie sont souvent erronées, les différences entre les deux montants ne sont pas forcément si importantes au chapitre des évaluations basées sur des attentes. Par exemple, l'amortissement joue un rôle important dans l'écart entre les bénéfices et les flux de trésorerie actuels, mais, en regardant vers l'avenir, l'amortissement peut être pris pour une mesure grossière du montant que la société devrait investir dans le remplacement des éléments d'actif à mesure qu'ils sont amortis.

Par ailleurs, les gestionnaires doivent prendre au sérieux la comptabilité générale pour une autre raison : elle leur permet de déterminer quand les mesures comptables semblent appropriées et quand elles ne le sont pas. La comptabilité d'exercice présente de nombreux avantages et elle est largement utilisée, mais les gestionnaires ne doivent pas l'accepter sans exercer leur esprit critique.

7.15   LA RECHERCHE COMPTABLE : LA COMPTABILITÉ D'EXERCICE EST-ELLE IMPORTANTE ?

À la section 3.11, nous nous sommes demandés si les informations relatives aux flux de trésorerie (EESF) avaient une incidence sur la présentation de l'information comptable, et nous avons conclu que, d'une certaine façon, elles en avaient une. Nous nous demandons maintenant si la comptabilité d'exercice est vraiment importante, et cela nous amène à envisager le « revers de la médaille ». Nous devrons également nous référer implicitement à la mesure économique des variations de valeur. Les méthodes actuelles, utilisées en finance, permettent de mesurer de nombreuses valeurs actualisées en calculant la valeur actuelle des flux de trésorerie prévus, de façon à mettre en relation la mesure économique et les flux de trésorerie. La comptabilité d'exercice est-elle importante ? Voici, présentés brièvement, quelques résultats de recherches menées sur le sujet :

La comptabilité d'exercice est un compromis entre la présentation simple des flux de trésorerie et une présentation complète de l'information.

On peut considérer que la comptabilité d'exercice est un compromis, qui peut s'avérer rentable, entre la présentation pure et simple des flux de trésorerie et un système plus poussé de présentation intégrale de l'information[9].

Il existe une corrélation positive importante entre les variations des cours des actions et les variations des bénéfices [...] Ce n'est pas une simple relation biunivoque [...] Les cours se comportent comme si les bénéfices contenaient une information [temporaire, aléatoire][10].

Les variations du bénéfice et du cours des actions sont reliées, mais ce lien n'est pas parfait.

Les variations des cours semblent davantage liées aux variations des bénéfices qu'aux variations des « flux de trésorerie »[11].

La recherche apporte la preuve indiscutable que les investisseurs et les créanciers peuvent utiliser l'information comptable pour prédire de nombreux phénomènes intéressants. Les modèles statiques ont utilisé les données comptables et les ratios pour faire

Dans les prévisions, le bénéfice semble plus utile que les flux de trésorerie.

des prédictions dans les domaines suivants : (a) faillite d'entreprise et désastre financier, (b) attribution des cotes de crédit, (c) crédit commercial et décisions de crédit, (d) regroupement d'entreprises (surtout fusions et acquisitions), et (e) rapports de vérification (restrictions apportées par les vérificateurs). L'analyse empirique du lien entre les bénéfices comptables et les flux de trésorerie futurs est limitée. Cependant, d'après les preuves récentes, il y a une corrélation positive entre les bénéfices présentés en comptabilité d'exercice et la répartition future des dividendes en espèces, dont la valeur actualisée explique partiellement la valeur marchande des capitaux propres de la société[12].

En conclusion, malgré toutes ces difficultés, on peut affirmer que la comptabilité d'exercice est un système de mesure financière valable et important. On ne peut toutefois établir à quoi tient sa valeur ni déterminer si elle est ou si elle devrait être rentable. L'étude de la valeur de l'information produite par la comptabilité d'exercice est l'un des domaines les plus vastes et les plus étudiés de la recherche comptable. Restons donc attentifs aux résultats des prochaines études !

7.16 COMPRENEZ-VOUS BIEN CES TERMES ?

Voici la liste des termes utilisés et expliqués dans ce chapitre. Vérifiez que vous comprenez bien leur signification en *comptabilité* et, si certains vous semblent encore un peu confus, relisez les explications données dans le chapitre ou reportez-vous au glossaire à la fin du manuel.

Amélioration du bien
Articulation des états
    financiers
Bénéfice
Bénéfice net
Capitalisation
Charge
Charge à payer
Charge indirecte
Charge payée d'avance
Choix de convention
    comptable
Classement des comptes
Comparabilité
Comptabilité d'exercice
Comptabilité téméraire
Compte client
Constatation des charges
Constatation des produits
Constater
Continuité de l'exploitation
Convention comptable
Coût d'origine
Coût (d'un élément d'actif)

Coût historique
Coût indirect
Date de l'arrêté des
    comptes
Date de la vente
Date de la livraison
Effet à recevoir
Évaluation du bilan
Événement clé
Exercice financier
Fidélité
Franchisage
Importance relative
Impôt reporté
Manipulation
Marquer un temps d'arrêt
Mesure (du bénéfice)
Méthode de l'achèvement
    des travaux
Méthode de l'avancement
    des travaux
Méthode de la constatation
    en fonction des
    encaissements

Méthode d'évaluation au
    moindre du coût et de
    la valeur marchande
Méthode de la valeur
    minimale
Nettoyage du bilan
Norme faisant autorité
Présentation
Principal
Principales conventions
    comptables
Principes comptables
    généralement reconnus
    (PCGR)
Produit
Provision pour créances
    douteuses
Prudence
Rapprochement des
    produits et des charges
Uniformité
Valeur actualisée

7.17   CAS À SUIVRE...

SEPTIÈME PARTIE

Données de la septième partie

Dans la sixième partie, nous avions produit la balance de vérification régularisée le 28 février 1998. Avant de préparer les états financiers, Mado et Thomas ont analysé les comptes et décidé quelles conventions et pratiques comptables ils devaient utiliser pour leurs états financiers. Pour vous aider à penser à celles qui leur seraient nécessaires, voici de nouveau la balance de vérification régularisée de la sixième partie.

Encaisse	6 418	Produits reportés (passif)	(500)
Clients	15 671	Capital-actions	(125 000)
Provisions pour créances douteuses	(1 542)	Produits	(229 387)
Stock	33 612	Coût des marchandises vendues	138 767
Assurance payée d'avance	525	Créances douteuses	2 436
Automobile	10 000	Salaire — Mado	0
Amortissement cumulé — automobile	(2 000)	Salaire — Thomas	0
Améliorations locatives	63 964	Salaires	67 480
Amortissement cumulé — améliorations locatives	(12 792)	Frais de déplacement	9 477
Matériel et mobilier	32 390	Téléphone	4 014
Amortissement cumulé — matériel et mobilier	(2 364)	Loyer	24 000
Ordinateur	14 900	Services publics	3 585
Amortissement cumulé — ordinateur	(2 980)	Frais généraux et frais de bureau	5 688
Logiciels	4 800	Intérêts débiteurs	6 469
Amortissement cumulé — logiciels	(960)	Écart d'inventaire négatif (charge)	441
Frais de constitution	1 100	Amortissement — automobile	2 000
Emprunt bancaire	(47 500)	Amortissement — améliorations locatives	12 792
Fournisseurs	(35 323)	Amortissement — matériel	2 364
Taxes de vente à payer	(1 843)	Amortissement — ordinateur	2 980
Retenues à la source à payer	(2 284)	Amortissement — logiciels	960
Salaires à payer	(2 358)		
Emprunt à payer	0		
	71 434		(71 434)

Résultats de la septième partie

Voici les résultats de l'analyse des conventions et pratiques comptables que Mado inc. devrait utiliser.

- Les espèces et les quasi-espèces correspondront à l'encaisse moins l'emprunt bancaire remboursable à vue.

- On ne présentera pas la provision pour créances douteuses dans le bilan ou les notes.

- Le stock sera évalué à la valeur minimale (vous trouverez plus d'informations à ce sujet au chapitre 8.)

- On regroupera dans un compte intitulé « Charges payées d'avance » les primes d'assurance et les autres charges payées d'avance qui se présenteront à l'avenir.

- On inscrira l'automobile, le matériel, le mobilier et l'ordinateur dans un compte appelé « Matériel », évalué au coût (totalisant 57 290 $ à la fin du mois de février).

- On calculera l'amortissement cumulé pour l'ensemble de ces trois comptes (totalisant 7 344 $ à la fin de février).

- Les améliorations locatives et les logiciels seront inscrits à leur valeur comptable nette (coût moins amortissement cumulé), sans divulguer ni le coût ni l'amortissement cumulé.

- Mado et Thomas ne savaient pas trop quoi faire du coût de la constitution en société. Ils ont finalement décidé de laisser ce compte dans le bilan au titre d'élément d'actif à long terme et de ne pas l'amortir, car, comme ils ne pouvaient le relier aux produits de la société en 1998, ils ne pensaient pas qu'il pouvait constituer une charge.

- Les comptes fournisseurs, les impôts à payer, les retenues à la source et les salaires à payer seront rassemblés dans le bilan sous le titre « Comptes fournisseurs » (totalisant 41 808 $ le 28 février).

- Le compte des acomptes reçus des clients sera intitulé « Produits reportés » et regroupera tous les produits reportés.

- Les détails concernant le capital-actions figureront dans une note, et non dans le bilan lui-même.

- On constatera les produits selon la méthode de l'événement clé, lequel est la livraison des biens aux clients. Mado et Thomas ont revu la date de l'arrêté des comptes et ont constaté que leur décision avait été la bonne pour l'année 1998. C'est aussi la date à laquelle s'attendent les utilisateurs des états financiers. Ils ont donc décidé qu'ils n'avaient pas besoin de l'indiquer.

- Mado et Thomas ont également passé en revue les charges, et particulièrement le coût des marchandises vendues, afin de s'assurer que la date de l'arrêté des comptes qu'ils ont adoptée leur a permis de rapprocher correctement les charges et les produits.

- Ils ont décidé de présenter le coût des marchandises vendues et toutes les autres dépenses séparément, afin que l'utilisateur ait une bonne vue d'ensemble des opérations de la société.

- L'amortissement cumulé constituera une petite exception à la règle ci-dessus. Ainsi, au lieu d'indiquer séparément chaque élément d'amortissement, ils ne présenteront que l'amortissement total de l'exercice (soit 21 096 $).
- L'amortissement sera calculé selon la méthode que Thomas avait choisie : automobile, améliorations locatives, ordinateur et logiciels, 20 % du coût par année ; matériel et mobilier, 10 % du coût par année. (Vous trouverez d'autres détails sur les méthodes d'amortissement au chapitre 8.)

Les états financiers seront présentés dans la huitième partie.

7.18 SUJETS DE RÉFLEXION ET TRAVAUX POUR AMÉLIORER LA COMPRÉHENSION

PROBLÈME 7.1*
Explication de la différence entre les produits et les charges et les flux de trésorerie

1. Expliquez la différence entre un produit et un encaissement.
2. Donnez des exemples d'éléments qui constituent : a) des produits mais pas des encaissements pour une période donnée ; b) des encaissements mais pas des produits ; et c) à la fois des produits et des encaissements.
3. Expliquez la différence entre une charge et un décaissement.
4. Donnez des exemples d'éléments qui constituent : a) des charges mais pas des décaissements pour une période donnée ; b) des décaissements mais pas des charges ; et c) à la fois des charges et des décaissements.

PROBLÈME 7.2*
Écritures de régularisation

Nous sommes à la fin de l'exercice financier de Tissus ltée. Vous travaillez sur les états financiers de la société et vous avez découvert les éléments suivants. Pour chacun d'eux :

1. Déterminez s'il faut ou non redresser les comptes de la société, conformément aux principes de la comptabilité d'exercice.
2. Si vous avez répondu par l'affirmative à la première question, enregistrez une écriture de régularisation pour redresser les comptes de la société.

   a. On a enregistré des ventes de 3 200 $, réalisées juste avant la fin de l'exercice, seulement au début de l'exercice suivant.
   b. Le coût des marchandises vendues totalisait 1 900 $ et n'a toujours pas été constaté. La société utilise la méthode de l'inventaire permanent.
   c. Au cours de l'exercice, les clients ont versé 5 300 $ d'acompte pour des commandes spéciales, lesquels ont été crédités au compte de passif Acompte des clients. On détient toujours 1 400 $ de ces acomptes, mais toutes les autres commandes spéciales ont été livrées, et les clients ont versé le solde du montant dû pour ces commandes (ces paiements sont inclus dans les produits.)
   d. Les frais d'entretien paraissent relativement élevés, et après enquête, on a découvert que les travaux d'agrandissement du magasin de la société, effectués sur une période de plusieurs mois au coût de 62 320 $, avaient été inclus dans les frais d'entretien.
   e. Juste avant la fin de l'exercice, un client dont les rideaux se sont décolorés dès la première exposition au soleil, malgré leur prix élevé, a intenté un procès à la société. Elle a dû débourser 4 300 $ pour le remplacement des rideaux et 50 000 $ en dommages et intérêts.

    f. Le vérificateur de la société a envoyé une facture de 2 350 $ pour ses honoraires de l'année.

    g. Juste avant la fin de l'exercice, la société a accepté d'acheter une automobile de 17 220 $ pour l'un de ses principaux actionnaires.

    h. Au début de l'exercice, la société a versé 2 000 $ pour le droit exclusif de distribuer au Canada des tissus fabriqués par Rêves Soyeux ltée, une entreprise américaine. Ce monopole de distribution s'étend sur une période de quatre ans.

PROBLÈME 7.3*
Calcul du bénéfice net provenant de divers comptes

La société Potier ltée vient de terminer son exercice financier 1998. D'après les données suivantes, calculez le bénéfice net ou les pertes nettes pour 1998 :

Recouvrement des créances pour 1998	174 320 $
Clients, fin 1997	11 380
Clients, fin 1998	9 440
Provision pour créances douteuses, fin 1997	890
Provision pour créances douteuses, fin 1998	1 130
Mauvaises créances radiées en 1998	520
Versements aux fournisseurs et employés en 1998	145 690
Fournisseurs et honoraires à payer, fin 1997	12 770
Fournisseurs et honoraires à payer, fin 1998	15 510
Stock de marchandises non vendues, fin 1997	21 340
Stock de marchandises non vendues, fin 1998	24 650
Emprunt bancaire, fin 1998 (L'emprunt a été contracté un mois avant la fin de 1998 à un taux d'intérêt de 8 %. Aucun intérêt n'a encore été versé.)	12 000
Impôts sur le bénéfice à payer, fin 1998 (aucun à la fin de 1997)	2 340
Impôts sur le bénéfice payés en 1998	3 400
Passif d'impôts reportés, fin 1998 (aucun à la fin 1997)	1 230

PROBLÈME 7.4*
Deux questions concernant les produits et les charges

1. Pourquoi la **constatation des produits** ne consiste-t-elle pas toujours simplement en un débit des comptes clients et un crédit des produits à la **date de la vente** ?

2. En 1998, Constrictor ltée a constaté 38 % du total de produits prévus, pour un contrat de construction d'un garage attenant à la maison du professeur Bulot. Le contrat s'élève à un montant total de 43 000 $ et Constrictor prévoit que ses coûts pour réaliser le contrat s'élèveront à 29 500 $. Jusqu'à présent, les coûts sont en accord avec ces prévisions. Quelle portion des charges du contrat la société devrait-elle constater pour 1998 et quel serait le bénéfice découlant du contrat en 1998 ?

PROBLÈME 7.5*
Analyse du conflit entre une comptabilité flexible et la comptabilité standard

Comme vous le savez, la présentation de l'information comptable a deux objectifs contradictoires. Le premier objectif est d'adapter la comptabilité à la situation particulière de chaque société, de sorte que les résultats soient pertinents et permettent de comprendre et d'évaluer cette société. Le second objectif est de rendre la comptabilité uniforme en vue de faciliter les comparaisons avec d'autres entreprises et de préserver la crédibilité de l'information.

Rédigez un court texte dans lequel vous expliquerez quelle est l'importance de cette contradiction et proposerez des solutions pour régler ce problème.

PROBLÈME 7.6*
Questions sur la partie droite du bilan

Répondez brièvement aux questions suivantes :

1. Quelle est la différence entre le passif et les capitaux propres ?
2. Quelle est la différence, si différence il y a, entre le passif et les dettes ?
3. Proposez deux exemples de chaque sorte de produits ou de charges à court et à long terme difficiles à estimer, et précisez quelle est la difficulté dans chaque cas.
4. Les sociétés doivent-elles éviter les charges ou les produits à long terme susceptibles de se révéler inexacts et, par conséquent, trompeurs, et choisir de payer au comptant des charges relatives aux garanties ou au régime de retraite, à mesure qu'elles se présentent ?

PROBLÈME 7.7*
La détermination du coût d'un bien

La société Centrachat ltée a acheté un terrain sur lequel elle compte construire un centre commercial. Calculez le coût du terrain d'après les informations suivantes, en formulant toutes les hypothèses qui vous sont utiles.

a. Centrachat a accepté de verser à l'ancien propriétaire 50 000 $ par année, pendant dix ans, pour l'acquisition du terrain. Ces paiements comprennent des intérêts totalisant 150 000 $ sur dix ans.

b. Centrachat a versé 20 000 $ à un agent immobilier pour mener des négociations avec l'ancien propriétaire.

c. Une firme d'ingénierie a été payée 9 500 $ pour une série de tests afin de s'assurer que le terrain n'était pas contaminé et qu'il avait un fond rocheux suffisamment solide pour permettre la construction du centre commercial.

d. Centrachat a payé 4 000 $ pour la préparation et l'installation sur le chantier de grandes pancartes annonçant l'ouverture du nouveau centre dans 18 mois.

e. Des bulldozers ont rasé l'ancien cinéparc, puis nivelé et remblayé le terrain pour un coût de 35 200 $. La récupération des rebuts du cinéparc a rapporté 1 500 $ comptant.

f. Un voisin s'opposant à la construction du centre commercial à côté de sa maison a menacé d'engager des poursuites judiciaires. Centrachat a réglé ce litige à l'amiable pour 25 000 $ et a également accepté d'acheter la propriété du voisin pour 110 000 $. La société gardera cette propriété pour le moment et la revendra probablement plus tard, une fois que la valeur du centre commercial aura augmenté.

g. La société a versé 66 700 $ à un architecte pour les plans et les devis d'origine du centre, nécessaires pour obtenir de la municipalité un permis de construire.

h. Le président et plusieurs autres cadres supérieurs de Centrachat ont passé l'équivalent de 47 jours de travail en négociations pour l'achat du terrain, et ont fait plusieurs visites du site. Si l'on impute leurs salaires à cette activité, on obtient un montant de 43 200 $. Les visites du site ont entraîné 7 200 $ de frais de transport, le siège social de Centrachat se trouvant dans une autre ville.

PROBLÈME 7.8*
Calcul des produits, des charges et du bénéfice pour un contrat de construction

Bâtisseurs ltée est un entrepreneur de construction spécialisé dans les routes et d'autres gros travaux de terrassement, de remblayage et de bétonnage. Voici des informations sur l'un de ses contrats s'échelonnant sur plusieurs années: Chantier n°48.

Total des produits pour ce contrat: 5 200 000 $
Estimations de Bâtisseurs concernant le total de ses frais pour la durée du contrat: 4 300 000 $
Premier exercice: Montants dépensés: 900 000 $; facturés: 1 300 000 $; recouvrés: 1 000 000 $
Deuxième exercice: Montants dépensés: 1 990 000 $; facturés: 1 800 000 $; recouvrés: 2 030 000 $
Troisième exercice: Montants dépensés: 1 410 000 $; facturés: 2 100 000 $; recouvrés: 2 170 000 $

Calculez les produits, les charges et le bénéfice du chantier n°48 pour *chaque exercice* et pour *toute la durée du contrat*, d'après chacune des méthodes de constatation suivantes:

a. à l'achèvement des travaux;
b. en fonction de l'avancement des travaux (utilisez la proportion du coût dépensé comme mesure du pourcentage de travail terminé et arrondissez les pourcentages);
c. en fonction des encaissements (indice: rapprochez la constatation des charges de la proportion du montant total reçu chaque année).

PROBLÈME 7.9*
Discussion autour de certains termes

Déterminez lesquels des termes suivants sont reliés à la mesure du bénéfice et à la valorisation du bilan:

a. comptabilité téméraire;
b. le moindre du coût ou de la valeur marchande;
c. capitalisation des charges;
d. rapprochement;
e. valeur actualisée;
f. prudence.

PROBLÈME 7.10*
Calcul des charges payées d'avance et des charges à payer

Une société régionale paie ses impôts fonciers plutôt irrégulièrement. Voici les dates de ses relevés de taxes foncières et de ses paiements pour les dernières années:

• Relevé de 4 500 $ en avril 1996 pour les taxes de l'année civile 1996;

• Paiement de ces taxes le 20 septembre 1996;

• Relevé de 4 800 $ en avril 1997 pour les taxes de l'année civile 1997;

• Paiement de ces taxes le 30 novembre 1997;

• Relevé de 5 100 $ en avril 1998 pour les taxes de l'année civile 1998;

• Paiement de ces taxes le 15 août 1998.

Calculez les impôts fonciers payés d'avance et à payer *pour les exercices financiers de 1997 et de 1998*, si la société termine son exercice aux dates suivantes :

a. le 30 avril ;
b. le 30 juin ;
c. le 30 septembre ;
d. le 31 décembre.

PROBLÈME 7.11*
Méthodes comptables concernant la constatation des produits

Quelle méthode de constatation des produits recommanderiez-vous pour chacune des sociétés suivantes ? Justifiez votre réponse.

a. Les Hambourgeois Fameux, restoroute ouvert toute la nuit ;
b. Patricia Mode, styliste, couturière et créatrice de vêtements haute couture sur commande ;
c. Yukor, exploitant d'une mine d'or dans le Yukon ;
d. Mobilus, marchand de meubles bon marché dont le slogan est : « Achetez maintenant et ne payez rien avant l'année prochaine » ;
e. Construbec, entrepreneur de construction qui travaille pour le gouvernement et de grosses sociétés ;
f. Maisonnettes, qui construit des maisons dans les nouveaux quartiers de la ville et engage des agents pour les vendre lorsqu'elles sont terminées.

PROBLÈME 7.12
Calcul simple de produits réalisés

Un hebdomadaire a commencé ses opérations le 1er juillet, et les paiements de 1 000 abonnements d'un an, à 5,20 $ chacun, ont été encaissés au cours des trois premiers jours du mois. Les premiers numéros ont paru les 7, 14, 21 et 28 juillet. Quel montant de produits cet hebdomadaire devra-t-il constater en juillet ?

PROBLÈME 7.13
Qui doit choisir les conventions comptables ?

Doit-on laisser à la direction la responsabilité du choix des conventions comptables ou faut-il confier ce rôle à quelqu'un d'autre (par exemple, le gouvernement, le vérificateur ou un comité indépendant) ? Justifiez votre réponse.

PROBLÈME 7.14
Le vérificateur peut-il empêcher l'utilisation de conventions comptables inappropriées ?

Un journaliste s'intéressant à la comptabilité faisait remarquer ceci : « La direction fait des choix comptables dans son propre intérêt, alors que le pauvre vérificateur est le seul à défendre le principe de fidélité ! En effet, vous savez à quel point les critères déterminant le choix des conventions comptables sont vagues et subjectifs. »

Que pensez-vous de ces commentaires ?

PROBLÈME 7.15
Questions sur les notes importantes concernant les conventions comptables

1. Quels sont les renseignements sur les principales conventions comptables que vous vous attendez à trouver dans les notes afférentes aux états financiers ?
2. Comment la société décide-t-elle des renseignements à mentionner par voie de note ?
3. D'après un observateur du monde des affaires, toute société qui adopte une convention comptable inhabituelle devrait en présenter l'incidence sur le bénéfice dans ses notes et démontrer l'incidence qu'aurait eue une convention plus habituelle. Que pensez-vous de cette idée ?

PROBLÈME 7.16
Commentaires sur différentes remarques concernant les conventions comptables

Commentez brièvement ces remarques faites par un homme d'affaires :

1. Personne ne se préoccupe de nos choix de conventions comptables, car ils n'ont pas d'incidence sur le cours des actions de la société.
2. L'an passé, nous avons vendu pour la somme de 54 000 $ du matériel dont la valeur comptable était de 70 000 $. J'en ai beaucoup voulu à notre directeur général pour cette perte de 16 000 $, et j'ai failli le mettre à la porte.
3. Une fois que le choix des conventions comptables adéquates a été fait, toutes les notes afférentes aux états financiers, qui sont, au départ, un vrai fléau, deviennent inutiles.

PROBLÈME 7.17
Quelques questions simples sur les charges à payer

Avant son ouverture, la Boutique Nouveautés a fait appel aux services d'une compagnie de téléphone. Un préposé a alors expliqué au propriétaire de la boutique que la compagnie facturait à la fin de chaque mois le service offert et qu'elle n'exigeait ni acompte ni frais d'installation.

1. L'installation du téléphone a-t-elle augmenté l'actif de la Boutique Nouveautés ? En résulte-t-il une charge au moment de l'installation ?
2. Si les frais mensuels de service sont de 21 $, comment le calcul du bénéfice des deux premières semaines en sera-t-il modifié ?
3. Si les frais du service téléphonique étaient payés d'avance, au début du mois, en quoi ce paiement modifierait-il l'actif et le bénéfice ?
4. Si la compagnie de téléphone avait perçu des frais d'installation de 10 $, au début du mois, en quoi cela aurait-il modifié l'actif et le bénéfice ?

PROBLÈME 7.18
Les différences entre la comptabilité des grandes et des petites entreprises

Énumérez certaines différences entre une grande entreprise et une petite entreprise de quartier, tenue par une seule personne, concernant le déroulement des opérations et la tenue des registres comptables. En quoi ces différences peuvent-elles influer sur les conventions comptables de l'entreprise ?

PROBLÈME 7.19
Discussion sur les fondements de la comptabilité d'exercice

Discutez les points suivants :

1. Dans une optique positive, on dira que la comptabilité d'exercice améliore l'information sur les flux de trésorerie. Dans une optique négative, on remarquera que la comptabilité d'exercice brouille l'image en introduisant des éléments hors caisse. Que vous aimiez ou non le résultat qu'elles entraînent, comment les écritures de la comptabilité d'exercice modifient-elles la présentation des flux de trésorerie ?
2. Pourquoi peut-on dire que le choix du moment, c'est-à-dire le choix de la date de l'arrêté des comptes, est au cœur de la comptabilité d'exercice ?

PROBLÈME 7.20
Écart entre la mesure du bénéfice et celle des flux de trésorerie

Répondez brièvement à la critique formulée par un homme d'affaires :

Je ne suis pas du tout satisfait des méthodes de la comptabilité d'aujourd'hui. Ce qui fait la force financière d'une entreprise, c'est la disponibilité et l'utilisation de ressources réelles, telles que l'encaisse et l'équipement, tandis que la comptabilité d'exercice produit délibérément une mesure du bénéfice différente des rentrées de fonds réalisées par l'entreprise. Pourquoi en est-il ainsi ? Pourquoi la comptabilité d'exercice doit-elle s'écarter de la mesure des flux de trésorerie ?

PROBLÈME 7.21
Examen de certains phénomènes de la comptabilité d'exercice

1. Le 31 décembre, à la fin de l'exercice de la société Ultra ltée, l'expert-comptable procède à certains redressements. Donnez des exemples de situations qui exigent des écritures de régularisation comme celles qui suivent:

   a. On porte un débit à un compte de charges et un crédit à un compte de passif.
   b. On porte un débit à un compte de charges et un crédit à un compte de contrepartie.
   c. On porte un débit à un compte d'actif et un crédit à un compte de produits.
   d. On porte un débit à un compte de passif et un crédit à un compte de produits.

2. Un dirigeant d'entreprise faisait la remarque suivante: «Pour mesurer les éléments d'actif, les experts-comptables utilisent deux types de normes. Certains éléments d'actif sont inscrits dans le bilan parce qu'ils ont réellement une valeur économique future, d'autres n'y sont présentés que parce qu'ils constituent des reliquats du processus de mesure du bénéfice... des charges qui attendent en quelque sorte d'être déduites. La même chose se produit pour le passif: certains éléments correspondent vraiment à des dettes, tandis que d'autres ne sont que des reliquats du processus de mesure du bénéfice en comptabilité d'exercice.»

Exprimez votre avis sur cette remarque en donnant des exemples d'éléments d'actif et d'éléments de passif qui pourraient entrer dans les quatre catégories mentionnées par cette personne.

PROBLÈME 7.22
Gestionnaires et comptabilité d'exercice

Maintenant que vous êtes quelqu'un d'influent dans le monde des affaires, on vous demande régulièrement d'animer des déjeuners-causeries. Sans beaucoup y avoir réfléchi, vous avez accepté de faire un exposé sur la comptabilité d'exercice à des étudiants en administration des affaires. Vous devez à présent réfléchir à ce que vous allez leur dire et vous avez décidé d'intituler votre exposé: «Pourquoi des gestionnaires comme moi aiment-ils la comptabilité d'exercice et pourquoi s'en préoccupent-ils autant?» Faites une liste des sujets que vous allez aborder sous un tel titre.

PROBLÈME 7.23
Calcul du bénéfice d'après les livres de caisse

Michel Boisjoly est détective privé. Il tient ses comptes selon la comptabilité de caisse et a dressé, sous la forme suivante, ce qu'il appelle, lui, l'état des résultats.

| Michel Boisjoly |
Résultats pour l'exercice terminé le 30 juin 1998	
Honoraires encaissés	85 000$
Moins dépenses payées	34 600$
Bénéfice net	50 400$

En examinant les livres de Michel Boisjoly, on trouve les soldes suivants au début et à la fin de l'exercice 1998:

	1ᵉʳ juillet 1997	30 juin 1998
Honoraires à recevoir	10 350 $	3 900 $
Acomptes des clients pour des enquêtes en cours		1 200
Charges à payer	3 490	5 250
Charges payées d'avance	1 700	2 500

1. a. Quel est le montant des honoraires encaissés par Michel Boisjoly en 1998 pour des enquêtes terminées en 1997 ?
   b. Quel est le montant des honoraires reçus en 1998 qui sera gagné en 1999 ?
2. a. Quel est le montant des charges payées par Michel Boisjoly en 1998 qui correspond au travail qu'il a effectué en 1997 ou qu'il effectuera en 1999 ?
   b. Quel est le montant des charges payées au cours des exercices précédents qu'il faut rapprocher des produits gagnés en 1998 ?
3. D'après vos réponses aux questions 1 et 2, dressez l'état des résultats de Michel Boisjoly pour l'exercice terminé le 30 juin 1998, selon la méthode de la comptabilité d'exercice.
4. Faites les redressements nécessaires dans l'état des résultats afin de rapprocher le « bénéfice » de 50 400 $ de Michel Boisjoly du chiffre que vous avez trouvé.
5. Comparez les deux états des résultats. Pourquoi Michel Boisjoly (ou d'autres qui utilisent son information financière) préfère-t-il utiliser la comptabilité de caisse ? Pourquoi pourrait-on préférer la comptabilité d'exercice ?

PROBLÈME 7.24
Méthodes de constatation adaptées à divers cas

Quand une vente est-elle considérée comme une vente ? Quand le système comptable constate-t-il qu'un produit a été gagné ? Indiquez quelle méthode de constatation des produits devrait être adoptée dans chacun des cas énumérés ci-dessous. Rappelez-vous les éléments suivants : le respect des critères généraux de constatation des produits ; la notion d'« événement clé » pour tous les produits constatés en une seule fois ; et la constatation proportionnelle qui peut être faite dans le cas de produits gagnés au cours de plusieurs exercices comptables.

   a. Le café Cafbec (chapitre 6) ;
   b. Les lotissements que possède la société Projets domiciliaires ltée dans la ville de Trois-Rivières ;
   c. Les ventes de gaz naturel aux entreprises et aux résidences privées qu'effectue la société Gazbec ltée ;
   d. Les ventes d'abonnements du magazine *L'actualité* ;
   e. Les ventes de billets pour le Festival des films du monde ;
   f. Les ventes à tempérament d'appareils électroménagers et de meubles effectuées par le Père du Meuble ;
   g. Les produits provenant du forage de puits sur les terrains d'autres sociétés, obtenus par la société Explorations minières ltée ;
   h. Les produits d'Imperial Oil générés par la production du pétrole provenant de ses propres terrains ;
   i. Les produits provenant de la vente de poterie que la société Potiers réunis ltée met en consignation dans les boutiques locales d'artisanat ;
   j. Les produits réalisés par SRC-TV grâce à la publicité diffusée dans les émissions de sport ;

k. Les produits gagnés par Fiberglas Canada grâce à la vente de ses produits;

l. Les ventes de logiciels pour micro-ordinateurs effectuées par Microlab ltée;

m. Les produits provenant de la vente de vêtements par La Baie (certains clients paient comptant, d'autres se servent de leur carte La Baie; d'autres encore utilisent diverses cartes de crédit, et certains retournent la marchandise parce qu'elle ne leur convient pas);

n. Les produits réalisés par votre université grâce aux frais de scolarité;

o. Les produits provenant de dons réalisés par la Croix-Rouge;

p. Les produits réalisés par la société Fleurs et jardins ltée grâce à des contrats d'aménagement paysager.

PROBLÈME 7.25
Choix approprié de méthodes de constatation des produits

Pour chacun des cas ci-dessous, indiquez à quel moment, à votre avis, la société en question devrait constater ses produits. Étayez votre réponse en faisant appel aux critères de constatation généralement reconnus.

a. La société minière Alaska extrait et raffine de l'or. Pour vendre son minerai, elle attend que les cours du marché lui soient favorables. La société peut, si elle le désire, vendre tout son stock d'or en même temps au prix du marché.

b. Fred en Folie vend à tempérament des meubles bon marché. Ses clients prennent possession des meubles après avoir effectué un paiement initial. Pendant le dernier exercice, Fred a dû reprendre possession de 50 % des meubles vendus, à cause de clients qui ne payaient pas.

c. Les Constructions Tom accomplissent de longs travaux de construction et n'acceptent que les contrats à honoraires fixes. Les frais peuvent être estimés avec une précision raisonnable, et la société n'a jamais eu de problèmes de recouvrement.

d. Cécile ltée est un fabricant de jouets. Ces jouets sont expédiés à divers détaillants sur réception de leur bon de commande. Les ventes sont facturées après la livraison. La société estime qu'environ 2 % de ses ventes se révèlent irrécouvrables.

PROBLÈME 7.26
Méthodes recommandées pour constater les produits et les charges

Les Promotions Champions ltée ont acheté le droit d'utiliser le nom de plusieurs joueurs de hockey pour des poupées grandeur nature achetées à un fabricant de jouets. Ces poupées sont vendues par correspondance, au moyen de bons de commande insérés dans les horaires de télévision annexés aux grands quotidiens. Lorsque la société Promotions Champions ltée reçoit une commande (accompagnée d'un mandat, d'un chèque ou d'un numéro de carte de crédit), elle contacte le fabricant de jouets; celui-ci doit fabriquer et expédier la poupée à la personne désignée et confirmer à Promotions Champions que la marchandise a bien été livrée. Le client peut retourner la poupée dans les deux semaines suivant sa réception. Promotions Champions paie le fabricant de jouets dans les 30 jours suivant la livraison. Les commandes de poupées ont été extrêmement nombreuses avant Noël. En fait, le fabricant de jouets a dû ajouter des quarts de travail pour pouvoir répondre à la demande.

1. Précisez trois moments où Promotions Champions ltée pourrait constater les produits réalisés grâce à la vente des poupées. Quel moment lui recommanderiez-vous de choisir? Pourquoi?

2. Précisez deux moments où le fabricant de jouets pourrait constater les produits gagnés grâce à ses poupées.

3. Expliquez comment Promotions Champions ltée devrait comptabiliser les versements faits aux joueurs de hockey en contrepartie de l'utilisation de leur nom (supposons que chaque joueur reçoive une somme forfaitaire initiale et une redevance sur chaque poupée vendue qui porte son nom).

PROBLÈME 7.27
Les produits, les charges et l'actif d'un entrepreneur

Un entrepreneur a mis sur pied une société de construction en septembre. Après plusieurs mois de travail, la société a terminé la construction d'une maison qui lui coûte 70 000 $ au total, et elle fait de la publicité pour la vendre. Au 31 décembre, la société a reçu trois offres : une de 78 000 $ comptant, une autre de 83 000 $, payables en versements mensuels échelonnés sur vingt ans, à un taux d'intérêt annuel de 10 %, et une dernière de 50 000 $ comptant plus un terrain d'une valeur de 31 000 $. L'entrepreneur a décidé d'attendre une meilleure offre, qu'il semble certain d'obtenir.

1. Quel est le montant des produits de la société pour l'exercice ?
2. À combien s'élèvent ses charges ?
3. Quel était son actif au 31 décembre, si elle en avait un ?
4. En supposant que chaque offre puisse être acceptée, calculez, pour chacune d'elles, les charges et les produits pour la période de quatre mois se terminant le 31 décembre. Dans chaque cas, supposez que la vente a été conclue le 26 décembre.

PROBLÈME 7.28
Montants des produits de franchise et conventions comptables

Les entreprises Poulet rôti ltée (PRL) et Coq d'or ltée (COL) vendent toutes deux des franchises de leurs rôtisseries. L'acheteur d'une franchise (le franchisé) obtient le droit d'utiliser les produits de PRL ou de COL et peut profiter pendant dix ans de programmes de formation et de publicité d'envergure nationale. L'acheteur accepte de payer 50 000 $ pour la franchise. De ce montant, il paie 20 000 $ à la signature du contrat et le solde, en cinq versements annuels de 6 000 $ chacun.

PRL constate tous les produits réalisés grâce aux franchises à la signature du contrat, tandis que COL les constate à l'encaissement. En 1996, les deux sociétés ont vendu huit franchises chacune. En 1997, elles en ont vendu cinq chacune. En 1998 et 1999, elles n'en ont vendu aucune.

1. Déterminez le montant des produits réalisés grâce aux franchises et constatés par chaque société en 1996, 1997, 1998 et 1999.
2. Pensez-vous que ces produits devraient être constatés au moment de la signature du contrat, à l'encaissement ou pendant la durée du contrat de franchisage ? Justifiez votre réponse.

PROBLÈME 7.29
Méthodes de constatation du risque présenté par les créances douteuses

Les ventes à crédit constatées à l'aide d'un débit aux comptes « Clients » et d'un crédit aux comptes « Produits » comportent le risque que certains clients ne paient pas les biens et les services qu'ils ont reçus. Analysez les avantages et les inconvénients de chacune des méthodes de constatation de ce risque énumérées ci-dessous :

1. Attendre la preuve manifeste que le compte ne sera pas recouvré avant de le passer en charges, en portant un crédit aux comptes « Clients » et un débit au compte de charges « Créances irrécouvrables ».

2. Créer un compte de provision, en contrepartie de celui qui est présenté dans l'actif (ce qui réduit ce dernier à sa valeur estimative de recouvrement), en portant un crédit au compte « Provision pour créances douteuses » et un débit au compte de charges « Créances douteuses », lorsque le recouvrement de comptes semble incertain, soit en raison d'une preuve précise, soit parce que les analyses statistiques indiquent que, plus les clients tardent à payer, plus la probabilité de recouvrement des comptes diminue. On peut éliminer les comptes qu'on est certain de ne pas recouvrer en portant un crédit aux comptes « Clients » et un débit au compte « Provision ».

3. Évaluer le risque lié à une vente à crédit (par exemple, au moyen d'une analyse statistique du rythme de recouvrement des comptes) et constater immédiatement ce risque en portant un crédit au compte « Provision pour créances douteuses » et un débit au compte de charges « Créances irrécouvrables ». Lorsque certains comptes deviennent réellement irrécouvrables, on les élimine des comptes de la même façon qu'au point 2.

PROBLÈME 7.30
Détermination du coût d'un bien d'après plusieurs composantes possibles

D'après les informations suivantes, déterminez le coût du terrain et d'une usine qui apparaîtront dans le bilan de Simon ltée :

Coût d'achat du site	175 000 $
Matériaux de construction (y compris 10 000 $ de matériaux gaspillés par des travailleurs manquant d'expérience)	700 000
Coût d'installation des machines	40 000
Nivellement et drainage du site	20 000
Coût de la main-d'œuvre (Simon ltée a utilisé ses propres travailleurs pour construire l'usine plutôt que de les mettre à pied à cause d'un ralentissement dans les affaires. Cependant, la main-d'œuvre lui a coûté 40 000 $ de plus que si les travaux avaient été confiés à des entrepreneurs indépendants, à cause du manque d'expérience et d'efficacité de ses propres employés.)	500 000
Coût d'achat des machines	1 000 000
Frais de livraison des machines	10 000
Nivellement et asphaltage du stationnement	60 000
Remplacement des vitres brisées par des vandales avant le début de la production	7 000
Honoraires de l'architecte	40 000

PROBLÈME 7.31
Composantes théoriques du coût d'un bien

Le nouveau comptable de Mage ltée se demande comment calculer le coût d'une nouvelle machine que la société vient d'installer. Expliquez brièvement si vous pensez ou non que les éléments suivants doivent faire partie du coût de la machine, et justifiez votre réponse :

a. Le prix de la machine figurant sur la facture ;
b. Les taxes de ventes payées sur la machine ;
c. Les frais d'expédition de la machine à l'usine ;
d. Le frais de déplacement du gestionnaire qui s'est rendu à l'usine du fabricant pour choisir la machine ;

e. Le prix de la peinture utilisée pour peindre la machine en vert pâle, comme les autres machines ;

f. Le montant estimatif des produits perdus en raison du retard de livraison de la machine ;

g. Le coût des produits de moindre qualité fabriqués pendant que le personnel de l'usine apprenait à se servir de la machine (tous jetés pour ne pas entacher la réputation de la société) ;

h. Le coût des intérêts de l'emprunt bancaire contracté pour financer l'achat de la machine ;

i. Le coût de déplacement de trois autres machines pour faire de la place à la nouvelle.

PROBLÈME 7.32 (POUR LES AS !)
Conversion de la comptabilité de caisse en comptabilité d'exercice

Aide temporaire ltée est une entreprise qui offre des services personnels spécialisés (par exemple, secrétariat intérimaire, distribution de feuillets publicitaires, services de coursiers, achat de cadeaux, etc.). La société tient ses comptes selon la comptabilité de caisse, mais la banque lui a demandé de changer de méthode et d'adopter la comptabilité d'exercice. Le bénéfice de 1998, établi selon la comptabilité de caisse, s'élevait à 147 000 $. En vous servant des chiffres suivants (notez l'ordre des années), calculez le bénéfice de 1998, selon la comptabilité d'exercice :

	Actif		Passif	
	1998	1997	1998	1997
Comptabilité de caisse :				
Court terme	98 000 $	56 000 $	35 000 $	35 000 $
Long terme	—	—	—	—
Comptabilité d'exercice :				
Court terme	182 000	112 000	70 000	49 000
Long terme	21 000	28 000	14 000	—

PROBLÈME 7.33 (POUR LES AS !)
Questions sur les vérificateurs, l'exercice du jugement et les conventions comptables

Rédigez un court texte sur chacun des sujets suivants, dans la perspective du choix des conventions et des méthodes comptables étudiées dans ce chapitre :

1. Pourquoi le rapport des vérificateurs mentionne-t-il si oui ou non la société a préparé ses états financiers conformément aux PCGR ?
2. Pourquoi doit-on faire appel au jugement professionnel lorsque l'on prépare des états financiers ?
3. Est-il justifiable d'utiliser une convention téméraire de constatation des produits (en d'autres termes, tôt au cours du cycle de production-vente-recouvrement) ?

PROBLÈME 7.34 (POUR LES AS !)
Produits comptables / produits économiques

Un économiste soutient que les produits sont créés ou gagnés sur une base continue, au moyen d'une série d'étapes (la production, la vente, la livraison). L'expert-comptable, quant à lui, choisit habituellement une seule étape du processus (l'événement clé) pour indiquer le moment où tous les produits doivent être constatés.

a. En supposant que le point de vue de l'économiste soit juste, précisez dans quelles circonstances la méthode appliquée par l'expert-comptable produirait une juste mesure du bénéfice périodique. En d'autres termes, dans quelles conditions le bénéfice défini selon l'économiste sera-t-il égal au bénéfice mesuré de façon comptable?

b. Quels sont les obstacles à l'implantation d'un système de mesure du bénéfice basé sur la définition donnée par l'économiste?

PROBLÈME 7.35 (POUR LES AS!)
Quelques notions de comptabilité d'exercice expliquées à un homme d'affaires

Un homme d'affaires que vous connaissez bien vient de recevoir les états financiers d'une société dont il est actionnaire. Répondez à ses questions en termes simples, en évitant le jargon professionnel et en utilisant des exemples qui clarifieront vos explications.

1. On m'a dit que les chiffres de la comptabilité d'exercice sont «simplement une question de choix de date de l'arrêté des comptes». Qu'est-ce que cela signifie?
2. Je vois que la société a inclus dans ses états financiers une note décrivant sa méthode de «constatation des produits». En quoi cela pourrait m'intéresser?
3. Je sais par expérience que l'on recouvre parfois des montants plus tôt ou plus tard que prévu. Les clients peuvent ou non avoir des liquidités, pour toutes sortes de raisons qui n'ont rien à voir avec moi. Puisque la comptabilité d'exercice semble tenir compte de ce fait, le moment où l'on recouvre l'argent n'a plus d'importance. Au bout du compte, j'ai l'impression que l'on obtient les mêmes chiffres pour les produits. Est-ce vrai?
4. Je comprends que les comptables s'efforcent de «rapprocher» les produits et les charges, afin que le bénéfice obtenu en soustrayant les charges des produits soit cohérent. Ça m'a l'air bien. Mais quel effet, si effet il y a, ce rapprochement peut-il avoir sur les chiffres du bilan?

PROBLÈME 7.36 (POUR LES AS!)
Effets de la comptabilisation du passif découlant des régimes de retraite sur les résultats futurs

Un professeur de comptabilité déclarait récemment: «Notre gouvernement n'est pas le seul à gaspiller l'héritage de nos enfants. Les organismes qui établissent les normes comptables sont tout aussi coupables, parce qu'ils n'ont pas élaboré de normes en matière de présentation des passifs découlant notamment des régimes de retraite, tant dans le secteur public que dans le secteur privé.»

Expliquez de quelle façon ce prétendu manquement de la part des organismes de normalisation en matière d'obligations découlant des régimes de retraite risque de déposséder les générations futures.

PROBLÈME 7.37 (POUR LES AS!)
La comptabilité d'exercice en tant qu'outil de gestion

Un professeur déclarait récemment que la comptabilité d'exercice, par opposition à la comptabilité de caisse, permettait aux gestionnaires de manipuler plus facilement les données comptables. La comptabilité d'exercice, poursuivait le professeur, est un outil de gestion dont l'objectif n'est plus de produire une information représentative des phénomènes réels, mais plutôt de produire de somptueux rapports dénués de réelle signification.

1. Que pensez-vous de l'opinion du professeur? Existe-t-il de meilleures raisons qui justifient l'emploi de la comptabilité d'exercice?
2. Le professeur déclare que les enseignants et les praticiens réagissent différemment à ses idées. Quelles pourraient être les différences, selon vous?

3. Si le professeur a raison, que pensez-vous du principe selon lequel la responsabilité de fournir l'information financière concernant une entreprise revient à la direction ?

PROBLÈME 7.38 (POUR LES AS!)
Le calcul des flux de trésorerie et du bénéfice relatifs à un contrat

La société Constructions Lambert ltée a obtenu un contrat du gouvernement québécois pour la construction de 15 km d'autoroute au prix de 100 000 $ le kilomètre. Le paiement de chaque kilomètre se fera selon le calendrier suivant :

- 40 %, lorsque le béton sera coulé ;
- 50 %, lorsque le travail effectué sur ce kilomètre sera achevé ;
- 10 %, lorsque les 15 km de route seront terminés, inspectés et approuvés.

À la fin de la première période, les 5 premiers kilomètres de route ont été terminés et approuvés, le béton a été coulé et le travail a été approuvé pour une deuxième tranche de 5 km, et le nivelage préliminaire pour la troisième tranche de 5 km a été terminé.

Le coût initial du travail a été évalué à 80 000 $ le kilomètre. Actuellement, les coûts engagés concordent avec l'estimation initiale et atteignent les montants suivants : pour la tranche terminée, 80 000 $ le kilomètre, pour la deuxième tranche, 65 000 $ le kilomètre ; et pour la dernière tranche, 10 000 $ le kilomètre. On prévoit terminer les travaux inachevés au coût prévu initialement.

1. Combien le gouvernement du Québec aura-t-il payé à la fin de la première période des travaux selon les conditions du contrat ? Présentez vos calculs.
2. Quel devrait être le bénéfice pour cette période ? Présentez vos calculs et justifiez la méthode utilisée.

PROBLÈME 7.39 (POUR LES AS!)
Calcul du bénéfice d'après plusieurs méthodes de constatation

La société Marchand ltée fabrique un seul produit au coût de 6 $ l'unité et elle paie comptant le coût de chaque unité produite. Les frais de vente s'élèvent à 3 $ l'unité et sont payés au moment de l'expédition. Le prix de vente est de 10 $ l'unité ; toutes les ventes se font à crédit. On ne prévoit aucune créance irrécouvrable et le recouvrement des comptes n'entraîne aucun frais.

En 1997, la société a fabriqué 100 000 unités, en a expédié 76 000 et a reçu 600 000 $ de ses clients. En 1998, elle a fabriqué 80 000 unités, en a expédié 90 000 et a reçu 950 000 $.

1. En ne tenant pas compte des impôts sur le bénéfice pour le moment, déterminez le montant du bénéfice net qui doit être présenté pour chacun des deux exercices :

   a. si la société constate les produits et les charges au moment de la production ;
   b. si la société constate les produits et les charges au moment de l'expédition ;
   c. si la société constate les produits et les charges au moment de l'encaissement.

2. L'actif total présenté dans le bilan du 31 décembre 1998 sera-t-il modifié par le choix du moment de la constatation (question 1) ? À combien se chiffrerait cette différence ?

3. Répondez de nouveau à la première question en supposant un taux d'imposition de 30 %.

PROBLÈME 7.40 (POUR LES AS!)
La constatation des charges et des produits pour un franchiseur

En 1997, Pâtés et tartes ltée (PTL) a commencé à accorder des franchises qui donnent le droit d'exploiter des établissements de restauration rapide, spécialisés uniquement dans la vente de pâtés et de tartes: pâtés à la viande, tartes aux pacanes, au sucre, aux pommes, etc. L'une de ses spécialités est la « ra-tarte », faite à base de racines diverses (gingembre, ginseng, etc.) et inventée par Jeanne Bernard, fondatrice et propriétaire de PTL.

Jeanne a divisé chaque grande ville en secteurs d'environ 200 000 habitants et envisage d'installer un établissement franchisé dans chaque secteur. Pour les villes plus petites, les franchises couvriront les secteurs ruraux également. Chaque contrat de franchisage est valide dix ans, renouvelable au moins pour deux autres périodes de dix ans et se vend 20 000 $. Chaque franchisé doit payer 5 000 $ comptant à PTL, verser le solde en trois paiements annuels égaux (sans intérêts) et accepter d'acheter les divers ingrédients de PTL. En échange, PTL lui offre ses conseils d'expert (Jeanne), ses recettes, une aide financière pour la location ou la construction des établissements, la formation des gestionnaires, ainsi qu'une partie de la publicité à l'échelle nationale. (Les frais de publicité seront réclamés aux franchisés au prorata des produits réalisés.)

Voici les données relatives au premier exercice de PTL se terminant le 31 août 1998:

Contrats de franchisage signés	28
Paiements comptants reçus	26
Établissements ouverts	18
Frais relatifs aux franchises	230 000 $
Frais généraux divers	55 000 $

L'un des franchisés a déjà abandonné ses opérations (après avoir payé uniquement les 5 000 $ initiaux), deux autres, qui avaient ouvert un établissement, ne semblent pas pouvoir poursuivre leurs activités, et un de ceux qui n'ont pas encore ouvert leur établissement ne semble pas près de démarrer.

1. Énumérez toutes les méthodes que vous connaissez pour constater les produits provenant de la vente des franchises.
2. Classez ces méthodes de la moins prudente à la plus prudente.
3. Énumérez toutes les méthodes que vous connaissez pour constater les charges découlant de la vente de franchises.
4. Rapprochez chaque méthode de constatation des charges de la méthode de constatation des produits qui semble la plus appropriée.
5. Calculez le bénéfice avant impôts de 1998 que vous obtiendriez en appliquant deux ou trois des méthodes les plus raisonnables de constatation des produits et des charges.
6. Selon vous, quelle méthode de rapprochement conviendrait le mieux à la société PTL?
7. Rédigez une note complémentaire à annexer aux états financiers du 31 août 1998, portant sur une convention comptable; dans cette note, vous décrirez la méthode de constatation des produits et des charges que vous avez choisie pour PTL.

**PROBLÈME 7.41
(POUR LES AS!)
Capitalisation des
coûts et bénéfices
de location**

Une société arrête de cumuler les frais (de capitaliser) dans un compte d'immobilisations (par exemple, le compte « Bâtiments ») ; elle entreprend de passer les dépenses en charges et de calculer l'amortissement relatif à ce bien lorsqu'il est mis en service et commence à générer des produits. Cela est habituellement très simple, mais envisagez le cas suivant :

Une société possède un immeuble de bureaux dont la construction devrait être entièrement achevée le 1ᵉʳ septembre 1998. Au 1ᵉʳ juillet 1998, les frais de construction s'élèvent à 3 000 000 $, y compris les intérêts sur le financement de 150 000 $ (10 000 $, du 1ᵉʳ avril 1998 au 1ᵉʳ juillet 1998). Le premier locataire a emménagé le 1ᵉʳ avril 1998 et il a été suivi de plusieurs autres. Au 1ᵉʳ juillet 1998, environ 40 % des bureaux étaient loués. Selon les prévisions, il faut que 70 % des bureaux soient loués pour que l'immeuble devienne rentable. Malheureusement, il y a un très fort pourcentage de locaux inoccupés dans ce quartier, en raison du ralentissement récent des activités économiques. Le taux moyen d'occupation des bâtiments des environs est de 60 %, et on ne s'attend pas à ce que la situation s'améliore avant au moins trois ans. Pour le moment, les locataires ont payé 50 000 $ de loyer et 10 000 $ de charges qui doivent être remboursées à l'entreprise pour les services, la conciergerie, ainsi que d'autres frais relatifs aux espaces communs, qui s'élèvent actuellement à 25 000 $ pour la période du 1ᵉʳ avril au 1ᵉʳ juillet 1998. Les produits des loyers, les frais reliés aux espaces communs et les remboursements de ces frais ont été calculés à leur valeur nette, puis capitalisés, ce qui diminue en tout de 35 000 $ les frais de construction à ce jour (50 000 $ + 10 000 $ − 25 000 $).

Ces frais de construction incluent le montant de 100 000 $ versé par la société aux locataires pour des améliorations locatives (améliorations que les locataires ont dû apporter à leurs locaux pour leur usage personnel : murs intérieurs, peinture, moquette). Ces paiements versés aux locataires ont contribué à les inciter à quitter leurs anciens locaux situés dans les bâtiments avoisinants et à signer des baux à long terme (cinq ans) avec la société.

1. La société a-t-elle « raison » de capitaliser une partie ou l'ensemble des éléments mentionnés ci-dessus ? Pourquoi ?
2. À quel moment faudrait-il inscrire les encaissements et les décaissements qui correspondent essentiellement à l'activité de location en tant qu'éléments de l'état des résultats plutôt qu'en tant qu'éléments du bilan (en d'autres termes, constater les produits et les charges) ?

**PROBLÈME 7.42
(POUR LES AS!)
Constatation des
produits et des
charges d'une
vraie société**

En utilisant les états financiers de n'importe quelle société qui vous intéresse, ou bien ceux de la société Provigo inc. qui se trouvent à la fin de ce manuel, rédigez une analyse exhaustive des conventions que la société utilise pour constater les produits et les charges. Traitez les points suivants :

a. Quelle est la nature des activités de l'entreprise, comment réalise-t-elle ses produits et comment reconnaît-elle ses charges ?
b. Que révèlent les états financiers et les notes complémentaires sur les principales conventions régissant la constatation des produits et des charges ?
c. D'après les points (a) et (b), et compte tenu de vos propres réflexions, pensez-vous que ces conventions sont appropriées ? Vous posez-vous des questions à leur propos ?
d. Que vous révèle l'état de l'évolution de la situation financière sur la concordance du bénéfice en comptabilité d'exercice et en comptabilité de caisse ?

PROBLÈME 7.43 (POUR LES AS!)
Question sur l'ensemble des produits et des charges

Ordinatech ltée est spécialisée dans la conception de systèmes informatisés de répartition, d'expédition, d'entretien et d'exploitation pour l'industrie nord-américaine du camionnage, qui a été touchée récemment par la déréglementation.

La société a consacré les cinq dernières années à l'élaboration des systèmes et, cette année (exercice qui se termine le 30 novembre 1998), elle en a vendu une première série. La mise de fonds initiale de 2 500 000 $ provient du fondateur, qui a investi 1 250 000 $ sous forme de prêt. Dans le passé, la société ne se préoccupait pas vraiment des problèmes comptables et de ses états financiers, mais, maintenant, elle cherche des sources de financement externes et doit dresser des états financiers pour les obtenir.

Nous sommes le 19 décembre 1998. Le président redoute fortement la réaction des investisseurs devant les résultats de l'exercice terminé le 30 novembre 1998. Il sait que, selon les PCGR, différents choix de conventions comptables lui sont offerts et il s'intéresse à ces choix dans les deux cas suivants:

- La société a engagé 2 500 000 $ dans l'élaboration des systèmes, frais qui ont été répartis sur les cinq dernières années. De ce montant, 1 000 000 $ ont été affectés à la conception d'un système qu'il n'est pas possible de commercialiser cette année. Le reste des frais sont attribuables à l'élaboration du système qui est vendu actuellement. La société pense pouvoir vendre le système pendant cinq ans, période après laquelle il sera techniquement désuet. Au cours de ces cinq ans, le système deviendra graduellement désuet (et donc plus difficile à vendre). Voici comment, la société prévoit vendre le système:

  Exercice terminé le 30 novembre 1998   2 systèmes déjà vendus
  Exercice terminé le 30 novembre 1999   4 systèmes devraient être vendus
  Exercice terminé le 30 novembre 2000   3 systèmes devraient être vendus
  Exercice terminé le 30 novembre 2001   2 systèmes devraient être vendus
  Exercice terminé le 30 novembre 2002   1 système devrait être vendu

- Les ventes ont commencé pendant le second semestre de l'année 1998. Le prix de chaque contrat de vente est fixé de façon à procurer une marge bénéficiaire de 250 000 $ sur les frais estimés. Les ventes se font comme suit: on négocie un contrat couvrant les services qui doivent être fournis; on exige un acompte non remboursable de 10 % avant de commencer le travail; au fur et à mesure que les travaux sont effectués, on envoie des factures. Voici les ventes qui ont été réalisées au 30 novembre 1998:

Vendu à	Prix total du contrat	Acompte du client	Facturation à ce jour	Encaissements (incluant l'acompte)	Avancement des travaux	Décaissements à ce jour
Société A	2 000 000 $	200 000 $	750 000 $	600 000 $	40 %	500 000 $
Société B	2 250 000	225 000	—	225 000	—	—
	4 250 000 $	425 000 $	750 000 $	825 000 $		500 000 $

Avant que les décisions comptables ne soient prises au sujet des données ci-dessus, les soldes des comptes de la société au 30 novembre 1998 étaient les suivants:

	Débit	Crédit
Encaisse	325 000 $	
Coûts relatifs aux contrats	500 000	
Encaissement provenant des contrats		825 000 $
Frais de développement	2 500 000	
Capital-actions		1 250 000
Prêt d'un actionnaire		1 250 000
	3 225 000 $	3 225 000 $

Voici des renseignements complémentaires:

a. À l'exception de 200 000 $, tous les frais engagés jusqu'à ce jour ont été payés comptant; les seuls encaissements de cette année proviennent des acomptes et de la facturation relative aux contrats.

b. La société est encore en phase de démarrage et n'est donc pas obligée de payer des impôts pour 1998 ni pour les années précédentes.

c. Le prêt de l'actionnaire fondateur est sans intérêt et remboursable sur demande. Cependant, l'actionnaire a signé une lettre dans laquelle il s'engage à ne pas retirer les fonds au cours de la prochaine année.

Compte tenu des informations ci-dessus, répondez aux questions suivantes:

1. Quelles sont les deux méthodes de constatation des produits gagnés grâce à la vente de systèmes (décrivez uniquement les méthodes sans effectuer de calculs)?

2. Quelle est la méthode de constatation des produits qui convient le mieux à Ordinatech ltée? Expliquez pourquoi vous avez fait ce choix.

3. En vertu de la méthode que vous avez choisie au point 2, comment allez-vous calculer les produits de la société et les charges relatives aux contrats pour l'exercice terminé le 30 novembre 1998?

4. Le président veut capitaliser les frais de démarrage. Quel montant lui recommanderiez-vous et pourquoi?

5. Pourquoi est-il nécessaire d'amortir le montant porté au compte d'actif intitulé «Frais de démarrage»? Expliquez-le au président.

6. Après avoir choisi une méthode d'amortissement des frais de démarrage qui vous semble convenable, comment allez-vous calculer le montant d'amortissement de 1998 ainsi que l'amortissement cumulé au 30 novembre 1998?

7. Compte tenu des réponses fournies aux points précédents, comment allez-vous dresser l'état des résultats et l'état des bénéfices non répartis pour 1998? Quelles notes complémentaires allez-vous rédiger?

8. Si la tâche ne vous semble pas trop difficile, pourriez-vous aussi dresser l'état de l'évolution de la situation financière pour 1998?

ÉTUDE DE CAS 7A
Constatation des produits et des charges dans l'industrie bancaire

Vous trouverez ci-dessous des extraits du document de Price Waterhouse, intitulé *Canadian Banks: Analysis of 1996*[13], qui porte sur six banques canadiennes agréées, une société de fiducie et une banque américaine. Des extraits de l'état des résultats d'une seule banque vous sont fournis, car c'est suffisant pour les besoins de cette étude de cas. À la fin de l'état des résultats, figure une note tirée du rapport annuel de la Banque de Nouvelle-Écosse de 1996, qui décrit la convention comptable adoptée concernant la provisions pour les créances douteuses[14].

Utilisez les informations ci-dessous pour évaluer quelles seraient les conventions de constatation des produits et des charges adaptées à une banque, étant donné la variété de ses produits et de ses charges. Pour vous aider, faites appel à vos connaissances sur votre banque: souvenez-vous que les frais que vous payez à la banque constituent ses produits, et que tous les intérêts qui vous sont versés font partie de ses charges.

EXTRAITS TIRÉS DE L'ÉTUDE DE PRICE WATERHOUSE

Portée

Cette étude vise à fournir une analyse pratique des résultats financiers de six banques canadiennes agréées, pour l'exercice financier 1996. Nous avons intégré les résultats de Canada Trust, afin d'offrir un portrait plus complet du panorama canadien des caisses de dépôts, et de la Chase Manhattan Bank, afin d'avoir comme point de repère une grande banque américaine.

Bénéfice et charges

L'amélioration de l'économie canadienne et sa position par rapport à celle des États-Unis ont eu une incidence directe sur le bénéfice net des banques canadiennes. Les taux d'intérêt de 1996 ont directement influé sur le volume d'affaires et les marges réalisées. La confiance accrue des investisseurs canadiens et étrangers — découlant, entre autres, des décisions économiques prises au niveau fédéral et provincial — a entraîné une activité marquée sur les marchés des capitaux. Il en a résulté des changements notables quant à l'importance relative des différentes sources de revenus des banques canadiennes.

Revenu net d'intérêts

Chacune des six grandes banques canadiennes a connu une augmentation importante de ses revenus nets d'intérêts, allant de 3,8%, pour la Toronto Dominion, à 15%, pour la Banque de Nouvelle-Écosse. À mesure que les taux d'intérêt ont baissé pendant l'exercice, le volume d'affaires des actifs portant intérêt a sensiblement augmenté pour chaque banque, soit de 6,9%, pour la Banque de Nouvelle-Écosse, à 19,7%, pour la Banque Royale. En général, on peut dire qu'aucune catégorie particulière d'actif portant intérêt n'a contribué à cette augmentation substantielle. On a plutôt noté des augmentations relativement continues pour tous les types de prêts et les autres éléments d'actif portant intérêt.

Tandis que la chute des taux d'intérêt a augmenté le volume d'affaires, la concurrence accrue pour l'obtention de nouveaux clients, consommateurs et entreprises, ainsi que l'établissement d'un « prix plancher » pour un certain nombre de produits de capitalisation ont conduit à une réduction de l'écart entre le taux préférentiel et les coûts de financement du dépôt initial (c'est-à-dire, à des marges gagnées plus faibles) sur l'ensemble élargi des actifs.

Les réductions importantes des provisions pour pertes liées aux prêts et les taux d'intérêt inférieurs ont également contribué à l'amélioration des revenus nets d'intérêts, puisque le coût de financement des prêts douteux se trouvait considérablement réduit par rapport à 1995. Les conditions économiques ont continué d'avoir un effet positif sur les valeurs du marché des emprunts et sur les marchés des capitaux du Canada et des États-Unis, ce qui a donné lieu à une croissance considérable des portefeuilles d'investissement. Plusieurs banques ont profité de cette croissance pour réaliser des gains en capitaux importants.

Chacune des banques a connu une croissance des revenus provenant des valeurs mobilières de

3,6 % à 22,3 %, comme l'ont signalé respectivement la Banque de Nouvelle-Écosse et la Banque de Montréal. Pour toutes les banques, le bénéfice provenant des valeurs mobilières représente aujourd'hui un pourcentage plus important du total des revenus qu'en 1995 : il va de 11,6 %, pour la Banque Nationale, à 17,8 %, pour la Banque de Montréal.

Repère ▼
Avec une croissance du revenu net d'intérêts de 10,1 %, Canada Trust se classe troisième parmi les sept grandes institutions de dépôt du Canada. Il est cependant intéressant de noter que, à l'exception de la Banque Nationale, Canada Trust était la seule institution à signaler une baisse à la fois de son revenu brut d'intérêts et de ses charges d'intérêts. La croissance des revenus nets d'intérêts de la Chase Manhattan Bank, soit 1,7 %, était nettement inférieure à celle de toutes les banques canadiennes.

Marge d'intérêt
Avec des taux d'intérêt à la baisse tout au long de l'année 1996, chacune des banques a vu décroître son taux moyen réalisé sur les actifs portant intérêt. Cette baisse allait de 0,24 %, pour la CIBC, à 14,6 %, pour la Banque Royale. La Banque de Nouvelle-Écosse a continué de gagner le taux moyen absolu le plus élevé sur ses actifs, soit 7,4 %, et la Toronto Dominion le moins élevé en 1996, soit 6,6 %. Bien que les taux sur les passifs portant intérêt aient également baissé en 1994, on n'a pas constaté l'émergence d'une tendance durable en ce qui concerne les marges moyennes d'intérêt.

Trois banques ont été capables d'améliorer leur marge moyenne, et trois banques ont vu leur marge baisser par rapport à 1995. La CIBC a connu la marge d'intérêt la plus élevée, soit 2,4 %, et la Toronto Dominion la moins élevée, soit 2,1 %.

Chacune des grandes banques a enregistré un changement de son coefficient de liquidité (total des liquidités exprimées en pourcentage du total de l'actif), mais seules la Banque Royale et la CIBC ont révélé des changements importants. La Banque Royale était la seule grande banque à enregistrer une augmentation de son coefficient de liquidité par rapport à 1995 ; ses liquidités, exprimées en pourcentage du total de l'actif, ont augmenté de 3,3 %, ce qui a contribué à réduire sa marge d'intérêt.

La CIBC, au contraire, a enregistré une baisse de 6 % de son coefficient de liquidité ; cette baisse a contribué à faire augmenter non seulement son revenu net d'intérêts, mais également sa marge moyenne d'intérêt, laquelle est passée au niveau le plus élevé parmi les banques canadiennes.

Repère ▼
En général, Canada Trust a gagné plus sur son actif, mais a payé plus sur son passif que les banques, d'où une marge nette d'intérêt de 2 %, considérablement inférieure à celle de toutes les banques. La Chase Manhattan Bank a enregistré une marge d'intérêt encore plus faible, soit 1,86 %.

Analyse des autres revenus
Toutes les banques ont enregistré une croissance importante des revenus provenant des frais de service, ce qui reflète la tendance générale des banques canadiennes à moins compter sur les revenus découlant de l'actif. La croissance des autres revenus allait de 14 %, pour la Banque de Nouvelle-Écosse, à 22 %, pour la CIBC. Les conditions favorables du marché canadien et des marchés des capitaux, très forts tout au long de l'année, ont entraîné un grand nombre de nouvelles émissions et augmenté le volume des transactions. Chacune des banques a réussi à tirer avantage de ces conditions favorables du marché pour enregistrer une croissance importante des frais de courtage sur les marchés financiers.

La croissance des revenus provenant des frais de courtage était respectivement de 50,3 % et de 73,3 % pour la Banque Nationale et la Banque Royale. La Banque de Montréal a continué d'avoir les plus importants revenus absolus découlant de ses activités sur les marchés financiers, soit 760 millions de dollars de revenus, alors que la Banque Nationale a présenté les plus faibles revenus de ce type, soit 290 millions de dollars. Cette augmentation du volume de transactions sur les marchés financiers a entraîné des revenus provenant des frais de courtage représentant de 22 % à 35 % du total des autres revenus signalés par les grandes banques canadiennes, la Banque Nationale étant celle qui avait la plus grande concentration de ce type de revenus, et la CIBC, la plus faible.

Les revenus issus des opérations de change étant combinés avec les revenus engendrés par les contrats à terme des taux d'intérêt, il est difficile de tirer des conclusions quant à l'importance des uns et des autres. Cependant, la relative stabilité du taux de change du dollar canadien — comme le prouvent les faibles fluctuations observées tout au long de l'année 1996 — pourrait expliquer le plus faible volume de transactions effectuées par les entreprises par le biais des opérations traditionnelles de change. On remarquera que, du point de vue du risque de crédit, les engagements découlant des contrats de change au comptant et à terme, pour toutes les banques canadiennes, ont été plus faibles que par le passé, à l'exception de la Banque de Nouvelle-Écosse, qui a connu une augmentation de sa position dans ce marché de 9,6 %.

Les faibles taux d'intérêt, la bonne performance des fonds et une mise en marché dynamique ont contribué à améliorer les revenus des fonds communs de placement (fonds mutuels) de chacune des banques. La tendance, chez les investisseurs, a été de réagir aux mouvements du marché et elle a suivi les tendances de la performance.

En 1995, par suite du rendement stagnant du marché des actions et de taux d'intérêt raisonnables, de nombreux clients se sont tournés vers des produits de placements traditionnels à taux fixe. En 1996, la tendance s'est inversée et les ventes de fonds communs de placement ont excédé les rachats, ce qui a entraîné une augmentation des actifs à gérer. La Banque Royale, avec 17 milliards de dollars d'actifs, était en tête des banques canadiennes avec près de 80 % de plus d'actifs à gérer que ses plus proches concurrents. Après avoir connu le plus haut taux de croissance des actifs à gérer, soit près de 63 %, la Toronto Dominion se trouve maintenant en deuxième position parmi les banques canadiennes.

La croissance des revenus provenant des fonds communs de placement des banques canadiennes s'est située entre 13 %, pour la CIBC, et 64 %, pour la Banque de Montréal. Cependant, cette croissance a été d'une certaine façon atténuée par de plus faibles marges gagnées sur les actifs à gérer. Toutes les banques, sauf la Banque de Montréal, ont enregistré une baisse des marges gagnées sur les fonds communs de placement. La Banque de Montréal a réussi à accroître de 9 % ses marges sur les fonds com-

muns de placement, alors que la Banque Nationale a enregistré la plus grande baisse de toutes les banques, soit 19,2 %. Les marges gagnées sur les actifs à gérer allaient de 0,78 % à 2,04 %. Cependant, il est difficile d'analyser ces informations, parce que certaines banques combinent les revenus provenant des services de fiducie avec les revenus provenant des fonds communs de placement et également, parce que les banques ne se conforment pas toutes aux mêmes conventions en ce qui concerne la répartition des coûts.

Les frais de service ont constitué la deuxième source principale de revenus non reliés aux intérêts. Mais, bien que les revenus liés aux frais de service continuent d'augmenter, ils représentent aujourd'hui une portion plus petite de l'ensemble des autres revenus qu'en 1995. L'augmentation importante des revenus provenant des frais divers déclarés par la CIBC, en 1996, est principalement attribuée aux bénéfices de 35 millions de dollars découlant de la restructuration de ses opérations dans les Antilles. La diminution des revenus provenant des frais divers de la Banque de Nouvelle-Écosse, en 1996, est principalement attribuée aux 105 millions de profits réalisés sur les ventes de ses contrats de réassurance en 1995.

Repère ▼

Canada Trust et la Chase Manhattan Bank ont également connu une croissance importante de leurs revenus divers. Celle de Canada Trust, avec 16 %, s'apparentait à celle des banques, alors que le ratio des revenus divers de la Chase Manhattan Bank était de 11,2 %. Le montant des revenus divers que gagne la Chase Manhattan Bank est 3,5 fois supérieur à celui de la Banque Royale et représente un pourcentage nettement plus élevé du total des revenus que celui des institutions canadiennes. En général, les composantes individuelles des revenus divers de Canada Trust et de la Chase Manhattan Bank suivaient les mêmes tendances que les banques canadiennes.

Analyses des charges diverses

Chacune des grandes banques canadiennes a rapporté, en 1996, des augmentations importantes de ses charges autres que les intérêts, allant de 8,3 % pour la Banque de Montréal à 15 % pour la Banque Nationale. Bien que chaque grande catégorie de «charges diverses» ait augmenté depuis 1995, l'augmentation la plus importante des charges non liées aux intérêts découlait de la rémunération des employés et, en particulier, des rétributions basées sur le rendement, lesquelles sont directement liées aux augmentations substantielles des revenus provenant des frais des marchés financiers.

Étant donné que les opérations bancaires sont, par définition, des opérations à gros volumes mais à faible marge, chacune des banques a déterminé que la productivité était un facteur clé de réussite. Le ratio de productivité ou d'efficience (calculé comme le ratio de charges non reliées aux intérêts sur les bénéfices bruts) est une mesure essentielle permettant aux banques de gérer leurs charges non reliées aux intérêts, domaine que chacune souhaite améliorer.

La Banque de Nouvelle-Écosse a fait état de la plus forte amélioration de son ratio de productivité et continue d'avoir le meilleur ratio, soit 60 %. Bien que les ratios de productivité de la Banque Royale, de la Toronto Dominion et de la Banque Nationale ne se soient pas améliorés, chaque institution a attiré l'attention des investisseurs sur ses initiatives de l'année en cours visant à améliorer la productivité dans les années à venir, tout en faisant remarquer que le coût d'implantation de ces initiatives avait diminué d'autant le ratio de productivité en 1996.

Les économies d'échelle et la propension à adopter plus rapidement de nouvelles technologies sont censées jouer un rôle déterminant dans la diminution des coûts de traitement futurs. La Banque Royale, la Toronto Dominion et la Banque de Montréal ont lancé une initiative visant à traiter en commun un gros volume d'opérations. De la même manière, beaucoup d'autres banques ont conclu des alliances stratégiques avec différents vendeurs afin de consolider leur pouvoir d'achat et de maximiser leur efficience opérationnelle. On pense, par exemple, au partenariat que la Banque de Nouvelle-Écosse a conclu avec IBM dans le but d'améliorer les opérations bancaires par ordinateur, par Internet, et avec Moore Corporation, dans le but de réduire les coûts de papeterie et de distribution. Chaque banque cherche activement différents moyens d'améliorer son efficience, en mettant en place ou en améliorant :

- les systèmes bancaires téléphoniques ;
- les opérations bancaires par ordinateur personnel ;
- l'automatisation des fonctions de traitement ;
- l'impartition ;
- la consolidation des opérations des services administratifs ;
- l'automatisation du traitement des gros volumes d'opérations.

Repère▼

Par son ratio de productivité de 66 %, Canada Trust se classe au sixième rang des institutions canadiennes, devançant ainsi la Banque Nationale, dont le ratio est de 67,1 %. Le ratio de productivité de la Chase Manhattan Bank s'est considérablement amélioré en 1995, et il est maintenant meilleur que celui de n'importe laquelle des institutions financières canadiennes. Son ratio de 58,9 % reflète les avantages de la fusion de ses opérations avec la Chemical Bank.

Banque Royale
Extraits de l'état des résultats
(les montants sont en millions de dollars canadiens)

	1996	1995	Écart (en %)
Revenu d'intérêt			
Prêts	9 856 $	10 057 $	−2,00
Valeurs mobilières	2 675	2 282	17,22
Dépôts à d'autres banques	922	817	12,85
Total des revenus d'intérêts	**13 453**	**13 156**	**2,26**
Frais d'intérêt			
Dépôts	7 115	7 362	−3,36
Débentures subordonnées	308	320	−3,75
Autres	1 140	807	41,26
Total des intérêts	8 563	8 489	0,87
Revenu net d'intérêt	4 890	4 667	4,78
Provision pour pertes sur créances	440	580	−24,14
Bénéfice net d'intérêts après provision pour pertes sur créances	4 450	4 087	8,88
Autres produits			
Frais bancaires sur les dépôts et les paiements	701	681	2,94
Frais bancaires sur la gestion des prêts	153	156	−1,92
Commissions sur le marché financier	752	434	73,27
Revenus sur cartes	282	278	1,44
Commissions de gestion de placements et de services de garde	331	286	15,73
Revenus tirés des fonds communs de placement	241	190	26,84
Revenus tirés des activités de négociation	395	391	1,02
Produits des assurances	70	104	−32,69
Autres	96	90	6,67
Frais autres que d'intérêt			
Ressources humaines	2 851	2 563	11,24
Frais d'occupation — Matériel et communications	1 522	1 440	5,69
Autres	739	654	13,00
Bénéfices avant impôts sur le revenu et part des actionnaires sans contrôle	2 359	2 040	15,64
Impôts sur le revenu	880	755	16,56
Part des actionnaires sans contrôle dans le bénéfice des filiales	49	23	113,04
Bénéfice net	1 430 $	1 262 $	13,31
Taux gagné sur les éléments d'actif portant intérêt [i]	6,67 %	7,80 %	−14,58 %
Taux payé sur les éléments de passif portant intérêt [ii]	4,50 %	5,36 %	−16,12 %
Marge d'intérêt [iii]	2,17 %	2,44 %	−11,18 %
Taux d'imposition effectif [iv]	38,10 %	37,43 %	

Remarques
(i) Le taux gagné sur les éléments d'actif portant intérêt est défini comme le total des revenus issus des intérêts pour l'année, d'après l'état des résultats, divisé par le total des éléments d'actif portant intérêt pour l'exercice financier d'après le bilan.
(ii) Le montant payé sur les éléments de passif portant intérêt est défini comme le total des charges liées aux intérêts pour l'exercice divisé, d'après l'état des résultats, par le total des éléments de passif portant intérêt à la clôture de l'exercice, d'après le bilan.
(iii) L'écart des taux d'intérêt correspond à la différence entre le taux gagné sur les éléments d'actif portant intérêt et le taux payé sur les éléments de passif portant intérêt.
(iv) Le taux d'imposition effectif est défini comme la provision pour impôts, d'après l'état des résultats, divisée par le bénéfice net (après avoir rajouté la provision pour impôts).

EXTRAIT DU RAPPORT ANNUEL DE 1996 DE LA BANQUE DE NOUVELLE-ÉCOSSE

Provision pour créances irrécouvrables

La provision pour créances irrécouvrables constituée par la Banque est suffisante, de l'avis de la direction, pour couvrir toutes les pertes liées au crédit touchant à la fois les postes du bilan et les postes hors bilan, y compris les dépôts à d'autres banques, les titres substituts de prêts, les prêts, les acceptations, les instruments dérivés et autres engagements de crédit indirects, comme les lettres de crédit et les garanties. La provision pour créances irrécouvrables comprend des provisions spécifiques, des provisions pour créances douteuses et des provisions générales pour risques-pays, chacune faisant l'objet d'un examen régulier. Les provisions touchant des postes du bilan sont portées en déduction de l'élément d'actif correspondant et les provisions touchant des postes hors bilan sont imputées aux autres engagements.

Les provisions spécifiques, à l'exception des provisions touchant les prêts sur cartes de crédit et certains prêts à des particuliers, sont établies à partir d'un examen des prêts individuels, compte tenu de la créance irrécouvrable estimative connexe. Dans le cas des prêts, la provision spécifique correspond au montant requis pour ramener la valeur comptable d'un prêt douteux à sa valeur de réalisation estimative. Généralement, la valeur de réalisation estimative est obtenue par l'actualisation des flux monétaires futurs prévus au taux d'intérêt réel inhérent au prêt, à la date où celui-ci devient douteux. Lorsque les montants ou le calendrier des flux monétaires futurs ne peuvent faire l'objet d'une estimation raisonnablement fiable, la valeur de réalisation estimative est réputée être la juste valeur de tout bien donné en garantie du prêt, déduction faite des coûts de réalisation prévus et de tous les montants légalement dus à l'emprunteur, ou encore le prix du marché observable pour ce prêt. Les variations qui surviennent dans la valeur de réalisation estimative attribuables au passage du temps sont reflétées dans l'état consolidé des revenus de la provision pour pertes sur prêts. Les provisions spécifiques constituées pour les prêts sur cartes de crédit et certains prêts aux particuliers sont calculées selon une formule fondée sur l'historique des pertes.

La Banque constitue des provisions pour créances douteuses par secteur d'activités plutôt que par prêt individuel. Ces provisions sont établies pour certains secteurs d'activités, régions géographiques ou groupes de prêts lorsque la Banque juge, par suite d'un examen prudent des tendances économiques défavorables, que des pertes pourraient survenir dans le secteur d'activités même si l'on ne peut encore les relier à un prêt particulier.

La Banque maintient également des provisions pour risques-pays conformément aux lignes directrices du surintendant, en tenant compte du risque global outre-frontières lié aux créances sur un groupe désigné de pays. Conformément à ces lignes directrices, les nouveaux risques que présentent ces pays, désignés à marché naissant, après le 31 octobre 1995 sont assujettis aux procédés appliqués aux fins de l'établissement des provisions spécifiques dont il est question ci-dessus.

ÉTUDE DE CAS 7B
Constatation des produits pour un franchiseur

Voici un article tiré du *Business Week* portant sur la chaîne de restaurants américaine, Boston Chicken[15]. Commentez les allégations de l'article sur la manière dont la société comptabilise ses produits. Êtes-vous d'accord avec le sous-titre qui dit que « une comptabilité inhabituelle pourrait brouiller le tableau des profits » ?

DES CRIS DE BASSE-COUR AUTOUR DE BOSTON CHICKEN

Une comptabilité inhabituelle pourrait brouiller le tableau des profits

En plein essor, la société Boston Chicken Inc. bénéficie dans les médias du genre de visibilité gratuite dont rêvent tous les directeurs commerciaux. Dans un des derniers épisodes de *The Single Guy*, la populaire série télévisée de NBC, le père du héros dit qu'il n'a que deux regrets dans la vie: celui de n'avoir pas passé assez de temps avec son fils et celui de ne pas avoir acheté des actions de Boston Chicken. En outre, dans le roman policier de James Paterson, *Jack et Jill* — qui connaît un grand succès de librairie — au début d'un des chapitres, deux policiers sont assis dans un restaurant de la chaîne Boston Market et dégustent un «pain de viande doré avec de la purée de pommes de terre».

La viande et les pommes de terre sont bien réelles dans les 1 023 restaurants Boston Market spécialisés dans la cuisine familiale. Ce qui relève peut-être plus de la fiction est la prétendue santé financière des Boston Chicken, les établissements de restauration rapide de la société mère. Bien que le prix des actions ait grimpé en flèche depuis leur vente au public à la fin de 1993, cette société, située à Golden dans le Colorado, et son président-directeur général, Scott Beck, n'arrêtent pas de soulever des controverses depuis ce temps. Au cours des derniers mois, M. Beck a été victime d'une nouvelle vague de critiques.

La raison? Alors que Boston Chicken révèle des bénéfices à s'en lécher les babines, la plus grosse partie de ses produits provient des intérêts sur les énormes prêts qu'elle accorde à son réseau national de franchises. Bien que la société ait longtemps esquivé le sujet, elle a fini par admettre, lors d'une déposition devant la Securities & Exchange Commission, que plusieurs de ses franchisés enregistraient de fortes pertes d'exploitation. En outre, les chiffres récemment publiés ont soulevé des questions quant à la comptabilité de Boston Chicken, ce qui a permis à de nombreux détaillants et experts-comptables de conclure que M. Beck, qui a bâti la chaîne avec seulement 34 restaurants en 1992, devrait ralentir la cadence.

Mais M. Beck aime faire monter les enchères. En août 1996, il a annoncé son intention de tripler le nombre de restaurants pour atteindre 3 600 dans le courant des sept prochaines années. Il reproduit également sa stratégie très controversée avec Einstein Bros. Bagels, une chaîne dont Boston Chicken possède 61 % des actions. M. Beck compte assurer l'expansion de Einstein tout aussi rapidement, comme il l'a déclaré au mois d'août: «L'investissement seul peut garantir notre prospérité. Nous sommes la première nouvelle chaîne de restauration rapide à enregistrer 1 milliard de dollars de ventes depuis 1969.»

FÉBRILE. Et ce n'est qu'un début. M. Beck promet que Boston Chicken deviendra un titan de 3 milliards de dollars, avec une marge de 18 % en 1999. Afin d'y parvenir, il a réuni une équipe hypercompétente de directeurs commerciaux et financiers, de la même espèce que ceux qui dirigent PepsiCo et Donaldson Lufkin & Jenrette Securities Corp.

Pour le moment, la plupart des actionnaires semblent prêts à embarquer. Les investisseurs ont investi dans l'entreprise environ 1,4 milliard de dollars, grâce à un financement par actions. Les fans de M. Beck sont emballés par le parcours de cet homme de 38 ans — en tant que vice-président de Blockbuster Video, de 1989 à 1992, il a été un personnage clé dans le succès de la société. Bien qu'un marché instable ait fait chuter le cours des actions de 30 % par rapport à son plafond de mars de 37 $, les nouvelles concernant les projets d'expansion leur ont donné un regain d'essor et elles sont remontées à 34 $. Et depuis le premier appel public à l'épargne de Einstein, ses actions sont passées de 20 à 34 $. «Aucun pari n'est sûr, affirme un investisseur nerveux. Mais, si vous n'investissez pas maintenant, vous allez manquer le coche.»

Si beaucoup de gens de Wall Street comptent sur M. Beck pour maintenir cet élan, les vérifications des analystes et investisseurs restent une épine dans le pied de Boston Chicken. La société est l'une de celles ayant le plus grand nombre d'actions à découvert, selon la National Association of Securities Dealers Automated Quotations, et les critiques remettent en question sa structure financière et ses pratiques comptables téméraires. Au cœur du débat, on cite la manière très sélective dont la société divulgue ses chiffres. Boston Chicken s'organise autour de 14 sociétés régionales de franchisés, au lieu des centaines de petites franchises habituellement détenues par les autres chaînes. Puisque tous ces « promoteurs régionaux », sauf un, sont des sociétés indépendantes, Boston Chicken ne divulgue pas de chiffres clairs portant sur l'ensemble du système, c'est-à-dire des chiffres qui montrent les ventes et les résultats d'exploitation des restaurants existants.

« INSATIABLE ». Pendant deux ans, à cause de ce manque d'informations, tout Wall Street s'est émerveillé devant la croissance fulgurante de Boston Chicken. Ses bénéfices, qui n'étaient que de 1,6 million de dollars en 1993, ont grimpé à 34 millions en 1995, pour 159 millions de produits.

Cependant, l'été dernier, la société a révélé que les pertes des franchisés étaient passées de 9,8 millions de dollars, en 1993, à plus de 149 millions, en 1995 ; les pertes annuelles moyennes pour chaque restaurant étaient passées de 54 750 $ à 180 400 $. En somme, les pertes d'exploitation ont dépassé les 200 millions de dollars au cours des trois dernières années, et certains analystes pensent qu'elles pourraient bien atteindre de nouveau ce montant au cours de l'année 1996 seulement. Le bénéfice de Boston Chicken semble provenir essentiellement de droits de franchisage et d'intérêts sur les prêts accordés à ses restaurants. La société affirme qu'elle n'est pas tenue de rendre compte de ses pertes d'exploitation chez les promoteurs régionaux indépendants.

De surcroît, avec la croissance rapide et les pertes d'exploitation considérables, les prêts accordés par Boston Chicken à ses franchisés ont également gonflé. Ils sont passés de 200 millions de dollars, au début de 1995, à 550 millions de dollars, en juillet 1996. De nombreux franchisés ont maintenant grignoté leurs capitaux propres d'origine. Les critiques avancent que Boston Chicken se contente de dissimuler les pertes d'ex-

ploitation croissantes en accordant davantage de prêts. « C'est pourquoi la société a un appétit insatiable de nouveaux fonds, souligne Howard M. Schilit, un professeur de comptabilité de l'American University. Cela devrait inquiéter les investisseurs. »

M. Beck soutient que les pertes ne représentent que des frais de démarrage normaux, reliés au lancement à l'échelle nationale d'un nouveau nom dans la restauration, qui croît à une vitesse sans précédent. Selon lui, les restaurants individuels font beaucoup d'argent, mais l'expansion rapide a nécessité de grands déboursements de capitaux, précipitant les franchisés régionaux dans le rouge. Le directeur financier de Boston Chicken, Larry Stephens ajoute : « Disons que nos promoteurs régionaux ont perdu 200 millions de dollars en 1995. Et alors ? C'est la valeur de cinq mois de flux de trésorerie que nous produirons d'ici deux ans. »

Mais les critiques affirment que ce n'est pas tout. L'analyste Roger Lipton, qui mène une étude sur l'industrie de la restauration spécialisée, affirme que les franchisés de Boston Chicken ont un besoin constant de fortes sommes d'argent, car les frais sont trop élevés et les ventes trop faibles. Bien que la société soutienne que les ventes hebdomadaires moyennes approchent les 24 000 $ dans les restaurants qui ont atteint leur pleine maturité, M. Lipton soutient que ces chiffres sont gonflés, car ils incluent les coupons de repas gratuits pour les employés, les promotions et autres offres spéciales, que les autres chaînes de restaurants n'incluent pas habituellement dans ce calcul. Si on les exclut du calcul, les ventes nettes ne sont plus, selon lui, que de 21 500 $. « Leur trésorerie s'écoule par un trou d'évier. »

CONFIANCE. M. Stephens, directeur financier de la firme, proteste vivement et maintient que la société a toujours dit que ces chiffres représentent les ventes brutes. Même s'il admet que les promotions comptent pour 5 % des ventes brutes, il dit qu'elles sont évacuées lorsque la société calcule ses flux de trésorerie avant les droits de franchisage, lesquels sont positifs. Il concède cependant que, après avoir payé ces droits, les promoteurs régionaux signalent des flux de trésorerie négatifs.

La principale critique concernant la comptabilité de Boston Chicken porte sur ses pratiques ayant trait à la constatation de ses frais d'exploitation annuels, comme les frais de publicité, la nourriture et les frais de main-d'œuvre, en tant que frais indirects de démarrage. Cette manœuvre réduit les frais d'exploitation annuels à l'échelle des restaurants. C'est pourquoi Wayne Daniel, l'analyste de Schroder Wertheim & Co, affirme que la manœuvre gonfle de 17,2 % les marges de flux de trésorerie déclarées par Boston Chicken pour ses restaurants arrivés à pleine maturité. Alors que de nombreux franchisés dépensent environ 9 % des ventes en publicité, par exemple, tout ce qui dépasse 6 % est constaté comme **coût indirect** de démarrage. M. Daniel conteste également la comptabilisation des frais de location de matériel. Ainsi, en 1995, Boston Chicken a enregistré 15 millions de dollars de ces frais au titre d'intérêts débiteurs plutôt qu'au titre de frais d'exploitation. Ce qui, d'après M. Daniel, suffit à gonfler de 2 % les marges des franchisés.

M. Stephen conteste les accusations de M. Daniel. Il affirme que les annonces et les autres frais de publicité sont minimes et qu'« il ne convient absolument pas de les constater à l'échelle des restaurants ». En ce qui concerne les frais de matériel, il déclare qu'« il ne s'agit pas du financement d'une location de matériel traditionnelle. C'est une créance prioritaire ». Ainsi, selon lui, elle ne doit pas être enregistrée au titre de frais d'exploitation ordinaires.

Les analystes se préoccupent également du fait que, contrairement à presque tous les autres restaurants ou magasins de détail, Boston Chicken ne fournit pas les résultats comparatifs des restaurants ouverts depuis une année ou plus, une mesure qui occulte les résultats des restaurants nouvellement ouverts. À la place, elle donne les résultats de l'exploitation, basés sur ses magasins « arrivés à maturité » seulement; d'après Boston Chicken, ils représentent 72 % du total.

En réponse à toutes ces critiques, M. Stephen, dit: « Regardez nos investisseurs: Putnam, GE Capital. À quel jugement vous fiez-vous ? » Aucune firme n'a voulu faire de commentaires,

même si Jack Laporte, directeur des fonds de T. Rowe Price New Horizons — qui possède 2,4 % des actions — reste optimiste. « Ils ont une équipe gagnante, dit-il. M. Beck a déjà fait ses preuves auparavant, et nous pensons qu'il les fera de nouveau. » Et, aux sceptiques, M. Stephen fait remarquer que, seulement le mois dernier, les investisseurs de Boston Market ont créé un fonds de placement privé et ont levé 75 millions de dollars, soit 25 millions de plus que prévu. Larry Zwain, qui chapeaute l'exploitation des restaurants, ajoute: « Les franchisés qui perdent de l'argent ne restent pas en affaires très longtemps. Je ne vois aucun restaurant en train de fermer. »

« BIZARRE ». Étant donné les emprunts, les critiques disent qu'il est impossible de juger si oui ou non ces restaurants devraient fermer. Ils ont d'ailleurs trouvé un intérêt nouveau pour le récent placement privé. M. Daniel et d'autres soutiennent que, en raison de son besoin de liquidités pour lever des fonds pour ses franchisés qui perdent de l'argent, Boston Chicken n'a lésiné sur aucun effort pour faire fructifier le placement. Les actions privées rapportent aux investisseurs 6 % des 1 500 restaurants existants et de ceux à venir. M. Daniel dit que cela donne une valeur implicite à la société dans son ensemble de 1,25 milliard de dollars — environ 25 % de moins que la capitalisation marchande courante. L'offre prévoyait également des garanties de 750 000 bons de souscription de cinq ans, pour acheter des actions de Boston Chicken à 25 $. « Cela nuit aux actionnaires publics au bout du compte », affirme M. Daniel. Mais cette analyse est récusée par M. Stephen: « C'est une manière curieuse de considérer cette offre. Vous prenez un risque, et vous obtenez une récompense. »

Si les critiques portent, cela ne se ressent pas au siège social de la chaîne, dans le Colorado. C'est dans un édifice identique, de l'autre côté du stationnement, que la société a installé les bureaux d'Einstein. Elle a embauché Mark Goldston, ancien président et directeur de l'exploitation de LA Gear Inc., pour diriger cette société presque clonée sur sa voisine. Grâce à un emprunt convertible de 120 millions de dollars, accordé par Boston Chicken, Einstein a rassemblé quatre chaînes bien connues et 244 magasins. Bien qu'elle ait perdu 43 millions de dollars sur des ventes de 26 millions de dollars en 1995, les actionnaires ont payé 47 millions de dollars pour un intérêt de 10 %. « Ce bagel devrait être le plus formidable aliment-vedette depuis la pizza », affirme M. Goldston.

Avec deux chaînes perdant de l'argent, M. Beck et son équipe courent contre la montre. Afin de relancer les ventes, Boston Chicken a ajouté de nouveaux plats à ses menus et a réaménagé la disposition des restaurants afin d'éviter les longues files d'attente, alors que M. Goldston planifie de son côté une série de dépenses dans l'immobilier et la publicité. Tout cela coûte néanmoins de l'argent. Et que l'on vende des bagels ou du poulet, tout le monde s'entend sur une chose : aucune entreprise ne peut perdre de l'argent indéfiniment. « Scott Beck est un brillant homme d'affaires, déclare M. Lipton. Aussi longtemps que le cours des actions va tenir bon, il pourra attirer d'autres capitaux et résoudre les problèmes. » Reste à savoir pendant combien de temps il va pouvoir le faire.

Source : Eric Schine, « The Squawk over Boston Chicken », *Business Week*, 21 octobre 1996, p. 64-72.

R ÉFÉRENCES

1. Institut Canadien des Comptables Agréés, « Introduction aux recommandations comptables », *Manuel de l'ICCA*, Toronto, 30 juin 1997, p. 6. Tout changement par rapport à la version originale relèverait de la seule responsabilité de l'auteur ou de l'éditeur et n'aurait pas été révisé ni approuvé par l'ICCA.

2. Voir M. Gibbins et A. K. Mason, *Jugement professionnel et information financière*, Toronto : Institut Canadien des Comptables Agréés, 1989, chapitre 5.

3. Ménard, Louis, Nadi Chlala, Ida Chen et Clarence Byrd, *Information financière publiée au Canada 1997*, Institut Canadien des Comptables Agréés, Toronto, p. 2, 469.

4. Christopher Power, « Let's Get Fiscal », *Forbes*, 30 avril 1984, p. 103.

5. Mont Saint-Sauveur International, « Notes aux états financiers consolidés » du rapport annuel de 1997.

6. *Loc. cit.*, note 3, p. 160.

7. *Ibid.*, p. 159.

8. Thomas R. Dyckman et Dale Morse, *Efficient Capital Markets and Accounting: A Critical Analysis*, 2ᵉ édition, Englewood Cliffs, N.J. : Prentice Hall, 1986, p. 49-50.

9. W. H. Beaver, *Financial Reporting: An Accounting Revolution*, 2ᵉ édition, Englewood Cliffs, N.J. : Prentice Hall, 1989, p. 8.

10. *Ibid.*, p. 105.

11. *Ibid.*, p. 105.

12. P. A. Griffin (dir.), *Usefulness to Investors and Creditors of Information Provided by Financial Reporting*, 2ᵉ édition, Stamford, Conn : Financial Accounting Standards Board, 1987, p. 14.

13. Price Waterhouse, *Canadian Banks: Analysis of 1996 Results*, Toronto, p. 1-5, 13.

14. Banque de Nouvelle-Écosse, *États financiers consolidés 1997*, Toronto, 1997, p. 101.

15. Eric Schine, « The Squawk over Boston Chicken », *Business Week*, 21 octobre 1996, p. 64-72.

8 CHAPITRE

Complément d'information sur la comptabilité d'exercice et sur le choix des conventions comptables

8.1 Aperçu du chapitre

Dans ce chapitre, nous approfondirons notre étude des conventions comptables, et nous analyserons surtout celles qui régissent les stocks et l'amortissement.

Dans ce dernier des quatre chapitres portant sur la pratique de la comptabilité générale, nous poursuivrons notre étude du **choix des conventions comptables**, entreprise au chapitre 7. Jusque-là, nous nous sommes surtout concentrés sur la **constatation des produits** et sur le **rapprochement des produits et des charges**. Dans le présent chapitre, nous examinerons de plus près les relations entre l'**évaluation de l'actif** et la **constatation des charges** dans deux domaines clés: (1) l'évaluation des stocks et le coût des marchandises vendues, et (2) l'évaluation de l'actif à long terme et l'amortissement. Nous aborderons aussi trois autres éléments pour clore l'étude des états financiers et de la **comptabilité d'exercice**: l'encaisse et les placements temporaires, la présentation des états financiers et la comptabilité des capitaux propres. Deux sujets plus complexes seront traités au chapitre 10: la comptabilité des regroupements d'entreprises et la comptabilisation de l'impôt sur les bénéfices. (Les sujets couverts au chapitre 10 peuvent être traités au moment qui semble le plus opportun pendant le cours. Ainsi, votre professeur pourrait décider d'aborder ici une partie des sujets présentés au chapitre 10.)

Dans ce chapitre, nous conclurons l'examen de la « comptabilité générale », pour vous préparer à l'étude du prochain chapitre portant sur l'analyse de l'information comptable.

Notre objectif est de vous aider à mieux comprendre la comptabilité d'exercice et l'interprétation des états financiers, afin de vous préparer à l'analyse des états financiers du chapitre 9. Dans le présent chapitre, nous étudierons :

- les différentes méthodes proposées pour évaluer les éléments de l'actif (et du passif) du bilan et leur incidence sur les états financiers ;

- les choix de conventions comptables pour la comptabilisation des stocks et leur influence sur la mesure du bénéfice ;

- les problèmes soulevés par la comptabilisation des éléments d'actif à long terme et par le choix d'une méthode d'amortissement, et leur incidence sur le bénéfice ;

- les principales considérations dont il faut tenir compte dans la présentation de l'état des résultats, en matière de conclusion à la comptabilité d'exercice ;

- les principes de la comptabilité des capitaux propres et la façon de les distinguer de la mesure du bénéfice.

Tous ces sujets ont déjà été présentés à plusieurs reprises dans les chapitres précédents. Cependant, nous allons maintenant les approfondir, pour pouvoir relier entre elles différentes notions éparses.

8.2   L'ÉVALUATION DES ÉLÉMENTS DU BILAN

On propose principalement cinq méthodes pour évaluer les éléments d'actif et de passif.

Lorsque nous étudions un bilan, nous pouvons nous demander ce que signifient tous ces chiffres, toutes ces valeurs numériques attribuées aux divers éléments d'actif et de passif. La question de l'**évaluation** de l'**actif** ou, plus généralement, l'**évaluation du bilan**, est à la fois complexe et controversée. Vous pouvez penser, à première vue, que les éléments d'actif doivent être évalués selon ce qu'ils valent. Mais qu'est-ce que cela signifie ? Voici les cinq principales méthodes recommandées pour évaluer les éléments d'actif et de passif :

- la méthode du coût d'origine ;

- la méthode du coût d'origine indexé ;

- la méthode de la valeur actuelle, ou valeur marchande ;

- la méthode de la valeur d'usage ;

- la méthode de la valeur de liquidation.

Aucune méthode d'évaluation ne peut être appliquée dans tous les cas.

Après avoir lu la description de chaque méthode de mesure et d'évaluation, déterminez celle qui vous semble la plus appropriée dans une circonstance donnée. Les principes comptables généralement reconnus sont très variés et laissent assez de place au jugement. Ainsi, aucune de ces méthodes, même celle qu'on utilise le plus souvent (la méthode du coût d'origine), ne peut être appliquée dans toutes les circonstances. Dans les états financiers habituels, on trouve différentes versions de plusieurs méthodes : par exemple, les méthodes de la valeur marchande sont utilisées pour évaluer à « la valeur minimale » des éléments d'actif à court terme.

L'évaluation au coût d'origine peut parfois trop s'attacher au passé.

L'évaluation des éléments du bilan est un sujet très controversé, d'une part, parce que l'utilité d'une telle évaluation dans la prise de décision est remise en question et, d'autre part, parce que l'on se demande si les valeurs établies au coût d'origine ne sont pas moins utiles que celles qui sont davantage orientées vers le futur. Conduiriez-vous votre automobile en regardant uniquement dans le rétroviseur pour voir d'où vous venez, sans regarder en avant pour savoir où vous allez ? L'une des objections, c'est que le coût d'origine, la méthode la plus utilisée, insiste trop sur le passé, alors qu'il est tout aussi important d'analyser les changements des conditions du marché pour faire des prévisions justes et pour prendre des décisions éclairées.

Deux sujets controversés nous serviront d'exemples. Pour l'évaluation de l'actif, la question est de savoir si les valeurs marchandes sont réellement meilleures que le coût d'origine, au moins dans certains cas, comme celui des actifs monétaires et financiers des banques et autres institutions financières. Pour l'évaluation du passif, la question est de savoir si les obligations arrivant à échéance dans un avenir lointain, comme les provisions pour garanties, devraient être évaluées à la **valeur actualisée** des paiements estimatifs futurs (flux monétaires futurs moins les intérêts que portent ces flux dans le temps) plutôt qu'au seul flux estimatif futur, comme on le fait à l'heure actuelle[1].

Examinons à présent les cinq méthodes d'évaluation du bilan.

Le coût d'origine

En vertu des PCGR, la méthode du coût d'origine est celle qu'on utilise le plus souvent.

Selon la méthode du **coût d'origine**, aussi appelée méthode du coût d'acquisition, on attribue à un élément d'actif la valeur du montant versé pour l'acquérir (ou celui qu'on promet de verser) et, aux éléments de passif, le montant des obligations qui y sont associées. On peut généralement connaître ces montants en consultant les documents établis lors des diverses opérations, par exemple, les factures, les reçus ou les contrats. C'est grâce à cette preuve de l'opération (voir la notion de « vérifiabilité » dont il est question aux sections 4.4 et 4.5) que le coût d'origine constitue la méthode d'évaluation de la plupart des éléments d'actif ou de passif qu'on utilise le plus souvent. De plus, dans de rares cas, une entreprise peut acheter des biens ou prendre des engagements financiers dont la valeur est supérieure à celle qu'elle attribue à ces biens ou à ces obligations. Si vous pensez qu'un élément d'actif vous donnera une capacité de production de 10 000 $, vous ne paierez pas plus de 10 000 $ ni ne contracterez de dette supérieure à ce montant dans le but de l'acquérir. Selon cette méthode, le coût d'origine attribué à l'actif et au passif lors de l'acquisition représente la valeur la plus fiable (celle qui comporte le moins de risques) des avantages futurs qu'on espère tirer de cet élément. Dans la plupart des cas, les **PCGR** supposent qu'on utilisera le coût d'origine, à moins qu'une autre base d'évaluation ne soit plus appropriée et ne soit spécifiée dans les états financiers (au chapitre 1500 du *Manuel de l'ICCA*, on recommande de bien préciser ce fait, sauf si la base de mesure est « évidente »).

Il faut apporter d'autres précisions concernant cette méthode.

• Dans la plupart des cas, à la *date d'acquisition*, le coût d'origine est égal à la valeur marchande, elle-même égale à la valeur d'usage. (Nous avançons l'hypothèse qu'une personne sensée n'acceptera pas de payer un actif plus cher que ce qu'il lui rapportera dans le futur et que, en général, cette valeur d'usage tend à déterminer la valeur marchande du bien.)

Même le coût d'origine peut ne pas être une valeur établie avec suffisamment de prudence, si la valeur marchande baisse.

- Si la valeur marchande d'un actif chute au-dessous de son coût d'origine, il faut rajuster à la baisse sa valeur pour qu'elle concorde avec la valeur marchande. Cet écart, par rapport à la stricte comptabilité du coût d'origine, relève véritablement des PCGR, surtout en raison du principe de **prudence**. Ce principe justifie deux phénomènes comptables importants : la « réduction de la valeur » d'éléments d'actifs improductifs et la règle du « moindre du coût et de la valeur marchande », utilisée pour évaluer le stock et certains autres éléments d'actif à court terme. Nous en reparlerons plus loin dans ce chapitre.

- La plupart des critiques formulées à l'égard du coût d'origine concernent son évolution dans le temps. Le fait qu'un terrain ait été acheté 50 000 $, il y a dix ans, ne signifie pas grand-chose aujourd'hui. Le terrain vaut-il 200 000 $ ou 100 $? La méthode du coût d'origine n'apporte pas de réponse à cette question.

De nombreux éléments de l'actif sont évalués au coût d'origine non absorbé, que l'on déduira du bénéfice au titre de charges.

- L'état des résultats et certains comptes connexes du bilan, comme l'amortissement cumulé ou les frais payés d'avance, portent davantage sur la mesure du bénéfice que sur l'évaluation de l'actif ou du passif du bilan. Du fait qu'on utilise le coût d'origine, plusieurs éléments d'actif du bilan, et en particulier les éléments les moins liquides, sont évalués davantage comme des actifs « dont le coût sera déduit des produits futurs » ou comme des « coûts non absorbés ». Quoique cette vision réductrice concorde avec la mesure du bénéfice et avec le principe de la continuité, certains experts-comptables la contestent parce qu'ils pensent que les valeurs attribuées aux éléments d'actif ne devraient pas représenter uniquement les coûts non absorbés, mais plutôt une valeur plus actuelle, reflétant les coûts présents.

Les discussions portant sur l'évaluation de l'actif au moyen du coût d'origine ont amené les spécialistes à proposer d'autres méthodes d'évaluation de l'actif et du passif. Nous vous présentons ci-dessous les méthodes les plus courantes.

Le coût d'origine indexé

L'idée de redresser les coûts d'origine pour suivre l'inflation n'est pas nouvelle, mais on n'a jamais pu l'appliquer jusqu'à présent.

D'après la méthode du **coût d'origine indexé**, on doit ajuster les chiffres compte tenu des fluctuations de la valeur du dollar (l'unité de mesure) ou du pouvoir d'achat, plutôt que de la modification de la valeur d'un bien particulier. Les valeurs établies au coût d'origine de l'actif et du passif sont indexées en fonction des fluctuations de la valeur du dollar (au moyen des indices généraux, comme l'indice des prix à la consommation) depuis le moment où les biens ont été acquis ou les dettes contractées. Cette idée intéressante, avancée au début du siècle et utilisée par certaines sociétés (par exemple, Philips, le géant de l'électronique des Pays-Bas) et dans certains pays qui ont connu une forte inflation (le Brésil, entre autres), n'a pas suscité beaucoup d'intérêt en Amérique du Nord. On explique ce manque d'intérêt en prétendant que, si le coût d'origine n'est pas satisfaisant lorsqu'on le compare à la valeur actuelle, on n'améliorera pas les choses en l'ajustant pour tenir compte de l'inflation ; on risquerait même de les compliquer.

La valeur actuelle ou valeur marchande

La méthode de la valeur actuelle est séduisante du point de vue théorique, mais elle trouve peu d'adeptes.

Selon la méthode de la **valeur actuelle**, ou méthode de la **valeur marchande**, on inscrit chaque élément d'actif ou de passif à sa propre valeur marchande. Cette méthode met l'accent sur la valeur particulière de chacun des éléments du bilan et non sur les fluctuations de la valeur de l'argent, comme le fait la comptabilité indexée. On suppose que cette valeur est déterminée par le marché et que le bénéfice doit être mesuré en fonction du changement de la valeur marchande avec le temps. Ce raisonnement s'appuie sur l'idée que, par exemple, si votre maison vaut plus aujourd'hui qu'hier, vous avez gagné de l'argent, même si vous ne l'avez pas vendue. Inversement, si sa valeur a chuté, vous avez perdu de l'argent. Cette méthode a fait couler beaucoup d'encre et elle a été expérimentée aux États-Unis et au Canada. Toutefois, il semble peu probable qu'elle supplante celle du coût d'origine, bien qu'elle soit théoriquement plus intéressante du point de vue de l'économie ou de la finance.

Pour appliquer la méthode de la valeur actuelle, on peut utiliser différentes valeurs d'entrée ou de sortie, ou un mélange des deux :

> On utilise diverses versions de la valeur actuelle ou de la valeur marchande pour appliquer la méthode d'évaluation au moindre du coût et de la valeur marchande.

a. La **valeur marchande d'entrée**, ou prix d'entrée, est le prix que l'entreprise devrait payer pour se procurer un nouveau bien. On l'évalue généralement en calculant le « **coût de remplacement** » auquel on pourrait racheter ce bien ou le « coût de reconstitution », qui correspond au montant qu'il faudrait débourser pour le fabriquer de nouveau. On applique le même raisonnement pour évaluer les éléments de passif, en supposant leur refinancement.

b. La **valeur marchande de sortie**, ou prix de sortie, est le montant qu'on obtiendrait en vendant l'actif en question aujourd'hui (en d'autres termes, il s'agit de sa « **valeur de réalisation nette** ») ou le montant qu'il faudrait dépenser dès maintenant pour rembourser un élément de passif ; ces montants sont habituellement déterminés selon le cours du marché, selon des évaluations ou des estimations similaires.

Nous verrons sous peu qu'on utilise le coût de remplacement et la valeur de réalisation nette lorsqu'on applique la **méthode d'évaluation au moindre du coût et de la valeur marchande**, comme dans le cas des stocks, par exemple.

La valeur d'usage

En vertu de cette méthode, on considère que la valeur tient à la façon dont l'entreprise utilisera l'élément d'actif pour générer des flux monétaires nets (produits nets des charges). On estime habituellement la **valeur d'usage** en calculant la **valeur actualisée** des flux monétaires futurs que le bien devrait apporter, ou des sorties de fonds qu'il permettrait d'éviter. (Les flux monétaires futurs correspondent aux flux monétaires moins les intérêts futurs qu'on perd en attendant que l'argent rentre.) Par exemple, on peut évaluer une machine en fonction des stocks qu'elle permettra de fabriquer et de vendre. Les théories les plus récentes en finance et en comptabilité de gestion s'appuient sur la valeur d'usage, mesurée à partir de la valeur actualisée nette. Selon ces théories, cette méthode convient particulièrement lorsqu'il faut prendre les décisions de gestion concernant l'acquisition et le financement des actifs. Beaucoup de gens pensent que la méthode de la valeur d'usage serait en fait très proche de la méthode de la valeur marchande, mais elle est peu employée pour produire des informations financières.

> La valeur d'usage joue un rôle important dans la prise des décisions par les gestionnaires mais non dans la comptabilité générale.

La valeur de liquidation

La **valeur de liquidation** ressemble à la valeur marchande de sortie, mais elle suppose que l'entreprise doit cesser ses activités et liquider son actif en en tirant ce qu'elle peut. Elle correspond à la valeur que les actifs rapporteraient s'ils étaient

L'utilisation de la valeur de liquidation indique qu'une société connaît des difficultés et que la continuité de son exploitation n'est plus assurée.

vendus et au montant qu'il faudrait débourser pour régler le passif, si l'entreprise cessait d'exister. On utilise cette valeur quand la continuité de l'exploitation de la société devient incertaine, c'est-à-dire lorsque cette entreprise n'est plus rentable. Par conséquent, le lecteur d'états financiers établis au coût d'origine peut présumer que la société en question continuera ses activités. Cette présomption de la **continuité de l'exploitation** constitue un principe important de la comptabilité générale mais, chaque année, elle se révèle trompeuse parce que certaines sociétés font faillite sans qu'on s'y attende. Cela nous rappelle que l'exercice du jugement est nécessaire tant pour choisir la base d'évaluation des éléments du bilan que pour décider des autres aspects de la comptabilité générale. Si la société fait faillite, on aura eu tort de penser que la continuité de son exploitation était assurée et que l'utilisation du coût d'origine était justifiée. Cependant, mettre en doute la continuité de son exploitation pourrait faire paniquer les créanciers et les investisseurs et mener cette entreprise à la faillite, fait que tout le monde redoute.

Ù EN ÊTES-VOUS ?

Voici deux questions auxquelles vous devriez pouvoir répondre, compte tenu de ce que vous venez de lire :

1. Le propriétaire de la société Industries Salois ltée est mécontent des limites que lui impose la comptabilisation des actifs et des passifs au coût d'origine. Renseignez-le sur les autres méthodes d'évaluation ou de mesure qu'il pourrait utiliser et indiquez-lui les avantages de chacune d'entre elles par rapport à la méthode du coût d'origine.

2. Quelles sont les raisons pour lesquelles, dans la pratique, on utilise plus la méthode au coût d'origine que les autres méthodes d'évaluation ?

8.3   UN EXEMPLE DE L'INCIDENCE DES NOTIONS COMPTABLES ET DES PCGR

Analyse comptable : Quelle est l'incidence d'un changement de méthode comptable ?

Le coût d'origine constitue la colonne vertébrale des PCGR parce que, entre autres, il est plus juste et plus précis sur le plan de la représentation des opérations économiques et aussi parce qu'il est vérifiable. Mais comme nous l'avons vu à la section précédente, il existe d'autres méthodes que celle du coût d'origine. L'une d'entre elles pourrait s'avérer plus pertinente que cette dernière ou pourrait mieux se comparer aux méthodes choisies par d'autres sociétés. Quelle pourrait être l'incidence sur le bilan, sur l'état des résultats et sur l'évolution de la situation financière du choix d'une autre méthode d'évaluation des éléments du bilan que celle du coût d'origine ?

Étudions un exemple concret et pertinent. On compte, au Canada, plusieurs promoteurs qui se spécialisent dans l'achat et la construction d'immeubles de bureaux, de centres commerciaux, d'usines, de nouveaux quartiers d'habitation, etc. Trizec, Cadillac Fairview, Bramalea, Oxford, Cambridge, Carma, Princeton et Markborough ne sont que quelques entreprises de ce genre, parmi tant d'autres. Comme vous le savez certainement, les valeurs de l'immobilier fluctuent énormément et connaissent fréquemment des chutes ou des hausses. Prenons l'exemple de deux sociétés immobilières de Montréal, que nous appellerons Immac et Batis :

Les deux sociétés sont comparables, exception faite du montant qu'elles ont payé pour acheter des lots similaires.

- Immac possède un terrain, acheté au moment où le marché montréalais était à la baisse, qui lui a coûté 5 000 000 $ et dont la valeur marchande actuelle (de sortie) est estimée à 8 000 000 $. Au cours des derniers exercices, les bénéfices nets annuels de la société se situaient autour de 700 000 $.

- Batis possède également un terrain, comparable à celui d'Immac, mais qui a été acheté à un moment où le marché montréalais était à la hausse, au prix de 11 000 000 $. On estime également sa valeur marchande actuelle à 8 000 000 $, et le bénéfice net annuel de la société s'élève aussi à 700 000 $.

Il convient tout d'abord de déterminer si le coût d'origine constitue une base d'évaluation valable pour ces sociétés. Les deux terrains sont très similaires, ce qui n'est certes pas le cas des états financiers des deux sociétés:

- Immac: coût du terrain, 5 000 000 $;

- Batis: coût du terrain, 11 000 000 $.

Devrait-on relier le bénéfice à la valeur économique actuelle plutôt qu'au coût d'origine?

De plus, Immac présentera un ratio plus élevé de bénéfice net par rapport à l'actif, ce qui démontre apparemment un meilleur rendement que Batis, car le total de son actif sera inférieur à celui de Batis. Nous pouvons rétorquer, a posteriori, que c'est tout à fait normal, puisque la société Batis s'en est effectivement moins bien sortie en payant trop cher pour son terrain. On peut également ajouter que, puisque les deux terrains sont des biens économiques comparables, le bénéfice net devrait être relié à la valeur économique (par exemple, à la valeur marchande) des biens, et non à des coûts qui dépendent plus de la conjoncture historique que de la conjoncture économique actuelle.

D'un point de vue théorique, considérons donc l'idée de changer la méthode d'évaluation du terrain des deux sociétés afin de calculer sa valeur marchande actuelle. En utilisant les notions expliquées auparavant, quels seraient les arguments pour et contre cette idée?

Pour:

- évaluation plus pertinente pour les utilisateurs voulant déterminer la valeur de la société;

- évaluation plus utile pour comparer les sociétés qui possèdent des biens économiques similaires;

- moyen plus juste de relier les résultats (le bénéfice) à la valeur économique que doivent gérer les dirigeants pour le compte des propriétaires;

- des données plus récentes que le coût d'origine «désuet»;

- méthode peu coûteuse (à moins qu'il ne faille payer des évaluateurs);

- méthode compréhensible pour les utilisateurs qui s'y connaissent en immobilier.

Contre:

- chiffres moins fiables, car ils reposent sur l'estimation de la valeur de vente d'un terrain qui n'a pas encore été vendu;

- valeurs du bilan moins cohérentes, car les valeurs immobilières ont tendance à fluctuer énormément dans le temps ;

- valeurs ne s'appuyant pas sur une opération, donc impossibles à vérifier ;

- mesure peu prudente à long terme, car la valeur des terrains a tendance à augmenter avec le temps, en particulier lorsqu'elle est mesurée en dollars, eux-mêmes susceptibles d'être touchés par l'inflation ;

- méthode qui n'est généralement pas reconnue, auquel cas les utilisateurs habitués aux PCGR devront adapter leurs méthodes d'évaluation et réécrire leurs contrats — par exemple, les baux ou l'entente concernant la rémunération des gestionnaires —, lesquels dépendent des informations contenues dans les états financiers ;

- méthode n'ayant pas d'incidence sur les flux de trésorerie directement ou par l'intermédiaire des impôts sur le bénéfice, car le terrain n'a pas encore été vendu ; il est donc possible de contester le fait que le changement des chiffres des états financiers, en l'absence d'une réelle incidence économique, puisse aider qui que ce soit.

Vous pourriez sans doute encore allonger cette liste. Nous ne connaissons pas l'importance relative de l'incidence de l'évaluation du terrain sur les états financiers de la société ou sur les impôts sur le bénéfice, ni les autres conséquences du changement des chiffres. Mais vous devriez remarquer que les notions comptables sont utiles pour déterminer quelle est la méthode de comptabilisation qui conviendrait.

Nous n'avons pas encore vu comment les valeurs comptables modifiées pouvaient être utilisées. Voici quelques possibilités (sans tenir compte des impôts sur le bénéfice) :

Possibilité 1 :
Redresser la valeur du terrain pour refléter sa valeur marchande et porter la différence au bénéfice.

1. On peut inclure toute différence entre la valeur marchande actuelle et la valeur figurant sur le bilan (le coût, jusqu'à présent) dans le bénéfice net de l'exercice en cours.

   - On débiterait le terrain d'Immac de 3 000 000 $ pour en hausser la valeur jusqu'à la valeur marchande de 8 000 000 $, et on inscrirait le crédit à un compte de l'état des résultats du type « autres produits », ce qui porterait le bénéfice de l'exercice en cours à 3 700 000 $, soit une augmentation de 400 %.

   - On créditerait le terrain de Batis de 3 000 000 $ pour en réduire la valeur jusqu'à la valeur marchande de 8 000 000 $, et on inscrirait le débit à un compte de l'état des résultats du type « autres charges », ce qui occasionnerait une perte pour l'exercice en cours de 2 300 000 $ (supérieure au triple du bénéfice actuel).

Possibilité 2 :
Redresser la valeur du terrain pour refléter sa valeur marchande et porter la différence aux bénéfices non répartis.

2. On pourrait porter directement la différence aux bénéfices non répartis. Les bénéfices non répartis d'Immac augmenteraient de 3 000 000 $, et ceux de Batis diminueraient de 3 000 000 $. Immac paraîtrait plus en mesure de payer un dividende que Batis. Comme cela se produirait également si on appliquait la méthode (1), paradoxalement, on risquerait de causer ainsi plus de tort à Immac qu'à Batis, car ce changement comptable inciterait les actionnaires à exercer des pressions pour augmenter les dividendes, même s'il n'y avait en réalité aucune entrée d'argent permettant de les verser.

Possibilité 3: Redresser la valeur du terrain pour refléter sa valeur marchande et porter la différence à un compte distinct des capitaux propres.

3. On pourrait porter la différence à un compte des capitaux propres, autre que les bénéfices non répartis, en créant un nouveau compte du type « Changements non réalisés dans l'évaluation de l'actif ». Cela aurait pour effet d'accroître les capitaux propres d'Immac de 3 000 000 $, avec un nouveau compte au solde créditeur, et de réduire les capitaux propres de Batis de 3 000 000 $, avec un nouveau compte au solde débiteur. Ne faisant pas partie des bénéfices non répartis, les nouveaux comptes ne modifieraient pas les exigences des actionnaires quant aux dividendes, ce qui permettrait d'éviter que le changement d'évaluation soit associé aux événements qui sous-tendent la modification des produits et des charges, donc celle du bénéfice net et des bénéfices non répartis. (Certaines sociétés et certains pays ont mis au point et adopté des méthodes d'application de la valeur actuelle et de la comptabilité indexée, en créant un compte du type « Gains ou pertes non réalisés ».)

Possibilité 4: Redresser la valeur du terrain pour refléter sa valeur marchande seulement si cette dernière est inférieure au coût.

4. On devrait peut-être invoquer le principe de prudence, selon lequel l'une des méthodes ci-dessus (très probablement, la première) ne serait appliquée que si la valeur marchande était inférieure à la valeur présentée au bilan. Dans ce cas, seule la société Batis redresserait ses chiffres, car le coût de son terrain est supérieur à valeur marchande. On porterait probablement l'autre partie du redressement au bénéfice, comme dans le premier cas, mais on pourrait aussi l'inscrire dans les bénéfices non répartis ou dans un compte distinct des capitaux propres. Même si cette pratique permet à deux sociétés de présenter des montants calculés de façon différente pour le même genre de terrain, la valeur minimale a été déterminée avec prudence, et les utilisateurs peuvent se fier à des valeurs du bilan qui ne sont pas surestimées par rapport à la situation actuelle du marché. C'est une décision particulièrement appropriée si la valeur du marché traduit une chute permanente ou prolongée de la valeur du terrain.

Possibilité 5: Ne pas redresser les comptes et se contenter de publier l'information.

5. Peut-être ne devrait-on pas modifier les chiffres établis au coût d'origine, mais chaque société pourrait alors indiquer la valeur marchande du terrain dans son bilan ou dans une note complémentaire:

- Immac: Terrain (valeur marchande estimée à 8 000 000 $), coût 5 000 000 $;

- Batis: Terrain (valeur marchande estimée à 8 000 000 $), coût 11 000 000 $.

Cette méthode, contrairement aux autres, révèle aux utilisateurs les valeurs marchandes, mais n'indique pas ce qu'elles signifient. Les utilisateurs peuvent certainement faire un usage intelligent de cette information dans la mesure où ils la connaissent (c'est-à-dire si elle est divulguée). Avec des informations complètes et une bonne technique d'analyse par simulation, ils peuvent redresser les états financiers pour qu'ils reflètent les informations de la manière qui leur convient.

Puisque aucun changement par rapport au coût d'origine, sauf la vente du terrain, ne modifiera les flux de trésorerie (il n'y a pas de produits) ni — nous le supposons — les impôts sur le bénéfice, on ne constatera pas non plus d'effet sur l'état de l'évolution de la situation financière (EESF) et sur l'état des flux de trésorerie (EFT). Les flux de trésorerie provenant de l'exploitation ne seront pas touchés, pas plus qu'aucune autre catégorie de l'EESF ou de l'EFT. Si, au début de l'un ou l'autre des états, on présentait le bénéfice net, le changement serait annulé par l'ajout d'une réduction du bénéfice ou par la soustraction d'un gain, car il s'agit là d'éléments hors trésorerie.

Si la valeur du terrain de Batis venait à chuter, il est probable que l'on procéderait à une réduction de valeur, en l'indiquant dans les états financiers.

Vous pouvez constater que non seulement les notions comptables sont importantes pour évaluer diverses possibilités, mais qu'elles peuvent influer grandement sur les chiffres des états financiers (avec l'exception importante de l'EESF et de l'EFT). Par conséquent, elles influent également sur la façon dont ces états sont interprétés et utilisés. Comme nous l'avons déjà vu, n'importe quelle méthode qui modifie les chiffres du bilan modifiera d'autant les chiffres de l'état des résultats et des bénéfices non répartis, à moins que l'on ait recours à une méthode inhabituelle, comme la méthode (3) ci-dessus, pour en limiter les effets sur le bilan. Ainsi, la controverse n'entoure pas seulement l'incidence sur le bilan, mais également — et surtout — l'incidence sur l'état des résultats. À l'heure actuelle, la méthode la plus probable de présentation de l'information destinée aux utilisateurs, dans une situation comme celle de Immac-Batis, est la méthode (4), qui conserve le coût d'origine dans les états financiers, à moins que la valeur à long terme de l'actif ne soit réduite. Si cette incidence est importante, nous pourrions l'indiquer par voie de note (méthode 5).

Ò EN ÊTES-VOUS ?

Voici deux questions auxquelles vous devriez pouvoir répondre, compte tenu de ce que vous venez de lire :

1. Gagnon Terrains ltée possède un grand nombre de propriétés foncières. Le président de la société a récemment déclaré que l'évaluation au coût d'origine des terrains, utilisée dans la société, est conforme aux PCGR, mais ne convient pas à ses besoins. Est-ce possible ?

2. Le président de Gagnon songe à réévaluer les terrains de la société afin de refléter les valeurs du marché de l'immobilier qui sont beaucoup plus faibles que les coûts. Quels pourraient être les effets d'une telle réévaluation sur l'actif, les capitaux propres et le bénéfice net de la société ?

8.4 L'ENCAISSE ET LES PLACEMENTS TEMPORAIRES

Comme nous l'expliquions au chapitre 3, l'encaisse et les placements à très court terme (ainsi que le passif à très court terme) sont généralement appelés « espèces et quasi-espèces », et leurs variations sont au centre de l'EESF et de l'EFT. Dans cette section, nous mettrons en évidence les principes de la comptabilité générale, et donc de la comptabilité d'exercice (laquelle, comme vous le savez, va au-delà de l'encaisse, en considérant les éléments hors trésorerie), qui influent aussi sur la comptabilisation de ces espèces et quasi-espèces.

L'encaisse

L'encaisse comprend toutes les formes de liquidités disponibles et l'argent déposé en banque, sans égard à l'endroit (au pays) où on les détient.

Lorsque l'on comptabilise l'encaisse, on doit tenir compte du principe fondamental selon lequel elle désigne vraiment l'argent disponible pour une utilisation immédiate, pour payer les factures, par exemple. Voici des exemples d'éléments que l'on inscrit dans l'encaisse au bilan :

- argent en caisse, y compris la petite caisse et les encaissements non déposés qu'on garde dans les bureaux de la société n'importe où dans le monde ;

- l'argent déposé dans les comptes d'épargne et les comptes chèques, à la banque de la société ou dans des banques à l'étranger ;

- l'argent « en transit » qu'on devrait recevoir d'autres banques ou d'autres pays.

Voici des exemples d'éléments qui ne sont pas inclus dans le montant de l'encaisse porté au bilan :

L'encaisse ne comprend pas l'argent non disponible pour un usage immédiat.

- les chèques sans provision, émis par des clients et refusés par leur banque, qui ne constituent donc pas réellement une encaisse, mais plutôt des comptes clients (au recouvrement incertain), car on doit courir après les clients pour récupérer l'argent ;

- l'argent qui n'est pas disponible pour un usage immédiat, comme un compte en fiducie contenant un dépôt pour l'achat planifié d'un terrain ;

- l'argent soumis au contrôle de change ou de devises d'autres pays, ce qui limite sa disponibilité pour un usage immédiat.

Il faut cependant noter certains détails :

L'encaisse correspond au solde (s'il est positif) des registres comptables, qui est converti en dollars canadiens (s'il y a lieu).

- Le montant de l'encaisse porté au bilan correspond au solde inscrit dans les registres comptables et non au solde indiqué sur le relevé bancaire. Comme nous l'avions indiqué à la section 1.7, cela signifie que les éléments qui sont en transit ou en circulation (chèques ou dépôts) sont compris dans l'encaisse.

- Il y a un découvert bancaire, soit un solde créditeur (négatif) du compte bancaire, lorsqu'une société a émis plus de chèques que ne le permet le solde (positif débiteur) du compte. Le solde créditeur est en réalité un emprunt bancaire, c'est pourquoi on procède à son **reclassement** dans le passif à court terme, où on l'inscrit avec les emprunts bancaires officiels ; on ne le soustrait pas d'autres montants positifs (éléments d'encaisse et fonds en banque), et on ne l'inscrit pas comme un actif négatif.

- On doit convertir l'argent déposé dans des banques étrangères en devises utilisées pour présenter les états financiers (en dollars canadiens pour la plupart des sociétés canadiennes). Il faut donc appliquer le taux de change en vigueur à la date du bilan, ce qui peut s'avérer un peu compliqué pour les devises que l'on ne peut échanger directement contre des dollars canadiens, ou celles qui fluctuent rapidement.

Les placements temporaires

a. Les placements temporaires et les titres négociables

Les **placements temporaires** servent principalement à faire fructifier temporairement l'excédent d'encaisse ; on y recourt plutôt que de conserver des liquidités qui ne produisent pas d'intérêts ou de laisser l'argent dans un compte bancaire rapportant généralement peu d'intérêts, sinon aucun. Les placements temporaires comprennent les actions, les obligations, les effets de commerce (comme les effets émis par des sociétés financières), les obligations émises par les gouvernements et les bons du Trésor, ainsi que les certificats de dépôt et les dépôts à terme dans les banques.

On a recours aux placements temporaires pour obtenir un meilleur rendement que celui donné par les dépôts bancaires.

Comme ils ne sont pas destinés à être conservés longtemps et qu'on ne les acquiert pas dans le but d'exercer une influence sur les opérations ou les politiques

Dans le bilan, on évalue les placements à leur valeur minimale.

des organismes qui ont émis les titres, on les classe dans l'actif à court terme. On considère habituellement que les placements à très court terme font partie des espèces et quasi-espèces. Comme pour les autres éléments de l'actif à court terme, on utilise la **méthode d'évaluation à la valeur minimale** (la valeur du marché est mesurée par la valeur de réalisation nette, c'est-à-dire ce que rapporteraient les placements si on les vendait de façon normale, sans précipitation). L'utilisateur du bilan doit être en mesure de supposer que la valeur indiquée n'est pas supérieure à celle que l'on obtiendrait en vendant les placements. Les dividendes ou les intérêts de ces placements sont habituellement inclus dans les autres produits hors exploitation. Si les placements sont des **titres négociables** cotés sur le marché des capitaux, comme les actions dans des sociétés ouvertes, on indique habituellement cette valeur seulement si elle est différente du montant présenté dans le bilan.

Sauf précision contraire, on suppose que les PCGR sont respectés.

Selon l'étude intitulée *Information financière publiée au Canada 1997*, 133 des 200 sociétés ayant fait l'objet de l'enquête ont mentionné en 1996 des placements temporaires et, parmi elles, 109 les combinaient avec l'encaisse. Parmi les 133 sociétés ayant indiqué des placements temporaires, 27 ont effectué une évaluation selon le coût, 15, une évaluation à la valeur minimale, et 80 n'ont donné aucune indication sur la base d'évaluation utilisée[2]. Elles ont vraisemblablement appliqué la méthode de la valeur minimale. Cette absence d'informations nous montre qu'on part du principe que l'utilisateur des états financiers connaît suffisamment la comptabilité générale pour déterminer la méthode d'évaluation utilisée, lorsque cela n'est pas précisé. Un des principaux objectifs de ce manuel est de vous faire mieux connaître les PCGR.

b. Un exemple des effets de la méthode comptable choisie

La société Larose ltée détient des placements temporaires s'élevant à 520 000 $. Supposons que, à la date du bilan, la valeur marchande des placements soit réduite à 484 000 $. Quelle serait l'incidence de cet événement sur les résultats, si la société appliquait la méthode de la valeur minimale ? Supposez maintenant que la valeur marchande a augmenté pour atteindre, à la date du bilan, 585 000 $. Dans ce cas, si la société laissait de côté le principe de **prudence** et présentait ses placements à leur valeur marchande plutôt qu'à leur valeur minimale, sa situation serait-elle meilleure ?

Une réduction de valeur réduit le bénéfice et, si le placement est une quasi-espèce, il réduit aussi les flux de trésorerie.

Dans le premier cas, la société devrait réduire la valeur de ses placements à 484 000 $, car les éléments d'actif à court terme sont censés être liquides et évalués prudemment.

- La différence de 36 000 $ devrait être incluse dans les charges (probablement dans les charges autres que les frais d'exploitation), ce qui aurait pour effet d'alléger la charge fiscale, si cette réduction de valeur constituait une charge admissible. Le bénéfice net serait réduit de 36 000 $, moins toute économie sur les impôts. Le fonds de roulement se trouverait également réduit, moins toute économie réalisée sur les impôts à payer.

- Si, comme c'est probable, les placements sont considérés comme des quasi-espèces, la réduction de leur valeur réduirait les liquidités et, en réduisant le bénéfice net, réduirait également sur l'EESF (ou sur l'EFT, méthode indirecte) les liquidités provenant de l'exploitation. Si l'on considère que les placements sont des éléments d'actif à court terme qui ne font pas partie des espèces et quasi-espèces, la réduction de leur valeur ne modifierait pas les liquidités ni le flux monétaire provenant de l'exploitation (on l'ajouterait alors à l'EESF et à l'EFT, au titre de charge hors trésorerie).

Si l'information est publiée, on peut évaluer l'incidence des autres conventions comptables possibles.

Dans le second cas, l'actif à court terme de la société augmenterait de 65 000 $. Le bénéfice net et le fonds de roulement augmenteraient du même montant, moins les impôts sur les bénéfices. Même s'il n'est pas permis de présenter les placements à leur valeur marchande, car il n'est généralement pas permis au Canada d'inscrire les éléments d'actif à une valeur supérieure à leur coût, la société peut tout de même communiquer cette information, comme le recommande le *Manuel de l'ICCA*. Ainsi, s'ils le souhaitent, les utilisateurs des états financiers peuvent faire ce type d'analyse.

Ⓞ Ù EN ÊTES-VOUS ?

Voici deux questions auxquelles vous devriez pouvoir répondre, compte tenu de ce que vous venez de lire :

1. Quelle est la différence entre l'encaisse et les placements temporaires, et pourquoi peut-on les regrouper dans le bilan, même s'ils sont différents ?

2. La société Xénon ltée a acheté pour 230 000 $ d'actions afin d'utiliser à court terme son excédent d'encaisse. À la date du bilan, ces actions avaient une valeur marchande de 210 000 $. À quelle valeur devrait-on les présenter dans le bilan ? Quelle en sera l'incidence sur le bénéfice ? Quelle règle avez-vous suivie pour répondre aux questions précédentes, et pourquoi cette règle existe-t-elle ? (210 000 $; bénéfice réduit de 20 000 $ avant toute incidence fiscale ; valeur minimale ; parmi les raisons, citons la disponibilité présumée d'un actif à court terme liquide et le principe de prudence)

8.5   L'ÉVALUATION DES STOCKS ET LE COÛT DES MARCHANDISES VENDUES

Tout comme d'autres éléments d'actif à court terme, on comptabilise les stocks à leur valeur minimale.

Pour la **comptabilisation des stocks**, comme pour celle d'autres éléments de l'actif à court terme, on utilise la méthode de la valeur minimale. Les stocks sont tout d'abord comptabilisés au coût d'origine. Mais, étant donné qu'une entreprise prévoit convertir son stock en espèces (en le vendant ou en l'utilisant d'une quelconque manière) au cours de l'exercice suivant, le stock constitue un élément d'actif à court terme. C'est pour cette raison que, selon les PCGR, toute diminution de sa valeur doit être constatée dans l'exercice où elle se produit, et non au moment où l'actif est vendu. On ne comptabilise le stock à sa valeur marchande que si elle est inférieure au coût, de sorte qu'on ne déroge au principe du coût d'origine que dans un seul cas : celui d'une baisse de valeur par rapport au coût d'origine, si cela s'avère nécessaire. Cette règle découle de l'application du principe de **prudence** en comptabilité : « On ne doit s'attendre à aucun gain, mais on doit prévoir toutes les pertes. »

La comptabilisation des stocks influe à la fois sur les valeurs du bilan et sur le bénéfice (par l'intermédiaire du CMV).

Dans cette section et la suivante, nous rappellerons brièvement comment on doit établir le « coût » et la « valeur marchande », et comment on peut déterminer quel est le « moindre » des deux. La comptabilisation des stocks a une incidence à la fois sur le bilan (**évaluation des stocks**) et sur la charge constatée au titre du **coût des marchandises vendues** (CMV).

Les hypothèses relatives au flux des coûts du stock

Le coût total des stocks correspond à la somme des quantités de chacun des articles en stock multipliés par leur coût unitaire.

- Nous pouvons déterminer la quantité en comptant les articles en stock, en effectuant une estimation ou en nous servant des registres (rappelez-vous les méthodes de contrôle des stocks étudiées au chapitre 6).

- Nous savons que le coût unitaire comprend le coût facturé plus les frais d'expédition, les frais de préparation et les autres frais (étudiés à la section 7.11).

- Par conséquent, trouver le coût total peut paraître facile: il suffit de compter les articles en stock, de retrouver chaque article dans les registres des achats, de déterminer son coût et d'additionner tous les coûts.

Mais, est-ce vraiment si simple? Imaginez les difficultés que vous rencontreriez si vous deviez retrouver les coûts facturés, les frais d'expédition et les autres frais rattachés à chaque article, dans le cas du stock d'un quincaillier, ou si vous deviez retrouver le coût de chaque baril de pétrole d'une raffinerie. Même si vous veniez à bout de toutes les difficultés, l'évaluation «précise» que vous obtiendriez ne vaudrait probablement pas les efforts déployés ni ce qu'ils auraient coûté.

En pratique, on ne retrouve le *coût réel* des articles en stock que lorsqu'il s'agit d'articles de grande valeur, portant des numéros de série ou identifiables par d'autres méthodes. C'est le cas, par exemple, des maisons, des automobiles, des avions et des bijoux précieux. Bien que l'informatisation des systèmes d'inventaire permette de déterminer à moindre frais le coût réel d'un article, et qu'il soit possible de faire cette opération dans le cas d'un plus grand nombre d'articles, il faut quand même identifier chaque article par un numéro de série ou par un autre moyen. Selon l'étude *Information financière publiée au Canada 1997*, aucune des 200 sociétés ayant participé à l'enquête, en 1996, n'a mentionné qu'elle utilisait le coût d'achat ou de production réel pour l'ensemble de ses articles en stock[3].

Comme il n'est pas rentable de retrouver le coût de chaque article en stock, et que c'est parfois même franchement impossible de le faire, la plupart des sociétés établissent le coût de leur stock qui sera présenté dans le bilan et le coût des marchandises vendues en *formulant des hypothèses* sur le mouvement des stocks et sur leur coût. Nous ne savons pas — et n'avons pas besoin de le savoir — exactement quels sont les articles qui restent en stock ni ceux qui ont été vendus, de sorte que nous formulons des hypothèses. Pour illustrer les effets des différentes hypothèses, nous présenterons tout d'abord un exemple simple, basé sur la méthode de l'**inventaire périodique**. En vertu de cette méthode, on ne tient aucun registre relativement aux changements qui se sont produits dans les quantités en stock au cours de l'exercice. Comme nous le verrons plus loin, si l'on utilisait la méthode de l'**inventaire permanent**, les calculs seraient plus compliqués. L'exemple porte sur un stock acquis par un détaillant qui veut le revendre, mais le principe reste le même pour le stock fabriqué par une société. Dans ce cas, toutefois, le coût des *marchandises achetées* est remplacé par le coût des *produits fabriqués*.

Le graphique de la figure 8.1 indique que, au cours de l'exercice, il y avait 330 unités destinées à la vente (120 + 210) et que, après avoir vendu 180 unités, il en restait 150 en stock, à la fin de l'exercice.

Le *coût des marchandises destinées à la vente* est égal au coût du stock d'ouverture plus le coût des articles achetés (ou fabriqués). Nous avons donc 120 × 2 $ = 240 $,

Retrouver le coût des articles en stock est en réalité une opération difficile et coûteuse, voire impossible à effectuer.

Peu de sociétés utilisent le coût réel pour leurs stocks.

L'évaluation des stocks fait intervenir des hypothèses sur les mouvements du stock et sur les coûts engagés par l'entreprise.

plus $100 \times 3\$ = 300\$$, plus $110 \times 4\$ = 440\$$, ce qui donne un coût total des marchandises *destinées à la vente* de 980 $.

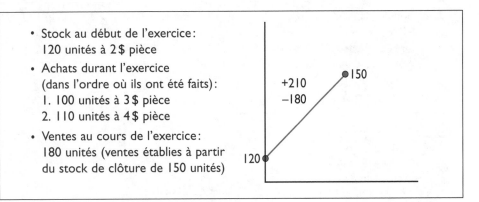

- Stock au début de l'exercice : 120 unités à 2 $ pièce
- Achats durant l'exercice (dans l'ordre où ils ont été faits) :
  1. 100 unités à 3 $ pièce
  2. 110 unités à 4 $ pièce
- Ventes au cours de l'exercice : 180 unités (ventes établies à partir du stock de clôture de 150 unités)

FIGURE 8.1

Le coût du stock destiné à la vente est réparti entre le stock de clôture et le CMV.

Le problème consiste à déterminer de quelle façon *répartir* ces 980 $ entre l'état des résultats de l'exercice (coût des marchandises vendues) et le bilan à la fin de l'exercice (stock de clôture). Le premier état financier vise la **mesure du bénéfice** de l'exercice par la détermination d'une charge, et le second l'**évaluation de l'actif** à la fin de l'exercice. Puisque les états financiers *sont interdépendants*, le premier et le second sont les parts d'un même gâteau : plus on met d'argent dans la première part, moins on peut en mettre dans la deuxième, et vice versa. *La somme des deux parts est toujours de 980 $.*

L'illustration 8-1 présente trois hypothèses sur la manière d'effectuer cette répartition. *Vous pouvez constater que, dans chacun des cas, la somme de la valeur du stock, présentée dans le bilan, et du coût des marchandises vendues, figurant dans l'état des résultats, se monte à 980 $.* Seuls diffèrent les montants attribués à la valeur du stock dans le bilan et à la charge dans l'état des résultats.

Illustration

	Stock de clôture — Actif	Coût des marchandises vendues — Charges
1. **Hypothèse du premier entré, premier sorti (PEPS)** Selon la méthode PEPS, les premiers articles achetés seraient les premiers vendus et, par conséquent, tous les articles en stock à la fin de l'exercice devraient être ceux qui ont été achetés le plus récemment. (Les coûts les plus récents sont inscrits dans le bilan et les plus anciens, dans le coût des marchandises vendues [CMV].)	$(110 \times 4\$) + (40 \times 3\$) = \mathbf{560\,\$}$	$980\$ - 560\$ = \mathbf{420\,\$}$ $([120 \times 2\$] + [60 \times 3\$] = 420\$)$

	Stock de clôture — Actif	Coût des marchandises vendues — Charges
2. **Hypothèse du coût moyen pondéré (CMP)**	Coût unitaire moyen = 980 $/330 = 2,97 $ (chiffre arrondi)	
Selon la méthode CMP, le stock de clôture et le CMV constitueraient une combinaison d'anciens coûts et de nouveaux coûts.	150 × 2,97 $ = 445 $	980 $ − 445 $ = 535 $
		(180 × 2,97 $ = 535 $)
3. **Hypothèse du dernier entré, premier sorti (DEPS)**	(120 × 2 $) + (30 × 3 $) = 330 $	980 $ − 330 $ = 650 $
Selon la méthode DEPS, contrairement à la méthode PEPS, le coût des achats les plus anciens serait celui qu'il faut attribuer aux articles encore en stock. (Les coûts les plus anciens sont inscrits dans le bilan et les plus récents, dans le CMV.)		([110 × 4 $] + [70 × 30 $] = 650 $)

Autres précisions à propos des hypothèses relatives au flux des coûts du stock

Au fil de l'exemple ci-dessus, nous avons présenté trois hypothèses relatives aux flux des coûts : la méthode PEPS, la méthode CMP et la méthode DEPS. Dans la majorité des cas, si vous comprenez bien les idées qui sous-tendent les chiffres fournis dans l'illustration 8-1, vous disposez de tout ce qu'il vous faut savoir sur ces trois méthodes. Cependant, un dernier problème peut se présenter, et vous devez le connaître, car vous risquez de le rencontrer.

Nous avons vu au chapitre 6 que le contrôle interne des stocks pouvait se faire par la méthode de l'**inventaire périodique** ou celle de l'**inventaire permanent**. En mettant en regard les hypothèses relatives aux flux des coûts du stock et les méthodes de contrôle interne, nous obtenons le tableau suivant :

La méthode de contrôle interne peut influer sur les coûts calculés par les méthodes CMP et DEPS, mais non sur les coûts calculés par la méthode PEPS.

Hypothèse	Contrôle périodique	Contrôle permanent
PEPS	PEPS	PEPS
CMP	Coût moyen pondéré annuel	Moyenne pondérée mobile
DEPS	DEPS périodique	DEPS permanent

La méthode PEPS *n'est pas influencée* par la méthode de contrôle de l'inventaire, car elle se contente d'imputer les coûts les plus récents à tout ce que l'on a en stock. Par contre, les deux autres méthodes sont influencées par la méthode de contrôle, car *elles dépendent de notre connaissance de ce qui s'est passé au niveau des stocks* au cours de l'exercice, comme nous le montrerons ci-après. Cela nous donne donc cinq méthodes possibles : soit la méthode PEPS, et les deux versions des méthodes CMP et DEPS. (En réalité, il y a une sixième méthode, soit la méthode du « coût réel », que nous avons déjà analysée ; à la fin de ce chapitre, nous en évoquerons deux autres. Ainsi, il existe au moins huit façons de comptabiliser les coûts du stock !) Au Canada, la méthode du coût moyen pondéré annuel et les deux méthodes DEPS

Au Canada, les méthodes de comptabilisation du coût des stocks les plus courantes sont la méthode PEPS et la méthode de la moyenne pondérée mobile.

sont rarement utilisées. (Les méthodes DEPS sont d'autant plus rares que le fisc canadien interdit que l'on recoure à cette méthode d'évaluation des stocks pour déterminer le bénéfice imposable.) Nous les avons néanmoins mentionnées, car les différences qu'elles présentent avec la méthode PEPS et celle de la moyenne pondérée mobile peuvent vous aider à mieux comprendre ces dernières. De plus la méthode DEPS est très courante aux États-Unis (où le fisc le permet), et vous la verrez mentionnée dans de nombreux états financiers américains.

Le choix de la méthode d'inventaire n'importe que lorsque les coûts d'achat ou de fabrication changent.

Examinons de plus près ces hypothèses et leur interaction avec les méthodes de contrôle interne. Souvenez-vous que, puisque, selon chaque hypothèse, on *répartit* différemment les coûts du stock destiné à la vente entre l'élément d'actif « Stock » et le coût des marchandises vendues, le choix de l'hypothèse a des répercussions sur le bilan et sur l'état des résultats. L'importance de ces répercussions dépend des variations (hausse ou baisse) du coût d'achat unitaire des articles au cours de l'exercice : si la variation est minime, les différentes méthodes produiront des résultats très similaires. Au cours des dernières années, l'inflation a été faible dans la plupart des pays occidentaux, donc le choix des méthodes a peu d'influence sur le bénéfice et sur l'actif de la plupart des sociétés, mais chaque société précise, malgré tout, la méthode qu'elle utilise. L'inflation pouvant refaire surface un jour, il vous sera utile d'avoir des connaissances de base à ce sujet.

La méthode PEPS se base sur une hypothèse qui est à la fois pratique, raisonnable et largement utilisée.

Selon la **méthode PEPS**, les coûts les plus récents sont attribués à l'élément d'actif « Stock » et, par conséquent, les coûts les plus anciens sont attribués au compte de charges « Coût des marchandises vendues ». PEPS signifie « premier entré, premier sorti », mais vous pouvez aussi traduire cela par « dernier entré, encore en stock », car cette méthode utilise les coûts des articles achetés le plus récemment pour calculer la valeur du stock sur le bilan.

- Cette méthode est utilisée, car elle est facile à appliquer et elle ne change pas en fonction de la méthode de contrôle interne choisie. Elle donne au stock une valeur qui se rapproche du coût réel, ce qui, de l'avis de beaucoup, semble convenir à un élément d'actif à court terme.

- Son application est facile : tout ce que vous avez à faire, c'est de conserver vos factures d'achats ; puis, lorsque vous connaissez le nombre d'articles en stock, il vous suffit de prendre les factures les plus récentes pour retrouver les coûts.

- Par exemple, supposons que le stock de clôture au 31 décembre se compose de 620 boîtes de chocolats et que les factures d'achats récentes indiquent les coûts suivants : le 29 décembre, 260 boîtes à 3,20 $ pièce ; le 14 décembre, 310 boîtes à 3,35 $ pièce ; le 1er décembre, 210 boîtes à 3 $ pièce, et ainsi de suite. Selon la méthode PEPS, le coût est attribué en partant de l'achat le plus récent et en remontant dans le temps jusqu'à ce qu'on ait retrouvé tous les coûts nécessaires pour couvrir la quantité d'articles en stock ; nous devons nous baser sur une hypothèse, car nous ne savons pas à quel moment les boîtes encore en stock ont été achetées. Dans ce cas, le coût attribué selon la méthode PEPS serait de $(260 \times 3{,}20\,\$) + (310 \times 3{,}35\,\$) + ([620 - 260 - 310 = 50] \times 3\,\$)$, soit 2 020,50 $. Vous n'avez pas besoin de tenir des registres compliqués ; vous devez uniquement conserver vos factures. De plus, la méthode de contrôle interne adoptée n'a pas d'importance puisque, tout ce que vous devez connaître, c'est le nombre d'articles en stock — qu'il ait été déterminé par dénombrement ou d'après les registres tenus selon la méthode de l'inventaire permanent.

- D'après l'*Information financière publiée au Canada 1997*, 129 des 200 sociétés ayant fait l'objet de l'enquête en 1996 ont indiqué la méthode d'évaluation de leurs stocks qu'elles utilisaient ; 68 d'entre elles ont appliqué la méthode PEPS pour une partie ou la totalité de leurs stocks[4]. Cela représente 44 % des méthodes de base indiquées. La méthode PEPS est donc incontestablement celle à laquelle on recourt le plus souvent.

- Beaucoup de gens considèrent que la méthode PEPS est appropriée s'il s'agit d'un élément de l'actif à court terme, car elle constitue la méthode la plus logique pour déterminer le roulement du stock, particulièrement dans le cas de denrées périssables ou d'articles faisant fréquemment l'objet de changements de mode ou de caractéristiques, comme les articles d'épicerie, les vêtements et les autres marchandises vendues au détail. Imaginez l'étalage d'un magasin d'alimentation. Selon la méthode PEPS, la nouvelle marchandise doit être placée derrière la plus ancienne, afin que l'on vende en premier le stock qui se trouve à l'avant de l'étalage. De cette manière, les articles les plus anciens sont écoulés en premier lieu et, par conséquent, ne moisissent pas au fond du rayon.

La méthode CMP est une méthode très répandue qui permet de déterminer le coût des produits en vrac et des matières premières.

Selon la **méthode du coût moyen pondéré**, le coût est réparti également entre le stock et le coût des marchandises vendues. Dans l'exemple précédent de la figure 8.1, le même coût moyen unitaire de 2,97 $ est attribué aux articles en stock et aux marchandises vendues.

- On applique fréquemment cette méthode dans le cas où le stock est constitué d'un mélange d'articles anciens et récents ou d'articles non périssables, comme le bois, le métal, le pétrole, le gaz naturel, les autres produits en vrac et les matières premières. L'hypothèse du CMP, selon laquelle les articles en stock sont mélangés, paraît intéressante pour de tels stocks.

- Toujours d'après l'*Information financière publiée au Canada 1997*, la méthode du coût moyen constituait la deuxième méthode fréquemment utilisée en 1996 ; 65 sociétés sur 200 ont indiqué y avoir recouru pour une partie ou pour la totalité de leurs stocks[5]. Il existe deux versions de la méthode du coût moyen : la *méthode du coût moyen pondéré annuel*, conjuguée à un contrôle périodique du stock dans notre exemple, et la *méthode de la moyenne pondérée mobile*, applicable lorsque la méthode de l'inventaire permanent fournit les informations nécessaires. Nous en reparlerons plus loin.

La méthode DEPS est une hypothèse singulière, mais elle permet d'économiser sur les impôts aux États-Unis (mais non au Canada).

À première vue, la **méthode DEPS** peut paraître singulière. En effet, elle suppose que les articles les *plus récents* sont les premiers vendus et que, par conséquent, ce sont les *plus anciens* qui restent en stock. À l'extrême, cela pourrait vouloir dire que les premières miches de pain de l'épicerie se trouveraient encore à l'arrière de l'étalage un an plus tard. DEPS signifie « dernier entré, premier sorti », mais vous pouvez aussi traduire cela par « premier entré, encore en stock ».

- On applique la méthode DEPS pour une raison très pratique : aux États-Unis, cette méthode est acceptée par le fisc. Lorsque les coûts des achats augmentent (inflation) — ce qui est presque toujours le cas, même si ces dernières années l'inflation est moins forte —, cette méthode permet d'attribuer un coût plus élevé aux marchandises vendues et un coût moindre au stock de fin d'exercice que ne le permettent les méthodes PEPS et CMP. Par conséquent, grâce à la méthode DEPS, le bénéfice est plus faible et les impôts moins élevés, *si* toutefois le fisc en autorise l'utilisation.

- Mais, au Canada, cette méthode *n'est pas* autorisée. Par conséquent, une société canadienne qui l'utiliserait pour ses états financiers devrait recalculer la valeur de son stock, à l'aide d'une méthode autorisée, lorsqu'elle prépare sa déclaration d'impôts.

- Dans l'*Information financière publiée au Canada 1997*, on indique que, en 1996, seulement 4 des 200 sociétés canadiennes appliquaient la méthode DEPS ; parmi elles, aucune ne l'appliquait à l'ensemble de ses stocks[6].

- On peut aussi avancer que la méthode DEPS rapproche mieux les produits des charges que les deux autres méthodes. Par exemple, si une société ajuste ses prix de vente lorsque les coûts de ses achats changent, ses produits reflètent les changements de prix récents, et il semble alors approprié de déduire les coûts les plus récents, au titre du coût des marchandises vendues, pour les rapprocher des produits. La difficulté réside dans le fait que, selon la méthode DEPS, on attribue à l'élément d'actif « Stock » des valeurs qui se basent sur les coûts d'achat les plus anciens. Il serait bizarre d'appliquer cette méthode quand il s'agit d'évaluer un élément de l'actif à court terme.

- Il serait préférable d'utiliser les prix réels (actuels) d'achat à la fois pour le coût des marchandises vendues et pour le stock. Cependant, nous ne pouvons pas le faire si nous appliquons la comptabilité en partie double au coût d'origine : les registres ne seraient plus équilibrés parce que certains articles, qui auraient été achetés à des coûts anciens, se trouveraient encore dans les comptes, notamment dans le compte Stock et dans les comptes de charges. On a proposé d'utiliser des coûts réels, comme les coûts de remplacement, pour déterminer les chiffres du bilan et de l'état des résultats, mais cela n'a pas encore été mis en pratique.

- Les montants obtenus par la méthode DEPS varient selon que l'on applique la méthode du contrôle périodique ou celle du contrôle permanent de l'inventaire, comme le montre l'exemple suivant.

Exemple de la société Matrix

« Gloup » est le nom de l'un des produits que la société Matrix inc. achète et vend. Elle a commencé à vendre ce produit l'année dernière, avec un stock de 1 000 unités de Gloup achetées au prix de 4 $ pièce. Les achats et les ventes de l'exercice se répartissent comme suit :

Date	Unités achetées	Unités vendues	Unités en stock	Prix d'achat
1er janvier			1 000	4 $
15 février		350	650	
20 mars	600		1 250	5 $
30 avril		750	500	
12 septembre	800		1 300	6 $
11 décembre		200	1 100	
	1 400	1 300		

La figure 8.2 montre les variations des quantités de Gloup tout au long de l'année. Notez que les hypothèses relatives au flux des coûts des stocks comptabiliseraient le stock de clôture de 1 100 unités comme suit :

Chaque méthode de détermination des coûts avance une hypothèse différente concernant les unités encore en stock.

- **Méthode PEPS :**
  1 100 = 800 unités achetées le plus récemment + 300 unités achetées le 20 mars.

- **Méthode CMP :**
  Coût moyen pondéré annuel : 1 100 = un mélange d'unités en stock au début de l'année et d'unités achetées le 20 mars et le 12 septembre ;
  Moyenne pondérée mobile : la première moyenne est celle des 1 250 unités en stock, le 20 mars, soit un mélange d'unités en stock à l'ouverture + les unités achetées le 20 mars ; la seconde moyenne est celle des 1 300 unités en stock, le 12 septembre, soit un mélange d'unités de la première moyenne (unités en stock le 30 avril) et d'unités achetées le 12 septembre.

- **Méthode DEPS :**
  Inventaire périodique : on ne connaît pas les fluctuations au cours de l'exercice (aucun registre n'est tenu) donc, 1 100 unités = 1 000 unités en stock à l'ouverture + 100 achetées le 20 mars ;
  Inventaire permanent : au cours de l'exercice, le stock est à un seuil de 500 unités, donc il s'agit des unités qui étaient en stock à l'ouverture et qui sont encore en stock à la clôture de l'exercice. Ainsi, 1 100 = 500 unités à l'ouverture + 600 achetées le 12 septembre.

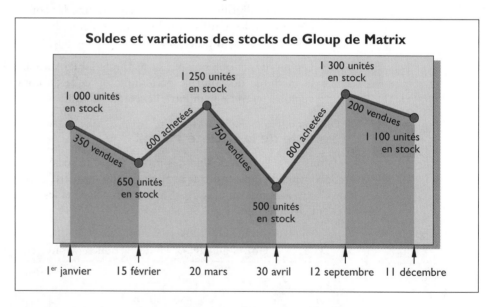

FIGURE 8.2

Il est toujours utile de connaître le coût des marchandises destinées à la vente que vous devez répartir.

Maintenant, nous pouvons faire les calculs. *Quelle que soit l'hypothèse sur le flux des coûts adoptée*, nous savons que le coût du stock d'ouverture s'élève à 4 000 $ et que l'entreprise a fait des achats qui lui ont coûté 7 800 $ (600 × 5 $ + 800 × 6 $). Par conséquent, le **coût des marchandises destinées à la vente** correspond à la somme du stock d'ouverture et des achats, soit à 11 800 $. Donc, tant que l'on applique la comptabilité au coût d'origine, quelle que soit l'hypothèse sur le flux des coûts, la somme du stock de clôture et du coût des marchandises vendues doit donner un montant de 11 800 $. Vous pouvez vous représenter cette addition comme suit :

Marchandises destinées à la vente = Articles retirés du stock
                                                        + Articles encore en stock

Stock d'ouverture + Achats   = Coût des marchandises vendues
                                                        + Stock de clôture

Connaissant le coût des marchandises destinées à la vente, vous n'avez besoin que du CMV pour trouver l'élément de l'actif, et vice versa.

La somme du membre gauche de l'équation est égale à 11 800 $, de sorte que la somme du membre droit doit donner le même résultat. Nous pouvons ainsi vérifier nos calculs. Si nous calculons séparément le coût des marchandises vendues et le stock de clôture, il faut que l'addition des deux donne 11 800 $. Pour prendre un raccourci, il est possible de calculer soit la valeur de la charge, soit celle de l'actif et d'obtenir le chiffre de l'autre élément en soustrayant de l'élément calculé 11 800 $. Il est plus facile de procéder de cette façon que de faire les deux calculs, mais nous vous présentons à la fois les calculs de l'actif et de la charge ci-dessous, afin que vous puissiez bien les comprendre.

À partir des modèles présentés à la figure 8.2 et du résumé ci-dessus de l'hypothèse de chaque méthode sur la quantité du stock de clôture, voici les calculs des coûts du stock de clôture et des marchandises vendues.

a. Méthode PEPS
    Coût du stock de clôture : $(800 \times 6\$) + (300 \times 5\$)$ 6 300 $
    Coût des marchandises vendues : $(1\ 000 \times 4\$) + (300 \times 5\$)$ 5 500
                                                                                                                          11 800 $

b. Méthode du coût moyen
    Méthode du coût moyen pondéré annuel
    Coût moyen : $11\ 800\$/(1\ 000 + 600 + 800) = 4{,}917\$$ (chiffre arrondi)
    Coût du stock de clôture : $1\ 100 \times 4{,}917\$$ 5 408 $
    Coût des marchandises vendues : $1\ 300 \times 4{,}917\$$ 6 392
                                                                                                                          11 800 $

    Méthode de la moyenne pondérée mobile
    Cette méthode fonctionne comme la précédente, mais on calcule une nouvelle moyenne après chaque achat, pondérée en fonction des articles en stock à ce moment-là.

    Moyenne pondérée après le premier achat :
        $(650 \times 4\$ + 600 \times 5\$)/(650 + 600) = 4{,}48\$$

    Moyenne pondérée après le deuxième achat :
        $(500 \times 4{,}48\$ + 800 \times 6\$)/(500 + 800) = 5{,}415\$$

    Coût du stock de clôture (en utilisant la moyenne à ce moment-là) :
        $1\ 100 \times 5{,}415\$$ 5 957 $

    Coût des marchandises vendues
        $350 \times 4\$ + 750 \times 4{,}48\$ + 200 \times 5{,}415\$$ 5 843
                                                                                                                          11 800 $

c.　Méthode DEPS

Méthode de l'inventaire périodique

Coût du stock de clôture (1 000 × 4 $) + (100 × 5 $)	4 500 $
Coût des marchandises vendues : (800 × 6 $) + (500 × 5 $)	7 300
	11 800 $

Méthode de l'inventaire permanent

Les registres tenus selon la méthode de l'inventaire permanent permettent de déterminer s'il est raisonnable de supposer que les 1 000 unités initiales sont toujours en stock. Dans notre exemple, ce n'est pas le cas parce que, à un moment donné, le stock est tombé à 500 unités, de sorte que ce « lot » a été partiellement utilisé. Le calcul ci-dessous reflète les informations relatives à ces « lots », contenues dans les registres.

Coût du stock de clôture : (500 × 4 $) + (600 des 800 unités achetées depuis × 6 $)	5 600 $
Coût des marchandises vendues : (350 × 4 $) + (600 × 5 $) (lot entièrement vendu) + (150 de plus du lot initial × 4 $) + (200 du lot le plus récent × 6 $)	6 200
	11 800 $

Analyse des effets

Voici un résumé des résultats obtenus dans le cas de la société Matrix inc. Que vous soyez capable ou non de suivre tous les calculs, vous devriez être en mesure de comprendre les effets du choix d'une méthode d'évaluation des stocks sur les états financiers, en supposant que, dans tous les cas, le coût du stock de clôture est inférieur à la valeur marchande (puisqu'il est présenté dans le bilan à la valeur minimale).

Méthode d'évaluation des stocks	Stock de clôture	Coût des marchandises vendues	Coût total des marchandises destinées à la vente
PEPS	6 300 $	5 500 $	11 800 $
Coût moyen			
— Moyenne pondérée annuelle	5 408	6 392	11 800
— Moyenne pondérée mobile	5 957	5 843	11 800
DEPS			
— Inventaire périodique	4 500	7 300	11 800
— Inventaire permanent	5 600	6 200	11 800

On peut prévoir les répercussions des trois hypothèses sur l'actif et sur le bénéfice, si les prix augmentent ou baissent.

Cet exemple illustre un phénomène qui se produit couramment lorsqu'on utilise ces méthodes. Lorsque les prix d'achat augmentent, comme c'est le cas ici, ou lorsque les coûts de fabrication montent :

- La méthode PEPS tend à attribuer la valeur la plus élevée à l'élément d'actif « Stock » et la valeur la plus faible au coût des marchandises vendues. Par conséquent, le bénéfice net résultant de cette méthode est le plus élevé.

- La méthode DEPS tend à attribuer la valeur la moins élevée à l'élément d'actif « Stock » et la valeur la plus élevée au coût des marchandises vendues. Par conséquent, le bénéfice net résultant de cette méthode est le moins élevé.

- La méthode du coût moyen se situe entre les deux pour ce qui est de la valeur de l'actif, du CMV et du bénéfice net.

Si les *prix d'achat sont à la baisse*, c'est l'inverse qui se produit : la méthode PEPS a tendance à calculer le bénéfice net le plus faible, alors que la méthode DEPS donne le bénéfice net le plus élevé. La méthode du coût moyen se situe toujours entre les deux.

L'importance des répercussions dépend du taux de rotation des stocks, des prix et de la variation des quantités.

Les différences entre les méthodes augmentent lorsque les prix d'achat s'élèvent (ou chutent) durant l'exercice. Les différences entre les méthodes diminuent lorsque le taux de rotation du stock est élevé, parce que les variations de prix qui se produisent pendant que les articles sont en stock sont moins fortes et que la valeur relative de l'actif en stock est moindre que le coût des marchandises vendues. Si l'on utilise la méthode DEPS combinée à un système d'inventaire permanent ou la méthode de la moyenne pondérée mobile, les différences peuvent prendre des directions inattendues si les augmentations ou les diminutions du niveau des stocks coïncident. Le stock de clôture de Matrix inc., selon la méthode DEPS — inventaire permanent —, est plus élevé que le stock de clôture établi selon la méthode du coût moyen, parce que l'entreprise a vendu une grande partie de son stock d'ouverture. La méthode de l'inventaire permanent en tient compte, alors que la méthode du coût moyen ne le fait pas. Les liens entre les méthodes peuvent aussi s'écarter du modèle habituel, si les prix d'achat et les quantités en stock varient en sens contraire, par exemple, si les quantités en stock baissent alors que les prix augmentent, ou vice versa.

Ò Ù EN ÊTES-VOUS ?

Voici deux questions auxquelles vous devriez pouvoir répondre, compte tenu de ce que vous venez de lire :

1. À part les critères généraux relatifs aux choix de conventions comptables, tels que la fidélité, comment une société décide-t-elle de la méthode qu'elle va appliquer pour évaluer son stock ?

2. La société Matrix inc. a également en stock de la nourriture pour chiens de la marque « Chien Gourmet ». Elle contrôle ce stock au moyen de la méthode de l'inventaire périodique. Au cours du dernier exercice, son stock d'ouverture se composait de 200 caisses de nourriture pour chiens. Au cours de l'exercice, la société a acheté 1 500 caisses et en a vendu 1 450. Les caisses composant son stock d'ouverture lui ont coûté 400 $ chacune. Elle en a acheté trois fois : au début de l'exercice, 500 caisses à 404 $ l'unité, par la suite, 600 caisses à 390 $ l'unité, et, vers la fin de l'exercice, 400 caisses à 384,50 $ l'unité. Quels seront les coûts du stock de clôture et des marchandises vendues si la société applique (a) la méthode PEPS, (b) la méthode du coût moyen pondéré et (c) la méthode DEPS ? ([a] 96 125 $, 573 675 $; [b] 98 500 $, 571 300 $; [c] 100 200 $, 569 600 $)

8.6　LA MÉTHODE DE LA VALEUR MINIMALE ET LES AUTRES MÉTHODES D'ÉVALUATION DES COÛTS

La valeur marchande du stock selon la méthode de la valeur minimale

Pour appliquer la règle de la valeur minimale, il faut envisager le problème sous deux angles:

Pour déterminer la valeur marchande du stock destiné à l'exploitation, mais non à la vente, il est souhaitable d'utiliser le coût de remplacement.

- Pour les articles en stock qui ne sont pas destinés à la vente, mais qui servent à l'exploitation (par exemple, les stocks de matières premières qui servent à la fabrication, les fournitures d'usine et les fournitures de bureau), la valeur d'*entrée* — c'est-à-dire le *coût de remplacement* — semble être la valeur marchande la plus appropriée. On détermine le **coût de remplacement** à partir des prix des fournisseurs et en estimant le montant qu'il faudrait débourser pour remplacer les articles en stock. On se préoccupe surtout des articles dont les coûts baissent parce que, rappelons-le, seuls les articles dont la valeur marchande (le coût de remplacement) est inférieure au coût initial, ou au coût qu'on pense avoir payé pour les obtenir, nous intéressent.

Pour déterminer la valeur marchande du stock destiné à la vente, il est souhaitable d'utiliser la valeur de réalisation nette.

- Pour les articles en stock destinés à la vente, la valeur de *sortie* — c'est-à-dire la *valeur de réalisation nette* — semble être la valeur qui convient le mieux. On détermine la **valeur de réalisation nette** à partir du prix de vente dont on déduit tous les coûts engagés pour obtenir le produit final (comme celui du conditionnement) ou pour vendre l'article en question. Ici encore, on se préoccupe surtout des articles dont la valeur de réalisation nette est inférieure au coût, soit des articles dont les prix de vente chutent, qui ont été endommagés, qui sont devenus désuets ou qui ne sont plus à la mode, et qu'il est donc impossible de vendre au prix prévu au départ.

La valeur minimale

Pour calculer la valeur minimale, il suffit fondamentalement de prendre les coûts des articles, de les comparer à leur valeur marchande et de choisir le moins élevé des deux montants pour attribuer la valeur qui convient aux articles composant le stock de clôture. Voici un exemple:

Exemple de calcul de la valeur minimale				
Article en stock	Quantité	Coût total (C)	Valeur marchande totale (VM)	Valeur minimale
Pièce 493-A	500 unités	2 000 $	2 600 $	2 000 $ (C)
Pièce 499	60 kilos	432	420	420 (VM)
Produit 239	1 000 unités	60 000	75 000	60 000 (C)
Produit 240	200 unités	3 000	700	700 (VM)
Etc.	...	...	...	...
	...	...	...	...
TOTAUX (par exemple)		643 290 $	858 400 $	629 680 $

On peut comparer le coût et la valeur marchande soit par article (principe de prudence), soit de façon globale.

Le montant de l'élément d'actif « Stock » figurant au bilan pourrait se présenter comme suit :

a. la somme de la colonne à droite (629 680 $), qui serait la somme de la valeur minimale calculée pour chaque article ; ou

b. le coût total (643 290 $), en partant de l'hypothèse que, puisque le total de la valeur marchande (858 400 $) est supérieur au coût total, on n'aurait pas besoin de procéder à des redressements pour le ramener à sa valeur marchande.

La méthode (a) est plus prudente, mais il est probable que l'on choisira la méthode (b), si l'ensemble du stock ne pose pas de problèmes majeurs.

Si, pour ramener le coût à la valeur marchande, il s'avère nécessaire de procéder à une réduction de valeur, on inscrira celle-ci au titre de charge pour l'exercice.

Si l'on utilise, à titre d'illustration, la méthode prudente (a), en prenant la valeur minimale de certains articles (pièce 499, produit 240, et probablement d'autres), on ramène la somme des valeurs marchandes (629 680 $) à un montant inférieur de 13 610 $ à celui du coût total (643 290 $). Si nous nous montrions prudents, pour inscrire cette réduction de 13 610 $, nous débiterions un compte de « Perte » et créditerions le compte « Stock » de l'actif, en supposant qu'on a utilisé la méthode de l'inventaire permanent. (Au lieu de créditer directement le compte « Stock », nous pourrions utiliser un compte de « Provision pour réduction de valeur du stock » comme un compte de « Provision pour créances douteuses ».) Sur l'état des résultats, le compte de « Perte » ne serait probablement pas présenté séparément du CMV, car, dans la mesure où il n'est pas trop important, il s'agit d'un phénomène courant et l'utilisateur doit supposer que toutes les entreprises subissent ce genre de pertes mineures. Après tout, si l'on avait soldé ces articles au cours de l'exercice, ces produits plus faibles auraient fait partie des produits totaux, et leur coût aurait été inclus dans le CMV. Donc, dans le calcul du bénéfice, la « perte » aurait été noyée dans les produits totaux, moins le CMV. Nous poursuivrons cette discussion plus loin dans le chapitre, lorsque nous étudierons la présentation des états financiers.

Les méthodes de calcul du coût et de la valeur marchande vont souvent de pair.

Dans la pratique, les sociétés calculent principalement les articles dont la valeur risque de baisser (on peut, par exemple, identifier ces articles lors de l'inventaire) au lieu de calculer la valeur marchande de tous les articles. De plus, compte tenu du type de stock, on doit souvent opter, à la fois, pour une hypothèse concernant le flux des coûts du stock et pour une méthode de détermination de la valeur marchande. Par exemple :

- On présente souvent les matières premières au moindre du coût moyen et du coût de remplacement.

- Par contre, on présente généralement les marchandises destinées à la vente au moindre du coût selon la méthode PEPS et de la valeur de réalisation nette.

Ainsi, nous observons que les méthodes de calcul du coût et de la valeur marchande vont souvent de pair (coût moyen avec coût de remplacement, PEPS avec valeur de réalisation nette), bien qu'il existe de nombreuses exceptions. La méthode de l'inventaire au prix de détail (présentée ci-après) est un amalgame des coûts et des prix de vente. Cet exemple confirme une fois de plus que les coûts et la valeur marchande vont de pair.

Les méthodes de calcul du coût des stocks et les méthodes de calcul de la valeur marchande relèvent toutes deux du choix des conventions comptables.

Les normes comptables canadiennes ne sont pas explicites en ce qui concerne les calculs entourant la valeur minimale. Elles laissent aux experts-comptables le soin d'exercer leur jugement. Aux États-Unis, il existe un ensemble de normes, dont la norme des « valeurs plancher et plafond », selon laquelle la valeur marchande est égale au coût de remplacement aussi longtemps que celui-ci se situe entre les valeurs plancher et plafond, calculées à partir du prix de vente. Ces normes engendrent des directives beaucoup plus précises. Nous laisserons à d'autres le soin de traiter de la complexité de ces normes et pratiques. Cependant, vous devez savoir, pour l'instant, que la détermination de la valeur minimale exige que la direction prenne des décisions en matière de conventions comptables concernant le coût, la valeur marchande et la façon de les comparer.

La méthode de l'inventaire au prix de détail et les autres méthodes

La méthode de l'inventaire au prix de détail : le coût est égal au prix de vente moins la majoration.

Dans l'*Information financière publiée au Canada 1997*, on remarque que, en 1996, aucune des 200 sociétés étudiées n'utilisait la méthode de l'inventaire au prix de détail présentée au chapitre 6 (section 6.10), pour contrôler les mouvements du stock et de l'encaisse[7]. Ces sociétés font partie d'un échantillon de grandes entreprises. Il est probable que la méthode de l'inventaire au prix de détail soit davantage utilisée par les petites entreprises. Il est donc utile d'apporter ici quelques précisions. Comme vous pouvez vous y attendre, la méthode de l'inventaire au prix de détail s'applique surtout aux stocks des détaillants. Elle englobe les coûts d'achat et les prix de vente dans un seul calcul ou une seule estimation.

- Il faut, d'abord, attribuer le prix de vente aux articles dénombrés lors de l'inventaire, opération qui est souvent facile puisque le prix de vente est indiqué sur l'article ou figure dans les registres informatisés des caisses enregistreuses.

- Il faut, ensuite, déduire de chaque article la majoration apportée par l'entreprise. Il est habituellement plus facile de le faire par groupes d'articles semblables ou même pour tous les articles en même temps, si l'entreprise connaît de façon assez précise son pourcentage moyen de majoration. Puis, on estime le coût.

- Le coût est égal au prix de vente moins la majoration.

- Cette méthode permet au personnel du service des ventes de vérifier le stock et l'encaisse à partir des prix de vente, sans avoir à connaître les coûts. Toutefois, pour que cette méthode demeure exacte, il faut tenir compte de toutes les majorations exceptionnelles (notamment dans le cas des ventes spéciales ou des articles en promotion) ainsi que des démarques effectuées en raison du ralentissement des ventes, parce que des articles ont été endommagés, ou pour d'autres raisons.

On utilise aussi d'autres méthodes d'évaluation des stocks. Toujours selon l'*Information financière publiée au Canada 1997*, 15 entreprises auraient utilisé, en 1996, des méthodes autres que celles présentées ici[8]. Si vous suivez un cours de comptabilité de gestion ou de comptabilité du prix de revient, vous apprendrez que l'une d'elles, la méthode du coût de revient standard, s'applique aux stocks d'articles fabriqués en usine et repose sur des estimations des coûts basées sur des volumes et des coûts standard de production.

Ù EN ÊTES-VOUS ?

Voici deux questions auxquelles vous devriez pouvoir répondre, compte tenu de ce que vous venez de lire:

1. Comment une société détermine-t-elle la valeur marchande à partir de la valeur minimale?

2. Lili ltée a trois articles en stock: A (coût: 5 200 $, valeur marchande: 7 000 $), B (coût: 6 100 $, valeur marchande: 5 700 $) et C (coût: 11 400 $, valeur marchande: 16 600 $). Calculez (i) la valeur minimale, (ii) la valeur du stock au bilan, (iii) toute perte subie selon les deux approches possibles, et indiquez laquelle est la plus prudente. (Calculs: coût total = 22 700 $; valeur marchande totale: 29 300 $; valeur minimale calculée à l'unité = 5 200 $ + 5 700 $ + 11 400 $ = 22 300 $. Réponses: première approche: [i] 22 700 $, [ii] 22 700 $, [iii] pas de perte; deuxième approche: [i] 22 300 $; [ii] 22 300 $; [iii] 400 $. La deuxième approche est la plus prudente.)

8.7   L'AMORTISSEMENT DES ÉLÉMENTS D'ACTIF ET LA CHARGE CORRESPONDANTE

Selon les PCGR, il faut amortir les immobilisations corporelles, à l'exception des terrains.

Les **immobilisations corporelles**, appelées aussi **actif corporel** (comprenant les terrains, les bâtiments, le matériel, le mobilier, les véhicules, les ordinateurs, etc.), ont de la valeur parce que la société compte tirer des avantages futurs de leur utilisation. Cependant, à l'exception du terrain, toutes les immobilisations devront être mises au rancart un jour ou l'autre. Donc, un acheteur avisé, qui désire acquérir une immobilisation comme un bâtiment ou du matériel, devrait se faire une idée, au moins approximative, des avantages qu'il pourrait tirer de cette immobilisation. Par exemple, lorsqu'un boulanger achète une machine à trancher le pain, il doit avoir une idée assez précise du nombre de pains qu'elle pourra trancher avant d'être mise hors de service. S'il est possible d'évaluer le nombre de pains que la machine pourra trancher, il est également possible, au cours de chaque exercice, de déduire des produits une portion du coût de la machine lors du calcul du bénéfice des exercices au cours desquels ces pains seront fabriqués. Ce procédé de répartition du coût est appelé **amortissement**, et sa déduction annuelle des produits est appelée *charge d'amortissement*. Si une entreprise respecte les PCGR, elle amortit toutes ses immobilisations, à l'exception des terrains.

Avant de présenter des exemples de méthodes d'amortissement, nous devons répondre à plusieurs questions.

Pourquoi doit-on répartir le coût des immobilisations?

L'amortissement répartit le coût d'un élément de l'actif à long terme sur toute sa durée de vie utile.

Les éléments d'actif constituent les ressources de l'entreprise. Ils servent à générer des produits pour leurs propriétaires et, idéalement, à fournir un rendement positif. L'un des objectifs de la comptabilité d'exercice est de tenter de rapprocher les charges des produits gagnés, comme nous l'avons vu au chapitre 7. Dans le cas des éléments d'actif à long terme, le coût procurera des avantages pendant les exercices au cours desquels des produits seront gagnés. Par conséquent, il est nécessaire d'appliquer une méthode de *répartition* du coût des éléments d'actif à long terme sur toute leur durée de vie utile. Si la totalité du coût était déduite du bénéfice au cours de l'exercice où l'on a acquis l'actif, le bénéfice de cet exercice serait relativement faible, et les bénéfices des exercices suivants seraient relativement élevés. C'est pourquoi l'amortissement répartit le coût sur tous les exercices pendant lesquels l'actif en question va être utilisé.

La répartition du coût de l'amortissement repose sur ce qui devrait se produire dans le futur.

- La machine à trancher le pain, mentionnée plus tôt, coûte 5 000 $ et n'aura plus de valeur dans huit ans, de sorte que l'amortissement de sa valeur de 5 000 $ sur huit ans (par exemple, une charge d'amortissement de 625 $ par exercice) montre que l'utilisation de la machine au cours de cette période coûte quelque chose à l'entreprise. Cette dernière dispose actuellement d'un actif d'une valeur de 5 000 $; dans huit ans, il n'en restera rien.

- La question de la **répartition du coût** est assez arbitraire, parce qu'elle repose sur des estimations faites lorsque le bien est acquis, et qu'elle ne tient aucunement compte, par exemple, des variations de la valeur marchande dans le temps. En effet, le coût et la valeur de revente de la machine peuvent changer en raison de l'inflation, des conditions du marché ou des progrès techniques. Peut-être qu'un an plus tard, l'entreprise pourrait revendre sa machine seulement 3 000 $, de sorte que la perte de la valeur économique après un an serait de 2 000 $; mais, puisque la méthode d'amortissement prévoit 625 $ par an, c'est ce montant qui sera présenté.

L'amortissement répartit le coût; il ne tient pas compte des variations de la valeur réelle ou marchande.

Il est essentiel de comprendre que la notion comptable d'amortissement concerne la *répartition du coût* pour permettre la mesure du bénéfice. *L'amortissement n'est pas un système qui doit tenir compte des variations de valeur des actifs ni mesurer la valeur réelle ou marchande de ces éléments au bilan.* L'amortissement d'un actif sert à constater une charge, basée sur le coût d'origine, qui devrait probablement concorder avec le produit engendré par l'utilisation de la valeur économique de cet actif. Le bilan présente le coût d'origine net de l'amortissement cumulé : cela ne signifie pas que la valeur réelle ou marchande du bien coïncide avec cette valeur comptable. Dans notre exemple, à la fin du premier exercice, la machine à trancher le pain est présentée au bilan à 4 375 $ (son coût de 5 000 $ moins 625 $) et non à 3 000 $ ou à un autre montant qui mesure sa valeur réelle. La signification du terme amortissement en comptabilité est très précise : il s'agit de la répartition du coût d'origine d'un actif, qu'on déduit des produits pendant sa durée d'utilisation.

Pourquoi n'amortit-on pas les terrains ?

Il n'est pas nécessaire d'amortir le coût d'un terrain parce qu'on ne considère pas que sa valeur économique diminue par suite de son utilisation. Généralement, un terrain n'est pas détérioré par l'usage qu'on en fait. Normalement, il ne subit pas de dépréciation physique ni économique.

On n'amortit pas le coût d'un terrain parce qu'on ne considère pas que sa valeur économique diminue par suite de son utilisation.

- Lorsqu'on utilise une machine au cours du processus de production, elle s'use, comme la semelle de vos souliers s'use quand vous marchez. À cause d'autres facteurs naturels, tels que le vent, la pluie, la rouille, l'usure et la corrosion, les actifs ne peuvent pas procurer indéfiniment des avantages.

- Il existe aussi des causes autres que physiques qui diminuent la valeur économique d'un actif. Une machine peut tomber en désuétude, par suite du lancement sur le marché de nouvelles machines plus rapides. De même, à cause de la situation économique qui prévaut dans un certain secteur d'activité, une usine qui a été productive pendant un grand nombre d'années, mais qui n'est plus rentable doit fermer. De plus, les aléas de la mode peuvent obliger les marchands à changer leurs présentoirs tous les deux ans, alors que ceux-ci pourraient durer dix ans.

On considère qu'un terrain est à l'abri de tous ces événements, et c'est pourquoi on ne l'amortit pas. Si on a la preuve qu'un terrain a perdu de sa valeur, on peut en diminuer le coût et présenter une valeur révisée. Il s'agit alors d'un cas spécial: on ne parle plus d'amortissement mais de « perte ».

Quand commence-t-on la répartition du coût (l'amortissement)?

On commence à amortir le coût d'un actif après sa mise en service.

L'amortissement est destiné à rapprocher une charge de l'avantage économique tiré de l'utilisation d'un actif. Par conséquent, lorsqu'on commence à utiliser l'actif et à en tirer des avantages, il faut commencer à l'amortir. Au chapitre 7 (section 7.11), nous avons énuméré les composantes du coût d'un actif, et au chapitre 6 (section 6.9), nous avons présenté les écritures nécessaires pour inscrire l'amortissement de l'actif selon la comptabilité d'exercice. Le modèle général consiste à capitaliser les coûts nécessaires pour mettre l'actif en service et, lorsqu'il est en service, à amortir ces coûts.

C'est ce qui est illustré à la figure 8.3, qui s'apparente à la figure 7.4 (section 7.11), où on explique les composantes du coût d'un actif. La courbe descendante, à partir du coût, ne doit pas nécessairement être une ligne droite, comme nous le verrons plus tard.

L'entretien d'un actif au cours de sa durée d'utilisation constitue une charge, et non une augmentation de sa valeur comptable.

Une fois que l'actif est mis en service, les frais ultérieurs de peinture, d'entretien, de réparation et autres seront considérés comme des charges nécessaires à maintenir l'actif en état au cours de sa durée d'utilisation. Comme nous l'avons expliqué à la section 7.11, si un coût engagé après la mise en service de l'actif change de façon marquée la valeur économique de ce dernier en matière de rendement ou de durée d'utilisation, on capitalise une telle « amélioration » comme si elle faisait partie du coût de l'actif, et on l'amortit avec le reste du coût de l'actif. À la figure 8.3, les améliorations seraient illustrées sous la forme d'une remontée de la courbe descendante de l'amortissement; la courbe de l'amortissement reprendrait à partir du sommet de cette remontée, comme on l'a vu à la figure 7.4, section 7.11.

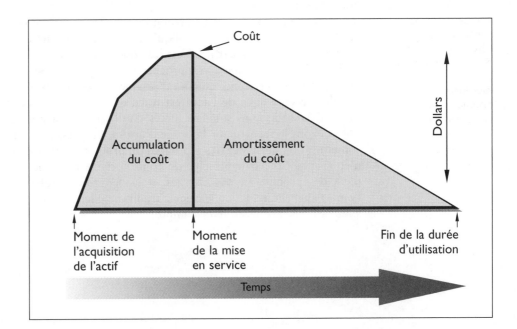

FIGURE 8.3

Autres questions

L'amortissement a-t-il une incidence sur les **liquidités**? Quel effet a-t-il sur les impôts sur le bénéfice?

On constate l'amortissement en passant l'écriture suivante:

Dt Amortissement

Ct Amortissement cumulé (compte de contrepartie)

L'écriture ne comporte pas de composante «Encaisse», car l'amortissement n'a pas d'incidence à ce niveau. Le fait que l'amortissement soit présenté dans l'état de l'évolution de la situation financière (EESF) ou dans l'état des flux de trésorerie (EFT), méthode indirecte, induit souvent les gens en erreur: comme il est ajouté au bénéfice, on dirait qu'il s'agit d'une source de liquidités. Mais, d'une façon ou d'une autre, il n'a aucune incidence sur l'encaisse. On l'ajoute au bénéfice, au début de l'EESF et de l'EFT, méthode indirecte, pour effacer l'incidence de la comptabilité d'exercice et transformer ainsi le bénéfice en bénéfice de caisse.

Malgré le soin avec lequel on le calcule, l'amortissement n'est jamais exact. En effet, il faut prédire l'utilisation économique et la durée d'utilisation de l'actif, et une telle prédiction peut facilement se révéler fausse. Si les actifs sont regroupés en vue du calcul de l'amortissement, les erreurs peuvent être réduites, parce que les prédictions, qui ont tendance à surévaluer l'utilisation économique et la durée d'utilisation de certains actifs, peuvent être compensées par celles qui ont tendance à sous-évaluer à ce niveau d'autres actifs. Tout montant d'amortissement est fondamentalement arbitraire. C'est d'ailleurs pourquoi la plupart des sociétés préfèrent les calculs assez simples à des supputations plus poussées!

Au Canada, l'amortissement comptable est inutilisable à des fins fiscales, car le fisc exige que les sociétés et les particuliers suivent, pour le calcul du bénéfice imposable, les règles qu'il prescrit et non les PCGR. Une société peut utiliser n'importe quelle méthode d'amortissement conforme aux PCGR dans ses états financiers. Quelle que soit la méthode choisie, elle ne convient pas au calcul de l'impôt sur les bénéfices.

L'amortissement n'a rien en commun avec les variations de la valeur marchande des actifs, il n'influe pas sur les liquidités, il est arbitraire et il n'a pas d'incidence fiscale! Alors, à quoi sert-il? C'est une question qui revient souvent, et la réponse nous ramène au principe du rapprochement des produits et des charges et à celui de la comptabilité d'exercice au coût d'origine. Nous savons qu'une certaine partie de la valeur économique de l'actif est utilisée lorsque ce dernier sert à engendrer un produit. Puisque nous sommes forcés d'utiliser le coût pour mesurer cette valeur, nous devons le répartir sur la durée d'utilisation prévue de l'actif pour rapprocher son utilisation présumée des avantages ou produits tirés de cette utilisation. Si nous n'étions pas liés par le principe du coût d'origine ni par le principe du rapprochement des produits et des charges, nous n'aurions probablement pas besoin de l'amortissement, tel qu'on le calcule traditionnellement. Mais, puisque ces principes sont là, nous devons en tenir compte.

L'amortissement n'a pas d'effet sur les liquidités ni sur les flux de trésorerie.

L'amortissement repose sur des prédictions, il est donc forcément inexact.

Au Canada, l'amortissement comptable est inutilisable à des fins fiscales.

L'amortissement constitue une répartition du coût d'un actif au titre de charge en vue de le rapprocher d'un produit. C'est fort utile, mais inexact.

Ù EN ÊTES-VOUS ?

Voici deux questions auxquelles vous devriez pouvoir répondre, compte tenu de ce que vous venez de lire:

1. À quoi est censé servir l'amortissement des immobilisations à long terme?

2. Pourquoi le principe de l'amortissement utilisé par la comptabilité générale est-il controversé, mal compris ou d'une utilité limitée?

8.8   LES GAINS ET LES PERTES SUR CESSION ET LA RADIATION DES ÉLÉMENTS DE L'ACTIF À LONG TERME

On doit distinguer les gains et les pertes notés lors de la cession d'éléments de l'actif à long terme des produits et des charges.

Nous avons déjà parlé, à plusieurs reprises, des gains, des pertes et des radiations. Dans cette section, nous avons rassemblé toutes ces notions et vous montrons dans quelle mesure elles dépendent du choix des conventions comptables.

La vente d'une immobilisation pourrait être traitée de la même façon que n'importe quelle vente: on pourrait ajouter le montant tiré de la vente aux produits et la valeur comptable de l'actif, au coût des marchandises vendues. Mais cela aurait pour effet de mêler les produits provenant de l'exploitation courante aux produits occasionnels (et probablement moins importants du point de vue économique) provenant de la cession des immobilisations ou d'autres placements.

Par conséquent, ces transactions sont comptabilisées séparément des produits et des charges d'exploitation au moyen d'une écriture de ce type, qui vous a déjà été présentée:

Dt Encaisse ou créances à recevoir (produit)	XXXX	
Ct Coût de l'immobilisation		XXXX
Dt Amortissement cumulé de l'immobilisation	XXXX	
Ct ou Dt Perte ou gain sur cession	XXXX ou	XXXX

Le gain ou la perte correspond uniquement à la différence entre le produit de la cession et la valeur comptable.

Le gain ou la perte correspond uniquement à la différence entre le produit de la cession et la valeur comptable (coût moins amortissement cumulé, s'il y a lieu). Cette différence permet d'équilibrer l'écriture! On pourrait l'inclure avec les produits ou les charges ordinaires (ou même avec la charge d'amortissement), s'il ne s'agit pas d'un montant trop important. Si c'était le cas, on l'inscrirait séparément à l'état des résultats, au titre de gain ou de perte ne provenant pas de l'exploitation.

Voici un exemple: La société Z possède un camion qui lui a coûté 84 000 $. À la date de la cession, l'amortissement cumulé s'élève à 46 000 $. Par conséquent, à la date de la cession, la valeur comptable est de 38 000 $. Si la société:

a. vend le camion au prix de 52 000 $, elle réalise un gain sur cession de 14 000 $ (52 000 $ − 38 000 $);

b. vend le camion au prix de 30 000 $, elle subit une perte sur cession de 8 000 $ (38 000 $ − 30 000 $).

Il est important de souligner les trois points suivants:

1. Dans l'EESF et dans l'EFT, le produit de la cession est présenté (habituellement) comme une déduction des décaissements liés aux activités d'investissement. Comme nous avons pu le constater dans l'exemple précédent, il
constitue l'unique flux monétaire. Puisque le produit de la cession est l'unique
flux monétaire, la perte, ou le gain, doit être défalqué du bénéfice inscrit à la
rubrique des activités d'exploitation de l'EESF et de l'EFT (méthode indirecte);
ce sont des éléments qui n'ont pas d'incidence sur les liquidités. On déduit
donc le gain du bénéfice et on y ajoute la perte.

Considérez ces gains et ces pertes comme des *corrections apportées à
l'amortissement*. Celles-ci sont relativement inévitables, étant donné le manque
d'exactitude inhérent aux estimations de la durée d'utilisation et de la valeur
résiduelle.

> **Les gains et les pertes sont des corrections des estimations qui sous-tendent le calcul de l'amortissement.**

- Si la société connaissait à l'avance le produit de la cession et le moment où
elle a lieu, elle pourrait amortir exactement le coût de l'actif pour que sa
valeur comptable soit égale au produit de la cession à ce moment-là. Donc,
si le produit est égal à la valeur comptable, il n'y a ni gain ni perte.

- Si le produit est inférieur à la valeur comptable, il y a perte. En effet, les
charges d'amortissement auraient dû être plus élevées, et c'est ce que la perte
représente réellement. Ainsi, sur l'EESF et sur l'EFT, méthode indirecte, la
perte est ajoutée au bénéfice, tout comme l'amortissement.

- Si le produit est supérieur à la valeur comptable, on enregistre un gain: en
effet, les charges d'amortissement ont été trop élevées (ce qui a entraîné une
valeur comptable plus faible), et le gain représente le surplus d'amortissement constaté. Par conséquent, on soustrait le gain du bénéfice dans l'EESF
et dans l'EFT, méthode indirecte, car il s'agit essentiellement d'un amortissement négatif.

La figure 8.4 illustre ces faits.

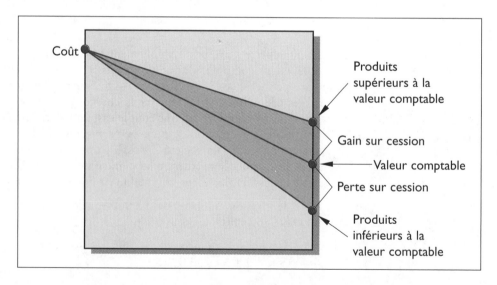

FIGURE 8.4

2. On regroupe de nombreuses immobilisations pour les amortir. Dans ce cas, on ne constate habituellement ni gain ni perte lors de la cession d'un élément du groupe, parce qu'on n'en connaît pas la valeur comptable individuelle. La perte, ou le gain, est, en fait, noyé dans l'amortissement cumulé au moyen de l'écriture suivante (qui est la même que la précédente, mais sans gain ni perte):

Dt Encaisse ou créance à recevoir (produit)   XXXX

    Ct Coût de l'immobilisation   XXXX

Dt Amortissement cumulé (coût moins produit)   XXXX

On ne peut pas inscrire de gain ni de perte, si l'on ne connaît pas la valeur comptable de l'actif cédé.

Cette écriture convient mal si le produit est supérieur au coût, mais nous n'étudierons pas ici cette situation plus complexe. Le fait de noyer les gains ou les pertes dans l'amortissement cumulé signifie qu'ils s'annulent avec le temps. S'ils ne s'annulent pas, l'amortissement cumulé sera faussé avec le temps. Ce sujet est traité dans des cours de comptabilité plus avancés.

3. Les notions ci-dessus peuvent aussi être appliquées à trois autres situations rencontrées tout au long de ce manuel: la cession d'actifs non amortissables (les placements ou les terrains, par exemple), la radiation et la réduction de valeur des éléments de l'actif à long terme, qu'ils soient amortissables ou non.

On inscrit la diminution de la valeur ou la mise hors service au titre de disposition sans produits.

- Dans le premier cas, le gain ou la perte sur cession correspond uniquement à la différence entre le coût et le produit de la disposition, parce qu'il n'y a pas d'amortissement cumulé.

- Dans le deuxième cas, l'actif est retiré du bilan, en tout ou en partie. Puisqu'il n'y a aucun produit de disposition, le montant de la radiation correspond uniquement au coût de l'actif ou à la valeur comptable, si l'amortissement a été cumulé.

- Dans le cas d'une réduction de valeur, il n'y a pas non plus de produit de disposition et la réduction de valeur correspond à la différence entre le coût d'origine et la nouvelle valeur réduite.

Tous ces gains, pertes, radiations ou réductions de valeur n'ont pas d'incidence sur les liquidités ni sur le fonds de roulement, pas plus que sur les flux de trésorerie. En réalité, leurs effets sur le bénéfice ont été annulés au moyen de redressements apportés à l'EESF et à l'EFT, méthode indirecte.

◉ Ù EN ÊTES-VOUS ?

Voici deux questions auxquelles vous devriez pouvoir répondre, compte tenu de ce que vous venez de lire:

1. En quoi un gain ou une perte sur cession d'un élément d'actif à long terme ne serait qu'un redressement de l'amortissement?

2. Une société se débarrasse d'une usine qui lui a coûté 12 500 000 $ et a accumulé un amortissement de 8 700 000 $. Quel serait le gain ou la perte sur cession (ou la perte sur la radiation) pour chacun des cas suivants: produit de disposition: 4 500 000 $; produit de disposition: 2 400 000 $; produit de disposition: zéro (radiation)? (7 000 000 $ de gain; 1 400 000 $ de perte; 3 800 000 $ de perte sur radiation, ce qui représente la valeur comptable.)

8.9   LES BASES ET LES MÉTHODES D'AMORTISSEMENT

On devrait rapprocher les charges d'amortissement de la contribution estimée de l'élément d'actif aux produits.

Actuellement, on utilise couramment plusieurs méthodes d'amortissement. Les différentes méthodes cherchent à s'apparenter à des modèles économiques d'utilisation des actifs au cours de leur durée de vie. Dans chaque cas, on s'efforce de rapprocher l'amortissement de chaque exercice de l'avantage économique présumé, obtenu durant cet exercice. Cela se fait souvent de façon très simple, étant donné que l'amortissement est une mesure arbitraire plutôt qu'une mesure exacte des changements de valeur. Puisqu'on suppose que cet avantage économique présumé se reflète dans les produits d'exploitation de l'exercice, on devrait rapprocher la charge d'amortissement des produits.

Comme nous l'avons indiqué à la section 6.9 au sujet des comptes de contrepartie, le compte « Amortissement cumulé » du bilan vient réduire le compte où est inscrit le coût de l'actif. Dans le compte « Amortissement cumulé », les charges d'amortissement sont inscrites au fil des ans. *Plus l'amortissement cumulé augmente, plus la valeur comptable diminue.* La figure 7.4 (section 7.11) ainsi que les figures 8.3 et 8.4 illustrent la diminution de la valeur comptable dans le temps.

Les méthodes d'amortissement reposent sur quatre hypothèses générales relatives aux avantages économiques des éléments d'actif.

Il y a quatre hypothèses de base sur la façon dont un actif procure des avantages économiques à une société, et à chacune d'entre elles correspond une méthode d'amortissement :

Hypothèses relatives aux avantages qu'on peut tirer d'un actif	Type de répartition du coût
1. *Parts égales pendant la durée d'utilisation du bien* L'actif est censé avoir une capacité économique égale et générer des produits pendant toute sa durée d'utilisation.	*Amortissement linéaire* La charge est identique pendant toute la durée d'utilisation de l'actif.
2. *Diminution pendant la durée d'utilisation de l'actif* La capacité économique de l'actif à générer des produits est censée être plus grande au cours des premières années qu'au cours des dernières.	*Amortissement accéléré, dégressif* La charge est plus élevée au cours des premières années qu'au cours des dernières.
3. *Augmentation pendant la durée d'utilisation de l'actif* C'est le contraire de l'hypothèse 2.	*Amortissement progressif* C'est le contraire de l'amortissement accéléré.
4. *Variabilité pendant la durée d'utilisation de l'actif* La capacité économique de l'actif à contribuer aux produits d'exploitation varie en fonction de son utilisation annuelle.	*Amortissement proportionnel à l'utilisation, épuisement* La charge dépend du volume annuel d'utilisation ou de production.

Le modèle de diminution de la valeur comptable pendant la durée d'utilisation d'un actif découle du type d'amortissement.

On parle d'amortissement accéléré et d'amortissement progressif par comparaison avec le modèle d'amortissement linéaire.

Pour une illustration graphique de ces quatre types généraux, reportez-vous à la figure 8.1. À chacun d'eux correspond une charge d'amortissement différente par exercice, cette charge représentant la valeur estimative de l'actif nécessaire pour réaliser les produits de l'exercice. À chaque méthode correspond également un modèle différent de valeur comptable. (La valeur comptable est égale au coût moins l'amortissement cumulé. Donc, puisque le coût est constant, le modèle de la valeur comptable découle du type d'amortissement cumulé.)

Vous vous demandez peut-être d'où proviennent les noms « amortissement accéléré » et « amortissement progressif ». Ces méthodes sont appelées ainsi en raison de leur lien avec l'amortissement linéaire.

- L'amortissement accéléré, comme son nom l'indique, est accéléré (charges plus élevées) par rapport à l'amortissement linéaire au cours des premières années de la durée d'utilisation du bien.

- Dans le cas de l'amortissement progressif, les charges sont moins élevées que dans le cas de l'amortissement linéaire au cours des premières années de la durée d'utilisation du bien.

Nous expliquerons plus loin d'où vient l'expression « amortissement proportionnel à l'utilisation ».

Voyons comment s'appliquent les quatre méthodes de calcul de l'amortissement.

1. L'amortissement linéaire

L'amortissement linéaire est une méthode simple et largement utilisée.

Parmi toutes ces méthodes d'amortissement, l'**amortissement linéaire** (illustré dans le haut de la figure 8.5) est la méthode la plus simple et la plus souvent utilisée. D'après l'*Information financière publiée au Canada 1997*, seulement 2 des 200 sociétés recensées n'ont donné aucune information, en 1996, quant à leur méthode et à leur taux d'amortissement. Parmi les 198 autres sociétés, 91 appliquaient la méthode de l'amortissement linéaire exclusivement, et 79 l'appliquaient à certaines catégories d'immobilisations, soit 170 des 200 sociétés au total[9]. Cette méthode est presque toujours utilisée dans le cas des immobilisations incorporelles (voir la section 8.10).

Pour calculer l'amortissement selon la méthode linéaire, on doit disposer de trois éléments d'information.

a. Le coût de l'actif — le coût total qui doit être amorti (soit le montant capitalisé au moment où l'actif est mis en service).

b. La durée d'utilisation estimative de l'actif — soit le nombre d'exercices au cours desquels l'actif est censé procurer des avantages à l'entreprise.

c. La valeur de « récupération estimative » — soit le montant qu'on s'attend à récupérer en vendant l'actif à la fin de sa durée d'utilisation. Cette valeur est le résultat d'une estimation éclairée mais, pour calculer l'amortissement sur de longues périodes, on suppose souvent que la valeur de récupération est nulle.

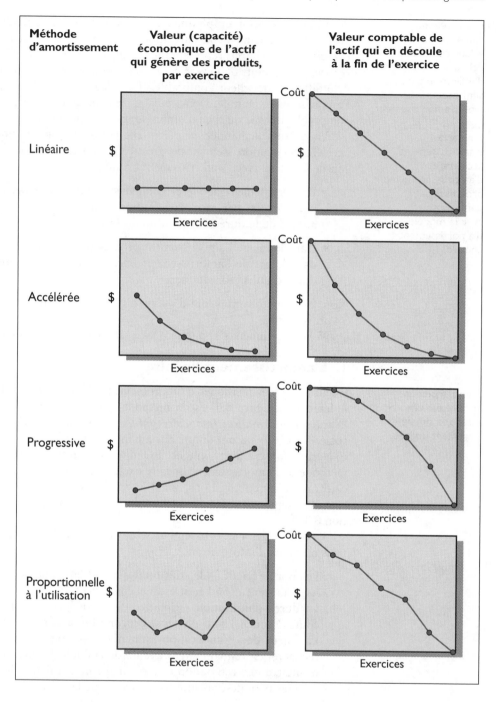

FIGURE 8.5

Pour calculer
l'amortissement
linéaire, on doit
disposer de trois
éléments seulement:
le coût, la valeur de
récupération estimative
et la durée d'utilisation.

Voici la formule de calcul de l'amortissement linéaire:

$$\text{Amortissement pour un exercice} = \frac{\text{coût} - \text{valeur de récupération estimative}}{\text{durée d'utilisation estimative (en nombre d'exercices)}}$$

À l'aide de cette formule, on calcule l'amortissement annuel d'un camion de livraison utilisé par une entreprise locale comme suit :

- Coût du camion = 5 000 $

- Durée d'utilisation estimative = 5 ans

- Valeur de récupération estimative dans 5 ans = 1 000 $

$$\text{Amortissement pour un an} = \frac{5\ 000\ \$ - 1\ 000\ \$}{5}$$

$$= 800\ \$$$

Selon l'amortissement linéaire, la charge annuelle est constante et la valeur comptable décline de façon linéaire.

À la fin de la première année, la valeur comptable nette du camion sera la suivante :

Coût − total de l'amortissement à cette date = 5 000 $ − 800 $ = 4 200 $

La charge d'amortissement pour chacun des cinq exercices se montera à 8 000 $, ce qui réduit la valeur comptable de 800 $ par année. Selon la figure 8.5, cette charge constante produit une augmentation linéaire de l'amortissement cumulé, et donc une réduction linéaire de la valeur comptable.

Il est encore plus facile de calculer l'amortissement linéaire, en le réduisant à un simple pourcentage, si l'on suppose que la valeur de récupération estimative est nulle.

En pratique, de nombreuses entreprises supposent que la valeur de récupération de l'actif est nulle, ce qui permet d'exprimer l'amortissement en pourcentages plutôt qu'en années. Par exemple, à partir de la méthode d'amortissement linéaire, une entreprise peut indiquer que l'amortissement représente 20 % du coût d'origine plutôt que de préciser que le coût est réparti linéairement sur 5 ans.

2. L'amortissement accéléré

Certains actifs procurent la majorité de leurs avantages économiques au début de leur utilisation. Par exemple, un nouvel ordinateur peut profiter davantage à l'entreprise au moment de son acquisition. En effet, après quelques années seulement, en raison des progrès techniques rapides et de l'essor que l'entreprise doit prendre avec le temps, cet ordinateur ne servira plus qu'à des traitements élémentaires, surtout si l'entreprise a fait l'acquisition de nouveaux ordinateurs. Par conséquent, même si l'ordinateur est toujours en service, c'est surtout au début qu'il aura procuré des avantages économiques à l'entreprise.

Certains actifs génèrent davantage de produits durant leurs premières années d'utilisation que par la suite.

Au Canada, la méthode d'**amortissement accéléré** la plus courante est l'**amortissement dégressif**. L'*Information financière publiée au Canada 1997* révèle que, en 1996, 46 des 200 sociétés étudiées utilisaient l'amortissement dégressif ; 17 d'entre elles n'utilisaient que cette méthode et 39 lui associaient d'autres méthodes (notamment, pour 37 d'entre elles l'amortissement linéaire)[10]. La déduction pour amortissement, appliquée au calcul de l'impôt sur les bénéfices (chapitre 10), est habituellement déterminée à l'aide de la méthode d'amortissement dégressif.

La méthode de l'amortissement accéléré dégressif est la deuxième méthode la plus souvent utilisée.

Généralement, cette méthode ne tient pas compte de la valeur de récupération estimative. On doit donc disposer des informations suivantes :

Pour calculer l'amortissement dégressif, on n'a besoin que de trois éléments : le coût, l'amortissement cumulé et le taux d'amortissement.

a. le coût de l'actif ;

b. le total de l'amortissement à cette date (amortissement cumulé) ;

c. le taux d'amortissement — soit le pourcentage de la valeur comptable (coût moins amortissement cumulé) de l'actif qui doit être amorti durant l'exercice en question.

Voici la formule de calcul de l'amortissement dégressif :

Amortissement pour un exercice = (coût − amortissement cumulé) × taux
= valeur comptable nette de l'actif × taux

Pour obtenir une approximation du taux d'amortissement dégressif, on peut doubler le taux d'amortissement linéaire.

Utilisons la méthode de l'amortissement dégressif pour calculer l'amortissement sur cinq ans du camion mentionné précédemment. Le taux d'amortissement est calculé de façon que le coût soit totalement amorti pendant la durée d'utilisation de l'actif. Pour ce faire, il faut recourir à des notions algébriques complexes. C'est pourquoi on utilise habituellement un taux approximatif. Par exemple, selon la méthode de « l'amortissement dégressif à taux double » (une forme particulière d'amortissement dégressif), on utilise un taux égal au double de celui de l'amortissement linéaire. L'amortissement dégressif à taux double convient assez bien aux éléments d'actif dont la durée d'utilisation est d'environ 10 ans, mais il ne convient pas à ceux dont la durée d'utilisation est plus courte. Au Canada, initialement, les taux de déduction pour l'amortissement ont été calculés à partir d'estimations basées sur l'amortissement dégressif à taux double.

Puisque la durée d'utilisation estimative du camion est inférieure à 10 ans, l'amortissement dégressif à taux double ne convient pas vraiment (doubler le taux linéaire équivaut à 40 %). Nous utiliserons donc, plutôt, un taux de 25 % pour nous rapprocher de sa contribution économique.

- Coût = 5 000 $
- Amortissement à ce jour = 0 $ (au début)
- Taux d'amortissement = 25 %

1ᵉʳ exercice
     Amortissement de l'exercice   =   (5 000 $ − 0) × 25 %
                                         =   1 250 $
     Amortissement total à ce jour   =   1 250 $
     Valeur comptable nette   =   3 750 $

2ᵉ exercice
     Amortissement de l'exercice   =   (5 000 $ − 1 250) × 25 %
                                         =   937,50 $
     Amortissement total à ce jour   =   2 187,50 $
     Valeur comptable nette   =   2 812,50 $

Remarquez que la charge d'amortissement diminue chaque année.

3ᵉ exercice
     Amortissement de l'exercice   =   (5 000 $ − 2 187,50) × 25 %
                                         =   703,13 $
     Amortissement total à ce jour   =   2 890,63 $
     Valeur comptable nette   =   2 109,37 $

4ᵉ exercice
     Amortissement de l'exercice   =   (5 000 $ − 2 890,63 $) × 25 %
                                         =   527,34 $
     Amortissement total à ce jour   =   3 417,97 $
     Valeur comptable nette   =   1 582,03 $

> *5ᵉ exercice*
> | | | |
> |---|---|---|
> | Amortissement de l'exercice | = | (5 000$ − 3 417,97) × 25 % |
> | | = | 395,50$ |
> | Amortissement total à ce jour | = | 3 813,47$ |
> | Valeur comptable nette | = | 1 186,53$ |

Lorsque l'amortissement annuel est dégressif, la valeur comptable diminue de façon curvilinéaire.

Bien que, dans cet exemple, la valeur comptable nette du camion à la fin des cinq années soit assez proche de la valeur de récupération prévue, l'amortissement dégressif ne tient habituellement pas compte de la valeur de récupération. Par conséquent, à la fin des cinq années, la valeur comptable sera la même, que l'entreprise s'attende ou non à récupérer une partie du coût du camion.

La deuxième série de graphiques de la figure 8.5 illustre les modèles de charge d'amortissement et de valeur comptable que nous avons calculées pour le camion. La charge d'amortissement et la valeur comptable nette prennent la forme d'une courbe plutôt que d'une ligne droite. Noterait-on des différences dans le bénéfice net, si l'entreprise appliquait une méthode plutôt que l'autre? Oui. Observerait-on des différences dans les liquidités de l'entreprise, si elle appliquait la méthode de l'amortissement dégressif plutôt que celle de l'amortissement linéaire? Non. Nous y reviendrons plus loin.

Aux États-Unis, on utilise couramment la «méthode de l'amortissement proportionnel à l'ordre numérique inversé des années», laquelle permet de calculer l'amortissement accéléré avec plus de précision que la méthode de l'amortissement dégressif. Elle était appliquée couramment avant l'arrivée sur le marché des calculatrices et des ordinateurs. Maintenant que les calculatrices font partie de notre vie au même titre que les crayons, et que les ordinateurs sont devenus monnaie courante, l'utilisation de cette méthode est moins fréquente. Puisqu'elle est très peu utilisée au Canada (en 1996, aucune de 200 sociétés recensées par l'*Information financière publiée au Canada 1997* n'utilisait cette méthode)[11], elle sera démontrée dans une note[12].

3. L'amortissement proportionnel à l'utilisation et l'amortissement pour épuisement

Les méthodes de l'amortissement linéaire et de l'amortissement dégressif peuvent s'avérer trop simples lorsque l'utilisation annuelle de l'actif varie.

La valeur économique de nombreux actifs ne varie pas nécessairement en fonction du temps, mais en fonction de l'utilisation qu'on en fait. Par exemple, il vaudrait peut-être mieux calculer le nombre de kilomètres que le camion de livraison pourra parcourir que le nombre d'années pendant lesquelles l'entreprise pourra l'utiliser. Souvent, la consommation des ressources naturelles («les actifs consomptibles») est calculée en fonction de l'utilisation, parce que la valeur d'une terre boisée ou d'un puits de pétrole est liée au nombre d'arbres qu'il reste à abattre ou de barils de pétrole qu'il reste à extraire. Si la valeur économique de l'actif est reliée à son utilisation annuelle ou à son extraction, sa contribution économique annuelle dépendra du volume d'utilisation ou d'extraction. Cette contribution ne sera pas nécessairement égale et constante chaque année, comme les méthodes d'amortissement linéaire et d'amortissement dégressif l'impliquent. Par conséquent, la méthode de l'**amortissement proportionnel à l'utilisation** sert aussi à calculer l'**amortissement pour épuisement** des ressources naturelles.

Pour calculer l'amortissement proportionnel à l'utilisation, on doit disposer des données suivantes : le coût, la valeur de récupération estimative, l'utilisation totale, l'utilisation pendant l'exercice.

Pour calculer ces amortissements en fonction d'un nombre d'unités d'œuvre, on doit disposer des informations suivantes :

a. le coût de l'actif ;
b. la valeur de récupération estimative ;
c. le nombre estimatif d'unités qui seront produites au cours de la durée d'utilisation de l'actif — soit le nombre estimatif de mètres de planches qui seront fabriquées à partir du bois sur pied, le nombre estimatif de kilomètres que parcourra le camion de livraison, ou d'autres mesures de production ;
d. le nombre d'unités produites durant l'exercice pour lequel on doit calculer l'amortissement.

Voici la formule de calcul de l'amortissement proportionnel à l'utilisation :

$$\text{Amortissement ou épuisement par unité utilisée ou produite (par ex., un kilomètre)} = \frac{\text{coût} - \text{valeur de récupération estimative}}{\text{nombre estimatif d'unités d'œuvre au cours de la durée d'utilisation}}$$

Pour déterminer l'amortissement de l'exercice, on multiplie la charge d'amortissement par unité par le nombre réel d'unités produites ou utilisées. Dans l'exemple du camion de livraison de l'entreprise, l'amortissement du coût du camion pendant sa durée d'utilisation prévue serait de :

L'amortissement proportionnel à l'utilisation varie en fonction de l'usage que l'on fait de l'actif.

- Coût = 5 000 $

- Valeur de récupération estimative = 1 000 $

- Nombre estimatif de kilomètres à parcourir = 200 000 km

$$\text{Amortissement par kilomètre} = \frac{5\ 000\ \$ - 1\ 000\ \$}{200\ 000}$$

$$= 0,02\ \$$$

1ᵉʳ exercice
Si le camion parcourt 20 000 km au cours de l'exercice, l'amortissement sera de :

$$0,02\ \$ \times 20\ 000 = 400\ \$$$

2ᵉ exercice
Si le camion parcourt 80 000 km au cours de l'exercice, l'amortissement sera de :

$$0,02\ \$ \times 80\ 000 = 1\ 600\ \$$$

3ᵉ exercice
Si le camion parcourt 65 000 km au cours de l'exercice, l'amortissement sera de :

$$0,02\ \$ \times 65\ 000 = 1\ 300\ \$$$

4ᵉ exercice
Supposons que le camion ait parcouru 50 000 km au cours de l'exercice. Cependant, après 35 000 km, il est totalement amorti (il a parcouru les 200 000 km prévus). Par conséquent, l'amortissement de l'exercice sera seulement de 700 $ (montant qui reste à amortir), ce qui est inférieur à 0,02 $ × 50 000 km.

L'amortissement proportionnel à l'utilisation et l'amortissement pour épuisement sont courants, en particulier pour les sociétés qui utilisent des actifs consomptibles.

On soustrait habituellement l'amortissement pour épuisement de l'actif, plutôt que de l'accumuler dans un compte de contrepartie.

La dernière série de graphiques de la figure 8.5 illustre l'amortissement proportionnel à l'utilisation. C'est la seule méthode qui puisse produire un amortissement annuel fluctuant vers le haut et vers le bas. L'étude sur l'*Information financière publiée au Canada 1997* mentionne que, en 1996, deux sociétés déclaraient n'utiliser que l'amortissement proportionnel à l'utilisation, mais 40 autres l'utilisaient en association avec d'autres méthodes[13].

Même si l'amortissement proportionnel à l'utilisation d'une immobilisation et l'amortissement pour épuisement des ressources consomptibles se calculent de la même façon, il existe quelques différences importantes. L'amortissement pour épuisement fait référence à la consommation physique d'un actif, et pas simplement à la consommation de sa valeur économique. Dans le cas du bois sur pied, mentionné plus tôt, la valeur de récupération peut correspondre à la valeur du terrain après que tous les arbres ont été abattus. Au lieu d'accumuler l'amortissement pour épuisement dans un compte de contrepartie, on peut diminuer l'actif lui-même du montant de l'épuisement de l'exercice. L'écriture à enregistrer serait alors semblable à celle-ci :

Dt Amortissement pour épuisement   XXXX
   Ct Bois sur pied   XXXX
      (plutôt que amortissement cumulé)

Lorsqu'on n'utilise pas de compte d'amortissement cumulé, le compte de l'actif révèle la valeur comptable restante au moment présent, et non le coût d'origine. On retrouve le même type de traitement pour des immobilisations incorporelles (section 8.10).

4. L'amortissement progressif

L'amortissement progressif est rare ; on l'utilise surtout dans l'immobilier.

Si l'on prévoit que la perte de valeur économique d'un actif sera lente au cours des premières années et qu'elle s'accélérera par la suite, on peut appliquer l'**amortissement progressif**, qui est le contraire de l'amortissement accéléré. Selon cette méthode, l'amortissement augmente au cours de la durée d'utilisation de l'actif (voir la troisième série de graphiques de la figure 8.5). On utilise rarement ce genre de méthode parce qu'elle ne correspond pas adéquatement aux valeurs économiques estimées de la plupart des actifs. L'*Information financière publiée au Canada 1997* signale que, en 1996, seulement six sociétés utilisaient une forme d'amortissement progressif, appelée « amortissement à intérêts composés ». Une seule société appliquait cette méthode pour l'ensemble de ces actifs amortissables, les autres l'utilisaient en association avec la méthode d'amortissement linéaire[14]. Les calculs de cette méthode étant compliqués, nous ne les illustrerons pas ici.

Les effets de l'amortissement

Le choix de la méthode d'amortissement influe surtout sur le bénéfice.

Quelles sont les répercussions de la méthode d'amortissement choisie sur les états financiers ? Voici quelques considérations générales.

Le principal effet du choix de la méthode comptable s'exerce surtout au niveau du bénéfice. L'utilisation d'une méthode d'amortissement telle que l'amortissement dégressif accroît l'amortissement au cours des premières années d'utilisation des actifs, contrairement à l'amortissement calculé selon la méthode linéaire. Par conséquent, si l'on a recours à l'amortissement accéléré, le bénéfice sera moins élevé au cours des premières années, et plus élevé au cours des années suivantes, où l'amortissement sera inférieur à celui calculé selon la méthode linéaire.

Voici un exemple en chiffres. Supposons que nous ayons une machine qui a coûté 10 000 $, dont la durée de vie est estimée à 10 ans, et dont la valeur de récupération estimative s'élève à 1 000 $. L'amortissement linéaire serait de 900 $ par exercice, soit 10 % de 10 000 $ − 1 000 $. L'amortissement dégressif, fondé sur l'approximation de l'amortissement décroissant à taux double, représenterait 20 % de la valeur comptable par exercice (la valeur de récupération n'étant pas prise en compte). Le tableau suivant en résulte.

Exemple de comparaison entre les amortissements linéaire et accéléré

	Amortissement linéaire de 10 %		Amortissement dégressif de 20 %	
Exercice comptable	Valeur comptable d'ouverture	Charge d'amortissement	Valeur comptable d'ouverture	Charge d'amortissement
1	10 000 $	900 $	10 000 $	2 000 $
2	9 100	900	8 000	1 600
3	8 200	900	6 400	1 280
4	7 300	900	5 120	1 024
5	6 400	900	4 096	819
6	5 500	900	3 277	655
7	4 600	900	2 622	524
8	3 700	900	2 098	420
9	2 800	900	1 678	336
10	1 900	900	1 342	268
Total de 10 années		9 000 $		8 926 $

Les répercussions spécifiques dépendent de chaque cas, mais cet exemple illustre la tendance générale. Les deux méthodes donnent à peu près le même montant d'amortissement après 10 ans (9 000 $ contre 8 926 $) et environ la même valeur comptable au terme de cette période (1 000 $ contre 1 074 $), mais elles suivent des modèles différents. Selon l'amortissement accéléré, la charge est plus élevée (et, par conséquent, le bénéfice est inférieur) pendant les quatre premières années, et elle est moins élevée (et le bénéfice est supérieur) au cours des six dernières années.

On ne peut pas établir de comparaisons générales avec l'amortissement proportionnel à l'utilisation, car, par définition, celui-ci varie en fonction des volumes de production ou du degré d'utilisation. Cependant, comme les deux autres méthodes, celle-ci doit amortir le même montant dans le temps (sauf que l'amortissement dégressif ne tient pas compte de la valeur de récupération estimative). Ainsi, en fin de compte, les diverses méthodes arrivent au même point d'amortissement complet. Par conséquent, le choix de la méthode d'amortissement repose essentiellement sur la répartition dans le *temps* de la charge d'amortissement : principalement au cours des premières années (accéléré), la même, au fil des ans (linéaire) ou variable (proportionnelle à l'utilisation).

Résumons-nous :

- Le choix de la méthode d'amortissement est sans incidence sur les liquidités ou sur les flux de trésorerie.

On amortit le même coût, c'est pourquoi les diverses méthodes arrivent au même point en empruntant des voies différentes.

- Puisqu'il modifie le bénéfice et les éléments de l'actif à long terme (valeur comptable), ce choix influe également sur les rendements calculés sur l'actif ou sur les capitaux propres, lesquels sont utilisés pour juger de la performance de l'entreprise par rapport à sa taille, comme nous le verrons au chapitre 9.

- Le choix de la méthode d'amortissement n'a pas d'incidence sur les impôts à payer, car la société doit de toute manière recalculer son amortissement déductible conformément aux lois fiscales.

- Puisqu'il n'a pas d'incidence sur l'encaisse ni sur les impôts sur le bénéfice, le choix de la méthode n'en a pas non plus sur le fonds de roulement, à moins que l'amortissement ne fasse partie du calcul du coût des marchandises fabriquées et que certaines de ces marchandises ne soient encore en stock à la fin de l'exercice. (Nous réservons ces problèmes à d'autres cours de comptabilité.)

L'effet de l'amortissement sur le bénéfice avant impôts s'exerce par l'intermédiaire de la charge d'amortissement.

- Les commentaires ci-dessus faisaient référence au « bénéfice », mais ne précisaient pas la valeur en dollars de ces effets. Pour des raisons que nous n'exposerons pas ici, le choix de la méthode d'amortissement influe sur la portion *reportée* ou *future* de la charge d'impôts. Par conséquent, les effets exacts sur le *bénéfice net* sont assez complexes, mais ils vont dans le sens de ce que nous avons illustré. Si vous parvenez à comprendre les effets de l'amortissement sur le bénéfice avant impôts (et les effets des différents montants d'amortissement annuel selon les différentes méthodes), vous comprenez l'essentiel.

Ù EN ÊTES-VOUS ?

Voici deux questions auxquelles vous devriez pouvoir répondre, compte tenu de ce que vous venez de lire :

1. Expliquez au président de l'usine de fabrication Larbec ltée, mise en exploitation au début de l'année, quelle est la fonction de la charge d'amortissement et les critères sur lesquels la société devrait se baser pour choisir la méthode la plus appropriée.

2. La direction de la société Larbec ltée essaie de décider quelle méthode d'amortissement elle devrait adopter. Un des gestionnaires a fait quelques calculs sommaires et a déterminé que, si la société utilisait chaque méthode convenablement, les résultats pour l'exercice en cours seraient les suivants : amortissement linéaire, charge de 238 400 $; amortissement accéléré, charge de 389 600 $; amortissement proportionnel, charge de 189 200 $. Quels seraient les effets suivants si la société choisissait la deuxième ou la troisième méthode, par comparaison avec l'amortissement linéaire : incidence en dollars sur les flux de trésorerie de l'exercice en cours ; incidence en dollars sur les impôts à payer de l'exercice ; le sens de l'incidence sur les bénéfices pour les années futures ? (Accéléré : réduction de 151 200 $ du bénéfice avant impôts ; aucune incidence sur les flux de trésorerie ni sur les impôts à payer ; finira par présenter une augmentation du bénéfice, lorsque la charge d'amortissement accéléré sera inférieure à l'amortissement linéaire. Amortissement proportionnel : augmentation de 49 200 $ du bénéfice avant impôts ; aucune incidence sur l'encaisse ni sur les impôts à payer ; finira par présenter une diminution du bénéfice, car, avec la méthode choisie, tout comme avec celle de l'amortissement linéaire, on finira par amortir la même valeur comptable ; l'amortissement ayant été moins élevé au cours de cet exercice, il y a du rattrapage à faire.)

8.10   LES IMMOBILISATIONS INCORPORELLES ET QUELQUES COMMENTAIRES SUR LES CONTRATS DE LOCATION-ACQUISITION

Jusqu'à présent, les explications relatives aux éléments d'actif à long terme ont porté principalement sur les immobilisations « corporelles », telles que les terrains, les bâtiments et le matériel. On trouve cependant d'autres éléments d'actif à long terme dans le bilan de nombreuses sociétés.

- Premièrement, il existe des immobilisations « incorporelles » auxquelles une valeur économique est rattachée, mais qui n'ont pas la même existence physique (« matérielle ») que les immobilisations corporelles.

- Deuxièmement, il arrive que l'entreprise loue des terrains, des bâtiments et du matériel — elle n'en est donc pas la propriétaire —, mais qu'elle les fasse néanmoins figurer dans le bilan.

Les immobilisations incorporelles

Les immobilisations incorporelles comprennent les franchises, les permis, les brevets, l'écart d'acquisition, etc.

Les **immobilisations incorporelles** sont des actifs à long terme qui n'ont pas d'existence physique visible comme en ont les terrains, les bâtiments ou le matériel. Parmi les immobilisations incorporelles, on trouve :

- les brevets, les droits d'auteur, les marques de commerce et d'autres propriétés légales du même genre ;

- les franchises, les concessions et autres droits de vente de produits d'un tiers dans un secteur géographique donné, par exemple, les restaurants McDonald, Monsieur Muffler et les magasins Canadian Tire. L'exploitant local paie des redevances pour acquérir les droits d'utiliser une raison sociale et de vendre les produits du franchiseur ;

- les « frais reportés », comme les frais de constitution, les améliorations locatives, les frais de financement et d'autres éléments qui constituent réellement des charges payées longtemps à l'avance ;

- les frais de développement des produits (par exemple, les frais de mise à l'essai, les frais de développement de logiciels) qui sont capitalisés de façon à pouvoir être passés en charges au moment où ils contribueront à générer des produits, et satisfaire ainsi au principe du rapprochement des produits et des charges ;

- l'écart d'acquisition qui se produit lorsque le montant payé pour l'acquisition d'une entreprise est supérieur à la somme des valeurs des éléments d'actif, pris individuellement. Nous l'avons vu dans l'exemple de Sablon ltée, à la fin de la section 5.3. (Cet écart d'acquisition intervient surtout lorsqu'une société en achète une autre pour former un regroupement d'entreprises qui produisent des états financiers consolidés. La consolidation est l'un des sujets traités au chapitre 10.)

Selon l'*Information financière publiée au Canada 1997*, parmi les 200 sociétés ayant fait l'objet de l'enquête en 1996 :

- 114 ont signalé un écart d'acquisition (résultant de la consolidation)[15];

- 34 ont signalé des immobilisations incorporelles autres que l'écart d'acquisition, les plus fréquemment relevées étant: les droits de diffusion, les droits d'auteur, les marques de commerce, les brevets, les licences, les listes d'abonnés ou de clients, les droits d'abattage, les franchises[16].

Quelle est la valeur des immobilisations incorporelles?

Les immobilisations incorporelles ont une valeur économique souvent douteuse et, par conséquent, leur statut d'éléments de l'actif est également douteux.

Puisque les immobilisations incorporelles sont immatérielles, on peut mettre en doute leur existence et leur valeur. Généralement, plus ces actifs sont clairement définis et étayés (particulièrement par des documents probants externes, comme les contrats et les documents légaux), moins ils posent de problèmes. Cependant, même lorsqu'il s'agit d'actifs dont la propriété ne fait pas de doute, notamment les brevets et les franchises, on peut s'interroger sérieusement sur leur valeur économique future. Par exemple, quelle est la valeur d'une franchise d'un restaurant Nickels? Cette valeur dépend des goûts changeants des consommateurs, de l'installation éventuelle d'un concurrent à proximité, ainsi que de nombreux autres facteurs économiques et commerciaux.

Le fait de capitaliser des frais de développement de produits est sujet à controverse, et n'est généralement pas autorisé.

En ce qui concerne les actifs ne pouvant être étayés par des documents, comme les frais de développement de produits, on peut aussi s'interroger sur la pertinence de leur présentation dans le bilan. La **capitalisation** des frais de ce genre peut sembler favoriser un meilleur rapprochement, et les comptables qui les inscrivent estiment qu'il est approprié de le faire. Toutefois, cela ne se justifie que s'ils assurent un rendement réel dans le futur. Ce nouveau produit sans pareil se vendra-t-il? Assurera-t-il un rendement supérieur aux frais engagés? Il est difficile de répondre à ces questions. Beaucoup de personnes estiment que ces biens n'ont pas leur place dans le bilan; elles favorisent alors plutôt une comptabilité prudente, craignent la manipulation ou estiment simplement que la constatation de ces biens n'est ni juste ni appropriée. Les frais engagés devraient, par conséquent, être imputés directement aux charges, et non capitalisés. Pour toutes ces raisons, les normes comptables exigent que les frais courants de recherche et de développement soient imputés aux charges, au moment où ils sont engagés, et non *capitalisés* comme des immobilisations incorporelles. On a observé que le prix des actions se comportait comme si cette approche prudente de ne pas procéder à la capitalisation des frais de recherche et développement — pourtant fortement conseillée aux États-Unis — entraînait un rapprochement inadéquat des produits et des charges, et une représentation trompeuse du bénéfice[17]. Cependant, aucune tendance à la capitalisation n'apparaît probable dans l'immédiat, car les spécialistes qui établissent des normes et les vérificateurs ont des doutes quant à la validité des estimations portant sur la valeur des immobilisations incorporelles réalisées en interne.

L'écart d'acquisition

L'écart d'acquisition correspond à l'excédent du prix total sur la valeur de l'actif et du passif, quelle qu'en soit la raison.

L'**écart d'acquisition** est un cas spécial qui n'est pas moins controversé. L'écart d'acquisition signifie que l'ensemble d'une entreprise achetée vaut plus que la somme de ses parties, représentées par les éléments individuels de l'actif et du passif. L'entreprise a été payée un montant plus important que la valeur accordée aux éléments d'actif et de passif. Le prix d'une entreprise est fixé par le marché et il n'y a aucune raison pour qu'il coïncide avec les valeurs comptables de l'actif et du passif. Néanmoins, l'écart entre le tout et la somme des parties soulève des interrogations quant à sa pertinence. Est-il dû à la fidélité des clients, à l'équipe de gestionnaires, à l'emplacement de l'entreprise, à une faible concurrence, à une synergie avec la société contrôlante, ou à de nombreuses autres raisons ? Chacune de ces raisons peut donner une signification différente à cet actif.

D'un point de vue comptable, cet écart sera comptabilisé sous l'appellation « écart d'acquisition ». Il découle, d'une certaine façon, de la nécessité de garder les comptes équilibrés. Voici un exemple semblable à celui de la société Sablon ltée de la section 5.3 : la société Majeure ltée achète comptant tout l'actif de la société Mineure ltée au coût de 800 000 $. Les estimations des justes valeurs marchandes de ces actifs sont les suivantes : comptes clients, 60 000 $; stocks, 110 000 $; terrain, 100 000 $; bâtiments, 260 000 $; matériel, 130 000 $; total, 660 000 $. La société Majeure ltée ne prend en charge aucun élément du passif.

L'acquisition sera inscrite comme suit :

Ct Encaisse		800 000 $
Dt Comptes clients	60 000 $	
Dt Stocks	110 000 $	
Dt Terrain	100 000 $	
Dt Bâtiments	260 000 $	
Dt Matériel	130 000 $	

Nous pouvons calculer l'écart d'acquisition plus facilement que nous ne pouvons l'estimer ni l'amortir.

C'est facile, sauf que l'écriture n'est pas équilibrée. Par conséquent, on crée un nouveau compte, appelé *Écart d'acquisition*, auquel on porte un débit de 140 000 $, correspondant au coût d'acquisition de 800 000 $ moins 660 000 $, la somme des justes valeurs des éléments d'actif. Cela permet de maintenir les registres équilibrés, mais la valeur et la signification de ce nouveau compte ne sont pas claires. Si l'écart d'acquisition représente des actifs non inscrits, quels sont-ils ? S'il représente un emplacement favorable, une bonne équipe de direction ou des occasions commerciales accrues pour la société Majeure, quelle est la valeur réelle de ces éléments ? Quelle est leur valeur future réelle ? Pendant combien de temps cette valeur sera-t-elle effective ? L'écart d'acquisition indique-t-il, du moins parfois, que l'acheteur a fait une mauvaise affaire et a simplement payé trop cher pour acquérir l'entreprise ? (Si le prix d'acquisition de l'ensemble est inférieur à la somme des justes valeurs des éléments d'actif acquis, on n'inscrit pas d'écart d'acquisition négatif. On réduit plutôt les montants attribués à chaque élément d'actif afin que leur somme corresponde au prix d'acquisition de l'ensemble.)

Le coût des immobilisations incorporelles

On détermine le coût d'acquisition des immobilisations incorporelles en procédant de la même façon que dans le cas des immobilisations corporelles.

Le coût de l'écart d'acquisition est calculé de la façon indiquée ci-dessus. Le coût des autres immobilisations incorporelles est déterminé de la même manière que celui des autres éléments d'actif : le coût d'achat et autres dépenses précédant la mise en service de l'actif (dont on va tirer des avantages). Cependant, une ambiguïté importante peut exister relativement au coût des actifs conçus à l'intérieur de l'entreprise, par exemple les frais de développement des produits, car il peut s'avérer difficile de distinguer avec précision les dépenses engagées pour créer un produit des charges normales. Pour cette raison, bien des entreprises refusent de constater (capitaliser) ces actifs. On ne capitalise *jamais* un **fonds commercial** issu d'activités internes, par exemple, les frais relatifs aux réceptions organisées dans le but d'entretenir de bonnes relations avec les employés sont passés en charges.

L'amortissement des immobilisations incorporelles

On amortit les immobilisations incorporelles sur leur durée d'utilisation par la méthode de l'amortissement linéaire.

Les immobilisations incorporelles sont amorties sur leur durée d'utilisation, comme cela se fait pour les immobilisations corporelles. Il peut être assez simple de déterminer la durée légale des actifs incorporels dont l'existence s'appuie sur un contrat ou sur d'autres documents. Par exemple, les contrats de location ont une durée déterminée, comme la plupart des franchises, et les brevets sont valables pour un certain nombre d'années. Mais il est difficile de déterminer si cette durée correspond à la durée d'utilisation économique. Pour d'autres actifs incorporels, comme les frais de constitution ou l'écart d'acquisition, la durée d'utilisation fait l'objet d'estimations. D'après les normes canadiennes, la durée d'utilisation maximale de l'écart d'acquisition est de 40 ans, ce qui constitue assurément une estimation très optimiste.

En raison de l'ambiguïté entourant cette question, les actifs incorporels sont amortis selon une méthode simple, soit la méthode de l'amortissement linéaire, sur la durée d'utilisation estimative. Les estimations sont généralement assez prudentes. On porte habituellement le crédit directement au compte d'actif au lieu de s'encombrer d'un compte de contrepartie comme le compte « Amortissement cumulé ».

Les contrats de location-acquisition

Les contrats de location-acquisition sont l'illustration de la façon dont la comptabilité d'exercice intègre les phénomènes économiques.

Certains actifs loués sont inclus dans le bilan parce que la société juge qu'elle détient une partie suffisante des droits et obligations découlant de la propriété de ces actifs, qu'ils contribuent de façon importante à sa performance financière et que, s'ils étaient écartés du bilan, la situation financière de l'entreprise ne serait pas présentée fidèlement. Voilà un exemple où la comptabilité d'exercice va beaucoup plus loin que la simple inscription des opérations. En effet, il n'y a pas de transfert légal du droit de propriété de ces actifs loués, mais on estime qu'il y a tout de même eu transfert de leur valeur économique.

Initialement, l'actif et le passif découlant d'un contrat de location-acquisition correspondent à la valeur actualisée des paiements futurs.

Ces actifs dont l'entreprise dispose en vertu de **contrats de location-acquisition** sont inscrits au bilan (souvent, simplement, dans les immobilisations détenues par l'entreprise) de la façon suivante :

- Le *coût* correspond à la **valeur actualisée** des paiements de location futurs, que l'on calcule au moyen d'un taux d'intérêt approprié, généralement défini à partir des conditions du contrat.

- Par ailleurs, cette valeur actualisée des paiements est aussi inscrite au passif.

- L'écriture destinée à inscrire ces contrats dans le bilan se lira donc comme suit :

Dt Actif loué en vertu d'un contrat
    de location-acquisition   XXXX

    Ct Obligation découlant d'un contrat
        de location-acquisition   XXXX

Une fois que le contrat de location-acquisition est inscrit dans les comptes, on le traite exactement de la même manière qu'on traite les immobilisations corporelles et les dettes.

- Après quoi, il faudra procéder comme suit :

  ▶ On amortira l'actif loué de la même façon que les immobilisations dont l'entreprise a la propriété, en suivant une méthode cohérente avec celle qui est utilisée pour les immobilisations, mais en tenant compte également des conditions du contrat.

► L'obligation présentée dans le passif sera déduite chaque fois que l'on s'acquittera des paiements de location. Chaque paiement comprend deux parties, l'une représentant le capital, et l'autre les intérêts. Seule la partie relative au capital est déduite du passif, tandis que les intérêts sont considérés comme des intérêts débiteurs, ce qui permet de présenter le passif à la valeur actualisée des paiements de location restants.

► Par conséquent, la charge relative à l'utilisation de l'actif loué se compose de l'amortissement et des intérêts. On combine habituellement ces montants avec les autres charges d'amortissement et les autres intérêts débiteurs parce que l'objectif est de présenter fidèlement la situation financière de l'entreprise.

► Les diverses particularités des contrats de location-acquisition plus importants sont habituellement présentées par voie de notes dans les états financiers, de sorte que les utilisateurs des états financiers puissent juger des effets de cette capitalisation. Cette présentation distincte est habituelle pour les obligations découlant du contrat de location, les conditions du contrat de location, ainsi que pour l'amortissement et les intérêts débiteurs correspondants.

Il en résulte que l'actif loué est traité essentiellement comme s'il était la propriété de l'entreprise. La comptabilité d'exercice permet de constater la valeur économique de l'actif et ne tient pas compte de l'aspect juridique du droit de propriété.

Les contrats de location-exploitation ne sont pas capitalisés ; ils constituent seulement une charge de location, et non un actif et un passif.

Si la location d'un actif ne donne pas lieu aux mêmes droits et obligations économiques que la propriété (par exemple, s'il s'agit d'une location où le propriétaire continue à payer les impôts fonciers, à effectuer les réparations et l'entretien, et à veiller en général sur l'actif), on dit alors qu'il s'agit d'un **contrat de location-exploitation**. Dans ce cas, on ne constate ni actif ni passif et on inscrit les paiements de location dans les charges. Si le contrat de location-exploitation est important pour la société, celle-ci peut présenter certaines de ses particularités par voie de notes dans ses états financiers. L'*Information financière publiée au Canada 1997* indique que, en 1996, 84 des 200 entreprises interrogées ont signalé qu'elles détenaient seulement des contrats de location-exploitation, 10, qu'elles ne détenaient que des contrats de location-acquisition et 65, qu'elles combinaient les deux. Par ailleurs, 41 entreprises ne mentionnaient pas de contrat de location dans leurs états financiers ni dans les notes annexées[18].

Ⓞ Ù EN ÊTES-VOUS ?

Voici deux questions auxquelles vous devriez pouvoir répondre, compte tenu de ce que vous venez de lire :

1. Quelles sont les principales ressemblances et différences entre les immobilisations corporelles et (a) les immobilisations incorporelles, (b) les contrats de location-acquisition ?

2. Une société présente les éléments suivants dans ses états financiers et dans ses notes : permis et brevets, écart d'acquisition, contrats de location-acquisition et contrats de location-exploitation. Quels seraient les comptes de charges qu'on s'attendrait à trouver en relation avec ces éléments ? (Permis et brevets : charge d'amortissement ; écart d'acquisition : charge d'amortissement ; contrats de location-acquisition : charge d'amortissement pour l'actif de location et intérêts débiteurs pour le passif de location ; contrats de location-exploitation : charge de location.)

8.11   LA PRÉSENTATION DES ÉTATS DES RÉSULTATS ET DES BÉNÉFICES NON RÉPARTIS

À présent que nous avons vu dans le détail la façon dont la comptabilité d'exercice rend compte des produits, des charges et des éléments d'actif et de passif, il serait utile de revenir à la présentation que nous avons évoquée à la fin de la section 2.8. L'état des résultats et l'état des bénéfices non répartis visent à fournir des informations grâce à leur contenu, certes, mais également grâce au **classement** de ce contenu. Il s'agit du même genre d'informations que celles que l'on souhaite faire passer dans le classement des éléments à court ou à long terme sur le bilan, entre autres. Vous devez connaître quelques principes régissant le classement des comptes de l'état des résultats et de l'état des bénéfices non répartis :

- L'état des résultats s'ouvre avec les produits et les charges courants et habituels, que l'on sépare des éléments exceptionnels non courants importants (significatifs), inscrits plus bas.

- Il arrive que l'on inscrive séparément certains éléments courants d'une importance exceptionnelle. Mais, même ces **éléments exceptionnels** devraient être présentés à proximité des produits et des charges courants, et distingués des éléments de nature vraiment inhabituelle.

Le bénéfice net avant postes exceptionnels constitue une mesure importante des résultats après impôts.

- On devrait calculer la charge d'impôts (courants et reportés, ou futurs) d'après le bénéfice, avant tout élément exceptionnel, puis on devrait présenter le bénéfice net de cet impôt. Ainsi, l'utilisateur des états financiers pourrait voir quel est le bénéfice ordinaire de la société après impôts. Ce montant est utile pour faire des prévisions, ainsi que pour évaluer les résultats passés. De nombreuses sociétés appellent ce montant **bénéfice net avant postes exceptionnels**.

La ventilation des impôts de l'exercice attribue à chaque élément exceptionnel ses propres incidences fiscales.

- Puis, on ajoute ou on déduit les éléments inhabituels. Puisque les impôts sur le bénéfice ont déjà été déduits des activités courantes, chaque élément exceptionnel est présenté avec son incidence fiscale propre, afin de ne pas confondre cette incidence avec les impôts sur le bénéfice tiré des activités courantes. En conséquence, tous les éléments qui apparaissent sous la ligne du bénéfice net dégagé des opérations courantes doivent être présentés nets d'impôts. On parle de **ventilation des impôts de l'exercice** (limitée à l'exercice en cours) par opposition à la répartition des impôts (entre plusieurs exercices) représentée par le calcul des impôts reportés ou futurs. Les montants des impôts de l'exercice peuvent être soit à payer, soit reportés ou futurs, soit une combinaison des deux.

- Les deux principaux éléments inhabituels indiqués au bas de l'état des résultats, tous deux inscrits nets de leur propre incidence fiscale, sont les activités abandonnées et les éléments extraordinaires. Les **activités abandonnées** portent sur les unités ou les secteurs d'activités fermés ou cédés au cours de l'exercice. Puisque ces activités ne feront plus partie de l'entreprise à l'avenir, on peut les exclure des prévisions des résultats futurs, en les séparant des opérations couramment poursuivies. Les **éléments extraordinaires** représentent des montants considérables et ils échappent au contrôle de la société, par exemple, une soudaine expropriation ordonnée par le gouvernement. On voit rarement apparaître des éléments extraordinaires dans l'état des résultats, mais en cette période de restructuration et de réorganisation des entreprises, les abandons d'activités sont souvent mentionnés. Selon l'*Information financière publiée au Canada 1997*, en 1996, aucune des 200 sociétés recensées n'a présenté d'élément extraordinaire et 26 sociétés ont mentionné des activités abandonnées[19].

Le bénéfice net figure après toutes les présentations distinctes d'élément extraordinaire ou d'abandon d'activités.

- Le **bénéfice net** figure sur la dernière ligne de l'état des résultats. Il s'agit du bénéfice tiré des opérations courantes et poursuivies, plus ou moins tout abandon d'activités et élément extraordinaire.

L'état des bénéfices non répartis peut également avoir ses propres éléments exceptionnels.

- Le bénéfice net est reporté sur l'état des bénéfices non répartis. Avant tout, il faut, cependant, redresser les bénéfices non répartis pour trois types principaux d'éléments inhabituels, tous nets d'incidence fiscale. Le premier, c'est la correction des erreurs concernant le bénéfice des exercices antérieurs, découvertes durant l'année en cours. Le deuxième, c'est l'incidence sur le bénéfice des exercices antérieurs des changements de conventions comptables adoptés durant l'année en cours. Le troisième concerne les opérations avec les actionnaires, comme le coût du rachat des actions, que l'on garde en dehors de l'état des résultats, en suivant la règle selon laquelle on peut mesurer le bénéfice par les relations avec les clients, les employés, les fournisseurs, et autres, mais pas avec les actionnaires.

L'illustration 8-2 montre les répercussions des principes précédemment expliqués sur la présentation des deux états. Il faut insister sur le fait que chaque société possède ses propres conventions concernant la présentation. À cet égard, l'illustration n'est qu'un exemple. Vous devez garder les principes ci-dessus à l'esprit lorsque vous lisez un jeu d'états financiers, mais attendez-vous à rencontrer de nombreuses variantes, et même des exceptions.

◉ Ù EN ÊTES-VOUS ?

Voici deux questions auxquelles vous devriez pouvoir répondre, compte tenu de ce que vous venez de lire :

1. Pourquoi inscrit-on les éléments inhabituels nets de leur propre incidence fiscale sur l'état des résultats et sur l'état des bénéfices non répartis ?

2. La société Laure Itée présente les montants suivants pour l'exercice en cours : 432 000 $ de produits, 375 000 $ de frais d'exploitation, 11 000 $ d'intérêts débiteurs, 22 000 $ de gains exceptionnels sur la cession d'un terrain, 17 000 $ de charge d'impôts, 50 000 $ de pertes sur l'abandon des activités, 12 000 $ de crédits d'impôts sur les activités abandonnées, 142 000 $ de bénéfices non répartis à l'ouverture, 5 000 $ de correction d'une erreur surestimant le calcul du bénéfice d'une année antérieure, 8 000 $ de coûts de rachat d'une action, 10 000 $ de dividendes déclarés. Quels sont le bénéfice tiré des activités courantes, le bénéfice net et les bénéfices non répartis de clôture ? (51 000 $; 13 000 $; 132 000 $)

8-2

Illustration

Exemple de présentation des états des résultats et des bénéfices non répartis

État des résultats pour l'exercice

Produits		XXXX $
Charges d'exploitation (le CMV peut être indiqué séparément)		XXXX
Bénéfice d'exploitation		XXXX $
Éléments hors exploitation		
Éléments ordinaires (intérêts, gains ou pertes sur cession d'actif, etc.)	XXXX $	
Tout élément exceptionnel indiqué séparément	XXXX	XXXX
Bénéfice avant impôts		XXXX $
Impôts sur les bénéfices		XXXX
Bénéfice avant abandon d'activités et élément extraordinaire		XXXX $
Tout abandon d'activités, net d'impôts	XXXX $	
Tout élément extraordinaire, net d'impôts	XXXX	XXXX
Bénéfice net de l'exercice		XXXX $

État des bénéfices non répartis pour l'exercice

Solde de clôture des bénéfices non répartis de l'exercice précédent	XXXX $
Tout ajustement au solde d'ouverture relatif à des erreurs, des redressements ou des changements de conventions comptables, nets d'impôts	XXXX
Solde d'ouverture redressé des bénéfices non répartis	XXXX $
Ajout du bénéfice net à l'état des résultats (ou déduction de la perte nette)	XXXX
Ajout ou déduction de tout redressement sur les opérations avec les actionnaires, net d'impôts	XXXX
Déduction des dividendes déclarés au cours de l'exercice	XXXX
Solde de clôture des bénéfices non répartis (portés au bilan)	XXXX $

8.12 LES CAPITAUX PROPRES

En guise de résumé récapitulatif, nous aimerions faire quelques commentaires sur la comptabilisation des capitaux propres. Certaines questions s'y rapportant sont trop complexes pour que nous les abordions dans le présent manuel, mais voici néanmoins quelques points fondamentaux. Plusieurs d'entre eux ne seront pas nouveaux pour vous. Vous pourriez rafraîchir votre mémoire en vous reportant à la section 2.5 du manuel.

Les entreprises non constituées en sociétés de capitaux

Dans le cas d'une entreprise non constituée en société de capitaux (entreprise individuelle ou société de personnes), l'avoir du ou des propriétaires est habituellement présenté dans un seul compte appelé « **Capitaux propres** » ou « **Capital** », et il est calculé comme suit :

> Capitaux propres du début
> + Apport
> + Bénéfice de l'exercice (ou − les pertes)
> − Retraits effectués par les propriétaires
> = Capitaux propres à la fin

Les entreprises non constituées en sociétés de capitaux additionnent tous les éléments des capitaux propres pour obtenir un seul montant.

Les entreprises de ce genre ne paient pas d'impôts sur les bénéfices ; ce sont les propriétaires qui les paient sur leur part du bénéfice. Par conséquent, il n'y a pas de charge ni de passif d'impôts. Ce genre d'entreprise a un fonctionnement simple, et la comptabilisation de ses capitaux propres n'est pas compliquée.

Les entreprises constituées en sociétés de capitaux

Une entreprise constituée en société de capitaux (ou société par actions) doit se conformer à plusieurs exigences légales qui ont une incidence sur sa comptabilité.

- Habituellement, les dividendes doivent être prélevés sur les bénéfices non répartis, et non pas directement sur le capital investi. Par conséquent, les capitaux propres se composent du capital investi (capital-actions) et du bénéfice accumulé (bénéfices non répartis, soit la somme de tous les bénéfices nets depuis la constitution de la société, moins tous les dividendes qui ont été déclarés depuis).

- Le capital-actions englobe l'apport des actionnaires, représenté par les actions que ces derniers ont achetées directement à la société. On ne tient pas compte des échanges d'actions entre actionnaires ni de la valeur marchande des actions.

De nombreux détails d'ordre juridique concernant les capitaux propres accompagnent le bilan d'une société de capitaux.

- La société peut avoir plusieurs catégories d'actions : son capital-actions peut se composer d'actions ordinaires (qui confèrent aux détenteurs le droit de vote) et d'actions privilégiées (sans droit de vote), ou d'actions de catégorie A et de catégorie B. Si c'est le cas, elle doit présenter séparément le capital-actions relatif à chaque catégorie soit dans le bilan lui-même, soit par voie de notes.

- Il lui faut également mentionner par voie de notes le nombre d'actions de chaque catégorie, émises par la société, et préciser si des restrictions ou des droits particuliers sont rattachés à chacune des catégories (tels qu'un dividende annuel minimal, des droits préférentiels en cas de dissolution de la société ou des droits de conversion en une autre catégorie d'actions). On doit aussi mentionner dans la note le prix d'émission minimal (valeur nominale) ou les autres restrictions relatives à l'émission d'actions supplémentaires.

- Dans les bénéfices non répartis, on indique le bénéfice accumulé moins les dividendes déclarés depuis la constitution de la société. Il faut aussi indiquer les restrictions imposées à la déclaration de dividendes. Lorsque le conseil d'administration déclare un dividende, ce dernier constitue pour la société une dette envers les actionnaires : il faut donc porter un débit aux « Dividendes » (« Bénéfices non répartis »), et un crédit aux « Dividendes à payer », qui est un élément de passif à court terme.

Il faut également mentionner trois autres points :

Les actionnaires d'une société de capitaux peuvent également en être les créanciers.

1. Les actionnaires peuvent prêter de l'argent à la société, par exemple en avançant l'argent qu'ils veulent se voir rembourser, plutôt qu'en investissant dans un capital-actions permanent. Dans une petite entreprise, dans le cas où la société manquerait de liquidités, par exemple, le propriétaire peut prêter de l'argent à sa société, notamment en ne prélevant pas tout le salaire qui a été constaté dans les charges. Un tel prêt doit être présenté dans le passif et non dans les capitaux propres, parce que le propriétaire agit alors à titre de bailleur de fonds plutôt qu'à titre de propriétaire (quoique cette distinction puisse paraître assez subtile).

2. Sous certaines juridictions, la société est autorisée à acheter une partie de ses propres actions. Un tel placement ne constitue pas réellement un élément d'actif parce que les actions représentent des intérêts dans l'actif et ne confèrent pas le droit de vote. Par conséquent, ces actions sont appelées **actions autodétenues** ; le montant versé pour les acquérir est déduit du reste des capitaux propres, au moins jusqu'à ce que les actions soit revendues ou annulées. Par exemple, si une société qui possède un capital-actions de 500 000 $ et dont les bénéfices non répartis se montent à 450 000 $ achète certaines de ses propres actions pour un montant de 80 000 $, prix moyen sur le marché, et qu'elle les a toujours en sa possession à la date du bilan, la section des capitaux propres du bilan se lirait comme suit :

Capitaux propres :	
Capital-actions (détails présentés)	500 000 $
Bénéfices non répartis	450 000
Moins actions autodétenues (détails présentés)	(80 000)
Total net des capitaux propres	870 000 $

On inscrit les actions autodétenues au coût, au titre de réduction des capitaux propres.

Cette présentation montre bien que l'investissement des actionnaires dans la société a été réduit parce que la société a utilisé des ressources pour racheter une partie de cet investissement. On déduit les actions autodétenues des capitaux propres plutôt que de les ajouter à l'actif ; en effet, comme les actions représentent des intérêts dans l'actif, si on les y inscrivait, cela reviendrait à les compter en double. Les montants dépensés pour leur achat sont perdus pour la société, ce qui réduit d'autant l'actif et les capitaux propres.

On inscrit les écarts de conversion cumulés dans les capitaux propres, faute de trouver un compte plus approprié où les présenter.

3. Les sociétés dont les activités se déroulent à l'étranger doivent convertir leurs bénéfices, leur actif et leur passif, en monnaie nationale (le dollar canadien, au Canada). Le bénéfice est converti au taux de change moyen de l'exercice ; les éléments d'actif et de passif sont convertis au taux d'origine ou au taux courant, selon le type d'actif ou de passif. Étant donné que tous les éléments ne sont pas convertis de la même façon, les états financiers ne sont habituelle-

ment pas équilibrés. Pour maintenir l'équilibre, on ajoute un « chiffre tampon » aux capitaux propres, désigné par l'intitulé « **écart de conversion cumulé** ». Ce compte ne fait pas réellement partie des capitaux propres, mais personne n'a encore trouvé de meilleur endroit où le présenter.

8.13   LES OBJECTIFS POURSUIVIS PAR LA DIRECTION DANS LE CHOIX DES CONVENTIONS COMPTABLES

Dans chaque chapitre, nous avons discuté sommairement de comptabilité et des gestionnaires afin de relier les sujets traités à la gestion et de nous aider à répondre à la question suivante : « Pourquoi un gestionnaire devrait-il s'intéresser à la comptabilité ? » Pour ce qui est du choix des conventions comptables, la réponse n'est pas difficile à trouver. La direction a la responsabilité des états financiers, tout comme des autres aspects de l'entreprise. Elle doit aussi choisir les conventions comptables qui conviendront le mieux à l'entreprise, et ce, pour diverses raisons :

1. Comme nous l'avons déjà indiqué, ces choix découlent inévitablement de la comptabilité d'exercice. Ils s'appuient sur l'exercice du jugement, qui se trouve au cœur de la comptabilité d'exercice. S'ils sont appropriés, ils augmentent la valeur des états financiers ; s'ils ne le sont pas, ils la réduisent. Dans tous les cas, ils sont importants !

Il faut avoir une bonne comptabilité et la responsabilité à cet égard incombe à la direction.

2. C'est la direction qui est la mieux placée pour choisir les conventions comptables appropriées, car c'est elle qui connaît le mieux l'entreprise. Les conseillers professionnels peuvent être d'un grand secours dans ce cas, mais c'est la direction qui dispose des informations qui lui permettront de donner des consignes sensées quant aux choix des conventions comptables. Ce sont donc les gestionnaires qui doivent assumer cette responsabilité.

3. L'évaluation du rendement de la direction pour le compte des actionnaires passe par les états financiers. Si certains gestionnaires se servent des états financiers d'une manière abusive, en vue de mieux paraître, d'autres, plus professionnels, s'en servent pour créer des mesures de performance qui présentent le rendement de la société d'une façon claire et fiable. À long terme, une telle présentation devrait être avantageuse pour tout le monde.

La direction est également responsable du choix des conventions comptables régissant les états financiers.

4. Dans son rapport de la gestion qui accompagne la plupart des rapports annuels, la direction présente les résultats de l'exercice et déclare qu'elle en assume la responsabilité. Elle est donc directement concernée par le choix des conventions comptables régissant les états financiers, car ils lui permettent de déterminer comment on peut évaluer la performance des gestionnaires et elle doit, en plus, en assumer la responsabilité.

Les intérêts personnels de la direction sont généralement intimement liés à ceux de l'entreprise.

5. Si vous tenez pour acquis que chaque individu agit dans son propre intérêt, le choix des conventions comptables sous-tend un objectif précis : augmenter la quote-part des gestionnaires et, par conséquent, diminuer celle qui est destinée aux propriétaires, aux bailleurs de fonds et aux employés. On peut aussi dire que ce comportement est économiquement logique. Cependant, bien des gens apparentent ce comportement à une « manipulation » et se montrent très critiques à l'égard des gestionnaires qui semblent faire passer leurs intérêts en premier lieu. Ce type de comportement des gestionnaires peut être motivé par leur désir de toucher leurs primes de rendement ou éviter des problèmes, lorsque les investisseurs ou les bailleurs de fonds s'inquiètent d'un rendement apparem-

ment faible, ou par le souci de ne pas donner l'impression que l'entreprise est trop rentable[20]. Mais est-il répréhensible de poursuivre ses propres intérêts ? Voici une question à laquelle il est difficile de répondre. Il est probable que les objectifs des gestionnaires sont complexes et que, dans bien des cas, ils sont motivés par la simple volonté de présenter les choses « telles qu'elles sont », de façon fidèle et sans parti pris, parce qu'ils pensent que l'honnêteté et l'intégrité sont leur meilleur pari.

Vous devriez maintenant mieux comprendre la place qu'occupe le gestionnaire dans la comptabilité, et être capable d'interpréter des états financiers de façon éclairée. Les états financiers sont bien plus au cœur d'une gestion efficace que vous n'auriez pu l'imaginer. Voici pourquoi les gestionnaires devraient porter une plus grande attention à leurs états financiers et les autres intervenants (utilisateurs, experts-comptables et vérificateurs) devraient comprendre le rôle de la direction dans la préparation des états financiers.

8.14   LA RECHERCHE COMPTABLE : LE CHOIX DES CONVENTIONS COMPTABLES EST-IL IMPORTANT ?

Comme vous pouvez vous y attendre, on peut répondre par l'affirmative ou par la négative à cette question. Les cours des actions sont corrélés avec le bénéfice, tel qu'il est mesuré en comptabilité d'exercice, donc le choix des conventions comptables qui ont une incidence sur le bénéfice joue un rôle important. Comme nous l'avons mentionné antérieurement, les bénéfices en comptabilité d'exercice présentent une corrélation plus grande avec le cours des actions que les flux de trésorerie. Par ailleurs, le choix de conventions comptables qui ont une incidence directe sur les liquidités (parce que les impôts à payer varient en fonction de la convention choisie) est plus susceptible de faire réagir les marchés boursiers que le choix de conventions qui n'en ont pas. Ce choix peut également jouer indirectement sur les liquidités, et provoquer des réactions. Prenons deux exemples. (1) Si la prime d'un gestionnaire dépend du bénéfice net réalisé par la société, et qu'une convention comptable influe sur ce bénéfice net, cela aura une incidence sur l'argent remis au gestionnaire ; (2) si une convention comptable influe sur le ratio emprunts / capitaux propres, le risque pris par la société peut sembler suffisant pour modifier les taux d'intérêt sur ses dettes, et changer ainsi les paiements des intérêts futurs.

Dans ce domaine, la recherche n'est pas terminée, mais on sait par exemple que le choix de la méthode d'évaluation du coût du stock — PEPS ou DEPS — modifiera les liquidités futures. Aux États-Unis, les deux méthodes peuvent être utilisées pour le calcul de l'impôt sur les bénéfices. À titre d'exemple de choix de convention n'ayant pas d'incidence sur les liquidités, citons le choix de l'amortissement linéaire ou de l'amortissement accéléré au Canada, où ce sont les règles imposées par le gouvernement qui régissent le calcul du bénéfice imposable, quelle que soit la convention comptable adoptée par la société.

Plus la perspective relative aux choix comptables est vaste, plus ces choix deviennent importants. Cependant, la recherche en est encore à ses débuts, et toutes les facettes du choix des conventions comptables et de la comptabilité d'exercice en général, que nous avons examinées, ne peuvent expliquer que très partiellement les variations des cours boursiers.

8.15 COMPRENEZ-VOUS BIEN CES TERMES ?

Voici la liste des termes utilisés et expliqués dans ce chapitre. Vérifiez que vous comprenez bien leur signification en *comptabilité* et, si certains vous semblent encore un peu confus, relisez les explications données dans le chapitre ou reportez-vous au glossaire à la fin du manuel.

Actif corporel
Action autodétenue
Activités abandonnées
Amortissement
Amortissement accéléré
Amortissement dégressif
Amortissement linéaire
Amortissement pour
    épuisement
Amortissement progressif
Amortissement
    proportionnel à l'utilisation
Bénéfice net
Bénéfice net avant postes
    exceptionnels
Capitaux propres
Capitalisation
Choix de convention
    comptable
Classement
Comptabilisation des stocks
Comptabilité d'exercice
Constatation des charges
Constatation des produits
Continuité de l'exploitation
Contrat de location-
    acquisition

Contrat de location-
    exploitation
Coût de remplacement
Coût des marchandises
    vendues (CMV)
Coût des marchandises
    destinées à la vente
Coût d'origine
Coût d'origine indexé
Écart d'acquisition
Écart de conversion
    cumulé
Élément exceptionnel
Élément extraordinaire
Encaisse
Évaluation de l'actif
Évaluation du bilan
Évaluation du stock
Fonds commercial
Immobilisations corporelles
Immobilisations
    incorporelles
Inventaire périodique
Inventaire permanent
Liquidités
Mesure (du bénéfice)
Méthode DEPS

Méthode d'évaluation à la
    valeur minimale
Méthode d'évaluation au
    moindre du coût et de
    la valeur marchande
Méthode du coût moyen
    pondéré
Méthode PEPS
PCGR
Placement temporaire
Prudence
Rapprochement des
    produits et des charges
Reclassement
Répartition du coût
Stock
Titre négociable
Valeur actualisée
Valeur actuelle
Valeur de liquidation
Valeur de réalisation nette
Valeur d'usage
Valeur marchande
Valeur marchande d'entrée
Valeur marchande de sortie
Ventilation des impôts de
    l'exercice

8.16 CAS À SUIVRE...

**HUITIÈME
PARTIE**

Nous allons maintenant dresser les états financiers complets de la première année d'exploitation de la société, ainsi que les notes complémentaires. Nous les analyserons à la neuvième partie. Vous devez donc vous assurer que vous comprenez bien comment ils sont montés.

Données de la huitième partie

La sixième partie portait sur la préparation de la balance de vérification régularisée au 28 février 1998 de Mado inc., et la septième partie, sur le choix des conventions comptables de la société. Nos données pour cette partie portent donc sur la balance de vérification et sur les conventions. Si vous n'êtes pas sûr des résultats ci-après, vous devriez vous reporter à ces parties.

Résultats de la huitième partie

Avec l'aide de l'expert-comptable, Thomas a dressé, pour le premier exercice de l'entreprise, les états financiers et les notes complémentaires présentés aux illustrations 8-3, 8-4, 8-5 et 8-6.

Illustration

Mado inc. État des résultats et du déficit pour l'exercice terminé le 28 février 1998		
Produit		229 387$
Coût des marchandises vendues		138 767
Marge bénéficiaire brute		90 620$
Charges d'exploitation		
Créances douteuses	2 436$	
Salaires	67 480	
Déplacements	9 477	
Téléphone	4 014	
Loyer	24 000	
Services publics	3 585	
Frais généraux de bureau	5 688	
Écart d'inventaire négatif	441	
Intérêts	6 469	
Amortissement	21 096	144 686
Perte nette de l'exercice (sans impôts)		(54 066)$
Bénéfices non répartis au 1er mars 1997		0
Déficit au 28 février 1998		(54 066)$

Illustration

Mado inc. Bilans au 28 février 1998 et au 1er mars 1997					
Actif			**Passif et capitaux propres**		
	1998	1997		1998	1997
Actif à court terme :			Passif à court terme :		
Encaisse	6 418$	130 000$	Emprunt bancaire	47 500$	0$
Clients (nets)	14 129	0	Fournisseurs	41 808	1 100
Stock	33 612	0	Emprunt à payer	0	15 000
Frais payés d'avance	525	0	Produits reportés	500	0
	54 684$	130 000$		89 808$	16 100$

Actif			Passif et capitaux propres		
	1998	1997		1998	1997
Actif à long terme:			Capitaux propres:		
Matériel	57 290 $	10 000 $	Capital-actions	125 000 $	125 000 $
Amortissement cumulé	(7 344)	0	Déficit	(54 066)	0
Améliorations				70 934 $	125 000 $
locatives (nettes)	51 172	0			
Logiciels (nets)	3 840	0			
Frais de constitution	1 100	1 100			
	106 058 $	11 100 $			
TOTAUX	160 742 $	141 100 $	TOTAUX	160 742 $	141 100 $

8-5
Illustration

Mado inc.
État de l'évolution de la situation financière
pour l'exercice terminé le 28 février 1998

Activités d'exploitation:		
Perte nette de l'exercice		(54 066) $
Plus: Amortissement de l'exercice		21 096
Variations du fonds de roulement hors caisse:		
Augmentation des comptes clients	(14 129) $	
Augmentation du stock	(33 612)	
Augmentation des frais payés d'avance	(525)	
Augmentation des comptes fournisseurs	40 708	
Diminution de l'emprunt à payer	(15 000)	
Augmentation des produits reportés	500	(22 058)
Liquidités utilisées dans les activités d'exploitation		(55 028) $
Activités d'investissement:		
Achat de matériel, de logiciels et améliorations locatives		(116 054)
Diminution des liquidités au cours de l'exercice		(171 082) $
Liquidités au 1ᵉʳ mars 1997		130 000
Liquidités au 28 février 1998 (Note 7)		(41 082) $

8-6

Illustration

Mado inc.
Notes afférentes aux états financiers du 28 février 1998

1. Les principales conventions comptables sont les suivantes :

   a. Le stock est évalué au moindre du coût, selon la méthode du premier entré, premier sorti, et de la valeur réalisable nette.

   b. L'actif à long terme est inscrit au coût. L'amortissement est calculé sur une base linéaire à raison de 20 % du coût par année pour l'automobile, les améliorations locatives, l'ordinateur et les logiciels, et à raison de 10 % du coût par année pour le reste du matériel et le mobilier.

2. L'emprunt bancaire est garanti par les comptes clients, le stock, l'ensemble des éléments de l'actif de la société et un endossement personnel des actionnaires.

3. Le capital autorisé de la société est de 1 000 000 d'actions sans valeur nominale. Au début de l'exercice, 12 500 actions ont été émises, à 10 $ l'action.

4. Aucune provision pour impôts sur les bénéfices n'a été prévue dans les états financiers, car la perte actuelle n'entraînera un remboursement d'impôts que si l'entreprise génère des bénéfices futurs imposables dont la perte actuelle pourra être déduite.

5. Les salaires des administrateurs et dirigeants de la société se chiffraient à 54 280 $ pour l'exercice.

6. La société s'est engagée à acheter des marchandises pour un coût de 23 430 $ et à payer à la livraison, prévue au 30 avril 1998.

7. Les liquidités au 28 février 1998 étaient les suivantes :

Encaisse	6 418 $
Emprunt bancaire (à vue)	(47 500)
Liquidités	(41 082) $

Discussion sur les résultats

Les résultats de l'exercice sont encore négatifs : il y a une perte de 54 066 $ et une diminution de l'encaisse de 171 082 $. Cependant, on constate une réelle amélioration par rapport aux résultats des six premiers mois.

- La perte des six premiers mois (deuxième partie) était de 49 378 $, de sorte que la perte additionnelle de 4 688 $ pour les six derniers mois est relativement peu élevée.

- La diminution des liquidités pour les six premiers mois (troisième partie) se montait à 200 493 $. Il y a donc eu une augmentation des liquidités de 29 411 $ au cours des six derniers mois.

- Le fonds de roulement à la fin du mois d'août (deuxième partie) était négatif et s'élevait à 38 772 $ (96 844 $ − 135 616 $). Au 28 février 1998, il est toujours négatif (mais un peu moins) et se monte à 35 124 $ (54 684 $ − 89 808 $).

D'autres analyses des résultats seront présentées à la neuvième partie. Toutefois, Mado et Thomas se demandent si les états financiers ne contribuent pas à présenter les résultats de la société sous un jour défavorable, et si d'autres conventions comptables ne pourraient pas donner une vision plus optimiste de la situation.

On peut comprendre le désir de Mado et de Thomas de modifier leurs conventions comptables en vue d'améliorer la présentation de la situation financière de leur société. Ils ont travaillé sans relâche pour gérer correctement leur entreprise, et les résultats du premier exercice ne sont pas positifs. S'ils n'avaient pas touché de salaire pendant l'année, la société aurait présenté un léger bénéfice (54 280 $ en salaires selon la note 5, moins la perte de 54 066 $, ce qui donne un bénéfice de 214 $ avant impôts). Mais cela aurait pu s'avérer trompeur, car la valeur ajoutée par leur travail n'aurait pas été prise en considération — sans mentionner qu'ils seraient morts de faim ! Serait-il acceptable de chercher des conventions comptables qui amélioreraient l'image de la société ? La réponse est non, pour les raisons suivantes :

1. Sur le plan de l'éthique, une telle manipulation pourrait être douteuse, et il serait même dangereux de camoufler les problèmes réels et de chercher à minimiser les pressions subies par Mado et Thomas en vue d'améliorer les résultats de la société. Mado et Thomas sont en droit d'être déçus, mais ils doivent s'efforcer de bien gérer l'entreprise, et non de modifier le « message » transmis par les états financiers.

2. Une telle modification ne favoriserait pas les relations avec les parties qui s'intéressent le plus à l'avenir de la société. La banque détient déjà presque tous les éléments de l'actif de la société en garantie du prêt qu'elle lui a consenti. Elle se préoccupe de la capacité de la société de générer suffisamment de liquidités pour pouvoir rembourser le prêt de même que de sa viabilité à long terme. La banque suit sans aucun doute de près les opérations de la société et veille à ne pas se laisser duper — pas plus, dans ce cas, que les fournisseurs, les autres bailleurs de fonds et l'employé de la société.

3. L'état de l'évolution de la situation financière devrait présenter les mêmes montants de liquidités, quelles que soient les modifications apportées aux conventions comptables. Les utilisateurs des états financiers qui savent lire l'EESF ne sont pas dupes et pourraient même se montrer méfiants si le bénéfice s'écartait trop du montant des rentrées provenant de l'exploitation.

4. Même si certaines modifications étaient acceptables sur le plan de l'éthique et qu'elles pouvaient enjoliver la situation, il n'y aurait vraiment pas grand-chose à manipuler dans le cas de cette société. Les comptes clients ne sont pas énormes, et il n'existe aucune raison évidente pour que la société constate les produits par anticipation sans aller à l'encontre des PCGR. Les stocks ne sont pas très élevés non plus ; puisque la société applique déjà la méthode PEPS, il reste peu de place pour une augmentation de la valeur du stock en vue d'accroître le bénéfice. L'amortissement des éléments d'actif pourrait être moins rapide, mais cela ne changerait pas grand-chose au bénéfice. Même une réduction de moitié de l'amortissement ne permettrait de réduire la perte de l'exercice que de moins de 20 %.

8.17 SUJETS DE RÉFLEXION ET TRAVAUX POUR AMÉLIORER LA COMPRÉHENSION

PROBLÈME 8.1*
Détermination des éléments qui font partie de l'encaisse et des éléments qui font partie des placements temporaires

Déterminez, selon le cas, lesquels des éléments suivants devraient être inscrits (1) dans l'encaisse et (2) dans les placements temporaires sur le bilan d'une grande société. Justifiez brièvement votre réponse.

a. L'argent déposé dans un compte en banque, au Brésil, par une filiale de la société dans ce pays.

b. Un certificat de placement garanti de 90 jours placé à la banque principale de la société.

c. L'argent en transit entre les banques de la société en Allemagne et en Espagne.

d. Le fonds de caisse des réceptionnistes dans les différents bureaux de la société du monde entier.

e. Trois chèques sans provision qui ont été refusés par les banques des clients.

f. Un placement dans 90 % des actions d'une entreprise qui fournit des matières premières.

g. Un dépôt enregistré le dernier jour de l'exercice, mais crédité par la banque trois jours plus tard.

h. L'argent en dépôt dans une banque indonésienne en garantie du rendement d'un contrat.

i. Un placement dans 0,5 % des actions d'une société ouverte.

j. Un découvert sur un compte bancaire d'une filiale de Calgary.

PROBLÈME 8.2*
Calcul du montant des gains, des pertes, des radiations et des réductions de valeur

Déterminez le montant ajouté au bénéfice ou soustrait de celui-ci, et indiquez pour chacun des éléments suivants s'il s'agit d'un gain ou d'une perte.

a. Cession pour 16 000 $ comptant d'un camion ayant coûté 45 000 $ et ayant accumulé un amortissement de 18 000 $.

b. Un placement de 100 000 $ dans une autre société, qui semble avoir été une mauvaise décision. Ce placement ne peut apparemment pas être vendu pour plus de 15 000 $.

c. Don aux pompiers d'un vieux bâtiment qui a coûté 78 000 $ et qui a accumulé un amortissement de 78 000 $. Il sera brûlé en guise d'entraînement.

d. Cession d'un terrain qui a coûté 50 000 $; la société recevra pour cette cession dix paiements de 10 000 $ sur les dix années à venir. Les intérêts inclus dans ces paiements se monteront à 27 000 $.

e. Cession d'une machine qui fait partie d'éléments de l'actif amortis en tant que groupe. La machine a coûté 3 000 $, il y a huit ans, et la société reçoit 500 $ à la cession.

f. Cession de l'une des divisions d'une société qui veut abandonner ce secteur d'activité. Cette division va rapporter 340 000 $ en produits. Ses actifs s'élèvent à 670 000 $, l'amortissement cumulé est de 240 000 $ et le passif de 120 000 $.

PROBLÈME 8.3*
Méthodes d'évaluation de l'actif

Le coût d'origine est la méthode la plus répandue d'évaluation des éléments de l'actif dans le bilan. Énumérez les autres méthodes d'évaluation qui ont été utilisées ou proposées, et indiquez leurs avantages et inconvénients par rapport à la méthode du coût d'origine.

PROBLÈME 8.4*
Calcul de la valeur minimale des articles en stock

La société Chicos ltée a en stock les articles indiqués ci-dessous. Calculez la valeur du stock que l'on présenterait, conformément aux PCGR, en utilisant (1) la méthode la plus prudente et (2) une méthode acceptable mais moins prudente.

Article en stock	Quantité	Coût unitaire	Valeur marchande unitaire
Bombes bleues	6 000 unités	13,50 $	25,00 $
Rocs rouges	2 000 unités	11,90	7,00
Joujoux jaunes	10 000 unités	13,00	15,00
Odes oranges	4 000 unités	24,00	5,00
Dunes dorées	5 000 unités	6,50	8,20

PROBLÈME 8.5*
Incidence d'un changement de méthode

Indiquez l'effet probable de chacun des changements de conventions comptables suivants sur les éléments comptables mentionnés :

Changement de convention	Effet sur ?
a. Reconnaissance d'avantages sociaux accrus	Passif
b. Constatation plus rapide des comptes clients	Produits
c. Capitalisation de certains frais de réparation	Bénéfice net
d. Divulgation de l'intention du conseil d'administration de déclarer des dividendes	Bénéfice net
e. Séparation de l'emprunt à court terme de celui à long terme	Bénéfice net
f. Constatation plus rapide des créances douteuses	Bénéfice net
g. Radiation des marchandises abîmées en stock	Bénéfice d'exploitation

PROBLÈME 8.6*
Préparation de l'état des résultats et des bénéfices non répartis

Dressez un état des résultats et un état des bénéfices non répartis en bonne et due forme à partir des éléments suivants, indiqués par ordre alphabétique. Notez qu'ils ne sont pas tous pertinents.

Charge d'impôts	213 420
Correction des erreurs (charge précédente trop élevée)	3 300
Coût des marchandises vendues	2 345 670
Coût du rachat d'actions durant l'exercice	18 200
Dividendes déclarés durant l'exercice	85 000
Écart d'acquisition	120 000
Frais d'exploitation	1 123 580
Gain extraordinaire	40 000
Gain sur cession d'immeuble	25 000

Intérêts créditeurs	14 030
Intérêts débiteurs	139 200
Perte sur abandon des activités	200 000
Placement dans les titres négociables	210 000
Produits	4 200 650
Produits reportés	110 000
Solde d'ouverture des bénéfices non répartis	1 693 740

PROBLÈME 8.7*
Explication de l'incidence de la décision de passer d'une méthode ne respectant pas les PCGR à une méthode qui les respecte

Le nouveau comptable d'une petite entreprise locale a prévenu le président que les méthodes utilisées pour l'évaluation du bilan n'étaient pas bien adaptées. Par exemple, la société comptabilisait les stocks au coût, alors que les PCGR recommandent généralement d'avoir recours à la valeur minimale pour de tels éléments d'actif à court terme. Expliquez, avec autant de précision que vous le pouvez, quelle serait l'incidence sur le bilan, sur l'état des résultats et sur l'état de l'évolution de la situation financière de la décision d'adopter une méthode qui respecte les PCGR.

PROBLÈME 8.8*
Analyse des diverses méthodes d'évaluation du stock

La société Béland ltée est en exploitation depuis trois ans. L'entreprise gère si bien son stock que seul le coût d'une petite quantité d'articles est inférieur à la valeur de réalisation nette. Voici les chiffres relatifs au stock et au coût des marchandises vendues pour les trois exercices en question, calculés selon chacune des trois méthodes ci-dessous :

		1999	1998	1997
a. PEPS :	— Stock de clôture	112 000 $	148 000 $	115 000 $
	— CMV	636 000	867 000	585 000
b. Coût moyen :	— Stock de clôture	108 000	126 000	106 000
	— CMV	618 000	880 000	594 000
c. DEPS :	— Stock de clôture	104 000	118 000	92 000
	— CMV	614 000	874 000	608 000
Achats durant chaque exercice		600 000	900 000	700 000

1. Déterminez les méthodes d'évaluation du coût du stock qui permettent de produire le bénéfice le plus élevé et le bénéfice le moins élevé pour chaque exercice, et calculez l'effet sur le bénéfice net (avant impôts) si on choisissait la première méthode plutôt que la dernière.
2. Étant donné les variations des résultats que vous avez observées au point 1, comment une société devrait-elle choisir sa méthode d'évaluation du coût du stock ?

PROBLÈME 8.9*
Calcul de l'amortissement, écritures et effets

Au début de l'année 1997, Garou ltée a fait l'acquisition d'une machine coûtant 100 000 $ et dont la durée d'utilisation est de 10 ans. En 1997 et en 1998, la société a amorti sa machine en suivant la méthode linéaire. Au cours de l'année 1999, elle a décidé d'opter pour la méthode de l'amortissement dégressif.

1. Calculez la charge d'amortissement que Garou a constatée pour 1997 et pour 1998, et journalisez l'écriture correspondante pour l'un de ces deux exercices.

2. Calculez la charge d'amortissement qu'aurait journalisée la société Garou si elle avait utilisé la méthode de l'amortissement dégressif en 1997 et en 1998.

3. Calculez les effets du changement sur les éléments suivants (sans tenir compte des impôts), si on passait de la méthode de l'amortissement linéaire à la méthode de l'amortissement dégressif :

   a. bilan à la fin de l'exercice 1997 ;
   b. état des résultats pour 1998 ;
   c. bilan à la fin de 1998 ;
   d. EESF pour 1998.

PROBLÈME 8.10*
Analyse des effets : charges ou capitalisation, plus impôts

Le contrôleur de Spaf ltée n'est pas d'accord avec les directeurs au sujet de certaines conventions comptables de la société. Aidez-le en analysant les deux cas ci-dessous, en incluant pour tous les deux les impôts. On peut évaluer l'incidence fiscale sans avoir d'autres renseignements sur les impôts que ceux indiqués.

1. Spaf, en affaires depuis seulement une année, a inscrit à l'actif des coûts de développement s'élevant à 67 000 $. Le contrôleur prétend qu'il faudrait passer ces coûts en charges. Supposez que cette convention comptable ne touche que les impôts sur les bénéfices à payer et que le taux d'imposition de la société soit de 30 %. Quelle sera l'incidence de la proposition du contrôleur sur :

   a. le bénéfice net de l'exercice en cours ?
   b. les flux de trésorerie de l'exercice en cours ?
   c. le fonds de roulement à la fin de l'exercice en cours ?

2. Bon gré mal gré, la haute direction finira sûrement par être d'accord avec le contrôleur, en ce qui concerne la première partie, en raison de l'économie réalisée sur les impôts. L'état des résultats du premier exercice indiquera alors un bénéfice avant impôts de 100 000 $. La loi fiscale autorise une déduction supplémentaire de 25 000 $, pour retarder le paiement de l'impôt sur ce montant de 25 000 $ pendant plusieurs années — il s'agit d'une incitation fiscale dont a bénéficié la société pour s'installer dans une région touchée par la crise. La direction veut tirer profit de cet avantage fiscal en inscrivant une charge d'impôts à payer de seulement 22 500 $ pour l'exercice (soit 30 % de 100 000 $ − 25 000 $), car c'est tout ce qu'elle aura à payer. Le contrôleur croit que la société devrait créer un passif d'impôts à long terme pour l'incitatif fiscal, car l'entreprise devra payer ces impôts quelques années plus tard. Quelle sera l'incidence de la proposition du contrôleur sur :

   a. le bénéfice net de l'exercice en cours ?
   b. les flux de trésorerie de l'exercice en cours ?
   c. le fonds de roulement à la fin de l'exercice en cours ?

PROBLÈME 8.11*
Calcul des coûts du stock d'après plusieurs hypothèses

Au cours de l'exercice, on a acheté et vendu le produit NS. Calculez le solde de clôture du stock et le coût des marchandises vendues pour le produit NS d'après les hypothèses suivantes : PEPS, coût moyen pondéré annuel et DEPS périodique. (Si vous voulez poursuivre vos calculs en vous servant de l'hypothèse de la moyenne pondérée mobile et du DEPS permanent, vous trouverez les solutions avec les trois autres.)

Solde d'ouverture : 200 unités à 4,20 $ pièce. Vente du 3 mars : 120 unités à 10,00 $ pièce. Achat du 4 mars : 340 unités à 5,10 $ pièce. Vente du 14 août : 400 unités à 11 $ pièce. Achat du 15 août : 250 unités à 4,00 $ pièce. Vente du 10 décembre : 110 unités à 10,50 $ pièce. Achat du 11 décembre : 130 unités à 4,50 $ pièce. Vente à la fin de l'exercice : 20 unités à 10,00 $ pièce.

PROBLÈME 8.12
Non-pertinence de la comptabilité au coût d'origine pour la prise de décisions

Défendez puis contestez cette affirmation : la comptabilité au coût d'origine ne convient pas à la prise de décisions.

PROBLÈME 8.13
Questions fondamentales sur les placements temporaires

1. Bien des entreprises présentent des placements temporaires dans leur bilan. En quoi ces placements diffèrent-ils :
   a. de l'encaisse ?
   b. des placements à long terme dans le cas des sociétés associées ?
2. Pourquoi, en dépit de la réponse fournie au point 1a, inclut-on souvent ces placements dans les liquidités pour calculer les flux de trésorerie dans l'EESF ou l'EFT ?
3. Pourquoi ces placements sont-ils estimés à leur valeur minimale ?

PROBLÈME 8.14
Incidence sur l'actif du passage du coût à la valeur marchande

La société Beauchemin ltée possède plusieurs terrains dans la région de Montréal, où l'on note d'importantes variations des valeurs immobilières. Le président de Beauchemin craint que la méthode du coût d'origine ne convienne pas pour comptabiliser ses terrains et ses bâtiments. Répondez brièvement, mais de façon réfléchie, aux questions suivantes posées par le président :

1. Si nous adoptons les valeurs marchandes de l'immobilier au lieu du coût d'origine, notre bilan paraîtrait-il mieux ou moins bien ?
2. En ce qui concerne le bénéfice, si l'on utilisait la valeur marchande au lieu du coût, la société paraîtrait-elle plus ou moins prospère ?
3. La méthode que nous choisissons a-t-elle une quelconque importance si nous présentons le coût et la valeur marchande quelque part dans les états financiers ?

PROBLÈME 8.15
Exemples de présentation de l'état des résultats, raisons à l'appui

1. Donnez trois exemples pour illustrer comment l'état des résultats fait la distinction entre les résultats de l'exploitation courante et les éléments ne relevant pas de l'exploitation.
2. Pourquoi l'état des résultats est-il présenté de cette façon ?

PROBLÈME 8.16
Présentation de l'état des résultats et des bénéfices non répartis avec des éléments inhabituels

Voici les comptes du détaillant Prudence ltée pour le dernier exercice (par ordre alphabétique) :

Charge d'impôts	Dt	121 315 $
Correction d'une erreur sur le bénéfice du dernier exercice	Ct	2 430
Coût de cession d'une filiale inutile	Dt	62 340

Dividendes déclarés	Dt	87 000
Frais d'exploitation	Dt	1 689 260
Impôts économisés grâce à la cession de la filiale	Ct	23 895
Perte due à l'expropriation d'un terrain par la municipalité	Dt	14 210
Produits d'exploitation	Ct	2 111 480
Produits divers tirés des placements	Ct	23 570
Solde d'ouverture des bénéfices non répartis	Ct	354 290

Dressez l'état des résultats et l'état des bénéfices non répartis de la société pour le dernier exercice, et présentez-les du mieux que vous pouvez à partir des informations dont vous disposez.

PROBLÈME 8.17
Questions théoriques sur les stocks et leur coût

Répondez à chacune des questions suivantes :

1. Lors de la comptabilisation des stocks et du coût des marchandises vendues, pourquoi émet-on des hypothèses sur le flux des coûts ? Pourquoi ne se contente-t-on pas d'imputer le coût réel des articles vendus au coût des marchandises vendues et de conserver le coût réel des articles non vendus dans le compte « Stock » du bilan ?

2. Dans quelles circonstances chacune des méthodes d'évaluation du coût du stock serait-elle appropriée ?
   a. méthode du coût d'achat réel (le coût réel des articles en stock) ;
   b. méthode DEPS ;
   c. méthode du coût moyen pondéré ;
   d. méthode PEPS ;
   e. estimation du coût par déduction de la majoration du prix de vente (par exemple, la méthode de l'inventaire au prix de détail).

3. Le stock est-il toujours un élément d'actif à court terme ?

4. Quel rapport y a-t-il (le cas échéant) entre la méthode de constatation des produits de l'entreprise et la méthode d'évaluation du coût du stock ?

5. Pouvez-vous donner quelques exemples d'articles en stock qui ne sont pas de nature corporelle ?

6. Quelle différence y a-t-il entre un article en stock et chacun des éléments suivants ?
   a. un titre négociable ;
   b. des frais payés d'avance ;
   c. une charge reportée ;
   d. une immobilisation.

PROBLÈME 8.18
Questions théoriques sur la méthode DEPS et ses effets

En 1980, un comptable faisait remarquer que : « Aux États-Unis, contrairement au Canada, le fisc accepte la méthode DEPS. C'est pourquoi les entreprises américaines ont davantage recours à cette méthode que les entreprises canadiennes, en particulier en ce moment où les prix augmentent. »

1. Expliquez l'affirmation ci-dessus.

2. Supposons que vous soyez actionnaire d'une société qui remplace sa méthode PEPS par la méthode DEPS de détermination du coût des stocks et qui voit son bénéfice chuter en conséquence de 2 millions de dollars. Quelle serait votre réaction ? Justifiez votre réponse.

PROBLÈME 8.19
Calcul du coût du stock selon les méthodes DEPS, PEPS et CMP

La société Achard ltée a effectué les achats de marchandises suivants au cours du mois d'avril:

Date	Nombre d'unités achetées	Coût unitaire	Coût total
2 avril	100	5 $	500 $
15 avril	200	6	1 200
23 avril	50	7	350
	350		

Voici les ventes de la société au cours du même mois:

Date	Nombre d'unités vendues
6 avril	70
13 avril	120
18 avril	200
	390

Au 1er avril, le stock de la société se composait de 150 unités, à 4 $ l'unité.

1. Calculez le coût des marchandises vendues en avril, selon la méthode DEPS, la méthode PEPS et la méthode du coût moyen pondéré annuel, et émettez l'hypothèse que la société utilise la méthode de l'inventaire périodique pour comptabiliser son stock.
2. Calculez la valeur du stock de clôture au 30 avril selon chacune des trois méthodes ci-dessus.
3. Émettez l'hypothèse que la valeur marchande de ces articles était seulement de 5 $ au 30 avril et que la société utilise la méthode de la valeur minimale pour évaluer chaque article, individuellement. Répondez de nouveau à la question 2.
4. (Facultatif). Répondez de nouveau aux questions 1, 2 et 3, en émettant cette fois l'hypothèse que la société utilise la méthode de l'inventaire permanent pour comptabiliser son stock.

PROBLÈME 8.20
Calcul du coût du stock et de la valeur marchande

Océane ltée vend des reproductions de peintures romantiques. L'impression est faite sur du papier coûteux et le prix de revient est assez élevé. Il n'est pas facile de fixer le prix de ces reproductions, car on ne peut pas savoir si elles se vendront bien. Il arrive que certaines reproductions ne se vendent pas du tout, et on s'en débarrasse alors par lots que l'on vend à des hôtels et à des motels.

Voici les données relatives à deux reproductions:

	Reproduction X		Reproduction Y	
	Unités	Coût unitaire	Unités	Coût unitaire
Stock au 1er janvier 1998	4	340 $	11	500 $
Achats en 1998:				
Durant l'été	10	350	25	480
Durant l'automne	15	330	30	510
Ventes durant 1998	23		38	

1. Calculez les montants suivants :
   a. Le coût des stocks au 31 décembre 1998 pour la reproduction X, selon la méthode PEPS.
   b. Le coût des marchandises vendues en 1998 pour la reproduction Y, selon la méthode CMP.
2. On n'a pas vendu de reproductions Y depuis le mois de septembre. On dirait que plus personne ne les aime. Un hôtel situé hors de la ville a proposé 100 $ par reproduction, à condition qu'Océane prenne à sa charge les 10 $ de frais de livraison pour chacune d'elles. Quel montant devrait-on, selon vous, faire figurer sur le bilan du 31 décembre 1998, pour le stock de reproductions Y, et pourquoi ?

PROBLÈME 8.21
Calcul du coût des stocks et des effets

Vous êtes gestionnaire des stocks dans une grande entreprise qui utilise la méthode PEPS. Depuis le mois de juin, la société a un nouveau produit en stock, l'article Pinto. Au mois de juin, l'inventaire de Pinto se présentait comme suit :

Date	Prix d'achat	Unités achetées	Unités vendues	Unités en stock
1ᵉʳ juin	10 $	1 250		1 250
10	11 $	1 000		2 250
12			250	2 000
17	12 $	500		2 500
23			2 000	500
27	13 $	1 500		2 000
30			800	1 200

1. Calculez, en utilisant la méthode PEPS :
   a. le coût du stock au 30 juin ;
   b. le coût des marchandises vendues pour le mois de juin.
2. Calculez, en utilisant la méthode DEPS (soit inventaire permanent, soit inventaire périodique) :
   a. le coût du stock au 30 juin ;
   b. le coût des marchandises vendues pour le mois de juin.
3. D'après les calculs des parties 1 et 2, et sans tenir compte des impôts, quels seraient les effets du passage de la méthode PEPS à la méthode DEPS sur :
   a. le bénéfice avant impôts pour juin ?
   b. le bilan à la fin du mois de juin ?

PROBLÈME 8.22
Questions théoriques sur l'amortissement

1. Pourquoi les sociétés présentent-elles une charge d'amortissement ? Quel est l'objectif visé par le principe comptable sous-jacent ?
2. Pourquoi, dans l'état de l'évolution de la situation financière, l'amortissement est-il présenté comme un redressement du bénéfice ?
3. Pourquoi inscrit-on la charge d'amortissement en portant un débit à un compte de charge et un crédit au compte « Amortissement cumulé » ? Pourquoi ne porte-t-on pas simplement un crédit au coût de l'actif de façon que le bilan présente seulement le solde du coût non amorti ? Après tout, on utilise bien cette méthode pour les frais payés d'avance, pour les charges reportées et pour plusieurs immobilisations incorporelles comme les brevets et l'écart d'acquisition.
4. Dans quelles circonstances conviendrait-il d'appliquer chacune des méthodes d'amortissement ci-après ?

a. amortissement linéaire (charge uniforme pendant la durée d'utilisation de l'actif);

b. amortissement accéléré (charge d'amortissement décroissante au cours de la durée d'utilisation de l'actif);

c. amortissement progressif (charge d'amortissement croissante au cours de la durée d'utilisation de l'actif);

d. amortissement proportionnel à l'utilisation (charge périodique variable en fonction de l'utilisation de l'actif).

PROBLÈME 8.23
Divers calculs et questions portant sur l'amortissement

1. Votre ami Z vient de terminer son premier exercice d'exploitation d'une entreprise de livraison avec un seul camion. Z vous explique que, grâce à un entretien méticuleux, le prix du camion, sur le marché des véhicules d'occasion, serait peu différent de son prix d'achat d'il y a un an. En conséquence, Z affirme qu'il n'a nul besoin, pour cet exercice, de journaliser une charge d'amortissement pour le camion. L'année prochaine, la valeur du camion va chuter considérablement, mais cela ne pose pas de problème, car le montant obtenu en déduisant l'amortissement fiscal — soit l'économie réalisée sur les impôts — compensera la perte de valeur marchande au cours de l'exercice.

   Expliquez à Z ce que signifie la notion d'amortissement en comptabilité et en quoi son raisonnement est erroné à cet égard.

2. Un autre ami vient de lancer son entreprise d'entretien de pelouses et il a acheté un lot de nouvelles tondeuses à gazon pour 20 000 $. Il estime que ces tondeuses vont durer cinq ans, après quoi leur prix de revente sera négligeable. Selon son plan d'affaires, il prévoit tondre 5 000 pelouses en cinq ans, les prévisions annuelles étant de 500, 1 000, 1 200, 1 800 et 500 pelouses.

   a. Calculez l'amortissement cumulé d'après chacune des méthodes suivantes, à la fin du deuxième exercice :
      i. amortissement linéaire;
      ii. amortissement dégressif (taux de 25 %);
      iii. amortissement proportionnel à l'utilisation.

   b. D'après vos calculs, quelle méthode d'amortissement produirait les bénéfices non répartis les plus élevés à la fin du deuxième exercice ?

   c. Votre ami n'a jamais entendu parler de la méthode de l'amortissement proportionnel à l'utilisation. Expliquez-lui pourquoi les sociétés l'utilisent et essayez de voir si cette méthode serait adaptée dans son cas.

   d. Si l'on utilise l'amortissement dégressif au taux de 25 %, l'amortissement cumulé sera de 15 254 $ à la fin de la cinquième année. Supposez que, le premier jour du sixième exercice, on se débarrasse de toutes les tondeuses, pour un prix total de 100 $ comptant. Sans tenir compte des impôts :
      i. Calculez la perte sur cession qu'il faudra inscrire ce jour-là.
      ii. Répondez à votre ami, qui refuse d'inscrire cette perte sous prétexte qu'il a reçu 100 $ de plus que ce qu'il prévoyait il y a cinq ans, et qui affirme que, dans tous les cas, le bénéfice du sixième exercice ne devrait pas être réduit à cause de cette perte subie le premier jour de l'exercice.

PROBLÈME 8.24
Calculs, écritures, effets et choix concernant l'amortissement

La société DS a acheté des machines au début de l'exercice 1997. Le coût se montait à 100 000 $ et la durée d'utilisation anticipée était de 10 ans. En 1997 et en 1998, elle a amorti ces machines en utilisant la méthode linéaire. Au début de l'exercice 1999, elle décide d'opter pour la méthode de l'amortissement dégressif :

1. Passez l'écriture nécessaire pour inscrire la charge d'amortissement de 1998 selon la méthode linéaire.
2. Passez l'écriture nécessaire pour inscrire la charge d'amortissement de 1998 selon la méthode de l'amortissement dégressif à un taux de 20 %.
3. Montrez les effets qu'a entraînés le passage de la méthode linéaire à celle de l'amortissement dégressif à 20 % sur : l'état des résultats de 1998, l'EESF de 1998, et le bilan à la fin de 1998. Ne tenez pas compte des impôts.
4. Dans quelles circonstances l'utilisation de la méthode de l'amortissement dégressif est-elle plus appropriée que celle de la méthode de l'amortissement linéaire ?

PROBLÈME 8.25
Amortissement, calculs et effets des gains ou pertes

La compagnie Transports Gaspésie ltée possède un petit parc de camions de livraison. Chaque camion est amorti selon la méthode de l'amortissement dégressif (taux de 20 % ; la moitié du montant durant l'année d'acquisition et l'autre durant l'année de cession) et n'a pas de valeur de récupération. Le camion 4 a été acheté au prix de 46 000 $, le 1er juillet 1995, et a été vendu trois ans plus tard, le 30 juin 1998, au prix de 15 000 $. L'exercice de la société prend fin le 31 décembre.

1. À combien s'élevait l'amortissement cumulé du camion 4 à la date de la cession ?
2. En fonction de la réponse que vous avez donnée au point 1, passez l'écriture destinée à inscrire la cession du camion 4.
3. Reprenez les points 1 et 2, en supposant que la société applique la méthode de l'amortissement linéaire à un taux de 15 % par année, et qu'elle estime que la valeur de récupération est de 6 000 $.
4. Calculez l'effet de la différence constatée entre les deux méthodes d'amortissement sur l'état des résultats et l'état de l'évolution de la situation financière de la société pour l'exercice 1998.
5. En quoi l'utilisation par la société de méthodes d'amortissement différentes (le cas échéant) toucherait-elle les créanciers ou les investisseurs éventuels ?
6. L'utilisation de méthodes d'amortissement différentes pourrait avoir une incidence sur les résultats financiers d'une même société au cours de plusieurs exercices, ou sur plusieurs sociétés au cours d'un même exercice. Comment ces différences peuvent-elles être atténuées ?

PROBLÈME 8.26
Calcul de l'écart d'acquisition à l'achat d'une entreprise

La société Godbout ltée a payé 200 000 $ pour le terrain, les bâtiments, le stock et les comptes fournisseurs d'une autre entreprise qui va devenir une succursale. La juste valeur de l'ensemble des éléments d'actif (après déduction des comptes fournisseurs qui s'élèvent à 50 000 $) se monte à 187 000 $.

1. Quel sera, s'il y a lieu, le nouveau compte d'actif que la société présentera dans son bilan ?
2. Si la société avait payé 185 000 $ plutôt que 200 000 $, quelle réponse donneriez-vous au point 1 ?

**PROBLÈME 8.27
Différences entre la comptabilisation de l'actif à long terme et celle du passif à long terme**

Indiquez les différences entre les méthodes de présentation de l'actif à long terme et du passif à long terme du bilan d'une société.

**PROBLÈME 8.28
Repérage des données importantes dans les notes**

Reprenez les notes afférentes aux états financiers de la société Provigo inc. présentées à la fin du manuel, et faites une liste — aussi exhaustive que possible — des renseignements importants qui ne sont pas inclus dans les états financiers. Expliquez brièvement pourquoi ces renseignements sont importants selon vous.

**PROBLÈME 8.29
Interprétation des notes portant sur la constatation des charges**

Lisez les extraits de ces rapports annuels. Expliquez ce qui se passe et pourquoi les sociétés décrivent leurs conventions.

Key Anarcon Mines Limited, 1983
On a reporté des frais de développement et d'administration se montant à 3 417 537 $, au 31 décembre 1983, avec l'intention de les amortir au titre de charges en lien avec les produits tirés de la future exploitation minière. La réalisation de ces produits dépend des gisements connus de minerai de fer, ainsi que des réserves additionnelles qui pourraient être exploitées [...] et qui deviendraient rentables s'il y avait une reprise de l'industrie métallurgique, si les cours des métaux montaient et si les autres coûts d'exploitation diminuaient.

Bow Valley Resource Services Ltd. 1983
Les coûts reliés à des projets particuliers de développement qui sont [...] techniquement faisables et qui ont un marché futur clairement défini sont capitalisés, puis amortis sur des périodes n'excédant pas la durée estimative pendant laquelle le projet procure des produits [...]. Par conséquent, si l'on détermine qu'un projet n'est pas [...] faisable ni commercialement viable [...], on déduit des produits les coûts capitalisés au titre de charges.

**PROBLÈME 8.30
Questions sur les immobilisations incorporelles et les contrats de location-acquisition**

Répondez brièvement aux questions suivantes :

1. Pourquoi est-il raisonnable de capitaliser des coûts tels que ceux des immobilisations incorporelles ?
2. Pourquoi cette idée n'est cependant pas très bonne ?
3. Expliquez clairement pourquoi et comment la capitalisation des coûts d'un projet de développement à titre d'élément d'actif « charge reportée » a une incidence sur l'état des résultats et sur le bilan.
4. Expliquez pourquoi la capitalisation de ces coûts n'a pas d'incidence directe sur le montant des flux de trésorerie provenant de l'exploitation, indiqué sur l'EESF ou l'EFT.
5. Précisez certaines répercussions indirectes que peut provoquer une telle convention de capitalisation sur les flux de trésorerie.
6. Si un actif est loué, il ne nous appartient pas. Comment peut-on justifier les normes comptables qui dictent la création de comptes du bilan pour certains de ces actifs loués ?

7. Si un contrat est inscrit comme un contrat de location-acquisition et non comme un contrat de location-exploitation, quelle en sera l'incidence sur le bilan, sur l'état des résultats et sur l'EESF ?

PROBLÈME 8.31 (POUR LES AS!) Questions sur les valeurs comptables et sur le bénéfice

À partir de vos connaissances sur la façon dont on calcule les chiffres comptables, répondez brièvement aux questions suivantes :

1. Pourquoi les valeurs inscrites dans le bilan et la mesure du bénéfice sont-elles liées ?
2. Quelles sont deux des limites de l'évaluation au coût d'origine présentée dans le bilan ?
3. En période d'inflation, les éléments suivants auront-ils tendance à être sur-évalués ou sous-évalués ? Pourquoi ?
   a. actif ;
   b. bénéfice net ;
   c. rendement des capitaux propres (il s'agit simplement du bénéfice net divisé par les capitaux propres ; imaginez ce qui pourrait arriver au numérateur et au dénominateur).

PROBLÈME 8.32 (POUR LES AS!) Réponses à des commentaires sur la comptabilité

Lors d'un déjeuner avec un membre de la direction d'une grande société ouverte, vous êtes amené à répondre à plusieurs commentaires reproduits ci-dessous. Quelles seraient vos réponses ?

1. « Les normes et les principes comptables évoluent trop lentement pour tenir compte des changements rapides des besoins d'une entreprise comme la nôtre. Pourquoi ne pas simplement mettre de côté les normes et les PCGR pour comptabiliser les faits de la façon qui correspond le mieux à nos besoins ? »
2. « J'aimerais bien radier notre écart d'acquisition. Je ne comprends pas quelle signification peut avoir un élément de ce type dans l'actif du bilan. Pour moi, il ne s'agit pas d'un élément d'actif comme les autres. »
3. « Vous venez de faire référence à l'exercice du jugement dans l'application des principes comptables. C'est ridicule : le jugement est une notion à laquelle les gens font appel lorsqu'ils préfèrent ne pas suivre les règles. »
4. « J'ai appris que les vérificateurs n'accepteraient peut-être pas les modifications de conventions comptables que nous avons envisagées. Peu importe. Nous pouvons toujours changer de vérificateurs ! »
5. « Vous avez évoqué une réaction possible du marché boursier si nous venions à changer de conventions comptables. Le marché boursier pourrait-il y réagir ? Je pensais qu'il faisait peu de cas de la comptabilité. »

PROBLÈME 8.33 (POUR LES AS!) Discussion sur l'importance relative, la fidélité et la prudence

Certains des critères servant à justifier les méthodes comptables et les conventions sur la divulgation des informations sont gênants pour beaucoup de monde. En utilisant les opinions suivantes, comme point de départ, discutez les mérites théoriques, sociaux et éthiques de chacun des critères ci-dessous :

1. Importance relative
   « L'utilisation du critère d'importance relative sous-entend qu'un comptable peut avoir la prétention de supposer qu'il est capable de décider, au nom de

toutes sortes de gens, de l'information que ces personnes devraient ou ne devraient pas connaître. »

2. Fidélité

« La fidélité semble être une assurance vide. Elle sous-entend que les états financiers ne sont pas trompeurs. Mais ne vaudrait-il pas mieux revenir en arrière et demander aux vérificateurs de nous dire si les états sont corrects ? »

3. Prudence

« La prudence profite à l'investisseur éventuel ou au prêteur, aux dépens des propriétaires et des gestionnaires. Comment les comptables, qui accordent une telle valeur à des informations objectives et indépendantes, peuvent-ils vraiment considérer la prudence comme un facteur, ne serait-ce que vaguement légitime, lorsqu'ils choisissent les montants à présenter ? »

PROBLÈME 8.34 (POUR LES AS!) Calcul des changements de conventions comptables

La société Hudon ltée est un détaillant de produits de consommation. Son président s'inquiète à propos des liquidités, un problème qui s'aggrave (encaisse de 3 000 $ et pas d'emprunt bancaire à la fin de 1997, pas d'encaisse et un emprunt bancaire de 7 000 $ à la fin de 1998) et du bénéfice net, qui lui paraît inadéquat.

1. Le président ne comprend pas pourquoi la société, qui a fait un bénéfice de 9 000 $, a perdu 10 000 $ de liquidités comme nous l'avons mentionné ci-dessus. Expliquez brièvement comment se produisent, en général, les écarts entre le bénéfice et les variations de liquidités.
2. Le président a proposé de modifier certaines conventions comptables de la société dans le but de présenter un bénéfice plus élevé. Il a rencontré les vérificateurs pour discuter de ses idées. À votre avis, que lui ont-ils répondu ?
3. Pour chacune des modifications présentées ci-dessous, que vous devez examiner séparément, calculez l'effet sur le bénéfice net de 1998 et sur l'actif total au 31 décembre 1998. Supposez que le taux d'imposition de la société soit de 30 %, et qu'il n'y ait que des impôts à payer.
   a. Le président a proposé d'avancer la constatation des produits. Cette modification entraînerait une augmentation des comptes clients nets de 12 000 $, au 31 décembre 1997, et de 23 000 $, au 31 décembre 1998.
   b. Le président a proposé d'adopter la méthode PEPS pour l'évaluation du coût du stock (lequel serait moins élevé que la valeur de réalisation nette). Si l'entreprise adoptait cette modification, le stock augmenterait de 4 000 $, au 31 décembre 1997, et de 1 000 $, au 31 décembre 1998.
   c. Le président a proposé de capitaliser davantage de frais de développement des produits de la société et d'amortir ces montants additionnels sur cinq ans, selon la méthode de l'amortissement linéaire. Si cette proposition était adoptée, la société capitaliserait 4 000 $ de frais de 1997, au 31 décembre 1997, et 6 000 $ de frais de 1998, au 31 décembre 1998.

PROBLÈME 8.35 (POUR LES AS!) Bilan et bénéfice dans la production pétrolière

La société Pétrobec ltée exerce ses activités dans le secteur de la production du pétrole. Le 1er janvier 1992, la société a versé 1 000 000 $ pour la location d'un site aux alentours du Grand Lac de l'Orignal. Le site loué est censé renfermer de grandes quantités de pétrole sous forme de sables bitumineux.

Au cours des cinq années qui ont suivi, soit jusqu'au 31 décembre 1997, la société a engagé 5 000 000 $ dans des travaux d'exploration destinés à évaluer les gisements, dans le perfectionnement de la technique d'extraction et dans la construction de voies d'accès.

1. En supposant que le capital-actions initial de la société ait été de 3 000 000 $, qu'elle ait emprunté 3 000 000 $ depuis, et que les opérations décrites ci-dessus soient les seules qu'elle ait réalisées, dressez le bilan au 31 décembre 1997.
2. Au cours de l'exercice 1998, l'entreprise a produit 500 000 barils de pétrole. Les coûts de production engagés durant l'exercice se chiffrent à 1 000 000 $. À la fin de l'exercice, il reste en entrepôt 100 000 barils de pétrole raffiné ; 400 000 barils ont été vendus au prix de 4 $ le baril. La société devait des impôts de 35 % sur le bénéfice avant impôts.
   a. En supposant que les frais de vente se montent à 200 000 $, préparez l'état des résultats de la société Pétrobec ltée pour l'exercice 1998. Présentez le calcul du coût des marchandises vendues.
   b. Comment se présenterait la section « Actif » du bilan au 31 décembre 1998 ?

PROBLÈME 8.36 (POUR LES AS !)
Énumération des méthodes possibles d'évaluation de l'actif

Récemment, la société Tessier Sports inc. a accepté d'acheter le centre sportif de la localité au prix de 100 000 $. L'agent immobilier avait fixé le prix de la propriété à 115 000 $, mais Marc Tessier, le président de Tessier Sports, s'est arrangé avec le propriétaire actuel, Rêves déçus ltée, pour faire baisser le prix en promettant de payer tout le montant comptant. Marc a pris connaissance de l'évaluation foncière du centre sportif faite par la municipalité, et il a relevé les renseignements suivants :

Évaluation totale	80 000 $
Proportion de la valeur attribuable au terrain	70 %
Proportion de la valeur attribuable au bâtiment	30 %

Marc sait également que le centre sportif a pris des engagements fermes qu'il doit respecter (quel que soit le propriétaire du centre) pendant les 20 prochaines années envers une équipe de basket-ball et une équipe de hockey de la localité qui connaissent un grand succès. Les flux de trésorerie nets prévus, provenant de ces deux contrats, sont d'environ 25 000 $ par année, pour la durée totale du contrat. Il s'agit d'une situation plutôt avantageuse, puisque le reste de la durée d'utilisation estimative du centre a été établi à 20 ans par un évaluateur professionnel.

Après avoir consulté un entrepreneur, Marc a appris que le coût de rénovation du centre sportif s'élève à 150 000 $. Le président de Rêves déçus ltée considérait que le prix offert par Marc était très convenable, puisque la valeur comptable nette du bâtiment dans les livres de la société se montait à seulement 30 000 $. Tessier Sports inc. peut emprunter ou investir à un taux d'intérêt de 10 %.

1. Présentez toutes les évaluations possibles du centre sportif à partir des renseignements dont vous disposez. Faites les calculs nécessaires.
2. Énumérez les utilisateurs possibles de chaque évaluation et décrivez comment ils se serviraient de ces informations.

**PROBLÈME 8.37
(POUR LES AS!)**
**Coût des actifs,
conventions
comptables, effets
et écritures**

Un détaillant, les Marchés Rétro ltée, a commencé son exploitation le 1er novembre 1997. Voici comment se présentaient ses bilans au 1er novembre 1997 et au 31 octobre 1998 (en milliers de dollars).

	31-10-98	01-11-97		31-10-98	01-11-97
Encaisse	26 $	100 $	Fournisseurs	194 $	180 $
Clients	334	300	Capital-actions	500	500
Provisions pour créances douteuses	(30)	(20)	Bénéfices non répartis	76	—
Stock (PEPS)	354	240			
Agencements	40	—			
Amortissement cumulé	(8)	—			
Écart d'acquisition (net)	54	60			
	770 $	680 $		770 $	680 $

Au départ, la société possédait des comptes clients, des comptes fournisseurs et des stocks, car elle a été constituée par l'acquisition d'une autre société dont le propriétaire avait décidé de se retirer des affaires. Les installations et le matériel de l'entreprise étaient tous loués, de sorte que la société a commencé son exploitation sans immobilisations. Pour cet exercice, la société n'a pas à payer d'impôts sur les bénéfices.

1. À partir de ces informations, calculez le coût d'acquisition de l'entreprise le 1er novembre 1997.

2. Le bénéfice net de la société pour le premier exercice s'élevait à 76 000 $. Calculez les liquidités liées aux activités d'exploitation de cet exercice (en milliers de dollars).

3. Si la société passait pour l'évaluation de son stock de la méthode PEPS à la méthode du coût moyen, le stock se monterait à 316 000 $ au 31 octobre 1998. Dans ce cas, à combien s'élèveraient :

   a. les bénéfices non répartis au 31 octobre 1998 ?

   b. les liquidités provenant des activités d'exploitation (compte tenu de la réponse donnée au point 2) ?

4. La société achète ses stocks en grande quantité. Voici les achats et les ventes de l'exercice précédent (totaux en milliers de dollars) :

1er novembre 1997, stock d'ouverture	8 000 unités à 30 $ = 240 000 $
Ventes avant le prochain achat	6 000 unités
15 février 1998, achat	7 000 unités à 36 $ = 252 000 $
Ventes avant le prochain achat	4 000 unités
31 juillet 1998, achat	7 500 unités à 40 $ = 300 000 $
Ventes avant le 31 octobre 1998	3 500 unités

   La société utilise la méthode de l'inventaire périodique pour comptabiliser son stock.

   a. Quel sera le coût du stock au 31 octobre 1998, si l'entreprise applique la méthode DEPS (dernier entré, premier sorti) ?

b. Quel sera le coût des marchandises vendues en 1998, selon la méthode DEPS?

5. Le 31 décembre 1998, au cours de son deuxième exercice, l'entreprise a vendu divers comptoirs et tables dont elle n'avait pas besoin, au prix de 15 000 $. À cette date, ces actifs, qui avaient coûté 18 000 $, avaient une valeur comptable de 12 000 $.

a. Passez l'écriture destinée à inscrire cette cession.

b. Expliquez pourquoi cette cession a une incidence sur le calcul des liquidités provenant de l'exploitation, qui figurent sur l'état de l'évolution de la situation financière de la société du deuxième exercice.

PROBLÈME 8.38 (POUR LES AS!) Calculs comptables, effets et écritures

Depuis des années, Henriette fabrique des courtepointes, des tabliers, des oreillers, des écharpes et d'autres objets du même genre. Récemment, elle a franchi une étape importante en ouvrant sa propre boutique. Elle y vend ses produits et ceux d'autres artisans de la région. Son mari, qui s'intéresse davantage aux sports qu'à la comptabilité, tient néanmoins ses comptes et a préparé une ébauche d'états financiers :

Ébauche des états financiers de la boutique Artisanat d'Henriette ltée
Bilan au 31 décembre 1998

Actif		Passif et capitaux propres	
À court terme :		À court terme :	
Stock	43 000 $	Dû à la banque	18 000 $
Dû par les clients	2 140	Dû aux fournisseurs	21 000
Encaisse	4 600	Impôts dus	3 200
	49 740 $		42 200 $
À long terme :		Hypothèque sur	
Magasin	187 000 $	le magasin	110 000
Amortissement actuel	3 740	Capitaux propres :	
	183 260 $	Actions émises	68 000
		Bénéfice à ce jour	12 800
	233 000 $		233 000 $

État des résultats pour l'exercice terminé le 31 décembre 1998

Chiffre d'affaires		152 000 $
Coût des marchandises vendues :		
Achats	118 000 $	
Moins : Stock restant	43 000	75 000
Marge bénéficiaire		77 000 $
Charges :		
Exploitation de la boutique	22 000 $	
Salaires	24 000	
Intérêts	15 000	61 000
Bénéfice avant impôts		16 000 $
Impôts estimatifs sur les bénéfices		3 200 $
Bénéfice de l'exercice		12 800 $

1. L'élément d'actif « magasin » comprend : mobilier et étagères, 19 000 $; caisse enregistreuse et matériel, 14 000 $; bâtiment, 114 000 $; terrain, 40 000 $, pour un total de 187 000 $. Le mari d'Henriette a calculé l'amortissement au taux de 2 % du total et a inclus 3 740 $ dans les charges d'exploitation de la boutique.

   a. Donnez votre avis sur la méthode d'amortissement utilisée par le mari d'Henriette.

   b. Proposez une méthode d'amortissement plus convenable en précisant toutes les hypothèses nécessaires.

   c. Calculez l'amortissement de l'exercice 1998 à partir de la méthode que vous proposez, et passez l'écriture destinée à redresser les comptes pour montrer vos calculs.

2. La plupart des articles en stock et le coût des marchandises vendues sont comptabilisés à leur coût « réel », parce que chaque article porte une étiquette sur laquelle figurent le nom de la personne qui l'a fabriqué et un numéro de code. Henriette se sert de cette information pour déterminer quels sont, parmi les artisans, ceux qui fabriquent des articles qui se vendent bien et ceux dont les articles sont moins recherchés. La boutique vend aussi divers papiers d'emballage à la mode. Voici comment se présentent les achats et les ventes de papier d'emballage :

Achat initial	200 paquets à 1,20 $	240 $
Ventes au 24 avril	160 paquets	
Achat du 25 avril	300 paquets à 1,30 $	390
Ventes au 15 août	310 paquets	
Achat du 16 août	500 paquets à 1,40 $	700
Ventes au 31 décembre	450 paquets	
		1 330 $

Le mari d'Henriette, se basant sur un vieux manuel de comptabilité, a présenté les chiffres suivants concernant le papier d'emballage :

Coût unitaire :	1 330 $ / 1 000 = 1,33 $
Coût des marchandises vendues :	920 × 1,33 $ = 1 224 $
Stock de clôture :	80 × 1,33 $ = 106 $

   a. Quelle est la méthode d'évaluation du coût du stock utilisée par le mari d'Henriette ?

   b. Cette méthode est-elle acceptable pour les papiers d'emballage ? Pourquoi ?

   c. Calculez le stock de clôture et le coût des marchandises vendues relatifs aux papiers d'emballage en appliquant la méthode DEPS dans le cas où l'entreprise utilise un système d'inventaire permanent.

3. Henriette envisage de capitaliser 2 000 $ des salaires de l'exercice (payés au début de 1998 pour la fabrication des étagères) et d'inclure ce montant dans le coût du mobilier et des étagères.

   a. Que signifie « capitaliser » une dépense de ce genre ?

   b. Quel serait l'effet de la capitalisation de ces salaires sur le bénéfice de 1998 (en ne tenant pas compte des impôts) ?

4. Lorsque Henriette a examiné les ébauches des états financiers, elle a noté les points suivants :

- La valeur de réalisation nette du stock s'élève à 41 600 $.
- Un compte client, d'une valeur de 150 $, est irrécouvrable, et le recouvrement de trois autres comptes, qui totalisent 280 $, est incertain.
- L'encaisse est surévaluée de 1 000 $ parce que son mari a inscrit deux fois un emprunt bancaire de 1 000 $.
- Une facture de 210 $, relative à des frais d'exploitation qui ne seront engagés qu'en janvier 1999, a été incluse dans les comptes fournisseurs.
- La tranche à court terme de l'emprunt hypothécaire sur la boutique se monte à 4 200 $.

En tenant compte de ces éléments et en appliquant la méthode d'amortissement que vous avez choisie au point 1 ainsi que le plan de capitalisation prévu par Henriette au point 3, calculez le bénéfice avant impôts révisé de la société pour l'exercice 1998.

5. Le mari d'Henriette a estimé les impôts à payer en multipliant simplement le bénéfice avant impôts par un taux de 20 %. En fait, lorsque toutes les informations précédentes ont été prises en compte, l'impôt à payer de 1998 s'élevait à 2 100 $ seulement. Ici, nous ne tiendrons pas compte des impôts reportés ou futurs.

   a. Passez une écriture destinée à redresser l'impôt estimatif inscrit par le mari selon les renseignements fournis ci-dessus.
   b. En tenant compte de l'énoncé *a* ci-dessus et des points 1, 2 et 4, calculez les éléments suivants au 31 décembre 1998 :

      i. les bénéfices non répartis ;
      ii. le total de l'actif.

PROBLÈME 8.39 (POUR LES AS !)
Méthodes comptables, effets et écritures

Reprenez la balance de vérification de la société Grandin ltée (chapitre 3, problème 3.27) ainsi que les états financiers que vous aviez préparés initialement. Supposons que vous ayez obtenu les nouveaux renseignements suivants :

- À la toute fin de l'année 1998, l'entreprise a cédé pour 1 800 $ du matériel qui avait coûté 4 500 $, 11 ans plus tôt. Le teneur de livres a porté le produit de la cession au débit du compte « Encaisse » et au crédit du compte « Produits ».
- L'entreprise amortit son matériel selon la méthode de l'amortissement linéaire, pendant une durée d'utilisation de 15 ans, sans valeur de récupération. Aucune charge d'amortissement n'est inscrite pour l'année de la cession. L'amortissement du reste des éléments d'actif a été inscrit dans les comptes.
- Aucun autre matériel n'a été acheté ni vendu en 1998.
- La société utilise la méthode du coût moyen pour déterminer le coût de son stock. Elle avait 2 000 unités en stock à la fin de l'année 1997 (à 18,50 $ pièce) et elle a effectué les achats suivants en 1998, dans l'ordre où ils sont mentionnés : 800 unités à 19,00 $ pièce, 1 200 unités à 16,20 $ pièce, 2 000 unités à 17,50 $ pièce, 1 500 unités à 19,20 $ pièce et 500 unités à 20,50 $ pièce. La société a inscrit la vente de 5 666 unités en 1998. Selon la méthode du coût moyen pondéré, le coût des marchandises vendues en 1998 était de 103 190 $ pour 5 666 unités, et le stock de clôture se montait à 42 500 $ à

la fin de 1998. Le coût moyen pondéré est de 18,21 $ et les deux chiffres précédents sont arrondis.

- La société a décidé de passer de la méthode du coût moyen pondéré à la méthode PEPS (le coût sera moins élevé que la valeur de réalisation nette, comme c'est le cas pour la méthode du coût moyen). La modification sera mise en application en 1998, mais le coût unitaire des articles en stock à la fin de 1997 (18,50 $) ne sera pas modifié. Le teneur de livres ne sait vraiment pas comment appliquer cette modification.
- Le taux d'imposition de la société est de 25 %. Tous les redressements relatifs aux impôts sur les bénéfices seront remboursés ou payés pendant l'exercice suivant.

1. Passez les écritures de redressement destinées à corriger les livres de la société.
2. Calculez l'incidence de ces écritures sur :
   a. le bénéfice net de 1998 ;
   b. les bénéfices non répartis au début de 1998 ;
   c. les bénéfices non répartis à la fin de 1998.
3. Préparez le bilan, l'état des résultats et l'état des bénéfices non répartis révisés pour 1998.
4. Donnez votre avis sur les résultats de l'entreprise en 1998 ainsi que sur sa situation financière à la fin de l'exercice.

PROBLÈME 8.40 (POUR LES AS !)
Réduction de la valeur de certains actifs

La direction de Astrakan ltée, l'un des principaux fabricants et détaillants de vêtements, souhaite réduire les valeurs de plusieurs éléments de l'actif dans le bilan de la société, reconnaissant que les graves problèmes ayant touché l'industrie ont réduit la valeur de ces actifs. Ceux-ci comprennent une partie du stock, certains bâtiments et terrains et du matériel spécialisé servant à la fabrication de modèles de vêtements qui ne se vendent plus très bien. On comptabilisera la réduction de valeur en créditant certains comptes de l'actif. Cependant, on ne s'entend pas au sein de la société sur ce qu'il faudrait débiter. Discutez brièvement des propositions suivantes concernant le débit, émises par des membres de la direction (sans tenir compte des impôts) :

1. Utiliser le débit pour réduire le capital-actions, car les problèmes que la société a connus ont diminué sa valeur en bourse.
2. Utiliser le débit pour réduire les bénéfices non répartis directement, car la valeur des actifs décroît depuis plusieurs années.
3. Ajouter le débit au coût des marchandises vendues de l'exercice, car c'est un procédé si fréquent qu'on peut considérer qu'il s'agit d'un coût lié à l'exploitation.
4. Inscrire le débit sous la ligne du « bénéfice après impôts » de l'état des résultats, au titre d'élément exceptionnel, car il s'agit d'un montant considérable pour la société, et la direction espère bien que cela ne se reproduira pas de si tôt.
5. Inscrire le débit sous la ligne du « bénéfice après impôts », au titre « d'abandon d'activités », car la société se débarrasse de collections entières.

**PROBLÈME 8.41
(POUR LES AS!)
Comptabilisation
d'un profit
inattendu à
la suite de
l'annulation
d'un élément
du passif**

Le gouvernement provincial a accepté d'aider au démarrage d'une nouvelle entreprise de bois et de pâte à papier dans une région où le taux de chômage est élevé. L'entente était que la société rembourserait le gouvernement, mais seulement après avoir payé ses créanciers habituels et remboursé ses principaux bailleurs de fonds, soit plusieurs banques. Lorsqu'elle a reçu le prêt du gouvernement, la société a débité son encaisse et crédité un passif de prêt du gouvernement.

Au bout de plusieurs années, la société avait encore du mal à s'en sortir et le gouvernement, ayant révisé ses priorités, ne se montrait plus en faveur de ce genre d'aide aux entreprises. Essayant de se tirer de ce bourbier politique et sentant que le prêt ne serait jamais remboursé, puisque les banques elles-mêmes n'avaient pas été remboursées, le gouvernement a déclaré qu'il renonçait à ce prêt. Afin d'éviter d'accroître le chômage en demandant un remboursement de force — qui serait de toute façon difficile à obtenir, car les banques avaient la priorité dans l'ordre des recouvrements — le gouvernement s'est contenté de se retirer.

Selon vous, comment la société devrait-elle comptabiliser l'annulation de ce passif? Elle doit débiter le passif, mais que doit-elle créditer? Voici quelques possibilités concernant ce crédit, qui excède 200 millions de dollars:

- le bénéfice net de l'exercice en cours (un gain exceptionnel ou extraordinaire);
- directement les bénéfices non répartis;
- un type de compte spécial des capitaux propres, autre que les bénéfices non répartis et le capital-actions;
- le coût des immobilisations de bois et pâte à papier (ce qui réduit le coût et, par conséquent, l'amortissement des exercices ultérieurs; il en résultera des bénéfices plus élevés lors de ces mêmes exercices plutôt qu'un bénéfice beaucoup plus élevé pour un seul exercice, comme dans la première possibilité).

**PROBLÈME 8.42
(POUR LES AS!)
Valeurs actuelles
plutôt que valeurs
fondées sur les
PCGR**

1. Certains gens d'affaires persistent à penser que le bilan mesure la valeur actuelle d'une entreprise en ce qui concerne l'actif ou la valeur nette (capitaux propres). Expliquez pourquoi ils ont tort.
2. Proposez autant de manières que possible afin de fournir à ces gens ce qu'ils veulent. Vous pouvez ne pas tenir compte des PCGR dans votre réponse.
3. Lorsqu'on a essayé de substituer des méthodes à la valeur actuelle aux méthodes traditionnelles d'évaluation de l'actif, ce sont généralement les gens qu'elles étaient censées aider qui les ont rejetées (propriétaires, marchés boursiers et gestionnaires). Pourquoi en est-il ainsi?

**PROBLÈME 8.43
(POUR LES AS!)
Préparation d'un
ensemble complet
d'états financiers
conformes aux
PCGR**

La société Macro ltée est spécialisée dans l'entretien et la réparation d'ordinateurs personnels. Daniel Débit, l'expert-comptable de la société, a dressé la liste suivante des soldes des comptes de Macro ltée au 31 janvier 1999, date de fin d'exercice de l'entreprise.

Macro ltée : liste des soldes des comptes au 31 janvier 1999	
Amortissement cumulé — Bâtiment	6 000 $
Amortissement de l'exercice — Bâtiment	6 000
Bâtiment	86 000
Bénéfices non répartis	25 000
Capital-actions	15 000
Clients	48 000
Dividendes à payer	5 000
Dividendes déclarés	20 000
Emprunt bancaire	100 000
Encaisse	30 000
Fournisseurs	40 000
Fournitures utilisées	38 000
Frais d'exploitation	170 000
Gain sur cession d'usine et de matériel	15 000
Impôts sur les bénéfices	3 000
Intérêts de l'exercice sur l'emprunt bancaire	12 000
Placements	16 000
Prêt des actionnaires	60 000
Revenu d'honoraires	213 000
Terrain	50 000

Voici des renseignements complémentaires sur certains des chiffres ci-dessus :

1. Les fournisseurs seront payés en février 1999, à l'exception de 5 000 $ qui seront payés le 1er février 2000.
2. Les comptes clients seront encaissés en février ou en mars 1999.
3. L'emprunt bancaire est remboursable par versements annuels de 20 000 $, qui doivent être faits le 31 décembre de chaque année, pendant les cinq prochaines années. L'intérêt sur l'emprunt a été payé jusqu'au 31 janvier 1999.
4. La société a déclaré un dividende de 20 000 $, le 31 janvier 1999, et 15 000 $ ont été payés aux actionnaires le même jour. Le solde sera versé le 31 décembre 1999.
5. Les « placements » ont été achetés juste avant la fin de l'exercice et ils se composent des titres suivants :

Dépôts à terme à 8 %, échéant en avril 1999	4 000 $
Placement en actions de ABC ltée	12 000
	16 000 $

Les actions de la société ABC ltée ne se négocient pas à la bourse des valeurs mobilières. Macro ltée détient 3 % des actions de ABC ltée.

6. Le prêt des actionnaires est remboursable à vue, mais on ne s'attend pas à ce qu'il soit remboursé au cours de l'exercice qui vient. Cet emprunt n'est pas garanti.
7. Le terrain et le bâtiment sont inscrits à leur valeur marchande estimative, basée sur une expertise faite le 2 janvier 1999. Le terrain a coûté 40 000 $; le bâtiment, 96 000 $.

8. L'emprunt bancaire est garanti par une hypothèque de premier rang sur le terrain et le bâtiment.

9. Un montant de 5 000 $ d'encaisse est détenu en fiducie, en vertu des conditions d'un contrat de vente récent conclu avec un client.

10. Les frais d'exploitation incluent 50 000 $ de créances irrécouvrables relatives à la faillite d'un client important au cours de l'exercice.

11. Les impôts sur les bénéfices comprennent 1 000 $ d'impôts sur la cession de l'usine et du matériel au cours de l'exercice.

12. Les honoraires comprennent 20 000 $ de produits qui auraient dû être comptabilisés dans l'exercice précédent.

À partir des informations ci-dessus, dressez, en respectant les classements appropriés, un bilan, un état des résultats et un état des bénéfices non répartis pour l'exercice clos le 31 janvier 1999. Rédigez également les notes complémentaires que vous estimez nécessaires pour répondre aux besoins des utilisateurs (émettez l'hypothèse qu'il existe un investisseur éventuel, tel qu'une banque) et respectez les exigences de présentation des PCGR.

ÉTUDE DE CAS 8A
Deux exemples de gestion des bénéfices

Le magazine *Business Week* a relevé deux cas de sociétés qui cherchaient à manipuler leurs bénéfices : l'une essayant de les faire apparaître plus élevés, et l'autre, plus faibles. Discutez des enjeux, de l'éthique et des méthodes concernées.

UN FIN LIMIER S'ATTAQUE À PYXIS

Howard M. Schilit adore jouer au détective. Et quand il joue, c'est sérieux, puisqu'il aime fureter dans les affaires troubles des entreprises. Professeur de comptabilité à l'American University, M. Schilit a attiré l'attention du public sur différentes manigances qui se sont soldées soit par des faillites, soit par une chute du cours des actions. Par la suite, un certain nombre de gestionnaires de portefeuille et d'analystes ont engagé M. Schilit en lui donnant comme mission d'enquêter sur les sociétés dans lesquelles ils avaient investi, ou dans lesquelles ils se proposaient de le faire.

Le tableau de chasse de M. Schilit, président du Centre de recherche et d'analyse financière de Rockville, est impressionnant. Ainsi, en janvier 1992, il a attiré l'attention des investisseurs sur les états financiers « équivoques » du College Bound Inc. Peu après, la Commision des valeurs mobilières a suspendu la négociation des actions, puis les a bloquées à 24. La société a finalement cessé ses opérations en se mettant sous la protection de la Loi sur la faillite. En septembre 1993, M. Schilit a remis en question la façon dont Kendall Square Research inscrivait ses produits.

Les actions, qui étaient à 24, ont chuté à 16, après que Price Waterhouse eut conseillé à la société de réviser ses produits reportés. En décembre, Price a « rappelé » l'ensemble des produits de l'exercice précédent. Les actions ont alors chuté à 4, et sont maintenant cotées à 5.

Attaque de front. Qui d'autre retient l'attention de M. Schilit ? « Surveillez Pyxis », dit-il. C'est une société de San Diego qui fabrique et loue des systèmes automatisés, utilisés par les hôpitaux pour distribuer les médicaments et les fournitures médicales. Ses actions ont plus que quadruplé — de 8 en 1992, elles sont montées à 35 en décembre 1993. M. Schilit affirme que les augmentations spectaculaires des produits et des bénéfices des trois dernières années sont « équivoques » et « ne peuvent être soutenues ». Les produits sont passés de 13,4 millions de dollars en 1991 à 46,3 millions en 1992 — et à 100,1 millions l'année dernière. Après des pertes subies en 1991, Pyxis présentait des bénéfices par action de 38 cents en 1992, et de 69 cents, l'année dernière.

Mais, selon M. Schilit, il y a un hic : juste avant son ouverture à l'épargne en 1992, Pyxis a commencé à inscrire ses produits de location-acquisition comme s'il s'agissait de ventes véritables, au lieu de les répartir sur la durée de la location. En reconnaissant si tôt ses produits, la société dénature sa véritable situation financière, d'après M. Schilit. Il explique que, même si cette pratique d'inscription des produits au titre de vente est acceptable dans des conditions normales, il n'en reste pas moins que « la véritable croissance des ventes et des bénéfices est exagérée. Pyxis œuvre dans le domaine de la location-acquisition ». M. Taylor, président-directeur général de Pyxis, affirme que la société doit présenter les produits de location au titre de ventes en raison des conditions des contrats de location-acquisition.

Un facteur supplémentaire a braqué M. Schilit contre Pyxis : des initiés, y compris le président Ronald Taylor et le directeur général Gerald Forth, vendent des actions depuis le mois de novembre. Les actions, qui ont continué à chuter depuis le mois de décembre, sont maintenant rendues à 27.

Source : G.G. Marcial, « A Supersleuth Raises a Red Flag over Pyxis », *Business Week*, 4 avril 1994, page 104.

EST-CE QUE PFIZER SOIGNE SES CHIFFRES ?

Afin d'éviter les controverses politiques, l'entreprise aurait tenté de « manipuler à la baisse » ses bénéfices

William C. Steere fils est dans un drôle de pétrin. En tant que directeur général de Pfizer, l'un des laboratoires pharmaceutiques les plus importants du pays, il devrait normalement souhaiter voir sa société afficher des prévisions de bénéfices raisonnables. Et pourtant, en tant que président de l'un des principaux groupes de pression de l'industrie pharmaceutique de Washington, soit le Pharmaceutical Manufacturer Assn. (PMA), William Steere se voit dans l'obligation de convaincre les législateurs sceptiques que les bénéfices des entreprises de cette industrie sont menacés. De plus, la réforme de la santé du président Clinton pourrait, selon lui, compromettre l'avenir de l'industrie.

Que faire ? Certains initiés de l'industrie prétendent que Steere dépense trop et retarde les ventes pour réduire délibérément le taux de croissance des bénéfices. « La société a adopté une attitude prudente, qui était de circonstance au début des débats sur la réforme de la santé », explique Ronald M. Nordmann, analyste de l'industrie pharmaceutique chez Paine Webber Inc. « Elle baisse ses chiffres. »

Compressions de personnel. Steere récuse cette accusation et dit que ce n'est « tout simplement pas vrai ». Il affirme que Pfizer souffre de chacune des mesures de restriction infligées à l'ensemble de l'industrie. Après tout, l'entreprise a dû supprimer 1 000 emplois depuis 1992 et s'apprête à en supprimer 3 000 de plus au cours des trois à cinq prochaines années, une décision qui a entraîné des dépenses de plus de 750 millions de dollars, affectant le bénéfice.

Mais, en y regardant de plus près, on s'aperçoit pourtant que Pfizer est non seulement en meilleure santé que la plupart de ses concurrents, mais que l'entreprise se porte mieux que ne le laissent entendre ses derniers chiffres. Prenons, par exemple, la baisse de 19 % de son bénéfice net en 1993, qui est tombé à 657,5 millions de dollars. Si l'on ne tient pas compte des frais de restructuration et de dessaisissement, Pfizer affiche un bénéfice net d'exploitation de 1,18 milliard de dollars, soit une augmentation de 15 % — deux fois supérieure à celle de certains de ses principaux concurrents.

Il a également été prouvé que Pfizer a réduit les ventes du quatrième trimestre, tout en gonflant ses charges. Les grossistes prétendaient que la société avait refusé de leur vendre des médicaments après la mi-décembre sous prétexte d'empêcher ses clients de surstocker en prévision de la hausse des prix de 2 % annoncée pour le 15 janvier.

Le résultat : les grossistes n'ont pas pu obtenir des stocks suffisants de médicaments tels que Procardia XL, un traitement de pointe de l'angine de poitrine et de l'hypertension qui a rapporté des milliards de dollars. De ce fait, les ventes pour le trimestre ont baissé de 11%. «Nous sommes allés les trouver en disant que nous étions à court de médicaments, et nous leur avons même proposé de venir vérifier notre stock», rapporte un grossiste en médicaments. «Mais ils s'entêtaient à dire que nous voulions simplement augmenter notre stock avant la hausse des prix.» Un porte-parole de Pfizer rétorque que l'entreprise a tout simplement voulu lutter contre le surstockage.

Plus de recherche et de développement. Quelle qu'en soit la raison, les répercussions de cette stratégie ont été des résultats moins bons. Pour le quatrième trimestre seulement, la croissance des ventes en ce qui concerne les opérations poursuivies a chuté de seulement 2%, contre 24%, pour le même trimestre de l'année précédente. Pour l'ensemble de l'année, la croissance des opérations poursuivies a été de seulement 9%, pour atteindre 7,47 milliards de dollars. Pfizer a également gonflé ses charges en recherche et développement, ces dernières étant supérieures à celles de ses concurrents. Ces procédés ont aidé l'entreprise de deux manières. Premièrement, en faisant baisser son taux de croissance de 1993, Pfizer n'était plus ce que les législateurs appellent un «pharmacien avide». Deuxièmement, le fait

de reporter plus de ventes en janvier lui permettait d'accroître ses résultats pour 1994, année où les pressions exercées par les acheteurs de «soins à prix réduit», qui réclament des rabais à cor et à cri, vont probablement augmenter trimestre après trimestre.

Cependant, s'ils ont manipulé leurs bénéfices, les laboratoires Pfizer ont fait un faux-pas: celui de ne pas en avoir averti Wall Street. En effet, les analystes attendaient une augmentation de 24% des bénéfices d'exploitation pour 1993, et les investisseurs ont mal réagi à l'annonce des 15% de bénéfices le 19 janvier. Les actions de Pfizer ont alors perdu 5$ pour descendre sous la barre des 63$. Depuis lors, elles n'ont remonté que jusqu'à 64$ et des poussières.

Faussées ou non, les perspectives de Pfizer sont loin d'être sombres. Mariola B. Haggar, analyste de Salomon Bros, a déterminé que les médicaments actuels et ceux qui seront lancés prochainement pouvaient assurer une croissance des bénéfices de 12,6% pour 1994, ce qui n'est pas si mal pour une année où les perspectives ne sont pas extraordinaires. Comme cela se joue à Washington, il s'agit sans doute d'une question chatouilleuse, mais c'est un problème que ne peuvent qu'envier les rivaux de Bill Steere de l'industrie pharmaceutique.

Source: J. Weber, «Did Pfizer Doctor Its Numbers?», *Business Week*, 14 février 1994, page 34.

ÉTUDE DE CAS 8B
Débat sur les PCGR   Discutez des questions soulevées dans l'article suivant du *Financial Post*.

POURQUOI LES PRINCIPES COMPTABLES NE SONT-ILS PAS NORMALISÉS?

Les critiques disent que les principes comptables généralement reconnus au Canada sont non seulement élastiques, mais aussi faciles à manipuler

L'attitude de certaines sociétés ouvertes à l'égard de la comptabilité générale pourrait bien avoir pris une mauvaise tournure au Canada, où de plus en plus d'entreprises étirent les règles comptables au-delà des limites permises pour donner aux investisseurs l'impression qu'elles sont en excellente santé.

La situation est tellement critique qu'elle «commence à toucher les marchés financiers», selon un représentant de la Commission des

valeurs mobilières de l'Ontario, qui ne tenait pas à ce que son nom soit publié. Il dit que les investisseurs, se fiant aux données présentées, placent peut-être leur argent dans les mauvaises sociétés.

La législation canadienne en matière d'entreprises impose des normes pour prévenir la diffusion d'informations trompeuses: ainsi, les états financiers doivent être revus par un vérificateur qui doit émettre un avis quant à leur «fidélité».

Mais nombreux sont ceux qui affirment que ce système ne fonctionne pas très bien.

« Les cabinets de vérificateurs ont tendance à se montrer beaucoup trop accommodants et à répondre favorablement aux exigences de la direction concernant la présentation des états financiers », affirme Dominic Dlouhy, président de Dlouhy Investments de Montréal. Il ajoute que les actionnaires approuvent le choix des vérificateurs recrutés, mais que ce choix incombe aux gestionnaires.

La concurrence constitue un problème supplémentaire. Un vérificateur peut se sentir obligé d'accepter la présentation de l'information financière souhaitée par la direction, s'il ne veut pas perdre le contrat de vérification au profit d'un cabinet concurrent. Cela peut constituer un coup dur sur le marché des cabinets de vérification, qui est de nos jours hautement concurrentiel.

« Je pense que la pression qui s'exerce sur les vérificateurs a commencé à se faire sentir pendant la récession du début des années 80 », déclare Patricia O'Malley, associée de KPMG Peat Marwick Thorne.

« Les sociétés ont découvert que, en insistant un peu, elles parvenaient à obtenir une comptabilité qui ressemblait davantage à ce qu'elles désiraient, poursuit-elle. C'est une tendance qui refait surface dans les moments difficiles. »

D'après John Pelton, président de Federal Industries, le vérificateur a plus de mal que par le passé à découvrir quelque chose qui ne va pas. Aujourd'hui, les dossiers comptables sont souvent électroniques, donc plus faciles à manipuler, et les vérificateurs vérifient les comptes des grandes entreprises grâce à des échantillons statistiques plutôt qu'en additionnant les articles en stock, par exemple.

Une analyse financière menée par le *Financial Post* a repéré trois problèmes majeurs concernant la présentation de l'information financière par les gestionnaires :

- L'embellissement délibéré des états financiers par certaines sociétés, qui agissent cependant dans les limites permises par la loi.
- Une comptabilité trop complexe pour être comprise par les investisseurs, et trop élastique pour pouvoir prévenir les abus.
- Des normes de présentation désuètes.

« Il y a cinq ans, je suis arrivée à la conclusion qu'un bilan traditionnel perd rapidement de sa signification », déclare Patricia O'Malley.

« Par exemple, le temps qu'une banque ait dressé son bilan et qu'elle le publie, sa situation peut avoir énormément changé en ce qui a trait à l'actif, au passif et à ses taux d'intérêt. »

Prochainement, les actionnaires pourraient recevoir un « rapport annuel » trimestriel, poursuit Patricia O'Malley, et avoir accès à une banque de données contenant plus d'informations, continuellement mises à jour par la société.

Aujourd'hui, on se préoccupe surtout de savoir s'il y a eu un changement profond dans les attitudes à l'égard de la discipline symbolisée par les principes comptables généralement reconnus (PCGR), établis au Canada à la fin des années 30.

Toutes les sociétés ouvertes doivent utiliser les PCGR dans leurs rapports financiers. Cependant, les PCGR canadiens sont plus souples que les PCGR américains, par exemple.

L'Institut Canadien des Comptables Agréés (ICCA), qui rédige les PCGR, maintient cette souplesse afin de permettre aux gestionnaires de communiquer les nuances de la réalité financière propre à leur société.

Mais, certains comptables d'entreprises profitent de cette souplesse des PCGR pour brosser un tableau idéalisé de leur société.

Dorothy Stanford, directrice des services comptables de la Commission des valeurs mobilières de l'Ontario, affirme qu'elle a observé un changement majeur au cours de la dernière année. Lorsque la Commission des valeurs mobilières leur reproche leur interprétation trop libérale des PCGR, beaucoup de comptables se défendent en répondant : « Où est-il dit que je n'ai pas le droit de faire cela ? »

Les PCGR ont toujours été souples, dit Dorothy Stanford, « mais, par le passé, cette souplesse était perçue de la bonne façon : la latitude permettant l'exercice raisonnable du jugement professionnel approprié. »

Ce n'est plus vraiment le cas aujourd'hui.

« Les PCGR donnent suffisamment de latitude pour pouvoir piloter trois 747 de front », enchaîne Jay Gordon, analyste financier bien connu. « En réalité, je ne suis pas contre cette souplesse des PCGR. Vous ne pouvez pas avoir des PCGR qui deviennent des camisoles de force. »

« Mais, ils sont quand même trop souples, dit-il. On ne compte plus les cas où les sociétés ont abusé de façon flagrante de la liberté que leur donnent les PCGR. »

Alex Milburn, président du Conseil des normes comptables de l'ICCA, est d'accord pour dire que « certaines normes comptables finissent par être interprétées d'une manière très différente de ce qu'avaient en tête ceux qui les ont établies ».

« On note, parfois, une interprétation littérale ou légaliste du contenu du *Manuel de l'ICCA* qui, selon des spécialistes comme ceux de la Commission des valeurs mobilières de Toronto, est contraire aux intentions des auteurs. »

« Je pense que les normes s'améliorent, dit-il, mais que les gestionnaires ont toujours beaucoup de latitude... » En ce qui concerne, la marge de manœuvre qu'on laisse aux comptables, Alex Milburn poursuit : « À mon avis, la situation n'est pas plus mauvaise que dans le passé. »

Les comptables aiment dire que les PCGR sont un modèle à plusieurs facettes en constante évolution. Pour d'autres, les PCGR ne sont qu'un méli-mélo de doctrines comptables imposées, qui se sont empilées les unes sur les autres au fil des ans pour former un ensemble de règles.

De mémoire de comptable, on n'a jamais opéré aucun remaniement en profondeur des PCGR. L'évolution n'est due qu'à l'émergence, de temps à autre, de nouveaux enjeux économiques et de nouveaux instruments. Et les divers groupes professionnels ont des attentes différentes à l'égard des PCGR :

- Les comptables des sociétés veulent des PCGR souples, leur laissant une certaine marge de manœuvre pour la rédaction du rapport annuel.
- Les vérificateurs veulent des règles strictes leur permettant de contrôler les comptables et de ne pas être accusés d'approuver des rapports gonflés.
- Les analystes financiers veulent, en premier lieu, une information compréhensible et pertinente ; la fiabilité vient en second lieu.
- Les prêteurs préfèrent une information fiable avant tout, même si elle a tendance à être historique, afin de fournir des bases indiscutables de « faits financiers » sur lesquels on pourra se fonder pour négocier les contrats.

Le point de vue des comptables des sociétés tend à primer, car ce sont eux qui parlent le plus fort. Selon les experts, c'est l'une des raisons qui expliquent pourquoi les PCGR restent élastiques.

« Lorsque l'ICCA publie une prise de position qui engendre des commentaires, explique Patricia O'Malley, ce sont les rédacteurs du rapport annuel, les vérificateurs et les législateurs qui réagissent. Avec un peu de chance, deux ou trois utilisateurs vont peut-être finir par dire ce qu'ils en pensent... »

La raison de ce méli-mélo à l'intérieur des PCGR remonte loin dans l'histoire.

On a fondé les normes comptables sur l'approche du coût d'origine pour la valorisation de l'actif dans les années 30, afin de mettre un terme au jeu des comptables des années 20, lesquels inscrivaient les valeurs de l'actif d'une société en les gonflant ou en les réduisant à souhait.

L'intérêt suscité par le coût d'origine vient du fait qu'il ne présente qu'une seule valeur, soit le montant que la société a payé, au départ, pour acquérir l'actif.

L'approche du coût d'origine a, en partie, ouvert la voie à des notions comptables plus modernes. Pour certains, le résultat est un système qui ne donne pas de vision cohérente de la valeur d'une entreprise.

Voici certains PCGR et comment ils pourraient être manipulés par des comptables hardis :

Les **éléments de l'actif à court terme** (que la société entend acheter et vendre au cours de l'exercice) sont inscrits au moindre du coût et de la valeur marchande du moment.

L'attrait de cette approche, c'est qu'elle est « prudente », c'est-à-dire qu'elle ne surestime jamais une valeur. Mais elle est également inconstante et, parfois, trompeuse.

Certaines sociétés possèdent beaucoup de valeurs mobilières qu'elles négocient au cours de l'année pour obtenir un profit rapide.

Sur un marché à la hausse, lorsque les valeurs courantes s'élèvent bien au-dessus de leur coût d'origine, les PCGR permettent de sous-estimer la valeur du portefeuille d'actif à court terme détenu par la société.

Lorsque le marché s'effondre, une société peut retarder la constatation de ses pertes en « reclassant » ses éléments de l'actif à court terme dans l'actif à long terme, la seule différence entre l'actif à court terme et l'actif à long terme étant les intentions nourries par la société à leur égard.

Les **éléments de l'actif à long terme** sont ceux que la société entend conserver comme placements à longue échéance plutôt que comme des titres négociables à court terme.

On doit les inscrire à leur coût d'origine plutôt qu'à leur valeur minimale.

Le coût d'origine fait office de mesure de la qualité de la gestion de la société. Les actionnaires peuvent constater ce que la société avait investi à l'origine dans l'élément de l'actif, et peuvent le comparer (imparfaitement) aux bénéfices réalisés.

Cependant, le coût n'est pas pertinent pour les investisseurs, qui veulent savoir ce que valent la société et ses actions, aujourd'hui. Les sociétés immobilières, en particulier, peuvent gagner ou perdre beaucoup de valeur, avec les terrains et les bâtiments. Ce fait n'est pas pris en considération par la comptabilité au coût d'origine.

Le coût d'origine peut, par ailleurs, constituer une échappatoire séduisante pour les gestionnaires qui ont en main des actions de peu de valeur à un moment où le coût d'origine est plus élevé que la valeur marchande.

Par exemple, Alain Tuchmaier, analyste des services financiers, signale que plusieurs sociétés du groupe Hees-Edper ont reclassé leurs titres facilement négociables dans leurs placements à long terme.

« Fondamentalement, ce changement repousse la décision de réduire la valeur, et de constater une perte », dit-il. La raison, c'est que l'on ne réduit la valeur des éléments de l'actif à long terme que lorsque leur baisse est permanente. On déprécie les éléments de l'actif à court terme lorsque leur prix chute au-dessous de leur coût d'origine.

Par ailleurs, certaines sociétés déprécient leurs éléments d'actif plus rapidement, et de façon plus marquée ; c'est l'approche du « nettoyage du bilan ».

Il est souvent tentant de procéder à un grand nettoyage si l'année est mauvaise. La société regroupe toutes les réductions de valeur qu'elle peut anticiper, et ne frappe qu'un seul grand coup.

La nouvelle direction d'une société peut également se montrer en faveur d'un grand nettoyage ; cela lui permet de se débarrasser de toutes les réductions de valeur futures. Ainsi, les bénéfices à venir apparaîtront meilleurs, ce qui montrera la nouvelle équipe sous un jour favorable.

La comptabilité d'exercice : les PCGR tentent de rapprocher les grosses dépenses inhabituelles des produits annuels habituels de la société, afin de lisser les bénéfices, ce qui confère une impression (que certains qualifieraient de trompeuse) de stabilité.

Par exemple, on n'inscrit pas le coût d'une usine au titre de charge l'année de la construction, même si elle est entièrement payée.

On inscrit l'usine au titre d'élément d'actif à long terme, et l'on porte une petite portion de son coût aux produits que la société réalise chaque année, disons pendant 30 ans, jusqu'à ce que tout son coût soit ainsi amorti. D'ici là, l'usine devra être remplacée.

C'est le processus d'amortissement. On peut gonfler artificiellement les bénéfices et les actifs en amortissant la valeur de l'usine plus lentement que ne le garantit sa durée d'utilisation.

Le mélange de valeurs passées et actuelles des PCGR est encore plus confus à cause de ces éléments de l'actif et du passif qui peuvent exister ou ne pas exister. Ces inscriptions peuvent aussi servir de terreau sur lequel fleurissent des états financiers idéalisés.

L'écart d'acquisition (un élément de l'actif) représente l'argent que la société a versé, disons, pour acquérir une autre société, en plus et au-dessus de la juste valeur des éléments d'actif identifiables nets.

Au mieux, cet écart représente la valeur d'aujourd'hui des bénéfices futurs que la direction pense réaliser grâce à la filiale, en plus et au-dessous de ce que serait un rendement normal. (Une « notion plutôt obscure » selon un expert.)

Dans le pire des cas, l'écart d'acquisition est le prix que la société a bêtement payé au-delà de la valeur réelle de la filiale et qui ne sera jamais récupéré.

En violant l'esprit des PCGR, on peut traiter cet argent gaspillé comme un élément d'actif (laissant entendre qu'il a de la valeur), ce qui a pour effet de gonfler la valeur nette de la société dans le bilan.

Pour se défendre, les gestionnaires peuvent dire qu'on s'attend à ce que la filiale rapporte des bénéfices élevés. Il est difficile de prouver que ces attentes ne sont pas raisonnables à court terme.

Le **passif d'impôts reportés** est, selon certains experts, tellement déconcertant qu'il constitue un passif réel. Mais ce n'est pas l'avis de tous.

Il y a un passif d'impôts reportés lorsque Revenu Canada accorde un allègement fiscal en autorisant un amortissement fiscal plus rapide que l'amortissement comptable. (L'amortissement est une dépense reliée à l'utilisation d'un actif. À des fins fiscales, une société peut déduire cette charge d'amortissement de ses bénéfices.)

Un amortissement accéléré signifie plus de charges déductibles et, par conséquent, moins de bénéfices imposables et moins d'impôts.

Une inscription spéciale au bilan devient alors nécessaire, car l'actif figure toujours sur le bilan de la société à sa valeur amortie normale, laquelle est supérieure à sa valeur après l'amortissement fiscal. Cet amortissement fiscal supplémentaire reste à l'abri des regards.

On inscrit ces « impôts reportés » du côté du passif afin de compenser dans la valeur de l'actif, de l'autre côté du bilan, le montant implicite de l'amortissement de l'actif à des fins fiscales.

Ce passif spécial est nécessaire, sinon l'actif ne pourra pas afficher un amortissement fiscal avant d'être totalement amorti à des fins comptables.

À ce moment-là, la société devra payer plus d'impôts à Revenu Canada qu'il ne semblerait nécessaire d'après la valeur comptable de l'actif.

Ces impôts réduiront graduellement le passif d'impôts reportés jusqu'à ce que l'amortissement « fiscal » soit le même que l'amortissement normal.

De toute évidence, un passif d'impôts reportés n'est pas un passif permanent dû à Revenu Canada. Il s'agit d'une augmentation possible du taux des impôts à payer desquels la société va être redevable à l'avenir.

La souplesse des PCGR soulève un débat vigoureux au sujet de certaines décisions compta-

bles particulières. Voici quelques exemples. Dans tous les cas, le traitement comptable est conforme aux PCGR.

Réduction de valeur lente

Les services financiers détenant la société Trilon n'ont pas dévalué les 231 millions de dollars d'actions privilégiées de Gentra (autrefois Royal Trustco). De nombreux autres investisseurs ont dévalué les actions en raison de l'idée largement répandue que l'actif de Gentra, une fois liquidé, ne couvrira pas les actions privilégiées.

Gentra détient un portefeuille de prêts, que la Banque Royale du Canada n'a pas acquis lorsqu'elle a acheté l'actif de Royal Trustco, l'année dernière.

George Myhal, président de Trilon, déclare que la société conserve les actions privilégiées comme un « placement à long terme ».

« À notre avis, il n'y a pas eu perte de valeur permanente. »

Mais, certains analystes des services financiers ne sont pas d'accord avec lui. Ainsi, Alain Tuchmaier affirme : « Mon analyse m'a conduit à penser qu'il y a bien eu dévaluation permanente. »

George Myhal dit également que d'autres actionnaires détiennent les actions privilégiées comme des titres négociables (qui, selon les PCGR, doivent être présentés à leur valeur minimale) et que c'est la raison pour laquelle ils ont dévalué les actions.

Tuchmaier dit que les trois principales banques et deux grandes sociétés de fiducie détiennent les actions comme des placements à long terme et en ont réduit la valeur, car elles croient que leur valeur est dépréciée de façon permanente.

« Trilon a toujours dit qu'il s'agissait d'une institution financière et non d'une société de portefeuille, déclare Tuchmaier. Si un actif paraît déprécié, une institution financière normale prend une provision [qui reconnaît la perte de valeur]. »

Réduction de valeur rapide

La société CAE a enregistré une perte de 40 millions de dollars pour la période de neuf mois s'achevant le 31 décembre 1993, alors qu'elle avait enregistré des produits de 23,6 millions de dollars pour la même période lors de l'exercice précédent.

Cette perte est due au fait que CAE a réduit la valeur de ses contrats avec le ministère américain de la Défense de près de 400 millions de dollars et a sabré 43,6 millions de dollars dans les bénéfices non répartis en raison du changement de ses conventions comptables.

Une large part de cette réduction de valeur était due à l'élimination de l'écart d'acquisition, que l'on amortissait sur des périodes normales allant jusqu'à 40 ans.

Paul Renaud, directeur financier de CAE, déclare: «Voulez-vous réduire à 10 ans l'amortissement de l'écart d'acquisition... et crouler tous les ans [sous le poids d'importantes réductions de valeur] ou optez-vous pour un seul coup dur? Je ne pense pas que vous aimeriez prolonger l'agonie.»

CAE trouvera plus facile de maintenir ses bénéfices à l'avenir, car la réduction de valeur a éliminé 11 millions de dollars d'amortissement annuel de l'écart d'acquisition. C'est très utile, affirme un analyste, car CAE entre dans une période de concurrence féroce dans le secteur de la défense.

La décision de CAE soulève des questions à propos de l'écart d'acquisition. CAE le regardait autrefois comme un bénéfice potentiel découlant de ses opérations avec le ministère américain de la Défense, mais considère aujourd'hui le montant dévalué comme sans valeur. «La donne a changé», commente Paul Renaud.

Reclassement de l'actif

Le brasseur John Labatt a récemment reclassé certains de ses actifs à court terme et à long terme, ce qui signifie qu'il continue de les évaluer au coût plutôt qu'à la valeur marchande. Ces actifs sont des actions de deux sociétés privées du groupe Hees-Edper, qui investissent principalement dans les titres d'autres sociétés du groupe Edper. Les actions du groupe ont réalisé de faibles rendements au début des années 90.

La société Labatt faisait partie, elle-même, du groupe Hess-Edper jusqu'à l'année dernière [1993], où elle a été vendue par la société mère, Brascan Ltd, également membre du groupe Hees-Edper.

La société Labatt déclare qu'elle a reclassé les éléments de l'actif, car «l'actionnaire vendeur [Brascan] contribuera à la monétarisation ordonnée [des actions] ... à la valeur comptable de la société au cours des trois à cinq prochaines années». Cela signifie que Brascan a promis d'aider Labatt à récupérer la totalité du prix des actions, condition intégrante du marché conclu lorsque la brasserie Labatt a été vendue.

Selon les analystes, une approche plus prudente consisterait pour Labatt à réduire la valeur des actions pour les ramener à la valeur marchande, et à faire ensuite un profit si Brascan tient ses promesses.

Lorne Stephenson, vice-président des affaires sociales de Labatt, déclare: «Les décisions que nous avons prises ont toutes été étudiées par le conseil d'administration et par nos vérificateurs.»

Amortissement

Steelmaker Ivako de Montréal amortit son matériel de laminage sur 25 ans, bien que la plupart des aciéries l'amortissent sur 16 ans et 2/3. L'analyste Jay Gordon prétend que le matériel de laminage d'Ivako est le même que celui de tout le monde.

Un amortissement lent réduit la charge annuelle déduite des produits, ce qui dégage des bénéfices et un actif plus élevés. Un responsable d'Ivako a refusé de commenter les pratiques de la société.

Jay Gordon ajoute: «Étant donné la vitesse à laquelle le matériel de laminage a changé au cours des 10 ou 15 dernières années, même les 16 ans et 2/3 sont probablement deux fois plus longs qu'une période d'amortissement réaliste.»

Source: P. Mathias, «Why Accounting Standards Aren't Standard», *The Financial Post*, 2 avril 1994, pages 516-517.

R ÉFÉRENCES

1. Pour de plus amples renseignements sur l'utilisation de la valeur marchande d'articles tels que les prêts et les titres détenus par des banques ou autres institutions financières, consultez, par exemple, Kevin G. Salwen et Robin G. Blumenthal, « SEC Starts a Revolution in Accounting », dans le *Globe and Mail* du 15 octobre 1990, B8; et Dana W. Linden « If Life Is Volatile, Account for It », *Forbes*, 12 novembre 1990, p. 114-115. Pour des études sur la façon d'évaluer les éléments du passif à long terme, reportez-vous à l'ouvrage de Alex Milburn, *Incorporating the Time Value of Money within Financial Accounting* (Institut Canadien des Comptables Agréés de Toronto, 1988) et au mémorandum de discussion du FASB, *Present Value-Based Measurements in Accounting* (Stanford, Conn., Financial Accounting Standards Board, 7 décembre 1990).

2. Ménard, Louis, Nadi Chlala, Ida Chen et Clarence Byrd, *Information financière publiée au Canada 1997*, Institut Canadien des Comptables Agréés, Toronto, 1996, p. 154-155.

3. *Ibid.*, p. 175.

4. *Ibid.*

5. *Ibid.*

6. *Ibid.*

7. *Ibid.*

8. *Ibid.*

9. *Ibid.*, p. 209-210.

10. *Ibid.*, p. 210.

11. *Ibid.*

12. Illustration de la méthode de l'amortissement proportionnel à l'ordre numérique inversé des années. Les variables nécessaires pour calculer l'amortissement à l'aide de cette méthode sont les suivantes:
    a. le coût (C);
    b. la valeur de récupération estimative (R);
    c. la durée d'utilisation estimative de l'actif, calculée en années;
    d. la somme des années (SA) (par exemple, pour une durée d'utilisation de 3 ans:
    Somme = 1 + 2 + 3 = 6);
    e. le nombre d'années d'utilisation encore à venir (N).
    La formule permettant de calculer l'amortissement proportionnel à l'ordre numérique inversé des années est la suivante:
    Amortissement pour l'année = (C − R) (N/SA)

    Revenons au camion de livraison et calculons l'amortissement annuel:
    - Coût = 5 000 $
    - Valeur de récupération = 1 000 $
    - Années d'utilisation = 5
    - Somme des années = 5 + 4 + 3 + 2 + 1 = 15

    Amortissement pour l'exercice
    1: (5 000 $ − 1 000 $) × (5/15) =   1 333,33 $
    2: (5 000 $ − 1 000 $) × (4/15) =   1 066,67 $
    3: (5 000 $ − 1 000 $) × (3/15) =   800,00 $
    4: (5 000 $ − 1 000 $) × (2/15) =   533,33 $
    4: (5 000 $ − 1 000 $) × (1/15) =   266,67 $
                                         4 000,00 $

13. Ménard, Louis, Nadi Chlala, Ida Chen et Clarence Byrd, *op. cit.*, p. 210.

14. *Ibid.*

15. *Ibid.*, p. 213.

16. *Ibid.*, p. 214.

17. Pour étudier les répercussions des fluctuations des prix de la bourse des valeurs en réaction à des dépenses prudentes et à la non-capitalisation de la recherche et du développement, reportez-vous, par exemple, à l'article de B. Lev et T. Sougiannis, « The Capitalization, Amortization and Value-Relevance of R&D », *Journal of Accounting and Economics*, 21, 1996, p. 107-138.

18. Ménard, Louis, Nadi Chlala, Ida Chen et Clarence Byrd, *op. cit.*, p. 23.

19. *Ibid.*, p. 361, 373.

20. Pour plus d'informations sur les motivations des gestionnaires, reportez-vous à l'ouvrage de R. L. Watts et J. L. Zimmerman, *Positive Accounting Theory*, Englewood Cliffs, N.J.: Prentice Hall, 1986, p. 208, 216, 235.

L'analyse des états financiers et les modules thématiques

3ᵉ PARTIE

• Les chapitres 9 et 10 montrent comment l'analyse des états financiers permet d'évaluer la performance et la situation financières de l'entreprise; ils présentent des modules importants destinés à mieux faire comprendre comment préparer et utiliser l'information comptable.

9 CHAPITRE

L'analyse des états financiers

9.1 Aperçu du chapitre

Chapitre 9: analyse, marchés et contrats.

Dans ce chapitre, nous vous fournissons des instruments vous permettant d'analyser et d'évaluer la situation financière d'une entreprise et les résultats qu'elle a obtenus. Nous étudierons surtout l'**analyse au moyen de ratios**, mais reprendrons aussi l'analyse des flux de trésorerie, déjà abordée au chapitre 3. Vous apprendrez, pour commencer, comment effectuer les divers types d'analyse. Ces analyses sont présentées sous l'angle des résultats d'une entreprise, ce qui vous permettra d'avoir un aperçu global des conventions qui sous-tendent les **bourses des valeurs mobilières** et les **marchés des capitaux** et la signature de certains **contrats** financiers, ainsi que du rôle de l'information dans ce domaine. Vous apprendrez ensuite comment évaluer les résultats financiers d'une société par rapport à sa situation, à ses résultats antérieurs et aux résultats obtenus par d'autres entreprises.

L'analyse est un outil essentiel tant pour les comptables que pour les non-comptables.

Ceux d'entre vous qui ne deviendront pas comptables acquerront une compétence analytique essentielle. Quelle que soit la carrière que vous choisirez ou les cours en gestion que vous suivez actuellement ou que vous suivrez plus tard, la capacité d'analyser les états financiers d'une société et ses résultats est un atout des plus précieux. Par contre, si vous devenez comptable, les notions présentées ici vous aideront à acquérir les habiletés analytiques nécessaires dans ce métier. Puisque les comptables et les non-comptables doivent acquérir des connaissances en matière de marchés boursiers et de contrats de gestion, le matériel présenté à la fin du chapitre vous fournira des données générales sur le milieu des affaires et un contexte qui vous permettra de comprendre les résultats d'une société selon ses états financiers. Une fois que vous aurez lu les explications et les exemples détaillés contenus dans ce chapitre, vous serez satisfait des connaissances acquises en la matière. Vous aurez assimilé ces connaissances par l'entremise d'états financiers provenant d'une société réelle: le rapport annuel de la société Provigo inc., présenté en annexe à la fin du manuel, est utilisé tout au long de ce chapitre afin d'illustrer les diverses techniques d'analyse.

Vous pouvez passer à ce chapitre après avoir étudié le chapitre 3. Si vous avez commencé le livre par le chapitre 5, vous pourrez néanmoins comprendre le présent chapitre. Les notions sur les états financiers consolidés et l'analyse par simulation, présentées au chapitre 10, viennent compléter les analyses du chapitre 9 et peuvent être étudiées avant celui-ci.

9.2   L'INVESTISSEMENT, LE RENDEMENT RELATIF ET L'ANALYSE APRÈS IMPÔTS

Cette première étape vous prépare aux techniques d'analyse. Les ratios sont des mesures relatives, et une analyse sérieuse doit tenir compte des incidences fiscales.

L'investissement et le rendement relatif

Selon une hypothèse fondamentale en économie, la richesse, ou le capital, n'a de valeur que si elle nous permet de consommer afin que nous nous procurions tout ce qui peut faire notre bonheur. Si nous épuisons toute notre richesse aujourd'hui, nous ne pourrons pas consommer dans le futur. C'est pourquoi nous essayons généralement d'éviter de tout dépenser, en investissant une partie de notre richesse en vue de pouvoir consommer plus tard. Nous espérons même que cet investissement produira un rendement qui nous permettra d'acquérir encore plus de biens.

En investissant, nous ne dépensons pas immédiatement, ce qui nous permet de consommer plus tard.

Étant donné que l'avenir peut être découpé en nombreuses périodes, il serait souhaitable que notre rendement soit suffisant pour couvrir les dépenses prévues de chaque période, de façon que nous n'ayons pas à faire de prélèvements sur le capital investi (ce qui réduirait les montants investis et, par conséquent, le rendement des exercices suivants).

Le rendement du capital investi est proportionnel à l'importance de l'investissement.

Ces considérations confirment le fait que tout investissement est destiné à produire un rendement. On relie habituellement le rendement au montant qu'il faut investir pour l'obtenir. Par exemple, vous seriez sans doute satisfait d'obtenir un rendement annuel de 1 000 $ sur un investissement de 2 000 $, mais seriez certainement horrifié si, pour l'obtenir, vous aviez investi 2 000 000 $. Le lien entre ces éléments est le **rendement du capital investi (RCI)**, où le rendement correspond au numérateur, et l'investissement initial, au dénominateur.

$$\textbf{Rendement relatif (rendement du capital investi)} = \frac{\textbf{Rendement}}{\textbf{Investissement}}$$

La notion de RCI met en lumière les notions de rendement et d'investissement

Un peu plus loin, nous analyserons de façon plus détaillée les rendements relatifs, comme le rendement du capital investi. Pour le moment, notez que nous devons disposer de certains moyens pour mesurer, *à la fois*, le rendement et l'investissement, afin de pouvoir calculer (et évaluer) le rendement relatif.

On effectue une grande partie de l'**analyse des états financiers** au moyen de **ratios**, tels que le RCI. Voici des renseignements sur les ratios qu'il ne faudrait pas oublier :

À l'aide de ratios, on peut comparer le rendement de sociétés différentes, ou le rendement d'une même société d'une période à une autre.

- Le ratio produit une mesure relative d'une société qui peut être utilisée pour la comparer à d'autres sociétés ou à ses résultats antérieurs. Cette mesure élimine l'effet de taille, car le numérateur et le dénominateur sont donnés dans une même unité (en dollars) et varient en fonction de la taille de la société. Une société de grande envergure investira de plus gros montants qu'une petite société, et son rendement en termes monétaires devrait également être plus important. Cependant, un ratio tel que le RCI supprime certains effets de l'envergure et permet ainsi d'établir des comparaisons entre les grandes et les petites sociétés.

- Le numérateur doit être approprié, sinon le ratio entraînera une comparaison qui ne sera pas fiable, et qui pourra même être trompeuse ou inutile. Ainsi, on doit bien calculer le numérateur et celui-ci doit correspondre à la comparaison que l'on veut établir. L'élément « rendement » de l'expression « rendement du capital investi » peut être représenté par divers chiffres, tels que le bénéfice net, les liquidités provenant de l'exploitation ou l'intérêt. Nous verrons que le chiffre approprié que représente le numérateur dépend du contexte de l'analyse. Également, les PCGR et autres conventions comptables, qui donnent un sens à des montants tels que le bénéfice net, jouent un rôle très important dans les conclusions que l'on peut tirer de l'analyse au moyen de ratios.

Pour qu'un ratio ait un sens, le numérateur et le dénominateur doivent être tous deux appropriés.

- Ces mêmes considérations s'appliquent au dénominateur. En plus, il arrive qu'une méthode comptable douteuse ou ambiguë fausse aussi bien le numérateur que le dénominateur, ce qui remet tout le ratio en question. Par exemple, si une société opte pour une méthode de constatation des produits qui altère la validité du bénéfice net, et du même coup, celle des bénéfices non répartis, quelle crédibilité peut être accordée au **rendement des capitaux propres (RCP)** (un des ratios de RCI le plus utilisé), qui correspond au bénéfice net divisé par les capitaux propres (incluant les bénéfices non répartis) ?

L'analyse après impôts

On peut considérer que les produits et les charges ont, tous deux, une incidence particulière sur l'augmentation ou la diminution des impôts. Par conséquent, les effets des variations des produits et des charges, après impôts, sur le bénéfice net peuvent être estimés directement, une fois que l'on connaît, au moins approximativement, le taux d'imposition. Voici comment cette méthode fonctionne. Supposons que Clôtures Bordeaux inc. ait un seul produit, une seule charge et un taux d'imposition de 35 %. L'état des résultats de la société pourrait se présenter comme suit :

Produit	1 000 $
Charge	700
Bénéfice avant impôts	300 $
Impôts (35 %)	105
Bénéfice net	195 $

Notons que le bénéfice net correspond à 65 % du bénéfice avant impôts. Nous pouvons le calculer à l'aide de la formule suivante :

Bénéfice net = (1 − Taux d'imposition) × Bénéfice avant impôts

Le bénéfice net est ce qui reste après déduction des impôts. Cela fonctionne de la même manière avec les produits et les charges. Supposons que le produit et la charge ci-dessus soient imposés directement, de sorte que ces montants soient présentés après impôts. L'impôt, ou charge fiscale, est donc incorporé dans ces éléments au lieu d'être inscrit comme une charge distincte :

	Montant initial	Montant après impôts
Produit (après impôts = 1 000 $ × [1 − 0,35])	1 000 $	650 $
Charge (après impôts = 700 × [1 − 0,35])	700	455
Bénéfice avant impôts	300 $	
Impôt	105	
Bénéfice net	195 $	195 $

L'effet de la variation d'un produit ou d'une charge sur le bénéfice net se calcule ainsi : Variation × (1 − taux d'imposition).

Une **analyse après impôts** peut s'avérer très utile. Supposons que le président de Clôtures Bordeaux inc. prévoit augmenter le produit de 200 $, sans augmenter la charge de 700 $. Quelle serait l'incidence de cette augmentation sur le bénéfice net ? Le nouveau bénéfice net serait plus élevé de 200 $ × (1 − 0,35) = 130 $ et atteindrait donc 325 $ (195 $ + 130 $). Il n'est pas nécessaire de recalculer tout l'état des résultats. Si vous avez des doutes, vous pouvez toujours refaire le calcul :

Produit augmenté	1 200 $
Charge identique	700
Nouveau bénéfice avant impôts	500 $
Nouvel impôt	175
Nouveau bénéfice net	325 $

Les intérêts débiteurs et les autres charges sont moins coûteux qu'ils n'apparaissent, car ils réduisent les impôts sur le bénéfice.

L'analyse après impôts nous a permis d'arriver à cette réponse plus rapidement du fait que nous nous sommes intéressés uniquement aux *variations*.

Les intérêts débiteurs après impôts constituent un élément important à intégrer à certaines analyses au moyen de ratios que nous effectuerons plus loin. Supposons que le montant de charge de Clôtures Bordeaux inc. inclue des intérêts débiteurs de 60 $. Nous désirons connaître ici le bénéfice de la société *sans* tenir compte des intérêts (comme si elle n'avait pas de dettes). Nous pourrions dire alors que le bénéfice net sera plus élevé, mais pas de 60 $, parce que *le fait d'avoir déduit les intérêts débiteurs a donné lieu à une économie d'impôts*. Le bénéfice net augmenterait de 60 $ × (1 − 0,35) = 39 $. En réalité, les intérêts coûtent seulement 39 $ à la société, parce qu'ils permettent une économie d'impôts, comme toute autre charge déductible du bénéfice.

Ici encore, si vous le voulez, vous pouvez calculer en détail l'effet sur le bénéfice net. En reprenant le produit initial et en supposant que la société n'avait pas d'intérêts débiteurs :

Produit initial	1 000 $	
Charge ajustée	640	(700 $ − 60 $ d'intérêts)
Nouveau bénéfice avant impôts	360 $	
Nouvel impôt (35 %)	126	
Nouveau bénéfice net	234 $	(soit 39 $ de plus que le bénéfice initial de 195 $)

Ù EN ÊTES-VOUS ?

Voici deux questions auxquelles vous devriez pouvoir répondre, compte tenu de ce que vous venez de lire:

1. Le président d'une société envisage de modifier la méthode de comptabilisation de la charge d'assurance et aimerait connaître l'effet de cette nouvelle méthode sur le bénéfice net. Expliquez pourquoi tout ce qu'il vous faut savoir pour estimer l'effet de cette méthode sur le bénéfice net est le montant actuel de la charge et celui calculé selon la nouvelle méthode, ainsi que le taux d'imposition de la société.

2. L'année dernière, une société ferroviaire canadienne a présenté des produits de 10 499 700 000 $. Son taux d'imposition s'élevait à 37 %. Si ses produits augmentaient de 2 %, sans aucun effet sur les charges autre que celui des impôts, quel serait l'effet sur le bénéfice net pour l'année en question ? (Effet de l'augmentation des produits = 2 % × 10 499 700 000 $ = 210 000 000 $ de produits supplémentaires. Incidence sur le bénéfice net = 210 000 000 $ (1 − 0,37) = 132 300 000 $ de plus.)

9.3   INTRODUCTION À L'ANALYSE DES ÉTATS FINANCIERS

L'objectif de l'analyse des états financiers est d'utiliser ces derniers en vue d'évaluer la performance et la situation financières d'une entreprise. Par conséquent, la valeur de l'analyse dépend de la valeur des états financiers.

L'évaluation financière est plus qu'un simple calcul

L'analyse des états financiers ne se limite pas à un simple calcul; elle se fonde sur un jugement éclairé.

Lorsque vous aurez terminé l'étude de ce chapitre, vous serez en mesure d'examiner les états financiers de n'importe quelle société et d'évaluer ses résultats et ses perspectives d'avenir. Rappelez-vous toutefois qu'une telle évaluation ne se fait pas *uniquement au moyen de calculs*. Il faut aussi la soumettre à un *jugement* basé sur des calculs qui ont un sens pour la société en question et sur une très bonne connaissance de son fonctionnement. Plus vous en savez sur une société, sur ses activités, sur sa direction *et* sur sa comptabilité, plus votre analyse sera utile et crédible.

Il existe de nombreuses autres techniques d'analyse en plus de celles que nous présentons dans ce manuel.

Vous avez peut-être remarqué que, dans le paragraphe précédent, nous avons employé souvent le terme «société»; les techniques d'analyse des organismes du secteur public et des organismes sans but lucratif sont plus spécialisées que celles que nous présentons dans cet ouvrage, bien qu'elles utilisent plusieurs des ratios et des autres instruments d'analyse dont il est question ici. Certains établissements, comme les banques et les sociétés d'assurances, ont aussi des états financiers et des activités suffisamment spécialisés pour exiger des techniques d'analyse particulières en plus de celles que nous présentons dans ce manuel. On peut toujours concevoir de nouvelles méthodes d'analyse, afin d'adapter l'analyse aux objectifs décisionnels de l'utilisateur. Par conséquent, les notions présentées dans ce chapitre *ne sont pas exhaustives*: il existe de nombreuses autres techniques et on en élabore de nouvelles continuellement.

On doit analyser les états financiers en tenant compte de toutes les informations disponibles.

L'information comptable ne doit pas être utilisée seule, car elle fait partie d'une vaste gamme de renseignements accessibles aux investisseurs, aux créanciers, aux gestionnaires et aux autres utilisateurs. Son utilité dépend de sa qualité, qui elle-même est fonction du soin avec lequel les états financiers ont été préparés et du degré de comparaison de ceux-ci avec ceux d'autres sociétés. Son utilité est aussi influencée par l'existence d'autres sources d'information qui pourraient contenir, en tout ou en partie, les renseignements inclus dans les états financiers. Comme nous le verrons plus loin, lorsque nous parlerons des marchés boursiers, il est difficile de « prendre par surprise » le marché par les informations contenues dans les états financiers, parce que ces derniers reflètent des faits que les gens connaissent déjà en partie et parce que plusieurs autres personnes, disposant de leurs propres sources d'information, tentent d'analyser ce qui se passe et prennent des décisions à partir de leur analyse. Vous devez donc toujours considérer que l'information comptable fait partie d'un réseau d'informations et que ce n'est pas un élément indépendant. Toutefois, dans ce chapitre, pour expliquer et illustrer les diverses techniques d'analyse, nous les traiterons séparément.

La préparation à une analyse approfondie des états financiers

L'analyse dépend de la décision qu'on veut prendre ou de l'évaluation qu'on veut faire.

À moins de savoir pourquoi vous effectuez une analyse (c'est-à-dire la décision ou l'évaluation qui en dépendent), celle-ci ne vous mènera pas bien loin. De même, sans une bonne connaissance de l'entreprise, vous ne pouvez pas interpréter les données tirées de votre analyse (par exemple, ce qui constitue un bon rendement pour une société récemment établie dans un secteur d'activité en difficulté peut être un rendement insuffisant pour une société bien ancrée dans un secteur d'activité prospère).

Les ratios sont des indicateurs qui prennent une signification seulement si l'analyste connaît l'entreprise.

Une grande partie de l'analyse financière est faite au moyen de **ratios**. Ceux-ci constituent des *sommaires condensés* des états financiers. Par conséquent, ils ont peu de sens en soi: il s'agit simplement d'*indicateurs*, qu'on ne peut interpréter et utiliser à bon escient que si l'on connaît bien l'entreprise et les conventions comptables utilisées pour dresser les états financiers. La valeur d'un ratio réside dans le fait que c'est une mesure relative, qui permet de comparer les résultats de plusieurs périodes d'une même société, ainsi que les résultats de différentes sociétés. Le ratio peut aussi être confronté à d'autres indicateurs, tels que les taux d'intérêt ou le ratio cours-bénéfice. En calculant un ratio, on pourrait être porté à croire que le résultat a une signification en lui-même. Cependant, bien que chaque ratio ait fondamentalement un sens, comme nous le verrons plus loin, l'analyste doit interpréter sa comparaison en se fondant sur ses propres connaissances et l'information dont il dispose.

Une analyse utile doit être précise, bien documentée et pertinente.

Ainsi, pour effectuer une analyse approfondie et utile des états financiers, vous devriez procéder comme suit:

a. Documentez-vous sur l'entreprise, sur sa situation et sur ses projets. Cette étape est essentielle pour faire une analyse qui se tient. Ne vous limitez pas aux données fournies dans cet ouvrage, qui ne sont là qu'à titre d'exemple. Les « **commentaires et analyse de la direction** » du rapport annuel et les « **notes complémentaires** » annexées aux états financiers vous aideront à mieux connaître l'entreprise.

b. Assurez-vous que vous comprenez bien la décision ou l'évaluation à laquelle l'analyse doit mener, sachez qui est le décideur et de quelle aide il a besoin.

c. Calculez les ratios, les tendances et les autres éléments qui s'appliquent à votre problème particulier. Ne faites pas de calculs inutiles.

d. Procurez-vous toutes les données comparatives possibles afin de disposer d'un cadre de référence pour votre analyse: les données propres au secteur d'activité, les rapports d'autres analystes, les résultats de sociétés similaires et les

> résultats obtenus par la même société dans le passé. Souvent, les renseignements de ce genre ne manquent pas.
>
> e. Attachez-vous aux résultats de l'analyse qui sont les plus significatifs pour le décideur et organisez l'analyse de la façon qui lui sera la plus utile.

Il existe plusieurs sources utiles d'information financière, et l'Internet en fait partie.

De nombreuses sources d'information sur les sociétés peuvent vous aider à bien les connaître et à situer votre analyse dans le contexte approprié. Il est certain qu'il existe davantage de renseignements sur les grandes entreprises que sur les petites, et davantage sur les sociétés ouvertes (celles dont les actions sont cotées à la bourse) que sur les sociétés fermées (celles qui appartiennent à un nombre limité d'actionnaires). Les sociétés ouvertes seront généralement prêtes à vous faire parvenir leurs rapports annuels et d'autres renseignements. De plus, vous trouverez dans de nombreuses bibliothèques une quantité impressionnante de documents sur les sociétés, et sur les secteurs d'activité, ainsi que d'autres données économiques. Une grande partie de cette information est aussi disponible dans des bases de données informatisées. L'Internet est une source de renseignements financiers de plus en plus précieuse : de nombreuses sociétés y ont des sites, comme nous l'avons déjà mentionné, et de multiples services vous aident à trouver les données financières qui vous intéressent. Par exemple, un des liens du site américain de la Securities and Exchange Commission (www.sec.gov) mène à EDGAR, la base de données de la SEC, qui contient les milliers de données qui lui sont transmises, dont plusieurs proviennent de sociétés canadiennes ou étrangères. Au Canada, la base de données des entreprises cotées en bourse est SEDAR (Système électronique de données, d'analyse et de recherche), dont l'adresse Internet est la suivante : www.sedar.com. Les entreprises y déposent par voie électronique les prospectus, les rapports trimestriels, les rapports annuels et autres documents requis pour les autorités réglementaires. Les notes qui se trouvent à la fin de ce chapitre vous renseignent sur les sources les plus courantes[1].

L'analyse mène souvent à un remaniement des états financiers, selon les besoins.

Comme vous le savez, le préparateur des états financiers a le choix entre plusieurs conventions ou méthodes comptables qui peuvent servir de base à l'information financière. En tant qu'analyste, vous pourriez décider, avant de calculer les ratios, de remanier les états financiers en utilisant d'autres méthodes. Par exemple, certains analystes déduisent les immobilisations incorporelles, comme l'écart d'acquisition, de l'actif et des capitaux propres. D'après leur raisonnement, ces biens n'étant pas tangibles, leur valeur pourrait être mise en doute. Par conséquent, en les éliminant, on peut améliorer la comparabilité avec d'autres sociétés qui ne possèdent pas d'actifs de ce genre. Le chapitre 10 explique comment effectuer une analyse par simulation lorsque l'on désire modifier le choix d'une ou de plusieurs méthodes comptables.

La valeur de l'analyse des états financiers dépend de la pertinence des données comptables.

On s'est interrogé sur la validité d'une analyse financière faite au moyen de ratios financiers. Parmi les critiques formulées, citons les suivantes : (1) pour calculer les ratios, particulièrement les ratios de liquidité, il faudrait utiliser les projections et les résultats escomptés, plutôt que les résultats passés ; (2) pour calculer les ratios de performance, il faudrait utiliser les valeurs marchandes courantes, plutôt que le coût d'origine de l'actif, des dettes et des capitaux propres ; et (3) pour calculer les ratios de performance, il faudrait utiliser la variation des flux de trésorerie et non le bénéfice comptable. On a aussi objecté que, du moins en ce qui concerne les sociétés ouvertes, le marché boursier et les autres marchés financiers ajustent le cours de leurs titres au moment où paraît l'information. Du fait de cette pratique, les ratios basés sur les données rendues publiques ne nous apprennent rien que le marché des capitaux n'ait déjà intégré dans les cours des titres. Ces critiques, qui soulèvent des controverses, nous rappellent qu'il faut utiliser les ratios avec prudence et discernement. On peut trouver d'autres éléments de discussion sur ce sujet dans de nombreux ouvrages de comptabilité et de finance. Soyez attentifs lorsque vous lisez ces ouvrages : l'analyse au moyen de ratios peut y apparaître plus rigide qu'elle ne l'est en réalité, et certains auteurs d'ouvrages financiers ne semblent pas reconnaître la flexibilité des méthodes qui ont donné lieu à la nature de l'information comptable utilisée dans l'analyse².

Ù EN ÊTES-VOUS ?

Voici deux questions auxquelles vous devriez pouvoir répondre, compte tenu de ce que vous venez de lire :

1. Comment doit-on se préparer à l'analyse des états financiers ?

2. Quelles sont les limites de l'analyse des états financiers ?

9.4   LA SOCIÉTÉ PROVIGO INC. : UN EXEMPLE

On apprend à connaître une société par l'analyse et les réflexions qu'elle suscite.

Afin de vous aider à bien comprendre le fonctionnement des analyses exposées dans ce chapitre, nous allons nous appuyer sur les états financiers de Provigo inc., une société qui fait partie intégrante de notre paysage social et économique. Nous avons choisi cette société parce qu'elle se prête très bien à l'illustration de diverses analyses. Nous sommes par ailleurs persuadés que, grâce à cet exemple, vous éprouverez un sentiment de satisfaction à mesure que vous avancerez dans l'étude de ce chapitre. En effet, vous découvrirez que, grâce aux connaissances comptables que vous avez déjà acquises et aux techniques décrites ici, vous pouvez comprendre beaucoup de choses au sujet d'une entreprise comme Provigo. Vous vous gratterez certainement la tête à l'occasion pendant votre étude, mais vous serez néanmoins satisfait de constater à quel point vous devenez compétent en la matière.

Provigo est un chef de file canadien de la distribution alimentaire.

Jetons un coup d'œil général sur la société.

Provigo est un chef de file canadien de la distribution en gros et au détail de produits alimentaires et de marchandises générales. La Compagnie se positionne comme le plus grand détaillant en alimentation au Québec et comme un détaillant important en Ontario. De concert avec ses marchands, ses fournisseurs et ses employés, Provigo répond aux besoins variés et évolutifs des consommateurs avec ses concepts novateurs de supermarchés et de grandes surfaces à escompte [:...] 162 Provigo situés au Québec [;...] 104 LOEB, 12 au Québec et 92 en Ontario [;...] 70 Maxi dont 69 au Québec et un en Ontario ; 12 Maxi & Cie, neuf au Québec et trois en Ontario. [Auxquels s'ajoutent les] activités de gros comprenant 655 magasins affiliés [,...] les services alimentaires Dellixo [et...] 42 magasins libre-service Presto et Linc [.]

«L'année 1998» correspond pour Provigo à la période de 12 mois terminée le 31 janvier 1998.

La société ferme ses livres en janvier. Son exercice financier compte ordinairement 52 semaines plutôt que 365 jours, en conséquence, sa date de fin d'exercice varie de quelques jours d'une année à l'autre. Exceptionnellement, l'exercice 1998 compte 53 semaines, il se termine le 31 janvier 1998; l'exercice 1997 se terminait le 25 janvier 1997 et comptait 52 semaines. Cette politique facilite la gestion de la société. Ainsi:

- le bilan le plus récent de Provigo, publié dans le présent manuel, a été établi le 31 janvier 1998 et on le compare au bilan établi le 25 janvier 1997;

- l'état des résultats et des bénéfices non répartis et l'état de l'évolution de la situation financière les plus récents couvrent les 53 semaines terminées le 31 janvier 1998, et sont comparés aux mêmes états couvrant les 52 semaines terminées le 25 janvier 1997;

- pour la société, l'exercice financier terminé le 31 janvier 1998 correspond à l'année 1998 et celui terminé le 25 janvier 1997, à l'année 1997.

Pour vous aider à comprendre les renseignements concernant cet établissement, nous suivrons ses pratiques de datation. Par conséquent, l'exercice le plus récent sera celui de 1998 et celui qui le précède sera l'exercice 1997.

Les états financiers et les autres renseignements du rapport annuel de 1998 de Provigo inc. figurent à l'annexe 1, à la fin du manuel. Avant d'aller plus loin, familiarisez-vous avec ce rapport annuel.

Retrouvez-y chacune des données suivantes et comparez-la à la donnée correspondante de l'exercice terminé le 31 janvier 1998 (rappelez-vous que les montants sont en millions de dollars):

- le montant du bénéfice net pour 1998 (84,9 $);

- les bénéfices non répartis au 31 janvier 1998 (119,4 $);

- la diminution des liquidités en 1998 (46,7 $);

- le total de l'actif au 31 janvier 1998 (1 233,5 $); ainsi que le total des passifs et de l'avoir des actionnaires (également 1 233,5 $).

Les notes explicatives et les commentaires figurant dans le rapport annuel sont des éléments très utiles à l'analyse.

Bien que Provigo soit un établissement de grande envergure, vous parviendrez à comprendre sa situation financière et ses résultats comme s'il s'agissait d'une petite société, et peut-être même encore mieux, car son rapport annuel comporte des pages et des pages de notes explicatives, ainsi que les commentaires et l'analyse de la direction. Jetez-y un coup d'œil pour repérer le genre de renseignements que Provigo voulait révéler dans ces notes.

À mesure que vous vous familiarisez avec le contenu général et la présentation des états financiers, gardez à l'esprit les faits suivants:

Les états financiers de Provigo sont consolidés, approuvés par le conseil d'administration et vérifiés.

a. Les états financiers sont consolidés, car Provigo est en réalité un regroupement de sociétés.

b. Provigo fournit les chiffres de l'année précédente (1997). De plus, à la suite des notes afférentes aux états financiers, vous trouverez une rétrospective des cinq derniers exercices. Nous nous servirons souvent des chiffres de 1997 pour comprendre ceux de 1998.

c. Dans leur rapport, les vérificateurs attestent que les états financiers présentent fidèlement, à tous égards importants, la situation financière.

d. Deux directeurs ont apposé leur signature aux états financiers, pour indiquer que ces derniers ont été approuvés par le conseil d'administration.

 Ù EN ÊTES-VOUS ?

Voici deux questions auxquelles vous devriez pouvoir répondre, compte tenu de ce que vous venez de lire :

1. Quelle est la sphère d'activité de la société Provigo inc. : que vend-elle ? où ? et à qui ?

2. Pour chacun des montants suivants, tirés de l'exercice terminé le 31 janvier 1998, dites s'il était supérieur ou inférieur au montant correspondant de l'exercice précédent : bénéfice net, liquidités à la fin de l'exercice, total de l'actif à la fin de l'exercice. (Supérieur, inférieures, supérieur : 84,9 et 38,8 ; (18,5) et 28,2 ; 1 233,5 et 1 193,5.)

9.5   L'ANALYSE DES ÉTATS FINANCIERS AU MOYEN DE RATIOS

À présent que vous connaissez suffisamment bien les états financiers de Provigo pour savoir où trouver les informations, abordons le premier type d'analyse de ce chapitre, soit l'analyse des états financiers au moyen de ratios.

Nous allons maintenant nous intéresser principalement à l'extraction de données des états financiers et au calcul de ratios.

Dans les pages suivantes, nous présenterons 20 types de ratios pouvant servir à l'analyse de la performance et de la situation financières d'une société. (Il en existe cependant plusieurs autres. Vous pouvez également en inventer vous-mêmes si vous envisagez des analyses particulières.) Nous expliquons le calcul de chaque ratio à partir des données tirées des états financiers de Provigo, qui figurent à la fin du manuel. Certaines interprétations et certains commentaires comparatifs servent à illustrer nos exemples, mais l'objectif principal reste ici de vous montrer comment extraire les données nécessaires des états financiers et comment calculer les ratios.

Les ratios sont des indicateurs et non des valeurs précises.

La plupart des chiffres sont exprimés en millions de dollars, comme dans les états financiers de Provigo. On calcule les ratios jusqu'à trois décimales près. On pourrait aller jusqu'à un plus grand nombre de décimales, mais cette précision serait trompeuse, car les ratios sont tributaires des jugements et estimations qui ont mené à l'élaboration des états financiers. Par conséquent, il ne faut pas considérer que les ratios sont des chiffres précis, mais bien des indicateurs.

La préparation

Pour les exercices 1998 et 1997, les états des résultats de Provigo présentent des éléments inhabituels. Pour l'exercice de 1998, l'élément inhabituel est un gain de 15,1 millions de dollars résultant de la vente de sa filiale C Corp. inc. En 1997, l'élément inhabituel était constitué d'une provision pour pertes de 29,1 millions de dollars. La note 4 nous fournit des détails sur ces deux éléments. Ces événements constituent ce qu'on appelle en comptabilité des **éléments exceptionnels**, c'est-à-dire, dans ce cas particulier, un gain ou une charge qui résultent d'opérations peu susceptibles de se répéter et qui ne sont pas typiques des activités normales de l'entreprise. Il est peu probable que ces événements se manifestent année après année; ils ne sont pas de nature courante.

Lorsque des analystes font face à des informations financières de ce type, ils peuvent, de leur propre chef, remanier les états financiers afin de mener à bien des analyses comparatives plus significatives. C'est ce que nous allons faire.

À la suite de ce remaniement, le bénéfice net pour l'exercice 1998 passe de 84,9 $ à 69,8 (84,9 $ − 15,1 $), remarquez que l'élément exceptionnel est un gain sur cession de placement et qu'il faut le retrancher du bénéfice net pour établir le bénéfice net avant élément inhabituel. Quant au bénéfice net pour 1997, il passe de 38,8 $ à 67,9 $ (38,8 $ + 29,1 $). Pour balancer cet ajustement dans l'équation comptable, nous pourrions ajuster les actifs de ces montants, mais nous nous contenterons de ne modifier que les montants du bénéfice. Ainsi, à partir de maintenant, nous utiliserons un montant de 69,8 millions de dollars de bénéfice net pour l'exercice 1998 et un montant de 67,9 millions de dollars pour l'exercice 1997.

Nous étudierons maintenant les 20 différents ratios, qui sont toutefois souvent reliés par leur signification. Ils sont regroupés comme suit:

- 11 ratios de performance;

- 3 ratios d'activité (rotation);

- 3 ratios de financement;

- 3 ratios de liquidité et de solvabilité.

Au fur et à mesure que nous expliquons le calcul des ratios, repérez les données nécessaires dans les états financiers de Provigo afin de vous exercer à trouver les informations dont vous avez besoin.

Les ratios de performance

1. **Rendement des capitaux propres (RCP):** Ce ratio correspond au «bénéfice net/capitaux propres». Fréquemment utilisé, le RCP indique quel rendement la société tire des investissements des propriétaires accumulés par le passé (capital-actions, comptes de surplus et bénéfices non répartis). Les capitaux propres peuvent être tirés directement du bilan ou calculés à partir de l'équation comptable en tant que «total de l'actif moins total du passif». Comme dénominateur du ratio, on peut prendre les capitaux propres de fin d'exercice ou les capitaux propres moyens de l'exercice. Pour une société en pleine expansion, le rendement des capitaux propres devrait être plus élevé si l'on utilise la deuxième méthode.

   Pour les deux dernières années, le RCP de Provigo (calculé d'après le montant des capitaux propres à la fin de l'exercice) se lisait comme suit:

   - 1998: 69,8 $/313,6 $ = 0,223

   - 1997: 67,9 $/313,3 $ = 0,217

En 1998, le rendement des capitaux propres a légèrement augmenté par rapport à 1997.

Pour fins d'analyses, nous utiliserons un bénéfice net de 69,8 millions de dollars pour 1998 et de 67,9 millions de dollars pour 1997.

RCP = bénéfice net/capitaux propres.

Le RCP de Provigo a légèrement augmenté en 1998.

Dans sa rétrospective financière, dans la section « La compagnie dans son ensemble », Provigo ne distingue pas les éléments inhabituels, mais il est intéressant de refaire le calcul de RCP pour les cinq derniers exercices financiers en se servant des montants de Bénéfice (perte) des activités poursuivies. Pour les exercices 1995 et 1994, la société était à perte, mais pour 1998, 1997 et 1996, on calcule des RCP de 0,270, 0,124 et 0,190 et on constate une progression constante.

RA = (bénéfice net [ou bénéfice avant impôts] + intérêts débiteurs)/total de l'actif.

2. **Rendement de l'actif (RA)** (souvent appelé également *rendement du capital investi* [RCI]). On calcule généralement ce ratio suivant la formule « (bénéfice net + intérêts débiteurs)/total de l'actif ». On peut aussi se servir du bénéfice avant impôts au lieu du bénéfice net. Comme pour le dénominateur du RCP, le montant du total de l'actif peut tenir compte des éléments d'actif à la fin de l'exercice ou représenter une moyenne des éléments d'actif pour l'année. Le RA indique la capacité de la société de réaliser des produits à partir de son actif, *avant que l'on prenne en considération le financement de ce même actif (intérêts)*. Il permet de déterminer s'il est avantageux d'emprunter. Ainsi, si un emprunt coûte X %, la société devrait espérer gagner au moins X % sur les éléments d'actif acquis avec ce capital. (Nous approfondirons cette relation entre le RA et les coûts de l'emprunt à la section 9.6.)

Nous utiliserons par ailleurs une version légèrement modifiée du RA : nous calculerons les intérêts débiteurs après impôts car, en ajoutant simplement les intérêts débiteurs au bénéfice net, nous perdrions l'avantage de l'économie d'impôts. Nous considérerons tout de même le RA sans redressement fiscal également, car c'est ainsi que procèdent la plupart des autres entreprises.

RA(IAI) = (bénéfice net + intérêts débiteurs après impôts)/total de l'actif.

Pour calculer le **RA modifié** — que nous appellerons **RA(IAI)**, pour nous souvenir qu'il tient compte des intérêts après impôts (IAI), nous devons d'abord calculer les taux d'imposition et les intérêts débiteurs après impôts. Souvenez-vous que, comme nous l'avons vu à la section 9.2, les intérêts après impôts = intérêts débiteurs × (1 − taux d'imposition). L'élément Intérêts-net de l'état consolidé des résultats nous renvoie à la note 3 qui nous permet d'établir respectivement pour 1998 et 1997 les montants d'intérêts débiteurs à 36,2 $ et 38,2 $ en ajoutant aux montants nets les revenus de placement. La note 5 présente les taux effectifs d'imposition pour 1998 et 1997, soit 35,9 % et 54,9 % respectivement. En utilisant ces chiffres, nous pouvons établir comme suit le RA(IAI) de *fin d'exercice* :

- 1998 : (69,8 $ + (36,2 $ × [1 − 0,359]))/1 233,5 $

    = (69,8 $ + 23,2 $)/1 233,5 $

    = 93,0 $/1 233,5 $ = 0,075

- 1997 : (67,9 $ + (38,2 $ × [1 − 0,549]))/1 193,5 $

    = (67,9 $ + 17,4 $)/1 193,5 $

    = 85,3 $/1 193,5 $ = 0,071

Comme le RCP, le RA(IAI) de 1998 était plus élevé que celui de 1997. Les calculs révèlent également des résultats intéressants. Tout d'abord, l'intérêt n'a coûté à la société que 23,2 $ en 1998 (17,4 $ en 1997), car il s'agissait d'une charge déductible qui a permis de réaliser des économies d'impôts. Ensuite, si la société n'avait pas eu d'intérêts à payer, son bénéfice net, après impôts, aurait été de 93,0 $ en 1998 et de 85,3 $ en 1997.

On peut comparer ces deux ratios de «rendement relatif». En 1998, le RCP était de 22,3 % et le RA(IAI), de 7,5 %. Le rendement des propriétaires était largement supérieur au rendement réalisé grâce aux éléments d'actif de la société avant le coût des intérêts de leur financement. Cette différence, qui a avantagé les actionnaires puisque le RCP est supérieur au RA(IAI), porte le nom d'**effet de levier**. En 1997, les actionnaires ont également bénéficié de cet effet de levier: le RCP était de 21,7 %, alors que le RA(IAI) était de 7,1 %. Nous en parlerons à la section 9.6. D'autres ratios reflétant l'effet de levier seront abordés plus loin dans cette section.

Les RCP sont bien supérieurs aux RA(IAI): Provigo profite de l'effet de levier.

3. **Ratio de marge bénéficiaire:** Ce ratio équivaut à la formule «bénéfice net/chiffre d'affaires». Il indique le pourcentage de produit qui se transforme finalement en bénéfice. Il s'agit en fin de compte du bénéfice net moyen réalisé sur chaque dollar de produit. Ainsi, un ratio de marge bénéficiaire égal à 0,10 signifie que chaque dollar de produit, en moyenne, après déduction des impôts sur les bénéfices et de toutes les autres charges, rapporte 10 cents de bénéfice net. Cette mesure de performance est très utile et donne des indications sur la stratégie de fixation des prix ou sur la force de la concurrence. Ainsi, dans un marché concurrentiel, un magasin de vente au rabais est censé avoir une faible marge bénéficiaire, alors qu'une bijouterie de luxe devrait réaliser une marge bénéficiaire importante.

Ratio de marge bénéficiaire = bénéfice net/chiffre d'affaires.

À la section 9.6, nous utiliserons une seconde version du ratio de marge bénéficiaire, qu'on calcule comme le RA(IAI), c'est-à-dire, en ajoutant les intérêts débiteurs après impôts au bénéfice net, afin de déterminer le rendement de l'exploitation avant le coût du financement. Voyons la première méthode, qui est la plus simple.

Le ratio de marge bénéficiaire de Provigo était de 0,012 en 1998 et en 1997 (69,8 $/5 956,2 $ et 67,9 $/5 832,5 $). Au cours de ces deux exercices financiers, la société a réalisé un bénéfice net d'un peu plus d'un cent pour chaque dollar de vente.

En 1998 et en 1997 la marge bénéficiaire est la même.

4. **États financiers dressés en pourcentages:** En calculant tous les chiffres du bilan en pourcentages du total de l'actif et tous les chiffres de l'état des résultats en pourcentages du total des produits, on peut à peu près éliminer l'effet de la taille de la société. Cette mesure permet de comparer des sociétés de tailles différentes et de repérer les tendances dans le temps pour une même société.

Pour Provigo, l'état des résultats dressé en pourcentages pour 1998 et 1997 se lirait comme suit (chiffres arrondis à une décimale près):

Pour l'analyse en pourcentages, on doit convertir les états en pourcentages des produits ou de l'actif.

	1998	1997
Ventes	100,0	100,0
Coût des marchandises vendues	81,0	81,9
Frais d'exploitation et d'administration	15,2	14,3
Amortissement	1,3	1,2
Bénéfice d'exploitation	2,5	2,6
Intérêts nets	0,6	0,6
Éléments inhabituels	(0,3)	0,5
Bénéfice compte non tenu des impôts	2,2	1,5
Impôts	0,8	0,8
Bénéfice net	1,4	0,7

L'état des résultats dressé en pourcentages montre que, proportionnellement aux ventes, les charges sont stables d'un exercice à l'autre.

L'état des résultats dressé en pourcentages montre que, proportionnellement aux ventes, les charges présentent une grande stabilité et que l'augmentation du bénéfice net est principalement due à la présence d'éléments inhabituels.

On peut faire une analyse similaire à l'aide du bilan, en divisant tous les éléments d'actif et de passif ainsi que les capitaux propres par le total de l'actif. Essayez vous-même, pour vous exercer, et voyez ce que les chiffres vous révéleront.

Ratio de marge brute = (chiffres d'affaires − coûts des marchandises vendues)/chiffre d'affaires.

5. **Ratio de marge brute (ratio de marge bénéficiaire brute):** On calcule ce ratio à l'aide de la formule « (chiffre d'affaires − coûts des marchandises vendues)/chiffre d'affaires ». Il nous renseigne davantage sur la stratégie de fixation des prix de l'entreprise et sur sa combinaison de produits. Par exemple, un ratio de marge brute de 33 % indique que la majoration moyenne du coût des marchandises est de 50 % (un article ayant coûté 80 $ se vend 120 $ [80 $ + 50 % × 80 $], soit une marge brute de 40 $, donc un ratio de 33 % [40 $/120 $]). Il s'agit seulement d'un indicateur, surtout pour les entreprises qui vendent une vaste gamme de produits ou dont les marchés sont instables.

Les marges brutes des exercices 1998 et 1997 de Provigo s'établissent ainsi :

- 1998 : (5 956,2 $ − 4 824,4 $)/5 956,2 $

    = 1 131,8 $/5 956,2 $

    = 19,0 %

- 1997 : (5 832,5 $ − 4 778,2 $)/5 832,5 $

    = 1 054,3 $/5 832,5 $

    = 18,1 %

La marge bénéficiaire brute de Provigo a progressé en 1998.

On constate un accroissement de 0,9 % de la marge brute en 1998. Cet accroissement peut être dû à plusieurs facteurs dont un meilleur contrôle des stocks, une diminution des frais d'approvisionnement, une réduction des coûts d'achat, etc. Ne tentez pas de trouver la cause de cet accroissement dans l'une ou l'autre des sections du rapport annuel, Provigo ne révélera certainement pas ses stratégies de gestion ! Cette discrétion met en évidence le caractère névralgique de cette information qui intéresse énormément les concurrents.

Taux d'intérêt moyen = intérêts débiteurs/passif.

6. **Taux d'intérêt moyen :** Pour calculer ce taux, on divise les intérêts débiteurs par le passif. Ce ratio indique ce que l'entreprise paie en intérêts par rapport à ses emprunts. Il existe différentes versions de ce ratio, selon que l'on calcule les intérêts débiteurs avant ou après impôts et que l'on inclut tous les éléments de passif ou seulement ceux qui portent intérêt, comme les obligations et les hypothèques. S'il est calculé après impôts et s'il s'applique à tous les passifs, ce ratio sera sans doute très faible : les intérêts sont déductibles, donc les économies fiscales comptent pour un tiers ou pour la moitié de ces intérêts. De plus, de nombreux éléments de passif, comme les impôts reportés, les dividendes à payer et la plupart des créditeurs ne portent aucun intérêt. Nous reprendrons l'étude du taux d'intérêt à la section 9.6, où l'on calculera le taux d'intérêt après impôts.

Le taux d'intérêt moyen a varié au cours des deux exercices.

Calculés avant impôts, les intérêts débiteurs s'élèvent à 36,2 $ pour 1998 et à 38,2 $ pour 1997. Le total du passif était de 919,9 $ (534,4 $ + 385,5 $) à la fin de 1998 et de 880,2 $ (568,8 $ + 311,4 $) à la fin de 1997. Ainsi, le taux d'intérêt moyen avant impôts sur tous les passifs était de 3,9 % pour 1998 et de 4,3 % pour 1997. On remarque une diminution d'environ 9 % du taux d'intérêt moyen.

Comme on l'a noté plus tôt, ce ratio est très approximatif, car une grande partie de la dette ne porte pas d'intérêt. Les états financiers fournissent des informations qui permettent de calculer avec plus de précision les taux d'intérêt. C'est le cas notamment de la note 3, qui révèle la portion des intérêts débiteurs liée à la dette à long terme et des notes 11, 12 et 13 qui donnent le détail des dettes ainsi que leur taux d'intérêt.

Ratio des liquidités à l'actif = liquidités provenant des activités d'exploitation/total de l'actif.

7. **Ratio des liquidités à l'actif :** Ce ratio équivaut aux « liquidités provenant des activités d'exploitation/total de l'actif ». Les liquidités provenant des activités d'exploitation figurent dans l'état de l'évolution de la situation financière (EESF). Quant au total de l'actif, il correspond soit au chiffre du bilan de fin d'exercice soit à la moyenne des chiffres de début et de fin d'exercice. Ce ratio exprime la capacité de l'entreprise de générer des liquidités en fonction de l'actif qu'elle possède. Il fournit une mesure de performance susceptible de compléter celle du ratio de rendement de l'actif, qui se calcule à l'aide du bénéfice en comptabilité d'exercice.

En 1998, le ratio des liquidités à l'actif est semblable à celui de 1997.

En utilisant l'actif à la fin de l'exercice de Provigo, on obtient un ratio de 0,093 (114,9 $/1 233,5 $) en 1998 et un ratio de 0,106 (126,8 $/1 193,5 $) en 1997. On remarque encore une fois une grande stabilité.

Ratio du BPA =
bénéfice net moins
dividendes sur actions
privilégiées/nombre
moyen d'actions
ordinaires en
circulation.

8. **Ratio du bénéfice par action (BPA).** Théoriquement, ce ratio est calculé suivant la formule « (bénéfice net − dividendes sur actions privilégiées)/nombre moyen d'actions ordinaires en circulation ». Le ratio du BPA rattache les bénéfices qui pourraient être attribués aux actions ordinaires (le numérateur) au nombre d'actions ordinaires émises et offre ainsi une mesure « terre à terre » de la performance. Si vous ne possédez que 100 actions d'une grande entreprise, vous aurez sûrement du mal à vous représenter ce que des bénéfices de plusieurs millions de dollars peuvent rapporter. Par contre, si l'on vous dit que le BPA est de 2,10 $, vous savez tout de suite que la valeur de vos 100 actions a augmenté de 210 $ pour l'année, et vous pouvez alors mieux imaginer ce qu'il est pour l'entreprise.

Le BPA apparaît dans
les états financiers
vérifiés des sociétés
ouvertes.

Le calcul du ratio du BPA est assez compliqué. C'est pourquoi les PCGR exigent que les grandes sociétés ouvertes l'incluent dans leurs états financiers. Ainsi, les actionnaires peuvent évaluer le rendement de l'entreprise, ce qui les aide à estimer la valeur de leurs actions et à comparer les rendements de différentes entreprises au cours de leurs actions sur le marché boursier. (Voir le **ratio cours-bénéfice** expliqué plus loin.) Puisque le ratio du BPA apparaît dans les états financiers, il s'agit pour la plupart des entreprises du seul ratio vérifié.

Cependant, ce ratio n'est pas aussi important pour les sociétés fermées car, habituellement, leurs propriétaires ne peuvent pas négocier leurs actions facilement et ils s'intéressent davantage à la valeur globale de l'entreprise qu'aux actions. Par conséquent, les PCGR n'imposent pas le calcul du ratio du BPA aux petites entreprises.

Selon les
circonstances, on a
recours à différentes
versions du ratio
du BPA.

Plusieurs versions du ratio du BPA peuvent figurer dans les mêmes états financiers. Si l'entreprise présente des éléments exceptionnels ou inhabituels, si elle a abandonné certains secteurs d'activité ou si elle présente d'autres particularités, on calcule le ratio du BPA avant et après ces faits afin que leurs effets soient facilement décelables. De plus, si l'entreprise s'est engagée à émettre d'autres actions, telles les options d'achat d'actions pour motiver la haute direction, ou si des actions privilégiées convertibles en actions ordinaires au choix du détenteur sont en circulation, on évalue l'effet possible de ces démarches en calculant à la fois le BPA ordinaire et le BPA « complètement dilué ». (La « dilution » désigne la diminution potentielle des rendements des actionnaires actuels à la suite de l'exercice, par d'autres personnes, de droits découlant d'engagements déjà pris par l'entreprise.) Aux États-Unis, on ne calcule pas le BPA comme au Canada, ce qui ajoute encore une version à la gamme existante.

En 1998, le BPA
de Provigo était
largement supérieur
à celui de 1997.

Dans l'état des résultats de Provigo, le BPA de base de 1998 était de 0,87 $, comparativement à 0,34 $, pour 1997. Les BPA dilués pour 1998 et 1997 se chiffraient respectivement à 0,80 $ et 0,32 $. Si on jette un coup d'œil à la rétrospective financière, on constate que de 1994 à 1988, le BPA est passé de (1,34 $) à 0,87 $, en croissance constante sauf un léger fléchissement en 1997.

Valeur comptable
d'une action =
(capitaux propres des
actionnaires — actions
privilégiées)/nombre
d'actions ordinaires en
circulation.

9. **Valeur comptable d'une action:** Cette valeur correspond aux « (capitaux propres — actions privilégiées)/nombre d'actions ordinaires en circulation ». Similaire au ratio du BPA, ce ratio met en relation la portion des capitaux propres attribuable aux actions ordinaires résiduelles et le nombre d'actions en circulation. Par conséquent, il ramène le bilan de l'entreprise au niveau de chaque actionnaire. Il ne s'agit pas réellement d'un ratio de performance, mais les capitaux propres englobent les bénéfices non répartis et comprennent donc les résultats accumulés. Étant donné que les chiffres du bilan ne reflètent pas la valeur actuelle de la plupart des éléments d'actif, ni celle de l'entreprise dans son ensemble, beaucoup de gens estiment que la valeur comptable d'une action constitue un ratio très peu significatif. Cependant, vous verrez qu'il est mentionné dans de nombreuses publications financières.

La valeur comptable
par action a augmenté
de 1997 à 1998.

En ce qui concerne Provigo, la note 14 nous apprend que, en 1997, il y avait 82,4 $ d'actions privilégiées en circulation alors que, en 1998, il n'y en avait plus aucune. Cette information permet de calculer la valeur comptable d'une action ordinaire qui s'élevait à 3,27 $ (313,6 $/95,993 $) en 1998 et à 2,42 $ (313,3 $/95,602 $) en 1997. La rétrospective financière présente directement cette valeur sous la rubrique Avoir des actionnaires par action ordinaire. Cette valeur avait chuté en 1995, mais depuis elle s'accroît.

Au cours des cinq
derniers exercices
financiers, la valeur
comptable des actions
de Provigo est
demeurée inférieure
à la valeur à la cote.

On peut comparer la valeur comptable et la valeur à la cote des actions pour voir à quel point les chiffres comptables se rapprochent de l'évaluation de l'entreprise par le marché. Ces deux valeurs sont déterminées par différents processus (la valeur comptable est mesurée par les PCGR, essentiellement d'après le coût d'origine, alors que la valeur sur le marché boursier est déterminée par la valeur actuelle et par les attentes du marché quant aux résultats futurs). Par conséquent, si elles sont identiques, il s'agit d'une simple coïncidence. Toutefois, la comparaison de ces deux valeurs pour différentes entreprises peut indiquer que la bourse les a surévaluées ou sous-évaluées, par rapport à la mesure comptable de la situation financière. La rétrospective financière de Provigo indique que, pendant l'exercice clos en janvier 1998, les actions de la société se négociaient entre 5,50 $ et 9,50 $. La valeur à la cote par action était donc supérieure à la valeur comptable, ce qui était aussi le cas au cours des cinq derniers exercices.

Ratio cours-bénéfice
= valeur à la cote
par action/BPA.

10. **Ratio cours-bénéfice (CB):** On calcule ce ratio d'après la formule « valeur à la cote par action/BPA ». Le ratio CB définit la relation entre le bénéfice comptable et la valeur des actions sur le marché. Cependant, comme il n'y a pas de lien direct entre les bénéfices et les fluctuations des cours de la bourse (comme nous le verrons plus tard dans ce chapitre), l'interprétation du ratio CB prête à controverse. Néanmoins, ce ratio est très employé et il apparaît dans de nombreuses publications et analyses des entreprises. Plusieurs journaux l'incluent dans le rapport quotidien des cours et des fluctuations à la bourse de chaque société.

Le ratio CB fluctue
et ces fluctuations
sont le résultat des
fluctuations du marché
boursier, sans lien
avec la situation de
l'entreprise.

Néanmoins, puisque les cours de la bourse sont censés refléter les attentes du marché à l'égard des résultats futurs, le ratio CB compare le rendement actuel à ces attentes. Le rendement futur d'une entreprise dont le ratio CB est élevé devrait nécessairement être supérieur à son rendement actuel, alors que celui d'une entreprise dont le ratio CB est faible ne devrait pas être bien meilleur. Les entreprises dont le ratio CB est élevé sont prisées, et leurs actions se vendent à bon prix. Par contre, les entreprises dont le ratio CB est faible sont peu prisées, et le prix de leurs actions est bas, compte tenu de leur rendement actuel. Le ratio CB dépendant fortement des fluctuations générales des prix du marché, il est difficile de l'interpréter dans le temps. Il est plus utile de comparer, à un moment donné, des entreprises analogues cotées à la même bourse. Il est difficile d'interpréter le ratio CB lorsque le marché boursier subit une fluctuation soudaine. En date du 23 juillet 1998, alors que le prix des actions à la Bourse de Toronto oscillait entre 9,95 $ et 10,30 $ l'action, le ratio CB de Provigo s'établissait à 11,21 $. Cette légère supériorité du ratio semble indiquer que le marché anticipe des bénéfices futurs.

Ratio dividendes/bénéfice = dividendes annuels déclarés par action/BPA.

11. **Ratio dividendes/bénéfice (ou ratio de distribution):** Ce sont les « dividendes annuels déclarés par action/BPA ». Il s'agit d'une mesure de la part des bénéfices versés aux actionnaires. Par exemple, si le ratio dividendes/bénéfice est égal à 0,40, cela signifie que 40 % des bénéfices ont été distribués aux actionnaires et que les 60 % qui restent ont été conservés dans l'entreprise (bénéfices non répartis) pour financer l'actif ou pour réduire la dette. Un ratio stable laisse entendre que l'entreprise calcule les dividendes à payer d'après les bénéfices, alors qu'un ratio variable permet de penser que le conseil d'administration prend en ligne de compte d'autres facteurs que les bénéfices dans la déclaration des dividendes. On peut également calculer ce ratio en divisant le montant de dividende déclaré aux actionnaires ordinaires par le bénéfice net.

On peut également calculer le ratio dividendes/bénéfice à partir du total des dividendes et du bénéfice net.

Au cours de 1998 et de 1997 Provigo a déclaré 1,9 $ et 6,8 $ de dividendes. Cette information est tirée de l'état consolidé des bénéfices non répartis. Par ailleurs, la note 12 nous apprend qu'à compter de novembre 1994, le versement des dividendes aux actionnaires ordinaires a été suspendu — cette politique permet que les billets à ordre convertibles ne portent pas d'intérêt. La société Provigo a, par le passé, essuyé des pertes qui l'ont obligée à prendre des mesures visant à stabiliser sa situation financière. L'absence de dividendes aux actionnaires ordinaires au cours des trois derniers exercices financiers constitue l'une de ces mesures. Les dividendes de 1,9 $ et de 6,8 $ versés en 1998 et en 1997 concernaient nécessairement les actions privilégiées, ces actions ayant été rachetées par Provigo en avril 1997 (note 14). En conséquence, on ne peut discuter actuellement de la politique de distribution de dividendes, il faudra attendre quelques années pour évaluer à nouveau la tendance.

Les ratios d'activité (ratios de rotation)

Ratio de rotation de l'actif = chiffre d'affaires/total de l'actif.

12. **Ratio de rotation de l'actif (ou coefficient de rotation de l'actif):** On obtient ce ratio en divisant le chiffre d'affaires par le total de l'actif. Pour le total de l'actif, on peut utiliser les chiffres de la fin de l'exercice, comme nous le faisons dans ce manuel, ou faire la moyenne de l'actif en prenant les chiffres du début de l'exercice et ceux de la fin, pour établir un lien entre le chiffre d'affaires d'une période et l'actif moyen au cours de cette même période.

Cette deuxième approche peut se révéler plus exacte dans le cas d'une société dont l'actif augmente ou diminue rapidement. Ce ratio, ainsi que les ratios de rotation comparables, établit un lien entre le volume des produits en dollars et la taille de l'entreprise, et donne ainsi le volume associé à un dollar d'actif. Les ratios de rotation et de marge bénéficiaire sont souvent plus utiles s'ils sont analysés ensemble, car ils tendent vers des directions opposées. Les entreprises qui ont un ratio de rotation élevé ont tendance à avoir une faible marge, alors que celles qui ont un faible ratio de rotation ont plutôt une marge élevée. Ces extrêmes représentent des stratégies de marketing ou de concurrence contraires : vendre à bas prix et miser sur le volume ou, au contraire, vendre cher et faire un plus grand bénéfice sur chaque unité vendue. (Nous reparlerons de l'utilisation de la marge bénéficiaire et de la rotation de l'actif à la section 9.6.)

> **Le ratio de rotation de l'actif de Provigo est un peu moins de 5.**

Le ratio de rotation de l'actif de Provigo était de 4,829 (5 956,2 $/1 233,5 $) en 1998 et de 4,887 (5 832,5 $/1 193,5 $) en 1997. Le chiffre d'affaires correspond à près de cinq fois la taille des actifs.

> **Ratio de rotation des stocks = coût des marchandises vendues/stock moyen.**

13. **Ratio de rotation des stocks (ou coefficient de rotation des stocks) :** Ce taux correspond au « coût des marchandises vendues/stock moyen » (ou le stock à la fin de l'exercice, lorsqu'il est plus pratique d'utiliser ce chiffre). Si le coût des marchandises vendues n'est pas indiqué, il est souvent remplacé dans le calcul du ratio par le chiffre des ventes, ce qui est approprié si l'on veut comparer un exercice donné aux autres exercices d'une entreprise, tant et aussi longtemps que les majorations et les combinaisons de produits ne changent pas de manière substantielle. Le ratio relie les stocks au volume d'activité : une entreprise ayant un faible taux de rotation s'expose à l'obsolescence ou à la détérioration de ses stocks. Elle peut, par ailleurs, se voir dans l'obligation d'engager des frais excessifs d'entreposage et d'assurance. Au cours des dernières années, beaucoup d'entreprises ont tenté de réduire les stocks au minimum, en ne conservant qu'une quantité suffisante pour répondre à la demande de la clientèle, ou même, en s'approvisionnant au gré de la demande (comme le veut la méthode « juste-à-temps » qui permet de réduire les stocks, sans toutefois irriter la clientèle à cause d'une rupture de stocks).

> **La rotation des stocks de Provigo est stable.**

Chez Provigo, le ratio de rotation des stocks en 1998 se chiffrait à 17,64 (4 824,4 $/267,1 $) et en 1997 à 18,33 (4 778,2 $/260,7 $). Ce ratio indique qu'en moyenne le stock ne reste en entrepôt qu'une vingtaine de jours.

> **Ratio de recouvrement = comptes clients/(chiffre d'affaires/365).**

14. **Ratio de recouvrement** (ratio de rotation des comptes clients ou coefficient de rotation des comptes clients, souvent appelé **délai moyen de recouvrement des créances** ou **jours de crédit clients**) : on le calcule suivant la formule « comptes clients/(chiffre d'affaires/365) ». Comme dans le cas des autres ratios de rotation, le montant des comptes clients peut être le montant de fin d'exercice ou la moyenne des montants de début et de fin d'exercice. Ce ratio indique le nombre de jours nécessaires, en moyenne, pour recouvrer les ventes d'une journée. Il devient élevé lorsque les comptes clients prennent de l'importance par rapport aux ventes. Son interprétation est donc contraire à celle des deux ratios de rotation précédents : un ratio de recouvrement élevé constitue un

signal négatif et une remise en question de la politique de crédit de l'entreprise et de la vigueur de ses tentatives de recouvrement. Dans beaucoup d'entreprises, ce ratio est soumis à des variations saisonnières importantes. En effet, il augmente généralement durant les fortes périodes de vente, comme celle de Noël pour les détaillants, et chute durant les périodes plus calmes. (Il serait préférable de n'utiliser que le chiffre d'affaires provenant des ventes à crédit dans le dénominateur. Cependant, peu d'entreprises distinguent dans les états financiers les ventes au comptant et à crédit.)

Pour Provigo, le délai de recouvrement oscille autour de 10 jours.

À la fin de 1998, le ratio de recouvrement de Provigo s'établissait à 11 jours (184,0 $/5 956,2 $ *365 jours), alors qu'en 1997 il était de 9 jours (145,0 $/5 832,5 $ *365 jours). Ce ratio est difficile à interpréter puisqu'une partie du chiffre d'affaires de Provigo est réalisé au comptant, notamment dans les supermarchés qu'elle exploite directement, et l'autre à crédit, par exemple dans ses activités de gros. Par ailleurs, il faudrait comparer ces ratios à ceux des dernières années pour juger si le passage de 9 à 11 jours s'inscrit ou non dans le cours normal des affaires.

Les ratios de financement

Ratio emprunts/ capitaux propres = passif/capitaux propres.

15. **Ratio emprunts/capitaux propres** (ou ratio capitaux empruntés/capitaux propres): il s'agit du « passif/capitaux propres » (P/CP), que l'on calcule parfois comme « passif externe/capitaux propres » pour exclure les produits comptabilisés d'avance, les impôts reportés et d'autres passifs qui, en réalité, sont plus le résultat du rapprochement des produits et des charges comptables que de véritables dettes. Ce ratio, dont nous avons déjà parlé au chapitre 2, mesure la proportion des emprunts par rapport aux investissements des propriétaires (dont les bénéfices non répartis) et il révèle ainsi la politique de l'entreprise en matière de financement des actifs. Un ratio supérieur à 1 indique que les actifs sont principalement financés par la dette, alors qu'un ratio inférieur à 1 indique que les actifs sont financés surtout par les capitaux propres. Un ratio très élevé, bien supérieur à 1, signale un risque. L'entreprise est très endettée par rapport à ses capitaux propres et peut être sensible aux augmentations du taux d'intérêt, au resserrement général du crédit ou à l'impatience des créanciers. Un ratio élevé indique qu'on a affaire à une société à fort levier financier, c'est-à-dire qu'elle a emprunté pour augmenter ses actifs au-delà de ce que pourraient permettre les seuls fonds des propriétaires et qu'elle espère par conséquent augmenter ses bénéfices et en faire profiter les propriétaires. (Voir aussi les commentaires sur l'**effet de levier** sous la rubrique Rendement de l'actif, p. 574 et à la section 9.6 p. 588.)

Le ratio emprunts/ capitaux propres a légèrement augmenté au cours de 1998.

Pour Provigo, en 1998, le ratio emprunts/capitaux propres était de 2,933 ((534,4 $ + 385,5 $)/313,6 $) et, en 1997, de 2,809 ((568,8 $ + 311,4 $)/ 313,3 $). On constate que la société profite d'un effet de levier.

Ratio passif à long terme/capitaux propres = dettes à long terme/capitaux propres.

16. **Ratio passif à long terme/capitaux propres**: Il s'agit des «(emprunts à long terme + hypothèques + obligations + dettes similaires)/somme des capitaux propres». On semble supposer que la dette à long terme est plus pertinente pour évaluer les risques et financer la stratégie que les dettes à court terme, comme les comptes fournisseurs ou les valeurs comptables résiduelles, comme les impôts reportés et les passifs de participation sans contrôle inclus dans le total du passif (certains compris dans la version du ratio emprunts/capitaux propres, dont nous avons parlé précédemment).

Le passif à long terme de Provigo comprend 20 millions de dollars de billets à ordre convertibles. La note 13 nous informe que cette dette ne porte aucun intérêt puisqu'aucun dividende n'a été déclaré aux actionnaires ordinaires. En conséquence, cette dette pourrait être traitée comme du capital-actions dans le calcul de ce ratio. C'est un bel exemple de reclassement d'éléments du bilan aux fins d'analyse financière. C'est d'ailleurs ce que fait Provigo en présentant le ratio Dette totale: avoir, dans la rétrospective financière. En 1998, elle présente un ratio de 55:45, les 20 millions de dollars de billets convertibles étant soustraits du passif à long terme et ajoutés aux capitaux propres (385,5 $ − 20,0 $/313,6 $ + 20,0 $). Le même reclassement est fait en 1997 pour donner le même ratio de 55:45. À l'aide des informations présentées dans la rétrospective et en complétant le calcul de division, on obtient pour 1994 à 1998 respectivement les ratios suivants: 1,564; 2,333; 1,778; 1,222; 1,222. On constate que Provigo a réduit son ratio de dette à long terme au cours des trois derniers exercices.

Ratio d'endettement = total du passif/total de l'actif.

17. **Ratio d'endettement**: Défini comme le «total du passif/total de l'actif», ce ratio est le complément du ratio emprunts/capitaux propres dont nous avons parlé plus haut (ratio 15). Il indique la partie de l'actif financé par l'emprunt. On peut aussi le calculer en utilisant plus précisément le passif externe.

Environ 75 % de l'actif de Provigo est financé par son passif.

En prenant le total du passif pour calculer ce ratio, on obtient pour Provigo 0,746 ((534,4 $ + 385,5 $)/1 233,5 $) en 1998 et 0,738 ((568,8 $ + 311,4 $)/1 193,5 $) en 1997. Ces résultats nous indiquent que 75 % des actifs de Provigo sont financés.

Les ratios de liquidité et de solvabilité

Ratio du fonds de roulement = actif à court terme/passif à court terme.

18. **Ratio du fonds de roulement (ou ratio de liquidité générale)**: Il s'agit de l'«actif à court terme/passif à court terme». Ce ratio a déjà été utilisé à plusieurs reprises dans le présent manuel. Il indique si l'entreprise possède suffisamment d'éléments d'actif à court terme pour couvrir ses dettes à court terme. Un ratio supérieur à 1 signifie que le fonds de roulement est positif (les actifs à court terme sont supérieurs aux passifs à court terme), et un ratio inférieur à 1 indique que le fonds de roulement est négatif. En général, plus le ratio est élevé, plus la stabilité financière de l'entreprise est grande, et plus les risques pour les créanciers et les propriétaires sont faibles. Cependant, le ratio ne doit pas être trop élevé, car cela pourrait indiquer que l'entreprise ne réinvestit pas dans l'actif à long terme pour maintenir sa productivité future. De plus, un fonds de roulement élevé peut indiquer des problèmes si les stocks deviennent beaucoup plus élevés qu'ils ne devraient l'être ou si le recouvrement des comptes clients ralentit.

La signification du ratio du fonds de roulement change selon les circonstances propres à la société.

Le ratio du fonds de roulement est un indicateur couramment utilisé. Certains analystes considèrent en règle générale que ce ratio devrait se situer autour de 2 (deux fois plus d'actifs à court terme que de passifs à court terme), mais il s'agit d'une conception très simplificatrice. Un certain nombre de grandes entreprises fonctionnent régulièrement avec un ratio du fonds de roulement plus proche de 1 que de 2. Comme l'interprétation de tout ratio, celle du ratio du fonds de roulement dépend de la situation particulière de chaque entreprise. Son interprétation est également complexe, car il s'agit d'un ratio statique, qui évalue la situation financière à un moment précis, et qui ne tient pas compte des flux de trésorerie futurs que l'entreprise peut générer pour payer ses dettes. Ce ratio est surtout très utile aux entreprises dont les flux de trésorerie sont relativement stables durant l'année. Il est par contre très difficile à interpréter dans le cas des entreprises qui ont des actifs ou des passifs inhabituels ou qui dépendent des flux de trésorerie futurs pour payer leurs dettes à court terme. Prenons l'exemple d'une entreprise, propriétaire d'un immeuble qu'elle loue. Peut-être dispose-t-elle de peu d'actifs à court terme et a-t-elle d'importantes obligations de remboursement d'hypothèque à court terme. Si l'immeuble est presque entièrement loué et que le revenu provenant des loyers est stable, elle n'est pas en difficulté même si son ratio du fonds de roulement est bas. Toutefois, elle court plus de risques qu'une entreprise du même genre ayant un ratio du fonds de roulement plus élevé, car cette dernière pallierait plus facilement la perte de locataires à cause de la récession ou de la construction d'un immeuble concurrent.

Le ratio du fonds de roulement de Provigo s'élevait à 0,916 à la fin de l'année 1998.

Le ratio du fonds de roulement de Provigo était de 0,92 (489,4 \$/ 534,4 \$) à la fin de l'année 1998 et de 0,82 à la fin de 1997. Nous n'avons pas d'informations financières pour mettre ce ratio en perspective, c'est-à-dire évaluer si la situation se maintient ou encore s'il est comparable à celui d'entreprises du même secteur.

Ratio de liquidité relative = (encaisse + placements à court terme + comptes clients)/passifs à court terme.

19. **Ratio de liquidité relative (ou indice de liquidité relative):** On le calcule suivant la formule « (encaisse + placements à court terme + comptes clients)/passifs à court terme ». Il s'agit d'une version plus stricte du ratio du fonds de roulement, qui nous dit si les éléments de passif à court terme peuvent être payés sans que l'on ait à vendre les stocks, en d'autres termes, sans avoir à convaincre davantage de clients d'acheter les marchandises que l'entreprise a à vendre. Il existe une version encore plus stricte de ce ratio, soit « le ratio de liquidité immédiate », qui n'inclut dans le numérateur que des espèces et des quasi-espèces. Un ratio complémentaire, « le ratio stock/fonds de roulement », est souvent utilisé pour indiquer quel est le pourcentage du fonds de roulement immobilisé dans les stocks. Tous ces ratios servent à déterminer le degré de risque avec plus de précision que le ratio du fonds de roulement. On a tendance à les utiliser lorsque le ratio de base se détériore ou s'avère préoccupant pour d'autres raisons.

Le ratio de liquidité relative de Provigo s'établissait à 0,38 en 1998.

Pour Provigo, le ratio de liquidité relative était de 0,38 ((17,4 \$ + 184,0 \$)/ 534,4 \$) à la fin de 1998 et de 0,33 ((43,0 \$ + 145,0 \$)/568,8 \$) à la fin de 1997. À la fin des exercices financiers 1998 et 1997, Provigo détenait environ 35 cents d'éléments liquides à court terme pour payer ses créanciers à court terme. Ici encore, pour bien apprécier ce ratio, il faudrait disposer de données historiques sur l'entreprise et de données sur l'industrie.

Ratio de couverture
des intérêts =
bénéfice avant
intérêts débiteurs
et impôts/intérêts
débiteurs.

20. **Ratio de couverture des intérêts :** Il correspond à la formule « (bénéfice avant intérêts débiteurs et impôts)/intérêts débiteurs ». Ce ratio, de même que les ratios de couverture analogues obtenus à partir des chiffres des flux de trésorerie de l'EESF, indique jusqu'à quel point les engagements financiers (dans ce cas, le paiement des intérêts sur les dettes) sont couverts par la capacité de l'entreprise de produire des bénéfices ou des liquidités. Un ratio de couverture faible (surtout inférieur à 1) signale que l'entreprise n'est pas suffisamment profitable et qu'elle n'a pas les ressources pour faire face sans problèmes à ses obligations au chapitre des intérêts. Il peut aussi nous mettre en garde contre les problèmes de solvabilité (difficulté à s'acquitter des obligations à long terme).

La couverture des
intérêts de Provigo
est bonne et en
constante
amélioration.

Pour calculer le ratio de couverture des intérêts de Provigo, nous additionnons le bénéfice net, les impôts et les intérêts débiteurs et divisons le tout par les intérêts débiteurs. La note 3 nous permet d'établir, comme nous l'avons fait au ratio 2, les montants d'intérêts débiteurs à 36,2 $ et à 38,2 $ pour 1998 et 1997 respectivement. Le ratio de couverture des intérêts se chiffrait à 4,24 ((69,8 $ + 47,6 $ + 36,2 $)/36,2 $) en 1998 et à 4,02 ((67,9 $ + 47,3 $ + 38,2 $)/38,2 $) en 1997. La couverture des intérêts est bonne en 1997 et s'améliore encore en 1998.

Conclusion

L'illustration 9-1 présente une récapitulation des 20 ratios. Chacun d'entre eux, ainsi que chaque comparaison avec le ratio de l'exercice précédent, nous révèle des informations et nous invite à mieux connaître l'entreprise.

9-1

Illustration

Sommaire des 20 ratios de Provigo inc.		
Ratio	1998	1997
1. RCP	0,223	0,217
2. RA(IAI)	0,075	0,071
3. Ratio de marge bénéficiaire	0,012	0,012
4. États financiers dressés en pourcentages	voir les détails	
5. Ratio de marge brute	19,0 %	18,1 %
6. Taux d'intérêt moyen (sans redressement fiscal)	3,9 %	4,3 %
7. Ratio des liquidités à l'actif	0,093	0,106
8. Ratio du BPA (montant vérifié communiqué)	0,87 $	0,34 $
9. Valeur comptable d'une action	3,27 $	2,42 $
10. Ratio cours-bénéfice	—	—
11. Ratio dividendes/bénéfice	0,0	0,0
12. Ratio de rotation de l'actif	4,829	4,887
13. Ratio de rotation des stocks	17,64	18,33

**Illustration
(suite)**

Sommaire des 20 ratios de Provigo inc.		
Ratio	1998	1997
14. Ratio de recouvrement	11 jours	9 jours
15. Ratio emprunts/capitaux propres	2,933	2,809
16. Ratio passif à long terme/capitaux propres	1,222	1,222
17. Ratio d'endettement	0,746	0,738
18. Ratio du fonds de roulement	0,92	0,82
19. Ratio de liquidité relative	0,38	0,33
20. Ratio de couverture des intérêts	4,24	4,02

Les ratios constituent une méthode rapide qui permet de ventiler les informations provenant des états financiers, sous une forme autorisant une comparaison simple avec des entreprises similaires et avec les exercices précédents. Par ailleurs, les divers ratios ont l'avantage de présenter différents aspects des résultats de l'entreprise. Ainsi, si vous voulez vous renseigner seulement sur les liquidités d'une entreprise, il vous suffit de calculer les ratios de liquidité, comme le ratio de liquidité relative et le ratio du fonds de roulement.

Pour analyser les résultats d'une entreprise, les utilisateurs ne se contentent pas de ratios ni d'autres calculs analogues effectués à partir des états financiers. Ils examinent également la section du rapport annuel qui précède les états financiers, le rapport du vérificateur, les notes complémentaires, les rapports effectués par différents analystes, les analyses parues dans les médias, etc., et se servent aussi de leurs connaissances personnelles en gestion.

Les commentaires et l'analyse de la direction sont particulièrement utiles lorsqu'on les combine aux ratios.

Les utilisateurs pourraient trouver dans la première partie du rapport annuel des informations sur l'interprétation des résultats passés et futurs faite par la direction, les nouveaux projets ou les stratégies de croissance, ainsi que des indications sur les secteurs d'exploitation qui subissaient des tensions ou des changements. Ceux qui préparent les parties non financières et non vérifiées du rapport annuel ne sont pas forcément objectifs dans leur analyse des résultats présents et à venir, mais les utilisateurs peuvent tout de même obtenir des indications sur les forces ou les faiblesses de l'entreprise à partir de cette section du rapport. Référez-vous à la section « Analyse par la direction » du rapport annuel de Provigo, qui figure à la fin du manuel.

Le rapport du vérificateur indique aux utilisateurs si les états financiers représentent fidèlement la situation de l'entreprise. Il ne s'agit pas d'un bilan de santé des opérations de l'entreprise ; le vérificateur se contente d'attester que la situation actuelle de l'entreprise, qu'elle soit bonne ou mauvaise, est fidèlement illustrée par les états financiers. Le rapport du vérificateur permet également aux utilisateurs de savoir si on a utilisé une méthode de comptabilité inhabituelle (non conforme aux PCGR ou illogique) pour déterminer les montants figurant dans les états.

Les notes complémentaires comportent des informations importantes.

Les notes complémentaires qui suivent les états financiers offrent plus d'explications sur certains éléments clés, comme nous l'avons vu dans le calcul des ratios de Provigo. Elles peuvent inclure des renseignements sur les conventions comptables qui régissent certains comptes, le calcul détaillé de la valeur de comptes particuliers, tous les changements apportés aux méthodes comptables, les principaux litiges et tout autre élément qui pourrait avoir de l'importance. Ces informations, ainsi que les états financiers eux-mêmes et les ratios ou autres analyses, aident les utilisateurs à se faire une opinion globale de la situation de l'entreprise.

 Ù EN ÊTES-VOUS ?

Voici deux questions auxquelles vous devriez pouvoir répondre, compte tenu de ce que vous venez de lire:

1. Quel a été le rendement de Provigo en 1998 par rapport à 1997?

2. Quelle était la situation des liquidités de Provigo à la fin de 1998? S'était-elle améliorée par rapport à 1997?

9.6   L'ANALYSE GLOBALE AU MOYEN DE RATIOS: LA FORMULE DE SCOTT

Dans l'analyse globale, on combine différents ratios afin de brosser un tableau plus complet de la situation.

Lorsqu'on connaît une entreprise et l'objectif de l'analyse, on peut utiliser la longue liste de ratios de la section 9.5 pour découvrir plusieurs faits concernant l'entreprise en question. La section précédente nous a fourni sur Provigo de nombreux renseignements qu'on ne peut toutefois pas toujours agencer pour avoir un tableau global des résultats. Provigo a obtenu de bons résultats en 1998 et en 1997. Est-il possible de présenter ces ratios de façon plus systématique? Pouvons-nous tirer profit du fait que les ratios sont tous calculés à partir des chiffres des mêmes états financiers et que, ainsi, ils semblent liés les uns aux autres?

La formule de Scott n'est que l'une des différentes analyses globales disponibles.

Vous apprendrez maintenant comment effectuer une analyse globale particulièrement utile, appelée la **formule de Scott**, du nom de son auteur, le professeur William R. Scott de l'Université de Waterloo. Cette analyse fait partie des nombreuses méthodes qui sont utilisées, ou qui pourraient l'être. Nous la décrivons ici en détail parce qu'elle nous donne beaucoup d'indications sur la façon dont une société a réalisé son rendement global, et parce qu'elle illustre comment on peut tirer avantage des états financiers préparés selon la comptabilité en partie double pour accroître le pouvoir de l'analyse.

La formule de Scott se base sur la notion d'**effet de levier**, qui est un objectif important et une conséquence des emprunts utilisés en vue d'obtenir un rendement. L'effet de levier, également appelé « levier financier », est illustré dans l'exemple suivant:

a. Le professeur Gougeon veut investir 15 000 $ dans un projet immobilier;

b. Il dispose de 5 000 $ d'économies;

c. Il décide donc d'emprunter 10 000 $ à la banque, à un taux d'intérêt de 11 %;

d. Il investit les 15 000 $ dans le projet et son investissement lui procure un rendement annuel de 2 100 $;

e. Le rendement du projet est de 14 % avant impôts (2 100 $/15 000 $) ;

f. Le professeur Gougeon paie des intérêts à la banque (11 % de 10 000 $ = 1 100 $) avec le rendement que lui procure son investissement ;

g. Il encaisse le solde (2 100 $ − 1 100 $ = 1 000 $) ;

h. Le rendement de l'investissement avant impôts du professeur Gougeon est de 20 % (1 000 $/5 000 $).

Pas mal, n'est-ce pas ? Le rendement que le professeur tire du projet est de 14 %, mais celui qu'il tire du capital qu'il a investi est de 20 % ! Cela peut s'expliquer ainsi : le professeur a emprunté à un taux de 11 % et, grâce aux fonds empruntés, il a obtenu un rendement de 14 %. La différence, soit 3 %, revient au professeur en compensation du risque qu'il a pris en investissant dans le projet :

- Rendement global = 14 % de 15 000 $ = 2 100 $;

- Intérêts versés à la banque = 11 % de 10 000 $ = 1 100 $ (3 % de moins que le rendement) ;

- Montant revenant au professeur : 14 % des 5 000 $ puisés dans ses propres économies + 3 % de l'emprunt de 10 000 $;

- Rendement du capital investi = 14 % (700 $) + 3 % (300 $) = 1 000 $, ce qui correspond à 20 % de l'investissement de 5 000 $.

Le professeur a profité de l'effet de levier : il a emprunté de l'argent pour en gagner.

L'effet de levier est un bon moyen d'augmenter votre rendement, dans la mesure où vous avez la certitude que le taux de rendement global de votre projet est supérieur à ce que vous coûte votre emprunt. Il s'agit toutefois d'une arme à double tranchant, parce que l'effet de levier peut se retourner contre vous si les rendements sont faibles ou négatifs. Supposons que le projet immobilier du professeur ne produise qu'un rendement de 7 %. Voici ce qui se passerait dans ce cas :

- Rendement global = 7 % de 15 000 $ = 1 050 $;

- Intérêts versés à la banque = 11 % de 10 000 $ = 1 100 $;

- Montant revenant au professeur : 7 % des 5 000 $ puisés dans ses propres économies moins 4 % de l'emprunt de 10 000 $;

- Rendement du capital investi = 7 % (350 $) moins 4 % (400 $) = −50 $, ce qui correspond à −1 % de son investissement de 5 000 $.

L'effet de levier s'est retourné contre le professeur. Le projet a produit un rendement, mais ce dernier n'était pas suffisamment élevé pour couvrir le coût de l'emprunt nécessaire et permettre au professeur d'investir dans cette entreprise.

Donc, dans ce cas, le professeur Gougeon perd sur chaque dollar emprunté, parce que le projet lui apporte un rendement inférieur au coût de l'emprunt. Il ne s'agit plus du tout d'une bonne affaire ! Le professeur perd 1 % de son capital investi — l'effet de levier est défavorable au lieu d'être avantageux — alors que, s'il avait investi seulement ses propres économies, sans emprunter, il aurait obtenu un taux de rendement de 7 %, soit le rendement que procure le projet.

Le professeur a réalisé un meilleur rendement en empruntant à un taux inférieur à celui du rendement réalisé grâce au projet.

Un emprunt peut vous faire perdre de l'argent lorsque le taux d'intérêt est plus élevé que le taux de rendement du projet.

En cas d'emprunt, le rendement du capital investi correspond toujours à la somme du taux de rendement du projet appliqué au capital investi, plus le rendement obtenu grâce à l'effet de levier, lequel représente la différence entre le taux de rendement du projet et le taux d'intérêt de l'emprunt, appliqué au montant emprunté. Il est souhaitable que toutes ces composantes soient positives, mais ce n'est pas toujours le cas, comme nous venons de le démontrer. Cette façon de calculer le rendement est utilisée à la fin des deux exemples et sert de base à la formule de Scott. Cette formule décompose aussi le rendement global en deux parties, de façon à indiquer comment il a été obtenu, ce qui entraîne l'analyse suivante :

> **Au moyen de la formule de Scott, on explique le RCP en utilisant cinq autres ratios.**

| Rendement des capitaux propres | = Rendement global de l'exploitation avant intérêts + rendement attribuable à l'effet de levier |
| | = (Pourcentage de marge nette avant intérêts) $\times$ (coefficient de rotation de l'actif) + (taux de rendement de l'actif moins taux d'intérêt) $\times$ (proportion des capitaux empruntés) |

$$\text{RCP} = \text{MN(IAI)} \times \text{CRA} + (\text{RA(IAI)} - \text{IM(IAI)}) \times \text{P/CP}$$

- **RCP** = Rendement des capitaux propres, le même ratio que nous avons mentionné précédemment (ratio n° 1).

- **MN(IAI)** = Version de la marge nette qu'on calcule en ajoutant les intérêts débiteurs après impôts au bénéfice net (version intérêts après impôts du ratio n° 3).

- **CRA** = Coefficient de rotation de l'actif total (ratio n° 12).

- **RA(IAI)** = Rendement de l'actif, que nous avons mentionné précédemment, calculé en ajoutant les intérêts débiteurs après impôts au bénéfice net (version « modifiée » du ratio n° 2).

- **IM(IAI)** = Taux d'intérêt moyen, qu'on calcule en divisant les intérêts débiteurs après impôts par le total du passif (version après impôts du ratio n° 6).

- **P/CP** = Ratio emprunts/capitaux propres (ratio n° 15).

> **La formule de Scott tient compte des intérêts débiteurs après impôts, ce qui permet d'englober les incidences fiscales.**

La formule de Scott combinant six ratios, nous obtenons une analyse intégrée de la performance et de la situation financières. On se sert de l'intérêt après impôts pour incorporer les incidences fiscales de façon systématique, mais on pourrait également le faire sans redressement fiscal, tant qu'on ne les inclut pas dans les trois versions (IAI) des ratios ci-dessus. Voyons comment cette formule peut être appliquée à des états financiers et comment on les utilise. Si cela vous intéresse, vous trouverez dans les références qui figurent à la fin de ce chapitre une démonstration arithmétique de la formule[4].

Calcul de la formule de Scott

On peut développer la formule en utilisant des chiffres ou des symboles. Pour vous aider à mieux comprendre, utilisons les deux méthodes, appliquées à une société fictive :

	Montants	Symboles
Total de l'actif	100 000 $	A
Total du passif	70 000 $	P
Total des capitaux propres	30 000 $	CP
Total des produits	150 000 $	Prod
Bénéfice net	6 000 $	BN
Intérêts débiteurs	7 000 $	ID
Taux d'imposition	40 %	TI
Intérêts débiteurs après impôts (Intérêts débiteurs × [1 − Taux d'imposition])	4 200 $	IAI = ID (1 − TI)
RCP (rendement des capitaux propres)	6 000 $/30 000 $ = 0,20	BN/CP
MN(IAI) (marge nette avant intérêts)	(6 000 $ + 4 200 $)/150 000 $ = 0,068	(BN + IAI)/Prod
CRA (coefficient de rotation de l'actif)	150 000 $/100 000 $ = 1,50	Prod/A
RA(IAI) (rendement de l'actif)	(6 000 $ + 4 200 $)/100 000 $ = 0,102	(BN + IAI)/A
IM(IAI) (taux d'intérêt moyen après impôts)	4 200 $/70 000 $ = 0,06	IAI/P
P/CP (ratio emprunts/capitaux propres)	70 000 $/30 000 $ = 2,333	P/CP

Résultat :

$$RCP = MN(IAI) \times CRA + (RA(IAI) - IM(IAI)) \times P/CP$$
$$0,20 = 0,068 \times 1,50 + (0,102 - 0,06) \times 2,333$$

Pour cette société, que nous appellerons ABC inc., la formule de Scott indique que le rendement de 20 % que lui procure ses capitaux propres se compose comme suit :

Le RCP est la réplique exacte des cinq autres ratios.

- Une marge nette de 6,8 % (en ajoutant les intérêts débiteurs après impôts) ;

- Un coefficient de rotation de l'actif de 1,5 ;

- Un rendement de l'actif de 10,2 % (en ajoutant les intérêts débiteurs après impôts) ;

- Un taux d'intérêt moyen de 6 % (après impôts) ;

- Un ratio emprunts/capitaux propres de 2,333.

Ces éléments fournissent des renseignements permettant de comparer les résultats de plusieurs sociétés ou d'une seule société au cours de plusieurs exercices. On aurait pu effectuer des comparaisons en se servant des ratios individuels énumérés précédemment, mais, grâce à la formule de Scott, ces ratios sont mis en relation de sorte qu'il est possible de constater l'incidence de chacun d'eux sur le rendement des capitaux propres. On peut regrouper les termes du côté droit de l'équation pour dégager les deux composantes de base du rendement des capitaux propres :

- la première est le **rendement de l'exploitation,** qui indique la capacité de la société d'obtenir un rendement de son actif avant le paiement des intérêts ($6,8\% \times 1,5 = 10,2\%$, soit le **rendement de l'actif**) ; et

- la seconde est le **rendement attribuable à l'effet de levier** ($[0,102 - 0,06] \times 2,333 = 0,042 \times 2,333 = 9,8\%$), qui soustrait le coût de l'intérêt du rendement de l'actif ($0,102$), puis ajuste le taux d'emprunt.

Ainsi, nous obtenons :

RCP = le rendement de l'exploitation + le rendement attribuable à l'effet de levier.

Rendement des capitaux propres	=	Rendement de l'exploitation	+	Rendement attribuable à l'effet de levier
RCP	=	RA(IAI)	+	Effet de levier
20 %	=	10,2 %	+	9,8 %

Par conséquent, un peu plus de la moitié du rendement des capitaux propres de la société ABC inc. provient de son exploitation, et un peu moins de la moitié provient des fonds empruntés dans le but d'accroître le rendement. Remarquez que, *si le résultat de l'addition des deux termes du membre droit de l'équation ne correspond pas au membre gauche, on a fait une erreur* (parfois cette erreur est seulement due au fait que les résultats ont été arrondis, mais cela peut aussi être une erreur plus grave). La formule de Scott s'appuie sur la comptabilité en partie double (comme l'indique la démonstration arithmétique incluse dans les notes qui figurent à la fin du chapitre). Par conséquent, si les chiffres ont été calculés correctement, ils doivent être équilibrés.

Application de la formule de Scott à Provigo

Pour illustrer la manière d'appliquer la formule de Scott à une entreprise véritable, utilisons les chiffres de Provigo. Puisque la formule est applicable à tout état financier équilibré, utilisons les chiffres de l'exercice de 1998 (les mêmes que ceux que nous avons utilisés pour les vingt ratios de la section 9.5). Pour vérifier vos connaissances des états financiers, cachez avec une feuille de papier les chiffres de 1998 ci-après et retrouvez-les à l'annexe. (Vous devriez reconnaître la plupart des ratios, car ce sont ceux que nous avons calculés à la section 9.5.)

Le RA(IAI) apparaît à deux endroits dans la formule de Scott et peut aider à déceler des erreurs.

Voici la formule de Scott appliquée à Provigo pour 1997. Voyez si vous pouvez produire ces chiffres vous-même à partir des états financiers présentés à l'annexe. (Si vous ne le pouvez pas, reportez-vous à la démonstration qui apparaît dans les notes de la fin du présent chapitre[5].)

$$RCP = MN(IAI) \times CRA + (RA(IAI) - IM(IAI)) \times P/CP$$
$$0,217 = 0,0143 \times 4,887 + (0,070 - 0,018) \times 2,809$$
$$0,217 = 0,070 + 0,146*$$

* Différence due aux arrondis

	Chiffres de 1998	Symboles
Total de l'actif, fin de 1998	1 233,5 $	A
Total du passif, fin de 1998	919,9	P
Total des capitaux propres, fin de 1998	313,6	CP
Total des produits pour 1998	5 956,2	Prod
Bénéfice net pour 1998	69,8	BN
Intérêts débiteurs pour 1998	36,2	ID
Taux d'imposition pour 1998	0,359	TI
Intérêts débiteurs après impôts pour 1998 (Intérêts débiteurs × [1 − Taux d'imposition])	23,2	IAI = ID (1 − TI)
RCP (rendement des capitaux propres)	0,223	BN/CP
MN(IAI) (marge nette avant intérêts)	0,016	(BN + IAI)/Prod
CRA (coefficient de rotation de l'actif)	4,829	Prod/A
RA(IAI) (rendement de l'actif)	0,075	(BN + IAI)/A
IM(IAI) (taux d'intérêt moyen après impôts)	0,025	IAI/P
P/CP (ratio emprunts/capitaux propres)	2,933	P/CP

Résultat:

$$RCP = MN(IAI) \times CRA + (RA(IAI) - IM(IAI)) \times P/CP$$
$$0,223 = 0,016 \times 4,829 + (0,075 - 0,025) \times 2,933$$
$$0,223 = 0,077 + 0,147*$$

* Différence due aux arrondis

Interprétation des résultats de la formule de Scott

La formule de Scott est très utile pour effectuer une analyse rapide du rendement des capitaux propres de l'entreprise, car elle souligne les composantes individuelles du rendement ainsi que les rapports entre les composantes qui constituent le rendement final. Pour en faire la démonstration, examinons ces composantes.

La composante «exploitation du rendement» des capitaux propres

La marge bénéficiaire et la rotation de l'actif ont tendance à aller en sens contraire.

Nous pouvons voir comment la marge bénéficiaire (MN(IAI)) et le coefficient de rotation de l'actif (CRA) interagissent pour produire le rendement de l'exploitation (rendement de l'actif). Dans une entreprise donnée, une marge faible et une rotation élevée peuvent produire un rendement, tout comme peuvent le faire dans une autre, une marge élevée et une rotation faible. Ainsi, la marge bénéficiaire et la rotation de l'actif peuvent se contrebalancer dans la production du rendement provenant de l'actif, puisque la pression exercée par la concurrence peut vous forcer à baisser les prix de vente (et donc les marges de bénéfice) si vous souhaitez obtenir une rotation plus élevée. Inversement, si vous souhaitez que vos prix soient parmi les plus élevés du marché, votre volume des ventes risque d'être faible. Songez aux résultats étonnants que vous obtiendriez si vous pouviez obtenir *à la fois* une marge élevée et un volume élevé (d'où notre crainte des monopoles). Mais voyez aussi combien les conséquences pourraient être graves pour une entreprise dont la marge *et* le volume sont faibles.

La marge bénéficiaire
et le coefficient de
rotation de l'actif
de Provigo se sont
maintenus en
1997 et en 1998.

Les analyses à l'aide des ratios nous ont montré que Provigo a connu de bons résultats en 1998. La formule de Scott donne un rendement de l'actif (RA) de 7,5 % en 1998, avec un rendement de la marge bénéficiaire de 1,6 % avant impôts et un coefficient de rotation de l'actif de 4,829. Ces résultats ont été semblables à ceux de 1997, avec un RA de 7,0 %, composé d'un rendement de la marge bénéficiaire de 1,4 % et d'un coefficient de rotation de l'actif de 4,887.

La composante « effet de levier du rendement des capitaux propres »

L'effet de levier tient à
la différence entre le
rendement de l'actif et
le taux d'intérêt net
d'impôts.

La formule de Scott montre comment les entreprises utilisent l'effet de levier, défini comme la différence entre le coût des emprunts contracté pour disposer de ressources, c'est-à-dire d'un actif, et le rendement procuré par cet actif. S'il y a une forte différence positive entre le rendement provenant de l'exploitation et le coût de l'emprunt, l'entreprise peut tirer profit de cette différence et se servir de l'effet de levier pour améliorer son rendement en empruntant de grosses sommes compte tenu des capitaux propres. Une autre entreprise peut avoir un **effet de levier potentiel** important (différence entre le rendement procuré par l'actif et le coût des emprunts) mais emprunter raisonnablement et ne pas profiter du levier financier dans la même mesure. Une entreprise gérée prudemment n'emprunte pas trop par rapport à ses capitaux propres. Elle se protège ainsi des effets *négatifs* de l'effet de levier (surtout s'il y a une différence négative entre le rendement provenant de l'actif et les taux d'intérêt). Par contre, l'entreprise pourrait aussi ne pas tirer pleinement profit de l'aspect positif de l'effet de levier lorsque les choses vont bien. La direction doit toujours éviter des pertes importantes et, en même temps, prendre des risques pour tirer profit des occasions qui se présentent.

En 1997 et en 1998,
la composante « effet
de levier » du RCP de
Provigo était de 1,5 %.

En 1997 et 1998, Provigo bénéficie de l'effet de levier : la composante « levier financier » du RCP se chiffre à 1,5 %.

Le rendement des capitaux propres

Pour obtenir des
rendements, il faut
assurer un bon
financement et
une bonne gestion
de l'exploitation.

La formule de Scott montre comment le levier financier et le rendement de l'exploitation se combinent pour produire le rendement global des capitaux propres. Elle nous rappelle que le rendement des propriétaires dépend, d'une part, des opérations courantes et, d'autre part, de la structure financière de l'entreprise. Le marketing, la production et les finances sont d'égale importance pour fournir un rendement.

Grâce à la formule de Scott, on peut résumer comme suit les résultats de Provigo pour 1998 et 1997 :

Le rendement
d'exploitation et
l'effet de levier
ont contribué de
façon constante au
RCP de 1997 et
de 1998.

RCP	=	Rendement d'exploitation	+	Effet de levier
1998 : 0,223	=	0,077		+ 0,147*
1997 : 0,217	=	0,070		+ 0,146*

* Différence due aux arrondis

Ainsi, le rendement des capitaux propres de 1997 et de 1998 est constitué de façon constante par le rendement d'exploitation et l'effet de levier.

La formule de Scott
est utile pour établir
des comparaisons sur
une période donnée
ou avec d'autres
entreprises.

Pour une interprétation approfondie des résultats de Provigo, nous avons besoin de plus de données comparatives. En comparant le rendement de Provigo avec celui d'autres entreprises en 1997 et en 1998, on aurait une bonne idée de la façon dont la société s'est comportée pendant cette période où l'économie se remettait de la récession du début des années 90. Outre les comparaisons avec des entreprises semblables, qui donnent des renseignements très utiles, la formule de Scott permet des comparaisons avec toute autre entreprise qui pourrait intéresser des investisseurs se demandant s'ils doivent devenir des actionnaires ou des créanciers de Provigo. Les calculs de la formule de Scott, appliqués à Provigo pendant plusieurs exercices, révèlent la façon dont l'entreprise a géré ses rendements durant les bonnes et les mauvaises années.

Conclusion

Étant donné que la formule de Scott intègre six ratios, elle donne lieu à de multiples interprétations.

La formule de Scott est un outil efficace, mais qui ne permet d'analyser que certaines données financières. Par exemple, même si elle traduit le risque lié aux emprunts, elle ne tient pas compte directement des nombreux autres éléments à risque de l'exploitation d'une entreprise qui peuvent influer fortement sur son niveau de rendement. Ainsi, le fonds de roulement, les liquidités, la solvabilité et les flux de trésorerie, qui sont autant d'éléments susceptibles d'exposer l'entreprise à un risque, ne sont pas exprimés dans la formule de Scott. Celle-ci ne tient pas compte non plus du taux de rendement du marché (tel que celui des actions d'une entreprise cotée en bourse, comme l'est Provigo) ni des risques potentiellement graves, comme les fluctuations des devises internationales, la politique gouvernementale concernant les taux d'intérêt et les mauvaises stratégies de marketing. Bien qu'elle illustre les résultats historiques de ce type de facteurs et qu'elle puisse nous montrer comment l'entreprise pourrait réagir à l'avenir, la formule de Scott ne permet pas de prédire l'avenir directement. Cette formule n'est qu'un exemple des nombreux outils d'analyse financière qu'il faut utiliser conjointement.

Ù EN ÊTES-VOUS ?

Voici deux questions auxquelles vous devriez pouvoir répondre, compte tenu de ce que vous venez de lire :

1. Vous avez effectué une analyse de la société de fabrication Pilote ltée pour 1998 à l'aide de la formule de Scott et vous avez établi que le rendement des capitaux propres était de 12 %, le rendement de l'actif de 7 % et l'effet de levier de 5 %. Expliquez au président de la société la signification de ces résultats.

2. Résumez en quelques mots les résultats que Provigo a obtenus en 1998 et comparez-les à ceux de 1997.

9.7   L'INTERPRÉTATION DES DONNÉES RELATIVES AUX FLUX DE TRÉSORERIE

En se concentrant sur la trésorerie, l'EESF apporte un complément d'information à l'analyse des autres états.

Que ce soit en économie, en finance ou dans les rapports que les entreprises entretiennent avec leurs propriétaires et bailleurs de fonds, les flux de trésorerie constituent une mesure très utile de la performance financière. Il est important que l'entreprise réalise des bénéfices mais, tôt ou tard, les propriétaires souhaitent en recevoir une partie en dividendes, les bailleurs de fonds exigent des versements en espèces pour couvrir les intérêts et pour rembourser le capital prêté, etc. Le bénéfice est égal aux produits moins les charges, mais les produits peuvent être grevés de comptes clients et il se peut aussi que des charges ne soient pas encore payées ou qu'elles aient été payées d'avance. L'état de l'évolution de la situation financière (EESF) vise tout particulièrement à fournir des données sur les flux de trésorerie et à rapprocher le bénéfice net et le montant des liquidités produites au cours de l'exercice. Rappelez-vous que, pour les exercices ouverts à compter du 1er août 1998, l'état de l'évolution de la situation financière est remplacé par l'état des flux de trésorerie. La section 3.11 du chapitre 3 traite des nouvelles recommandations de l'ICCA.

Pour vous rafraîchir la mémoire au sujet de l'EESF et vous préparer à l'utiliser dans votre analyse, reportez-vous (page suivante) au résumé des divers effets sur la trésorerie que présente cet état. Ce résumé nous permet de comprendre la logique théorique de l'EESF ainsi que la manière de l'utiliser.

L'EESF résume toutes les sources et tous les usages des espèces et quasi-espèces au cours de l'année.

- Premièrement, la partie « Activités d'exploitation » de l'EESF convertit le montant du bénéfice, résultant de régularisations complexes, en un montant qui reflète les simples flux de trésorerie.
- Deuxièmement, le passage d'une comptabilité d'exercice à une comptabilité de caisse révèle la façon dont la société a géré son actif et son passif à court terme au cours de la période : par exemple, les comptes clients ont-ils augmenté, ce qui a retardé l'entrée des fonds provenant des produits ?
- Troisièmement, les rubriques « Activités d'investissement » et « Activités de financement » de l'ESSF expliquent comment la société a utilisé les liquidités provenant de ses activités d'exploitation courantes et indiquent les montants qu'elle a été chercher à l'extérieur au cours de cette période.
- L'EESF brosse donc un tableau assez complet de la façon dont la société a obtenu ses liquidités et les a utilisées, ainsi que de la situation actuelle de sa trésorerie. (Rappelons que les « liquidités » comprennent les espèces et les quasi-espèces : les dépôts bancaires à court terme, les placements très liquides et, parfois, la déduction des prêts bancaires remboursables sur demande ou les découverts de comptes bancaires.)

L'EESF aide à évaluer la qualité des bénéfices, les directives d'investissement et de financement, ainsi que les risques.

On peut utiliser l'EESF *en même temps que l'état des résultats et le bilan* pour[6] :

a. évaluer l'importance relative des liquidités en les mettant en relation avec le total de l'actif, du passif, des capitaux propres ou du bénéfice de la société ;

b. évaluer si la société dépend plus des liquidités provenant de ses activités internes d'exploitation que des liquidités provenant de ses activités externes de financement ;

c. évaluer la solvabilité de la société (capacité de payer les dettes à échéance) et ses liquidités (fait de disposer de réserves suffisantes en espèces et quasi-espèces) ;

d. évaluer le montant des acquisitions d'actifs à long terme par rapport à la valeur de l'actif et à la charge annuelle d'amortissement, pour juger si la société semble renouveler ses actifs et son matériel de production à un rythme normal ;

e. évaluer la dette de la société par rapport à sa stratégie de financement par les capitaux propres ;

f. évaluer la politique de la société en matière de dividendes en comparant les dividendes aux bénéfices et aux flux de trésorerie et examiner la tendance d'un exercice à l'autre ;

	Augmentation de la trésorerie	Diminution de la trésorerie
Bénéfice net :		
Bénéfices nets positifs	X	
Bénéfices nets négatifs (pertes nettes)		X
Charges hors liquidités (telles que l'amortissement de l'actif à long terme et la portion reportée de la charge d'impôts), qui sont rajoutées au bénéfice net et qui *semblent* donc entraîner une	X	
Produits hors liquidités (tels que les gains sur un actif à long terme), qui sont déduits du bénéfice net et qui *semblent* donc entraîner une		X
Changements dans les comptes hors liquidités du fonds de roulement :		
Augmentation des éléments d'actif hors liquidités à court terme		X
Diminution de ces mêmes éléments de l'actif	X	
Augmentation des éléments de passif hors liquidités à court terme	X	
Diminution de ces mêmes éléments du passif		X
Changements dans les actifs à long terme :		
Augmentation du coût (acquisition) des actifs à long terme		X
Sommes provenant de la cession de ces actifs	X	
Changements dans les passifs et le capital :		
Financement obtenu des propriétaires et des créanciers	X	
Remboursements de dettes, rachats d'actions et paiements de dividendes		X

g. déterminer le rapport entre le bénéfice et les liquidités en vue d'évaluer la « qualité » des bénéfices ; les bénéfices devraient être en lien jusqu'à un certain point avec les liquidités, compte tenu des redressements normaux, tels que l'amortissement. Des bénéfices qui paraissent disproportionnés par rapport aux liquidités perdent de leur validité ;

h. révéler les manipulations possibles des montants de liquidités, comme le défaut de renouveler les stocks et les retards de paiement de la dette à court ou à long terme, au moyen de comparaisons avec les exercices antérieurs ;

i. déterminer les conséquences négatives de certaines opérations — par exemple une baisse des liquidités à la suite de la constitution de stocks ou de l'augmentation des comptes clients, lorsque la société accroît son chiffre d'affaires — tout comme les effets curieux d'un ralentissement des affaires — par exemple, une augmentation des liquidités résultant d'une diminution des stocks ou d'une réduction des comptes clients.

Exemple d'analyse de Provigo

Étudions les informations relatives aux flux de trésorerie de Provigo pour voir ce que nous pouvons apprendre au sujet des éléments énoncés précédemment. Ce faisant, nous analyserons dans les grandes lignes les résultats de l'entreprise et sa position financière, compte tenu des ratios explicatifs et des calculs selon la formule de Scott qui nous ont déjà servi.

En 1998, les liquidités de Provigo étaient négatives.

Pour interpréter l'EESF de Provigo, il est nécessaire de savoir ce que l'entreprise définit comme ses liquidités (espèces et quasi-espèces). Cette définition est donnée au bas de l'EESF. Ainsi, les espèces et quasi-espèces comprennent l'encaisse et les certificats de dépôt dont on soustrait les chèques émis et en circulation.

L'EESF peut se résumer de la manière suivante :

	1998	1997	Différence
Rentrées nettes liées aux activités d'exploitation	114,9 $	126,8 $	(11,9) $
Rentrées (sorties) nettes liées aux activités d'investissement	(81,4)	(173,2)	91,8
Rentrées (sorties) nettes liées aux activités de financement	(78,3)	81,0	(159,3)
Dividendes versés	(1,9) $	(6,8) $	4,9 $
Changements intervenus dans les liquidités	(46,7) $	27,8 $	(74,5) $
Liquidités au début de l'exercice	28,2	0,4	27,8
Liquidités à la fin de l'exercice	(18,5) $	28,2 $	(46,7) $

Les liquidités provenant de l'exploitation ont diminué substantiellement en 1998.

En 1998, la cession d'une filiale a provoqué un apport de liquidités dans les activités d'investissement.

En 1998, le rachat des actions privilégiées a marqué les activités de financement.

On note plusieurs différences entre 1998 et 1997 :

- Les liquidités provenant des activités d'exploitation ont diminué en 1998. Bien que cette diminution soit le résultat de diverses variations, il faut remarquer que le bénéfice net a été plus élevé qu'en 1997, mais que les débiteurs ont accusé une hausse importante, ce qui explique une bonne part de la variation négative des éléments hors trésorerie du fonds de roulement.

- Les liquidités utilisées à des fins d'investissement ont été moins importantes en 1998 qu'en 1997. Néanmoins, les acquisitions d'immobilisations se sont maintenues à peu près au même niveau. C'est le produit de la vente de la filiale C Corp. inc., qui a provoqué un apport de liquidités, qui explique la différence entre 1998 et 1997.

- L'écart de 159,3 millions de dollars entre les activités de financement de 1998 et celles de 1997 provient principalement du rachat des actions privilégiées (85,0 $) et de la variation des dettes à long terme pour le solde.

En résumé, l'EESF révèle des informations utiles sur la stratégie financière et sur la stratégie d'investissement de la société. Les bénéfices en comptabilité d'exercice de Provigo sont bien inférieurs aux rentrées nettes provenant des activités d'exploitation. Ainsi, la société ne comptabilise pas des bénéfices qu'elle n'est pas en mesure de monnayer. Ce serait plutôt le contraire. La « qualité » de ses bénéfices en comptabilité d'exercice semble bonne.

Certaines conclusions personnelles s'ajoutent probablement à celles-ci. L'utilisation avisée de l'EESF et des autres données financières accroît notre compréhension de la situation financière et soulève des questions intéressantes en vue d'une analyse plus approfondie.

○Ù EN ÊTES-VOUS ?

Voici deux questions auxquelles vous devriez pouvoir répondre, compte tenu de ce que vous venez de lire :

1. Quelles étaient les principales composantes des liquidités de Provigo en 1998 ?

2. De quelle façon les données sur les flux de trésorerie peuvent-elles aider à l'analyse des états financiers ?

9.8　LES MARCHÉS DES CAPITAUX

Nous allons maintenant aborder l'analyse des états financiers sous l'angle des marchés des capitaux et de la gestion. Le contexte de l'analyse et les usages qu'on fait des états financiers sont des éléments très importants pour qui veut comprendre le rôle que ces derniers jouent dans notre système économique et financier.

Les marchés boursiers et les autres marchés financiers

C'est principalement sur les marchés boursiers que les actions changent de main.

Au fur et à mesure que les sociétés commerciales se sont développées, la négociation de leurs titres de participation s'est accrue. Les propriétaires (actionnaires) ont commencé à investir dans plusieurs entreprises à la fois, puis ils se sont mis à acheter et à vendre leurs actions. Pour favoriser l'achat et la vente des actions, c'est-à-dire les échanges entre ces **investisseurs**, on a créé les **bourses des valeurs mobilières** où ces échanges d'actions ont lieu. Actuellement, il existe de nombreuses bourses des valeurs mobilières, dont celles de calibre international — comme les Bourses de New York, de Londres, de Tokyo, de Paris et de Toronto — et de calibre régional — comme les Bourses de Montréal, de Vancouver et de Calgary. Parallèlement, il y a aussi les marchés hors cote et d'autres types de marchés. Les courtiers, les investisseurs institutionnels, les analystes financiers et d'autres concluent également des opérations sur les actions.

À la bourse, on négocie aussi des obligations, divers titres et options.

À la bourse, on ne négocie pas uniquement les actions des sociétés. C'est là qu'ont lieu aussi d'autres transactions, par exemple la négociation des droits (comme les « bons de souscription » ou les « options ») en vue de l'achat ou de la vente des actions à terme, la conversion de titres, la distribution de dividendes et de nombreuses autres transactions à plus ou moins longue échéance. On invente sans cesse de nouveaux droits et de nouveaux instruments financiers qui favorisent la négociation. On a même créé des marchés spécialement pour ce genre de transactions, comme le marché des options de Chicago, mais la plupart des instruments se négocient sur les marchés ordinaires. Les obligations émises par les sociétés et les gouvernements sont également vendues sur les places boursières, et il existe, par ailleurs, une telle variété d'instruments financiers qu'il est difficile de faire la distinction entre titre de participation, titre d'emprunt et d'autres types de droits. Par exemple, certaines obligations peuvent être converties en actions au gré du porteur.

Dans les marchés des capitaux, partout dans le monde, on négocie une multitude de titres et de valeurs.

Actuellement la plupart des marchés boursiers et hors cote utilisent des systèmes informatiques, et le réseau électronique permet aux investisseurs du monde entier d'acheter ou de vendre des **titres** (terme général désignant les actions, obligations et autres instruments financiers) à longueur de journée. En fait, à chaque instant des transactions ont lieu quelque part sur la planète. Ces marchés, lieux d'échange et autres endroits où se déroulent l'achat et la vente de telles valeurs sont désignés par l'expression « **marchés des capitaux** ». Ils sont destinés à la négociation des actions et des autres titres que les sociétés et les gouvernements émettent pour financer leur actif.

Les marchés des capitaux sont indépendants des entités qui émettent les titres.

N'oublions pas que ces marchés fonctionnent presque indépendamment des entités qui émettent ces titres.

- Par exemple, lorsqu'une société décide d'émettre des obligations ou des actions, elle les offre sur les marchés et reçoit le produit de la vente initiale (moins les commissions des courtiers et des autres négociateurs). Après quoi, cependant, elle ne peut plus intervenir directement. Les investisseurs rachètent les titres vendus par d'autres investisseurs et vendent ceux qu'ils détiennent sans que la société émettrice soit partie prenante.

- Les investisseurs peuvent prendre des décisions à l'opposé de ce que souhaite la société émettrice, comme c'est le cas lorsqu'un investisseur cherche à acheter suffisamment d'actions pour contrôler le vote (c'est ce qu'on appelle une prise de contrôle). Les **sociétés ouvertes** (dont les titres peuvent être échangés par de simples particuliers sans l'autorisation de la société émettrice) courent toujours le risque de voir leurs actions se négocier d'une façon qui ne leur est pas favorable.

- On peut citer d'autres exemples où les investisseurs n'agissent pas au gré de la société émettrice. Par exemple, il suffit qu'une société annonce qu'elle change d'équipe de direction dans le but d'améliorer ses résultats et que les personnes qui achètent et vendent ces titres ne fassent pas confiance aux nouveaux dirigeants pour que le cours de ses actions chute. Le marché compte alors plus de vendeurs qui désirent se débarrasser de leurs actions que d'acheteurs, ce qui entraîne une chute du cours des actions.

- Les marchés créent souvent de nouveaux titres à partir de ceux que la société a émis initialement et en assurent la vente. Par exemple, une action peut donner le droit à son détenteur d'acheter ultérieurement une autre action. Ce droit peut être acheté et vendu séparément sur le marché, de sorte qu'il est possible de détenir l'action sans le droit ou le droit sans l'action correspondante. On peut même acheter une « option », en misant sur les fluctuations du cours de l'action durant le mois ou l'année à venir, ou parier sur la valeur future des indices boursiers. (Beaucoup de gens surveillent de très près les indices boursiers, tels que le Dow Jones de la Bourse de New York, le TSE de la Bourse de Toronto et le XXM de la Bourse de Montréal.)

Cinq aspects particuliers des marchés des capitaux vous aideront dans votre étude de l'analyse des états financiers :

- la négociation des titres et l'établissement des cours ;
- le rôle de l'information (par exemple celle que transmettent les rapports financiers) dans ces marchés ;
- les notions de rendement et de risque ;
- la diversification ;
- l'efficience du marché.

Ces aspects, comme de nombreux autres, sont à la base de la **théorie du marché des capitaux**, théorie très réaliste qui intègre diverses connaissances du fonctionnement des marchés. Elle a donné une forte impulsion à la recherche comptable, économique et financière, et à l'évolution du fonctionnement des marchés des capitaux[7].

La négociation des titres et l'établissement des cours

Les marchés des capitaux fonctionnent de façon semblable à tous les autres marchés. Les gens négocient (achètent et vendent) ce qu'ils ont en échange d'autre chose, en général de l'argent ou une promesse d'argent.

- Des personnes possèdent des titres, tels que des actions de Provigo. Certaines d'entre elles sont prêtes à vendre leurs actions si le prix leur convient. Si personne ne voulait vendre, à quelque prix que ce soit, il n'y aurait pas d'échange possible !

- Certaines personnes ne possèdent pas de titres, mais sont disposées à en acheter de celles qui sont prêtes à en vendre, si le prix leur convient. Si personne ne voulait acheter, à quelque prix que ce soit, il n'y aurait pas d'échange possible ! Appelons les personnes du premier groupe « vendeurs » et celles du second groupe « acheteurs ». Supposons que des actions de Provigo puissent se négocier aux prix suivants :

Prix	Les vendeurs veulent-ils vendre ?	Les acheteurs veulent-ils acheter ?
20 $	Tous vendraient	Personne n'achèterait
12 $	La plupart des vendeurs vendraient	Certains acheteurs achèteraient
8 $	La moitié des vendeurs vendraient	La moitié des acheteurs achèteraient
5 $	Certains vendeurs vendraient	La plupart des acheteurs achèteraient
2 $	Personne ne vendrait	Tous achèteraient

Les cours des titres sur les marchés des capitaux sont déterminés, comme pour tout marché, par l'offre et la demande.

Cette liste de cours hypothétiques illustre la courbe de l'offre et de la demande. Les cours des marchés des capitaux sont déterminés par l'interaction entre ceux qui désirent vendre et ceux qui désirent acheter. Au prix de 20 $, il y aurait une grande quantité d'actions à vendre, mais personne ne voudrait les acheter ; au prix de 2 $, il y aurait une foule d'acheteurs, mais personne ne voudrait vendre. La valeur marchande des actions est déterminée quotidiennement par l'équilibre qui s'établit entre ceux qui veulent acheter et ceux qui veulent vendre.

- Lorsqu'il y a plus de vendeurs que d'acheteurs, le cours chute, jusqu'au niveau où le nombre d'acheteurs est à peu près le même que celui de vendeurs (ou du moins, d'actions en demande et d'actions à vendre).

- Lorsqu'il y a plus d'acheteurs que de vendeurs, le cours monte jusqu'au niveau où le nombre de vendeurs est à peu près le même que celui d'acheteurs (ou le nombre d'actions à vendre est égal à celui d'actions en demande).

Dans l'exemple ci-dessus, les acheteurs et les vendeurs devraient s'entendre pour négocier (acheter et vendre) à un prix d'environ 9 $. Le 23 juillet 1998, les actions de Provigo inc. se sont échangées entre 9,95 $ et 10,25 $ l'action à la Bourse de Montréal. À la Bourse de Toronto, les transactions se sont faites entre 9,35 $ et 10,30 $ l'action. Le cours quotidien est fixé par les pressions de l'offre et de la demande. Il varie donc selon le nombre d'acheteurs et de vendeurs prêts à acheter ou à vendre.

Le rôle de l'information dans les marchés des capitaux

Sur les marchés des capitaux, l'offre et la demande ne dépendent pas uniquement de l'information diffusée.

Pourquoi l'offre et la demande varient-elles ? Principalement, pour trois raisons qui concernent l'analyse financière :

1. *Opérations qui ne dépendent pas de l'information diffusée.* Dans certaines circonstances, certains acheteurs et vendeurs doivent vendre ou acheter, sans que leurs décisions soient liées de près ou de loin à la situation de l'entreprise dont les actions sont négociées. Il pourrait arriver que le titulaire de certaines actions décède et que sa succession soit obligée de vendre les actions afin de remettre l'argent aux héritiers. Ou encore, un investisseur de type « institutionnel », telle une caisse de retraite, pourrait avoir besoin de fonds pour payer des rentes ou effectuer d'autres paiements. Quelqu'un peut gagner à la loterie

et acheter des actions d'un fonds commun de placement (investissement constitué d'un éventail d'actions provenant de diverses sociétés). Certaines opérations se font, par conséquent, dans le but d'amasser ou de dépenser les fonds disponibles ; elles servent à gérer des liquidités.

Sur les marchés des capitaux, l'offre et la demande réagissent aussi à l'information générale.

2. *Opérations qui s'appuient sur une information générale.* Les sociétés dont on négocie les actions font partie d'un système économique global et il arrive que certains événements modifient la perception des gens quant à la valeur de leurs placements, ce qui provoque des fluctuations touchant toutes les actions négociées en bourse ou la plupart d'entre elles. Le cours des actions de sociétés telles que Provigo peut également être soumis à ces fluctuations. Parmi les événements qui agissent sur la perception des investisseurs, citons les variations des taux d'intérêt d'un pays, des tendances telles que l'inflation ou la confiance du consommateur, les guerres, la maladie ou le décès de gens influents, ou encore, des élections qui entraînent le changement du parti au pouvoir. Si le gouvernement fédéral du Canada annonçait l'adoption d'un impôt spécial sur les bénéfices des sociétés commerciales, on pourrait s'attendre à une baisse du cours de la grande majorité des actions, y compris celles de Provigo, car les investisseurs pourraient considérer que cette mesure aura des conséquences néfastes sur les bénéfices futurs de toutes les entreprises et, par conséquent, sur le rendement des actions détenues. On appelle souvent effets « systématiques », les changements provenant du système économique qui se répercutent sur les cours de tout le marché. En théorie, on ne comprend pas bien pourquoi une information générale entraîne malgré tout des opérations, car si toutes les sociétés sont touchées, pourquoi se donner la peine de négocier ? Néanmoins, certaines opérations ont lieu, car des investisseurs pensent que certaines sociétés seront favorisées et d'autres affaiblies par la conjoncture. D'autres investisseurs souhaiteront se retirer complètement du marché en vendant leurs actions pour acheter de l'or ou pour investir dans l'immobilier.

Sur les marchés des capitaux, une grande partie de l'offre et de la demande est influencée par l'information se rapportant spécifiquement aux titres.

3. *Opérations qui s'appuient sur une information spécifique.* Toute information concernant les perspectives d'avenir de Provigo peut influer sur le désir des gens d'acheter ou de vendre leurs actions. Par exemple, si la société annonce qu'elle est sur le point d'acquérir une autre entreprise, cette décision peut plaire à certains (et les inciter à acheter des actions, ce qui fait croître la demande) et déplaire à d'autres (et les inciter à vendre des actions, ce qui fait croître l'offre). Si la plupart des gens sont convaincus que l'acquisition en question est une bonne décision, le cours des actions montera ; si, par contre, la plupart des gens croient que la décision est mauvaise, le cours des actions chutera. Le fait que les cours des actions reflètent l'influence d'un événement — ou celle que les gens lui prêtent — sur leur volonté de détenir les actions d'une société est un phénomène déterminant, car il aide à comprendre le mécanisme du cours des actions et le rôle informatif de la comptabilité. Nous pouvons affirmer que le marché boursier « fixe le prix » de l'information, de sorte que toute fluctuation des cours des actions (tendance à la hausse ou à la baisse ou encore absence de mouvement) est une mesure de la valeur de l'information destinée au marché. Si nous retournons aux principes comptables énoncés au chapitre 4, nous pourrions dire que, du point de vue du marché boursier, toute *information utile à la prise de décision* a une importance relative sur le marché lorsque le

fait d'en avoir connaissance modifie, ou pourrait modifier, la valeur des titres ou provoque des opérations (achat et vente), même si l'effet net sur le cours était nulle.

Plusieurs analyses et recherches en sciences comptables, en finance et en économie se servent de cette notion pour mesurer la valeur apparente de différentes informations se rapportant spécifiquement à des sociétés ou à des titres, par exemple, la publication des bénéfices annuels d'une société, l'annonce de changements apportés à la direction et les nouvelles concernant d'autres événements touchant une société. (Pour supposer que les fluctuations des cours du marché boursier reflètent de la valeur de l'information, il faut avoir foi dans le système des marchés en tant que bien social et avoir confiance en leur capacité de réagir adéquatement à l'information.)

Le rendement et le risque

Le rendement d'un titre correspond en partie aux liquidités qu'il génère et en partie à la variation de sa valeur marchande.

Le rendement que vous apporte un titre (une obligation ou une action de Provigo) correspond :

- aux liquidités que vous recevez (en intérêts ou en dividendes) et, en plus,

- à la variation de la valeur marchande du titre (qu'on espère à la hausse).

Ainsi, vous obtenez à la fois un rendement en argent et un profit de détention ou un « gain en capital » (ou une perte).

Le risque que la valeur d'un titre fluctue peut être systématique (général) ou spécifique (particulier au titre).

La théorie du marché des capitaux tire une grande partie de son intérêt de l'analyse de la nature de ces deux types de rendement et, plus particulièrement, du deuxième. Selon cette théorie, si la valeur marchande du titre que vous détenez fluctue, cette fluctuation constitue une mesure du *risque* lié à la détention du titre, puisque la valeur de celui-ci peut monter ou baisser. Le risque correspond à la variance ou à l'écart-type par rapport au cours moyen du titre. Un titre à risque, par conséquent, est un titre dont le cours varie beaucoup. Cependant, le cours d'un titre peut fluctuer parce que l'ensemble du marché des actions ou des obligations est à la hausse ou à la baisse, ou parce qu'une information spécifique à ce titre ou à la société émettrice circule. De ce fait, on peut distinguer deux types de risque, soit :

- le *risque systématique* : la fraction de la variation du titre qui découle directement ou indirectement des fluctuations du marché dans son ensemble ; et

- le *risque spécifique* : la variation résiduelle du titre, qui n'est pas en relation avec les fluctuations du marché. Le « bêta » (terme provenant du modèle mathématique utilisé pour établir un lien entre le rendement d'une entreprise et celui du marché dans son ensemble) est une mesure de la sensibilité du titre aux fluctuations du marché. On peut classer les titres selon la relation suivante : les cours des titres à *bêta faible* varient *moins* que l'ensemble des cours de la bourse, tandis que les cours des titres à *bêta fort* varient *plus* que les cours de la bourse.

On peut contrôler le risque, jusqu'à un certain point, en détenant une variété de titres ayant des bêtas différents. Nous approfondirons cette question dans la prochaine section.

L'information comptable a des limites dans la prédiction des cours et des risques de leur fluctuation.

Ici, on pourrait tout naturellement poser la question suivante : l'information comptable, en particulier celle qui concerne le bénéfice ou les flux de trésorerie, nous aide-t-elle à prédire le cours des titres et, par conséquent, les risques et les rendements ? Les cours du marché sont vraiment difficiles à prédire ; c'est incontestable. Par conséquent, l'information comptable ne nous aide pas beaucoup dans ce domaine, comme rien d'autre d'ailleurs. Cependant, certains facteurs peuvent nous aider indirectement. Lorsque des événements importants agissant sur le cours des titres sont incorporés à l'information comptable (souvent bien après qu'ils se sont produits, puisque les rapports comptables ne paraissent qu'une fois par trimestre ou par année), celle-ci peut avoir indirectement une valeur prédictive. Mais tout dépend de la façon dont l'événement d'origine est présenté : si les faits présentés dans l'information comptable ont une signification économique claire (comme c'est le cas lorsqu'ils ont une incidence sur les liquidités ou sur le risque), ils semblent avoir en plus une valeur prédictive.

L'information comptable est reliée aux fluctuations réelles des cours.

Par ailleurs, il est évident que l'information comptable (en particulier les bénéfices) est étroitement liée aux cours de la bourse. Normalement, plus la période sur laquelle on mesure le lien entre l'information comptable et les cours est longue, meilleure est la relation : les bénéfices comptables, par exemple, ont généralement une corrélation plus étroite avec le cours des actions sur quelques années que sur quelques mois. Ainsi, la comptabilité est en relation avec tout ce qui a une incidence sur les marchés, mais elle peut difficilement prédire le marché.

La diversification

Un portefeuille de titres comporte un risque spécifique moindre que des titres individuels.

Les marchés des valeurs incite à la diversification. Selon la théorie du marché des capitaux, un investisseur averti investira dans un ensemble de titres, c'est-à-dire dans un *portefeuille*. En choisissant un ensemble de titres ayant des bêtas différents (les fluctuations des rendements mesurant le risque), l'investisseur peut monter un portefeuille présentant le niveau de risque moyen désiré. Généralement, un portefeuille comporte moins de risques que tout titre pris individuellement, car le regroupement de titres aux risques spécifiques différents annule partiellement les fluctuations propres à chaque type de titres. Ainsi, lorsque le cours d'un titre monte, il se peut que le cours d'un autre baisse. Un portefeuille constitue un moyen de diversifier le risque spécifique.

Dans le milieu des investisseurs, il est devenu très courant de raisonner en fonction des portefeuilles. La plupart des recherches portant sur l'incidence de l'information comptable partent du principe que les investisseurs possèdent des portefeuilles et, en ce qui concerne leurs *propres* placements (titres négociables et caisse de retraite, par exemple), les sociétés raisonnent de plus en plus souvent de la même manière.

L'efficience du marché en matière d'information

Un marché des capitaux efficient révise ses prix correctement et rapidement pour refléter la portée de toute nouvelle information.

Un marché est **efficient** lorsqu'il réagit rapidement à toute nouvelle information rendue publique et qu'il reflète immédiatement l'incidence de cette information sur les cours des titres négociés. Les gens qui pensent que les informations dont ils disposent leur indiquent qu'il est temps d'acheter achètent des titres de ceux qui pensent qu'il est temps de les vendre. Lorsqu'un marché est efficient, vous ne pouvez pas vous servir de l'information accessible au public (comme celle contenue dans les états financiers) pour « devancer » le marché. En effet, avant que vous n'ayez accès à l'information et que vous ne soyez en mesure d'agir, le marché a déjà réagi et fixé un nouveau cours qui reflète l'information en question. En tant que négociateur individuel, vous exercez bien peu d'influence sur le cours fixé par la somme globale des achats et des ventes ; alors, à moins d'avoir accès à des informations qui n'ont pas encore été divulguées et de négocier rapidement, vous verrez que le cours ne tardera pas à refléter la valeur de cette information. Si tout le monde reçoit un rapport comptable au même moment, il est probable que seulement les négociateurs capables d'agir sur-le-champ pourront tirer avantage de toute nouvelle donnée contenue dans le rapport. (Un peu plus loin, nous verrons quelle est la probabilité que les rapports financiers contiennent de telles données.)

Un marché des capitaux efficient réagit à toute information inattendue.

Les marchés des capitaux fonctionnent à partir de l'information, laquelle résulte de l'anticipation de faits connus. Par conséquent, les marchés ne réagissent à une nouvelle information que si elle est *inattendue*. On peut donc avancer que, dans un marché des capitaux efficient, seul un fait inattendu ayant trait aux bénéfices, ou à n'importe quel autre élément du même genre, constitue pour le marché une véritable information. Le marché réagira faiblement à des résultats financiers conformes aux prévisions. On note cependant toujours une certaine réaction, parce que les différents intervenants ont des attentes et des opinions différentes ; ce sont ces différences qui font bouger le marché !

L'efficience du marché des capitaux est une hypothèse et non un fait, et les recherches la corroborent.

Des recherches indiquent que certains marchés (comme la Bourse de New York) sont très efficients au regard de l'information disponible, mais beaucoup de gens contestent ce fait. Par ailleurs, les recherches ne sont pas vraiment concluantes, et le comportement de plusieurs marchés est mal compris (la Bourse de Montréal, par exemple, a fait l'objet de beaucoup moins de recherches que celle de New York). Parce que l'efficience informationnelle est difficile à démontrer de façon concluante, on lui prête souvent une valeur hypothétique et on parle d'**hypothèse de l'efficience du marché**.

Des négociations équitables ne vont pas sans une diffusion équitable de l'information.

Il incombe aux commissions des valeurs mobilières, comme la Securities and Exchange Commission (SEC) des États-Unis et les commissions des valeurs mobilières du Québec, de l'Ontario et de l'Alberta, de s'assurer que la négociation des titres se fait aussi équitablement que possible. Les commissions doivent régler divers problèmes dont celui de « l'asymétrie de l'information » : certains négociateurs ont plus de renseignements que d'autres sur certains titres et peuvent ainsi tirer avantage de l'ignorance des non-initiés. Lorsqu'on sait qu'on peut s'attendre au pire, on est tenté de vendre à ceux qui ignorent encore que les prix vont chuter lorsque les mauvaises nouvelles seront connues par tout le monde, ou, inversement, lorsqu'on a eu vent de certaines bonnes nouvelles, on pourrait acheter des actions de gens qui ignorent que les cours vont bientôt monter. Un des rôles de la comptabilité financière est de réduire l'asymétrie de l'information en diffusant les données à tout le monde, en même temps.

Il arrive que des initiés soient mieux informés que les autres investisseurs ; c'est pourquoi leurs transactions sont suivies de près par les organismes de réglementation.

Pour illustrer les effets d'une information asymétrique, prenons l'exemple de gens travaillant pour une société et qui seraient en mesure d'utiliser l'information interne pour profiter des autres investisseurs. Ces gens, des initiés, pourraient acheter ou vendre des titres avant même que les autres investisseurs n'aient pris connaissance des nouvelles en question et, par le fait même, avant que le marché n'ait eu le temps de fixer un nouveau cours reflétant cette information. Si vous étiez un membre de la haute direction de Provigo et que vous sachiez que la société est sur le point de publier un rapport annonçant des bénéfices incroyablement faibles, qui vont faire chuter le cours des actions, vous pourriez vendre vos actions aujourd'hui à des actionnaires qui ignorent ce que vous savez. Les commissions de réglementation exigent que toute information importante soit publiée rapidement et transmise à tout le monde en même temps, et surveillent étroitement les faits et gestes des initiés.

Les normes comptables exigent que les sociétés communiquent toute information importante aussitôt qu'elle est connue. En plus des normes comptables, d'autres efforts visent à contrer l'asymétrie de l'information, ce qui assure probablement des marchés équitables où les cours sont fixés par des acheteurs et des vendeurs qui bénéficient tous des mêmes informations sur une société donnée. Cependant, même s'il arrive parfois que quelqu'un profite d'un investisseur moins averti, le marché demeure efficient étant donné que les cours reflètent toujours les informations connues par la majorité des gens.

 OÙ EN ÊTES-VOUS ?

Voici deux questions auxquelles vous devriez pouvoir répondre, compte tenu de ce que vous venez de lire :

1. Qu'est-ce qu'un titre à « bêta faible » ?

2. Quel rôle joue l'information comptable dans un marché des capitaux dit « efficient » ?

9.9   LA PUBLICATION DES INFORMATIONS PAR LES ENTREPRISES

La publication des informations par les sociétés est un processus continu, et la comptabilité générale ne joue dans ce domaine qu'un rôle limité.

Les états financiers représentent un des nombreux moyens permettant aux sociétés de renseigner les gens de l'extérieur sur leurs activités. Les marchés des capitaux portent évidemment une attention particulière à l'information comptable mais, dans un monde où beaucoup de gens achètent et vendent des obligations, des actions et des options plusieurs fois par jour, la publication d'états financiers annuels ou même trimestriels n'est pas souvent utile. La **publication de l'information** est un processus continu et diversifié. Une grande partie des informations contenues dans les états financiers filtrent au cours de l'exercice par voie de communiqués de presse et d'annonces et à travers les renseignements transmis officiellement aux commissions des valeurs mobilières ou aux marchés des capitaux. Par exemple, même si la vérification des états financiers d'une société pour l'exercice terminé le 31 décembre est achevée en février et que les états financiers sont imprimés et publiés en mai, tout au long de l'année, certains faits importants auront déjà été mentionnés, et le bénéfice trimestriel par action aura déjà été annoncé. De plus, dès le mois de janvier (avant la fin de la vérification), le bénéfice par action pour tout l'exercice sera connu. Il n'est donc pas surprenant que les recherches en sciences comptables démontrent que les cours des actions s'ajustent généralement avant que les rapports officiels sur les bénéfices ne soient publiés, surtout dans le cas des grandes sociétés où davantage d'informations sont disponibles entre les publications des rapports financiers.

La publication immédiate des informations favorise des marchés des capitaux équitables.

Les informations financières et les autres informations significatives sont constamment communiquées aux marchés financiers. En principe, les informations doivent être publiées dès qu'elles sont connues, afin que les investisseurs externes ne soient pas désavantagés par rapport aux personnes qui travaillent au sein de l'entreprise. La publication immédiate des informations aide à assurer un système équitable pour tous et fait en sorte que les cours du marché reflètent une évaluation éclairée des perspectives d'avenir d'une entreprise et qu'ils soient cohérents avec les intérêts de la société en général au chapitre de la distribution adéquate des ressources économiques.

L'article qui suit, rédigé par un cadre supérieur de la Bourse de Toronto, décrit cette situation.

LA PUBLICATION DES INFORMATIONS PAR LES SOCIÉTÉS

Un accès égal aux informations, la pierre angulaire des règlements de la Bourse de Toronto

En vertu de l'une des règles fondamentales de la Bourse de Toronto, chaque personne qui investit dans des titres cotés sur le marché doit avoir un accès égal aux informations qui peuvent influer sur ses décisions. Pour que le public ne doute pas de l'intégrité de la Bourse en tant que marché des titres, les informations importantes touchant les entreprises et leur sphère d'activité doivent être publiées en temps opportun, afin que tous les intervenants soient sur un pied d'égalité.

Toute information portant sur l'exploitation et les affaires d'une société qui entraînera ou qui devrait entraîner une fluctuation notable du cours ou de la valeur de ses titres cotés est considérée comme importante.

Par information importante, on entend aussi bien des données importantes que des changements importants concernant l'entreprise et ses activités.

De plus, le marché des valeurs est parfois soumis aux rumeurs ou aux spéculations. Lorsque c'est le cas, la Bourse peut obliger l'entreprise à confirmer ou à infirmer publiquement ces rumeurs ou ces spéculations.

En relation avec cette définition, il incombe à chaque société inscrite à la bourse de déterminer ce qu'est une information importante, dans le contexte de ses propres activités. Le poids relatif de l'information varie d'une société à une autre en fonction de son chiffre de bénéfices, de son actif et de la structure de son capital, de la nature de son exploitation et de bien d'autres facteurs.

Un fait « marquant » ou « décisif » pour une petite entreprise ne l'est souvent pas pour une grande. C'est l'entreprise elle-même qui est la mieux placée pour appliquer la définition d'importance relative aux circonstances particulières de sa situation. La bourse sait que les décisions portant sur les choix des informations à présenter dépendent d'un jugement judicieux et, en cas de doute, elle encourage les sociétés inscrites à consulter le comité de surveillance.

La publication de l'information doit être immédiate

Une société dont les titres sont cotés en bourse est obligée de diffuser les informations importantes la concernant dès que la direction en prend connaissance ou, dans le cas d'une information déjà connue, dès qu'elle devient importante. Cette diffusion immédiate est nécessaire pour s'assurer que l'information est, sans délai, mise à la disposition de tous les investisseurs et pour éviter que des personnes initiées n'agissent avant que l'information ne soit mise au grand jour.

Les transactions anormales liées à des variations substantielles du cours ou du volume des opérations d'une société, qui surviennent avant la publication d'un fait important, peuvent embarrasser la direction et nuire à la réputation du marché des valeurs, car les investisseurs sont en droit de supposer que certaines personnes ont bénéficié de données importantes n'ayant pas encore été rendues publiques.

Les rumeurs sont souvent en cause

Il arrive souvent que des rumeurs rendent les investisseurs nerveux. Il est entendu que la direction d'une entreprise ne peut être au courant de toutes les rumeurs qui circulent, ni ne peut les commenter toutes. Cependant, lorsque les transactions sont indûment influencées par ces rumeurs, la bourse demande à la direction de la société de faire une déclaration publique. La meilleure façon de corriger la situation est de clarifier ou de démentir rapidement les faits. Il arrive parfois qu'on interrompe les activités en attendant qu'une telle déclaration soit publiée. Si la rumeur est entièrement ou partiellement fondée, l'entreprise doit faire une déclaration immédiate fournissant toutes les données importantes ; dans l'intervalle, toute activité en bourse sera suspendue.

Les déclarations sur des faits importants doivent être factuelles et objectives. La direction ne doit pas surévaluer une information favorable ni sous-évaluer une information défavorable. Les mauvaises nouvelles doivent être présentées tout aussi rapidement et intégralement que les bonnes. Un communiqué ne peut certes contenir tous les détails qui seraient inclus dans un prospectus ou dans un document similaire. Cependant, il devrait contenir suffisamment de détails pour que les médias et les investisseurs puissent évaluer l'essentiel et l'importance de l'information et que les investisseurs puissent prendre leurs décisions en connaissance de cause.

Dans certaines circonstances exceptionnelles, la divulgation d'une information importante peut être retardée pendant un certain temps, si sa publication immédiate peut injustement faire tort à la société.

La bourse ne souhaite cependant pas rendre la temporisation pratique courante. Un retard dans la publication de la nouvelle n'est acceptable que dans le cas où les conséquences d'une divulgation immédiate seraient plus graves que le maintien de la confidentialité. Il faut cependant garder à l'esprit les considérations qui ont donné lieu à l'élaboration de la politique sur la diffusion immédiate de l'information. Même si, selon cette politique, il faut trouver un compromis entre les intérêts légitimes d'une société de garder certaines données confidentielles et le droit à l'information des investisseurs, la bourse décourage tout retard indu, car il est improbable que le caractère confidentiel d'une information importante puisse être maintenu très longtemps.

Par ailleurs, une société qui désire garder des renseignements confidentiels a le devoir de prendre toutes les précautions nécessaires pour qu'ils ne puissent être dévoilés. Ce type de renseignement ne doit être communiqué aux dirigeants, aux employés ou aux conseillers que dans la mesure où ils en ont besoin pour faire leur travail. On doit aussi rappeler régulièrement aux administrateurs, dirigeants et employés d'une entreprise dont les titres sont cotés en bourse que les renseignements confidentiels qu'ils obtiennent au travail ne doivent être divulgués en aucun cas.

L'obligation d'établir des règlements internes

Toute société dont les titres sont cotés en bourse devrait adopter des règlements interdisant à tous ceux qui ont accès à des renseignements confidentiels de les utiliser en vue de négocier les titres de l'entreprise avant que l'information n'ait été rendue publique et qu'on ait accordé un délai raisonnable pour sa diffusion.

Dans le cas où on garde une information confidentielle parce que sa diffusion pourrait injustement causer des torts à la société, la direction a le devoir de prendre toutes les précautions nécessaires pour s'assurer que les employés ou les personnes qui entretiennent des « liens particuliers » avec la société (avocats, ingénieurs et experts-comptables) n'utiliseront pas cette information avant qu'elle ne soit divulguée. De même, l'information importante non publiée ne doit en aucun cas être communiquée à d'autres intervenants qui pourraient en profiter pour négocier en initiés.

Source : John W. Carson, « Equal Access to Information Cornerstone of TSE Policy », *Corporate Disclosure: A Special Report*, Toronto, Canada, NEWSWire Ltd., 1989.

Voici deux questions auxquelles vous devriez pouvoir répondre, compte tenu de ce que vous venez de lire:

1. Pourquoi la présentation au moment opportun de l'information comptable et de toute information relative à une société est-elle importante pour les marchés des capitaux?

2. Pourquoi certaines informations comptables particulières, comme l'annonce du bénéfice par action de l'exercice, ont-elles souvent bien peu d'influence sur le cours des actions?

9.10   LES CONTRATS ET L'INFORMATION COMPTABLE

Communiquer des informations aux marchés des capitaux n'est qu'un des nombreux rôles de la comptabilité générale.

Les sections précédentes vous ont peut-être donné l'impression que le seul rôle de la comptabilité générale et la seule préoccupation des gestionnaires étaient de communiquer de l'information aux marchés des capitaux. Loin s'en faut! La comptabilité joue bien d'autres rôles utiles pour la direction et les autres parties. L'information comptable aide les gouvernements à prendre des décisions en matière de répartition des ressources, à évaluer les impôts sur les bénéfices, à négocier avec les syndicats et, peut-être aussi, à renforcer ou à déstabiliser le pouvoir politique de certains partenaires sociaux (par exemple, le monde des affaires).

Un de ses rôles consiste à gérer les relations entre les parties contractuelles d'un mandat.

Pour élargir votre perspective de la comptabilité, nous examinerons maintenant un autre de ces rôles, en développant certaines des idées qui sous-tendent la **théorie de la délégation**, un domaine important de la réflexion comptable et économique, qui met l'accent sur les relations qui doivent s'établir entre les parties contractuelles. Vous la retrouverez parfois sous le nom de « théorie d'agence », tiré directement de l'anglais, ou de « théorie mandant-mandataire », selon les aspects qu'elle décrit. Certaines recherches faites à ce sujet sont en grande partie théoriques et économétriques, tandis que d'autres se servent des données pour tenter de prédire le comportement de certaines personnes, telles que les gestionnaires ou les investisseurs, dans le milieu où l'information comptable est diffusée. Ces recherches se basent sur des principes économiques et s'intéressent donc aux pressions économiques plutôt qu'aux pressions sociales ou psychologiques[8].

Les contrats formels ou informels lient les mandants et les mandataires qui agissent en leur nom.

La théorie de la délégation met en lumière les relations entre les parties contractuelles, c'est-à-dire entre les *mandataires* (gestionnaires, vérificateurs, avocats, médecins, etc.) et les *mandants* (propriétaires, créanciers, défendeurs, patients, etc.) qui les autorisent à agir en leur nom. Ces contrats peuvent prendre la forme d'ententes rigoureuses, rédigées dans les règles (comme les contrats bilatéraux, précisant les droits et obligations des deux parties), de contrats avec des fournisseurs ou de contrats d'emploi moins rigoureux, et, même, d'une simple poignée de main.

Les intérêts des mandataires et ceux des mandants divergent.

La théorie de la délégation s'appuie sur le principe fondamental des contrats entre diverses parties agissant chacune dans ses propres intérêts: *il est peu probable que les parties partagent les mêmes intérêts*. Dans ce contexte, les conflits d'intérêts ne sont pas mauvais en eux-mêmes, ils sont tout simplement normaux. Par exemple, il est normal que le mandataire, qui agit au nom d'un mandant, préfère fournir moins d'effort que pourrait le souhaiter ce dernier. Le mandataire trouve que ses efforts lui coûtent cher (il n'aime pas le risque, préfère plus de temps libre) et, pour lui, l'idéal serait d'en faire le moins possible, alors que le mandant sait que les efforts du mandataire rapportent et, donc, il considère que ce dernier devrait en faire encore plus. Cette théorie examine des moyens permettant d'inciter les mandataires à agir « correctement » au nom des mandants, par exemple, agir dans l'intérêt de ces derniers et ne pas faillir à leurs responsabilités ni mentir au sujet de leurs actes lorsque les mandants ne peuvent les surveiller.

Les gestionnaires sont des gérants qui ont leurs propres intérêts et auxquels les propriétaires confient la gestion de leurs sociétés.

La théorie de la délégation s'intéresse à la fonction de gérance de l'information comptable — elle vise à superviser le travail de gérance des mandataires (par exemple, les directeurs d'une société) effectué au nom des mandants (par exemple, les propriétaires ou les actionnaires) — plutôt qu'à sa fonction prospective et décisionnelle, mise en relief par la théorie du marché des capitaux. Les deux fonctions existent; la théorie de la délégation concerne tout simplement la première des deux. La relation entre les gestionnaires et les actionnaires est toujours présente, mais le point de mire de la théorie de la délégation est le comportement des gestionnaires, plutôt que les réactions du marché des capitaux qui sont, elles, déterminées par les comportements des actionnaires actuels et potentiels. Selon cette théorie, l'information produite par la comptabilité générale, la comptabilité de gestion ou la vérification est vue comme le résultat du désir commun des parties en cause de veiller, au moyen de mesures incitatives et de méthodes de contrôle, sur leurs actes respectifs, et particulièrement sur la conduite des mandataires. Ce phénomène s'explique par le fait que les mandataires souhaitent agir dans leur propre intérêt et que, en l'absence d'incitations et de contrôles adéquats, leurs intérêts ne coïncideront pas nécessairement avec ceux des mandants.

On considère comme pertinente toute information qui améliore la relation entre les parties contractuelles.

La théorie a une portée très pratique car elle sous-entend que, si les conditions régissant les rapports entre les parties changent, la comptabilité et la vérification changeront aussi en vue de s'adapter à la nouvelle situation. L'information comptable est considérée comme un bien économique qui s'adapte aux changements de la demande, non comme quelque chose que l'on peut « enfermer » dans l'une ou l'autre des catégories « bonne » ou « mauvaise ». Les mandants et les mandataires réclameront toute l'information dont ils ont besoin pour gérer les rapports prévus par le contrat qui les lie et, par conséquent, l'information ne peut être jugée qu'en fonction de cette relation précise. Leur est-elle utile ou non ?

Les propriétaires et les gestionnaires peuvent avoir des vues différentes sur la façon de rémunérer les gestionnaires.

L'information est « bonne » dans la mesure où elle contribue à mettre les parties d'accord sur leur rôle et sur la façon de partager les résultats positifs ou négatifs. À titre d'exemple, supposons que les actionnaires de la société Larbec ltée désirent que la direction de l'entreprise fasse en sorte de maximiser le cours des actions qui se négocient sur le marché. Plus le cours est élevé, meilleur est le rendement des actionnaires et plus ils s'enrichissent. Ils peuvent, par l'entremise de leurs représentants au conseil d'administration, proposer aux gestionnaires un contrat stipulant que la haute direction ne recevra pas de salaire, mais plutôt un montant variable équivalant à 20 % des variations annuelles du cours des actions. Il se pourrait bien que la haute direction trouve que ce contrat comporte trop de risques, parce que plusieurs facteurs peuvent influer sur le cours des actions, y compris des facteurs sur lesquels les gestionnaires n'ont aucune prise, comme la fluctuation des taux de change, la récession et d'autres problèmes imprévus. Le cours des actions peut aussi bien monter que chuter. Les membres de la direction, estimant qu'il revient aux propriétaires d'assumer les risques, peuvent alors proposer qu'on verse à chacun d'entre eux un salaire forfaitaire de 200 000 $, quelles que soient les fluctuations des cours. Cette proposition ne plaît pas aux propriétaires, ils ont peur que les gestionnaires ne fournissent pas tous les efforts nécessaires, car ils sont assurés d'un salaire, sans égard aux résultats obtenus.

La rémunération de la direction est négociée entre les propriétaires et les dirigeants.

Par conséquent, les deux parties doivent négocier l'une avec l'autre. Finalement, elles peuvent conclure le contrat suivant : chaque membre de la direction recevra 150 000 $, plus une prime correspondant à 5 % du bénéfice net annuel et à 3 % de l'augmentation du cours des actions, sans pénalité si la société subit des pertes au cours de l'exercice, ni si le cours des actions baisse. Mais, dans ce cas, il n'y aurait pas de prime non plus. Les propriétaires, désireux de voir monter au maximum le cours des actions, et les gestionnaires, qui pensent avoir plus de prise sur le bénéfice net que sur le cours des actions, se mettent alors d'accord pour inclure ces deux facteurs dans le calcul de la prime. Les contrats de rémunération des dirigeants comportent souvent des clauses très complexes. Il arrive donc qu'on forme un sous-comité du conseil d'administration dont l'unique mission est de rédiger et de régir ce genre de contrats. Les commissions des valeurs mobilières exigent de plus en plus que les sociétés dévoilent la nature de ces contrats, ainsi que la rémunération à laquelle ils donnent droit, tout particulièrement dans le cas du président-directeur général et des autres membres de la haute direction.

Toute information comptable pertinente intéresse les deux parties contractuelles.

Ainsi, les gestionnaires acceptent de travailler en tant que mandataires des propriétaires (les mandants). De leur côté, les propriétaires acceptent de confier les tâches de gestion à ces dirigeants. Les deux parties passent un contrat contenant les clauses sur lesquelles elles se sont mises d'accord et qui les satisfont. À présent, les propriétaires peuvent utiliser l'information comptable pour évaluer le rendement des dirigeants et pour calculer les primes basées sur le bénéfice net. En raison des clauses de ce contrat, les deux parties s'intéressent à l'information comptable ; aucune partie ne serait satisfaite si elle lui faisait défaut. Elles peuvent, pour des raisons pratiques ou parce qu'elles préfèrent qu'il en soit ainsi, préciser dans le contrat que le calcul du bénéfice net doit être fait en fonction des PCGR. Toutefois, elles pourraient tout aussi bien indiquer d'autres méthodes de calcul plus avantageuses pour les deux parties.

Les PCGR jouent un rôle dans l'évaluation du rendement des dirigeants par les propriétaires.

Si un grand nombre de sociétés passent ce type d'entente concernant les primes ou d'autres « contrats incitatifs » dans lesquels l'information comptable joue un rôle, il est normal que de fortes pressions s'exercent sur les organismes responsables de l'établissement des PCGR ou d'autres normes comptables officielles pour qu'ils améliorent l'efficacité de ce type de contrats. Ces pressions vont vraisemblablement dans le même sens que celles qu'exercent les marchés des capitaux, parce que les propriétaires négocient leurs actions sur ces marchés. Toutefois, elles ne seront pas exactement les mêmes, car les dirigeants doivent aussi approuver ces contrats et il se pourrait, par exemple, qu'ils ne soient pas prêts à assumer autant de risques que le marché des capitaux le souhaiterait.

Les vérificateurs évaluent l'information comptable fournie par les gestionnaires, au nom des propriétaires.

Vous pouvez aussi envisager la question en fonction du rôle des vérificateurs : si les dirigeants de l'entreprise sont responsables de l'information comptable et s'ils sont rémunérés à partir des résultats qu'elle fournit, il se peut que les propriétaires (qui se trouvent peut-être très loin du siège social de l'entreprise et qui ne voudraient de toute façon pas venir poser des questions sur la comptabilité) ne soient pas portés à faire confiance aux chiffres fournis par la direction et préfèrent les voir évalués par un vérificateur externe.

De nombreux contrats, formels ou consensuels, s'appuient sur l'information comptable. Les parties qui sont liées par de tels contrats doivent s'intéresser nécessairement aux états financiers, aux PCGR, à la vérification et aux autres aspects de la comptabilité. Par conséquent, elles font partie intégrante du système de demande et d'utilisation d'informations qui façonnent la comptabilité. Parmi les contrats qui incitent les parties à s'intéresser à l'information fournie par la comptabilité, mentionnons les contrats de rémunération des dirigeants cités plus haut, les contrats de travail, les contrats avec les fournisseurs et les clients, et les contrats financiers comme ceux qui sont conclus lors d'une émission d'obligations ou qui régissent d'autres titres d'emprunt ou de participation. L'une des raisons pour lesquelles on rédige un contrat est d'éviter tout conflit d'intérêts, comme nous l'avons vu plus tôt. Par exemple, les détenteurs d'obligations ont un droit sur la société, ou sur son actif, qui a légalement préséance sur le droit résiduel des actionnaires. On rédige dans ce cas un contrat, tel qu'un acte de fiducie, spécifiant les droits précis accordés aux porteurs d'obligations. Ce contrat peut spécifier que, si le fonds de roulement de la société chute en dessous d'un certain palier, les porteurs d'obligations ont le droit d'exiger un paiement anticipé ou une autre pénalité de ce type. Même si elle ne fait pas disparaître le conflit d'intérêts, une telle clarification permet à toutes les parties d'évaluer, en connaissance de cause, le rendement et les perspectives d'avenir de l'entreprise.

La théorie de la délégation a plusieurs effets sur la comptabilité générale. Résumons-les :

a. Les états financiers jouent un rôle important dans le contrôle des activités d'une entreprise. Ils permettent aussi de mieux comprendre les décisions passées afin d'améliorer ce contrôle et de prévoir les résultats futurs.

b. L'ancienne fonction de gérance de la comptabilité générale reste toujours valable et occupe une place de choix dans le monde moderne des gestionnaires professionnels et des propriétaires qui négocient à distance leurs actions sur les marchés des valeurs.

c. L'information comptable est utile pour évaluer les conséquences probables et les risques potentiels des ententes entre les parties contractuelles et pour préciser les clauses particulières de chacun des contrats, par exemple, la distribution de primes ou de sanctions.

d. L'utilité des états financiers pour certains contrats particuliers peut ou non concorder avec les autres utilisations de ces données. Par exemple, un contrat dont les clauses visent à accroître au maximum la motivation de la direction peut avoir des conséquences fiscales indésirables, de sorte que les parties peuvent choisir un contrat moins incitatif mais qui réduit les impôts.

e. Les motivations des gestionnaires dans le choix des méthodes comptables sont vraisemblablement complexes ; il ne faut pas oublier en effet que la direction doit diffuser les informations tout en étant elle-même liée par divers types de contrats tant formels que consensuels.

f. La reconnaissance par les gestionnaires et les propriétaires des notions comptables générales, telles la fidélité, la prudence, la conformité aux PCGR et la vérifiabilité, tient à la capacité de celles-ci d'améliorer les diverses relations entre les parties contractuelles et aux coûts que leur application engendre.

Certaines clauses de contrats peuvent être très précises concernant l'information comptable à considérer.

La théorie de la délégation a plusieurs effets sur la comptabilité générale.

Ù EN ÊTES-VOUS ?

Voici deux questions auxquelles vous devriez pouvoir répondre, compte tenu de ce que vous venez de lire:

1. D'après la théorie de la délégation, quelle est la valeur de l'information comptable?

2. La société Gagnon ltée a signé plusieurs contrats relatifs à des primes de gestion avec sa haute direction, précisant que le salaire des cadres supérieurs dépendra en partie du rendement de l'entreprise. Pour sa part, la société Gauvin ltée paie uniquement un salaire fixe à ses cadres supérieurs. À votre avis, quelles différences pourrait-on noter dans l'intérêt que les deux groupes de gestionnaires porteront aux états financiers de leur société?

9.11   LES ÉTATS FINANCIERS ET LE RENDEMENT DES GESTIONNAIRES

Nous arrivons maintenant à l'une des principales raisons qui expliquent toute l'attention que porte la haute direction des sociétés ouvertes aux états financiers de leur entreprise, à l'annonce de leurs bénéfices et à la communication d'autres renseignements : les bourses et les autres marchés financiers réagissent rapidement à ces éléments d'information, et ce, en fonction de leur valeur pour les investisseurs. Les marchés imposent une « discipline » aux sociétés et à leur direction. Quelles que soient les attentes des dirigeants, le marché évalue l'information dans sa propre perspective, et récompense ou punit promptement l'entreprise en question, en faisant monter ou baisser les cours de ses actions ou obligations, sans tenir compte de ce que les dirigeants en pensent.

Les marchés des capitaux et les autres marchés financiers évaluent les états financiers des sociétés et le rendement des gestionnaires.

Moins une société est le point de mire du public, moins elle est engagée sur les marchés financiers et moins elle est soumise à cette discipline. Cependant, même les sociétés fermées ne sont pas à l'abri de telles contraintes, parce qu'elles sont souvent en concurrence avec des sociétés qui sont directement touchées, coopèrent avec elles, ou en sont les fournisseurs ou les clients. De plus, les propriétaires des sociétés fermées doivent se plier à ces contraintes, car ils désirent parfois vendre leur affaire, emprunter massivement ou prendre d'autres mesures, et alors leurs résultats sont tout aussi étroitement surveillés. Pour calculer la valeur d'une société fermée, on se base généralement sur ses états financiers et sur le rendement et les tendances qu'ils révèlent.

Dans les années 60 et 70, de nombreuses petites entreprises sont devenues des sociétés ouvertes en inscrivant leur titre à la cote en vue d'obtenir des capitaux et de profiter des évaluations de leurs perspectives d'avenir par le marché. Selon le cas, cette manœuvre a réussi ou échoué. Durant cette période, les taux d'inflation et d'intérêt ont monté considérablement, mais les cours des actions n'ont pas augmenté en conséquence. C'est pourquoi beaucoup d'investisseurs ont vendu leurs actions et réinvesti leur argent dans des obligations et divers titres de créance, ce qui a conséquemment fait baisser davantage les cours des actions. Dans les années 80, un grand nombre de sociétés ouvertes se sont montrées plus prudentes et se sont retirées du marché pour devenir des sociétés fermées, en partie parce que les avantages qu'elles en tiraient n'étaient pas assez importants pour compenser les risques que la discipline du marché leur imposait (comme le risque de prise de contrôle si leur rendement devenait improbable et si d'autres personnes étaient convaincues d'être en mesure de mieux gérer l'entreprise) et en partie parce que les coûts liés à la demande insatiable d'information des marchés étaient trop contraignants.

Des contrats importants pour les dirigeants sont souvent signés à la lumière des informations contenues dans les états financiers.

Les dirigeants portent également beaucoup d'attention aux chiffres présentés par les états financiers, car des contrats importants s'appuient, explicitement ou implicitement, sur eux. Les cadres supérieurs sont souvent rémunérés à partir des montants figurant dans les états financiers, et nombre d'entre eux détiennent des actions de l'entreprise ; dans le cas d'une société ouverte, il arrive que l'on renvoie des cadres supérieurs lorsque les cours des marchés baissent ou ne montent pas autant que le souhaiterait le conseil d'administration.

Les vérificateurs externes examinent attentivement le résultat de la gérance faite par les dirigeants mandatés par les propriétaires ; ces mêmes dirigeants doivent justifier les informations que présentent les états financiers. Puisque les états reflètent le travail de la haute direction, celle-ci souhaite qu'ils donnent une image aussi fidèle de son rendement que possible, compte tenu des contraintes imposées par les PCGR et de l'examen des vérificateurs.

Les états financiers sont, en partie, des mesures générales et, en partie, des mesures spécifiques du rendement de la société.

Les états financiers sont sans aucun doute importants pour les gestionnaires, mais mesurent-ils le rendement de ces derniers adéquatement ? Probablement pas et, même s'ils le faisaient, cette mesure ne pourrait pas être entièrement satisfaisante sans une interprétation attentive et éclairée. Par exemple, si une société applique les méthodes comptables habituelles sans sens critique et sans chercher à les adapter aux circonstances particulières, les états financiers présenteront des mesures compréhensibles, mais très arbitraires, du rendement de la direction. Par ailleurs, si la société néglige les méthodes comptables habituelles et élabore ses propres méthodes pour chaque élément, les états financiers fourniront une mesure pertinente du rendement de la direction, mais qui ne permettra aucune analyse comparative. La plupart des sociétés se situent quelque part entre ces deux extrêmes, ce qui signifie que leurs états financiers sont en partie arbitraires et en partie peu comparables ! Il s'agit d'une situation difficile pour les gestionnaires et pour ceux qui doivent les évaluer[9].

Il est difficile de déterminer dans quelle mesure les résultats d'une société sont réellement attribuables à ses dirigeants, et dans quelle mesure ils dépendent d'autres facteurs, tels que les tendances de l'économie, les variations des prix des produits, les pressions exercées par les syndicats ou même la chance ou la malchance. De plus, la plupart des sociétés sont dirigées par une équipe, et il est difficile d'isoler le rendement d'un dirigeant de celui du groupe. L'évaluation du rendement d'un gestionnaire (même celui du président) à partir des états financiers doit donc se faire avec beaucoup de prudence, et suppose une connaissance de la société et de son secteur d'activité. Même dans ce cas, l'évaluation demeure très arbitraire.

Les ratios et les autres calculs utilisés en analyse financière peuvent facilement compliquer le problème. Prenons l'exemple du rendement de l'actif de deux sociétés : « A » et « B ». L'actif de la société A se monte à 100 000 $ et son bénéfice net, augmenté des intérêts après impôts, s'élève à 20 000 $, ce qui correspond à un rendement de l'actif de 20 %. La situation de la société semble bonne, mais son directeur se préoccupe peu de l'avenir et ne veille pas à protéger la valeur de ses immobilisations en les renouvelant ou en assurant leur entretien en temps voulu.

À cause d'un ratio, comme celui du rendement de l'actif, un bon gestionnaire peut paraître moins compétent qu'un mauvais gestionnaire.

La situation de la société B est la même, sauf que son gestionnaire est vraiment conscient de la nécessité de rester concurrentiel et qu'il se préoccupe de ses immobilisations. Par conséquent, il a engagé 10 000 $ dans de nouvelles acquisitions et 2 000 $ (après impôts) dans un programme d'entretien amélioré. L'actif de la société B se monte à 110 000 $, et son bénéfice net, augmenté des intérêts après impôts, est de 18 000 $, ce qui correspond à un taux de rendement de l'actif de 16 %. Par conséquent, la société A semble bien plus prospère que la société B : le rendement de l'actif de la société B est inférieur, car le numérateur est plus petit, et le dénominateur, plus grand.

Vous pouvez constater que, si la personne qui effectue l'analyse financière n'est pas vraiment au courant de la situation, elle peut juger que le gestionnaire avisé de la société B est moins compétent que le gestionnaire négligent de la société A !

9.12   LA RECHERCHE COMPTABLE : LE RÔLE DE L'ANALYSE DES ÉTATS FINANCIERS

Dans les sections 9.8 et 9.9, nous avons constaté que les marchés réagissaient rapidement aux informations et que les grandes sociétés (ouvertes) étaient tenues de publier immédiatement tout renseignement important. Dans ce cas, quelle est la valeur de l'analyse des états financiers qui sont habituellement produits quelques mois après la fin de l'exercice d'une société ? Il s'agit d'un problème qui intrigue les chercheurs étonnés qu'on accorde un tel poids aux états financiers. Deux de ces chercheurs font remarquer que :

> Même un examen superficiel des statistiques sur le nombre d'exemplaires de rapports annuels distribués par les diverses sociétés et les heures consacrées [...] à leur préparation et à leur analyse nous force à conclure que les états financiers publiés jouent un rôle clé dans la diffusion de l'information concernant les entreprises[10].

L'analyse des états financiers est une activité essentielle et d'envergure.

Pour un grand nombre de personnes, l'analyse des états financiers est un métier, et c'est aux analystes que l'on doit un grand nombre de prévisions des bénéfices et d'autres chiffres contenus dans les états financiers. On peut prouver l'importance de cette activité non seulement par les ressources qui y sont consacrées, mais également par l'existence d'associations professionnelles d'analystes financiers et par l'attention que les médias accordent à un grand nombre d'analystes et à leurs prévisions.

Voici certains résultats issus des recherches sur l'analyse des états financiers[11] :

L'analyse est utile pour comprendre les changements survenus, pour prédire les problèmes financiers et pour contrôler l'application des contrats.

1. Si les états financiers contiennent de nouveaux éléments d'information ou des renseignements imprévus (comme c'est généralement le cas pour la plupart des sociétés fermées ou des petites entreprises), leur analyse sera utile pour interpréter les résultats.

2. Les ratios calculés à partir des chiffres des états financiers présentent un certain intérêt dans la prédiction des faillites ou d'autres problèmes financiers. Tout le monde ne s'accorde pas pour donner une explication valable de ce fait (en raison de sérieux problèmes statistiques), mais les recherches indiquent que, pour certaines sociétés, on peut prédire les problèmes financiers plusieurs années à l'avance en utilisant les ratios comptables.

3. L'analyse financière constitue une activité essentielle pour le contrôle des contrats d'emprunt, pour la mise en place des programmes de primes à la direction et pour la signature d'autres ententes. De nombreux contrats de ce genre nécessitent une analyse financière, parce qu'on y précise que la modification de certains ratios (comme le ratio emprunts/capitaux propres) entraînera des sanctions et même une rupture de contrat, ou parce que les ratios servent au calcul des primes ou d'autres paiements.

4. Même si les rapports annuels sont publiés longtemps après la fin de l'exercice, les marchés des valeurs réagissent suffisamment à leur publication pour montrer que l'analyse renseigne les intervenants.

L'analyse est utile aux marchés financiers ainsi qu'à d'autres usagers.

5. Une masse de données non classées est inutilisable : leur compilation demande trop de temps et nécessite des compétences particulières. Les techniques de compilation, telles que l'analyse financière, jouent donc un rôle important dans la prise de décisions par les usagers.

6. Les prévisions des bénéfices effectuées par les analystes, qui se basent en partie sur les données contenues dans les états financiers, aident à estimer le rendement futur des sociétés. Les analystes peuvent souvent prévoir des changements importants au chapitre des bénéfices, car ils suivent les sociétés de près. De ce fait, les cours des marchés se modifient régulièrement avant la publication de nouveaux états financiers.

L'analyse est utile pour prédire les bénéfices, évaluer les risques et vérifier la validité des informations.

7. Le risque et le rendement sont généralement reliés. Les investissements dont le rendement peut être élevé comportent souvent plus de risques que ceux dont le rendement pourrait être faible. Dans ce domaine, chaque investisseur a ses propres préférences : certaines personnes voudront détenir des actions à risque pouvant générer des rendements élevés (mais aussi des pertes importantes !), alors que d'autres se montreront plus prudentes. L'analyse des états financiers permet d'évaluer les risques et, par conséquent, aide les investisseurs à choisir les actions qui correspondent à leurs préférences en matière de risques.

8. L'analyse des états financiers aide à confirmer l'idée qu'on se fait du rendement, du risque ou de la situation d'une société. Même si l'analyse apporte bien peu de « faits nouveaux », elle permet de trier les autres informations sur les entreprises, la validité de ces informations pouvant se vérifier, plus tard, à la sortie des états financiers. De plus, il arrive parfois que l'analyse des états financiers révèle des données nouvelles qui permettent aux investisseurs de rajuster leur tir par rapport au rendement futur.

9.13 COMPRENEZ-VOUS BIEN CES TERMES ?

Voici la liste de termes présentés ou expliqués dans ce chapitre. Vérifiez que vous comprenez bien leur signification *en comptabilité* et, si certains vous semblent encore un peu confus, relisez les explications données dans le chapitre ou reportez-vous au glossaire à la fin du manuel.

Analyse au moyen de ratios
Analyse des états financiers
Analyse après impôts
Bourse des valeurs mobilières
Coefficient de rotation de l'actif (CRA)
Coefficient de rotation des stocks
Commentaires et analyse de la direction
Contrat
Délai moyen de recouvrement des créances
Effet de levier
Effet de levier potentiel
Efficience
Élément exceptionnel
États financiers dressés en pourcentages
Formule de Scott
Hypothèse de l'efficience du marché
Indice de liquidité relative
Investisseur
Jours de crédit clients
Marché des capitaux
Notes complémentaires
Publication de l'information
RA(IAI)
RA modifié
Ratio
Ratio cours-bénéfice

Ratio d'endettement
Ratio de couverture des intérêts
Ratio de liquidité relative
Ratio de marge bénéficiaire
Ratio de marge brute
Ratio de recouvrement
Ratio de rotation de l'actif
Ratio de rotation des stocks
Ratio des liquidités à l'actif
Ratio dividendes/bénéfices
Ratio du bénéfice par action
Ratio du fonds de roulement
Ratio emprunts/capitaux propres
Ratio passif à long terme/
    capitaux propres
Rendement attribuable à l'effet de levier
Rendement de l'actif (RA)
Rendement de l'exploitation
Rendement des capitaux propres (RCP)
Rendement du capital investi (RCI)
Société ouverte
Taux d'intérêt moyen
Théorie de la délégation
Théorie du marché des capitaux
Titre
Valeur comptable d'une action

9.14 CAS À SUIVRE...

NEUVIÈME PARTIE

Données de la neuvième partie

À la huitième partie, nous avons dressé trois états financiers de la société Mado inc.: un état des résultats et du déficit pour l'exercice terminé le 28 février 1998; les bilans au 28 février 1998 et au 1er mars 1997; et l'état de l'évolution de la situation financière pour l'exercice terminé le 28 février 1998.

Ces états financiers nous fournissent des données pour la présente partie et nous permettront d'illustrer les calculs des divers ratios financiers et de la formule de Scott. Ces calculs ne sont pas toujours simples, parce que la société subit des pertes et que sa situation financière n'est pas solide. Malheureusement, vous aurez peut-être l'occasion de rencontrer des sociétés qui se trouvent dans une position encore plus fâcheuse. Par conséquent, en apprenant comment appliquer ces méthodes d'analyse à leur situation, vous acquerrez une meilleure compréhension du processus d'analyse.

Résultats de la neuvième partie

Pour commencer, voici les ratios définis à la section 9.5, dans l'ordre où ils ont été présentés. Reportez-vous aux états financiers de la huitième partie (section 8.16) et vérifiez que vous comprenez bien d'où proviennent les chiffres utilisés pour leur calcul. Remarquez que la société n'a pas prévu de provision pour remboursement d'impôts sur les pertes subies au cours du premier exercice. Ce remboursement dépend des bénéfices imposables à venir, la perte pouvant être déduite de ce montant. Cependant, dans les circonstances actuelles, ces bénéfices à venir sont encore trop incertains pour nous permettre de compter sur un futur remboursement d'impôts.

D'autres versions de certains des ratios que nous calculons ci-dessous sont aussi possibles. Nous avons omis le signe du dollar et arrondi la plupart des ratios à trois décimales près.

Ratios de performance:

1. Rendement des capitaux propres à la fin de l'exercice: (54 066)/70 934 = (0,762), négatif.
   Rendement des capitaux propres au début de l'exercice: (54 066)/125 000 = (0,433), négatif.
2. Rendement de l'actif à la fin de l'exercice: ((54 066) + 6 469)/160 742 = (0,296), négatif.
3. Marge bénéficiaire avant intérêts: [(54 066) + 6 469]/229 387 = (0,207), négatif.
   Marge bénéficiaire après intérêts: (54 066)/229 387= (0,236), négatif.
4. États dressés en pourcentages: non illustrés ici.
5. Ratio de marge brute: 90 620/229 387 = 0,395. Le coût des marchandises vendues est de 0,605 du produit des ventes, de sorte que la majoration moyenne est de 0,395/0,605 = 65 % du coût.
6. Taux d'intérêt moyen: 6 469/89 808 = 0,072.
7. Ratio des liquidités à l'actif à la fin de l'exercice: (55 028)/160 742 = (0,342), négatif.
8. Ratio du bénéfice par action (BPA): le nombre d'actions est inconnu; le ratio du BPA pour les sociétés fermées n'est pas aussi significatif que pour les sociétés ouvertes.
9. Valeur comptable de l'action: le nombre d'actions est inconnu. Cependant, les capitaux propres, qui s'élevaient à 125 000 $ au départ, sont maintenant de 70 934 $. La valeur comptable de l'ensemble des actions ne représente donc que 56,7 % du montant investi par les propriétaires.
10. Ratio cours/bénéfice: il est impossible de déterminer ce ratio parce que les actions d'une société fermée comme Mado ne se négocient pas sur le marché; par conséquent, le cours est inconnu.
11. Ratio dividendes/bénéfice: il n'y a aucune déclaration de dividendes, puisque la société subit des pertes.

Ratios d'activité (rotation) :

12. Coefficient de rotation de l'actif : 229 387/160 742 = 1,427 fois.
13. Coefficient de rotation des stocks : 138 767/33 612 = 4,128 fois.
14. Ratio de recouvrement des créances : 14 129/(229 387/365) = 22,5 jours.

Ratios de financement :

15. Ratio emprunts/capitaux propres : 89 808/70 934 = 1,266.
    Le ratio emprunts/capitaux propres au début était de : 16 100/125 000 = 0,129.
16. Ratio passif à long terme/capitaux propres : zéro (pas de dette à long terme).
17. Ratio d'endettement : 89 808/160 742 = 0,559.

Ratios de liquidité et de solvabilité :

18. Ratio du fonds de roulement : 54 684/89 808 = 0,609.
    Le ratio du fonds de roulement au début était de : 130 000/16 100 = 8,075.
19. Ratio de liquidité relative : (6 418 + 14 129)/89 808 = 0,229.
20. Ratio de couverture des intérêts : il n'a pas été calculé puisqu'il n'y a pas de couverture à cause de l'importance de la perte !

Ces ratios nous racontent une triste histoire :

- la société a perdu 43,3 % de ses capitaux propres initiaux ;

- le ratio du fonds de roulement est nettement inférieur à 1 (son fonds de roulement est négatif) ;

- son ratio de liquidité relative n'atteint pas 25 % ; et

- l'encaisse et les comptes clients ne peuvent assurer l'exploitation de l'entreprise que pendant moins d'un mois.

Certains signes sont néanmoins positifs :

- le ratio de recouvrement des créances est faible (seulement 22,5 jours) ;

- le ratio emprunts/capitaux propres est peu élevé, même si les capitaux propres ont été réduits par les pertes ; et,

- avec un ratio d'endettement très faible et sans aucune dette à long terme, les propriétaires pourraient obtenir un emprunt à long terme, si cela s'avérait nécessaire pour améliorer leur situation actuelle.

Que nous dit la formule de Scott ? En nous servant des chiffres de fin d'exercice des ratios précédents, nous obtenons (sans qu'il faille ajuster ces ratios compte tenu des impôts) :

$$
\begin{aligned}
\text{RCP} &= \text{MN} \times \text{CRA} + (\text{RA} - \text{IM}) \times \text{P/CP} \\
(0{,}762) &= (0{,}207) \times 1{,}427 + ((0{,}296) - 0{,}072) \times 1{,}266 \\
(0{,}762) &= (0{,}295) + (0{,}368) \times 1{,}266 \\
(0{,}762) &= (0{,}295) + (0{,}466)
\end{aligned}
$$

La marge d'erreur dans ce cas est de 0,001 (puisqu'on a arrondi les chiffres). La formule de Scott indique que le faible rendement des capitaux propres de la société est attribuable à un effet de levier négatif qui s'ajoute à de mauvais résultats d'exploitation. Ainsi, la société perdait déjà de l'argent et elle a aggravé sa situation en empruntant. Normalement, un coefficient de rotation élevé de l'actif est le signe d'un bon rendement. Mais, dans ce cas, puisque la société perd de l'argent sur chaque vente qu'elle fait, plus elle vend, plus sa situation se détériore. Mado et Thomas ont peut-être voulu trop en faire au cours de leur premier exercice.

À partir de cet exemple, on se rend compte que la plupart des ratios et leurs combinaisons, comme dans la formule de Scott, peuvent aussi être calculés pour les sociétés qui ont subi des pertes. L'analyse des états financiers ne se limite donc pas aux sociétés rentables et solides financièrement. Cependant, l'interprétation des états financiers doit se faire avec prudence, parce qu'on peut trouver un rapport négatif là où l'on s'y attend le moins, comme nous l'avons vu, ci-dessus, avec les effets du coefficient de rotation de l'actif.

Il faut espérer que Mado et Thomas réussiront mieux au cours de leur deuxième exercice, sinon, il n'y en aura pas un troisième !

9.15 SUJETS DE RÉFLEXION ET TRAVAUX POUR AMÉLIORER LA COMPRÉHENSION

PROBLÈME 9.1*
Avantages et désavantages de l'analyse au moyen de ratios

Dressez la liste des avantages et des désavantages de l'utilisation de l'analyse financière au moyen de ratios (incluant la formule de Scott) pour évaluer le rendement de la direction. Pour les désavantages, essayez de trouver une solution à chacun des problèmes que vous aurez décelés.

PROBLÈME 9.2*
Ratios pour mesurer différents types de performance

1. Plusieurs mesures de performance financière font appel à des ratios que l'on obtient en calculant le rapport entre un certain rendement et une base d'investissement donnée. Pourquoi cette notion de performance est-elle importante dans les affaires ?
2. À partir de la réponse que vous avez fournie au point 1, comment pourriez-vous mesurer la performance de chacun des placements suivants du professeur Labrosse ?

    a. Un montant de 1 200 $ dans un compte d'épargne à la Banque Route.
    b. Un placement de 15 000 $ dans un petit cabinet de consultation qu'il exploite à l'extérieur du campus.
    c. Une voiture sport Corvair 600.

PROBLÈME 9.3*
Risque et effet de levier

Répondez aux questions suivantes dans un langage simple :

1. Qu'entend-on par « effet de levier » ?
2. Pourquoi l'effet de levier comporte-t-il des risques ?
3. Comment la formule de Scott intègre-t-elle l'effet de levier ?
4. Quelle société présente le plus de risques : celle dont la composante « effet de levier » de la formule de Scott est la suivante : $(0,10 - 0,08) \times 2$, ou celle dont la même composante est : $(0,09 - 0,08) \times 1$? Justifiez votre réponse.

PROBLÈME 9.4*
Questions utilisant
l'analyse au moyen
de ratios

La société A est détenue à 100 % par M. Edgar Amar. Voici un résumé des états financiers de la société.

Bilan au 30 septembre 1998 :

Total de l'actif	80 000 $
Total du passif	35 000 $
Total des capitaux propres	45 000
Total du passif et des capitaux propres	80 000 $

Résultats pour l'exercice terminé le 30 septembre 1998 :

Produits		30 000 $
Charges		
Intérêt	2 000 $	
Charges d'exploitation et d'administration	19 000	
Impôts (33−1/3 %)	3 000	24 000
Bénéfice net de l'exercice		6 000 $

Bénéfices non répartis pour l'exercice terminé
le 30 septembre 1998 :

Solde au début de l'exercice	17 000 $
Bénéfice net de l'exercice	6 000
Solde à la fin de l'exercice	23 000 $

1. Calculez le rendement des capitaux propres de la société A pour 1998.
2. Qu'est-ce qui contribue le plus à augmenter le rendement des capitaux propres : le rendement de la direction (rendement de l'exploitation) ou l'effet de levier ? Faites tous les calculs.
3. La société A envisage d'emprunter 50 000 $ pour acquérir de nouveaux éléments d'actif qui lui assureraient le même rendement de l'actif que celui qu'elle a obtenu jusqu'ici, selon les informations contenues dans les états financiers qui précèdent. Le coût de cet emprunt s'élèverait à 8 %. La société devrait-elle contracter cet emprunt ? (Supposez qu'elle ne dispose pas d'autres sources de financement.) Faites tous les calculs.
4. Vous êtes le directeur de la banque du quartier. M. Amar s'adresse à vous pour emprunter les 50 000 $ dont il est question plus haut. Vous disposez déjà des informations financières détaillées que la société vous a fournies :

   a. De quelles informations supplémentaires auriez-vous éventuellement besoin ?
   b. Outre les ratios déjà calculés, auriez-vous besoin de connaître d'autres ratios pour prendre votre décision ? Ne les calculez pas ; contentez-vous de les nommer ou de les décrire.

PROBLÈME 9.5*
Comptabilité et théories du marché des capitaux et de la délégation

1. Décrivez brièvement deux conséquences importantes de la théorie du marché des capitaux sur l'utilisation de l'information comptable.
2. Décrivez brièvement deux conséquences importantes de la théorie de la délégation sur l'utilisation de l'information comptable.

PROBLÈME 9.6*
Différend au sujet du rôle de la comptabilité générale

Deux étudiants discutent. L'un déclare que la comptabilité générale sert à fournir des informations à des intervenants de l'extérieur (par exemple, aux marchés des capitaux) afin de leur permettre d'évaluer les résultats d'une entreprise. L'autre affirme qu'elle constitue un système de contrôle de la direction, laquelle agit à titre de mandataire des propriétaires. À vous de trancher!

PROBLÈME 9.7*
Postulats comptables et acteurs économiques

1. Expliquez pourquoi chacun des postulats suivants est important lorsque les informations financières sont présentées aux marchés et aux acteurs économiques qui en ont besoin pour prendre des décisions:
   a. le principe de personnalité de l'entité;
   b. le principe du coût historique;
   c. la fidélité;
   d. les principes comptables généralement reconnus;
   e. les règles de déontologie suivies par les experts-comptables et les vérificateurs engagés dans la préparation des états financiers.
2. Ces différents postulats sont-ils intégrés dans les états financiers d'une grande société que vous connaissez? Donnez des exemples précis.
3. Appliquez maintenant ces postulats à une petite société fermée, comme une pizzeria, un garage ou un magasin de vêtements. Ces postulats sont-ils encore adaptés? Pourquoi?

PROBLÈME 9.8*
Définition des ratios selon leur fonction

Faites correspondre les éléments des deux colonnes ci-dessous. Dans la colonne de gauche, on trouve les noms des ratios et des composantes analytiques et dans celle de droite, les fonctions de ces ratios et de ces composantes.

1. RCP
2. Ratio de marge bénéficiaire
3. Ratio cours-bénéfice
4. RA(IAI) − IM(IAI)
5. RA(IAI)
6. MN(IAI) × CRA
7. Ratio de couverture des intérêts

a. Indique si la société fait suffisamment de bénéfice pour payer les intérêts sur ses dettes.
b. Mesure le rendement du capital investi avant le financement de l'investissement.
c. Indique le potentiel de l'effet de levier.
d. Mesure le rendement des capitaux que les propriétaires ont investis.
e. Montre les composantes du rendement de l'exploitation.
f. Indique la capacité de payer les dettes à court terme sans avoir à vendre les stocks.
g. Définit la relation entre le cours de l'action et le bénéfice par action.

8. Ratio emprunts/
   capitaux propres
9. Ratio de liquidité
   relative
10. Ratio de marge brute

h. Indique le bénéfice net de la société, réalisé sur chaque dollar de vente.

i. Indique la majoration moyenne des coûts d'achat pour établir les prix de vente.

j. Mesure le montant moyen des emprunts par rapport aux montants investis par les propriétaires.

PROBLÈME 9.9*
Interprétation de l'EESF de la société IPL Energy

La société IPL Energy Inc., située à Calgary, est un gros distributeur de gaz naturel et le propriétaire de Interprovincial Pipe Lines, de Consumers Gas, de Niagara Gas et de plusieurs autres entreprises de gazoducs et de distribution de gaz naturel. L'état consolidé de l'évolution de la situation financière de 1996 compare les éléments de cet exercice avec ceux de 1995 et de 1994.

1. Pourquoi les liquidités de la société provenant des activités d'exploitation (par exemple, 538 millions de dollars en 1996) sont-elles considérablement supérieures à ses bénéfices (180,3 millions en 1996) ?

2. Pour cette société, les liquidités se limitent à l'encaisse. Les emprunts à court terme figurent sous la rubrique du fonds de roulement hors trésorerie et les placements à court terme, sous celle des activités d'investissement. Quel changement aurait-on noté dans les liquidités, pour chacun de ces trois exercices, si elles avaient été constituées de l'encaisse, des placements temporaires et des emprunts à court terme ?

3. Rédigez un court texte pour décrire les principales composantes des flux de trésorerie de la société au cours des trois exercices.

IPL ENERGY INC.

États consolidés de l'évolution de la situation financière

(en millions de dollars) Exercice terminé le 31 décembre	1996	1995	1994
Liquidités provenant des activités d'exploitation			
Bénéfices	180,3	130,4	43,6
Charges ne se répercutant pas sur les liquidités :			
Amortissement	237,0	221,5	102,0
Impôts reportés	12,6	(14,9)	(7,9)
Part des actionnaires sans contrôle	22,1	15,0	(2,5)
Divers	12,8	13,1	(10,7)
Variation du fonds de roulement :			
Clients et autres débiteurs	(82,2)	(9,6)	(199,7)
Gaz entreposé	13,9	58,6	(351,6)
Emprunts à court terme	45,4	50,7	350,7
Fournisseurs et autres charges à payer	92,0	(2,8)	264,9
Intérêts à payer	4,1	7,3	46,3
Fonds de roulement provenant des acquisitions	–	0,7	(36,9)
	538,0	470,0	198,2

(en millions de dollars)
Exercice terminé le 31 décembre

	1996	1995	1994
Activités d'investissement			
Investissements à court terme, nets	–	36,4	13,2
Acquisition de Consumers Gas (note 2)	(143,5)	–	(1 203,8)
Investissements à long terme et acquisition de filiales	(90,2)	(104,3)	(33,7)
Acquisition de biens miniers — usine et matériel	(560,5)	(428,7)	(376,6)
Divers	(28,2)	(13,6)	(2,8)
	(822,4)	(510,2)	(1 603,7)
Activités de financement			
Obligations convertibles	–	307,6	171,8
Emprunt à taux variable, net	152,0	(804,0)	1 044,3
Emprunt à taux fixe, net	107,4	527,9	46,5
Part des actionnaires sans contrôle	(8,6)	(8,0)	(0,8)
Capital-actions	141,5	152,4	11,0
Dividendes	(125,9)	(116,3)	(80,2)
	266,4	59,6	1 192,6
Augmentation (diminution) de l'encaisse	(18,0)	19,4	(212,9)
Encaisse au début de l'exercice	31,8	12,4	225,3
Encaisse à la fin de l'exercice	13,8	31,8	12,4

Les notes complémentaires annexées aux états financiers consolidés font intégralement partie de ces états, mais ne figurent pas dans ce manuel.

PROBLÈME 9.10*
Analyse de la situation financière d'IPL Energy.

Vous trouverez à la page suivante le bilan consolidé 1996 de la société IPL Energy Inc. Au moyen du bilan et, si vous le désirez, de l'EESF du problème 9.9, préparez une analyse et commentez la situation financière de la société à la fin de l'exercice de 1996, que vous comparerez à celle de l'exercice de 1995.

IPL ENERGY INC.

Bilan consolidé

(en millions de dollars)
Exercice terminé le 31 décembre

	1996	1995
Actif		
Actif à court terme		
Encaisse	13,8	31,8
Clients et autres débiteurs	361,1	278,9
Gaz entreposé	279,1	293,0
	654,0	603,7
Investissements à long terme (note 7)	177,1	95,7
Frais payés d'avance	123,0	99,9
Biens miniers nets — usine et matériel, (note 8)	4 807,0	4 377,7
	5 761,1	5 177,0
Passif et capitaux propres		
Passif à court terme		
Emprunts à court terme (note 9)	446,8	401,4
Fournisseurs et autres charges à payer	400,4	308,4
Intérêts à payer	65,7	61,6
Tranche à court terme du passif à long terme	92,1	117,4
	1 005,0	888,8
Emprunt à long terme (note 9)	2 939,0	2 653,9
Crédits reportés	47,5	26,7
Impôts reportés	373,6	373,1
Part des actionnaires sans contrôle (note 2)	–	138,9
Éventualités (note 15)		
	4 365,1	4 081,4
Capitaux propres		
Capital-actions (note 10)		
Émis de 67 490 000 actions ordinaires (1997: 60 873 000)	1 126,2	879,6
Bénéfices non répartis	266,5	212,1
Écart provenant de la conversion de devises	3,3	3,9
	1 396,0	1 095,6
	5 761,1	5 177,0

Les notes complémentaires annexées aux états financiers consolidés font intégralement partie de ces états, mais ne figurent pas dans ce manuel.

Approuvé par le conseil:

Directeur   Directeur

PROBLÈME 9.11*
Analyse de la situation d'IPL Energy au moyen de la formule de Scott

Vous trouverez ci-dessous les états consolidés des résultats et des bénéfices non répartis de 1996 de la société IPL Energy. Référez-vous à ces états et au bilan (problème 9.10) pour préparer une analyse; appliquez la formule de Scott pour comparer les exercices de 1996 et de 1995; commentez les résultats de votre analyse.

IPL ENERGY INC.

État consolidé des résultats

(en millions de dollars, sauf les montants par action)
Exercice terminé le 31 décembre

	1996	1995	1994
Produits d'exploitation			
Vente de gaz	1 749,8	1 694,4	172,2
Transport	516,1	477,9	398,1
Divers	192,0	150,5	21,2
	2 457,9	2 322,8	591,5
Charges			
Coûts du gaz	1 064,3	1 123,0	105,3
Frais d'exploitation et d'administration	576,3	515,8	267,4
Amortissement	237,0	221,5	102,0
	1 877,6	1 860,3	474,7
Bénéfice d'exploitation	580,3	462,5	116,8
Revenus de placement et autres revenus (note 4)	31,7	39,1	72,1
Intérêts débiteurs (note 5)	(271,3)	(281,8)	(151,4)
Bénéfice avant impôts	340,7	219,8	37,5
Impôts sur le bénéfice (note 6)	(138,3)	(74,4)	3,6
	202,4	145,4	41,1
Part des actionnaires sans contrôle (note 2)	(22,1)	(15,0)	2,5
Bénéfice net	180,3	130,4	43,6
Bénéfice par action (note 10)	2,90	2,30	1,09

État consolidé des bénéfices non répartis

(en millions de dollars, sauf les montants par action)
Exercice terminé le 31 décembre

	1996	1995	1994
Bénéfices non répartis au début de l'exercice	212,1	198,0	234,6
Bénéfice net	180,3	130,4	43,6
Dividendes	(125,9)	(116,3)	(80,2)
Bénéfices non répartis à la fin de l'exercice	266,5	212,1	198,0
Dividendes par action	2,03	2,00	2,00

Les notes complémentaires annexées aux états financiers consolidés font intégralement partie de ces états, mais ne figurent pas dans ce manuel.

PROBLÈME 9.12
En quoi les états financiers aident-ils ceux qui les utilisent?

De nombreuses personnes qui ne travaillent pas au sein des sociétés se fient aux états financiers qu'elles publient, comme le bilan, l'état des résultats et l'état de l'évolution de la situation financière. Nommez deux grandes catégories d'utilisateurs des informations financières et expliquez brièvement en quoi chacun des trois états financiers ci-dessus leur sera utile. (Une question semblable vous a déjà été posée dans les chapitres antérieurs, mais vous devriez maintenant être capable de fournir une réponse plus élaborée.)

PROBLÈME 9.13
Ébauche d'un discours sur l'analyse et l'utilité des états financiers

Préparez l'ébauche du discours que l'on vous a demandé de présenter devant les membres d'un club d'investisseurs de votre localité. Il s'agit d'investisseurs avertis qui connaissent les marchés financiers et souhaitent mieux comprendre les informations comptables des sociétés. Le sujet de votre discours est le suivant : « Analyse et utilité de l'information comptable. »

PROBLÈME 9.14
Commentaires sur une critique de l'analyse des états financiers

Un membre de la haute direction d'une grande société ouverte exprime son mécontentement en ces termes :

Les analyses financières faites par les experts-comptables ne me semblent pas très utiles. Elles ne mettent pas en lumière les éléments de gestion qui sont déterminants pour la réussite de mon entreprise. Elles sont rétrospectives plutôt que prospectives. Et, de toute façon, le marché boursier évalue les résultats obtenus par une entreprise bien avant les experts-comptables.

Commentez les propos de ce gestionnaire.

PROBLÈME 9.15
Marchés des capitaux et contrats intéressant une société

Choisissez une grande société ouverte, bien connue, qui vous intéresse, et répondez aux questions suivantes :

1. Quels sont les marchés des capitaux qui pourraient intéresser cette société?
2. Supposons que ces marchés des capitaux sont « efficients » et qu'une information importante et imprévue concernant la société est publiée. Que devrait-il se produire? La situation serait-elle différente si les marchés avaient anticipé cette nouvelle?
3. Nommez quelques liens contractuels explicites, implicites ou même fortuits qui existent entre la société et les parties œuvrant à l'intérieur ou à l'extérieur de la société et qui ont probablement une forte incidence sur la réussite de l'entreprise.

PROBLÈME 9.16
Utilité des états financiers pour les entreprises d'aujourd'hui

En quoi l'information contenue dans les états financiers est-elle utile pour les entreprises d'aujourd'hui? Dans votre réponse, vous devez, entre autres choses, tenir compte de l'évolution de la pratique comptable au fil des années et des conséquences des théories du marché des capitaux et de la délégation.

PROBLÈME 9.17
Réglementation de la publication de l'information et stratégie de gestion

1. Le président de Générix, une petite société, songe à inscrire les actions de son entreprise à la Bourse de Montréal ; cette opération pourrait faciliter l'émission d'un bloc important de nouvelles actions et procurer à l'entreprise le capital dont elle a besoin. Expliquez au président en quoi le fait de devenir une société ouverte pourrait compliquer la vie de Générix.

2. Le président croit que, si sa société devenait ouverte, il devrait adopter une stratégie de publication de l'information financière ; cela lui permettrait de gérer la communication de l'information comme toute autre activité de sa société. Nommez quelques-unes des composantes d'une stratégie de publication de l'information financière ?

PROBLÈME 9.18
Vérificateurs et marchés des capitaux

1. Pourquoi les actionnaires d'une grande société ouverte voudraient-ils que les états financiers soient vérifiés ?

2. Le rapport du vérificateur est normalement rédigé dans un langage type. On estime que, s'il existe des problèmes, les écarts par rapport à la présentation type vont attirer l'attention des utilisateurs des états financiers. Ce point de vue correspond-il aux prémisses de la théorie du marché des capitaux ?

PROBLÈME 9.19
Normes faisant autorité, marchés des capitaux et contrats

Une grande partie des méthodes comptables que nous avons étudiées dans cet ouvrage s'appuient sur des normes faisant autorité (*Manuel de l'ICCA*, *Statements* du FASB, etc.). Elles cherchent à établir les méthodes que doit suivre la comptabilité des sociétés. Ces normes ne couvrent cependant pas tous les aspects de la comptabilité ; les sociétés doivent encore faire de nombreux choix lorsqu'elles dressent leurs états financiers.

Pourquoi les sociétés doivent-elles suivre les normes faisant autorité ? Pourquoi ces normes ne couvrent-elles pas tous les aspects de la comptabilité ? Devrait-on avoir plus de normes, ou moins ? Situez votre réponse dans le contexte des théories de l'utilisation de l'information qui ont été étudiées dans ce chapitre.

PROBLÈME 9.20
Pour ou contre la publication de l'information financière

1. Il semble que certains hauts dirigeants tentent de biaiser les informations financières que leur société doit publier, y compris les états financiers, de façon à modifier l'image qu'ils donnent. Qu'est-ce qui pourrait les motiver à agir de la sorte ?

2. Pensez-vous qu'il faudrait interdire aux dirigeants de maquiller ainsi l'information financière ?

PROBLÈME 9.21
Évaluation globale de Provigo

Dans ce chapitre, nous avons présenté différentes analyses au moyen de ratios et de l'information relative aux flux de trésorerie de Provigo. Rédigez une brève évaluation des résultats financiers de la société pour 1998 et de sa situation financière à la fin de cet exercice. Référez-vous aux commentaires énoncés dans le chapitre et agencez les données de façon à produire une évaluation globale qui pourrait renseigner un néophyte.

PROBLÈME 9.22
Calculs et explication du rendement des capitaux propres et de l'effet de l'endettement

L'une de vos voisines apprend que vous suivez des cours en administration des affaires et engage la conversation avec vous dans le but d'obtenir à bon compte des conseils sur les placements. Vous apprenez qu'elle a grandi pendant la Crise et qu'elle a horreur de l'endettement. Elle estime que les sociétés solides ne devraient pas avoir de dettes et que tous leurs capitaux devraient provenir des actions émises ou des bénéfices non répartis. Vous avez entre les mains les états financiers d'une société qu'elle connaît et qui vous serviront à discuter de cette question.

Utilisez les informations extraites des états financiers ci-dessous pour calculer le rendement des capitaux propres de la société. Expliquez à votre voisine l'effet de l'endettement sur le rendement des capitaux propres de la société, en précisant si ce rendement croît ou diminue avec l'endettement.

Total de l'actif	251 600 $
Total du passif	98 980
Dette à long terme portant intérêt	42 580
Capital-actions	87 150
Taux d'imposition	43 %
Bénéfices non répartis	65 470 $
Total des produits	313 450
Intérêts débiteurs	5 070
Bénéfice avant impôts et éléments inhabituels	36 100
Bénéfice net	28 060

PROBLÈME 9.23
Analyse des effets des changements sur la formule de Scott

Vous êtes le chef comptable de la société Biscuits Belage ltée et vous venez d'effectuer le calcul suivant en utilisant la formule de Scott :

$$RCP = MN \times CRA + (RA - IM) \times P/CP$$

$$0,095 = 0,04 \times 2,00 + (0,08 - 0,07) \times 1,5$$

Le président n'est pas satisfait du rendement des capitaux propres de 9,5 %. Il vous demande d'évaluer séparément les effets de chacun des éléments suivants :

1. Augmentation des prix de vente en vue d'accroître de moitié la marge nette après impôts et d'obtenir un coefficient de rotation de l'actif de 5 %.
2. Refinancement de la dette de la société en vue de réduire les frais d'emprunt après impôts à 6 %.
3. Réduction des frais d'exploitation en vue de porter la marge nette après impôts à 5 %.
4. Augmentation des emprunts à long terme et diminution des capitaux propres de façon à faire passer le ratio emprunts/capitaux propres à 1,8.

PROBLÈME 9.24
Analyse au moyen de ratios des Industries Lassonde

Nous vous avons présenté dans les chapitres précédents les états financiers comparatifs des Industries Lassonde pour 1996. Le bilan figurait à la section 2.6, les états des résultats et des bénéfices non répartis, à la section 2.8, et l'EESF, à la section 3.7. En vous référant à ces états, calculez le plus grand nombre possible des vingt ratios décrits à la section 9.5 pour les exercices de 1996 et de 1995, puis utilisez ces ratios pour comparer le rendement de la société au cours de ces deux exercices.

PROBLÈME 9.25
Analyse des Industries Lassonde au moyen de la formule de Scott

(*Il n'est pas nécessaire d'avoir effectué le problème 9.24.*) Nous vous avons présenté dans des chapitres précédents les états financiers comparatifs des Industries Lassonde pour 1996. Le bilan figurait à la section 2.6, les états des résultats et des bénéfices non répartis, à la section 2.8, et l'EESF, à la section 3.7. En vous référant à ces états, faites une analyse des exercices de 1996 et de 1995 à l'aide de la formule de Scott, puis utilisez cette analyse pour comparer le rendement de la société au cours des deux exercices.

PROBLÈME 9.26
Évaluation du rendement financier de Microsoft

Les états financiers de la société Microsoft sont présentés au «cas 3A» du chapitre 3. En vous référant à ces états et en posant des hypothèses, au besoin, au sujet de toute information manquante, calculez la formule de Scott et tous les ratios pertinents afin de préparer une brève évaluation du rendement de la société pour l'exercice de 1996, en le comparant à celui de 1995.

Cette analyse est intéressante, car Microsoft connaît un tel succès qu'elle possède un fort volume d'investissements à court terme et beaucoup de liquidités, et qu'elle n'a aucune dette portant intérêt. En conséquence, la société a des revenus de placements et n'a aucune charge d'intérêts. Ainsi, en calculant la formule de Scott, on obtient des intérêts débiteurs équivalent à zéro et on n'a rien à ajouter au bénéfice net dans le calcul du RA ou MN. Vous remarquerez que l'effet de levier de la formule de Scott est assez intéressant, parce qu'il représente seulement le rendement de passif ne portant aucun intérêt.

PROBLÈME 9.27
Utilisation de la formule de Scott pour expliquer la modification des résultats

Le président de Provibec ltée se demande pourquoi, en dépit d'une augmentation des produits, de l'actif et du bénéfice net par rapport à l'exercice précédent, le rendement des capitaux propres de la société a diminué. Au cours du dernier exercice, le RCP était de 9,3 %, alors que celui de l'exercice en cours est de 9 %.

Les états financiers de l'exercice en cours contiennent les informations suivantes:

- Au 30 septembre 1998: total de l'actif, 5 000 000 $; total du passif, 2 000 000 $; total des capitaux propres, 3 000 000 $.

- Pour l'exercice terminé le 30 septembre 1998: produits, 1 800 000 $; intérêts débiteurs, 200 000 $; autres charges sauf les impôts, 1 150 000 $; impôts de l'exercice (40 %), 180 000 $; bénéfice net, 270 000 $; dividendes déclarés, 50 000 $.

1. Préparez une analyse à partir de la formule de Scott pour l'exercice terminé le 30 septembre 1998.
2. Communiquez au président les conclusions que vous pouvez tirer de votre analyse (point 1) quant à la performance de la société en 1998.
3. Le président désire connaître les limites de la formule de Scott en ce qui concerne l'évaluation du rendement de la direction. En lui répondant, n'oubliez pas de lui rappeler que cette formule s'appuie sur les chiffres comptables.
4. La formule de Scott appliquée aux chiffres de l'exercice précédent de la société (arrondis à trois décimales près) donne ce qui suit: $0,093 = (0,164)(0,491) + (0,080 - 0,025)(0,240)$. Utilisez ces chiffres ainsi que la réponse fournie au point 1 pour expliquer au président pourquoi le rendement des capitaux propres a changé depuis l'exercice précédent.

PROBLÈME 9.28
Évaluation de la déclaration du président d'une société par l'analyse des états financiers

Le président d'une usine de taille moyenne veut renouveler l'emprunt qui est affecté à l'exploitation de la société. En discutant avec le directeur du crédit de la banque, le président déclare : « Comme l'indiquent nos états financiers, la situation de notre fonds de roulement s'est améliorée au cours du dernier exercice et nous avons pu réduire considérablement nos frais d'exploitation. »

Voici l'information contenue dans les états financiers partiels :

Fabrications Titan ltée Bilan partiel aux 31 décembre 1998 et 1997		
	1998	1997
Actif à court terme		
Encaisse	50 000 $	200 000 $
Clients	250 000	100 000
Stock	500 000	400 000
Total de l'actif à court terme	800 000 $	700 000 $
Passif à court terme		
Fournisseurs	250 000 $	200 000 $
Emprunt affecté à l'exploitation	100 000	100 000
Total du passif à court terme	350 000 $	300 000 $

Fabrications Titan ltée État des résultats pour les exercices terminés les 31 décembre 1998 et 1997		
	1998	1997
Ventes	1 200 000 $	1 500 000 $
Moins : Coût des marchandises vendues	780 000	900 000
Marge bénéficiaire brute	420 000 $	600 000 $
Frais d'exploitation	350 000	400 000
Bénéfice avant impôts	70 000 $	200 000 $
Impôts sur les bénéfices	14 000	40 000
Bénéfice net	56 000 $	160 000 $

1. Que pensez-vous des propos du président ? Présentez une analyse appropriée au moyen de ratios.
2. Quels renseignements supplémentaires demanderiez-vous au président, le cas échéant ? Pourquoi ?

**PROBLÈME 9.29
(POUR LES AS!)
Les conventions
comptables influent-
elles sur le cours
des actions?**

Un actionnaire d'une grande société ouverte menace de poursuivre en justice la direction de la société, ses vérificateurs et l'ICCA. «Ils ont approuvé, dit-il, des conventions comptables trop prudentes, qui ont engendré un rendement apparent faible et un cours des actions bas, ce qui a réduit la valeur de mon investissement.»

Que pensez-vous des propos de cet actionnaire?

**PROBLÈME 9.30
(POUR LES AS!)
Marchés efficients
et informations
destinées aux
utilisateurs**

1. L'hypothèse de l'efficience du marché des capitaux est habituellement analysée dans le contexte des grands marchés des valeurs mobilières, comme ceux de New York ou de Toronto. En quoi ces marchés diffèrent-ils du marché des emprunts d'une petite succursale bancaire, installée dans un centre commercial?

2. L'information comptable peut être présentée de façon simple ou complexe. À quelles catégories d'utilisateurs, parmi les suivantes, les méthodes choisies doivent-elles s'adapter afin que ces utilisateurs puissent comprendre l'information? Pourquoi?
   a. les étudiants d'une école de gestion;
   b. le directeur de la succursale d'une grande banque nationale, installée à Sherbrooke, au Québec;
   c. le vice-président du crédit aux sociétés de la même banque pour la province de Québec;
   d. un nouvel investisseur privé qui aime «jouer à la bourse»;
   e. les analystes financiers d'une grande société de courtage en valeurs mobilières.

3. Mettez-vous à la place du directeur d'une succursale bancaire en Abitibi. Un homme d'affaires de la région vient faire une demande d'emprunt en vue de construire un restaurant à côté de sa station-service sur la route 117. Il vous a présenté ses états financiers pour l'exercice qui vient de se terminer et vous demande de lui prêter 100 000$. Allez-vous essayer d'obtenir plus de renseignements avant de prendre votre décision? En quoi seriez-vous mieux ou moins bien placé pour prendre cette décision que le vice-président du crédit aux sociétés pour l'Est du Canada, dont le bureau est situé dans une grande ville de cette partie du pays?

**PROBLÈME 9.31
(POUR LES AS!)
Vérificateurs et
prévisions**

Récemment, on a exercé des pressions pour tenter d'élargir le rôle des vérificateurs, parce que les investisseurs et les autres groupes d'utilisateurs demandent des informations «plus prospectives». Si l'on accède à cette demande, les vérificateurs peuvent s'attendre à vérifier les projets et les prévisions que la société présente au public et à déterminer si ces états financiers prospectifs donnent une image fidèle de la réalité.

Analysez les répercussions de ce rôle élargi des vérificateurs en vous servant notamment des notions suivantes: fidélité, indépendance, valeur de l'information, comparabilité, théorie de la délégation, théorie du marché des capitaux, pertinence, fiabilité, objectivité, et de toute autre notion que vous jugez importante.

**PROBLÈME 9.32
(POUR LES AS!)
Marchés des
capitaux,
vérificateurs
et contrats**

1. Le 31 octobre 1997, des analystes ont prédit que le bénéfice par action de la société Laurel & Hardy s'élèverait à 4,80 $ pour l'exercice qui se terminera le 31 décembre 1997. Les vrais résultats ont été annoncés le 27 février 1998. Le bénéfice par action pour 1997 s'est élevé à 3,95 $. Prenez en ligne de compte les trois dates mentionnées ci-dessus (31 octobre 1997, 31 décembre 1997 et 27 février 1998). À laquelle de ces dates le cours des actions devrait-il réagir à l'information sur le bénéfice ? Pourquoi ? Pouvez-vous prévoir l'orientation que prendra le cours des actions à chacune de ces dates ? Si oui, pourquoi ? Si non, pourquoi ?

2. Expliquez l'importance de la fonction de vérification dans le contexte d'une grande société où les propriétaires (un grand nombre d'investisseurs privés) ne sont pas en même temps les dirigeants. À qui les vérificateurs doivent-ils principalement rendre des comptes ? Qui les embauche ? Quelles sont les attentes des investisseurs à l'égard des vérificateurs ? Vos réponses indiquent-elles qu'il y a un manque de cohérence dans le rôle du vérificateur en tant qu'intervenant indépendant ?

3. La théorie de la délégation décrit les problèmes qui découlent du fait que l'une des parties (le mandant) donne à l'autre partie (le mandataire) l'autorisation d'agir en son nom. Choisissez une relation contractuelle qui existe au sein d'une société et décrivez cette relation dans le contexte de la théorie de la délégation.

**PROBLÈME 9.33
(POUR LES AS!)
Applicabilité
des règles de
déontologie au
dirigeant et au
vérificateur**

Nous avons décrit dans ce chapitre le rôle joué par le marché des capitaux dans la surveillance et l'évaluation de la conduite des gestionnaires, la nature du contrat qui lie les gestionnaires et les actionnaires, ainsi que le rôle du vérificateur externe sur le plan de l'amélioration de la qualité de l'information servant à évaluer le rendement des gestionnaires et les transactions effectuées sur le marché. On part du principe que les gestionnaires sont responsables des états financiers (puisque ce sont eux qui donnent des directives aux comptables) et que le vérificateur externe est un instrument de «contrôle de la qualité» de l'information financière produite. Essayez de répondre à ces questions dans le contexte de la déontologie.

1. Un haut dirigeant financier d'une entreprise, qui est en même temps comptable de formation, doit-il se soumettre aux mêmes normes de déontologie qu'un collègue vérificateur dans un cabinet d'expertise comptable ? Pourquoi ou pourquoi pas ?

2. Le code de déontologie de leur profession devrait-il interdire aux vérificateurs externes d'offrir d'autres services à leurs clients, tels que des conseils fiscaux ou financiers ? Pourquoi ou pourquoi pas ?

**PROBLÈME 9.34
(POUR LES AS!)
Besoins auxquels
doivent répondre
les états financiers**

Le président du conseil d'administration d'une grande société ouverte a exprimé sa frustration comme suit: «Les contrats écrits et non écrits qui nous lient à nos actionnaires sont tellement différents de ceux qui nous lient à nos cadres supérieurs qu'il est impossible de concevoir des états financiers qui répondraient à la fois aux besoins des actionnaires et à ceux de la direction.» Qu'en pensez-vous ?

PROBLÈME 9.35 (POUR LES AS!)
Évaluation de la performance relative au moyen de ratios

Un ami vous a demandé d'évaluer les informations relatives à deux sociétés qui œuvrent dans le même secteur d'activité, car il souhaite investir dans l'une des deux sociétés. Il s'agit de sociétés ouvertes qui toutes deux ont démarré avec une encaisse de 10 000 $, qui sont en exploitation depuis un an, qui sont à jour dans le paiement des intérêts sur la dette à long terme et qui ont déclaré un dividende de 1 $ par action.

Voici comment se présentaient les bilans *de départ* des deux sociétés au 1er janvier 1998:

Société Alpha		Société Oméga	
Total de l'actif	10 000 $	Total de l'actif	10 000 $
Dette à long terme	1 000 $	Dette à long terme	9 000 $
Capitaux propres (900 actions ordinaires émises)	9 000	Capitaux propres (100 actions ordinaires émises)	1 000
Total	10 000 $	Total	10 000 $
Bénéfice net de 1998	2 400 $	Bénéfice net pour 1998	1 600 $

Votre ami vous dit: « La société Alpha me semble plus intéressante. Le rendement des capitaux propres de cette société est de 24 %, tandis que celui d'Oméga est seulement de 16 %. »

Commentez les propos de votre ami ainsi que le rendement relatif de chaque société, et donnez-lui un conseil en matière de placement.

PROBLÈME 9.36 (POUR LES AS!)
Analyse d'une petite société au moyen de ratios

Voici le bilan, l'état des résultats et l'état des bénéfices non répartis de Laplanche ltée. Ils ont été dressés par le comptable de la société, Jean Bossé. Même si la présentation de l'information laisse à désirer, les chiffres sont tous exacts (y compris l'absence de l'impôt sur les bénéfices).

Laplanche ltée
Bilan au 28 février 1999

Actif		Passif et capitaux propres	
Clients	25 100 $	Fournisseurs	21 400 $
Amortissement cumulé	(61 600)	Emprunt bancaire*	50 500
Bâtiment et matériel	187 000	Hypothèque à payer**	118 900
Encaisse	1 200	Bénéfices non répartis	114 300
Stock	62 400	Capital-actions	30 000
Terrain	71 000		
Placement à long terme	50 000		
	335 100 $		335 100 $

* L'emprunt bancaire est garanti par les comptes clients, le stock et le placement à long terme, et il est remboursable à vue.

** L'hypothèque est garantie par le terrain et le bâtiment, et arrivera à échéance dans dix ans.

Laplanche ltée État des résultats pour l'exercice terminé le 28 février 1999		
Chiffre d'affaires		323 800 $
Coût de marchandises vendues	214 100 $	
Frais d'exploitation	65 200	
Amortissement	13 400	
Intérêts débiteurs	22 900	315 600
Bénéfice d'exploitation		8 200 $
Revenu de placement		4 000
Bénéfice avant impôts		12 200 $
Impôts*		0
Bénéfice net de l'exercice		12 200 $

* La société a droit à des crédits d'impôt et, par conséquent, elle ne doit pas payer d'impôt sur les bénéfices pour cet exercice.

Laplanche ltée État des bénéfices non répartis pour l'exercice terminé le 28 février 1999	
Bénéfices non répartis au 28 février 1998	102 100 $
Bénéfice net de l'exercice terminé le 28 février 1999	12 200
Bénéfices non répartis au 28 février 1999	114 300 $

1. Laplanche ltée dispose de certains emprunts portant intérêt, ce qui lui permet de bénéficier de l'effet de levier. Calculez le rendement des capitaux propres de la société, et calculez ensuite dans quelle mesure ce rendement est favorisé ou défavorisé par l'effet de levier.
2. En comparaison des autres activités de la société, le placement à long terme constitue-t-il une bonne ressource financière? Pourquoi ou pourquoi pas?
3. Si la société devait tout de même payer des impôts sur les bénéfices pour l'exercice terminé le 28 février 1999, indiquez ci-dessous, sans effectuer de calculs, quelles en seraient les conséquences sur les ratios suivants:

	Augmenterait	Diminuerait	Ne changerait pas
a. Rendement des capitaux propres	_____	_____	_____
b. Rendement de l'actif	_____	_____	_____
c. Taux d'intérêt effectif	_____	_____	_____
d. Coefficient de rotation de l'actif	_____	_____	_____

4. Calculez le ratio du fonds de roulement de la société au 28 février 1999, et expliquez ce qu'il révèle de la situation financière à cette date. Posez toutes les hypothèses qui vous semblent nécessaires.

**PROBLÈME 9.37
(POUR LES AS!)
Évaluation des
résultats au
moyen de ratios**

Depuis son ouverture, il y a quelques années, la Société internationale d'informatique ltée (SII) a obtenu un certain succès sur le marché des ordinateurs personnels. Elle a lancé récemment une nouvelle gamme d'ordinateurs qui a reçu un accueil favorable de la part du public. Cependant, le président, qui est bien plus compétent en électronique qu'en comptabilité, s'inquiète de l'avenir de la société.

L'emprunt bancaire permettant à la société de fonctionner a atteint sa limite, et la société a besoin de plus d'argent pour poursuivre ses activités. La banque a besoin de renseignements supplémentaires avant d'augmenter la limite de crédit.

Vous êtes vice-président des services financiers et, à ce titre, le président vous demande de faire une évaluation préliminaire de la performance de la société à partir d'une analyse des états financiers et de formuler des recommandations quant aux différentes décisions que la société devrait prendre. En particulier, il souhaite savoir comment son entreprise pourrait se procurer des fonds supplémentaires. Utilisez les états abrégés qui suivent pour effectuer votre évaluation et pour formuler vos recommandations.

Société internationale d'informatique Bilans au 31 décembre (en milliers de dollars)			
	1998	**1997**	**1996**
Actif à court terme:			
Encaisse	19 $	24 $	50 $
Titres négociables	37	37	37
Clients	544	420	257
Stock	833	503	361
Total de l'actif à court terme	1 433 $	984 $	705 $
Immobilisations:			
Terrain	200 $	200 $	100 $
Bâtiments	350	350	200
Matériel	950	950	700
	1 500 $	1 500 $	1 000 $
Moins: Amortissement cumulé, bâtiments et matériel	(447)	(372)	(288)
Immobilisations nettes	1 053	1 128	712
Total de l'actif	2 486 $	2 112 $	1 417 $
Passif à court terme			
Emprunt bancaire	825 $	570 $	—
Fournisseurs	300	215	144 $
Autres passifs	82	80	75
Impôts à payer	48	52	50
Total du passif à court terme	1 255 $	917 $	269 $
Capitaux propres:			
Actions ordinaires	1 000 $	1 000 $	1 000 $
Bénéfices non répartis	231	195	148
Total des capitaux propres	1 231 $	1 195 $	1 148 $
Total du passif et des capitaux propres	2 486 $	2 112 $	1 417 $

Société internationale d'informatique États combinés des résultats et des bénéfices non répartis pour les exercices terminés le 31 décembre			
	1998	1997	1996
Chiffre d'affaires	3 200 $	2 800 $	2 340 $
Coût des marchandises vendues	2 500	2 150	1 800
Marge bénéficiaire brute	700 $	650 $	540 $
Charges	584	533	428
Bénéfice net	116 $	117 $	112 $
Bénéfices non répartis au début	195	148	96
	311 $	265 $	208 $
Moins : Dividendes	80	70	60
Bénéfices non répartis à la fin	231 $	195 $	148 $
Autres renseignements relatifs au total des charges :			
Intérêts débiteurs	89 $	61 $	—
Impôts	95 $	102 $	97 $

PROBLÈME 9.38 (POUR LES AS !) Préparation d'un discours sur l'analyse moderne des états financiers

Préparez un discours que vous prononcerez lors d'une rencontre avec des gens d'affaires de la région, qui sont tous des gestionnaires et des investisseurs actifs avertis, sur le sujet suivant : « Méthodes et valeur de l'analyse des états financiers à l'époque des chiffriers électroniques et des marchés efficients ». Une période de questions suivra votre présentation, il vous serait donc utile de préparer des notes pour pouvoir répondre à toute question embarrassante que vous auriez décidé de ne pas aborder directement dans votre discours.

ÉTUDE DE CAS 9A Analyse du rendement d'une société

Dans ce chapitre, nous avons présenté un grand nombre de notions reliées à l'analyse des états financiers et aux réactions des marchés des capitaux à l'information comptable. Référez-vous à ces notions pour commenter l'article suivant sur la société Hummingbird Communications Ltd., paru dans le journal *The Globe and Mail*.

HUMMINGBIRD SURPREND LES PESSIMISTES

Une société de logiciels annonce des résultats sans précédent, après que ses actions ont connu leur cours le plus bas en deux ans

Hier, avant que les résultats du second trimestre ne soient dévoilés, le pessimisme des investisseurs a rogné les ailes de la Hummingbird Communications Ltd., puisque le cours de ses actions a chuté au niveau le plus bas enregistré en deux ans.

Mais ce pessimisme s'est avéré injustifié. Après la clôture du marché, Hummingbird a signalé des produits et des bénéfices record, dès que l'effet d'une ancienne radiation a été actualisé.

Le cours de Hummingbird à la Bourse de Toronto a chuté de 2,60 $ pour atteindre 31,40 $, ce qui a été le deuxième changement net en importance parmi toutes les valeurs cotées hier au TSE. Les actions de Hummingbird n'avaient pas été négociées à un cours aussi bas depuis le 11 mai 1995, et elles se trouvent bien loin du plafond de 64 $ qu'elles avaient enregistré au cours des 52 dernières semaines.

Inder Duggal, chef des services financiers et contrôleur en chef de Hummingbird, a attribué la chute aux rumeurs selon lesquelles la société n'atteindrait pas l'estimation consensuelle des analystes quant à un bénéfice de 49 cents (US) par action pour le trimestre terminé le 31 mars. « J'ai entendu des rumeurs selon lesquelles Hummingbird n'atteindrait pas ce résultat » a-t-il dit.

Il n'a cependant pas tardé à affirmer que ces rumeurs étaient sans fondement.

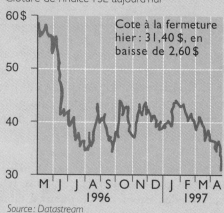

Hummingbird
Clôture de l'indice TSE aujourd'hui

Cote à la fermeture hier : 31,40 $, en baisse de 2,60 $

Source : Datastream

En excluant l'effet de la radiation de 6,2 millions de dollars, la société Hummingbird est allée au-delà de l'estimation consensuelle, avec un bénéfice record de 7,2 millions de dollars, soit de 51 cents par action. Le bénéfice a connu une hausse de 38 p. cent par rapport aux 5,2 millions de dollars enregistrés l'année précédente, soit 37 cents par action.

Si l'on tient compte de la radiation, au cours du trimestre qui vient de prendre fin, la société a réalisé 3,8 millions de dollars de bénéfice, soit 27 cents par action.

Au cours d'une téléconférence, un groupe d'analystes a loué le rendement de la société et particulièrement le fait qu'elle ait maintenu un taux de croissance élevé tout en augmentant son chiffre d'affaires. « Au risque de me répéter, je dois dire qu'on a connu un excellent trimestre », a déclaré l'un d'eux.

La radiation du bilan correspondait à des éléments d'actif de recherche et développement, (8,5 millions de dollars canadiens). Ces éléments d'actif étaient constitués d'acquisitions effectuées à la mi-janvier, de logiciels de simulation de terminaux provenant de l'Université McGill et de la succursale de Montréal de PolarSoft.

Il s'agissait seulement du deuxième trimestre où Hummingbird a eu recours aux principes comptables généralement reconnus des États-Unis. Selon ceux-ci, la société radie du bilan les coûts des acquisitions lors d'un seul trimestre plutôt que de les répartir sur plusieurs périodes, comme le stipulent les normes équivalentes établies au Canada.

Hummingbird disposait de 96,4 millions de dollars en liquidités à la fin du trimestre. Fred Sorkin, le président-directeur général de Hummingbird, a déclaré que la société continue de chercher de nouvelles acquisitions, mais ne s'intéresse qu'aux entreprises qui pourraient lui procurer des produits qui complètent sa gamme actuelle. « Si nous trouvons l'entreprise qui nous convient, nous l'achetons à coup sûr », a déclaré M. Sorkin, qui semblait vouloir prendre quelques distances par rapport aux déclarations faites plus tôt par la direction de Hummingbird, laquelle laissait entendre que la société cherchait des occasions dans des secteurs précis.

Le chiffre d'affaires du trimestre venant de prendre fin est de 23,5 millions de dollars, soit une hausse de 34 p. cent par rapport aux 17,5 millions réalisés au cours du même trimestre l'an dernier. M. Duggal s'est déclaré tout à fait d'accord avec les prévisions des analystes, qui ont évalué que la société atteindra un chiffre d'affaires de 100 millions de dollars à la fin de l'exercice actuel.

Il n'a cependant pas précisé quelle portion de ce chiffre d'affaires proviendrait de Exceed, son produit vedette. Lorsque Hummingbird a révélé les résultats du premier trimestre, vers la fin janvier, la direction a indiqué que de 80 à 85 p. cent de ses recettes provenaient des ventes de Exceed. Les analystes ont critiqué le fait que la société comptait sur un seul produit.

M. Duggal a déclaré que Exceed n'était pas le produit de Hummingbird qui connaissait la croissance la plus rapide, bien que ce soit les ventes provenant de ce produit qui aient le plus augmenté en termes absolus.

Source: Patrick Brethour, « Hummingbird Surprises Pessimists », *The Globe and Mail*, 22 avril 1997, B15.

ÉTUDE DE CAS 9B
Méthodes d'analyse du rendement des sociétés

L'article ci-dessous, paru dans le journal *The Globe and Mail*, intitulé « Comment tirer profit des rapports annuels », propose des méthodes d'analyse des rapports annuels. Discutez les notions présentées et trouvez celles qui vont au-delà des méthodes décrites dans le présent chapitre.

COMMENT TIRER PROFIT DES RAPPORTS ANNUELS

Voici des méthodes vous permettant d'évaluer l'état de santé de vos placements

La lecture des rapports annuels peut être une corvée. La plupart des investisseurs réussissent à les feuilleter ou à regarder les photos, mais ils sont incapables de lire un texte interminable, écrit en caractères minuscules.

Voici quelques méthodes vous permettant d'évaluer l'état de santé de vos placements.

L'élément important qu'il faut chercher sur un bilan est la dette. Sur l'état des résultats, il faut surtout repérer les marges d'exploitation alors que, sur l'état de l'évolution de la situation financière, ce sont les liquidités positives ou disponibles qui sont la clé d'une saine gestion de la trésorerie.

Lorsqu'une société fournit les commentaires de la direction dans son rapport annuel, c'est l'idéal, car cela vous permet de voir si les objectifs ont été atteints. Vous devriez également lire les commentaires du directeur général, afin de déterminer si sa vision des choses est suffisamment réaliste pour que la société puisse prospérer. Une fois que vous avez lu ces commentaires, il est temps de vous attaquer aux chiffres.

Par exemple, l'un des objectifs de **Gennum Corp.** (GND — TSE, max. 31 $, min. 14,50 $, cours de clôture, hier, 25 $) était d'obtenir un taux de rendement de 20 %. Cet objectif a été atteint.

Le bilan

La dette à long terme est l'élément le plus important du bilan et on l'analyse en détail dans les notes complémentaires annexées aux états financiers. Les meilleures sociétés sont celles qui répartissent les échéances de leur dette. Il leur est plus facile de rembourser ou de refinancer une dette, s'il n'y a qu'une petite portion qui vient à échéance.

La plupart des dettes de **Canadian Airlines Corp.** arrivaient sous peu à échéance, et la société a donc dû s'engager dans de longues négociations avec ses banquiers. Dans le même temps, son rendement a été affecté par des liquidités insuffisantes et par des pertes inévitables. Par conséquent, les actionnaires ont écopé, car le cours des actions de Canadian a chuté abruptement au cours des dernières années.

Vous devriez également examiner le taux d'intérêt de chaque titre d'emprunt et noter s'il est fixe ou variable. Entre 1993 et 1996, de nombreuses sociétés ont préféré des taux fixes peu élevés aux taux variables qu'elles avaient choisis auparavant.

Unican Security Systems Ltd. est une société qui a bien réussi cette opération (UCS.B — TSE, max. 36 $, min. 18,50, cours de clôture 30,50 $). En 1992, sa dette à taux d'intérêt variable représentait plus de 50 p. cent de sa dette totale et elle était exposée à n'importe quelle variation des taux d'intérêt. À la fin de 1995, la dette à taux variable ne constituait plus que 25 p. cent de sa dette impayée.

En dernier lieu, vous pouvez évaluer la qualité d'une société par un calcul rapide de son ratio dette/liquidités. Ce ratio est utilisé couramment par les investisseurs et on le calcule en divisant la dette totale d'une entreprise par ses liquidités. Il est préférable que ce ratio soit inférieur à 2 (les cinq sociétés dont nous parlerons ci-dessous ont atteint cette cible). Si ce ratio est plus élevé, c'est que la société affecte une trop grande partie de sa trésorerie au remboursement de ses dettes et cela risque de retarder des investissements indispensables à l'amélioration de ses biens ou de son matériel.

L'état des résultats

Cherchez maintenant la marge d'exploitation de la société, qu'on calcule en divisant le bénéfice avant intérêts, impôts et amortissement, par le chiffre d'affaires. En comparant les coûts d'exploitation de la société à ses ventes, vous aurez une bonne idée de l'efficience de la gestion de l'entreprise.

Ensuite, il faut comparer les marges d'exploitation sur un certain nombre d'années. Des marges de 15 p. cent ou plus, réalisées par les sociétés mentionnées plus loin, leur permettent de couvrir leurs autres charges et de dégager un bénéfice.

L'état de l'évolution de la situation financière

Au chapitre de l'état de l'évolution de la situation financière, il est crucial que les liquidités d'une entreprise (bénéfice net plus amortissement plus impôts reportés) couvrent le paiement de ses dividendes et les charges reliées aux biens et au matériel. Ces liquidités dites libres sont essentielles à la croissance de l'entreprise.

En leur absence, elle doit trouver d'autres sources de financement, telles que emprunts bancaires, émission de titres de participation ou vente d'éléments d'actif, autant d'opérations qui peuvent avoir des effets négatifs sur la société.

Le groupe **SNC-Lavalin inc.** est une société qui a su améliorer sa situation. En 1991, la société se trouvait dans une situation peu enviable : ses liquidité étaient négatives, ce qui l'a obligée à contracter des emprunts encore plus élevés. Mais, cette année-là, l'acquisition de Lavalin inc. par SNC a changé la situation du tout au tout. Un chiffre d'affaires plus élevé, provenant de cette acquisition, a entraîné des liquidités positives qui ont permis à la société de rembourser sa dette. De ce fait, le bénéfice et le cours des actions se sont élevés.

L'effet de levier

Lorsqu'une société inscrit une dette dans ses livres, il est important de se demander s'il est possible qu'elle bénéficie d'un meilleur taux de rendement en utilisant l'effet de levier qu'en ne l'utilisant pas. C'est possible lorsque l'entreprise parvient à garder les coûts de son endettement plus bas que son taux de rendement interne.

Unican, un fabricant de clés et de cadenas électroniques, a eu recours à cette stratégie. L'entreprise bénéficie désormais d'une situation enviable qui lui permet de disposer d'un surplus de fonds qu'elle destine à son expansion sur les marchés internationaux.

Elle a acquis des entreprises européennes semblables à la sienne, avec peu de risques pour ses actionnaires, puisque le coût de la dette — de 9,3 % pour l'exercice de 1996 (2,5 millions de dollars d'intérêts débiteurs divisés par 27 millions de dettes) — est demeuré bien au-dessous de ce que lui rapporte l'effet de levier. L'an dernier, le rendement des capitaux propres de Unican a été de 14 % (17,8 millions de dollars de bénéfice net divisés par 126,9 millions de capitaux propres).

Par conséquent, les acquisitions de Unican ont été profitables pour les actionnaires car la différence — entre ce que l'entreprise a réalisé (14 %) et ce qu'il lui en a coûté (9 %) — a été positive. Comme les bénéfices ont augmenté en 1996, ce fut aussi le cas du cours des actions (de 88 % pour atteindre 30 $).

Si vous prêtez attention à ces calculs, vous serez en mesure de trouver des sociétés saines dans lesquelles il vaut la peine d'investir. Ci-après, nous indiquons le nom de cinq sociétés qui ont d'excellents états financiers et qui représentent un excellent placement pour un régime enregistré d'épargne-retraite autogéré. En achetant aujourd'hui, vous pourrez au cours des vingt prochaines années apprécier leurs bons résultats. Elles ont très peu de dettes sinon aucune, des liquidités « libres » ainsi que des marges d'exploitation et des rendements des capitaux propres de plus de 15 p. cent. Il n'est pas surprenant que le cours de leurs actions ait monté en flèche durant les cinq dernières années.

- **Spectre Investments Ltd.** (SZ.A — TSE, 52 semaines, max. 145 $, min. 83,50 $, cours de clôture hier 125 $) est un des plus importants investisseurs institutionnels du Canada qui s'intéresse aux fonds communs de placements, aux caisses de retraite et à la gestion de portefeuilles personnels.
- **Gennum Corp.** fabrique des circuits intégrés en silicium et des circuits hybrides destinés aux audiophones et aux cabines de contrôle de vidéotransmission. La société a maintenu de fortes dépenses (20 p. cent de ses ventes) en recherche et en développement et a conçu une puce grâce à laquelle les audiophones peuvent être placés dans le canal interne de l'oreille et rester invisibles de l'extérieur. Malgré ces énormes dépenses en développement, Gennum a tout de même dégagé des liquidités « libres » d'environ 6,5 millions de dollars. Comme la population vieillit, les produits de Gennum seront très demandés.
- **Linamar Corp.** (LNR — TSE, max. 50 $, min. 21,50 $, cours de clôture 47 $) fabrique des pièces d'automobiles et de machines agricoles destinées aux marchés nord-américains et européens. Elle est une des sociétés d'ingénierie les plus efficientes du Canada. Ses diverses installations fonctionnent en tant qu'unités d'exploitation autonomes.

Sa marge d'exploitation et son rendement des capitaux figurent parmi les meilleurs au sein de l'industrie automobile.

- **Samuel Manu-Tech Inc.** (SMT — TSE, max. 23 $, min. 11,25 $, cours de clôture 21,25 $) fabrique des produits en acier tels que des feuillards, des cordes, des chaînes et de la tuyauterie. Elle ne desservait que les marchés nord-américains jusqu'à ce qu'elle utilise ses liquidités « libres » pour acquérir une usine de fabrication de feuillards en Grande-Bretagne ; grâce à cette acquisition, la taille de la société a doublé. Puisque sa part de marché augmente, ses bénéfices et le cours de ses actions devraient s'élever également.
- **Unican Security Systems Ltd.** Comme Unican est la société la plus importante de son secteur sur le plan mondial, elle devrait pouvoir maintenir son taux de croissance actuel de 20 p. cent.

Conclusion

Il est plus important de prendre connaissance des états financiers d'une société que de se fier aux conseils de voisins qui prétendent avoir de bons tuyaux. Si vous prenez le temps de lire le rapport annuel d'une société, vous saurez s'il vaut ou non la peine d'investir votre argent dans cette entreprise. Et, lorsque vous trouverez des sociétés comme celles dont nous venons de parler, vous bénéficierez d'un rendement sur vos investissements bien supérieur à la moyenne.

	Rendement financier pour 1996			
Société	Marge d'exploitation	Dette/ liquidités	Rendement des capitaux propres	Rendement sur 5 ans
Spectre Investments	51	0,0 %	87,8 %	32,8 %
Gennum	29	0,0	35,1	60,7
Linamar	16	0,2	26,3	75,7
Samuel Manu-Tech	15	1,1	19,6	25,4
Unican Security Systems	17	1,0	15,0	48,1

Source : David Driscoll, « How to Profit from Annual Reports », *The Globe and Mail*, 22 mars 1997, B24.

ÉTUDE DE CAS 9C
Analyse de la faillite d'une société

La W.T. Grant Company était un gros détaillant américain qui a joui d'un succès considérable avant de faire faillite au milieu des années 70. La société avait connu une expansion rapide de 1963 à 1973; elle avait ouvert plus de 600 nouveaux magasins au cours de cette période. Zellers, dont le propriétaire actuel est la Compagnie de la Baie d'Hudson, était une de ses filiales canadiennes. L'entreprise a modifié certaines de ses stratégies au cours de cette période: par exemple, elle a remplacé les articles bon marché qu'elle vendait par des articles plus haut de gamme pour faire concurrence à plusieurs chaînes de grands magasins. Sa stratégie consistait également à louer ses locaux plutôt qu'à les acheter.

Le cours des actions de la société a chuté de façon spectaculaire entre le 31 janvier 1973 et le 31 janvier 1974. En 1974, la cote de solvabilité de l'entreprise a également chuté; malgré l'effort de sauvetage de 143 banques, la société a déclaré faillite peu de temps après la fin de son exercice de 1975. Au cours de l'année suivante, elle a liquidé tout son actif et elle a cessé d'exister.

Nous présentons ci-dessous les états financiers sommaires de W.T. Grant, plusieurs ratios et les calculs par la formule de Scott pour la période entre 1970 et 1975[12]. Utilisez-les pour trouver quelques-unes des raisons expliquant la chute du cours des actions entre 1973 et 1974, et ce qui a poussé la société à faire faillite.

W.T. GRANT COMPANY
Certains éléments du bilan au 31 janvier (en millions de dollars)

	1970	1971	1972	1973	1974	1975
Encaisse et titres négociables	33	34	50	31	46	80
Clients	368	420	477	543	599	431
Stock	222	260	299	400	451	407
Total de l'actif à court terme	628	720	831	980	1 103	925
Total de l'actif	707	808	945	1 111	1 253	1 082
Total du passif à court terme	367	459	476	633	690	750
Total du passif	416	506	619	776	929	968
Capitaux propres	291	302	326	335	324	114

Certains éléments de l'état des résultats, de l'EESF et montants de dividendes
(en millions de dollars)
Exercice terminé le 31 janvier

	1970	1971	1972	1973	1974	1975
Chiffres d'affaires	1 220	1 265	1 384	1 655	1 861	1 772
Coût des marchandises vendues	818	843	931	1 125	1 283	1 303
Bénéfice avant intérêt et impôts	85	92	76	85	60	(87)
Intérêts débiteurs	15	19	16	21	51	199
Impôts	28	33	26	26	1	(119)
Bénéfice net	42	40	35	38	8	(177)
Taux d'imposition	0,40	0,45	0,43	0,41	0,11	0,40
Dividendes déclarés	20	21	21	21	21	5
Liquidités provenant de l'exploitation	(3)	(15)	(27)	(114)	(93)	(85)
Activités de financement	25	33	76	121	138	140
Activités d'investissement	(14)	(17)	(32)	(28)	(29)	(21)

W.T. GRANT COMPANY
Quelques chiffres sommaires

	1970	1971	1972	1973	1974	1975
Rendement des capitaux propres	0,144	0,132	0,107	0,113	0,025	−1,553
Rendement de l'actif	0,072	0,062	0,047	0,045	0,042	−0,057
Ratio de marge bénéficiaire	0,042	0,040	0,032	0,030	0,028	−0,035
Ratio de rotation de l'actif	1,73	1,57	1,46	1,49	1,49	1,64
Ratio des liquidités à l'actif	−0,004	−0,019	−0,029	−0,103	−0,074	−0,079
Taux d'intérêt moyen	0,022	0,038	0,026	0,027	0,055	0,205
Ratio emprunts/capitaux propres	1,43	1,68	1,90	2,32	2,87	8,49
Ratio de rotation des stocks	3,68	3,24	3,21	2,81	2,84	3,20
Ratio de recouvrement	110,1	121,2	125,8	119,8	117,5	88,8
Ratio du fonds de roulement	1,71	1,57	1,75	1,55	1,60	1,23
Ratio de liquidité relative	1,09	0,99	1,11	0,91	0,93	0,67
Ratio de marge brute	0,32	0,33	0,33	0,32	0,31	0,26
Ratio de couverture des intérêts	5,67	4,84	4,75	4,05	1,33	négatif
Ratio de bénéfice par action, en dollars	2,94	2,67	2,50	2,71	0,57	négatif
Ratio des dividendes par action, en dollars	1,40	1,40	1,50	1,50	1,50	zéro
Cours des actions à la clôture le 31 janvier	47,0	47,1	47,8	43,9	10,9	1,1

Composantes de la formule de Scott*

	RCP	=	MN	×	CRA	+	(RA	−	IM)	×	P/CP
1970	0,144	=	0,042	×	1,73	+	(0,072	−	0,022)	×	1,43
1971	0,132	=	0,040	×	1,57	+	(0,062	−	0,021)	×	1,68
1972	0,107	=	0,030	×	1,46	+	(0,047	−	0,015)	×	1,90
1973	0,113	=	0,030	×	1,49	+	(0,045	−	0,016)	×	2,32
1974	0,025	=	0,028	×	1,49	+	(0,042	−	0,049)	×	2,87
1975	−1,553	=	−0,035	×	1,64	+	(−0,057	−	0,119)	×	8,49

*On peut noter certains écarts du fait qu'on a arrondi les chiffres.

Ⓡ ÉFÉRENCES

1. Parmi les sources d'information les plus courantes sur les sociétés, mentionnons les suivantes :
   a. Les sociétés elles-mêmes, par exemple, la section « Commentaires et analyse de la direction » de leur rapport annuel, leur site Web, ainsi que d'autres services électroniques, tels que SEDAR, base de données des autorités canadiennes en valeurs mobilières (www.sedar.com) et EDGAR, base de données de la SEC (www.sec.gov).
   b. Les analyses préparées par les courtiers en valeurs mobilières et en placements.
   c. Les classements annuels des sociétés selon leur taille et leur rentabilité, tels ceux qui sont fournis par *Les Affaires 500*, *The Financial Post, Top 500 Companies* et *The Globe and Mail Report on Business Magazine, Top 1000 Companies*.
   d. Les descriptions détaillées des principales sociétés et les relevés de leur rendement sur plusieurs années, qu'on peut trouver dans des documents comme le *Financial Post Card Service* (Toronto, The Financial Post Publications), *Blue Book Canadian Business* (Toronto, Canadian Newspaper Services International), *Blue Book of CBS Stock Reports* (Toronto, Canadian Business Service) et *Value Line Investment Survey* (New York, A. Bernhard).
   e. Les bases de données informatiques, telles que *Disclosure Canada* (Bethesda, MD, Disclosure Incorporated), *Disclosure USA* (Bethesda, MD, Disclosure Incorporated) et un nombre sans cesse croissant de diverses bases de données générales ou spécialisées.
   f. Les sommaires écrits ou informatisés d'articles, comme *Actualités — affaires* [CDROM-SNI], *Infoglobe* (Toronto, The Globe and Mail), *Canadian Business Index* (Toronto, Micromedia), *Canadian Business and Current Affairs* (Toronto, Micromedia), *Business Periodicals Index* (New York, H. W. Wilson) et *ABI Inform* (Louisville, KY, Data Courier).
2. De nombreux ouvrages sur la comptabilité et les finances contiennent des descriptions détaillées de l'analyse des états financiers. Plusieurs ouvrages portant sur l'« analyse des états financiers » approfondissent la question et proposent des analyses plus poussées que ne le fait le présent manuel. L'ouvrage *L'utilisation des ratios et des graphiques dans le cadre de l'information financière* (Toronto, ICCA, 1993) est une excellente source canadienne.
3. Extraits du rapport annuel 1998, *le réseau Provigo*, Provigo inc., p. 2.
4. Preuve arithmétique de la formule de Scott (A = Actif, P = Passif et CP = Capitaux propres) (sans la composante IAI, pour ne pas alourdir les équations) :

   a. Définition de RCP = Bénéfice net/CP
   b. Définition de RA = (Bénéfice net + Intérêts débiteurs après impôts)/A
   c. Définition de IM = Intérêts débiteurs après impôts/P
   d. Selon la comptabilité en partie double, A = P + CP
   e. À partir de *a*, Bénéfice net = RCP × CP
   f. À partir de *b*, Bénéfice net = (RA × A) − Intérêts débiteurs après impôts
   g. Les deux membres droits de *e* et de *f* mis en équation : RCP × CP = (RA × A) − Intérêts débiteurs après impôts
   h. À partir de *d* et *c*,
      RCP × CP = (RA × [P + CP]) − (IM × P)
      RCP × CP = RA × P + RA × CP − IM × P
      RCP × CP = RA × CP + (RA − IM) × P
   i. La dernière équation divisée par CP, donne :
      RCP = RA + (RA − IM) × P/CP
   j. Le premier terme du membre droit de l'équation décomposé en deux facteurs, multiplié par Prod/Prod
      RA = (Bénéfice net + Intérêts débiteurs, après impôts)/A
      RA = (Bénéfice net + Intérêts débiteurs après impôts)/Prod × Prod/A
   k. Le nouveau premier terme défini comme la marge nette (MN) et le second, comme le coefficient de rotation de l'actif (CRA).
   l. La version finale de la formule devient :
      RCP = MN × CRA + (RA − IM) × P/CP.
      En ajoutant la composante IAI :
      RCP = RV(IAI) × CRA + (RA(IAI) − (IM(IAI)) × PC/P
5. Démonstration de la formule de Scott pour les états financiers de Provigo de 1997 :

Total de l'actif à la fin de 1997

	1 193,5 $	A
Total du passif à la fin de 1997	880,2 $	P
Total des capitaux propres à la fin de 1997	313,3 $	CP
Total des produits pour 1997	5 832,5 $	Prod
Bénéfice net pour 1997	67,9 $	BN
Intérêts débiteurs pour 1997	38,2 $	ID
Taux d'imposition pour 1997	0,549	TI
Intérêts débiteurs après impôts pour 1997 (Intérêts débiteurs × [1 − Taux d'imposition])	15,5 $	IAI=ID(1 − TI)
RCP (rendement des capitaux propres)	0,217	BN/CP
MN(IAI) (marge nette avant intérêts)	0,0143	(BN + IAI)/Prod

CRA (coefficient de rotation		
de l'actif)	4,887	Prod/A
RA(IAI) (rendement de l'actif)	0,070	(BN + IAI)/A
IM(IAI) (taux d'intérêt moyen		
après impôts)	0,018	IAI/P
P/CP (ratio emprunts/		
capitaux propres)	2,809	P/CP

Résultat

$$RCP = MN(IAI) \times CRA + (RA(IAI) - IM(IAI)) \times P/CP$$
$$0,217 = 0,0143 \times 4,887 + (0,070 - 0,018) \times 2,809$$
$$0,217 = 0,070 + 0,146*$$

* Différence due aux arrondis

6. La brochure intitulée *Reporting Cash Flows : A Guide to the Revised Statement of Changes in Financial Position,* Toronto, Deloitte, Haskins & Sells (maintenant Deloitte & Touche), 1986, nous a aidés à comprendre comment interpréter les informations relatives aux flux de trésorerie.

7. On trouve de bons résumés de la théorie du marché des capitaux et de la recherche effectuée sur le sujet, dans les ouvrages suivants : *Théories et modèles comptables* de Doria Tremblay, Denis Cormier et Michel Magnan, Presses de l'Université du Québec, Québec, 1993 (notamment le chapitre 21) ; *Financial Accounting Theory* de William R. Scott, Scarborough, Ont., Prentice-Hall, Canada, 1997 (les chapitres 3, 4 et 5, en particulier) ; C. M. C Lee, « Mesurer la richesse des actionnaires », dans *CA Magazine,* avril 1996, p. 34-40 ; George Foster, *Financial Statement Analysis,* 2e éd., Englewood Cliffs, N.J., Prentice-Hall, 1986 (les chapitres 9 et 11, en particulier) ; Ross L. Watts et Jerold L. Zimmerman, *Positive Accounting Theory,* Englewoods Cliffs, N.J., 1986 (les chapitres 2 et 3, en particulier) ; William H. Beaver, *Financial Reporting : An Accounting Revolution,* 2e éd., Englewood Cliffs, N. J., Prentice Hall, 1989 ; Thomas R. Dyckman et Dale Morse, *Efficient Capital Markets and Accounting : A Critical Analysis,* 2e éd., Englewood Cliffs, N.J., Prentice Hall, 1986.

8. Pour mieux comprendre la théorie de la délégation, voir les chapitres 3 et 4 de l'ouvrage de Tremblay, Cormier,

Magnan mentionné à la note 7 ; voir les chapitres 8 et 9 de l'ouvrage de Watts et Zimmerman également mentionné à la note 7. Voir aussi John E. Butterworth, Michael Gibbins et Raymond D. King, « The Structure of Accounting Theory : Some Basic Conceptual and Methodological Issues », dans *Research to Support Standard Setting in Financial Accounting : A Canadian Perspective,* S. J. Basu et A. Milburn, Jd., Toronto, The Clarkson Gordon Foundation, 1982, p. 9 à 17 (en particulier). Cet article a été reproduit dans *Modern Accounting Research : History, Survey, and Guide,* par R. Mattessich, Vancouver, Canadian Certified General Accountants' Research Foundation, 1984, p. 209 à 250.

9. *GAAP vs. TAP in Leading Agreements : Canadian Evidence,* Toronto, Canadian Academic Accounting Association, 1986, par D. J. Thornton et M. Bryant, examine certains aspects de l'utilisation que font les sociétés des principes comptables « sur mesure » (spéciaux) pour effectuer une évaluation conforme aux stipulations des principales conventions.

10. T. R. Dyckman et D. Morse, *Efficient Capital Markets and Accounting : A Critical Analysis,* 2e éd., Englewood Cliffs, N.J., Prentice-Hall, 1986, p. 8.

11. Pour plus de renseignements sur ces questions, voir l'ouvrage de W. R. Scott mentionné à la note 7, et ceux dirigés par P. A. Griffin, *Usefulness to Investors and Creditors of Information Provided by Financial Reporting,* 2e éd., Stamford, Conn., Financial Accounting Standards Board, 1987 (en particulier, les pages 78 à 82, 120 à 128 et 201 à 208) ; Dyckman et Morse, *Efficient Capital Markets,* p. 58-59 ; D. J. Thornton et M. Bryant, *GAAP vs. TAP ;* ainsi que W. H. Beaver, *Financial Reporting : An Accounting Revolution,* 2e éd., Englewood Cliffs, N.J., Prentice-Hall, 1989, p. 165-166.

12. L'ouvrage « Cash Flows, Ratio Analysis and W. T. Grant Company Bankruptcy », *Financial Analysts Journal,* juillet-août 1980, p. 51-54, par J. A. Largey, III et C. P. Stickney, fournit des renseignements supplémentaires sur ce cas et quelques tableaux intéressants de l'évolution du rendement de différents ratios.

10
CHAPITRE

Les modules thématiques

10.1   Aperçu du chapitre

Ce chapitre se distingue de tous les autres. Il porte sur plusieurs thèmes, présentés sous forme de modules, qui peuvent être abordés à n'importe quel moment pendant votre cours. En raison de cette présentation, chacun des modules comporte sa propre section « Comprenez-vous bien ces termes ? » et une section « Sujets de réflexion et travaux pour améliorer la compréhension ». Toutefois, nous ne poursuivons pas l'analyse du « Cas à suivre... » et vous n'y trouverez pas non plus les sections réservées habituellement au rôle des gestionnaires et à la recherche.

Le présent chapitre compte cinq modules :

1. Module 10A : Flux monétaires futurs et analyse fondée sur la valeur actualisée

2. Module 10B : Placements intersociétés et regroupements de sociétés : introduction à la comptabilité de consolidation

3. Module 10C : Constatation de la charge d'impôts

4. Module 10D : Complément d'analyse de l'état des flux de trésorerie

5. Module 10E : Effets des erreurs et des modifications comptables sur les états financiers

L'ordre de présentation des modules est arbitraire ; nous n'avons fait référence aux chapitres précédents que lorsque la matière traitée était susceptible d'aider le lecteur à bien comprendre le contenu du module. Au besoin, nous avons repris certaines informations présentées plus tôt dans le manuel, pour que chacun des modules puisse être étudié séparément.

FLUX MONÉTAIRES FUTURS ET ANALYSE FONDÉE SUR LA VALEUR ACTUALISÉE

Module 10A

10A.1   LES FLUX MONÉTAIRES FUTURS : ANALYSE FONDÉE SUR LA VALEUR ACTUALISÉE

Les gestionnaires doivent prendre des décisions en fonction des perspectives d'avenir.

Les **flux monétaires** jouent un rôle capital dans l'entreprise et leur évaluation constitue une part importante de l'analyse de la performance et de la situation financières. Pour bien évaluer les résultats, il faut tenir compte de l'incidence des taux d'intérêt sur le rendement de l'entreprise. Les bourses des valeurs mobilières et les autres marchés des capitaux se préoccupent surtout de la capacité qu'a une société de réaliser des produits, principalement sous forme de liquidités, qui seront versés en dividendes ou réinvestis. En outre, de nombreux contrats financiers, notamment les ententes de rémunération de la direction et les contrats passés avec les fournisseurs de marchandises ou de services, se basent sur le rendement financier futur. En général, les efforts de la direction doivent être tournés vers l'avenir. Les gestionnaires doivent adopter des stratégies d'acquisition d'éléments d'actifs, d'emprunts et de réalisation de bénéfices qui procureront aux actionnaires un rendement satisfaisant.

L'analyse de la **valeur actualisée (VA)** ou de la **valeur actualisée nette (VAN)** permet de comprendre le rendement futur, surtout en ce qui concerne les flux monétaires. Les flux monétaires futurs se distinguent des flux actuels du fait qu'ils ne sont pas encore matérialisés. En attendant qu'ils se matérialisent, on doit renoncer aux intérêts et aux autres produits qu'on aurait pu obtenir si l'on avait disposé de l'argent plus tôt.

Les techniques détaillées de calcul de la VA ou de la VAN font l'objet de cours de finance et de comptabilité de gestion ; certains professeurs vous en ont peut-être déjà parlé dans des cours d'économie ou de mathématiques financières. Ici, nous nous contenterons de présenter sommairement certaines méthodes pour vous aider à comprendre comment les gestionnaires évaluent les projets à partir des flux monétaires futurs qu'ils peuvent générer. Vous comprendrez aussi comment les investisseurs des marchés financiers évaluent les flux monétaires anticipés et les taux d'intérêt futurs, pour fixer le prix des titres. (Les investisseurs ne font pas forcément de calculs explicites pour établir la VA ou la VAN ; toutefois, d'après les recherches, les cotes des marchés financiers évoluent comme si les intervenants procédaient à des calculs de ce genre.)

Intérêts et valeur temporelle de l'argent

Ce sont les intérêts qui donnent à l'argent (aux flux monétaires) une valeur temporelle.

Dans les sociétés occidentales, il est entendu que le propriétaire d'un capital peut exiger que quiconque souhaite se servir de son capital lui paie des **intérêts**. On calcule les intérêts en appliquant un pourcentage déterminé au montant prêté, appelé *investissement* ou **capital**, ou encore, **principal**. Par exemple, un taux d'intérêt de 8 % sur un prêt de 200 $ procurera 16 $ d'intérêts annuellement (200 $ × 0,08). En s'accumulant avec le temps, les intérêts donnent à l'argent une *valeur temporelle*. Le principe de la **valeur temporelle de l'argent** constitue l'idée fondamentale qui sous-tend tous les calculs de la présente section.

Pour calculer le total des flux monétaires futurs, on ajoute les intérêts au capital.

Voici quelques formules simples que vous connaissez probablement déjà (P = principal ou capital ; i = taux d'intérêt) :

Intérêts annuels = P × i

Montant cumulé à la fin d'une année = P × (1 + i)

Montant cumulé après *n* années, avec intérêts composés,
si aucun versement n'a été fait = P × (1 + i)^n

L'incidence des intérêts dépend de la fréquence à laquelle ils sont composés.

Supposons qu'un emprunt est consenti pour lequel le capital et les intérêts ne seront remis que plusieurs années plus tard, sans aucun versement dans l'intervalle. Citons deux exemples de tels prêts : les obligations d'épargne du Canada (quand vous les achetez, vous prêtez votre argent à l'État) et l'assurance-vie entière (une partie des primes que vous versez sont investies en votre nom et vous avez le droit de toucher la valeur cumulée, si votre décès n'intervient pas avant la date d'échéance fixée). Dans le cas d'**intérêts composés**, ce qui est la pratique courante, *l'intérêt est calculé sur l'intérêt non versé, de même que sur le capital non remboursé.* Pour faire les calculs, il vous faut savoir à quelle fréquence les intérêts sont composés. Les intérêts s'ajoutent-ils aux intérêts :

- au fur et à mesure qu'ils s'accumulent (« intérêts composés continuellement ») ?

- une fois que les intérêts quotidiens ont été ajoutés (« intérêts composés quotidiennement ») ?

- une fois que l'intérêt mensuel a été ajouté (« intérêts composés mensuellement ») ?

- uniquement, une fois que l'intérêt annuel a été ajouté (« intérêts composés annuellement ») ?

Voici un exemple d'intérêts composés annuellement. Il s'agit du prêt de 200 $ à 8 %, à recevoir dans cinq ans avec intérêts composés annuellement. À la fin de chaque année, la **valeur capitalisée (VC)** du prêt (montant initial prêté plus les intérêts qui se sont cumulés) sera la suivante :

Année	VC au début de l'année	Intérêts annuels de 8 %	VC à la fin de l'année
1	200,00 $	16,00 $	216,00 $
2	216,00	17,28	233,28
3	233,28	18,66	251,94
4	251,94	20,16	272,10
5	272,10	21,77	293,87

La VC augmente chaque année. À l'aide de la troisième formule présentée ci-dessus, il est facile de calculer la VC à la fin de n'importe quelle année.

- Fin de la troisième année :   VC = P × (1 + i)^n
  $$= 200\,\$ \times (1 + 0{,}08)^3$$
  $$= 251{,}94\,\$$$

- Fin de la cinquième année :   VC = $200\,\$ \times (1 + 0{,}08)^5$
  $$= 293{,}87\,\$$$

Intérêts et valeur actualisée

En attendant de récupérer votre argent, vous perdez les intérêts que vous auriez pu obtenir si vous pouviez en disposer maintenant.

On peut envisager la notion d'intérêts en sens inverse, c'est-à-dire en considérant que vous *perdez* de l'argent si vous décidez d'attendre un certain temps avant de récupérer la somme que vous prêtez. Autrement dit, il s'agit d'évaluer la valeur actuelle d'un paiement futur, en supposant que l'argent que vous prêtez aurait pu produire des intérêts entre le moment où vous le prêtez et le moment où vous le récupérez.

Supposons que quelqu'un promet de vous donner 100 $ dans un an. S'il vous donnait l'argent tout de suite, vous pourriez le placer à un taux d'intérêt de 9 %. Ainsi, si vous disposiez d'une somme P maintenant et si vous l'aviez placée à un taux d'intérêt de 9 %, vous seriez dans la même situation que si vous aviez attendu pendant un an. Reprenons la deuxième formule ci-dessus: 100 $ = P × (1 + 0,09), où P correspond à la somme qui aurait produit des intérêts.

Pour trouver la valeur de P, on procède au calcul suivant: P = 100 $/(1,09) = 91,74 $. Si vous aviez 91,74 $, vous pourriez placer cette somme à 9 % et vous auriez 100 $ en votre possession à la fin de l'année (91,74 $ + [0,09 × 91,74 $] = 100 $).

La valeur actualisée correspond aux flux monétaires futurs moins les intérêts qui auraient pu être obtenus.

On peut donc dire que le montant de 91,74 $ est la **valeur actualisée** des 100 $ reçus après un an d'attente, à un «taux d'actualisation de 9 %». La valeur actualisée est un autre moyen d'envisager la valeur temporelle de l'argent. Elle nous indique que, pendant la période où nous attendons l'argent qui aurait pu produire des intérêts, nous les perdons. La valeur actualisée fait référence à une autre notion, celle du «coût de renonciation ou de substitution», que vous avez peut-être abordée dans un cours d'introduction à l'économie. Tant que le taux d'intérêt est supérieur à zéro, la valeur actualisée est inférieure au montant réel d'argent qui sera reçu dans l'avenir.

Voici les formules de calcul de la valeur actualisée (ou F = flux monétaires futurs et i = taux d'intérêt):

Valeur actualisée pour un an d'attente

$$= \frac{F}{1 + i}$$

Valeur actualisée pour *n* années d'attente sans versements dans l'intervalle, avec intérêts composés annuellement

$$= \frac{F}{(1 + i)^n}$$

En combinant les deux formules, on obtient la valeur actualisée des versements constants pour *n* années, avec intérêts composés annuellement

$$= \frac{F}{i}\left(1 - \frac{1}{(1 + i)^n}\right)$$

Vous trouverez une explication de la troisième formule à la fin de ce chapitre[1].

Les intérêts perdus correspondent au coût de renonciation qui découle de l'attente.

Ainsi, la valeur des 1 000 $ touchés dans trois ans, actualisée à un taux d'intérêt de 12 %, pour tenir compte du **coût de renonciation**, serait de 711,78 $ (soit 1 000 $ divisés par [1,12]³). On parle souvent de «coût de renonciation» du fait que, s'il faut attendre trois ans avant de toucher la somme de 1 000 $, on renonce à la possibilité de placer l'argent à 12 % dans l'intervalle. Les notions de valeur capitalisée et de valeur actualisée sont présentées à la figure 10.1. Les graphiques illustrent la différence entre les valeurs capitalisées d'un placement fait maintenant et les valeurs actualisées des flux monétaires futurs. Vous pouvez constater que les intérêts aug-

mentent pour chaque période. Dans le cas des valeurs capitalisées, les intérêts constituent une part importante de la valeur totale ; dans le cas des valeurs actualisées,
ils constituent une part importante des flux monétaires.

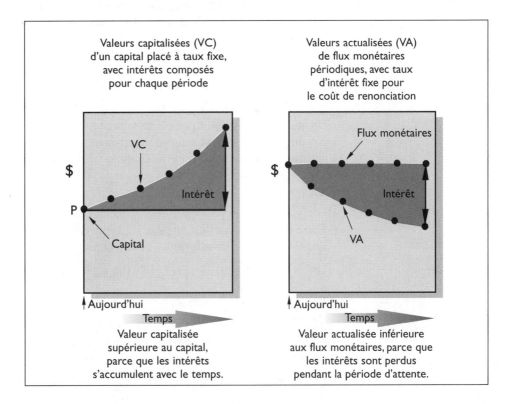

FIGURE 10.1

Voici un exemple de calcul de la valeur actualisée. Une société envisage de faire
un placement de 10 000 $ qui lui sera remboursé par versements de 2 400 $ à la fin
de chaque année, pendant cinq ans. Ce projet a l'air intéressant : on récupère chaque
année 24 % du montant de l'investissement, pour un total de 12 000 $, après cinq
ans. Mais attention : pour investir, la société devra emprunter à un taux d'intérêt de
7 %. Doit-elle s'engager dans cette opération ?

Avant de procéder au calcul, retenons trois points qui découlent de ce type de
problème.

1. Nous essayons de déterminer si le rendement obtenu *équivaut* à un **coût du
   capital** de 7 %. Si la société doit emprunter à 7 %, il faudra que les investissements lui procurent un rendement d'au moins 7 %. Il serait souhaitable, bien
   entendu, que le taux de rendement soit supérieur à 7 %, car ce dernier correspond au rendement minimal acceptable.

2. L'idée qui sous-tend la valeur actualisée est qu'il faut soustraire des remboursements anticipés le coût de l'emprunt à 7 %. On peut ainsi déterminer si
   la société récupérera au moins les 10 000 $ qui doivent être investis. *La valeur
   actuelle des flux monétaires est-elle égale aux dépenses à engager aujourd'hui
   pour les obtenir ?*

Le projet
d'investissement
doit rapporter un
rendement au moins
équivalent au taux
d'intérêt payé pour
le financer.

On peut comparer
la valeur actuelle
au coût du projet
d'investissement en
éliminant le coût
d'emprunt.

3. Le pourcentage de 24 % mentionné plus tôt n'est pas pertinent pour notre analyse. Il compare le remboursement annuel au coût de l'investissement sans tenir compte des coûts d'intérêt associés à la période de plusieurs années pendant lesquelles on attend ces remboursements. L'analyse de la VA permet de tenir compte du coût des intérêts, c'est-à-dire de la valeur temporelle de l'argent.

Voici les calculs d'analyse de la VA :

- En reprenant la deuxième formule de calcul de la VA présentée ci-dessus :

VA du remboursement pour la 1ʳᵉ année : $2\,400\,\$/(1{,}07)^1$	2 242,99 $
VA du remboursement pour la 2ᵉ année : $2\,400\,\$/(1{,}07)^2$	2 096,25
VA du remboursement pour la 3ᵉ année : $2\,400\,\$/(1{,}07)^3$	1 959,11
VA du remboursement pour la 4ᵉ année : $2\,400\,\$/(1{,}07)^4$	1 830,95
VA du remboursement pour la 5ᵉ année : $2\,400\,\$/(1{,}07)^5$	1 711,17
VA totale	9 840,47 $

- Étant donné que les flux monétaires annuels sont constants, on pourrait aussi appliquer la troisième formule de calcul présentée ci-dessus :

$$VA = (2\,400\,\$/0{,}07)\,(1 - [1/1{,}07]^5) \qquad 9\,840{,}48\,\$$$

Le chiffre est donc le même, hormis une différence mineure entraînée par l'arrondissement.

Ces chiffres nous permettent de tirer certaines conclusions et, aussi, de constater les effets de la période d'attente des remboursements :

La valeur actualisée est inférieure au coût du projet, ce qui signifie que le rendement est inférieur au taux de financement.

- La société n'a pas avantage à faire cet investissement. Le coût de base est de 10 000 $ mais, après calcul des coûts d'intérêt associés à la période d'attente des remboursements, la valeur actualisée des remboursements totalisant 12 000 $ est de 9 840 $ seulement. Par conséquent, le taux de rendement de l'investissement est inférieur au taux d'intérêt de 7 % exigé pour le financement. Le taux de rendement n'est tout simplement pas suffisant.

- On peut évaluer le taux de rendement interne (TRI) du projet d'investissement en intégrant le coût de 10 000 $ dans la troisième formule présentée ci-dessus :

$$10\,000\,\$ = (2\,400\,\$/i)\,[1 - (1/(1 + i)^5)], \text{ d'où } i = 6{,}4\,\%.$$

Plus le taux d'intérêt est élevé, plus les intérêts perdus pendant la période d'attente augmentent. Par conséquent, la valeur actualisée diminue.

Le taux de rendement du projet d'investissement est donc inférieur à 7 %. Un taux d'intérêt plus faible, de 6,4 %, aboutit à une VA supérieure (10 000 $), comparativement au taux d'intérêt exigé, plus élevé, de 7 % (9 840 $). (Ne vous inquiétez pas ! Vous n'avez pas à résoudre des équations à la racine n d'un dénominateur, comme ci-dessus : le calcul du TRI pose certains problèmes théoriques ; on tient en effet pour acquis que les rendements sont réinvestis au TRI, c'est-à-dire à 6,4 %. Nous ne nous servirons donc pas de cette formule par la suite. Retenez simplement que, si le TRI n'est pas au moins égal au coût d'emprunt, le projet n'est pas avantageux.)

Plus le flux monétaire est éloigné dans le temps, plus sa valeur actualisée diminue.

- D'après les calculs annuels ci-dessus, vous pouvez constater que la valeur actuelle de 2 400 $ diminue avec le temps. La somme de 2 400 $ reçue après un an correspond à une VA de 2 243 $; après quatre ans, cette même somme correspond à une VA de 1 831 $. C'est logique : plus la période d'attente est longue, plus la VA diminue, car les intérêts inclus dans les flux monétaires s'élèvent. Par conséquent, la VA diminue. Si vous revenez à la figure 10.1, côté droit, vous pouvez voir que, plus l'on avance dans le temps, plus les VA diminuent.

Exemples de calcul de la valeur actualisée

L'exemple précédent vous a permis de constater que la notion de valeur actuelle s'avère extrêmement utile pour évaluer les possibilités d'investissement dans le temps. Voici d'autres exemples.

À 11 %, la valeur actualisée est supérieure au coût : le projet d'investissement est donc avantageux (il rapporte plus de 11 %).

1. Supposons que l'on vous offre la possibilité d'investir 2 000 $ dans un projet qui devrait vous rapporter 4 500 $ dans six ans. Est-ce une bonne affaire ? Supposons, par ailleurs, que vous pouvez investir les 2 000 $ à un taux d'intérêt de 11 %. Dans ce cas, la valeur actualisée de 4 500 $ s'élève à 4 500 $ / $(1 + 0{,}11)^6$, soit à 2 406 $. Ainsi, la valeur actualisée de ce que vous recevrez (2 406 $) est supérieure à votre investissement (2 000 $). Ce placement semble donc avantageux.

2. La société Grimaud ltée émet des obligations d'une valeur nominale totale de 100 000 $, portant un intérêt de 7 %, versé annuellement ; le capital sera remboursé dans 10 ans. Que seriez-vous prêt à payer pour obtenir ces obligations, si vous pouviez faire fructifier votre argent ailleurs, à un taux de 9 % ?

   a. Valeur actualisée des intérêts annuels $= \dfrac{7\,000\,\$}{0{,}09}\left(1 - \dfrac{1}{(1 + 0{,}09)^{10}}\right) = \underline{44\,924\,\$}$

   b. Valeur actualisée du remboursement du principal $= \dfrac{100\,000\,\$}{(1 + 0{,}09)^{10}} = \underline{42\,241\,\$}$

   Valeur actualisée totale $\qquad\qquad\qquad\qquad\qquad\qquad \underline{87\,165\,\$}$

(Notons que le taux d'intérêt utilisé dans cette formule correspond au coût de renonciation, soit 9 %. Le taux de 7 % des titres de la société correspond aux intérêts versés annuellement ; il ne répond pas à vos attentes.)

Si le prix des obligations était fixé pour procurer un taux de rendement de 9 %, elles se vendraient 87 165 $.

Si vous êtes un investisseur sensé, vous êtes disposé à payer 87 165 $ pour acheter les obligations. Si les obligations se vendaient à ce montant-là, leur prix serait calculé pour procurer un **rendement à l'échéance** de 9 %. Elles se vendraient à escompte, à moins de 100 000 $, pour attirer les investisseurs désirant un meilleur rendement que le taux nominal de 7 %. En payant 87 165 $, vous obtiendriez le rendement réel de 9 % que vous vouliez obtenir. Reportez-vous au tableau du rendement annuel suivant :

Date	Montant annuel versé	Rendement de l'investissement exigé (9 %)	Valeur résiduelle (accroissement de la dette)	Solde effectif du capital
Date d'achat				87 165 $
1 an plus tard	7 000 $	7 845 $*	(845) $	88 010
2 ans plus tard	7 000	7 921	(921)	88 931
3 ans plus tard	7 000	8 004	(1 004)	89 935
4 ans plus tard	7 000	8 094	(1 094)	91 029
5 ans plus tard	7 000	8 193	(1 193)	92 222
6 ans plus tard	7 000	8 299	(1 299)	93 521
7 ans plus tard	7 000	8 417	(1 417)	94 938
8 ans plus tard	7 000	8 544	(1 544)	96 482
9 ans plus tard	7 000	8 683	(1 683)	98 165
10 ans plus tard	107 000	8 835	98 165	0
	170 000 $	82 835 $	87 165 $	

* 7 845 $ = 87 165 $ × 0,09 ; 7 921 $ = 88 010 $ × 0,09 ; et ainsi de suite.

3. Habituellement, les contrats financiers prévoient des paiements de capital et d'intérêts réunis, destinés à couvrir les intérêts et le remboursement d'une fraction du capital. Les prêts hypothécaires résidentiels et les prêts pour l'achat d'une automobile constituent deux exemples courants de ce type d'entente. Dans ces cas, pour en comprendre la mécanique, il faut distinguer *le rendement de l'investissement* (les intérêts) du *remboursement du capital*. Voici un exemple : un prêt de 7 998 $, portant un intérêt de 10 %, est remboursé par des versements en capital et intérêts de 2 110 $, effectués à la fin de chaque année. La dette sera remboursée, capital et intérêts, dans cinq ans. Ici, les intérêts diminuent chaque année parce que le solde du capital décroît, mais le taux de rendement est constant à 10 %.

Date	Paiement : capital et intérêts	Rendement de l'investissement (intérêts)	Résiduel du paiement appliqué au capital	Solde du capital
À l'achat				7 998 $
1 an plus tard	2 110 $	800 $*	1 310 $	6 688
2 ans plus tard	2 110	669	1 441	5 247
3 ans plus tard	2 110	525	1 585	3 662
4 ans plus tard	2 110	366	1 744	1 918
5 ans plus tard	2 110	192	1 918	0
	10 550 $	2 552 $	7 998 $	

* 800 $ = 7 998 $ × 0,10 ; 669 $ = 6 688 $ × 0,10 ; et ainsi de suite.

La valeur actualisée des paiements, capital et intérêts, équivaut au montant du prêt.

Avec cet exemple, la valeur actualisée de 2 110 $, payée chaque année pendant cinq ans, actualisée à 10 %, avec intérêts composés annuellement, s'établit à 7 998 $. Voici le calcul à faire : (2 110 $/0,10) (1 − 1/[1,10]⁵). Vérifiez le calcul et vous verrez.

Ù EN ÊTES-VOUS ?

Voici deux questions auxquelles vous devriez pouvoir répondre, compte tenu de ce que vous venez de lire :

1. Quelle est la valeur actualisée des 300 $ que vous toucherez dans deux ans si votre coût de renonciation est de 11 % (243,49 $, c'est-à-dire 300 $/[1 + 0,11]^2)?

2. La société Vallon inc. a émis des obligations d'une valeur nominale de 1 000 $, portant un intérêt de 10 %, remboursables dans huit ans. Le prix des obligations a été fixé pour procurer un taux de rendement de 12 %, ce qui correspond aux attentes du marché obligataire pour des obligations qui comportent le même risque et ont la même date d'échéance. Les obligations se vendront-elles à un prix supérieur ou inférieur à 1 000 $ chacune? (Inférieur)

10A.2 COMPRENEZ-VOUS BIEN CES TERMES ?

Voici la liste des termes utilisés et expliqués dans ce module. Vérifiez que vous comprenez bien leur signification en *comptabilité* et, si certains vous semblent encore confus, relisez les explications données dans le module ou reportez-vous au glossaire à la fin du manuel.

Capital	Intérêts composés	Valeur actualisée nette
Coût de renonciation	Principal	(VAN)
Coût du capital	Rendement à l'échéance	Valeur capitalisée (VC)
Flux monétaires	Valeur actualisée (VA)	Valeur temporelle de l'argent
Intérêt		

10A.3 SUJETS DE RÉFLEXION ET TRAVAUX POUR AMÉLIORER LA COMPRÉHENSION

PROBLÈME 10A.1*
Analyse de base de la valeur actualisée

Vous avez l'occasion de placer 200 000 $. Cet investissement devrait vous procurer 100 000 $ d'intérêts, payés en un seul versement dans cinq ans (votre capital vous sera remboursé en même temps).

1. Si vous désiriez obtenir un taux de rendement de 8 %, auriez-vous avantage à investir? Donnez le détail de tous vos calculs.
2. Indiquez un autre facteur que vous devriez prendre en considération avant de placer votre argent.

PROBLÈME 10A.2*
Prix des obligations

La société Can Plus inc. a l'intention d'émettre 100 000 obligations d'une valeur nominale de 100 $ chacune, pour financer divers projets devant générer un rendement moyen de 10 % sur dix ans (les obligations sont remboursables dans dix ans). Le marché des obligations étant plutôt instable en ce moment, Can Plus essaie de fixer un taux d'intérêt qui lui permettra de réunir les 10 000 000 $, sans qu'il soit trop élevé. À l'heure actuelle, pour des obligations d'une valeur nominale de 100 $ émises par des sociétés telles que Can Plus, le marché des obligations semble fixer le prix d'émission à 100 $, avec un taux d'intérêt de 8 % ; la société envisage donc d'offrir ses obligations à 8 %.

1. Combien se vendraient les obligations à 8 % si Can Plus proposait un prix d'émission correspondant à un coût effectif de :
   a. 8 % ?
   b. 7 % ?
   c. 9 % ?

2. Si elle pouvait émettre les obligations de manière à obtenir un coût effectif de 7 %, la société pourrait obtenir environ 700 000 $ de plus que les 10 000 000 $ dont elle a besoin. La société réaliserait alors, sur les projets prévus, un revenu net supérieur ou, au contraire, inférieur ?

PROBLÈME 10A.3*
Évaluation d'une occasion de placement

Alberte fait des économies depuis des années et elle a acheté à sa banque des certificats de dépôt, qui lui procurent un rendement de 5 %. Elle a l'impression que c'est un peu faible et elle a évalué d'autres occasions de placement. Elle envisage d'acheter des actions de la société Marmites et Marmitons inc., qui a obtenu d'excellents résultats ces dernières années. À l'heure actuelle, les actions de Marmites et Marmitons se vendent 35 $, à la Bourse de Montréal. Alberte pense que la société versera des dividendes de 1,50 $ par année sur des actions qui devraient se vendre entre 30 $ et 50 $ d'ici à cinq ans, moment où Alberte a l'intention de liquider tous ses placements pour s'acheter un appartement quelque part au bord de la mer.

Quels conseils pourriez-vous donner à Alberte à propos de son projet d'investissement ?

PROBLÈME 10A.4*
Explication des effets de certains changements sur le calcul de la valeur actualisée

Vous évaluez des projets pour le président de votre société et vous venez de terminer certains calculs de la valeur actualisée. Le président vous demande de tenir compte de certains changements possibles qui devraient être apportés à ces projets. Expliquez les effets de ces changements sur les valeurs actualisées que vous venez de calculer.

a. L'un des projets pourrait être prolongé de trois ans ; les flux monétaires totaux associés à ce projet resteraient identiques.
b. Le taux de rendement exigé pour un autre projet passera de 9 % à 7 %.
c. Pour un troisième projet, certains encaissements seront retardés ; les fonds seront reçus entre la cinquième et la huitième année et non plus entre la troisième et la sixième année. Malgré tout, l'encaissement total restera le même et aura lieu, comme il a été prévu à l'origine, sur 15 ans.
d. Le coût du capital de la société augmente de 0,5 %, par suite d'un accroissement des taux d'intérêt sur le marché.

PROBLÈME 10A.5
Principes fondamentaux d'analyse de la valeur actualisée

1. Expliquez les notions de « valeur temporelle de l'argent » ou de « valeur actualisée ». En quoi ces notions intéressent-elles les gens d'affaires ?
2. Calculez la valeur actualisée des sommes suivantes :

   a. 1 000 $ touchés dans un an. Si vous disposiez de cette somme dès maintenant, vous pourriez la placer à 10 %.

b. 1 000 $ touchés à la fin de chacune des trois années à venir. Ici, le coût de renonciation ou le coût du capital s'établit à 12 %.

c. Reprenez la question (b), avec un taux de 10 %. Pourquoi la valeur actuelle augmente-t-elle quand le taux diminue ?

PROBLÈME 10A.6
Analyse de la valeur actualisée : taux d'intérêt et obligations

La société Dingo ltée émet des obligations hypothécaires de premier rang de 9 %, avec valeur nominale de 100 000 $, dont les intérêts sont payables à la fin de chaque année, pendant quatre ans. Le capital doit être remboursé à la fin des quatre années.

1. Si, pour de telles obligations, le taux d'intérêt du marché est de 9 %, quel est le montant qu'obtiendra la société ? Pourquoi ?

2. Si les taux en vigueur sur le marché sont supérieurs à 9 %, la société recevra-t-elle plus ou moins que la valeur nominale ? Pourquoi ? Et si les taux du marché étaient inférieurs à 9 % ?

PROBLÈME 10A.7
Analyse de la valeur actualisée : jouer au hockey… ou devenir lutteur ?

Charles Grosbras, joueur de hockey imbattable, est venu vous demander des conseils financiers. Pour renforcer leur équipe, les Étoiles de Chicoutimi lui proposent un contrat alléchant : une prime de 90 000 $, à la signature, et un salaire annuel de 85 000 $, pendant trois ans. Grosbras envisage de refuser cette offre, car il estime qu'il pourrait gagner 120 000 $ par année, s'il devenait lutteur professionnel, pendant trois ans.

1. Si Grosbras pouvait investir ses revenus (y compris la prime à la signature) à un taux de 11 %, devrait-il opter pour la lutte ou pour le hockey ?

2. Si Grosbras ne pouvait placer son argent qu'à 7 %, que devrait-il décider ?

3. À quel taux, Charles Grosbras pourrait-il décider de devenir lutteur ou de rester joueur de hockey sans que cela change quoi que ce soit ?

PROBLÈME 10A.8
Analyse de la valeur actualisée : occasion d'investissement en actions

La boutique de lingerie et de pyjamas Surprise ltée envisage d'investir en achetant des actions d'une entreprise qui fabrique des sous-vêtements en fibres de verre. L'investissement lui coûterait 110 000 $. Pendant quatre ans, elle recevrait 8 000 $ en dividendes et, à la fin des quatre ans, elle devrait être en mesure de revendre ses actions, opération qui devrait lui rapporter 125 000 $. Pour financer cet investissement, Surprise doit emprunter à un taux de 11 %. D'après ces données, la boutique Surprise devrait-elle acheter ces actions ?

PROBLÈME 10A.9
Analyse de la valeur actualisée : achat ou location ?

Camionnage Rapido a besoin d'un nouveau camion et doit décider s'il vaut mieux en acheter un plutôt que d'en louer un. Pour l'achat, Rapido devrait débourser 140 000 $ immédiatement ; le camion ayant une vie utile de cinq ans, il ne vaudra plus rien à la fin de cette période et sera simplement mis au rebut. Si Rapido décide de louer, il lui faudra payer 30 000 $ à la fin de chaque année, pendant cinq ans, après quoi le camion sera rendu à la société de location.

1. Si le taux d'intérêt courant est de 10 % (taux auquel Rapido peut emprunter), la société a-t-elle avantage à louer ou à acheter ?

2. Imaginons que Rapido découvre que, si elle achetait le camion, elle pourrait le revendre 35 000 $ à la fin de la période de cinq ans. Ce nouvel élément vient-il changer la réponse donnée à la question 1 ?

3. Mettez en évidence une ou deux hypothèses importantes sur lesquelles s'appuient vos analyses et expliquez en quoi elles jouent un rôle clé.

PROBLÈME 10A.10
Bien-fondé de l'achat d'un percolateur

Henriette voudrait installer une série d'appareils de cuisine, notamment un percolateur, dans sa boutique d'artisanat. Elle pourrait vendre des cafés, des cappucinos, des biscuits et d'autres denrées à ses clients. Elle est convaincue que ces types de produits remporteraient un grand succès, qui se traduirait par des rentrées nettes de 1 000 $ par année (ventes d'aliments et de boissons, moins charges, plus ventes supplémentaires d'objets d'artisanat, moins charges). Les appareils coûteraient en tout 4 000 $ et Henriette les revendrait dans quatre ans environ 1 500 $. Si le projet donne les résultats escomptés, elle pourra acheter d'autres appareils plus performants. Pour financer l'achat des appareils, Henriette devra contracter un emprunt bancaire à 12 %.

A-t-elle avantage à acheter ces appareils ? Justifiez votre réponse en présentant les calculs pertinents.

PROBLÈME 10A.11
Questions sur un prêt hypothécaire remboursé par paiements de capital et d'intérêts réunis

Vous êtes le comptable de la société Jeans Rivière Rouge, qui vient d'obtenir un prêt hypothécaire sur son usine. Le taux d'intérêt est de 7 % et le prêt sera remboursé en dix paiements annuels de 15 000 $. Une fois que la banque aura versé l'argent, le 1ᵉʳ paiement devra s'effectuer un an plus tard. Répondez aux questions suivantes :

1. Quel est le montant emprunté par Rivière Rouge ?
2. Quels seront les frais d'intérêts sur le prêt hypothécaire pour la première année ?
3. Quelle sera la somme due sur le prêt hypothécaire à la fin de la sixième année ?
4. Vous devez établir un bilan le jour de l'obtention du prêt hypothécaire. Dans ce bilan, quelle sera la part du prêt hypothécaire attribuée aux éléments à court terme et aux éléments à long terme ?

PROBLÈME 10A.12
(POUR LES AS!)
Analyse de la valeur actualisée : décision d'investissement

Vous êtes un investisseur sensé et vous avez le choix, au 31 décembre 1998, entre deux placements. Le taux de rendement que vous désirez obtenir est de 9 %, soit le taux de rendement courant du marché.

Le premier placement a trait à des obligations émises par la société Géant inc. (établie depuis longtemps), d'une valeur nominale de 100 $, portant un intérêt annuel de 8 % payable le 31 décembre des quatre prochaines années ; le remboursement du capital est prévu pour le 31 décembre de la quatrième année.

1. Quelle est, pour vous, la valeur de l'obligation de la société Géant inc. ?

Le second choix porte sur un placement en actions dans une petite société d'extraction d'or que votre oncle vient de constituer. Il est convaincu que la société pourra payer des dividendes en espèces selon le calendrier suivant :

31 décembre 1999	31 décembre 2000	31 décembre 2001	31 décembre 2002
32 $ l'action	32 $ l'action	32 $ l'action	32 $ l'action

2. D'après ces données, quel devrait être le prix de l'action afin que vous puissiez opter indifféremment pour un placement en obligations dans la société Géant ou un placement en actions dans la société minière de votre oncle?

3. De quels autres facteurs devez-vous tenir compte avant de prendre votre décision?

PROBLÈME 10A.13 (POUR LES AS!)
Évaluation des possibilités de cession d'une division

Une compagnie a décidé de cesser son exploitation dans un secteur particulier. Elle entreprend donc de vendre la division en question et a reçu trois offres d'achat. Le premier acheteur propose 525 000 $ comptant. Le deuxième verserait maintenant 100 000 $ comptant, puis 60 000 $ par année, pendant 10 ans. Le troisième propose un calendrier de paiements sur dix ans, 50 000 $ pour chacune des cinq premières années et 90 000 $ pour chacune des cinq années suivantes. La société a étudié la situation des taux d'intérêt et estime qu'elle pourrait obtenir sur ses fonds pour les cinq prochaines années un rendement de 5 %, puis de 6 % pour les cinq années suivantes. Quelle offre devrait-elle choisir?

PROBLÈME 10A.14 (POUR LES AS!)
Conseils pour la retraite

Votre tante voudrait savoir si elle aurait avantage à choisir le régime de retraite qu'on lui propose et elle vous demande conseil. Il lui faudrait mettre de côté une somme fixe chaque année, pendant dix ans, pour ensuite obtenir pendant dix ans une rente annuelle fixe. Elle voudrait disposer d'un revenu annuel de retraite, provenant de ce régime, d'environ 30 000 $. Elle se demande combien il lui faudrait économiser annuellement durant les dix prochaines années, pour disposer d'un tel revenu de retraite. Expliquez-lui comment serait calculée la cotisation annuelle et quelles seraient les hypothèses à émettre pour faire les calculs.

PROBLÈME 10A.15 (POUR LES AS!)
Analyse de la valeur actualisée: évaluation d'une entreprise

La Clinique médicale Maranatha ltée (CMM) a terminé sa première année d'exploitation le 30 avril 1998. Son état de l'évolution de la situation financière de l'exercice figure ci-après. CMM n'a aucun compte de fonds de roulement hors caisse, parce que tous les honoraires sont payés comptant par les clients, toutes les charges sont réglées immédiatement et la clinique ne conserve pas de stocks. Les propriétaires de CMM, les docteurs A et B, détiennent chacun 50 % des parts de la clinique. Ils vous ont contacté aujourd'hui, le 1er mai 1998, pour que vous fassiez une estimation de la valeur de leurs actions dans cinq ans (le 30 avril 2003), car ils projettent de fermer leur clinique à ce moment-là et de réorienter leurs activités. Ils vous indiquent que le bénéfice net et les flux de trésorerie provenant de l'exploitation devraient rester pendant les cinq prochaines années au même niveau qu'en 1998; ils ne se verseront pas de dividendes et ils ne feront aucun autre investissement en immobilisations. Les immobilisations n'auront aucune valeur de récupération au 30 avril 2003. Considérez que le taux d'actualisation est de 10 % pour résoudre chacun des problèmes ci-après.

Clinique médicale Maranatha ltée État de l'évolution de la situation financière pour l'exercice terminé le 30 avril 1998		
Activités d'exploitation		
Bénéfice net de l'exercice		100 000 $
Plus amortissement, sans effet sur		
les liquidités		25 000
Liquidités provenant des activités		
d'exploitation		125 000 $
Activités d'investissement		
Ajouts aux immobilisations		(150 000)
Activités de financement		
Émission d'actions ordinaires		
(3 000 actions à 10 $)		30 000
Augmentation des liquidités au cours de		
l'exercice et liquidités à la fin de l'exercice		5 000 $
Les liquidités se composent des éléments suivants :		
Placements à court terme	2 000 $	
Encaisse	3 000	
	5 000 $	

1. Calculez la valeur estimative des actions de CMM au 1er mai 1998 (sans tenir compte des impôts) en évaluant la valeur actualisée des flux monétaires prévus. Énoncez toutes les hypothèses qui vous semblent nécessaires.
2. Supposons que les immobilisations puissent être vendues 10 000 $, le 30 avril 2003. Reprenez les calculs de la première question.
3. Admettons maintenant que des dividendes de 50 000 $ soient payés aux médecins A et B, le 30 avril des cinq prochains exercices. Reprenez les calculs de la première question.
4. Quelle est la valeur actualisée des flux monétaires à recevoir jusqu'au 30 avril 2003, pour le docteur A, s'il perçoit les dividendes ci-dessus et vend ses actions à cette date ?

Module

PLACEMENTS INTERSOCIÉTÉS ET REGROUPEMENTS DE SOCIÉTÉS : INTRODUCTION À LA COMPTABILITÉ DE CONSOLIDATION

10B.1   LES PLACEMENTS INTERSOCIÉTÉS

La plupart des sociétés bien connues sont en fait des groupes de sociétés.

La plupart des sociétés d'aujourd'hui, surtout les plus grandes, sont en fait des regroupements de sociétés constituées séparément. Vous avez souvent eu l'occasion d'entendre les expressions telles que « fusion », « prise de contrôle », « société mère » et « filiale ». Toutes ces expressions sont liées au phénomène de regroupement des sociétés. General Motors, Microsoft, Noranda, Sears, la Banque Royale et Nestlé sont des exemples de sociétés qui se composent en fait de plusieurs entreprises, et parfois, de centaines d'entreprises diverses. Divers types de liens unissent les sociétés au sein de ces groupes.

- Une ou plusieurs des sociétés du groupe possèdent, en tout ou en partie, les autres sociétés membres (General Motors possède General Motors Canada, General Motors Acceptance Corporation, Saturn, Opel et de nombreuses autres sociétés qui forment le groupe General Motors).

- Certaines relations commerciales justifient la formation du groupe au départ (General Motors Canada fabrique certains véhicules vendus par d'autres sociétés du groupe et dont l'achat peut être financé par General Motors Acceptance, si le client le désire).

- Grâce à des modalités de gestion interne — notamment l'évaluation du rendement, la motivation et l'avancement —, les cadres et les employés peuvent se sentir intégrés au groupe le plus important. (Le président de General Motors Canada a peut-être travaillé pour une autre société du groupe et pourra être nommé à la direction d'une autre composante du même groupe, s'il fait un bon travail dans la division canadienne.)

Les états financiers consolidés présentent les résultats d'un groupe de sociétés.

La plupart des états financiers inclus dans les rapports annuels sont en fait les états financiers consolidés des sociétés regroupées. La comptabilisation des regroupements de sociétés est une composante complexe de la comptabilité générale, et elle fait l'objet de recommandations détaillées de l'ICCA et du FASB. Dans ce manuel, nous vous présenterons seulement les principes fondamentaux et leur application pour vous permettre de faire certains calculs de base.

Types de placements intersociétés

Les sociétés investissent dans d'autres entreprises de diverses manières. Voici six pratiques parmi les plus courantes : (1) placement temporaire des liquidités ; (2) placement passif*, à long terme ; (3) placement actif**, à long terme ; (4) coentreprise ; (5) acquisition ; (6) fusion. Ces modalités sont résumées à l'illustration 10-1 et nous les analyserons plus en détail dans les pages qui suivent. Nous abordons les quatre premiers éléments dans la présente section ; les deux derniers seront traités à la section suivante.

10-1

Illustration

Nature et but de l'investissement	Élément sur le bilan de la société qui investit	Méthode de comptabilisation
1. Placement temporaire des liquidités	Titres négociables	À la valeur minimale
2. Placement passif*, à long terme	Actif à long terme	Comptabilisation à la valeur d'acquisition
3. Placement actif**, à long terme	Actif à long terme	Comptabilisation à la valeur de consolidation
4. Coentreprise	Actif à long terme	Comptabilisation à la valeur de consolidation
5. Acquisition	Bilans cumulés	Achat pur et simple
6. Fusion	Bilans cumulés	Fusion d'intérêts communs

* Passif, c'est-à-dire sans participation à la gestion
** Actif, c'est-à-dire avec participation à la gestion

À la figure 10.2, nous présentons un groupe de sociétés dont le cœur financier est la société A. Dans cette section, nous verrons comment comptabiliser le placement de A dans les sociétés B, D et H et dans la prochaine, nous verrons comment comptabiliser le placement de A dans les sociétés C, E, F et G.

1. Les titres négociables (placements temporaires)

Les **placements temporaires** ou **placements à court terme** servent principalement à faire fructifier temporairement l'excédent d'encaisse. Au lieu de conserver de l'argent qui ne rapporte pas d'intérêt ou de le mettre dans un compte bancaire qui rapporte peu ou pas, on peut le placer en achetant des actions, des obligations, des effets de commerce (comme les effets émis par des sociétés financières), des obligations des gouvernements et des bons du Trésor, ou encore des certificats de placement ou des dépôts bancaires à terme. Vous trouverez davantage de renseignements sur les placements à court terme à la section 8.4.

> Les titres négociables sont des actifs à court terme ; leurs dividendes sont ajoutés aux produits divers.

S'il s'agit d'actions ou d'autres titres de sociétés avec valeur à la cote, on les appelle **titres négociables**. Ce sont les placements intersociétés les plus facilement réalisables et les plus passifs. Comme ces placements ne sont pas censés être conservés longtemps, ni servir à influer sur les opérations ou les stratégies des sociétés qui ont émis les titres, ils sont classés dans l'actif à court terme. Comme les autres actifs à court terme, ces placements sont évalués selon la **méthode de la valeur minimale** ou **méthode d'évaluation au moindre du coût et de la valeur marchande**. La valeur marchande est mesurée par le prix sur le marché (valeur de réalisation nette), c'est-à-dire par le prix qui pourrait être obtenu lors d'une cession normale, sans panique. Le lecteur du bilan de la société doit pouvoir présumer que la valeur présentée n'est pas supérieure au montant qui serait obtenu si on vendait les placements. Aussi, les dividendes provenant de tels placements sont généralement intégrés au poste « Produits divers » (produits hors exploitation) de la société participante.

2. Les placements passifs, à long terme

La comptabilisation des placements intersociétés à long terme dépend de l'*intention* de l'investisseur *(société participante)* et de l'*influence* qu'il exerce sur la *société émettrice*. L'influence est liée à la proportion des actions détenues avec droit de vote. Si la proportion est faible (le chapitre 3050 du *Manuel de l'ICCA* donne comme point de repère moins de 20 %), on présume généralement que la société participante ne cherche pas à exercer, ou n'est pas en mesure d'exercer, une *influence notable* sur la société émettrice. À la figure 10.2, c'est le cas du placement de A dans B et H.

> Dans le cas d'un placement passif, l'investisseur n'exerce pas d'influence notable sur la société émettrice.

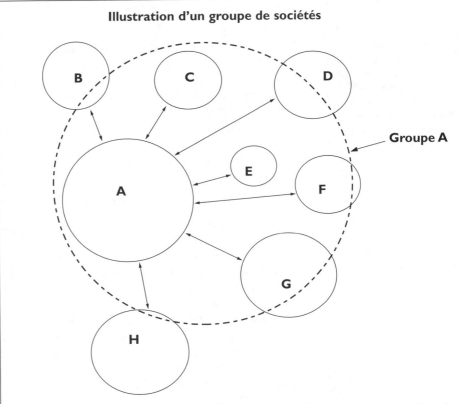

Illustration d'un groupe de sociétés

La société A est la principale société du groupe A, entité économique supérieure en taille à A
en tant que telle et englobant les diverses entités juridiques distinctes.

La société A possède la totalité des actions avec droit de vote des sociétés C et E ; celles-ci
font partie du groupe A, et sont donc intégrées à la société A, dans ses états financiers
consolidés.

La société A possède plus de 50 % des actions avec droit de vote des sociétés F et G, qui sont
donc elles aussi consolidées ; il faut toutefois, d'un point de vue comptable, tenir compte
des portions des sociétés F et G qui n'appartiennent pas à la société A.

La société A ne contrôle pas la société D, mais exerce une influence notable sur elle ; son
placement sera présenté au titre de placement actif, à long terme (comptabilisation à la
valeur de consolidation).

La société A ne détient pas une quantité importante d'actions avec droit de vote des sociétés
B ou H ; la comptabilisation de ces placements se fera au titre de placement passif, à court
ou à long terme, selon les buts qu'elle s'est fixés.

FIGURE 10.2

Le présent schéma n'est pas une illustration des fusions et des coentreprises.

La comptabilisation
des placements
passifs, à long terme,
se fait selon la valeur
d'acquisition.

Pour les placements passifs, à long terme, on choisit la méthode relativement simple de la comptabilisation à la **valeur d'acquisition** :

- On évalue l'élément d'actif au coût et on le présente dans l'actif à long terme.
  (La règle de la valeur minimale ne s'applique pas parce qu'il n'y a pas d'intention de vente.)

- Comme dans le cas des titres négociables, les produits tirés du placement
  (intérêts sur les obligations ; dividendes sur les actions) sont inclus dans les
  autres produits (hors exploitation) au moment où ils sont perçus.

3. Les placements actifs, à long terme

Influence notable, sans contrôle

La comptabilisation à la valeur de consolidation se fait quand la société participante exerce effectivement une influence notable sur l'entité émettrice.

Quand la société participante exerce une **influence notable,** mais ne dispose pas de la majorité des actions avec droit de vote (quand elle détient entre 20 % et 50 % de ces actions), on utilise la méthode de la comptabilisation à la **valeur de consolidation.** Selon cette méthode, la société participante intègre à son état des résultats *et* à son bilan sa part des bénéfices réalisés par l'entité émettrice, parce qu'elle a eu une influence sur le rendement de la société en question. À la figure 10.2, il s'agit de l'investissement de la société A dans la société D.

Selon la méthode de la valeur de consolidation :

La comptabilisation à la valeur de consolidation relève de la comptabilité d'exercice ; la part des bénéfices de l'entité émettrice qui revient à la société participante est intégrée à l'état des résultats et au bilan de celle-ci.

- Le placement est évalué initialement au coût, comme avec la méthode de la valeur d'acquisition dans le cas d'un placement passif.

- Quand la *société émettrice* réalise un bénéfice (ou subit des pertes), l'actif de la *société participante* augmente (en cas de bénéfices) ou diminue (en cas de pertes) en proportion des actions détenues. Cette part est également incluse dans les bénéfices de la société participante. La société participante a le droit d'ajouter ce montant à ses bénéfices, donc de faire valoir sa part des bénéfices de la société émettrice et, par conséquent, sa part dans l'augmentation des bénéfices non répartis de la société émettrice. Le poste « Autres produits » (hors exploitation) est crédité du montant de la part des bénéfices, et l'élément d'actif à long terme « Placement dans la société émettrice » est débité du même montant, traitement similaire à celui des comptes clients pour les produits réalisés non encore encaissés.

Quand la société participante perçoit des dividendes de l'entité émettrice, il s'agit en fait du recouvrement d'un bénéfice considéré comme étant réalisé.

- Lorsque l'entité émettrice verse des dividendes, la société participante encaisse une portion des bénéfices réalisés ; le montant des dividendes reçus est déduit de l'élément d'actif « Placement », tout comme un encaissement de compte client vient réduire l'élément d'actif « Comptes clients ». Les dividendes ne sont pas considérés par la société participante comme des « Produits » (« Autres produits »), puisque le bénéfice a déjà été ajouté aux résultats. Le montant des dividendes vient réduire le montant de l'élément d'actif « Placement », parce qu'on le considère comme un remboursement d'une partie du placement. En conséquence, l'élément d'actif « Placement » correspond au coût original auquel on ajoute les parts de bénéfices de la société émettrice (les parts de pertes sont soustraites), et dont on déduit le montant des dividendes versés.

- La comptabilisation à la valeur de consolidation doit tenir compte d'autres aspects plus complexes que nous n'étudierons pas ici.

D'après l'étude *Information financière publiée au Canada 1997*, 134 des 200 sociétés étudiées avaient en 1996 des placements à long terme. Parmi elles, 27 utilisaient la méthode de comptabilisation à la valeur d'acquisition ; 27 la méthode de comptabilisation à la valeur de consolidation et 59 les deux méthodes ; 14 ne précisaient pas quelle était la méthode utilisée, et les 7 autres avaient recours à diverses méthodes ou combinaisons de méthodes comptables[2].

Exemple de comptabilisation à la valeur d'acquisition et à la valeur de consolidation

Voici comment on peut appliquer les deux méthodes (sans entrer dans des détails complexes) :

	Valeur d'acquisition	Valeur de consolidation
Valeur comptable initiale de l'élément d'actif « Placements intersociétés » de la société participante	Coût d'origine	Coût d'origine
Part de la société participante du bénéfice de l'entité émettrice	Aucune opération comptable	Ajout à l'actif placement et aux autres produits
Part des dividendes versés par l'entité émettrice qui revient à la société participante	Ajout à l'encaisse et aux autres produits	Ajout à l'encaisse et déduction de l'actif placement
Valeur de l'élément d'actif « Placements intersociétés » de la société participante inscrite sur le bilan	Coût d'origine uniquement	Coût d'origine plus part des bénéfices réalisés, moins part des dividendes versés

Voici un exemple concret. Le 1er janvier 1998, la société Guay ltée a fait des placements dans deux sociétés. Les acquisitions sont décrites aux points (a) et (b) ci-dessous ; les événements présentés dans les points (c) à (e) ont également eu lieu pendant l'année 1998.

a. Acquisition de 60 000 actions (15 % du droit de vote) de la société A ltée en contrepartie de 1 800 000 $ versés au comptant. Il s'agit d'un placement à long terme, de type passif, et la société Guay le comptabilise à sa *valeur d'acquisition*.

b. Acquisition de 145 000 actions (29 % du droit de vote) de la société B ltée contre 4 640 000 $ versés au comptant. Puisque Guay a l'intention de participer à la gestion de B, elle comptabilise ce placement à sa *valeur de consolidation*.

c. Le 30 juin, les deux entités émettrices font connaître leurs bénéfices par action pour le premier semestre de 1998 : 2 $ l'action pour A ltée et 2,10 $ pour B ltée.

d. Le 10 décembre, les deux entités émettrices déclarent et paient des dividendes aux actionnaires : 1,50 $ l'action pour A et 1,60 $ l'action pour B.

e. Le 31 décembre, les deux entités émettrices annoncent leurs bénéfices par action pour 1998 : 3,40 $ l'action (1,40 $ de plus, depuis le 30 juin) pour A ; 3,90 $ l'action (1,80 $ de plus, depuis le 30 juin) pour B.

Voici les effets des événements (a) à (e) sur les états financiers de Guay à la fin de 1998 :

Placement dans A (valeur d'acquisition)

a. Le placement à long terme est présenté initialement à son coût d'acquisition de 1 800 000 $ (on réduit l'encaisse du même montant).

b. Cet élément ne concerne que B.

c. L'annonce des bénéfices n'a aucune répercussion comptable.

d. On comptabilise l'argent reçu et les produits de dividendes de 90 000 $ (60 000 actions × 1,50 $).

e. L'annonce des bénéfices n'a aucune répercussion comptable.

Valeur d'acquisition : aucun changement dans l'actif ; les dividendes sont ajoutés aux produits quand ils sont reçus.

Établis selon la méthode de la valeur d'acquisition, les états financiers de Guay, au 31 décembre 1998, indiquent pour A les données suivantes :

Placement dans A (« Actif à long terme »)	1 800 000 $
Produits de dividendes (« Autres produits »)	90 000 $

Placement dans B (valeur de consolidation)

a. Cet élément ne concerne que A.

b. Le placement à long terme est inscrit initialement au coût d'acquisition de 4 640 000 $, comme pour la méthode de la valeur d'acquisition.

c. À l'annonce des bénéfices, on augmente de 304 500 $ (145 000 actions × 2,10 $ l'action) les produits de placement et la valeur du placement, ce qui correspond à la part du bénéfice de B qui revient à Guay.

d. On augmente l'encaisse et on réduit le placement de 232 000 $ (145 000 actions × 1,60 $ l'action). On considère donc que les dividendes constituent le remboursement d'une partie du placement de Guay.

e. À l'annonce des bénéfices, on augmente les produits de placement et la valeur du placement de 261 000 $ (145 000 × 1,80 $ l'action), ce qui correspond à la part des bénéfices de B qui revient à Guay.

Valeur de consolidation : l'actif et les produits augmentent en proportion de la part des bénéfices ; l'actif diminue au moment où les dividendes sont reçus.

Établis selon la méthode de la valeur de consolidation, les états financiers de Guay, au 31 décembre 1998, indiquent pour B les résultats suivants :

Placement dans B (« Actif à long terme »)	4 973 500 $
(4 640 000 $ + 304 500 $ − 232 000 $ + 261 000 $)	
Produits de placements (« Autres produits »)	565 500 $
(304 500 $ + 261 000 $)	

4. Les coentreprises

La coentreprise constitue un partenariat de sociétés.

Une **coentreprise** est un partenariat entre plusieurs sociétés participantes, généralement formé en vue de prospecter (notamment dans les secteurs du pétrole et du gaz naturel), de développer de nouveaux produits, ou encore, de mettre en commun des ressources pour atteindre l'objectif. Ce type de partenariat est courant dans le monde. Aucune des sociétés participantes n'exerce de contrôle, mais chacune a une influence notable sur son partenaire, compte tenu des dispositions de l'entente et des modalités d'exploitation au sein de la coentreprise.

La comptabilité des coentreprises se fait selon la méthode de la « consolidation proportionnelle » : la quote-part des sociétés participantes, dans l'actif et le passif de la coentreprise, est intégrée à l'actif et au passif des sociétés participantes (par exemple, 50 %, si elles détiennent chacune 50 % des actions donnant droit de vote). Nous ne traiterons pas de cette méthode dans le présent ouvrage.

Ù EN ÊTES-VOUS ?

Voici deux questions auxquelles vous devriez pouvoir répondre, compte tenu de ce que vous venez de lire:

1. Si la société Gretel ltée achète pour 460 000 $ d'actions de la société Hansel ltée, en devenant un actionnaire minoritaire, quels sont les critères qui permettront à la direction de Gretel de décider si le placement doit être comptabilisé à la valeur d'acquisition ou à la valeur de consolidation?

2. Au cours de l'exercice, Hansel a versé 45 000 $ en dividendes à Gretel. À la fin de l'exercice, Hansel dégage un bénéfice net. La quote-part du bénéfice qui revient à Gretel, selon le nombre d'actions avec droit de vote qu'elle détient dans Hansel, est de 78 500 $. Si Gretel comptabilise le placement à la valeur d'acquisition, quel sera le montant de produit de placement qu'elle devra présenter? Et si Gretel comptabilise son placement à la valeur de consolidation? Quel montant Gretel présentera-t-elle à l'élément d'actif «Placement dans Hansel ltée» à la fin de l'exercice, si elle comptabilise son placement à la valeur d'acquisition? Et si elle le comptabilise à la valeur de consolidation? (45 000 $; 78 500 $; 460 000 $; 493 500 $)

10B.2 LES ÉTATS FINANCIERS CONSOLIDÉS DES GROUPES DE SOCIÉTÉS

Nous analyserons ici les deux autres types de placement présentés à l'illustration 10-1, c'est-à-dire les deux méthodes de comptabilisation qui permettent de combiner les états financiers d'un groupe de sociétés sous la forme d'états financiers consolidés, qui représentent les résultats du groupe.

5. L'acquisition d'une société par une autre

Méthode de l'achat pur et simple

> Par la consolidation, on présente le groupe de sociétés comme une seule entité économique.

Il arrive souvent qu'une société achète plus de 50 % des actions avec droit de vote d'une autre société: l'acheteur devient alors l'actionnaire majoritaire. Cet exemple a été donné dans la figure 10.2, pour le placement de A dans C, E, F et G. Ce type d'opération est effectué pour diverses raisons, notamment pour pouvoir exploiter les deux sociétés conjointement et bénéficier des avantages de cette coordination des activités. Tant qu'elle détient la majorité des actions avec droit de vote, la société participante profite de nombreux avantages, sans être obligée de détenir toutes les actions de l'autre société, ce qu'elle peut cependant décider de faire, si elle le désire. En comptabilité générale, on applique la méthode de la **consolidation** pour présenter les deux sociétés comme une seule **entité économique**, c'est-à-dire comme s'il s'agissait d'une seule entreprise. Comme nous l'avons indiqué à la figure 10.2, l'entité économique résultante est plus importante que n'importe laquelle des entités juridiques distinctes du groupe.

> On fait appel à la consolidation selon la méthode de l'achat pur et simple quand une société prend le contrôle d'une autre.

La société contrôlante (la **société mère**) et la société contrôlée (la **filiale**) n'ont pas les mêmes pouvoirs, car c'est la société mère qui détient le contrôle. Les PCGR canadiens recommandent alors d'appliquer la **méthode de l'achat pur et simple** pour présenter la performance et la situation financière de ce **regroupement d'entreprises**. Nous traiterons un peu plus loin de la **fusion** (dans ce cas deux sociétés font équipe, sans que l'une achète l'autre). Au Canada, les acquisitions sont très fréquentes et les fusions extrêmement rares. Ainsi, si vous examinez un jeu d'états financiers consolidés, il est fort probable qu'on a utilisé la méthode de l'achat pur et simple pour faire la comptabilité.

La consolidation est un fait imaginaire : il n'existe aucune entité juridique consolidée. Juridiquement, il s'agit plutôt d'un groupe d'entités distinctes dont la propriété est liée. L'objectif poursuivi est de présenter les sociétés regroupées comme s'il s'agissait d'une seule entité. Cette méthode permet une présentation plus globale et fidèle du contexte économique et des affaires que ne pourraient le faire les états financiers distincts de chaque société indépendante sur le plan juridique. Dans le cas d'une présentation distincte, c'est l'utilisateur qui devrait compiler les données.

La consolidation part d'une idée très simple : pour dresser les états financiers d'un groupe de sociétés, il suffit de placer côte à côte les bilans, les états des résultats et les autres états financiers de toutes les sociétés et, dans la grande majorité des cas, d'additionner les comptes correspondants. Le montant de l'encaisse du bilan consolidé serait la somme de tous les montants de l'élément d'encaisse des sociétés, le coût des marchandises vendues, présenté dans l'état consolidé des résultats, correspondrait à la somme des éléments des coûts des marchandises vendues de toutes les sociétés, et ainsi de suite. Pour appliquer cette idée simple à des entreprises entretenant des rapports complexes, on a dû élaborer un ensemble de PCGR assez compliqués. Nous ne nous pencherons par sur les subtilités de ces principes, mais allons surtout analyser les trois grands enjeux de la comptabilité de consolidation :

- déterminer les mesures à prendre si la société mère détient moins de 100 % des actions avec droit de vote de la filiale (F et G dans la figure 10.2, par exemple);

- déterminer les valeurs des éléments d'actif et de passif qui doivent être additionnés;

- calculer l'« écart d'acquisition » éventuel, qui découle du coût d'acquisition par la société mère.

La méthode de l'achat pur et simple : trois principes fondamentaux

1. *Parts des actionnaires sans contrôle (actionnaires minoritaires).* Quand la société mère possède moins de 100 % de la filiale, la part des actionnaires sans contrôle correspond au pourcentage des actions avec droit de vote *non détenues* par la société mère, multiplié par les capitaux propres de la filiale à la date d'acquisition, ajustée selon les changements intervenus depuis cette date. Par exemple, si P inc. a acheté 75 % des actions avec droit de vote de S inc. le 3 janvier 1998, au moment où les capitaux propres de S inc. étaient de 300 000 $, alors la **part des actionnaires sans contrôle** équivaudrait à 25 % des capitaux propres, c'est-à-dire à 75 000 $. Cette somme est inscrite au passif du bilan consolidé et correspond à la part des capitaux propres de l'entité consolidée *non détenue* par les actionnaires de la société mère. *Cette somme correspond aux capitaux propres de quelqu'un d'autre au sein du groupe et n'est donc pas incluse dans les capitaux propres consolidés.* Ce n'est pas une dette, car l'entité consolidée n'a rien à débourser. Il s'agit simplement de reconnaître qu'elle a des obligations à l'égard des actionnaires minoritaires de S inc., qui n'ont pas vendu leurs actions à P inc.

Au fil du temps, le passif qui correspond à la part des actionnaires sans contrôle varie de la même manière que l'élément d'actif « Placement », selon la méthode de comptabilisation à la valeur de consolidation. À chaque exercice,

---

La consolidation représente des sociétés distinctes comme si elles formaient en fait une seule entité.

*La part des actionnaires sans contrôle, aussi appelée **intérêts minoritaires**, représente la part de l'entité qui n'appartient pas à la société mère.*

La part des actionnaires sans contrôle vient diminuer le bénéfice consolidé et augmenter le passif.

le passif augmente (*et le bénéfice net consolidé diminue*) selon la part du béné-fice net de la filiale qui revient aux actionnaires sans contrôle. Chaque fois que les actionnaires minoritaires touchent des dividendes, le passif diminue (et l'en-caisse consolidée augmente). Par conséquent, si la société mère parvient à amener la filiale à réaliser des bénéfices, certains de ces bénéfices reviennent aux actionnaires minoritaires. Quand ces derniers reçoivent des dividendes, le passif est réduit, comme le serait n'importe quelle dette.

Pour consolider les états financiers, il faut additionner tous les comptes de la société mère et de la filiale.

2. *Actif et passif du bilan.* L'idée de base de la consolidation est d'additionner les comptes : les comptes clients de la société mère sont ajoutés à ceux de la filiale ; les terrains sont ajoutés aux terrains ; les comptes fournisseurs, aux comptes fournisseurs ; les produits d'exploitation, aux produits d'exploitation ; les charges d'impôts, aux charges d'impôts, et ainsi de suite. Cependant, on doit effectuer deux changements au bilan de la société mère et de la filiale avant de procéder à toutes ces additions.

On ne prend pas en considération les soldes intersociétés, qui correspondent à des opérations internes de l'entité économique consolidée.

Premier changement : *on ne prend pas en considération les soldes inter-sociétés.* Si S inc. doit 40 000 $ à P inc., par exemple, cette somme figure sur le bilan de S inc. au titre de compte fournisseur et sur celui de P inc., inverse-ment, au titre de compte client. Si le bilan consolidé représente les résultats financiers des deux sociétés comme si elles ne formaient qu'une seule et même entité, cette somme de 40 000 $ constitue une opération interne de l'entité consolidée : la somme ne sera pas versée à un intervenant externe ; elle ne sera pas non plus reçue d'un agent externe. En ce sens, on note une différence par rapport aux autres comptes clients et comptes fournisseurs. Par conséquent, on ne les présente pas dans les états consolidés. (De même, les ventes et les charges intersociétés, comme les frais de gestion, sont exclues de l'état consolidé des résultats. Tout bénéfice réalisé par une société dans le cadre d'opérations commerciales conclues avec l'autre est également omis. Il est parfois difficile et compliqué d'éliminer ces facteurs.)

L'acquisition par la société mère des actions de la filiale est comptabilisée à l'élément d'actif à long terme « Placement dans la filiale S inc. »

Au moment de l'acquisition, les capitaux propres consolidés équivalent uniquement aux capitaux propres de la société mère.

Le compte où figure ce placement de la société mère dans la filiale cons-titue lui aussi un compte intersociétés ; *on ne le prendra donc pas en considération* lors de la consolidation. Un autre montant sera éliminé lors de la consolidation ; il s'agit de la part des capitaux propres de la filiale que détient la société mère. Ce poste correspond à ce que la société mère a acheté et il sera écarté de la consolidation. La part des capitaux propres de la filiale qui *n'a pas* été acquise, celle des actionnaires minoritaires, est transférée à l'élément de passif « Part des actionnaires sans contrôle » (voir le point 1 ci-dessus). Ainsi, *aucun* montant des capitaux propres de la filiale à la date de l'acquisition ne sera intégré aux capitaux propres consolidés. *Les capitaux propres consolidés à la date d'acquisition équivalent aux capitaux propres de la société mère uniquement.*

À la date d'acquisition, l'actif et le passif de la filiale sont réévalués, mais uniquement la part de la société mère.

Deuxième changement : au moment de l'acquisition, la société mère a pu attribuer aux éléments de l'actif et du passif de la filiale des valeurs différentes de celles qu'on retrouve au bilan de cette dernière. Puisqu'une transaction a eu lieu — la société mère a acheté des actions de la filiale —, on doit appliquer le principe du coût historique et tenir compte de tout changement des valeurs à cette date. Il s'agit donc d'établir la **juste valeur**. Toutefois, étant donné que les actionnaires minoritaires n'ont pas vendu leurs actions, aucune opération n'a modifié leur part de l'actif et du passif de la filiale. C'est pourquoi *on ne prend* *pas en considération la part des actionnaires sans contrôle dans la réévaluation de l'actif et du passif de la filiale, pour établir leur juste valeur.* Nous savons combien la société mère a déboursé pour obtenir ce qu'elle a obtenu. Nous ne savons pas combien il lui aurait fallu débourser pour se procurer ce qu'elle *n'a pas acheté* (c'est-à-dire la part des actionnaires sans contrôle). Ainsi, à la date d'acquisition, on incorpore les postes de l'actif et du passif de la filiale aux résultats consolidés en respectant la formule de calcul suivante:

Montant utilisé pour la consolidation	=	Valeur comptable du bilan de la filiale	+	Part de la société mère	×	(Juste valeur − Valeur comptable de la filiale)

Par exemple, les terrains de la filiale figurent au bilan pour une somme de 120 000 $ (au coût). D'après l'évaluation de la société mère, la juste valeur des terrains s'établissait à 180 000 $. La société mère a acheté 85 % de la filiale. Ainsi, le terrain de la filiale serait intégré aux chiffres consolidés dans la proportion qui revient à la société mère, c'est-à-dire 171 000 $ [120 000 $ + 0,85 (180 000 $ − 120 000 $)]. Ainsi, les chiffres consolidés n'intègrent pas la réévaluation *totale* de l'actif et du passif de la filiale: la part des actionnaires sans contrôle est laissée de côté, parce qu'ils n'ont pas vendu leurs actions. (Toute réévaluation de l'actif et du passif pourrait se répercuter sur les bénéfices consolidés futurs; par exemple, si la valeur des bâtiments et du matériel de la filiale augmente au moment de la consolidation, il faudra également accroître l'amortissement cumulé pour en tenir compte. C'est une autre complication que nous n'étudierons pas ici!)

L'écart d'acquisition correspond à l'excédent du coût du placement de la société mère sur la part de la juste valeur de la filiale qu'elle a acquise.

3. *Écart d'acquisition.* Imaginons que P inc. a versé un plus grand montant d'argent pour se procurer des actions de S inc. que la somme de la juste valeur des actifs de S inc., soustraction faite de son passif. C'est donc que P inc. a fait l'acquisition de quelque chose d'intangible, qui *ne figure pas* sur le bilan de S inc. Il s'agit de quelque chose qui s'ajoute aux éléments d'actif et de passif de S inc. C'est ce qu'on appelle l'**écart d'acquisition**. Il s'agit en fait de tous les facteurs dont la société mère a tenu compte quand elle a convenu du prix à verser pour les actions de la filiale: des cadres compétents, un emplacement intéressant, des clients fidèles, les économies d'échelle qui seront réalisées grâce à l'association avec la société mère, la diminution de la concurrence et ainsi de suite.

Élément d'actif «Écart d'acquisition»	=	Coût du placement de la société mère	−	Part de la société mère	×	(Juste valeur des éléments d'actif de la filiale − Juste valeur de ses éléments de passif)

Par exemple, si la société Très Gros inc. a versé 1 200 000 $ pour acquérir 80 % des actions avec droit de vote de la société Pas si Gros ltée, et que, à cette date, Très Gros évaluait l'actif de Pas si Gros à 4 300 000 $, pour un passif de 3 000 000 $, l'écart d'acquisition à la date d'acquisition s'établirait à 160 000 $ [1 200 000 $ − 0,80 (4 300 000 $ − 3 000 000 $)].

L'écart d'acquisition figure parmi les actifs à long terme sur le bilan consolidé et sera amorti au fil du temps par des imputations aux bénéfices consolidés (amortissement de l'écart d'acquisition).

On ne présente l'écart d'acquisition que s'il constitue un actif (écart positif entre le coût et la juste valeur).

Voici deux précisions sur l'écart d'acquisition: tout d'abord, si l'écart est négatif (le coût du placement est inférieur à la portion de la juste valeur nette qui reviendrait à la société mère), on pourrait imaginer qu'on présenterait sur le bilan un montant négatif. Toutefois, selon les PCGR, si une telle situation peut se produire, on tient pour acquis que les actifs de la filiale ont diminué de valeur. Par conséquent, les justes valeurs sont réduites dans le calcul des éléments consolidés, pour que la part de la société mère corresponde exactement au prix d'achat. De ce fait, l'écart d'acquisition est ramené à zéro. De plus, si la filiale présente aussi un écart d'acquisition, cet élément est englobé dans le nouveau chiffre de l'écart d'acquisition et n'est pas reporté séparément.

En résumé, le bilan consolidé à la date d'acquisition inclut:

- les éléments du bilan de la société mère;
- les éléments d'actif et de passif de la filiale, réévalués pour refléter la part de la société mère dans les augmentations ou les diminutions à la juste valeur;
- la part des actionnaires sans contrôle dans les capitaux propres de la filiale;
- l'écart d'acquisition.

Le bilan consolidé *ne comprend pas*:

- l'élément d'actif de la société mère où est inscrit le placement dans la filiale;
- les capitaux propres de la filiale;
- les éléments d'actif et de passif intersociétés.

Exemple de consolidation à la date d'acquisition

La société ABC a décidé d'acheter 80 % des actions avec droit de vote de la société XYZ pour 500 000 $. Nous disposons de l'information suivante sur la société XYZ à la date d'acquisition (aucun compte fournisseur ni compte client intersociétés n'existait à l'époque):

Société XYZ	Valeur comptable	Juste valeur
Encaisse	45 000 $	45 000 $
Clients	75 000	60 000
Stocks	100 000	120 000
Immobilisations (nettes)	200 000	300 000
	420 000 $	525 000 $
Fournisseurs	90 000 $	95 000
Actions ordinaires	50 000	
Bénéfices non répartis	280 000	
	420 000 $	
Somme des justes valeurs de l'actif net		430 000 $

a. *Écart d'acquisition résultant de la consolidation.* ABC a versé 500 000 $ pour obtenir 80 % de 430 000 $ (juste valeur définie):

Prix d'achat	500 000 $
Moins juste valeur acquise (80 % × 430 000 $)	344 000
Écart d'acquisition	156 000 $

b. *Part des actionnaires sans contrôle.* ABC n'a acheté que 80 % des actions de XYZ. Par conséquent, il reste 20 % qui constituent les capitaux propres des actionnaires minoritaires. Ces capitaux équivalent à 20 % de la valeur comptable des capitaux propres de XYZ, à la date d'acquisition, soit 20 % × (50 000 $ + 280 000 $) = 66 000 $.

c. *Les montants consolidés de la société ABC* sont présentés à l'illustration 10-2.

10-2

Illustration

	Valeur comptable du bilan à la date d'acquisition		80 % de JV − VC* de XYZ	Écart d'acquisition et part des actionnaires sans contrôle	Bilan consolidé
	ABC	XYZ			
Encaisse	175 000 $	45 000 $	0 $		220 000 $
Clients	425 000	75 000	(12 000)		488 000
Stocks	660 000	100 000	16 000		776 000
Placement dans XYZ	500 000	—		À éliminer	—
Immobilisations	1 700 000	200 000	80 000		1 980 000
Écart d'acquisition	—	—		156 000 $	156 000
	3 460 000 $	420 000 $			3 620 000 $
Fournisseurs	730 000 $	90 000 $	4 000 $		824 000 $
Dette à long terme	850 000	0	0		850 000
Part des actionnaires sans contrôle	—	—		66 000 $	66 000
Actions ordinaires	100 000	50 000		ABC seul.	100 000
Bénéfices non répartis	1 780 000	280 000		ABC seul.	1 780 000
	3 460 000 $	420 000 $			3 620 000 $

* JV − VC = juste valeur de l'élément − sa valeur comptable d'après le bilan de la société XYZ.

Commentaire sur le bénéfice net consolidé après acquisition

Le bénéfice net consolidé correspond à la somme des bénéfices réalisés depuis l'acquisition, compte tenu, entre autres, des redressements visant à éliminer les soldes intersociétés, la part des actionnaires sans contrôle dans les bénéfices réalisés par la filiale et, aussi, de l'amortissement de l'écart d'acquisition. Le calcul est le suivant:

Commencer par la somme des bénéfices de la société mère et des filiales	XXXX $

Soustraire:

a. Tout bénéfice réalisé par l'une des sociétés sur des ventes intersociétés	(XXXX)
b. Tout bénéfice provenant des filiales déjà inclus dans les comptes de la société mère ou des autres filiales par suite de la comptabilisation à la valeur de consolidation dans les états financiers individuels des sociétés (il s'agit aussi de sommes intersociétés)	(XXXX)
c. Tout amortissement ou autres charges supplémentaires provenant du redressement aux justes valeurs de l'actif et du passif des filiales, au moment de la consolidation	(XXXX)
d. Toute part des bénéfices de la filiale revenant aux actionnaires sans contrôle, qui détiennent toujours une partie des droits de propriété (soit, approximativement, le pourcentage de participation sans contrôle multiplié par le bénéfice net de la filiale)	(XXXX)
e. L'amortissement de l'écart d'acquisition	(XXXX)
Le résultat constitue le bénéfice net consolidé	XXXX $

> **Avec la méthode de l'achat pur et simple, le bénéfice net consolidé est diminué par l'amortissement supplémentaire et par d'autres éléments.**

Vous pouvez constater que le bénéfice net consolidé est inférieur à la somme des bénéfices nets individuels des sociétés. Cette différence peut être marquée si l'écart d'acquisition est important ou si la part des actionnaires sans contrôle est considérable.

6. Fusion

> **Lors d'une fusion, la consolidation par fusion d'intérêts communs consiste simplement à faire le total des comptes des deux sociétés, tels quels.**

On utilise la méthode de la fusion d'intérêts communs lorsqu'il y a fusion véritable de deux sociétés de taille semblable, pour laquelle on ne peut pas dire qu'une société acquiert l'autre. On admet que deux sociétés ont fusionné lorsqu'il y a échange d'actions (plutôt que versement d'une somme d'argent par une société pour acquérir les actions de l'autre), lorsque la direction des deux sociétés demeure en place et lorsque d'autres indices semblables indiquent que les deux entreprises poursuivent leur exploitation en commun. Dans une fusion d'intérêts communs, on dresse les états financiers consolidés en additionnant simplement les comptes des deux sociétés. L'actif est égal à la somme des éléments d'actif du bilan des deux sociétés; il en va de même pour le passif; les capitaux propres correspondent à la somme des capitaux propres des deux sociétés. On ne réévalue aucun compte du bilan et on n'établit pas de comptes de consolidation spéciaux pour la « part des actionnaires sans contrôle » et l'« écart d'acquisition ». Pour certains gestionnaires, c'est une caractéristique avantageuse, car elle permet d'éviter les réductions du bénéfice consolidé indiquées ci-dessus.

Au Canada, les circonstances dans lesquelles les PCGR préconisent le recours à la méthode de la fusion d'intérêts communs sont très rarement réunies. Lors de la grande vague de regroupements d'entreprises de la fin des années 60 et du début des années 70, on a souvent abusé de cette méthode. C'est pourquoi des normes comptables ont été édictées depuis, principalement pour bannir le recours à la fusion d'intérêts communs. Quand il y a regroupement, vous constaterez presque systématiquement que c'est la méthode de l'achat pur et simple qui sera appliquée. Malgré tout, la fusion d'intérêts communs reste souvent utilisée aux États-Unis ; certaines pressions sont exercées sur les organismes de normalisation de la comptabilité au Canada pour que les restrictions visant son utilisation soient assouplies.

Ù EN ÊTES-VOUS ?

Voici deux questions auxquelles vous devriez pouvoir répondre, compte tenu de ce que vous venez de lire :

1. Le 1er janvier 1999, la société Supersix ltée achète 75 % des actions avec droit de vote de la société Faiblard ltée contre 231 000 $ au comptant. À cette date, le bilan de Faiblard présente un actif de 784 000 $ et un passif de 697 000 $. À la date d'acquisition, Supersix évalue les justes valeurs des éléments d'actif de Faiblard à 800 000 $, et celles de ses éléments de passif, à 690 000 $. Pourquoi le bilan consolidé de Supersix comporte-t-il un compte « Part des actionnaires sans contrôle » et un autre appelé « Écart d'acquisition » ? Quels sont les chiffres de ces deux postes à la date d'acquisition ? (21 750 $; 148 500 $)

2. À la même date, le bilan de Supersix présente un actif de 56 782 000 $ et un passif de 45 329 000 $. Quel serait le montant des capitaux propres consolidés de Supersix après consolidation avec Faiblard ? (11 453 000 $)

10B.3 COMPRENEZ-VOUS BIEN CES TERMES ?

Voici la liste des termes utilisés et expliqués dans ce module. Vérifiez que vous comprenez bien leur signification en *comptabilité* et, si certains vous semblent encore un peu confus, relisez les explications données dans le module ou reportez-vous au glossaire à la fin du manuel.

Coentreprise
Consolidation
Écart d'acquisition
Entité économique
Filiale
Fusion
Influence notable
Intérêts minoritaires
Juste valeur

Méthode de l'achat pur et simple
Méthode de la valeur minimale
Méthode d'évaluation au moindre du coût et de la valeur marchande
Part des actionnaires sans contrôle

Placement à court terme
Placement temporaire
Regroupement d'entreprises
Société mère
Titre négociable
Valeur d'acquisition
Valeur de consolidation

10B.4 SUJETS DE RÉFLEXION ET TRAVAUX POUR AMÉLIORER LA COMPRÉHENSION

PROBLÈME 10B.1*
Questions sur les placements intersociétés

Un cadre qui vient de lire un jeu d'états financiers consolidés vous pose les questions suivantes. Répondez-lui.

1. « Dans le bilan consolidé, un élément du passif porte l'intitulé *Part des actionnaires sans contrôle*. Qu'est-ce que cela signifie ? Quand faut-il payer ces montants et à qui ? »
2. « Je crois que je n'ai pas bien compris. Qu'entend-on par *états financiers consolidés* ? »
3. « Pourquoi l'*écart d'acquisition* figure-t-il sur le bilan consolidé, alors que ce poste n'existe pas sur les bilans dressés par les sociétés individuelles ? »
4. « On m'a expliqué que, si j'additionne le bénéfice net de toutes les sociétés du groupe consolidé, j'arrive à une somme supérieure au bénéfice net consolidé. Pourquoi ? »
5. « Comment les comptables font-ils pour décider qu'un placement sera consolidé et intégré aux états financiers de la société mère au lieu d'être simplement présenté au titre de placement dans la liste des actifs du bilan de la société mère ? »

PROBLÈME 10B.2*
Valeur d'acquisition ou valeur de consolidation : placements non consolidés

Au début de l'année, la société Québec Sports ltée a acheté 40 % des actions avec droit de vote de la société Bilodeau ltée, pour 4 100 000 $. Au cours de l'exercice, Bilodeau a réalisé un bénéfice net de 600 000 $ et a versé 250 000 $ en dividendes. Québec Sports, qui comptabilise son placement dans Bilodeau à la valeur d'acquisition, présente un bénéfice de 800 000 $ pour cet exercice. Quel serait le bénéfice de Québec Sports si elle utilisait plutôt la méthode de comptabilisation à la valeur de consolidation ?

PROBLÈME 10B.3*
Calculs de base pour la consolidation et l'établissement du bilan

Soucieuse d'élargir ses marchés, la société Gros-Bonhomme ltée a récemment acheté 80 % des actions avec droit de vote de la société Petitou ltée, contre 10 800 000 $. À la date d'acquisition, Petitou avait un actif de 14 600 000 $, un passif de 8 200 000 $ et des capitaux propres de 6 400 000 $. D'après l'évaluation de Gros-Bonhomme, au moment de l'acquisition, la juste valeur au marché de l'actif de Petitou s'établissait à 16 100 000 $, et celle de son passif, à 8 300 000 $.

1. Calculez l'écart d'acquisition à la date d'acquisition.
2. Calculez la part des actionnaires sans contrôle à la date d'acquisition.
3. Indiquez les données manquantes dans le bilan consolidé ci-dessous.

Compte	Gros-Bonhomme ltée	Petitou ltée	Montants consolidés
Actif	105 000 000 $	14 600 000 $	$
Placement dans Petitou	10 800 000		
Écart d'acquisition			
Passif	83 700 000	8 200 000	
Part des actionnaires sans contrôle			
Capitaux propres	32 100 000	6 400 000	

PROBLÈME 10B.4*
Termes appartenant au vocabulaire des placements intersociétés et phrases explicatives

Faites concorder chacun des termes de la colonne de gauche avec l'une des phrases explicatives de la colonne de droite, délibérément rédigées en style télégraphique.

a. Consolidé

b. Valeur d'acquisition

c. Entité économique

d. Valeur de consolidation

e. Justes valeurs

f. Écart d'acquisition

g. Part des actionnaires sans contrôle

h. Fusion d'intérêts communs

i. Méthode de l'achat pur et simple

j. Influence notable

1. Un acheteur et un vendeur

2. Considéré comme un tout

3. On ne le compte pas avant de l'avoir reçu

4. Il suffit d'additionner les comptes des deux sociétés

5. Société mère et filiales réunies

6. Il faut tenir compte de son influence

7. L'excédent que nous avons payé

8. Nous avons notre mot à dire, mais nous n'avons pas de contrôle

9. Ce que nous n'avons pas acheté

10. La valeur des parties individuelles

PROBLÈME 10B.5
Plan d'un exposé sur les états financiers consolidés

On vous a demandé de faire un exposé devant un groupe d'investisseurs sur le sujet suivant: « États financiers consolidés: retrouver les éléments clés et en comprendre la portée ». Faites le plan des principaux éléments que vous aborderez.

PROBLÈME 10B.6
Comptabilisation d'un placement: valeur d'acquisition et valeur de consolidation

La société Biron ltée détient 23 % des actions avec droit de vote de l'entreprise Hôtel Riche ltée. Elle les a achetées pour 1 500 000 $, l'an dernier. Depuis, Hôtel Riche ltée a réalisé un bénéfice net de 400 000 $ et a déclaré des dividendes totalisant 160 000 $. Biron comptabilise son placement dans Hôtel Riche ltée à la valeur de consolidation.

1. Trouvez les montants des éléments suivants:
   a. Produits du placement depuis l'acquisition que Biron doit constater.
   b. Solde du compte « Placements dans Hôtel Riche ltée » qui figurera dans le bilan de Biron.

2. Trouvez les mêmes montants qu'au point 1 mais, cette fois-ci, en considérant que Biron comptabilise ses placements à la valeur d'acquisition.

PROBLÈME 10B.7
Comptabilisation à la valeur de consolidation et consolidation

La comptabilisation des placements intersociétés est soumise aux PCGR. Utilisez vos connaissances sur les PCGR pour répondre aux questions suivantes:

La société Journaux du Monde ltée détient 45 % des actions avec droit de vote de la société Imprimeurs Nomades ltée. Elle a acquis ces actions voilà plusieurs années pour 10 000 000 $. Nomades a subi des pertes pendant quelques années après l'acquisition, mais a récemment commencé à être rentable: depuis que Journaux du Monde a acheté ses actions, Nomades a enregistré des pertes de

790 000 $ et des bénéfices de 940 000 $, soit un bénéfice net total de 150 000 $ depuis l'acquisition. L'an dernier, Nomades a versé ses premiers dividendes de 100 000 $.

1. Journaux du Monde comptabilise son placement dans Nomades à la valeur de consolidation. Qu'est-ce que cela veut dire ?

2. Quel est le montant actuel du compte « Placement dans Nomades » qui figure dans le bilan de Journaux du Monde ?

3. S'il y avait consolidation, en quoi le bilan de Journaux du Monde serait-il différent ?

4. Supposons que Journaux du Monde ait acheté 65 % des actions avec droit de vote de Nomades, pour 10 000 000 $, et que, à cette date, Nomades présente les chiffres suivants : valeur comptable de l'actif, 18 000 000 $; somme des justes valeurs des éléments de l'actif, 19 000 000 $; valeur comptable du passif, 7 000 000 $; somme des justes valeurs des éléments du passif, 10 000 000 $. Calculez l'écart d'acquisition qui serait présenté dans le bilan consolidé de Journaux du Monde, si le placement dans Nomades avait été consolidé à cette date.

**PROBLÈME 10B.8
Chiffres consolidés de base**

La société Meubles Pouf ltée a décidé d'acquérir 65 % de l'entreprise d'appareils ménagers Banane ltée, pour un montant de 43 000 000 $ comptant. Voici les bilans des deux entreprises à la date d'acquisition (en millions de dollars) :

Actif	Pouf	Banane	Passif et capitaux propres	Pouf	Banane
Espèces et quasi-espèces	112 $	10 $	Passif au titre des espèces et quasi-espèces	128 $	0 $
Autres éléments d'actif à court terme	304	45	Autres éléments de passif à court terme	160	10
Actif à long terme (net)	432	25	Passif à long terme	272	15
			Capital-actions	160	15
			Bénéfices non répartis	128	40
	848 $	80 $		848 $	80 $

Pouf estime que la juste valeur marchande de tous les éléments d'actif et de passif de Banane est égale à leur valeur comptable, sauf pour l'actif à long terme dont Pouf évalue la juste valeur à 33 000 000 $.

1. Calculez l'écart d'acquisition qui sera présenté dans le bilan consolidé à la date d'acquisition.

2. Calculez les montants consolidés suivants à la date d'acquisition :
   a. Actif total consolidé.
   b. Capitaux propres consolidés.
   c. Passif total consolidé.

PROBLÈME 10B.9
Calcul et justification de l'écart d'acquisition et bénéfice consolidé obtenu par la suite

La société Acquisitions Cheval Blanc ltée a récemment acheté 70 % des actions de la société Publibec ltée, petit grossiste en magazines. À la date d'acquisition, le bilan de Publibec se présente comme suit :

Actif		Passif et capitaux propres	
Encaisse	10 000 $	Passif	102 000 $
Comptes clients (nets)	55 000	Capitaux propres	108 000
Stocks	70 000		
Immobilisations (nettes)	75 000		
	210 000 $		210 000

Pour ses comptes clients, Publibec a prévu une provision pour créances douteuses suffisante. Les stocks sont présentés au coût, et leur valeur de remplacement s'élève à environ 70 000 $. Le terrain a une valeur comptable de 20 000 $, et une valeur marchande de 29 000 $. Dans le contrat d'achat, Cheval Blanc prend sous sa responsabilité le passif de Publibec. Avant la conclusion de la vente, les propriétaires de Publibec ont été autorisés à retirer le total de l'encaisse de la société, au titre de dividendes.

1. Si Cheval Blanc a payé 104 000 $ (en plus du montant de 102 000 $ en règlement du passif) pour acquérir une participation dans Publibec, quel est le montant de l'écart d'acquisition ? (Indice : en échange de son argent, Cheval Blanc n'a obtenu que des comptes clients, des stocks et des immobilisations.)
2. Pourquoi la société Cheval Blanc a-t-elle accepté de payer cette somme pour l'écart d'acquisition ?
3. Imaginons que, au cours de l'exercice qui suit l'acquisition, Publibec réalise un bénéfice net de 14 000 $. En conséquence, peut-on affirmer que, pour comptabiliser les bénéfices de Publibec, il faut augmenter les bénéfices non répartis de Cheval Blanc de 14 000 $? Justifiez votre réponse.

PROBLÈME 10B.10
Questions théoriques sur la consolidation

L'entreprise Meubles Dubé ltée veut prendre de l'expansion en faisant l'acquisition d'autres fabriques de meubles et d'ateliers connexes. C'est pourquoi le président de Dubé voudrait connaître les méthodes de comptabilisation d'un regroupement d'entreprises. Répondez brièvement à ses quatre questions :

1. « Pourquoi les comptes d'une filiale et ceux de la société mère doivent-ils être consolidés ? »
2. « Pourquoi la consolidation d'une filiale nouvellement acquise n'influe-t-elle pas sur les bénéfices non répartis consolidés ? (Après tout, la filiale dispose également de bénéfices non répartis.) »
3. « Puisqu'il regroupe plusieurs sociétés, le bilan consolidé ne devrait-il pas présenter une situation financière plus solide que le bilan non consolidé de la société mère ? »
4. « Que représente le poste *Écart d'acquisition* dans le bilan consolidé ? »

PROBLÈME 10B.11
Explication des principes de la consolidation : acquisition ou fusion ?

Vous avez été nommé adjoint du président de la société Quelle Horreur inc., société de production de films... d'horreur. Pendant que vous déjeunez avec le président et un cadre supérieur d'une autre société de production (Productions Passe-moi le beurre), un projet de fusion entre les deux sociétés est mis sur le tapis. Il se pourrait même que Quelle Horreur achète Passe-moi le beurre. Le président se tourne vers vous et vous pose la question suivante : « Tu t'y connais en comptabilité, n'est-ce pas ? Explique-nous quelles seraient les différences sur le plan comptable des diverses possibilités. Nous pourrions tout bonnement acheter Passe-moi le beurre, ou bien, acheter suffisamment d'actions pour contrôler la société. Nous pourrions aussi purement et simplement échanger des actions et fusionner. Qu'en penses-tu ? » Que répondez-vous ? Expliquez à votre patron les différences sur le plan comptable entre les possibilités énoncées.

**PROBLÈME 10B.12
(POUR LES AS !)**
Diverses questions sur les placements intersociétés

La société Abitibi ltée a décidé d'adopter une politique de croissance en faisant des acquisitions. Ces dernières années, elle a donc acheté des actions de plusieurs autres sociétés :

- Forestière du Nord ltée (détenue à 65 %) ;
- Immobilière du Lac de la Biche ltée (détenue à 10 %) ;
- Bœuf de l'Ouest ltée (détenue à 30 %) ;
- Informatique Computrol ltée (détenue à 100 %).

1. Les PCGR prévoient différentes méthodes de comptabilisation des placements de ce genre, selon le pourcentage d'actions détenues avec droit de vote.
   a. Pourquoi prévoit-on différentes méthodes ?
   b. Si Bœuf de l'Ouest présente un bénéfice net de 600 000 $ et déclare des dividendes de 150 000 $ pour un exercice donné, quel montant présentera Abitibi dans son état des résultats sous le poste « Produits du placement dans Bœuf de l'Ouest » ?
2. Abitibi a récemment acheté ses actions de Forestière du Nord pour 200 000 $ au comptant. À cette date, les capitaux propres de Forestière du Nord se présentaient comme suit : capital-actions, 50 000 $, bénéfices non répartis, 110 000 $. Les chiffres consolidés d'Abitibi (sans inclure Forestière du Nord) étaient les suivants : capital-actions, 2 600 000 $, bénéfices non répartis, 4 000 900 $. Abitibi veut inclure Forestière du Nord dans ses états financiers consolidés. À la date d'acquisition :
   a. quel chiffre apparaîtra à l'élément du passif consolidé « Part des actionnaires sans contrôle » dans Forestière du Nord ?
   b. à combien s'élèveront les capitaux propres consolidés ?
3. Si Forestière du Nord réalise un bénéfice net de 50 000 $ pendant un exercice donné, cela augmentera-t-il le bénéfice net consolidé de 50 000 $? Quel sera l'écart en moins ou en plus ? Expliquez brièvement.
4. Les états financiers consolidés regroupent les chiffres des sociétés parce que celles-ci ont des propriétaires communs et non pas nécessairement parce qu'elles sont semblables. Par exemple, les sociétés dans lesquelles Abitibi détient une participation sont loin d'être identiques. Trouvez-vous cela logique ? Pourquoi ?

**PROBLÈME 10B.13
(POUR LES AS!)
Écart d'acquisition
et bénéfices nets
consolidés**

La société Supermarchés du Nord ltée accroît l'intégration verticale de ses activités en faisant l'acquisition de fournisseurs. Le 1ᵉʳ juillet 1998, Supermarchés du Nord a acquis 70 % des actions ordinaires de la société Pouce Vert ltée, un fournisseur de l'Estrie qui lui livre des asperges, des céleris et d'autres légumes. Pouce Vert fait elle-même partie d'un conglomérat, car elle possède diverses propriétés en Gaspésie et en Nouvelle-Écosse, de même que des exploitations laitières dans l'Outaouais et la Mauricie.

Le 1ᵉʳ juillet 1998, le bilan de Pouce Vert présentait une valeur comptable nette de 112 800 000 $. À cette date, la juste valeur nette totale de tous les éléments d'actif et de passif s'élevait à 161 000 000 $. Supermarchés du Nord a payé 154 000 000 $ pour acquérir une participation dans Pouce Vert (25 000 000 $ au comptant et, le reste, par émission de nouvelles actions).

Nous sommes le 31 mars 1999, date de fin d'exercice pour Supermarchés du Nord, qui a connu une bonne année. Pouce Vert présente aussi d'excellents résultats : bénéfice net de 33 000 000 $ et dividendes déclarés de 15 000 000 $ pour la période de neuf mois se terminant le 31 mars 1999. À cette date, sans consolidation, le placement de Supermarchés du Nord dans Pouce Vert se chiffre à 166 600 000 $; son bénéfice net de l'exercice s'élève à 74 200 000 $.

1. Quelle est la méthode de comptabilisation utilisée par Supermarchés du Nord pour son placement dans Pouce Vert ? Justifiez votre réponse.
2. Voici deux autres montants qui pourraient se trouver dans le bilan consolidé de Supermarchés du Nord et de Pouce Vert : « Écart d'acquisition » et « Part des actionnaires sans contrôle ». Pourquoi les justes valeurs des éléments d'actif de Pouce Vert permettent-elles de calculer le premier poste, mais non le second ?
3. Calculez le bénéfice net consolidé pour l'exercice se terminant le 31 mars 1999 du mieux que vous le pouvez, avec les données dont vous disposez.

**PROBLÈME 10B.14
(POUR LES AS!)
Comptabilisation
à la valeur de
consolidation et
consolidation :
autres considérations**

La société Toujours Plus ltée détient, entre autres placements, une participation de 45 % dans l'équipe de base-ball Les Rouges-Gorges, placement qu'elle comptabilise à sa valeur de consolidation. Malheureusement, les Rouges-Gorges battent de l'aile depuis des années. À l'origine, Toujours Plus avait investi 20 000 000 $ dans l'équipe de base-ball. Pour l'exercice terminé le 30 avril 1998, l'équipe a subi des pertes de 8 000 000 $ (la quote-part de Toujours Plus dans la perte devrait être de 3 600 000 $), ce qui porte le total cumulatif des pertes au 30 avril 1998 à 18 000 000 $ (la quote-part de Toujours Plus devrait être de 8 100 000 $). Inutile de dire que les Rouges-Gorges n'ont pas versé de dividendes à leurs propriétaires, puisque, depuis longtemps, ils ne connaissent que des pertes.

1. Le placement dans les Rouges-Gorges est comptabilisé à la valeur de consolidation. Qu'est-ce que cela signifie ?
2. Quelle est, selon la méthode de la comptabilisation à la valeur de consolidation, la valeur comptable du placement de Toujours Plus dans les Rouges-Gorges au 30 avril 1998 ?
3. Si le placement dans les Rouges-Gorges était consolidé au lieu d'être comptabilisé à la valeur de consolidation, quelle différence pourrait-on noter dans les états financiers de Toujours Plus ?

PROBLÈME 10B.15 (POUR LES AS!)
Incidences comptables d'une acquisition d'entreprise

Supposons que, pour diversifier les risques qu'elle prend, une grande brasserie décide de faire l'acquisition d'une chaîne de magasins de meubles, d'appareils ménagers et d'autres marchandises connexes, en devenant actionnaire majoritaire. Modifiant sa politique habituelle de participation à 100 %, la brasserie décide d'acquérir une participation de 60 %. Le 1er janvier 1999, elle paie 54 000 000 $ au comptant pour obtenir 60 % des actions avec droit de vote de la chaîne de magasins. À cette date, le bilan de la chaîne est le suivant :

Encaisse	2 000 000 $	Emprunt bancaire à vue	14 000 000 $
Autres éléments d'actif à court terme	53 000 000	Autres éléments de passif à court terme	26 000 000
Actif à long terme	38 000 000	Passif à long terme	20 000 000
Moins amortissement cumulé	(6 000 000)	Capitaux propres	27 000 000
	87 000 000 $		87 000 000 $

Selon l'évaluation de la brasserie, les justes valeurs de tous les éléments d'actif et de passif de la chaîne de magasins, au 1er janvier 1999, sont les mêmes que les valeurs comptables, sauf pour le terrain : le coût inscrit dans les livres de la chaîne de magasins est de 4 000 000 $, mais, selon l'évaluation de la brasserie, sa juste valeur, au 1er janvier 1999, est plutôt de 7 000 000 $.

La chaîne de magasins devrait présenter un bénéfice net important pour la période de quatre mois qui s'étend du 1er janvier 1999 au 30 avril 1999 (fin de l'exercice de la brasserie). Les gestionnaires de la brasserie se réjouissent donc d'avoir décidé de s'engager dans la vente au détail de meubles.

1. La brasserie détient plus de 50 % des actions de la chaîne de magasins, de sorte que, dans les états financiers de la société mère, celle-ci doit être consolidée avec les autres sociétés. Toutefois, comme la chaîne de magasins a des activités assez différentes de celles de la brasserie, est-il logique de regrouper « des pommes et des oranges » ? Donnez votre avis.
2. S'il y a lieu, calculez l'écart d'acquisition qui résulte de l'acquisition de la chaîne de magasins au 1er janvier 1999.
3. Évaluez chacun des éléments suivants, émettez des hypothèses si vous le souhaitez. Si l'on consolide la chaîne de magasins de meubles et la brasserie au 1er janvier 1999, qu'arrivera-t-il *à cette date* aux postes suivants ?

	Augmentera	Diminuera	Ne changera pas	Impossible à déterminer
a. Actif total consolidé				
b. Capitaux propres consolidés				
c. Bénéfice net consolidé depuis le 1er mai 1998				

4. En essayant de prévoir le bénéfice consolidé de l'exercice terminé le 30 avril 1999, quel sera l'effet du bénéfice considérable prévu pour la chaîne de magasins sur le bénéfice net consolidé de la brasserie ? Expliquez votre réponse.

PROBLÈME 10B.16 (POUR LES AS !) Comptabilisation en cas de fusion et en cas d'acquisition

La société Détaillants Saint-Jean ltée et le réseau de magasins Fleuve Bleu envisagent d'établir une forme de partenariat. Trois possibilités sont à l'étude : une fusion sous forme d'échange d'actions ; l'achat par Saint-Jean de toutes les actions avec droit de vote de Fleuve Bleu ; ou l'achat par Saint-Jean de 75 % des actions avec droit de vote de Fleuve Bleu. La direction des deux sociétés désire savoir quel sera le bilan consolidé, compte tenu des renseignements financiers actuels de chacune des sociétés. (Les montants finaux dépendront de la date à laquelle le partenariat sera établi.) Voici les bilans les plus récents des deux sociétés :

	Valeurs comptables Saint-Jean	Valeurs comptables Fleuve Bleu	Justes valeurs Fleuve Bleu
Actif			
Actif à court terme	1 124 645 $	1 005 789 $	1 104 311 $
Actif à long terme	3 678 872	2 890 003	3 040 722
Passif et capitaux propres			
Passif à court terme	1 076 554	879 321	899 321
Capitaux propres	3 726 963	3 016 471	

En cas de fusion, la nouvelle société, Saint-Jean-Fleuve Bleu, émettra une action pour chacune des actions d'origine de Saint-Jean et de Fleuve Bleu. Si elle achète toutes les actions avec droit de vote de Fleuve Bleu, Saint-Jean déboursera 3 400 000 $, somme financée par un emprunt garanti par son actif et celui de Fleuve Bleu. Si elle n'achète que 75 % des actions avec droit de vote, Saint-Jean ne versera que 2 400 000 $, car le reste des actions (25 %) seront détenues par un actionnaire unique, qui pourrait venir gêner Saint-Jean dans l'organisation des activités de la nouvelle société. S'il y a fusion, cet actionnaire consent à vendre toutes les actions qu'il détient et à aller s'installer dans une autre ville.

1. Établissez le bilan consolidé pour chacune des trois possibilités étudiées :
   a. Fusion.
   b. Achat par Saint-Jean de 100 % des actions de Fleuve Bleu.
   c. Achat par Saint-Jean de 75 % des actions de Fleuve Bleu.
2. Rédigez un bref rapport destiné aux cadres supérieurs des deux sociétés pour expliquer les points (a) et (b) ci-dessous. Donnez des explications claires et évitez d'utiliser des termes comptables trop techniques :
   a. En termes clairs, quelles sont les différences entre les bilans consolidés pour chacune des trois possibilités ? Quelles sont les explications qui justifient ces écarts ?
   b. À votre avis, lequel des trois bilans serait le plus solide ?

CONSTATATION DE LA CHARGE D'IMPÔTS

Module

10C.1   CHARGES ET PASSIFS : DEUX COMPOSANTES

La comptabilisation des impôts est une tâche complexe, car elle exige une bonne connaissance des lois fiscales et de la situation de la société en question. Au Canada, comme dans la plupart des pays, le fisc calcule l'impôt à percevoir en fonction des bénéfices réalisés. Dans le cadre de la présente introduction à la comptabilité générale, vous n'êtes pas tenu d'apprendre comment on calcule l'impôt ; il s'agit d'une question extrêmement complexe pour la plupart des sociétés et des particuliers.

Par conséquent, nous vous présenterons ici uniquement les grands principes que vous devez connaître pour comprendre à quoi correspondent les impôts présentés dans l'état des résultats et dans le bilan. Il faut traiter ces questions séparément des autres éléments analysés, parce que les choses sont bien différentes de ce à quoi l'on pourrait s'attendre !

> **Au Canada, jusqu'en l'an 2000, on peut utiliser deux méthodes de comptabilisation des impôts.**

Au Canada, l'ICCA a publié en décembre 1997 de nouvelles recommandations sur la comptabilisation des impôts sur les bénéfices, dans le nouveau chapitre 3465. Pour comptabiliser les impôts, le Canada suit ainsi les PCGR des États-Unis et de la plupart des pays occidentaux.

L'application de ces nouvelles recommandations sera obligatoire à partir du 1er janvier 2000. Entre-temps, soit jusqu'au 1er janvier 2000, l'ancien chapitre 3470, « Impôts sur le revenu des compagnies » demeurera en vigueur, ce qui signifie que vous aurez l'occasion d'analyser des états financiers où les impôts sont présentés selon l'une ou l'autre méthode.

Dans ce module, nous présentons sommairement les deux méthodes. Celle de l'ancien chapitre 3470 préconise la **méthode du passif d'impôts reportés**. Les nouvelles recommandations sont fondées sur la **méthode du passif d'impôts futurs**.

Les impôts à verser aux gouvernements et la charge d'impôts

Bien que, parfois, les sociétés puissent bénéficier d'un remboursement et que la charge d'impôts d'un exercice puisse être négative, nous traiterons ici de la fiscalité sous l'angle le plus courant : les sociétés doivent verser des impôts aux gouvernements et comptabiliser une **charge d'impôts**.

> **Les impôts à payer doivent être établis selon les dispositions des lois fiscales et doivent refléter les sommes à payer immédiatement ou ultérieurement.**

Les impôts à verser sont calculés selon les lois fiscales et non selon les PCGR. Ces montants apparaissent au bilan et à l'état des résultats sous les rubriques « Impôts de l'exercice à payer » (si le montant global n'a pas encore été versé) et « Impôts de l'exercice ».

> **La comptabilisation des impôts se fonde sur les principes de la comptabilité d'exercice.**

La charge d'impôts présentée dans l'état des résultats doit respecter les principes de la comptabilité d'exercice, qui dictent la comptabilisation des produits selon certaines règles ou méthodes. De plus, il faut rapprocher toutes les charges pertinentes. Ces charges sont liées soit à des frais courants (salaires, assurances, etc.), soit à l'usage d'éléments d'actifs (bâtiments, matériel roulant, etc.), soit à la constatation d'éléments de passif (provision pour garanties, vacances à payer, etc.). La comptabilisation de la charge d'impôts répond aux mêmes impératifs. Il faut donc la calculer de façon à privilégier le meilleur **rapprochement des produits et des charges**, et la rendre comparable aux autres charges.

Impôts et comptabilité : les grands principes

Dans ce module, nous nous attachons aux principes de base. Vous n'avez pas besoin d'être un fiscaliste chevronné pour comprendre la matière présentée.

- Les états financiers servent à calculer les impôts à payer. Dans tous les pays, provinces ou états qui perçoivent des impôts, les lois fiscales précisent la marche à suivre. Cependant les règles établies à cet égard s'écartent assez souvent des principes comptables généralement reconnus (PCGR). Toutefois, les états financiers établis selon les PCGR (et particulièrement l'état des résultats) font partie des éléments utilisés pour le calcul des impôts. Dans bien des cas, le fisc se base sur ces états pour calculer les impôts sur les bénéfices, en procédant uniquement à certains redressements, selon les stipulations de la loi.

- La plupart des sociétés et des particuliers paient des impôts substantiels sur leurs bénéfices avant impôts. Par conséquent, le bénéfice net (net d'impôt) est généralement bien inférieur aux bénéfices d'exploitation, car environ un tiers sinon plus aura été déduit pour l'impôt.

La charge d'impôts doit être établie conformément aux principes qui gouvernent l'établissement des autres éléments inscrits dans les états financiers.

- Étant donné que la charge d'impôts constitue un élément important de l'état des résultats, on utilise pour la calculer certains principes de la **comptabilité d'exercice** (comme c'est le cas pour les produits d'exploitation et pour les autres charges inscrits sur l'état des résultats). C'est en raison de l'application de ces principes que la charge d'impôts, déterminée par les méthodes comptables prescrites, diffère des montants calculés par le fisc. C'est de cet écart dont nous traitons dans ce module.

Il existe deux types de différences ou d'écarts entre les dispositions fiscales et les méthodes comptables issues des **PCGR**.

Les écarts permanents entre les PCGR et les dispositions fiscales n'entrent pas en ligne de compte dans le calcul de la charge d'impôts.

1. Les **écarts permanents**. Il se peut, par exemple, que certains produits inclus dans l'état des résultats ne soient pas imposables (tels que les dividendes provenant de sociétés affiliées, déjà imposés), ou qu'une charge ne soit pas déductible du revenu imposable (par exemple, une amende pour avoir payé les impôts en retard !). Tant que les comptables en tiennent compte dans leurs calculs, les écarts permanents ne posent pas de problèmes particuliers en comptabilité d'exercice. Ils modifient simplement le taux d'imposition effectif. Par exemple, si la majorité des produits d'exploitation d'une société ne sont pas imposables en permanence, la charge fiscale et le taux d'imposition effectif seront inférieurs à ce que l'on aurait pu prévoir en fonction des produits d'exploitation et du bénéfice d'exploitation présentés dans l'état des résultats. Ces écarts n'entrent en ligne de compte ni dans le calcul des sommes à verser au fisc ni dans le calcul de la charge d'impôts selon les méthodes comptables préconisées.

Les écarts temporaires entre les PCGR et les dispositions fiscales constituent la principale difficulté dans la comptabilisation des impôts.

2. Les **écarts temporaires**. Les écarts entre les dispositions fiscales et les méthodes comptables sont dits *temporaires* parce qu'ils se résorbent peu à peu. Ils sont dus aux décalages qui se produisent dans le temps entre la valeur fiscale et la valeur comptable de certains éléments. Ce sont ces écarts qui vont donner lieu aux impôts futurs ou aux impôts reportés.

Ainsi, la charge d'impôts présentée dans l'état des résultats est constituée de deux montants : les impôts de l'exercice, calculés selon les dispositions fiscales, auxquels s'ajoutent les impôts futurs (ou reportés) calculés à partir des écarts temporaires. Les contreparties de ces derniers montants seront inscrites au bilan au titre de passifs d'impôts futurs (ou impôts reportés).

Méthode du passif d'impôts futurs

Selon la méthode du **passif d'impôts futurs** (nouveau chapitre 3465 du *Manuel de l'ICCA*, obligatoire pour tous les exercices ouverts à compter du 1er janvier 2000), la portion de la charge fiscale en sus des impôts à verser doit refléter l'ensemble des impôts que la société prévoit payer au cours des exercices futurs. Le calcul de cette somme se fonde sur la différence entre la valeur fiscale et la valeur comptable des éléments du bilan (actifs et passifs) dont elle dispose à la fin de l'exercice. Ainsi, un élément d'actif dont la valeur comptable nette est de 45 000 $ et la valeur fiscale nette, de 38 000 $ donne lieu à un écart de 7 000 $. À cet écart, on applique le taux d'imposition le plus prévisible pour les années futures (à défaut, le taux courant), par exemple 35 %. Il en résultera le montant de la charge « Impôts futurs de l'exercice » et le montant correspondant du bilan « Passif d'impôts futurs ».

Méthode du passif d'impôts reportés

Selon la méthode du **passif d'impôts reportés** (ancien chapitre 3470 du *Manuel de l'ICCA*, qui ne sera plus en vigueur à compter du 1er janvier 2000), la portion de la charge fiscale en sus des impôts à verser doit refléter les montants que la société aurait versés, si les déductions fiscales avaient été les mêmes que les charges prises en compte dans le calcul du bénéfice dans l'état des résultats. Le calcul de cette somme se fonde sur les différences qui interviennent entre le calcul du bénéfice imposable et le bénéfice net avant impôts, présenté dans l'état des résultats.

Ainsi, une charge pour une provision pour garanties de 10 000 $, déduite du bénéfice net avant impôts, n'est pas déductible du point de vue fiscal. Le fisc n'autorise de déduction que lors des décaissements. L'écart est donc de 10 000 $, auquel on applique le taux d'imposition en vigueur à la fin de l'exercice, disons 43 %. Il en résulte un montant de charge au titre d'impôts reportés de 4 300 $ et un élément de passif « Impôts reportés » du même montant.

La charge d'impôts futurs et la charge d'impôts reportés, ainsi que les éléments de passif connexes, dépendent des écarts temporaires.

Afin de bien situer chacun des éléments dont nous venons de discuter, reportez-vous au tableau récapitulatif suivant :

Caractéristiques	Méthode de comptabilisation des impôts	
	Impôts futurs (Chapitre 3465)	Impôts reportés (Chapitre 3470)
Date butoir	À partir du 1ᵉʳ janvier 2000	Jusqu'au 1ᵉʳ janvier 2000
État des résultats Charge d'impôts	Impôts de l'exercice (selon les dispositions fiscales) + Impôts futurs (selon les écarts temporaires)	Impôts de l'exercice (selon les dispositions fiscales) + Impôts reportés (selon les écarts temporaires)
Bilan Passifs	Impôts à payer Passif d'impôts futurs	Impôts à payer Passif d'impôts reportés
Écarts temporaires	Différence entre la valeur nette comptable et la valeur nette fiscale des éléments d'actif et de passif	Différence entre les éléments constituant le bénéfice net avant impôts et le bénéfice imposable
Taux d'imposition appliqué aux écarts temporaires	Taux prévisible pour les années futures (à défaut, taux effectif de l'exercice)	Taux effectif de l'exercice

Voici quelques extraits de l'*Information financière publiée au Canada 1997* qui vous donneront une idée de la façon dont les entreprises présentent, en 1996, les passifs d'impôts reportés sur le bilan. Cette étude porte sur 200 sociétés.

- 133 sociétés ont présenté des impôts créditeurs seulement ;

- 17 sociétés ont présenté des impôts débiteurs seulement ;

- 11 sociétés ont présenté à la fois un solde créditeur et un solde débiteur ;

- 39 sociétés n'ont pas présenté d'impôts reportés ;

- 71 sociétés les ont présentés dans le passif à long terme ;

- 14 sociétés les ont présentés dans l'actif à long terme ;

- 13 sociétés les ont présentés dans l'actif à court terme[3].

Nous venons de présenter la comptabilisation des impôts dans ses grandes lignes et toujours dans la perspective la plus courante : l'impôt étant une charge, il faut le payer ! Naturellement, il existe des crédits d'impôt et une société peut avoir, à l'occasion, un remboursement.

En général, les impôts futurs et les impôts reportés figurent parmi les éléments de passif à long terme, mais ils peuvent parfois figurer parmi les éléments de passif à court terme et même parmi les éléments d'actif.

Il en est de même pour les impôts futurs et pour les impôts reportés. Nous les avons présentés comme des éléments de passif — et c'est d'ailleurs leur forme la plus courante — mais, parfois, ils peuvent aussi être présentés comme des éléments d'actif : actif d'impôts futurs (lorsque la valeur fiscale excède la valeur comptable) ou actif d'impôts reportés (lorsque, par exemple, l'amortissement à des fins fiscales est supérieur à l'amortissement à des fins comptables). Ajoutons que ces actifs et ces passifs peuvent être classés parmi les éléments à court ou à long terme, selon l'analyse qu'en fait l'entreprise.

Un exemple

Afin que vous compreniez bien les notions qui viennent d'être exposées, nous allons examiner un exemple où la charge d'impôts et les passifs correspondants sont calculés en parallèle selon l'une ou l'autre méthode. Puisque l'exemple fait appel à un actif amortissable, rappelez-vous les points suivants :

- Une société peut déterminer sa charge d'amortissement en utilisant la méthode de mesure des bénéfices qui lui convient, pourvu que les principes suivis respectent les PCGR.

- Toutefois, quand elle calcule ses impôts, la société doit suivre les règles fiscales relatives au calcul de l'amortissement. Au Canada, l'amortissement à des fins fiscales porte le nom de **déduction pour amortissement** (DPA).

L'amortissement et la DPA peuvent différer, mais ils répartissent les mêmes coûts dans le temps.

- Il se peut que la DPA et l'amortissement comptable permettent tous deux de passer graduellement à la charge le coût d'un actif, mais selon un calendrier différent. Il s'agit d'une différence temporaire (elle s'échelonnera sur la durée d'utilisation du bien) et elle se répercutera sur les impôts futurs et sur les impôts reportés.

Notre exemple porte sur quatre exercices financiers d'une société qui vient d'être créée. Le dernier jour de son premier exercice financier, le 31 décembre 1997, elle a fait l'acquisition de son premier et seul élément d'actif amortissable, à un coût de 120 000 $. La vie utile de cet actif est de trois ans, sans valeur résiduelle. Sur le plan fiscal, l'actif est amorti linéairement sur deux ans ; pour l'année de l'acquisition, les dispositions fiscales permettent déjà de déduire une « demi-année ».

Au cours de chacun des quatre premiers exercices financiers, l'entreprise a réalisé 200 000 $ de bénéfice net avant impôts, sans qu'aucun écart permanent n'intervienne dans ce calcul. Le taux d'imposition effectif de l'entreprise est de 40 %. Le seul écart temporaire que connaisse l'entreprise est lié à son actif amortissable. Voici l'analyse de la situation, sous forme de tableaux commentés.

Calcul de la charge d'amortissement et de la valeur comptable nette (en milliers de dollars)				
	1997	1998	1999	2000
Coût	120 $	120 $	120 $	120 $
Amortissement cumulé	0	40	80	120
Valeur nette comptable	120 $	80	40 $	0
Charge d'amortissement	0 $	40 $	40 $	40 $

Notez que l'entreprise n'a comptabilisé aucune charge d'amortissement lors du premier exercice puisqu'elle n'avait pas utilisé l'actif. À la fin de la quatrième année, sa valeur comptable nette est de zéro.

Calcul de la déduction pour amortissement (DPA) et de la valeur nette fiscale (en milliers de dollars)				
	1997	1998	1999	2000
Valeur nette fiscale à l'ouverture	120 $	90 $	30 $	0 $
DPA	30	60	30	0
Valeur nette fiscale à la clôture	90 $	30 $	0 $	0 $

Après plusieurs exercices financiers, les écarts temporaires se résorbent.

C'est à la fin de la troisième année que la valeur nette fiscale est de zéro. Puisque l'impôt le permet, on calcule un montant de DPA dès la première année. À la fin de la quatrième année, les valeurs nettes comptables et fiscales sont les mêmes; l'écart temporaire s'est résorbé.

Calcul du bénéfice imposable et de l'impôt de l'exercice à verser (en milliers de dollars)				
	1997	1998	1999	2000
Bénéfice net avant impôts	200$	200$	200$	200$
Plus: charges d'amortissement	0	40	40	40
Moins: DPA	(30)	(60)	(30)	(0)
Bénéfice imposable	170$	180$	210$	240$
Impôt de l'exercice à verser (à 40 %)	68$	72$	84$	96$

L'impôt de l'exercice à verser au fisc est calculé à partir du bénéfice imposable.

Pour déterminer le bénéfice imposable, il faut ajouter au bénéfice net avant impôts les montants qui ne sont pas prévus par les dispositions fiscales — dans ce cas, l'amortissement comptable — et retrancher les déductions autorisées. Les impôts de l'exercice correspondent aux sommes que l'entreprise devra verser au fisc.

L'écriture pour journaliser les impôts à verser du premier exercice est la suivante:

Dt Impôts de l'exercice   68
Ct Impôts de l'exercice à payer   68

Afin de calculer la portion de la charge d'impôts de l'exercice liée aux impôts futurs ou reportés, il est nécessaire de calculer les écarts temporaires particuliers aux deux méthodes.

Calcul des écarts temporaires et des impôts futurs qui en découlent (en milliers de dollars)				
	1997	1998	1999	2000
Valeur nette comptable	120$	80$	40$	0$
Valeur nette fiscale	90$	30$	0$	0$
Écart temporaire	30$	50$	40$	0$
Passif (actif) d'impôts futurs — ouverture	0$	12$	20$	16$
Passif (actif) d'impôts futurs — clôture*	12$	20$	16$	0$
Coût (économie) d'impôts futurs	12$	8$	(4)	(16)

*Écart temporaire × taux d'imposition

Calcul des écarts temporaires et des impôts reportés qui en découlent (en milliers de dollars)				
	1997	1998	1999	2000
Amortissement de l'exercice	0 $	40 $	40 $	40 $
DPA de l'exercice	30 $	60 $	30 $	0 $
Écart temporaire	30 $	20 $	(10) $	(40) $
Passif (actif) d'impôts reportés — ouverture	0 $	12 $	20 $	16 $
Impôts reportés de l'exercice*	12 $	8 $	(4)	(16)
Passif (actif) d'impôts reportés — clôture	12 $	20 $	16 $	0 $

*Écart temporaire × taux d'imposition (ici, le taux courant à défaut du taux futur)

La méthode du passif d'impôts futurs s'appuie sur le bilan, alors que la méthode du passif d'impôts reportés s'appuie sur l'état des résultats.

La **méthode du passif d'impôts futurs** et la **méthode du passif d'impôts reportés** reposent toutes deux sur le principe de **rapprochement des produits et des charges**. Néanmoins, elles ne s'appuient pas sur le même état financier : la méthode du passif d'impôts futurs se fonde sur le bilan et celle du passif d'impôts reportés sur l'état des résultats. En conséquence, leur problématique respective n'est pas envisagée sous le même angle et entraîne des traitements différents.

La méthode du passif d'impôts futurs

La méthode du passif d'impôts futurs pose la question fondamentale suivante : compte tenu des valeurs dont dispose l'entreprise, à quel montant d'impôt pourrait-elle être assujettie au cours des exercices financiers futurs ?

En conséquence, la méthode fait appel aux valeurs des éléments d'actif et de passif du bilan ainsi qu'à leur valeur fiscale correspondante.

La valeur nette comptable représente :

a. la portion non encore utilisée de l'actif amortissable ;

b. la valeur minimale des flux monétaires futurs estimatifs que l'entreprise devrait générer à l'aide de cet actif, c'est-à-dire le produit minimal qu'elle compte encore tirer de son utilisation.

La valeur nette fiscale représente :

a. la portion non encore déduite de l'actif amortissable ;

b. la valeur totale que l'entreprise pourra déduire des produits, qui proviendrait de l'utilisation de l'actif.

La valeur nette d'un actif correspond à la valeur minimale des flux monétaires futurs estimatifs que l'entreprise devrait tirer de son utilisation.

Dans notre exemple, la valeur nette comptable est supérieure à la valeur nette fiscale, c'est-à-dire que les produits anticipés sont supérieurs aux déductions autorisées. Par conséquent, cette situation donne lieu à un passif d'impôts futurs. L'écart temporaire équivaut au montant minimal sur lequel l'entreprise devra payer de l'impôt au cours des exercices futurs. Donc, en multipliant l'écart temporaire par le taux d'imposition, on obtient le solde de clôture du passif d'impôts futurs.

En 1997 :	30 $	×	40 %	=	12 $
En 1998 :	50 $	×	40 %	=	20 $
En 1999 :	40 $	×	40 %	=	16 $
En 2000 :	0 $	×	40 $	=	0 $

Selon la méthode du passif d'impôts futurs, on doit déterminer en premier lieu le solde de clôture du passif d'impôts futurs.

La charge d'impôts futurs de l'exercice correspond au montant nécessaire pour ajuster le solde du compte de passif d'impôts futurs. Voici les écritures nécessaires à la comptabilisation des impôts futurs :

En 1997	Dt Impôts futurs de l'exercice	12	
	Ct Passif d'impôts futurs		12
En 1998	Dt Impôts futurs de l'exercice	8	
	Ct Passif d'impôts futurs		8
En 1999	Dt Passif d'impôts futurs	4	
	Ct Impôts futurs de l'exercice		4
En 2000	Dt Passif d'impôts futurs	16	
	Ct Impôts futurs de l'exercice		16

Au terme des quatre exercices financiers, l'écart temporaire est résorbé et le solde du passif d'impôts futurs est de zéro. Lors des deux premiers exercices, l'entreprise a comptabilisé une charge fiscale supplémentaire dans l'état des résultats ; lors des deux derniers exercices financiers, à la suite du renversement de l'écart temporaire, la charge fiscale sera réduite.

La méthode du passif d'impôts reportés

La méthode du passif d'impôts reportés pose la question fondamentale suivante : compte tenu des dispositions fiscales dont l'entreprise s'est prévalue sur le plan des produits et des charges de l'exercice, quel montant d'impôt aurait-elle dû payer ?

La méthode fait donc appel aux produits et aux charges comptables ainsi qu'aux montants correspondants imposables et déductibles à des fins fiscales.

Dans le tableau précédent (p. 689), les écarts temporaires pour la méthode du passif d'impôts reportés, sont calculés à partir des deux éléments suivants :

Selon la méthode du passif d'impôts reportés, c'est l'écart entre l'amortissement et la DPA qui détermine les impôts reportés.

- l'amortissement de l'exercice, qui représente :

  a. la charge soustraite des produits permettant de déterminer le bénéfice net comptable,

  b. une charge dont le montant ne correspond pas à celui établi selon les dispositions fiscales ;

- la déduction pour amortissement, qui représente la charge déductible permettant d'établir le bénéfice imposable.

Dans notre exemple, au cours des deux premiers exercices financiers, la déduction pour amortissement est supérieure à la charge d'amortissement, ce qui entraîne un bénéfice imposable moindre que le bénéfice comptable. Cela signifie pour l'entreprise une économie d'impôts (temporaire), puisqu'elle en paie moins en se prévalant des dispositions fiscales. C'est cette économie qui constitue l'impôt reporté.

Selon la méthode du passif d'impôts reportés, c'est la charge d'impôts reportés qu'il faut déterminer en premier lieu.

En appliquant le taux d'imposition de l'exercice à l'écart temporaire entre l'amortissement et la DPA, on obtient la charge d'impôts reportés qui doit apparaître dans l'état des résultats en sus des impôts de l'exercice. Le montant qui est comptabilisé au titre de charges d'impôts reportés est également porté au compte de passif d'impôts reportés en ajustement de son solde.

En 1997	Dt Impôts reportés de l'exercice	12	
	Ct Passif d'impôts reportés		12
En 1998	Dt Impôts reportés de l'exercice	8	
	Ct Passif d'impôts reportés		8
En 1999	Dt Passif d'impôts reportés	4	
	Ct Impôts reportés de l'exercice		4
En 2000	Dt Passif d'impôts reportés	16	
	Ct Impôts reportés de l'exercice		16

Le solde de l'élément passif d'impôts reportés est déterminé par le cumul des crédits et des débits qui correspondent à la charge ou à l'économie d'impôts reportés, présentée dans l'état des résultats.

Un moment de réflexion

Si vous avez suivi attentivement l'exemple précédent, vous avez constaté que les deux méthodes aboutissent aux mêmes montants de charge et de passif pour chacun des quatre exercices financiers, même si, à la base, la logique de la comptabilisation et les méthodes de calcul diffèrent. Alors, la question qui vient tout naturellement à l'esprit est la suivante : « Pourquoi tant de calculs pour, en fin de compte, arriver aux mêmes résultats ? » Pour un exemple simple comme celui que nous avons utilisé et qui permet de comprendre les calculs autant sur le plan conceptuel que sur le plan mathématique, les deux méthodes arrivent aux mêmes résultats. Cependant, dans la réalité économique, c'est bien plus complexe, notamment parce que le traitement fiscal des acquisitions et des cessions d'immobilisations est différent de leur traitement comptable. Ainsi, quelle que soit l'entreprise, il est pratiquement impossible que les calculs des impôts futurs et reportés coïncident.

Il est donc important que vous reteniez les éléments conceptuels qui sous-tendent et distinguent les deux méthodes.

◉ Ù EN ÊTES-VOUS ?

Voici deux questions auxquelles vous devriez pouvoir répondre, compte tenu de ce que vous venez de lire :

1. Le passif d'impôts futurs figure généralement dans la section des passifs à long terme du bilan. Pourquoi indiquer un tel élément de passif ? Comment le calcule-t-on ? Qu'en est-il du passif d'impôts reportés ?

2. À la fin de son dernier exercice financier, la société Vol au vent ltée devait au fisc 32 118 $; pourtant, en appliquant son taux d'imposition effectif au « bénéfice avant impôts » de l'état des résultats, on obtenait la somme de 43 786 $. Au début de l'exercice, le passif d'impôts reportés s'établissait à 18 415 $. Si la société avait utilisé la méthode du passif d'impôts futurs, cet élément de passif aurait également été au début de 18 415 $, mais son solde à la fin se chiffrerait à 28 976 $. Selon chacune des deux méthodes, (a) la méthode du passif d'impôts reportés et (b) la méthode du passif d'impôts futurs, déterminez : la portion de la charge d'impôts qui devra être remise au fisc ; la portion reportée (future) de la charge d'impôts ; la charge totale d'impôts ; le solde du passif d'impôts reportés (futurs) à la fin de l'exercice ? ([a] 32 118 $, 11 668 $ [c'est-à-dire 43 786 $ − 32 118 $], 43 786 $, 30 083 $ [c'est-à-dire 18 415 $ + 11 668 $] ; [b] 32 118 $, 10 561 $ [c'est-à-dire 28 976 $ − 18 415 $], 42 679 $ [c'est-à-dire 32 118 $ + 10 561 $], 28 976 $).

10C.2 COMPRENEZ-VOUS BIEN CES TERMES ?

Voici la liste des termes utilisés et expliqués dans ce module. Vérifiez que vous comprenez bien leur signification en *comptabilité* et, si certains vous semblent encore un peu confus, relisez les explications données dans le module ou reportez-vous au glossaire à la fin du manuel.

Charge d'impôts	Impôts futurs	Passif d'impôts futurs
Comptabilité d'exercice	Impôts reportés	Passif d'impôts reportés
Déduction pour	Méthode du passif	PCGR
amortissement (DPA)	d'impôts futurs	Rapprochement des
Écart permanent	Méthode du passif	produits et des charges
Écart temporaire	d'impôts reportés	

 10C.3 SUJETS DE RÉFLEXION ET TRAVAUX POUR AMÉLIORER LA COMPRÉHENSION

PROBLÈME 10C.1*
Explication de certains éléments touchant la comptabilisation des impôts

Répondez aux questions suivantes :

a. Pourquoi faut-il établir la part future ou reportée de la charge d'impôts, ainsi que le passif d'impôts futurs ou reportés ?

b. Dans quelle mesure ces méthodes cadrent-elles avec la comptabilité d'exercice ?

c. Qu'est-ce qui distingue les méthodes du passif d'impôts reportés et d'impôts futurs ?

PROBLÈME 10C.2*
Écarts permanents et temporaires

Expliquez en quoi consistent les écarts permanents et temporaires et pourquoi le passif (ou l'actif) d'impôts futurs ou reportés dépend des différences temporaires, mais non des différences permanentes.

PROBLÈME 10C.3*
Calcul du bénéfice net et du passif d'impôts reportés

La société Planète Mars ltée présente, sur son état des résultats, des bénéfices stables avant impôts de 120 000 $ par année. Son taux d'imposition est stable lui aussi, soit de 36 %. Planète Mars possède un élément d'actif de 350 000 $, amorti à raison de 35 000 $ par exercice. La déduction pour amortissement (DPA) s'établit à 10 % la première année, et à 20 % les années suivantes ; ce taux s'applique au coût non amorti. Selon la méthode du passif d'impôts reportés, faites les calculs suivants *pour chacun* des trois premiers exercices de la société :

a. charge d'impôts totale ;

b. DPA ;

c. bénéfices imposables ;

d. impôts à verser ;

e. part reportée de la charge d'impôts ;

f. bénéfice net pour l'exercice ;

g. passif d'impôts reportés à la fin de l'exercice.

PROBLÈME 10C.4*
Calcul de la charge d'impôts et des passifs (d'impôts futurs ou reportés)

À la fin de l'année 1998, la société Henrik inc. avait un passif d'impôts reportés de 329 612 $ et des bénéfices non répartis de 3 949 286 $. Pour l'exercice 1999, l'état des résultats indiquait un bénéfice avant impôts de 648 960 $ et des charges d'amortissement de 1 149 612 $. Une analyse des déclarations d'impôts indique que, en 1999, la société a enregistré 29 650 $ de produits d'exploitation non imposables ; sa déduction pour amortissement (DPA) se chiffrait à 1 493 114 $. Pour 1999, la société avait un taux d'imposition de 32 %, qui ne devrait pas changer à l'avenir. Henrik n'a versé aucun dividende en 1999.

1. Faites les calculs suivants :
   a. impôts à verser pour 1999 ;
   b. part reportée de la charge d'impôts pour 1999 ;
   c. bénéfice net pour 1999 ;
   d. passif d'impôts reportés à la fin de l'année 1999 ;
   e. bénéfices non répartis à la fin de l'année 1999.

2. Si la société utilisait la méthode du passif d'impôts futurs, les montants seraient les mêmes et le solde du passif d'impôts futurs, à la fin de 1999, s'établirait à 420 500 $. En vous appuyant maintenant sur la méthode du passif d'impôts futurs, refaites les calculs pour les cinq éléments de la question 1.

PROBLÈME 10C.5
Charge d'impôts reportés... ou comment éviter de payer des impôts

Voilà quelques années, certains politiciens ont critiqué les sociétés qui présentent dans leurs bilans un passif d'impôts reportés élevé, les traitant de bénéficiaires de l'aide sociale. Il en a résulté un grand débat à l'échelle du Canada. Ces politiciens estimaient que le passif d'impôts reportés correspondait à des milliards de dollars d'impôts impayés (et qui ne le seraient sans doute jamais...), que les sociétés devaient aux gouvernements fédéral et provinciaux du Canada.

Justifiez ce point de vue.

PROBLÈME 10C.6
Objectif et nature des écritures touchant les impôts reportés

En lisant les états financiers d'une société dont il est actionnaire, Georges Simplet a relevé les deux éléments suivants, qu'il n'a pas compris :

Impôts reportés de l'exercice	19 749 200 $
Passif d'impôts reportés	86 282 500 $

Expliquez à Georges quelles sont les méthodes comptables qui s'appliquent aux impôts reportés et à quoi correspondent les deux montants qui lui ont posé des problèmes.

PROBLÈME 10C.7
Écriture de journal pour comptabiliser les impôts

En 1998, la compagnie aérienne Pigeon Vole inc. enregistrait un bénéfice avant impôts de 23 960 $ (chiffre exprimé en milliers de dollars). Toujours pour 1998, l'entreprise présentait les chiffres suivants, en milliers de dollars également : charge d'amortissement, 34 211 $; charges non déductibles, 814 $; DPA, 37 578 $. Pour 1998, le taux d'imposition de la société s'établissait à 36 % ; ce taux ne devrait pas changer à l'avenir.

1. Préparez une écriture de journal pour enregistrer la charge d'impôts de 1998. Expliquez vos calculs en détail.
2. En vous fondant sur votre réponse au point 1, indiquez le bénéfice net de la société pour 1998.

PROBLÈME 10C.8
Calcul du bénéfice net, du passif d'impôts reportés et d'autres sommes

Vous disposez des renseignements suivants sur la société Gazouillis ltée :

Exercice	Bénéfice avant impôts	Charge d'impôts de l'exercice	Charge d'impôts reportés	Passif d'impôts reportés au début de l'exercice
1995	413 250 $	102 280 $	51 670 $	143 970 $
1996	543 780	130 420	45 910	?
1997	219 540	47 780	27 890	?
1998	(51 650)	(28 080)	9 340	?
1999	43 210	26 760	(5 320)	?

Répondez aux questions suivantes :

     a. À combien s'élevait le bénéfice net en 1996, 1998 et 1999 ?
     b. À combien se chiffrait le passif d'impôts reportés à la fin de 1999 ?
     c. À combien s'élevait le total de la charge d'impôts pour 1998 ?
     d. Comment se fait-il que les impôts de l'exercice 1998 étaient au débit et que les impôts reportés étaient au crédit ?
     e. L'amortissement était-il supérieur à la DPA en 1995 ? en 1997 ? en 1999 ?
     f. Quel était le taux d'imposition effectif de la société en 1997 ? en 1998 ?

PROBLÈME 10C.9
Questions sur la comptabilisation des impôts

Répondez aux questions suivantes :

     1. Avant l'invention des méthodes de comptabilisation des impôts, la charge d'impôts qui figurait sur l'état des résultats équivalait tout simplement aux impôts sur les bénéfices imposables de chaque exercice. Pour une société avec de nouvelles installations (nouveaux actifs), le bénéfice net aurait-il été plus important ou moins important, comparativement à celui calculé selon les méthodes de comptabilisation des impôts ? Justifiez votre réponse.
     2. Et pour une société avec de vieilles installations, le bénéfice net aurait-il été plus important ou moins important ? Justifiez votre réponse.
     3. Les sociétés ne sont pas tenues de se prévaloir de la DPA dans le calcul de leurs bénéfices imposables. Ainsi, dans certains cas, le total de la DPA déductible ne sera pas utilisé au complet. Si la société choisit de ne pas déduire la totalité de la DPA, quelles seront les répercussions sur (i) les impôts à payer ; (ii) les impôts futurs ou reportés ; et (iii) la charge d'impôts totale ?
     4. Indiquez les effets de chacun des éléments suivants sur (i) les impôts à payer ; (ii) les impôts futurs ou reportés ; et (iii) la charge d'impôts totale :

         a. une société engage une dépense importante pour faire des réparations et règle la facture du fournisseur ;
         b. une société achète pour son usine un nouvel appareil qui coûte cher ;
         c. une société achète une quantité importante de marchandises qui seront vendues l'année suivante ;
         d. une société touche des dividendes non imposables importants provenant d'une autre entreprise ;
         e. une société déclare des dividendes et les verse à ses actionnaires ;
         f. une société conclut une vente importante avec un client fidèle.

PROBLÈME 10C.10
Calcul de la charge d'impôts et du passif d'impôts futurs ou reportés

À la fin de l'année 1998, la société Plasticorp ltée avait un passif d'impôts reportés (PIR) de 2 417 983 $ et des bénéfices non répartis de 21 788 654 $. Pour l'exercice 1999, l'état des résultats indiquait des bénéfices avant impôts de 1 890 004 $ et une charge d'amortissement de 3 745 672 $. En consultant les relevés d'impôt, vous constatez que, en 1999, 75 950 $ des produits n'étaient pas imposables ; 43 211 $ des charges n'étaient pas déductibles d'impôt ; la DPA était de 3 457 889 $. Pour 1999, le taux d'imposition s'établissait à 35 % ; aucun changement à ce taux n'est prévu à l'avenir. En 1999, la société a déclaré des dividendes de 500 000 $ et les a payés.

1. Calculez les éléments suivants :
    a. impôts à payer pour 1999 ;
    b. part reportée de la charge d'impôts pour 1999 ;
    c. bénéfice net pour 1999 ;
    d. passif d'impôts reportés à la fin de 1999 ;
    e. bénéfices non répartis à la fin de 1999.
2. Si la société utilise la méthode du passif d'impôts futurs, cet élément de passif à la fin de 1999 devrait être de 2 340 540 $ et tous les autres éléments identiques. Faites les calculs correspondant aux cinq questions du point 1.

PROBLÈME 10C.11 (POUR LES AS !)
Écriture de journal pour corriger la comptabilité fiscale

Le comptable de la société de fourrage Brochat Foins inc. a enregistré la charge d'impôts de l'exercice 1998 en calculant 30 % des bénéfices avant impôts de 142 000 $ d'après l'état des résultats. Cependant, étant donné que la DPA de 1998 était supérieure à l'amortissement de 1998, le bénéfice imposable ne se chiffrait qu'à 116 000 $. De plus, le taux d'imposition s'établissait en fait à 25 %.

Journalisez la correction du travail du comptable. Expliquez vos calculs en détail.

PROBLÈME 10C.12 (POUR LES AS !)
Calcul des impôts à payer et des impôts reportés sur plusieurs exercices

Boissons Biron inc. ne détient qu'un seul actif à long terme. Cet élément d'actif a été acquis au début de son premier exercice, soit la première année d'exploitation de la société, pour 100 000 $. Il est amorti à raison de 10 000 $ par an sur sa durée de vie utile de 10 ans. À des fins fiscales, la DPA peut être calculée à raison de 20 %, pour la première année et de 40 %, pour les années suivantes ; le taux s'applique au coût annuel non amorti. La dixième année, tout coût non amorti pourra être déduit. Sur l'état des résultats, le bénéfice avant impôts s'établit à 60 000 $, pour les exercices 1 à 4 ; à 75 000 $, pour les exercices 5 à 8 ; et à 90 000 $, pour les exercices 9 et 10. Tous les ans, ce bénéfice comprend 5 000 $ de produits non imposables. Le taux d'imposition de la société est de 35 % pour tous les exercices.

1. Complétez le tableau suivant pour chacun des dix exercices :

	Charge d'amortissement	DPA	Bénéfice imposable	Total de la charge d'impôts de l'exercice		Bénéfice net	Passif d'impôts reportés à la fin de l'exercice
				Impôts de l'exercice	Impôts reportés de l'exercice		
Exercice 1	$	$	$	$	$	$	$
2							
3							
4							
5							
6							
7							
8							
9							
10							

2. Expliquez le processus qui permet d'établir le bénéfice net et le passif d'impôts reportés de fin d'exercice.

Module 10D   COMPLÉMENT D'ANALYSE DE L'ÉTAT DES FLUX DE TRÉSORERIE

Dans le présent module, nous allons compléter les explications sur l'état de l'évolution de la situation financière, présentées au chapitre 3. Vous devez maintenant être capable de mieux comprendre l'analyse des flux de trésorerie, d'un point de vue plus complexe, mais courant. Compte tenu des nouvelles recommandations de l'ICCA, dont nous avons traité à la section 3.11, nous n'utiliserons dans ce module que le terme « état des flux de trésorerie ». Nous préciserons chaque fois que cela sera nécessaire si les commentaires ou les remarques s'appliquent à la méthode directe ou à la méthode indirecte. Rappelez-vous que la méthode indirecte utilisée pour dresser l'état des flux de trésorerie est très similaire à la méthode qu'on utilisait pour dresser l'état de l'évolution de la situation financière pour les exercices ouverts avant le 1er août 1998.

10D.1   RÉSUMÉ DES FONDEMENTS DE L'ANALYSE DES FLUX DE TRÉSORERIE

Les activités qui apparaissent sur l'EFT permettent de comprendre les changements qui interviennent dans les éléments autres que les liquidités.

L'**état des flux de trésorerie (EFT)**, tout comme l'**état de l'évolution de la situation financière (EESF)** qui le précédait, constitue une *analyse* plutôt qu'un état financier préparé à partir des comptes, tels le bilan, l'état des résultats et l'état des bénéfices non répartis. Plus précisément, l'EFT résume les *changements* qui interviennent dans les liquidités de l'entreprise, en les classant dans des activités d'exploitation, d'investissement ou de financement. Ce résumé permet aux utilisateurs d'évaluer la capacité de l'entreprise de générer des liquidités ainsi que ses besoins en liquidités.

Voici les étapes générales à suivre pour dresser l'analyse des flux de trésorerie (méthode directe ou indirecte):

1. Définissez et calculez le solde d'ouverture et de fermeture des **espèces** et **quasi-espèces**; établissez le changement intervenu pendant l'exercice.
2. Calculez les changements subis par *tous les autres éléments du bilan*.
3. Répartissez les changements établis au point 2, qui sont intervenus dans les activités de l'EFT: «Exploitation», «Investissement» et «Financement». Tous les changements doivent figurer dans l'une des activités de l'EFT; il faut parfois les décomposer, car ils sont combinés ou inscrits à leur valeur nette, comme nous le verrons à la section 10D.2.
4. Précisez quel est l'effet de chaque changement, ou de ses composantes, sur les liquidités (positif ou négatif).
5. Pour l'ensemble des activités d'exploitation, d'investissement et de financement, additionnez et soustrayez toutes les incidences sur les liquidités pour établir le changement total net.
6. Prouvez que le changement total net des liquidités équivaut au changement des espèces et des quasi-espèces (établi au point 1), pour la période visée.

> Le changement total net des liquidités intervenu dans les activités d'exploitation, d'investissement et de financement équivaut au changement intervenu dans les espèces et les quasi-espèces.

Des feuilles de calcul ou des tableurs peuvent être utiles pour *équilibrer* tous ces changements. Vous devez toujours garder à l'esprit un grand principe: on ne doit oublier aucun changement et on doit toujours s'assurer que l'on comprend l'effet de celui-ci sur les liquidités. Si vous avez lu attentivement les sections 3.4 à 3.8, vous n'aurez aucune difficulté à déterminer si les changements sont positifs ou négatifs (étape 4 ci-dessus). Afin de bien garder à l'esprit l'effet des changements sur les liquidités, remémorez-vous ces deux idées fondamentales et toutes simples:

- L'acquisition d'éléments d'actif *mobilise* les liquidités.

- Le recours à l'emprunt et l'émission d'un capital-actions *génèrent* des liquidités.

C'est une question de bon sens. En ne tenant pas compte des éléments qui composent les espèces et les quasi-espèces, on peut aussi formuler les deux idées ci-dessus sous forme de règles générales (attention, elles peuvent comporter des exceptions!)

Augmentation des actifs (débit)	→	Diminution des liquidités
Diminution des actifs (crédit)	→	Augmentation des liquidités
Augmentation du passif et des capitaux propres (crédit)	→	Augmentation des liquidités
Diminution du passif et des capitaux propres (débit)	→	Diminution des liquidités

> Les changements créditeurs d'un élément du bilan correspondent à des augmentations des liquidités sur l'EFT; les changements débiteurs correspondent à des diminutions.

Autrement dit:

- un changement d'un élément du bilan qui correspond à un *crédit* (*augmentation du passif et des capitaux propres ou diminution des actifs*) figure à titre *d'augmentation* des liquidités;

- un changement d'un élément du bilan qui correspond à un *débit* (*augmentation de l'actif ou diminution du passif et des capitaux propres*) figure à titre de *diminution* des liquidités.

Ⓞ Ù EN ÊTES-VOUS ?

Voici deux questions auxquelles vous devriez pouvoir répondre, compte tenu de ce que vous venez de lire :

1. L'EFT reflète tous les changements qui ont trait aux activités d'exploitation, d'investissement et de financement. Pourquoi le changement intervenu dans les espèces et les quasi-espèces n'est-il pas intégré dans ces activités ?

2. Pour chacun des événements suivants, les liquidités vont-elles augmenter ou diminuer dans les activités présentées sur l'EFT ? acquisition d'un immeuble ; obtention d'un emprunt hypothécaire ; versements de dividendes ; achat de stocks ; émission d'actions ; cession d'un placement (diminution, augmentation, diminution, diminution, augmentation, augmentation).

10D.2   AUTRES TYPES D'INFORMATIONS INCLUSES DANS L'ÉTAT DES FLUX DE TRÉSORERIE

L'état des résultats, le bilan et l'EFT sont des états résumés. Quand vous lisez l'état des résultats et le bilan d'une société, vous avez entre les mains des résumés de centaines, voire de milliers de comptes. Si vous vouliez reconstituer l'EFT de la société à partir de ces deux états financiers, vous ne pourriez pas obtenir les chiffres classés dans les diverses activités de l'EFT, d'une part, parce que vous partez de chiffres résumés et, d'autre part, parce que l'EFT se rapproche plus de la comptabilité de caisse que de la comptabilité d'exercice. Rappelez-vous que cet état repose sur l'analyse des flux de trésorerie. De plus les comptables qui ont préparé l'EFT avaient accès aux comptes d'origine et pouvaient en tirer les informations nécessaires et les agencer selon des méthodes que vous ignorez. Dans ce manuel, nous vous donnons des explications de base pour que vous puissiez dresser un EFT simple, et comprendre, par conséquent, ce que signifient vraiment les informations qui figurent dans l'EFT d'une véritable société. Vous pourrez ainsi reconstituer dans les grandes lignes un EFT véritable ; mais il vous faudra vraiment beaucoup de chance pour y parvenir avec précision. Ce ne sera pas du tout parce que vous vous y prendrez mal, mais simplement parce que vous ne disposerez pas de renseignements suffisamment détaillés.

Aux sections 3.4 à 3.8, nous vous avons expliqué comment établir un EESF à partir des changements du bilan, et cette méthode vaut pour l'EFT. D'autres éléments que ceux que nous avons présentés se retrouvent couramment sur l'EESF et se retrouveront aussi sur l'EFT. Ils sont plus complexes, mais il est important de les connaître. Nous avons fait référence à plusieurs d'entre eux dans d'autres chapitres. Ici, nous verrons quelle est leur incidence sur l'analyse des flux de trésorerie.

Dividendes déclarés et dividendes versés : les écarts possibles

Nous avons vu précédemment que le bilan peut parfois présenter une diminution des capitaux propres (bénéfices non répartis) en raison des dividendes déclarés. En admettant que ces dividendes sont tous versés pendant la période couverte par l'EFT, on fera figurer cette diminution des capitaux propres au titre de réduction des liquidités dans l'EFT, à la rubrique des activités de financement.

L'EFT présente les dividendes payés et non les dividendes déclarés.

Mais que se passe-t-il si certains dividendes ne sont pas payés? Cela veut dire, en conséquence, que le changement intervenu dans les capitaux propres concernant les dividendes déclarés ne correspond pas entièrement à une réduction des liquidités. Il faut aussi tenir compte d'un autre élément du bilan: les dividendes à payer. La valeur nette du changement est calculée à partir des dividendes déclarés et des changements intervenus dans les dividendes à payer. Le chiffre qui en résulte représente les dividendes réellement payés et il figure sur l'EFT. Voici un exemple:

À partir des états financiers, vous avez l'information suivante:		
	Bénéfices non répartis	**Dividendes à payer**
Soldes d'ouverture	500 000 $	10 000 $
Bénéfice net	75 000	
Dividendes déclarés	(40 000)	40 000
Dividendes payés		(30 000)
Soldes de clôture	535 000 $	20 000 $

À partir de ces informations, on constate deux changements qui touchent les dividendes. Le premier, dans les bénéfices non répartis, de 40 000 $, est débiteur. Le deuxième, dans les dividendes à payer, de 10 000 $, est créditeur. Le total de ces deux changements équivaut aux dividendes versés durant l'exercice:

Dividendes versés   (40 000 $ Dt) + 10 000 $ Ct =   30 000 $ Dt

Les dividendes versés doivent être déduits des liquidités présentées dans les activités de financement.

Ce montant de 30 000 $ doit apparaître sur l'EFT dans les activités de financement, en diminution des liquidités. S'il pousse l'analyse juste un peu plus loin, l'utilisateur des états financiers sera en mesure de conclure que, des 30 000 $ de dividendes versés, seulement 20 000 $ correspondent aux dividendes déclarés au cours de l'exercice et que les 10 000 $ restants (à savoir le solde d'ouverture des dividendes à payer) proviennent de l'exercice précédent. Deux conclusions s'imposent:

- Le montant qui figure dans les activités de financement de l'EFT au titre de dividendes représente le montant *versé* et non le montant déclaré.
- Le changement intervenu dans les dividendes à payer doit servir à redresser le montant déclaré pour obtenir le montant payé.

Cession, réduction de valeur ou radiation des éléments d'actif à long terme

D'après les règles énoncées à la section 10D.1, toute diminution d'un élément d'actif doit se traduire par une augmentation des liquidités dans l'EFT. On présume que l'actif est cédé pour une somme qui correspond à la diminution de l'élément d'actif (par exemple, l'élément d'actif « Terrain » diminue de 15 000 $ parce qu'un terrain qui a coûté 15 000 $ a été vendu 15 000 $). Mais ce fait se produit rarement. Deux facteurs viennent compliquer les choses.

1. Si l'actif est vendu et qu'il y a perte ou gain, cela signifie que le produit de cession n'équivaut pas au montant qui a été imputé (crédité) pour réduire le solde du compte. Prenons comme exemple un terrain qui a coûté 12 000 $ et qui est vendu 14 000 $. Le solde de l'élément d'actif « Terrain » de 12 000 $ va diminuer au moment où le coût du terrain va être déduit du compte. C'est la somme

reçue, 14 000 $, qui va figurer en augmentation des liquidités des activités d'investissement. La différence de 2 000 $ — le gain — est incluse dans le bénéfice net présenté dans l'état des résultats.

Les cessions des éléments d'actif viennent compliquer le lien entre les changements du bilan et de l'EFT.

2. S'il a fait l'objet d'un amortissement cumulé, l'élément d'actif doit également être éliminé des comptes. Ainsi, le changement intervenu dans le compte de contrepartie « amortissement cumulé » ne pourra plus être expliqué entièrement par la charge d'amortissement, comme nous le tenions jusqu'ici pour acquis. Les augmentations de l'amortissement cumulé, dues aux charges d'amortissement, peuvent être annulées par les diminutions entraînées par la cession des actifs ; le changement intervenu dans l'amortissement cumulé constitue, en fait, un chiffre net.

On peut tenir compte de ces complications relativement facilement dans la présentation de l'EFT. La méthode utilisée peut servir au traitement de toutes les cessions d'actifs à long terme (avec ou sans gain ou perte, avec ou sans amortissement cumulé) et aussi aux radiations ou aux réductions de valeur touchant les actifs à court terme (qui s'apparentent à une cession, mais pour laquelle l'entreprise ne reçoit ni argent ni aucune autre compensation). Qu'il s'agisse d'une cession, d'une radiation ou d'une réduction de valeur, le traitement est le même :

A. L'entreprise reçoit de l'argent (le cas échéant).
B. Elle retire le coût de l'actif des comptes.
C. Elle retire l'amortissement cumulé de l'actif.
D. Il en résulte une perte ou un gain sur la cession, la radiation ou la réduction de valeur (A − [B −C]).

Si vous avez déjà étudié les méthodes de journalisation, vous comprendrez la façon de journaliser la cession, la radiation ou la réduction de valeur d'un élément d'actif :

Dt Encaisse	A	
Ct Coût de l'actif		B
Dt Amortissement cumulé	C	
Dt Perte sur cession (si A < [B − C])	D	
ou Ct Gain sur cession (si A > [B − C])		D

Les points clés pour intégrer correctement les éléments d'actif à l'EFT sont les suivants :

Les produits provenant de la cession d'un élément d'actif figurent au titre de rentrées de fonds dans les activités d'investissement de l'EFT.

• L'argent reçu A constitue l'unique flux de trésorerie ; c'est l'unique partie de cette opération qui influe sur les liquidités. La somme doit figurer dans les activités d'investissement de l'EFT, au titre de rentrées de fonds ou d'augmentation des liquidités.

• En fait, le gain ou la perte sur la cession, la réduction de valeur ou la radiation correspond simplement à la différence entre les changements de l'élément d'actif et de l'amortissement cumulé et les produits de cession. Le gain ou la perte *ne constitue pas un flux de trésorerie*, mais correspond plutôt à l'écart entre la rentrée de fonds et la valeur nette comptable de l'actif (valeur nette comptable = coût moins amortissement cumulé).

Dans les activités d'exploitation présentées selon la méthode indirecte, les pertes sur cession sont rajoutées au bénéfice net, et les gains sont déduits.

- Dans les activités d'exploitation présentées selon la méthode indirecte, le bénéfice net doit être ajusté au moyen d'éléments qui le constituent mais qui n'ont pas d'incidence sur les liquidités. À ce titre, le gain (la perte) sur cession d'un élément d'actif va être présenté(e) en diminution (en augmentation) du bénéfice net. Si on utilise la méthode directe, on évite cette présentation distincte.

Appliquons les règles que nous venons de décrire à quelques exemples concrets.

1. Un terrain qui a coûté 15 000 $ est vendu 15 000 $ (exemple précédent). Le produit de cession équivaut à la valeur comptable; il n'y a ni gain ni perte. Le produit de 15 000 $ figure au titre de rentrées de fonds dans les activités d'investissement de l'EFT. Méthode indirecte : inutile de redresser le bénéfice net. *(Pour journaliser la cession, on indique Dt Encaisse 15 000 $ et Ct Terrain [coût] 15 000 $. Il n'y a aucun amortissement cumulé à déduire; il n'y a ni gain ni perte.)*

2. Un terrain qui a coûté 12 000 $ s'est vendu 14 000 $ (autre exemple précédent). Le produit de cession est supérieur à la valeur nette comptable : il y a eu un gain de 2 000 $. Le produit de 14 000 $ est indiqué au titre de rentrées de fonds dans les activités d'investissement de l'EFT. Méthode indirecte : le gain est déduit du bénéfice net dans les activités d'exploitation, parce qu'il s'agit d'un élément sans incidence sur les liquidités. *(Voici l'écriture de journal pour enregistrer la cession : Dt Encaisse 14 000 $, Ct Terrain [coût] 12 000 $, Ct Gain sur cession 2 000 $. Aucun amortissement à déduire.)*

3. Un terrain qui a coûté 20 000 $ est réévalué à 3 000 $; la dépréciation de 17 000 $ figure sur l'état des résultats au titre de perte. Aucun élément ne figure sur l'EFT; selon la méthode indirecte, la perte est rajoutée au bénéfice net dans les activités d'exploitation, au titre d'élément sans incidence sur les liquidités. Voici le cas d'une réduction d'élément d'actif qui n'entraîne pas de changement positif dans les liquidités, selon les règles énoncées à la section 10D.1. Partons de l'idée que la réduction de valeur et la radiation (voir le point 4 ci-dessous) sont des événements moins courants dans la vie d'une entreprise que le fait de céder, même à perte, certains éléments d'actif pour obtenir un certain montant d'argent. *(Voici l'écriture de journal pour la dépréciation : Dt Perte sur réduction de valeur 17 000, Ct Terrain 17 000. Ni encaisse ni amortissement à déduire.)*

4. Un terrain qui a coûté 20 000 $ est radié complètement du bilan. L'incidence de cette opération est la même que pour le point 3, mais le montant est de 20 000 $ au lieu de 17 000 $. *(Même écriture de journal que pour le point 3, mais les montants seront de 20 000.)*

5. Une machine qui a coûté 5 000 $, et pour laquelle l'amortissement cumulé s'établit à 3 500 $, est vendue 1 600 $. Le produit de cession est supérieur à la valeur nette comptable de 1 500 $; il y a donc gain de 100 $ sur cession. Dans l'EFT, on ajoute 1 600 $ au titre de rentrées de fonds dans les activités d'investissement. Selon la méthode indirecte de présentation des activités d'exploitation, on soustrait le gain de 100 $ du bénéfice net pour l'ajuster. *(Écriture pour journaliser la cession : Dt Encaisse 1 600, Ct Matériel [coût] 5 000, Dt Amortissement cumulé 3 500, Ct Gain sur cession 100.)*

6. Une machine qui a coûté 8 000 $, et pour laquelle l'amortissement cumulé s'établit à 6 800 $, est vendue 500 $. Le produit est inférieur à la valeur nette comptable de 1 200 $; il y a donc perte de 700 $ sur cession. Dans l'EFT, on indique une rentrée de fonds de 500 $ dans les activités d'investissement. Selon la méthode indirecte, on ajoute cette perte au bénéfice net, à la rubrique des activités d'exploitation. *(Écriture pour journaliser la cession: Dt Encaisse 500, Ct Matériel [coût] 8 000, Dt Amortissement cumulé 6 800, Dt Perte sur cession 700.)*

7. Une machine qui a coûté 3 200 $, et pour laquelle l'amortissement cumulé s'établit à 2 900 $, est mise au rebut. Il n'y a aucun produit et il faut enregistrer une perte de 300 $ sur cession. Puisqu'il n'y a ni rentrée, ni sortie de fonds, aucune information sur la mise au rebut n'apparaît sur l'EFT, sinon à la rubrique des activités d'exploitation présentées selon la méthode indirecte (ajout de la perte au bénéfice net). *(Écriture pour journaliser la cession: Ct Matériel [coût] 3 200, Dt Amortissement cumulé 2 900, Dt Perte sur cession 300. Pas d'encaisse à enregistrer.)*

Encaissements et décaissements relatifs aux éléments d'actif et de passif liés aux activités d'exploitation

Certains éléments d'actif à court et à long terme, tels que les comptes clients, les frais payés d'avance, les comptes clients excédant un an, sont directement liés aux activités d'exploitation. Il en est de même de certains éléments de passif à court et à long terme, tels que les comptes fournisseurs, les produits perçus d'avance, la provision pour garanties, le passif découlant du régime de retraite.

Ces éléments du bilan sont créés par la comptabilité d'exercice. En conséquence, les produits et les charges qui en découlent ont déjà été pris en compte dans le bénéfice net présenté dans l'état des résultats.

Selon la méthode directe de présentation des activités d'exploitation, les encaissements ou les décaissements liés à ces éléments sont directement incorporés dans les rentrées de fonds-clients ou dans les sorties de fonds-fournisseurs. Selon la méthode indirecte de présentation des activités d'exploitation, le résultat net est ajusté compte tenu des changements de ces éléments. Dans les activités d'exploitation présentées selon l'une ou l'autre des deux méthodes, les sorties de fonds qui touchent deux éléments de passif (et les charges correspondantes) devront faire l'objet d'une présentation distincte. Il s'agit des montants payés en impôts et des montants versés au titre d'intérêts.

Opérations sans effet sur la trésorerie

Les opérations d'investissement et de financement qui ne nécessitent aucun transfert de liquidités ne sont pas présentées sur l'EFT.

Il arrive que des opérations d'investissement et de financement n'entraînent pas de rentrées ni de sorties de fonds. Dans certains cas, un élément d'actif est acquis sans transfert de liquidités, par souscription d'un passif ou par émission d'actions en échange d'un actif. Il peut aussi arriver qu'un élément de passif à long terme soit troqué contre un autre, par exemple la conversion de dettes en capitaux propres. Dans ce cas, il n'y a pas d'échange de liquidités. Ces transactions ne doivent pas figurer sur l'EFT, et les informations s'y rapportant doivent être présentées ailleurs dans les états financiers. Néanmoins, l'acquisition d'un immeuble financé par un emprunt hypothécaire est considérée comme une opération entraînant une rentrée et une sortie de fonds, même si c'est le prêteur qui a payé directement le vendeur.

Ainsi les activités d'investissement rendent compte de la sortie de fonds — « Acquisition d'immobilisation » — et les activités de financement, de la rentrée de fonds — « Produit découlant d'un emprunt ».

Nous n'avons pas pu mentionner tous les changements qui peuvent figurer sur le bilan. Pour savoir comment faire ou pour mieux comprendre la situation, gardez simplement à l'esprit les principes donnés à la fin de la section 10D.1 :

- L'EFT rend compte des activités d'exploitation, d'investissement et de financement ayant donné lieu à des rentrées et à des sorties de fonds.

- Les changements *créditeurs* des éléments du bilan (*augmentation du passif et des capitaux propres ou diminution de l'actif*) figurent sur l'EFT au titre *d'augmentation* des liquidités.

- Les changements *débiteurs* des éléments du bilan (*augmentation de l'actif ou diminution du passif et des capitaux propres*) figurent sur l'EFT au titre de *diminution* des liquidités.

Ù EN ÊTES-VOUS ?

Voici deux questions auxquelles vous devriez pouvoir répondre, compte tenu de ce que vous venez de lire :

1. La société Grand-Merci ltée devait payer des dividendes de 50 000 $ à la fin de l'exercice précédent ; pour cet exercice, elle déclarait des dividendes de 240 000 $, et présentait des dividendes à payer de 90 000 $, en fin d'exercice. Quel montant doit-elle indiquer dans les activités de financement de l'EFT ? (Dividendes versés de 200 000 $ [50 000 $ + 240 000 $ − 90 000 $].)

2. Pendant l'exercice, Grand-Merci a également cédé un bâtiment contre 700 000 $. Le bâtiment avait coûté 7 200 000 $ et l'amortissement cumulé, au moment de la cession, s'établissait à 6 300 000 $. Quels montants doivent figurer sur l'EFT de la société pour cet exercice et sous quelles rubriques ? (Le produit de cession de 700 000 $ figure dans les activités d'investissement au titre de rentrée de fonds. Dans les activités d'exploitation, selon la méthode directe, il n'y a aucune inscription ; selon la méthode indirecte, la perte de 200 000 $ est ajoutée au résultat net.)

10D.3   UN EXEMPLE DE PRÉPARATION DE L'EFT

Pour mettre en application les situations analysées à la section 10D.2, prenons un exemple pratique. L'illustration 10-3 ci-après présente les bilans de 1998 et de 1999 ainsi que l'état des résultats pour l'exercice 1999 de Systèmes Tamarack inc.

Renseignements supplémentaires :

1. La société a déclaré des dividendes de 24 000 $ durant l'exercice.
2. Les espèces et les quasi-espèces se composent des éléments suivants : encaisse plus placements temporaires moins emprunt à vue.
3. Les paiements aux clients au titre de réclamations pour garanties, en 1999, équivalent à 7 000 $.

4. Un terrain de 5 000 $ a été obtenu à la suite d'une émission d'actions.
5. En 1999, un garage a été vendu 25 000 $ au comptant. Le garage avait coûté 100 000 $, son amortissement cumulé s'élevait à 70 000 $ à la date de la disposition.

Illustration

Systèmes Tamarack inc. Bilans de 1998 et de 1999, avec calcul des changements			
	1999	1998	Changement
Actif			
Actif à court terme :			
Encaisse	16 064 $	12 440 $	3 624 $
Placements à court terme	0	65 000	(65 000)
Clients	220 668	143 962	76 706
Stocks	176 962	187 777	(10 815)
Frais payés d'avance	9 004	14 321	(5 317)
Total de l'actif à court terme	422 698 $	423 500 $	(802) $
Actif à long terme :			
Terrains (coût)	82 500 $	75 000 $	7 500 $
Bâtiments (coût)	600 898	420 984	179 914
Amortissement cumulé	(243 224)	(173 320)	(69 904)
Total net de l'actif à long terme	440 174 $	322 664 $	117 510 $
Totaux	862 872 $	746 164 $	116 708 $
Passif et capitaux propres			
Passif à court terme :			
Emprunt à vue	64 900 $	43 200 $	21 700 $
Fournisseurs	199 853	163 866	35 987
Impôts à payer	17 228	16 090	1 138
Dividendes à payer	0	6 000	(6 000)
Tranche à court terme de l'emprunt obligataire	22 000	20 000	2 000
Total du passif à court terme	303 981 $	249 156 $	54 825 $
Passif à long terme :			
Emprunt obligataire	248 000 $	270 000 $	(22 000) $
Provision pour garanties	17 364	15 773	1 591
Total du passif à long terme	265 364 $	285 773 $	(20 409) $
Capitaux propres :			
Capital-actions émis	150 000 $	100 000 $	50 000 $
Bénéfices non répartis	143 527	111 235	32 292
Total des capitaux propres	293 527 $	211 235 $	82 292 $
Totaux	862 872 $	746 164 $	116 708 $

Système Tamarack inc. État des résultats pour l'exercice 1999	
Chiffre d'affaires	1 430 000 $
Coût des marchandises vendues	1 072 754
Bénéfice brut	357 246
Frais de vente et d'administration	118 450
Amortissement des immobilisations	139 904
Intérêts débiteurs	20 800
Perte sur cession d'immobilisation	5 000
Impôts sur les bénéfices	16 800
Bénéfice net	56 292 $

L'illustration 10.4 présente deux états des flux de trésorerie découlant des informations financières de Tamarack. Le premier présente les activités d'exploitation selon la méthode directe, le second, selon la méthode indirecte. Vous remarquerez que les activités d'investissement et de financement restent les mêmes dans les deux cas. À la suite de l'illustration 10.4, vous trouverez le détail des montants qui demandent des calculs plus complexes.

Pour la présentation des états de flux de trésorerie qui suivent, les espèces et les quasi-espèces d'ouverture et de clôture de l'exercice s'élèvent aux montants suivants:

	Ouverture	Clôture
Encaisse	12 440 $	16 064 $
Placements à court terme	65 000	0
Emprunt à vue	(43 200)	(64 900)
	34 240 $	(48 836) $

10-4

Illustration

Systèmes Tamarack inc. État des flux de trésorerie Méthode directe pour l'exercice 1999		
Activités d'exploitation		
Rentrées de fonds — clients	1 353 294 $	
Sorties de fonds — fournisseurs et personnel	(1 137 494)	
Intérêts versés	(20 800)	
Impôts payés	(15 662)	
Flux de trésorerie liés aux activités d'exploitation		179 338 $
Activités d'investissement		
Produit de la cession du garage	25 000 $	
Acquisition de terrain	(2 500)	
Acquisition de bâtiments	(279 914)	
Flux de trésorerie liés aux activités d'investissement		(257 414) $

Systèmes Tamarack inc.
État des flux de trésorerie
Méthode directe pour l'exercice 1999 (suite)

Activités de financement

Remboursement des obligations	(20 000)$	
Versement de dividendes	(30 000)	
Produit de l'émission de capital-actions	45 000	
Flux de trésorerie liés aux activités de financement		(5 000)
Diminution nette des espèces et quasi-espèces		(83 076)
Espèces et quasi-espèces à l'ouverture de l'exercice		34 240
Espèces et quasi-espèces à la clôture de l'exercice		(48 836)$

Systèmes Tamarack inc.
État des flux de trésorerie
Méthode indirecte pour l'exercice 1999

Activités d'exploitation

Bénéfice net			56 292$
Ajustement pour :			
Amortissement des bâtiments	139 904$		
Perte sur cession du garage	5 000		
Provision pour garanties	1 591	146 495	
Changements des éléments hors caisse du fonds de roulement			
Augmentation des comptes clients	(76 706)$		
Diminution des stocks	10 815		
Diminution des frais payés d'avance	5 317		
Augmentation des comptes fournisseurs	35 987		
Augmentation des impôts à payer	1 138	(23 449)	
Flux de trésorerie liés aux activités d'exploitation			179 338$
Activités d'investissement			
Produit de la cession du garage	25 000$		
Acquisition de terrain	(2 500)		
Acquisition de bâtiments	(279 914)		
Flux de trésorerie liés aux activités d'investissement			(257 414)

Systèmes Tamarack inc. État des flux de trésorerie Méthode indirecte pour l'exercice 1999 (suite)		
Activités de financement		
Remboursement des obligations	(20 000)$	
Versement de dividendes	(30 000)	
Produit de l'émission de capital-actions	45 000	
Flux de trésorerie liés aux activités de financement		(5 000)
Diminution nette des espèces et quasi-espèces		(83 076)
Espèces et quasi-espèces à l'ouverture de l'exercice		34 240
Espèces et quasi-espèces à la clôture de l'exercice		(48 836)$

Voici quelques explications à propos de certains montants qui apparaissent dans les EFT de Tamarack.

- **Les flux de trésorerie liés aux activités d'exploitation — Méthode directe**

Rentrées de fonds — clients	
Comptes clients à l'ouverture	143 962$
Chiffre d'affaires	1 430 000
Comptes clients à la clôture	(220 668)
	1 353 294$
Sorties de fonds — fournisseurs et personnel	
Comptes fournisseurs à l'ouverture	163 866$
Coût des marchandises vendues	1 072 754
Frais de vente et d'administration	118 450
Comptes fournisseurs à la clôture	(199 853)
Diminution des stocks	(10 815)
Diminution des frais payés d'avance	(5 317)
Augmentation de la provision pour garanties	(1 591)
	1 137 494$
Impôts payés	
Impôts à payer à l'ouverture	16 090$
Charge d'impôts sur les bénéfices	16 800
Impôts à payer à la clôture	(17 228)
	15 662$

- **Les flux de trésorerie liés aux activités d'investissement**
  Acquisition de terrain: 2 500 $. L'élément d'actif « Terrain » a été modifié de 7 500 $ au cours de l'exercice. Une partie de cette variation est le fruit d'une opération sans effet sur les flux de trésorerie: acquisition d'un terrain de 5 000 $ en échange de 5 000 $ d'actions. Cette opération n'apparaît pas sur l'EFT, seul le solde de ce changement (2 500 $) y est présenté.

Acquisition de bâtiments: 279 914 $

Bâtiments à l'ouverture	420 984 $
Cession d'un bâtiment (coût)	(100 000)
Acquisition (établie par la différence)	279 914
Bâtiments à la clôture	600 898 $

- **Les flux de trésorerie liés aux activités de financement**

Remboursement des obligations

Emprunt obligataire à l'ouverture (20 000 + 270 000 $)	290 000 $
Remboursement (établi par la différence)	(20 000)
Emprunt obligataire à la clôture (22 000 + 248 000 $)	270 000 $

Versement de dividendes

Dividendes à payer à l'ouverture	6 000 $
Dividendes déclarés	24 000
Dividendes à payer à la clôture	0
Dividendes versés	30 000 $

Produit de l'émission de capital-actions

Capital-actions émis à l'ouverture	1 000 000 $
Émission de capital-actions pour le terrain	5 000
Autre émission de capital-actions (établie par la différence)	45 000
Capital-actions émis à la clôture	150 000 $

Après cette étude assez détaillée des flux de trésorerie, nous pouvons tirer plusieurs conclusions:

- Pour l'exercice, le total des flux de trésorerie est négatif, et ce de façon assez marquée.

- Une comparaison avec les flux de trésorerie liés aux activités d'exploitation de l'exercice précédent aurait sûrement été utile (surtout avec la méthode directe).

- Les flux de trésorerie provenant des activités d'exploitation équivalent à près de trois fois le bénéfice net.

- Les flux de trésorerie provenant des activités d'exploitation ont été touchés par une augmentation importante des comptes clients (produits non recouvrés).

- Ce sont les activités d'exploitation qui ont été à la source de la majeure partie des flux monétaires pendant l'exercice — la société n'a souscrit à aucun nouvel emprunt et l'émission d'actions a entraîné environ le quart des flux de trésorerie fournis par les activités d'exploitation.

- Les flux de trésorerie ont surtout servi à acquérir des éléments d'actif à long terme, principalement des bâtiments. Ces acquisitions ont été réalisées sans apport de capital externe.

- Les espèces et les quasi-espèces de la société, qui s'élevaient à 34 240 $, au début de l'exercice, accusent maintenant un déficit de 48 836 $.

Nous ne connaissons pas les motivations qui sous-tendent les événements dont rend compte l'EFT, mais nous savons toutefois que certaines questions pourraient être posées à la direction, en particulier la suivante : Que proposent les gestionnaires pour rétablir la situation sur le plan des liquidités ?

○Ù EN ÊTES-VOUS ?

Voici deux questions auxquelles vous devriez pouvoir répondre, compte tenu de ce que vous venez de lire :

1. Dans l'exemple de Tamarack, si les comptes clients avaient été inférieurs de 10 000 $ à la fin de l'exercice, quelle en aurait été l'incidence pour l'EFT ? (Les flux de trésorerie liés aux activités d'exploitation auraient été plus élevés de 10 000 $. Méthode indirecte : un changement moins important intervenu dans les comptes clients aurait eu un effet positif sur l'ajustement du bénéfice net.)

2. Compte tenu de votre réponse à la question 1, expliquez pourquoi, plus une entreprise a des comptes clients importants, moins ses flux de trésorerie sont en bonne santé. Pourtant, si l'entreprise brasse plus d'affaires, n'est-il pas normal qu'elle ait plus de comptes clients ? (L'augmentation du chiffre d'affaires peut se traduire, si tout va bien, par un bénéfice plus élevé. Néanmoins, qui dit bénéfice, ne dit pas nécessairement argent en caisse. Une entreprise qui fait des bénéfices et qui souhaite avoir des liquidités élevées doit s'occuper de la perception de ses comptes clients et garder leur solde au minimum.)

10D.4   EXEMPLE COMPARATIF : COMPTABILITÉ DE CAISSE ET COMPTABILITÉ D'EXERCICE

Notre but est maintenant de vous faire encore mieux comprendre le mouvement des flux de trésorerie. Vous comprendrez ainsi comment la comptabilité d'exercice complète les données concernant les encaissements et les décaissements. Nous ne tiendrons pas compte de l'impôt, au cas où vous n'auriez pas encore étudié cette question.

Voici les données comptables de la société Farfadets Conseil ltée pour l'exercice :

Encaisse, fin de l'exercice précédent		2 800 $
Encaissements :		
Recouvrement — produits de l'exercice précédent	1 600 $	
Recouvrement — produits de l'exercice courant	75 200	
Acompte sur les produits de l'exercice prochain	1 000	
Émission de titres d'emprunt à long terme	6 000	
Cession de matériel ancien (produit)	500	84 300 $
		87 100 $

Décaissements :
Paiement des charges de l'exercice précédent	900 $	
Paiement des charges de l'exercice courant	61 300	
Paiement anticipé des charges de l'exercice prochain	2 200	
Remboursement de la dette à long terme	3 000	
Acquisition de nouveau matériel	14 000	81 400
Encaisse, fin de l'exercice		5 700 $
Augmentation de l'encaisse pendant l'exercice (5 700 $ − 2 800 $)		2 900 $

Renseignements supplémentaires :
Amortissement du matériel pour l'exercice	3 100 $
Produits non recouvrés à la fin de l'exercice	2 500
Charges non payées à la fin de l'exercice	1 700
Valeur nette comptable du matériel ancien au moment de la cession	300
Gain sur la cession de matériel (produit − valeur nette comptable = 500 $ − 300 $)	200

Si nous voulions établir un état des résultats selon la comptabilité de caisse, nous aurions les résultats suivants :

Encaissements — exploitation (1 600 $ + 75 200 $ + 1 000 $)	77 800 $
Charges — exploitation (900 $ + 61 300 $ + 2 200 $)	64 400
Bénéfice pour l'exercice selon la comptabilité de caisse	13 400 $

Il faudrait aussi tenir compte des données suivantes :

- encaissements hors exploitation de 6 500 $ (6 000 $ de titres d'emprunt émis + 500 $ de produit de cession);

- décaissements hors exploitation de 17 000 $ (3 000 $ pour le remboursement de la dette + 14 000 $ pour l'acquisition du nouveau matériel).

En joignant ces données à la somme de 13 400 $, nous obtiendrions l'augmentation totale de l'encaisse pour l'exercice, c'est-à-dire 2 900 $:

Bénéfice (selon la comptabilité de caisse)	13 400 $
Encaissements hors exploitation	6 500
Moins dépenses hors exploitation	(17 000)
Augmentation de l'encaisse pendant l'exercice	2 900 $

En revanche, en tenant compte des produits réalisés et des charges engagées, on établirait selon les principes de la comptabilité d'exercice un état des résultats qui serait bien différent :

Produits (75 200 $ de ventes au comptant + 2 500 $
de produits non recouvrés) 77 700 $
Charges :
Générales (61 300 $ payées + 1 700 $ à payer) 63 000 $
Amortissement (voir précédemment) 3 100 66 100

Bénéfice d'exploitation 11 600 $
Gain sur cession du matériel (calculé précédemment) 200

Bénéfice net de l'exercice 11 800 $

Les chiffres établis sur la base de la comptabilité de caisse et sur la base de la comptabilité d'exercice sont tous les deux importants. Vous devez bien comprendre les rapports qui s'établissent entre eux et les différences qui les distinguent. C'est la raison pour laquelle on prépare l'EFT. Voici l'EFT pour l'exercice :

Exploitation — Méthode directe		
Rentrées de fonds — clients :		
Comptes clients au début	1 600 $	
Produits de l'exercice	77 700	
Comptes clients à la fin	(2 500)	
Acompte reçu	1 000	77 800 $
Sorties de fonds — fournisseurs :		
Charges à payer au début	900 $	
Charges générales de l'exercice	63 000	
Charges à payer à la fin	(1 700)	
Paiement charges à l'avance	2 200	64 400
Liquidités provenant de l'exploitation		13 400

Exploitation — Méthode indirecte		
Bénéfice net de l'exercice (selon la comptabilité d'exercice)		11 800 $
Ajout des charges hors caisse (amortissement)		3 100
Déduction du gain sur cession (le montant encaissé figure sous la rubrique « Investissements » page suivante)		(200)
		14 700 $
Changements du fonds de roulement hors caisse :		
Comptes clients (2 500 $ − 1 600 $)	(900) $	
Frais payés d'avance (2 200 $ pour l'exercice courant, aucun pour l'exercice précédent)	(2 200)	
Produits constatés d'avance (1 000 $ pour l'exercice courant, aucun pour l'exercice précédent)	1 000	
Comptes fournisseurs (1 700 $ − 900 $)	800	(1 300)
Liquidités provenant de l'exploitation		13 400 $

Exploitation — Méthode indirecte (suite)		
Investissements:		
Acquisition de matériel neuf	(14 000)$	
Produit de la cession de matériel	500	(13 500)$
Financement:		
Émission de titres d'emprunt à long terme	6 000$	
Remboursement de la dette à long terme	(3 000)	3 000
Augmentation des liquidités pour l'exercice		2 900$
Encaisse au début de l'exercice		2 800
Encaisse à la fin de l'exercice		5 700$

Vous pouvez constater que la somme de 13 400 $, indiquée sur l'EFT pour les « liquidités provenant de l'exploitation », correspond à ce que vous auriez obtenu si vous aviez établi l'état des résultats en comptabilité de caisse. En fait, l'EFT rapproche les deux méthodes de calcul des bénéfices. L'EFT fournit aussi des détails sur les investissements et sur le financement pour que vous puissiez constater les effets globaux sur les liquidités pour l'exercice.

Ainsi, avec l'état des résultats fondé sur la comptabilité d'exercice et l'EFT, vous disposez, d'une part, de la mesure économique de la performance que fournit la comptabilité d'exercice, et, d'autre part, des renseignements sur les flux de trésorerie qui permettent d'évaluer la gestion des liquidités. C'est ainsi que le jeu d'états financiers présente des informations intégrées qui se complètent.

⦿ Ù EN ÊTES-VOUS ?

Voici deux questions auxquelles vous devriez pouvoir répondre, compte tenu de ce que vous venez de lire:

1. Le propriétaire de la société Productions Survoltées inc. examinait l'état des résultats et déclarait: «On m'a dit que cet état avait été préparé d'après les principes de la comptabilité d'exercice. Quels sont les buts de ce type de comptabilité? Pourquoi ne suffirait-il pas de simplement présenter les encaissements et les décaissements de ma société?» Répondez brièvement.

2. En 1998, les Productions Survoltées ont perçu 53 430 $ auprès des clients pour des ventes conclues en 1997 et 421 780 $ pour des ventes conclues en 1998. En 1999, la société a perçu 46 710 $ pour des ventes conclues en 1998. À ce moment-là, tous les comptes clients de 1997 et de 1998 avaient été perçus. À combien s'élevaient les encaissements et les produits d'exploitation, selon la comptabilité d'exercice, en 1998? (475 210 $; 468 490 $)

10D.5 COMPRENEZ-VOUS BIEN CES TERMES ?

Voici trois termes utilisés et expliqués dans le module. Vérifiez que vous comprenez bien leur signification en *comptabilité* et, s'ils vous semblent encore un peu confus, relisez les explications données dans le module ou reportez-vous au glossaire à la fin du manuel.

Espèces et quasi-espèces
État de l'évolution de la situation financière (EESF)
État des flux de trésorerie (EFT)

10D.6 SUJETS DE RÉFLEXION ET TRAVAUX POUR AMÉLIORER LA COMPRÉHENSION

PROBLÈME 10D.1*
Préparation d'un EFT contenant une perte sur cession et des dividendes non payés

Vous trouverez ci-après le bilan comparatif, l'état des résultats et l'état des bénéfices non répartis des ateliers de réparation Nordiques inc. pour 1999. À partir de ces renseignements et des données supplémentaires qui suivent les états, dressez l'EFT de Nordiques pour 1999.

Nordiques inc. Bilans aux 31 mars 1999 et 1998						
Actif			**Passif et capitaux propres**			
	1999	1998			1999	1998
Actif à court terme :			Passif à court terme :			
Encaisse et dépôts bancaires	512 $	382 $	Emprunt à vue		1 000 $	800 $
Dépôts à court terme	200	1 000	Fournisseurs		4 691	3 887
Clients	3 145	2 690			5 691 $	4 687 $
Stocks	5 420	5 606				
	9 277 $	9 678 $	Passif à long terme :			
			Emprunt hypothécaire		7 105 $	7 595 $
Actif à long terme :			Capitaux propres :			
Actifs (coût)	15 641 $	12 486 $	Capital-actions		2 300 $	2 000 $
Amortissement cumulé	(6 066)	(5 221)	Bénéfices non répartis		3 756	2 661
	9 575 $	7 265 $			6 056 $	4 661 $
	18 852 $	16 943 $			18 852 $	16 943 $

État des résultats pour l'exercice terminé le 31 mars 1999			État des bénéfices non répartis pour l'exercice terminé le 31 mars 1999	
Produits d'exploitation		14 689 $	Solde d'ouverture	2 661 $
Charges d'exploitation :			Bénéfice net pour 1999	1 695
Amortissement	2 090 $			4 356 $
Autres charges	9 915	12 005	Dividendes déclarés	600
		2 684 $	Solde de clôture	3 756 $
Impôts sur le bénéfice		989		
Bénéfice net pour 1999		1 695 $		

Autres renseignements :

- Une perte sur cession de 55 $ figure dans les autres charges. Elle provient de la cession, pour 220 $, d'un actif à long terme ayant coûté 1 520 $ et dont l'amortissement cumulé est de 1 245 $.

- Des dividendes non payés figurent dans les comptes fournisseurs : 110 $ au 31 mars 1998 et 160 $ au 31 mars 1999.

- Des éléments d'actif à long terme ont été acquis vers la fin de 1999.

PROBLÈME 10D.2*
Incidences sur l'EFT des dividendes non payés et de la cession d'un bâtiment

1. Vous venez de préparer l'EFT de la société Crapeautin inc. et vous constatez que vos calculs sont justes pour ce qui est des changements intervenus dans les espèces et les quasi-espèces. Malheureusement vous découvrez, dans les éléments de passif à court terme, un compte réservé aux dividendes à payer, que vous n'aviez pas remarqué jusqu'ici. Expliquez pourquoi les flux de trésorerie liés aux activités d'exploitation et de financement de votre EFT sont inexacts. Pourquoi le montant total du changement des espèces et des quasi-espèces de votre EFT est-il exact malgré cette erreur ?

2. Vous avez du mal à établir l'EFT de la société Grenouillard inc. Vous savez que le changement total net des éléments d'actif à long terme est une augmentation de 459 200 $ et que la charge d'amortissement pour l'exercice s'établissait à 236 100 $. Vous apprenez, ensuite, qu'au cours de l'exercice la société a vendu pour 200 000 $ un bâtiment qui avait coûté 840 000 $. À la date de la cession, celui-ci faisait l'objet d'un amortissement cumulé de 650 000 $.

   a. Calculez la somme consacrée à l'acquisition d'éléments d'actif à long terme pendant l'exercice.

   b. Calculez le gain ou la perte sur la cession du bâtiment.

   c. Précisez les ajustements relatifs aux actifs à long terme à apporter au bénéfice net, selon la méthode indirecte de présentation des activités d'exploitation.

   d. Précisez les montants qui figureraient à la rubrique « Activités d'investissement » de l'EFT.

PROBLÈME 10D.3*
Calculs des flux de trésorerie

Voici des données résumées extraites des états financiers de la société Batraco inc.: QEA = quasi-espèces (actif); AACT = autres actifs à court terme; ALT = actifs à long terme; QEP = quasi-espèces (passif); APCT = autres passifs à court terme; PLT = passifs à long terme; CA = capital-actions; BNR = bénéfices non répartis; PRO = produits d'exploitation; CH = charges d'exploitation; ID = intérêts débiteurs; PCHE = produits et charges hors exploitation; IB = impôts sur les bénéfices; EE = éléments exceptionnels; BN = bénéfice net.

Actif			Passif et capitaux propres			Résultats	
	1999	1998		1999	1998		1999
QEA	2 000$	1 000$	QEP	2 000$	3 000$	PRO	125 000$
AACT	9 000	8 000	APCT	4 000	2 000	CH	(84 000) (amort. = 5 000$)
ALT	37 000	32 000	PLT	17 000	18 000	ID	(2 000)
			CA	12 000	10 000	PCHE	4 000**
			BNR*	13 000	8 000	IB	(19 000) (report. = 3 000$)
						EE	(13 000)***
	48 000$	41 000$		48 000$	41 000$	BN	11 000$

* Des dividendes de 6 000$ ont été déclarés et payés en 1999.
** Les produits hors exploitation de 4 000$ correspondent à un gain sur la cession d'un élément d'actif à long terme: produit de 7 000$ moins valeur nette comptable de 3 000$.
*** Élément exceptionnel de (13 000)$ = radiation de 21 000$ moins 8 000$ de réduction pour impôts reportés.

Refaites les calculs afin de prouver que les chiffres ci-dessous sont exacts pour l'EFT de 1999:

a. Flux de trésorerie liés aux activités d'exploitation (méthode indirecte)	29 000$
b. Flux de trésorerie liés aux activités de financement	0
c. Flux de trésorerie liés aux activités d'investissement	(27 000)
d. Augmentation des espèces et quasi-espèces	2 000$

PROBLÈME 10D.4
Préparation d'un EFT à partir de données sur l'encaissement et le décaissement, et à partir d'autres informations

Voici une liste alphabétique de données comptables sur la société Chantal inc. Préparez un EFT avec présentation des activités d'exploitation selon la méthode indirecte.

Acompte reçu sur des produits du prochain exercice	6 099$
Acquisition d'un nouvel équipement	182 420
Amortissement cumulé sur matériel vendu	12 000
Amortissement pour l'exercice courant	46 912
Charges à payer à la fin de l'exercice courant	29 352
Comptes clients non recouvrés à la fin de l'exercice courant	31 240
Coût du matériel dont on a disposé	16 000
Fonds en banque à la fin de l'exercice précédent	63 419
Nouvel emprunt à long terme	75 000

Paiement anticipé sur les charges du prochain exercice	8 920
Produit de la cession d'un équipement	2 400
Recouvrement des comptes clients de l'exercice courant	385 650
Recouvrement des comptes clients de l'exercice précédent	22 795
Règlement des charges de l'exercice courant (y compris les impôts)	296 966
Règlement des charges de l'exercice précédent	1 890
Remboursement d'un emprunt à long terme	30 000 $

PROBLÈME 10D.5
Reconstitution de l'EFT de la société Provigo inc.

Les états financiers de la société Provigo inc. figurent à la fin du manuel.

1. En utilisant uniquement le bilan, l'état des résultats et l'état des bénéfices non répartis, ainsi que les notes afférentes aux états financiers (surtout en ce qui concerne les immobilisations), recréez l'EFT (méthode indirecte de présentation des activités d'exploitation) de la société pour l'exercice terminé en janvier 1997. Ne consultez pas l'EFT quand vous ferez cet exercice. Faites comme si l'EFT « officiel » avait été perdu. À vous d'en établir un nouveau.
2. Quand vous aurez terminé, comparez votre version de l'EFT avec celle de la société pour voir dans quelle mesure vous vous êtes rapproché des chiffres réels. Attention: vous n'obtiendrez probablement pas exactement les mêmes chiffres parce que les comptables de la société disposaient de plus de renseignements que ceux qui figurent dans le rapport annuel. Toutefois, vous devriez avoir obtenu des chiffres comparables.

PROBLÈME 10D.6
Préparation d'un EFT à partir de renseignements résumés

Voici les bilans résumés des exercices 1999 et 1998 de la société Entreprises Saint-Joseph inc., avec mention des changements que l'on a calculés en soustrayant des chiffres de 1999 ceux de 1998. À partir de ces informations et des renseignements supplémentaires donnés à la suite du tableau, dressez l'EFT pour 1999, en présentant les activités d'exploitation selon la méthode directe.
Autres renseignements:

	1999	1998	Changements
Quasi-espèces — actif	17 400 $	14 300 $	3 100 $
Clients	164 100	123 500	40 600
Actif à long terme, net	319 800	286 200	33 600
	501 300 $	424 000 $	77 300 $
Quasi-espèces — passif	11 200 $	9 100 $	2 100 $
Autres passifs à court terme	117 900	90 600	27 300
Passif à long terme	174 800	175 300	(500)
Capital-actions	80 000	60 000	20 000
Bénéfices non répartis	117 400	89 000	28 400
	501 300 $	424 000 $	77 300 $

- Le bénéfice net de 1999 s'établissait à 38 400 $; le chiffre d'affaires s'élevait à 350 000 $, alors que l'ensemble des charges d'exploitation, impôts sur le bénéfice non compris, se chiffrait à 291 500 $.
- Les dividendes déclarés pendant l'exercice ont été de 10 000 $.
- 1 500 $ de dividendes restent impayés à la fin de 1999 (il n'y avait aucun dividende à payer à la fin de 1998).
- En 1999, on a inscrit une charge d'impôts reportés qui a augmenté le passif d'impôts reportés de 8 800 $. Durant l'exercice, on a payé 12 000 $ d'impôts. Les soldes de début et de fin d'exercice étaient nuls.
- Au cours de l'exercice, la société a payé 11 375 $ d'intérêts sur ses emprunts; elle n'avait aucun solde à payer ni au début de l'exercice ni à la fin.
- Certains des éléments du passif à long terme ont été réglés pendant l'exercice.
- Pendant l'exercice, la société a vendu 8 400 $ un camion qui avait coûté 25 000 $, et qui présentait un amortissement cumulé de 17 300 $. La société a donc réalisé un gain sur cession de 700 $ (produit de 8 400 $ − valeur nette comptable de 7 700 $ [25 000 $ − 17 300 $]). Le gain sur cession a été intégré au bénéfice net de l'exercice.
- Pour l'exercice, la charge d'amortissement, indiquée sur l'état des résultats et ajoutée au compte « Amortissement cumulé » du bilan (ce qui réduit le total des actifs à long terme), a été de 37 700 $.
- Les acquisitions d'actifs à long terme se sont élevées à 79 000 $ pour l'exercice.

PROBLÈME 10D.7
Préparation d'un EFT et commentaires

En vous reportant au bilan comparatif suivant, sans oublier les renseignements supplémentaires, dressez l'EFT (méthode indirecte de présentation des activités d'exploitation) de la société Produits Prairie inc. pour l'exercice terminé le 30 novembre 1999. (Remarque : en fonction de vos hypothèses de départ, différentes versions de l'EFT peuvent être acceptables !) En consultant votre EFT, rédigez un commentaire sur les conclusions que vous pourrez tirer quant à la gestion des liquidités de la société pour 1999.

Renseignements supplémentaires (tous les chiffres sont en milliers de dollars) :

Produits Prairie inc. Bilan au 30 novembre 1999 avec données de 1998, aux fins de la comparaison (en milliers de dollars)					
Actif			Passif et capitaux propres		
	1999	1998		1999	1998
Actif à court terme			*Passif à court terme*		
Encaisse	31 $	38 $	Emprunt à vue	25 $	30 $
Titres négociables	100	200	Fournisseurs	195	284
Clients	281	315	Impôts à payer	34	20
Stocks	321	239	Dividendes à payer	20	30
Frais payés d'avance	12	18		274 $	364 $
	745 $	810 $			

Produits Prairie inc. **Bilan au 30 novembre 1999** **avec données de 1998, aux fins de la comparaison** **(en milliers de dollars) (suite)**					
Actif à long terme			*Passif à long terme*		
Terrains (coût)	182 $	70 $	Emprunt hypothécaire	240 $	280 $
Bâtiments (coût)	761	493	Emprunt obligataire	200	0
Matériel (coût)	643	510	Impôts reportés	138	111
			Provision pour garanties	126	118
	1 586 $	1 073 $		704 $	509 $
Amortissement cumulé	631	569	*Capitaux propres*		
	955 $	504 $	Capital-actions	600 $	450 $
Placements (coût)	365	438	Bénéfices non répartis	487	429
	1 320 $	942 $		1 087 $	879 $
TOTAUX	2 065 $	1 752 $	TOTAUX	2 065 $	1 752 $

a. En 1999, le bénéfice net était de 98 $; on a déclaré des dividendes de 40 $.

b. Pendant l'exercice, un bâtiment a été vendu 42 $; il avait coûté 110 $ et avait cumulé un amortissement de 56 $. La perte a été déduite dans l'état des résultats.

c. Pour l'exercice, la charge d'amortissement s'établissait à 118 $.

d. Pendant l'exercice, l'un des placements à long terme, qui avait coûté 73 $, a été vendu pour 102 $. Le gain a été inclus dans les produits.

e. Le changement du passif d'impôts reportés était intégralement dû au report de la charge d'impôts.

f. Le changement dans la provision pour garanties s'expliquait par une charge pour garanties de 23 $, moins des versements à titre des garanties de 15 $.

g. L'emprunt bancaire n'est pas vraiment remboursable à vue. On a établi un calendrier de règlements qui s'étend au-delà de l'an 2000. Par conséquent, cet emprunt ne constitue pas vraiment un élément de passif à classer dans les espèces et quasi-espèces.

....

PROBLÈME 10D.8 (POUR LES AS !)
Établissement d'un bilan en partant de l'EESF

Dans ce manuel, nous vous avons bien expliqué ce qu'est l'EFT même si, pour un certain temps encore, les sociétés vont publier des EESF. De plus, si vous consultez des états financiers d'avant août 1999, ce sont des EESF que vous y retrouverez. Pour vérifier que vous avez bien compris les notions présentées, établissez le bilan de la société Industries TGIF ltée à la fin de l'exercice 1999 en partant des deux états qui figurent ci-après. Quand vous aurez terminé, rédigez quelques commentaires sur la stratégie de gestion des liquidités de la direction pour 1999. La situation financière de la société à la fin de 1999 était-elle meilleure qu'à la fin de 1998 ?

Industries TGIF ltée
Bilan au 31 décembre 1998
(en milliers de dollars)

Actif		Passif et capitaux propres	
Actif à court terme		*Passif à court terme*	
Encaisse	19 $	Emprunt à vue	2 205 $
Fonds en banque	238	Autres emprunts bancaires	840
Clients	2 868	Fournisseurs	1 948
Stocks	2 916	Impôts et autres taxes à payer	213
Frais payés d'avance	184		5 206 $
	6 225 $	*Passif à long terme*	
		Emprunt	
		hypothécaire	516 $
Actif à long terme		Emprunts auprès	
Terrains (coût)	416 $	des actionnaires	600
Matériel roulant (coût)	892	Autres emprunts à long terme	318
Bâtiments (coût)	2 411	Impôts reportés	248
Matériel (coût)	1 020	Passif de régime de	
	4 739 $	retraite (évaluation)	163
Amortissement cumulé	863		1 845 $
	3 876 $		
		Capitaux propres	
Placements (coût)	740	Capital-actions	1 000 $
	4 616 $	Bénéfices non répartis	2 790
			3 790 $
TOTAL	10 841 $	TOTAL	10 841 $

Industries TGIF ltée
État de l'évolution de la situation financière
pour l'exercice terminé le 31 décembre 1999
(en milliers de dollars)

Exploitation :		
Bénéfice net de l'exercice		614 $
Ajout des charges (soustraction des produits)		
hors caisse :		
Charges d'amortissement	291 $	
Perte sur cession de placements	85	
Charges d'impôts reportés	68	
Charge estimative découlant du régime de retraite	53	
Gain sur cession d'un terrain	(210)	
Gain sur cession d'un bâtiment	(38)	249

Industries TGIF ltée
État de l'évolution de la situation financière
pour l'exercice terminé le 31 décembre 1999
(en milliers de dollars) (suite)

Ajout (déduction) des changements du fonds de roulement hors caisse :		
Clients	1 134 $	
Stocks	647	
Frais payés d'avance	37	
Autres emprunts bancaires	(360)	
Fournisseurs	(587)	
Impôts et autres taxes à payer	(14)	857
Liquidités provenant de l'exploitation		1 720 $
Dividendes payés (déclarés : 100 $)		(40)
Activités d'investissement :		
Produits de cession d'éléments d'actifs à long terme :		
Placements (coût : 560 $)	475 $	
Terrain (coût : 80 $)	290	
Bâtiment (coût : 890 $)	514	
Coût des acquisitions d'éléments d'actifs à long terme :		
Nouveau bâtiment	(1 670)	
Nouveau matériel	(643)	(1 034)
Activités de financement :		
Remboursement de l'emprunt hypothécaire	(103) $	
Emprunts supplémentaires auprès des actionnaires	250	
Émission d'obligations non garanties	300	
Remboursement d'autres dettes à long terme	(74)	
Paiement des pensions de retraite	(43)	
Émission de capital-actions	250	580
Augmentation des espèces et quasi-espèces		1 226 $
Rapprochement des changements des espèces et quasi-espèces :		
Augmentation de l'encaisse	6 $	
Diminution des fonds en banque	(17)	
Augmentation des placements à terme	100	
Diminution de l'emprunt à vue	1 137	
Augmentation des espèces et quasi-espèces	1 226 $	

EFFETS DES ERREURS ET DES MODIFICATIONS COMPTABLES SUR LES ÉTATS FINANCIERS

Module

10E.1   L'ANALYSE PAR SIMULATION

Vous voudrez peut-être constater quelle différence pourrait entraîner l'utilisation de la méthode comptable que vous privilégiez.

La comparaison des effets de plusieurs méthodes pourra vous aider à décider s'il y a lieu de changer de méthode comptable.

Imaginons que vous êtes analyste financier et que vous voulez comprendre les résultats d'une société dont vous lisez les états financiers. Vous pouvez procéder à diverses analyses de base, mais vous vous rendez compte que la société n'a pas suivi les mêmes méthodes comptables qu'une autre entreprise à laquelle vous vouliez la comparer. Ou encore, la société a utilisé une méthode comptable qui vous semble peu appropriée. Alors, vous vous demandez *ce qui serait arrivé si* la société avait utilisé la méthode de comptabilité qui convient, ou celle de la société à laquelle vous voulez la comparer ?

Supposons encore que vous êtes président d'une société et que vous voulez évaluer quelques méthodes de comptabilité, afin de décider laquelle conviendrait le mieux à votre entreprise. Votre principal créancier vous impose des restrictions quant au ratio emprunts/capitaux propres. Vous savez aussi que vos prévisions optimistes, au cours d'une allocution prononcée quelques mois plus tôt, ont suscité certaines attentes concernant les bénéfices nets de l'exercice. Vous savez, enfin, que divers analystes financiers vont scruter à la loupe les résultats de votre société : si les résultats baissent, votre prime ou même votre poste pourraient être menacés. Vous désirez donc connaître les effets sur les états financiers des diverses méthodes de comptabilité que vous envisagez.

De telles interrogations sont très fréquemment soulevées dans le milieu des affaires. Pour y répondre, on effectue des **analyses par simulation**, c'est-à-dire que l'on examine l'information financière en simulant divers scénarios, en se posant des questions du type « Qu'arriverait-il si… ». Les comptables doivent analyser les informations financières pour pouvoir indiquer aux divers intervenants (cadres, banquiers et autres) l'effet sur les états financiers de divers types de changements dans les choix de **conventions comptables** ou de méthodes comptables et l'incidence des corrections des erreurs dans les états financiers ou l'incidence des événements financiers en général. Si vous souhaitez devenir expert-comptable, c'est une technique que vous devez acquérir. Et même si vous ne devenez pas comptable vous-même, vous devez tout de même vous faire une idée du travail des comptables à cet égard, pour être en mesure de mieux évaluer les résultats qu'ils vous soumettront. Il vous sera peut-être utile de pouvoir effectuer vous-même certaines analyses de base. Les tableurs électroniques sont particulièrement utiles à cet égard, mais il faut tout de même savoir ce qu'on veut que le tableur exécute comme calcul !

Exemples d'analyse par simulation

Une fois que vous avez compris l'idée générale de l'analyse par simulation vous pouvez souvent prendre un raccourci.

Une bonne façon de savoir ce qui se serait passé si on avait utilisé une méthode plutôt qu'une autre ou si un événement s'était produit plutôt qu'un autre, c'est d'établir toutes les données dans les deux cas et de les comparer. Pour ce faire, on peut prendre certains raccourcis. Si vous en découvrez un, n'hésitez pas à l'utiliser ! Pour l'instant, examinons les choses dans le détail afin de bien comprendre la manière de procéder.

a. Comptabilité de caisse ou comptabilité d'exercice

Supposons que le président d'une société déclare : « Je sais bien que nous utilisons la comptabilité d'exercice, mais quelle serait la différence pour les bénéfices de cette année si nous utilisions plutôt la comptabilité de caisse ? »

Après consultation, nous découvrons que le bénéfice net de l'exercice s'établit à 11 800 $ (d'après l'état des résultats) ; les flux de trésorerie provenant des activités d'exploitation se chiffrent à 13 400 $ (d'après l'EFT). Par conséquent, on peut répondre au président que, si l'on appliquait les principes de comptabilité de caisse, le bénéfice, pour l'exercice, augmenterait de 1 600 $.

b. Constatation des produits : pendant la production ou après

On peut souvent faire l'analyse par simulation à partir de données générales.

À la section 7.7, nous vous avions donné l'exemple de la société Construction Boisvert qui, pour constater les produits et les charges de ses activités, se fonde sur l'avancement des travaux. Imaginons que le banquier de la société, qui a l'habitude de la méthode de constatation à l'achèvement de la production (une fois le contrat exécuté, comme si l'on utilisait la méthode de constatation au moment de la vente), veut savoir quelle serait la différence dans les bénéfices si l'on utilisait plutôt cette méthode-là. Vous pouvez lui répondre sans connaître tous les détails des méthodes comptables, du moment que vous savez quels sont les effets des deux méthodes sur les bénéfices.

D'après la méthode de l'avancement des travaux, les bénéfices s'établissaient comme suit (pour un total de 600 000 $ sur trois ans) :

- 120 000 $ pour l'exercice 1 ;
- 270 000 $ pour l'exercice 2 ;
- 210 000 $ pour l'exercice 3.

Si les produits et les charges étaient constatés uniquement à l'achèvement de la production, les bénéfices seraient les suivants :

- 0 $ pour l'exercice 1 ;
- 0 $ pour l'exercice 2 ;
- 600 000 $ pour l'exercice 3.

Voici comment répondre à la question du banquier :

- les bénéfices seraient inférieurs de 120 000 $ pour l'exercice 1 ;
- les bénéfices seraient inférieurs de 270 000 $ pour l'exercice 2 ;
- les bénéfices seraient supérieurs de 390 000 $ pour l'exercice 3.

Avec la méthode de constatation à l'achèvement de la production, sur trois ans, le total des bénéfices est le même, mais les chiffres annuels sont répartis autrement.

c. Constatation des produits en cas de franchise

À la section 7.8, nous avons aussi comparé la comptabilité d'exercice et la comptabilité de caisse pour la constatation des bénéfices du franchiseur Charlie ltée. Une fois de plus, tout ce que nous devons connaître, c'est l'effet de chaque méthode sur les bénéfices. En reprenant les chiffres de la section 7.8, nous présentons dans le tableau ci-après les résultats comparatifs de la constatation des bénéfices (comptabilité d'exercice et comptabilité de caisse).

Si l'on utilisait la comptabilité de caisse au lieu de la comptabilité d'exercice, sur trois ans, l'incidence sur les bénéfices serait la suivante :

- les bénéfices seraient supérieurs de 4 200 $ pour l'exercice 1 ;

- les bénéfices seraient inférieurs de 3 100 $ pour l'exercice 2 ;

- les bénéfices seraient inférieurs de 1 100 $ pour l'exercice 3.

		Bénéfice établi selon la comptabilité d'exercice			Bénéfice établi selon la comptabilité de caisse	
	(a)	(b)	(c)	(d)	(e)	(f)
Exercices	Produits	Charges	Bénéfices	Encaissements	Décaissements	Rentrées de fonds
1	10 000 $	3 200 $	6 800 $	15 000 $	4 000 $	11 000 $
2	7 500	2 400	5 100	5 000	3 000	2 000
3	7 500	2 400	5 100	5 000	1 000	4 000
	25 000 $	8 000 $	17 000 $	25 000 $	8 000 $	17 000 $

		Différence		
Exercices	(a)–(d)	(b)–(e)	(c)–(f)	
1	(5 000) $	(800) $	(4 200) $	
2	2 500	(600)	3 100	
3	2 500	1 400	1 100	
	0	0	0	

Exemples des effets des impôts dans l'analyse par simulation

d. Incidence des impôts pour les exemples d'analyse des points *b* et *c*

Supposons que Construction Boisvert soit imposée à 35 % et Charlie à 30 %. Quels seraient les effets sur les chiffres ci-dessus ? Les différences sont tout simplement réduites en proportion du taux d'imposition, car cette part va au fisc. Comme vous le constaterez en examinant le tableau ci-dessous, il suffit de garder à l'esprit la règle suivante : on multiplie la différence avant impôts par (1 − taux d'imposition). Dans ce cas, 1 − 0,35 = 0,65 pour Boisvert et 1 − 0,30 = 0,70 pour Charlie.

Voici un tableau qui résume les différences avant et après impôts (pour faciliter la présentation, les chiffres de Boisvert sont en milliers de dollars) :

	Boisvert			Charlie		
Exercices	Différence brute 100 %	Incidence de l'impôt 35 %	Différence nette d'impôt 65 %	Différence brute 100 %	Incidence de l'impôt 30 %	Différence nette d'impôt 70 %
1	(120) $	(42) $	(78) $	4 200 $	1 260 $	2 940 $
2	(270)	(94,5)	(175,5)	(3 100)	(930)	(2 170)
3	390	136,5	253,5	(1 100)	(330)	(770)
Totaux	0	0	0	0	0	0

L'impôt a pour effet de réduire les incidences positives et négatives sur les bénéfices.

Ainsi, l'imposition vient diminuer les différences positives et négatives. L'augmentation des bénéfices se traduit par une augmentation des impôts; la diminution des bénéfices débouche, au contraire, sur une économie d'impôts (par la réduction des impôts à verser sur les autres bénéfices ou par la création d'un crédit d'impôts, à utiliser pour obtenir un remboursement sur les impôts des exercices précédents, ou pour réduire les impôts à venir).

Sans une connaissance approfondie des lois fiscales (qui sont beaucoup trop complexes pour être abordées ici), on peut difficilement préciser dans quelle mesure les incidences fiscales se répercutent à court terme ou à long terme (impôts reportés ou futurs):

- Nous connaissons les effets sur la charge d'impôts totale, comme nous l'avons indiqué ci-dessus, mais nous ignorons comment répartir ces incidences en part courante et en part reportée ou future.

- Nous connaissons aussi l'effet global sur le bilan, c'est-à-dire l'augmentation ou la diminution du total du passif d'impôts, mais nous ignorons comment répartir ces incidences entre le passif à payer et le passif reporté ou futur.

Il faut connaître à fond les dispositions des lois fiscales pour aller au-delà d'une compréhension des incidences dans les grandes lignes.

e. Analyse après impôts

Les notions présentées ici ont déjà été vues à la section 9.2, mais nous les reprenons pour les lecteurs qui n'auraient pas encore étudié la section en question.

Les produits et les charges peuvent être envisagés comme des éléments qui font augmenter ou diminuer les impôts de façon distincte. Une fois le taux d'imposition connu (même approximativement), on peut donc évaluer directement l'effet après impôts sur le bénéfice net des changements intervenus dans les produits et les charges. Voici comment faire. Supposons que la société Clôtures Bordeaux inc. ait enregistré un produit d'exploitation et une charge, et que son taux d'imposition soit de 35%. L'état des résultats se présenterait comme suit:

Produits	1 000 $
Charges	700
Bénéfice avant impôts	300 $
Impôts sur le bénéfice (35 %)	105
Bénéfice net	195 $

Vous pouvez constater que le bénéfice net correspond à 65 % du bénéfice avant impôts. On peut donc énoncer la formule suivante, comme nous l'indiquions en *d*:

Bénéfice net = (1 − taux d'imposition) × bénéfice avant impôts

Le bénéfice net correspond en quelque sorte à la valeur résiduelle après déduction de l'impôt. Cette constatation s'applique également aux produits et aux charges. Imaginons qu'on modifie l'état des résultats en présentant les produits et les charges comme si ces éléments étaient imposés directement. Les montants seraient présentés après impôts. Les incidences fiscales seraient donc intégrées à chacun des éléments, au lieu d'être présentées au titre de charge indépendante:

	Montant brut	Montant net d'impôts
Produits (nets = 1 000 $ × [1 − 0,35])	1 000 $	650 $
Charges (nettes = 700 $ × [1 − 0,35])	700	455
Bénéfice avant impôts	300 $	
Impôts sur le bénéfice (35 %)	105	
Bénéfice net	195 $	195 $

Les effets sur le bénéfice net d'un changement dans les produits ou les charges correspondent au changement × (1 − taux d'imposition).

L'analyse après impôts s'avère très utile. Imaginons que le président de Bordeaux décide d'augmenter les produits de 200 $, sans augmenter les charges. Quel en serait l'effet sur le bénéfice net ? Celui-ci augmenterait de 200 $ × (1 − 0,35) = 130 $; il passerait à 325 $ (195 $ + 130 $). Il est donc inutile de reprendre tous les calculs de l'état des résultats.

Si vous avez des doutes, vous pouvez aussi procéder à l'analyse au complet, en refaisant les calculs de l'état des résultats :

Nouveaux produits	1 200 $
Charges identiques	700
Nouveau bénéfice avant impôts	500 $
Nouveaux impôts sur le bénéfice (35 %)	175
Nouveau bénéfice net	325 $

Grâce à l'analyse après impôts, nous avons pu obtenir cette réponse plus rapidement, en nous concentrant uniquement sur les changements.

f. Intérêts débiteurs après impôts

On peut appliquer l'analyse après impôts à une charge, par exemple aux intérêts débiteurs. Supposons que l'une des charges de Bordeaux soit constituée d'intérêts débiteurs de 60 $. Nous désirons savoir à combien se chiffrerait le bénéfice net de la société avant de prendre en compte l'intérêt débiteur (comme si l'entreprise n'avait aucune dette). En fait, le bénéfice net augmenterait, mais pas de 60 $, parce que la déduction des intérêts débiteurs permet d'économiser sur l'impôt. Le bénéfice net augmenterait de 60 $ × (1 − 0,35) = 39 $. L'intérêt coûte uniquement 39 $ à la société, parce qu'il se traduit par une économie d'impôts, au même titre que n'importe quelle charge déductible.

Encore une fois, si vous le désirez, vous pouvez calculer l'incidence sur le bénéfice net en utilisant la méthode longue. En partant des produits initiaux, et en considérant que la société n'avait aucune charge pour intérêts débiteurs, vous procéderiez comme suit :

Produits identiques	1 000 $	
Nouvelles charges	640	(700 $ − 60 $ d'intérêts)
Nouveau bénéfice avant impôts	360 $	
Nouveaux impôts sur le bénéfice (35 %)	126	
Nouveau bénéfice net	234 $	(39 $ de plus que le montant brut de 195 $)

Voici deux questions auxquelles vous devriez pouvoir répondre, compte tenu de ce que vous venez de lire :

1. Une société songe à modifier ses conventions comptables de manière à accroître les produits de 500 000 $ pour l'exercice en cours ; 300 000 $ proviendraient en fait d'une diminution des produits de l'exercice précédent et 200 000 $, d'une diminution des produits du prochain exercice. Les charges changeraient aussi : les charges de l'exercice précédent diminueraient de 215 000 $; celles de l'exercice courant augmenteraient de 320 000 $; et celles du prochain exercice diminueraient de 105 000 $. Sans tenir compte des impôts, quels seraient les effets de ce changement sur le bénéfice net pour l'exercice courant ? Sur les bénéfices non répartis au début de l'exercice courant ? Sur les bénéfices non répartis à la fin de l'exercice courant ? Sur les bénéfices non répartis à la fin du prochain exercice ? (Augmentation de 180 000 $; diminution de 85 000 $; augmentation de 95 000 $; aucun changement. Calculs : 500 000 $ − 320 000 $ = 180 000 $; (300 000) $ − (215 000) $ = (85 000) $; (85 000) $ + 180 000 $ = 95 000 $; ici, la somme des changements dans les produits = 0, la somme des changements dans les charges = 0 ; l'effet sur les bénéfices non répartis est, lui aussi, égal à 0.)

2. Répondez à la question 1 en supposant que le taux d'imposition est de 40 %. (Il suffit de multiplier chacun des montants ci-dessus par la formule (1 − 0,40), avec les résultats suivants : augmentation de 108 000 $; diminution de 51 000 $; augmentation de 57 000 $; aucun effet.)

10E.2   LE CADRE D'UNE ANALYSE PAR SIMULATION SUR PLUSIEURS PÉRIODES

La méthode d'analyse présentée à la section 10E.1 peut s'appliquer sur autant d'années que vous le désirez. Nous l'avons vu dans les exemples de Boisvert et de Charlie. Établissons à présent un cadre d'analyse sur plusieurs périodes.

Exemple

La société Textiles Terre inc. fabrique divers tissus et articles de tendance écologique, et notamment des vêtements de randonnée. La société a été fondée il y a trois ans. Pendant l'exercice courant, les magasins de vente au détail ont retourné plus de tissus que d'habitude. C'est pourquoi le président envisage de donner suite à une suggestion que lui a faite le vérificateur externe : il serait souhaitable de constater les produits associés aux stocks expédiés aux détaillants de manière plus prudente. Le taux d'imposition de la société est de 34 %. Voici les données sur les produits et les comptes clients pour les trois premiers exercices :

	Exercice 3	Exercice 2	Exercice 1
Produits d'exploitation	1 432 312 $	943 678 $	575 904 $
Comptes clients — fin de l'exercice	194 587	148 429	98 346

La nouvelle méthode de constatation des produits que le vérificateur propose d'adopter consisterait à reporter sur l'exercice suivant des produits équivalant à un certain pourcentage des comptes clients à la fin de l'exercice. En utilisant cette méthode, on obtiendrait, par rapport aux montants actuels, une réduction des produits, associée à une réduction des comptes clients. À cette fin, l'expert-comptable propose une réduction correspondant à 10 % des comptes clients à la fin de l'exercice 1, à 15 % à la fin de l'exercice 2 et à 25 % à la fin de l'exercice 3. (La constatation des produits passe par un débit aux comptes clients et un crédit aux produits ; la réduction des comptes clients implique une diminution des produits et vice versa.) Quelle serait l'incidence de cette méthode sur les éléments suivants ?

1. Comptes clients à la fin de chaque exercice ?
2. Produits pour chaque exercice ?
3. Bénéfice net pour l'exercice ?
4. Impôts à payer à la fin de chaque exercice ?
5. Capitaux propres à la fin de chaque exercice ?

1. Effets sur les comptes clients :

Exercice 1	Comptes clients, moins 10 %	= 9 835 $	Nouveau solde	= 88 511 $
Exercice 2	Comptes clients, moins 15 %	= 22 264 $	Nouveau solde	= 126 165 $
Exercice 3	Comptes clients, moins 25 %	= 48 647 $	Nouveau solde	= 145 940 $

Il faut comprendre quels sont les effets de ces changements dans les comptes clients. En diminuant les comptes clients à la fin d'un exercice, on réduit du même coup tous les produits constatés jusqu'ici ; la constatation de certains des produits est donc reportée à l'année suivante. Ainsi, les produits de l'exercice 1 diminuent de 9 835 $ mais, comme ils sont reportés à l'exercice 2, les produits de l'exercice 2 augmentent de 9 835 $. À la fin de l'exercice 3, tous les produits précédents ont diminué de 48 647 $. Voici comment ces sommes se répartissent sur trois ans.

2. Effets sur les produits :

Exercice 1	Produits, moins 9 835 $	9 835 $
Exercice 2	Produits, moins 22 264 $ et plus 9 835 $, diminution nette :	12 429
Exercice 3	Produits, moins 48 647 $ et plus 22 264 $, diminution nette :	26 383
Diminution totale des produits sur trois ans :		48 647 $

3. Effets sur le bénéfice net :

Exercice 1	Bénéfice net, moins 9 835 $ (1 − 0,34)	6 491 $
Exercice 2	Bénéfice net, moins 12 429 $ (1 − 0,34)	8 203
Exercice 3	Bénéfice net, moins 26 383 $ (1 − 0,34)	17 413
Diminution totale du bénéfice net sur trois ans :		32 107 $

Nous pouvons vérifier ce calcul. Si les comptes clients ont diminué de 48 647 $, alors le bénéfice net cumulé doit lui aussi avoir diminué selon la formule (1 − 0,34). 48 647 $ (1 − 0,34) = 32 107 $.

4. Effets sur les impôts à payer:

La société paiera moins d'impôts si le bénéfice est moins élevé. Les économies cumulées correspondent au taux d'imposition (0,34) multiplié par le changement cumulé pour la même période, dans les comptes clients:

Exercice 1   Passif de fin d'exercice, moins 9 835 $ (0,34)   3 344 $
Exercice 2   Passif de fin d'exercice, moins 22 264 $ (0,34)   7 570 $
           (Vérification: c'est l'équivalent des impôts économisés du fait de la diminution des produits au cours des deux premiers exercices, ou [9 835 $ + 12 429 $ (0,34) = 3 344 + 4 226 $ = 7 570 $])
Exercice 3   Passif de fin d'exercice, moins 48 647 $ (0,34)   16 540 $
           (Vérification: [9 835 $ + 12 429 $ + 26 383 $] (0,34) = 3 344 $ + 4 226 $ + 8 970 $ = 16 540 $)

5. Effets sur les capitaux propres:

Les capitaux propres diminuent selon la réduction du bénéfice net, puisque celle-ci réduit les bénéfices non répartis. Ainsi, les incidences sur les capitaux propres correspondent à l'accumulation des effets sur le bénéfice net du point 3:

Exercice 1   Capitaux propres de fin d'exercice, moins 6 491 $ 6 491 $
Exercice 2   Capitaux propres de fin d'exercice, moins (6 491 $ + 8 203 $)   14 694 $
Exercice 3   Capitaux propres de fin d'exercice, moins (6 491 $ + 8 203 $ + 17 413 $)   32 107 $

Cadre d'analyse

Pour ne pas faire d'erreur lors d'une analyse sur plusieurs périodes, reportez-vous au cadre d'analyse ci-après, qui s'appuie sur deux grands principes:

- Étant donné que la comptabilité se fait en partie double, on doit veiller à ce que toutes les incidences soient contrebalancées en permanence, afin de maintenir l'équilibre du bilan. Ainsi, si vous hésitez à déterminer si un effet est positif ou négatif, rappelez-vous simplement que tout doit rester en équilibre.

- Par ailleurs, étant donné que le bilan est cumulatif, qu'il rend compte de tout ce qui s'est produit auparavant, les incidences sur chacun des bilans correspondent à la somme des incidences sur le bilan précédent et des incidences sur l'état des résultats, entre les deux bilans.

La figure 10.3 vous propose le cadre d'analyse par simulation que nous mettrons en application bientôt.

Cadre d'analyse par simulation

| Bilan à la fin de l'exercice précédent | + | État des résultats pour l'exercice courant | = | Bilan à la fin de l'exercice courant |

Actif

Passif
   Sauf impôts

Impôts à payer

Capitaux propres
   Bénéfices non répartis

Produits

Charges
   Sauf impôts

Impôts de l'exercice

Bénéfice net

Actif

Passif
   Sauf impôts

Impôts à payer

Capitaux propres
   Bénéfices non répartis

Notes:
1. Sans connaissances approfondies des lois fiscales, il vous sera sans doute impossible de diviser les incidences fiscales selon les impôts à payer et les impôts reportés ou futurs.
2. Pour qu'il y ait une incidence sur les liquidités, un compte d'espèces ou de quasi-espèces doit être modifié. Cette situation ne se produira pas pour les changements de conventions comptables, les corrections d'erreurs et la plupart des autres analyses par simulation.

FIGURE 10.3

Appliquons maintenant ce cadre d'analyse à chacun des trois exercices de Textiles Terre (voir l'exemple, p. 726). N'oubliez pas que la société n'existe que depuis trois ans; pour l'exercice 1, tous les chiffres de « fin de l'exercice précédent » sont zéro.

Bilan à la fin de l'exercice précédent	+	État des résultats pour l'exercice courant	=	Bilan à la fin de l'exercice courant

Exercice 1

Actif
Clients, diminution   0 $
Passif
Sauf impôts
Aucune incidence
Impôts à payer
Diminution   0 $
Capitaux propres
bénéfices non répartis
Diminution   0 $

Produits
Diminution   9 835 $
Charges
Sauf impôts
Aucune incidence
Impôts de l'exercice
Diminution   3 344 $
Bénéfice net
Diminution   6 491 $

Actif
Clients, diminution   9 835 $
Passif
Sauf impôts
Aucune incidence
Impôts à payer
Diminution   3 344 $
Capitaux propres
bénéfices non répartis
Diminution   6 491 $

Exercice 2

Actif
Clients, diminution   9 835 $
Passif
Sauf impôts
Aucune incidence
Impôts à payer
Diminution   3 344 $
Capitaux propres
bénéfices non répartis
Diminution   6 491 $

Produits
Diminution   12 429 $
Charges
Sauf impôts
Aucune incidence
Impôts de l'exercice
Diminution   4 226 $
Bénéfice net
Diminution   8 203 $

Actif
Clients, diminution   22 264 $
Passif
Sauf impôts
Aucune incidence
Impôts à payer
Diminution   7 570 $
Capitaux propres
bénéfices non répartis
Diminution   14 694 $

Exercice 3

Actif
Clients, diminution 22 264 $
Passif
Sauf impôts
Aucune incidence
Impôts à payer
Diminution   7 570 $
Capitaux propres
bénéfices non répartis
Diminution   14 694 $

Produits
Diminution   26 383 $
Charges
Sauf impôts
Aucune incidence
Impôts de l'exercice
Diminution   8 970 $
Bénéfice net
Diminution   17 413 $

Actif
Clients, diminution 48 647 $
Passif
Sauf impôts
Aucune incidence
Impôts à payer
Diminution   16 540 $
Capitaux propres
bénéfices non répartis
Diminution   32 107 $

L'analyse peut commencer à n'importe quel moment, mais les chiffres doivent s'équilibrer à l'horizontale et à la verticale.

Vous devez tenir compte des deux éléments suivants pour bien comprendre le cadre d'analyse :

- Les incidences de chaque exercice s'ajoutent à la verticale et à l'horizontale. Ainsi, à la verticale, les effets sur les soldes d'ouverture et de clôture du bilan et les effets de l'état des résultats concordent en tous points. À l'horizontale, les effets des soldes de clôture du bilan correspondent à la somme des effets des soldes d'ouverture et des chiffres de l'état des résultats.

- Vous pouvez procéder à l'analyse à n'importe quel moment, en regardant le passé ou l'avenir. L'analyse la plus importante est sans doute celle de l'exercice 3, puisque celui-ci rend compte des activités de l'entreprise depuis sa création.

Ce cadre d'analyse vous aidera à mieux comprendre les divers effets, mais n'oubliez pas de tenir compte des circonstances propres à chaque situation. Malheureusement, vous ne pouvez pas apprendre par cœur une solution générale qui s'appliquera toujours. Vous devrez faire preuve de jugement et mettre en application les connaissances que vous aurez acquises pendant vos études! Nous effectuerons ci-dessous d'autres analyses par simulation pour vous aider à affiner votre esprit de synthèse.

Écriture de journal

Vous vous demandez peut-être comment ce changement dans la constatation des produits sera indiqué dans les comptes. C'est très simple: il suffit de prendre les chiffres de l'analyse de l'exercice 3, quand la société termine sa troisième année d'exploitation (supposons que les comptes de l'exercice 3 ne soient pas encore arrêtés). Voici l'écriture, qui respecte l'ordre des comptes du cadre d'analyse:

Ct Clients		48 647
Dt Impôts à payer/impôts reportés ou futurs	16 540	
Dt Bénéfices non répartis (effets des		
exercices précédents, cumulés)	14 694	
Dt Produits (année 3)	26 383	
Ct Charge d'impôts (année 3)		8 970

Incidences sur les liquidités

Les changements de méthodes comptables n'ont généralement aucun effet sur les espèces et les quasi-espèces.

Vous constaterez que l'écriture de journal précédente ne mentionne aucun effet sur les liquidités. Voici un grand principe à garder à l'esprit: *les analyses des changements de méthode comptable ne font presque jamais intervenir les liquidités*. La **comptabilité d'exercice**, après tout, est censée aller au-delà des flux de trésorerie. Ainsi, les chiffres de la comptabilité d'exercice ne se répercutent pas sur les liquidités, ni avant ni après les changements. Bien sûr, si nous modifions les produits d'exploitation, les comptes clients, les stocks, l'amortissement, etc., nous modifierons le bénéfice net, le fonds de roulement, les impôts à payer ou les capitaux propres (bénéfices non répartis). Mais, à moins que, dans le cadre des changements, des liquidités ne soient décaissées ou encaissées, il n'y aura aucune incidence sur la trésorerie. On pourrait noter des répercussions sur les liquidités à la suite de l'augmentation des impôts ou de la perception d'un remboursement d'impôts mais, au moment où il est mis en œuvre, le changement comptable n'a pas d'effets sur les impôts ni sur les liquidités.

Il est facile de comprendre que, si aucun compte d'espèces ou de quasi-espèces n'est touché par le changement, les liquidités ne seront pas modifiées. Gardez bien cette idée à l'esprit. On peut aussi montrer, en examinant les incidences sur les activités d'exploitation (EESF et EFT, méthode indirecte), que même si on peut noter des effets apparents sur les liquidités parce que le bénéfice net a été modifié, en réalité, ces effets sont annulés plus tard par les incidences touchant les autres comptes utilisés pour déterminer le total des liquidités provenant de l'exploitation. Mettons en pratique cette idée en reprenant l'exemple de Textiles Terre.

	Exercice 1	Exercice 2	Exercice 3
Clients :			
Réduction totale à la fin de l'exercice	9 835 $	22 264 $	48 647 $
Réduction totale au début de l'exercice	0	9 835	22 264
Réduction de l'actif au cours de l'exercice	9 835 $	12 429 $	26 383 $
Impôts à payer :			
Réduction totale à la fin de l'exercice	3 344 $	7 570 $	16 540 $
Réduction totale au début de l'exercice	0	3 344	7 570
Réduction du passif au cours de l'exercice	3 344 $	4 226 $	8 970 $
Bénéfices non répartis :			
Réduction totale à la fin de l'exercice	6 491 $	14 694 $	32 107 $
Réduction totale au début de l'exercice	0	6 491	14 694
Réduction du bénéfice au cours de l'exercice	6 491 $	8 203 $	17 413 $
Changements dans les activités d'exploitation de l'EESF ou de l'EFT (méthode indirecte) :			
Réduction des bénéfices qui semble diminuer les liquidités	− 6 491 $	− 8 203 $	− 17 413 $
Réduction des comptes clients qui semble augmenter les liquidités	9 835	12 429	26 383
Réduction du passif qui semble diminuer les liquidités	− 3 344	− 4 226	− 8 970
Incidence nette sur les liquidités provenant de l'exploitation	0 $	0 $	0 $

Un autre exemple

La société Intérieurs Rexdon ltée vend des accessoires de décoration et exécute des travaux d'aménagement pour des particuliers et des entreprises. La société comptabilise ses produits au moment de la livraison, pour les ventes courantes, et au moment de l'achèvement des travaux, pour les contrats. Voici les données comptables pour les exercices 1999 et 1998 :

	1999	1998
Produits pour 1999	1 234 530 $	
Comptes clients, fin de l'exercice	114 593	93 438 $
Créances douteuses pour 1999	11 240	
Provision pour créances douteuses, fin de l'exercice	13 925	6 560

Le président de Rexdon envisage de changer sa façon de constater les produits. Plutôt que la méthode de l'achèvement des travaux, il privilégierait la méthode de l'avancement des travaux (selon le pourcentage de réalisation). S'il changeait de méthode, les comptes clients augmenteraient et s'établiraient à 190 540 $, à la fin de 1998, et à 132 768 $, à la fin de 1999. Le contrôleur lui indique qu'il faudrait alors, pour assurer la concordance des produits et des charges, augmenter la provision pour créances douteuses, qui se chiffrerait à 14 260 $, à la fin de 1998, et à 16 450 $, à la fin de 1999. Aucun autre changement dans la constatation des charges ne serait apporté. Le taux d'imposition de Rexdon s'établit à 32 %.

En nous référant au cadre d'analyse décrit précédemment, nous avons préparé un résumé des effets à envisager pour ce changement de méthode comptable. Voici les explications des chiffres.

Vous constaterez que les effets sont bien plus importants à la fin de 1998 qu'à la fin de 1999, et que les effets pour l'état des résultats de 1999 vont peut-être dans le sens contraire de ceux auxquels vous vous attendiez. Si une société essaie de changer ses bénéfices nets en adoptant une nouvelle convention comptable, elle peut obtenir des résultats surprenants. La transformation des états financiers par le changement de pratique comptable est une opération plutôt risquée, car les effets sont souvent imprévisibles. On ne doit donc pas y recourir à la légère. Le président de Rexdon ne doit apporter des changements dans la constatation des produits que s'il estime que la nouvelle convention est vraiment meilleure, mieux adaptée à la situation de la société et plus équitable, et aussi, s'il est déterminé à la conserver même lorsqu'elle donne des résultats « bizarres », comme en 1999.

Bilan à la fin de l'exercice précédent	+	État des résultats pour l'exercice courant	=	Bilan à la fin de l'exercice courant
Actif		*Produits*		*Actif*
Clients, augmentation 97 102 $		Diminution 78 927 $		Clients, augmentation 18 175 $
Provision pour créances douteuses, augmentation (7 700) $				Provision pour créances douteuses, augmentation (2 525) $
Passif		*Charges*		*Passif*
Sauf impôts		*Sauf impôts*		*Sauf impôts*
Aucune incidence		Créances douteuses, diminution 5 175 $		
Impôts à payer		*Impôts de l'exercice*		Impôts à payer
Augmentation 28 609 $		Diminution 23 601 $		Augmentation 5 008 $
Capitaux propres				*Capitaux propres*
Bénéfices non répartis		*Bénéfice net*		*Bénéfices non répartis*
Augmentation 60 793 $		Diminution 50 151 $		Augmentation 10 642 $

Voici quelques détails pour expliquer le cadre d'analyse :

a. Les bénéfices non répartis à la fin de 1998 augmenteraient du montant de l'augmentation des comptes clients moins l'augmentation de la charge d'impôts :

$$([190\,540\,\$ - 93\,438\,\$] - [14\,260\,\$ - 6\,560\,\$]) \times (1 - 0{,}32)$$
$$= 89\,402\,\$ \times (1 - 0{,}32)$$
$$= \text{augmentation de } 60\,793\,\$.$$

b. Les impôts à payer de 1998 augmenteraient selon la formule suivante :
$$89\,402\,\$ \times 0{,}32 = 28\,609\,\$.$$

c. Les produits de 1999 diminueraient, parce que le montant des produits de 1999, repoussé en 1998, serait plus important que celui des produits de 2000, repoussé en 1999. L'augmentation des comptes clients de 1998 (190 540 $ − 93 438 $ = 97 102 $) serait déduite des produits de 1999; l'augmentation des comptes clients de 1999 (132 768 $ − 114 593 $ = 18 175 $) serait transférée aux produits de 1999, pour une diminution nette des produits de 1999 de 78 927 $ (97 102 $ − 18 175 $).

d. Les charges pour créances douteuses de 1999 diminueraient aussi, en raison de la révision correspondante dans le calendrier de constatation des charges. L'augmentation de la provision de 1998 (14 260 $ − 6 560 $ = 7 700 $) serait déduite des charges de 1999; l'augmentation de la provision de 1999 (16 450 $ − 13 925 $ = 2 525 $) serait transférée aux charges de 1999, pour une diminution nette des charges de 1999 de 5 175 $.

e. Le bénéfice net de 1999 diminuerait, en raison des effets combinés de la diminution des produits et de la diminution des charges pour créances douteuses, moins les incidences fiscales:
(78 927 $ − 5 175 $) × (1 − 0,32) = 73 752 $ × (1 − 0,32)
= diminution de 50 151 $.

f. La charge d'impôts de 1999 diminuerait de 73 752 $ × 0,32 = 23 601 $.

g. Les impôts à payer à la fin de 1999 augmenteraient de 5 008 $ (augmentation de 28 609 $ pour 1998, moins la diminution de 23 601 $ pour 1999).

h. Il n'y aurait aucun effet immédiat sur les liquidités de 1999; il faudra toutefois régler, le moment venu, les impôts de 5 008 $, qui ont augmenté.

En reprenant le résumé du cadre d'analyse précédent, nous pourrions, pour tenir compte du changement de convention comptable, passer l'écriture de journal suivante à la fin de 1999:

Dt Clients	18 175	
Ct Provision pour créances douteuses		2 525
Ct Impôts à payer/impôts reportés ou futurs		5 008
Ct Bénéfices non répartis (exercice précédent)		60 793
Dt Produits, 1999	78 927	
Ct Charges pour créances douteuses, 1999		5 175
Ct Charge d'impôts, 1999		23 601

Notez que, pour ces exemples, nous tenons pour acquis que les changements de conventions comptables et les corrections d'erreurs touchant les exercices précédents se répercutent directement sur les bénéfices non répartis et figureraient dans l'état des bénéfices non répartis. C'est ce que préconisent les PCGR canadiens, comme nous l'avons indiqué à la section 8.11. En revanche, d'après les PCGR américains, la plupart des incidences seraient intégrées à l'état des résultats de l'exercice en cours. Ainsi, aux États-Unis, le bénéfice de l'exercice en cours tiendrait compte des effets des années précédentes. Toutefois, les incidences nettes sur le bilan à la fin de l'exercice en cours seraient les mêmes, selon les PCGR américains et canadiens.

Ù EN ÊTES-VOUS ?

Voici deux questions auxquelles vous devriez pouvoir répondre, compte tenu de ce que vous venez de lire :

1. La société Hinton inc. a trouvé une erreur dans les comptes de ses produits : une facture de 1 400 $ a été inscrite dans les produits de 1998, alors qu'il fallait l'inscrire dans les produits de 1999. Le taux d'imposition est de 35 % ; aucune erreur correspondante ne s'est glissée dans les données sur les coûts des marchandises vendues. Quelle est l'incidence de l'erreur sur les éléments suivants : bénéfice net de 1998 ; liquidités provenant de l'exploitation de 1998 ; bénéfice net de 1999 ; bénéfices non répartis à la fin de 1998 ; bénéfices non répartis à la fin de 1999 ? (1 400 $ [1 − 0,35] = trop élevé de 910 $; aucune incidence sur les liquidités ; 910 $ de moins ; trop élevé de 910 $; aucun effet, car la somme des bénéfices de 1998 et de 1999 est la même.)

2. La société Granby Industriel inc. a décidé de modifier ses méthodes comptables de journalisation des garanties, afin d'inscrire dans ses livres les charges pour garanties plus tôt qu'auparavant. La provision pour garanties à la fin de 1998 a de ce fait connu une augmentation de 121 000 $ et elle devrait encore augmenter de 134 000 $ à la fin de 1999. Le taux d'imposition de la société est de 30 %. Quels seraient les effets des changements sur les éléments suivants : bénéfice net de 1999 ; liquidités provenant de l'exploitation de 1999 ; bénéfices non répartis à la fin de 1999 ; impôts à payer à la fin de 1999 ?
([134 000 $ − 121 000 $] [1 − 0,30] = 9 100 $ de moins ; aucune incidence sur les liquidités ;
134 000 $ [1 − 0,30] = 93 800 $ de moins ; 134 000 $ [0,30] = 40 200 $ de moins.)

10E.3   L'ANALYSE PAR SIMULATION APPLIQUÉE AUX RATIOS ET AUX FLUX DE TRÉSORERIE

Nous poursuivons ici les analyses par simulation afin d'évaluer les incidences sur les ratios et sur les flux de trésorerie. Comme précédemment, les analyses se feront après impôts. N'oubliez donc pas les règles générales suivantes, que nous vous avons déjà présentées aux sections précédentes :

1. Les modifications de conventions ou de méthodes comptables n'ont pas d'incidence directe sur les liquidités, car il ne s'agit pas d'opérations au comptant. Par exemple, la correction d'une charge d'amortissement passe par une écriture dans les charges d'amortissement (pour l'exercice en cours), dans les bénéfices non répartis (pour les exercices précédents) et dans l'amortissement cumulé. L'écriture ne modifie pas les liquidités. Même lorsqu'on applique une convention comptable de constatation des produits ou des charges, on ne note aucun effet direct sur les liquidités, puisqu'une telle opération est inhérente à la comptabilité d'exercice. Ces choix sont mis en application par des écritures de journal qui touchent des éléments du bilan autres que l'encaisse (notamment les comptes clients, les comptes fournisseurs, les stocks et l'amortissement cumulé).

2. Comme nous l'avons déjà vu, les changements qui touchent les produits et les charges se répercutent sur la charge d'impôts et sur les impôts à payer parce

que, généralement, les impôts sont calculés selon la comptabilité d'exercice. Les incidences fiscales pour tout changement X intervenu pendant l'exercice en cours correspondent approximativement à tX, où t est le taux d'imposition estimé à partir des états financiers. Les incidences nettes d'impôts correspondent donc à $(1 - t)X$. Sans une connaissance approfondie des dispositions fiscales, il est le plus souvent impossible de déterminer si ce sont les impôts à payer ou les impôts reportés (ou futurs) qui seront touchés. Toutefois, ces subtilités sont généralement moins pertinentes dans le cadre de la plupart des analyses par simulation.

3. L'incidence sur la charge d'impôts et sur les impôts à payer est aussi le fruit de la comptabilité d'exercice et n'entraîne, dans l'immédiat, aucun débours ni encaissement. Toutefois, l'incidence sur les liquidités se fera sentir bientôt, quand les impôts supplémentaires seront payés ou quand les impôts payés en trop seront remboursés, sauf si seuls les impôts reportés (futurs) sont touchés.

D'après les recherches en sciences comptables, les cours des actions ont tendance à refléter l'analyse ci-dessus. S'il n'y a aucune incidence sur les liquidités, dans le présent comme dans le futur, le marché ne tiendra pas compte du changement. S'il y a des incidences fiscales, le marché peut réagir, parce qu'il y a des répercussions sur le plan des liquidités. Par exemple, si une société ouverte procède à une réduction de valeur ou adopte une méthode comptable qui réduit les bénéfices — ce qui se traduit par des impôts moins élevés —, le cours de ses actions peut monter quelque peu, pour tenir compte des économies réalisées sur le plan des liquidités.

Nous allons à présent examiner cinq exemples concrets afin de bien comprendre le procédé de l'analyse par simulation. Pour chacun des cas, nous poserons huit questions standard, qui vous aideront à bien saisir la portée de l'analyse. Nous nous demanderons quels seraient les effets sur chacun des éléments suivants :

	Abréviations
1. Bénéfice net pour l'exercice en cours	Bén. net
2. Bénéfices non répartis au début de l'exercice en cours (les effets sur les bénéfices non répartis de la fin de l'exercice correspondent à la somme des points 1 et 2)	BNR début
3. Impôts à payer à la fin de l'exercice en cours (en combinant les impôts à payer et les impôts reportés ou futurs)	Imp. à payer
4. Liquidités liées aux activités d'exploitation pour l'exercice en cours	Liq. expl.
5. Fonds de roulement et ratio à la fin de l'exercice en cours	Fonds roul.
6. Rendement des capitaux propres pour l'exercice en cours	RCP
7. Rendement de l'actif pour l'exercice en cours	RA
8. Ratio emprunts/capitaux propres à la fin de l'exercice en cours	P/CP

(Nous avons présenté les ratios 5 et 8 au début du manuel. Leurs formules et celles des ratios 6 et 7 figurent à la section 9.5, que vous pourrez consulter si vous n'avez pas encore étudié l'analyse des ratios.)

Voici les cinq exemples (on admet que le taux d'imposition s'établit à 40 % pour toutes ces sociétés) :

A. La Quincaillerie Bricobrac ltée songe à contracter un emprunt bancaire à court terme de 1 000 000 $.

B. La société Mines Yukon inc. veut procéder à une réduction de valeur de 25 000 000 $ pour une de ses mines qui ne produit pas assez.

C. La société Cailloux et Caillasses inc. a signé une entente avec son syndicat : la contribution de la société au régime de retraite augmentera dès maintenant de 2 000 000 $; de cette somme, 480 000 $ s'appliqueront à l'exercice courant, le solde s'appliquant aux années précédentes. Cette injection de fonds vient corriger les cotisations insuffisantes qu'avait versées jusqu'ici la société, par erreur. À l'avenir, celles-ci seront calculées avec plus de rigueur.

D. À la fin de l'exercice précédent, la société Bijoux Toc ltée a oublié d'inscrire dans ses comptes fournisseurs un loyer de 8 000 $; elle envisage de l'inscrire dans l'exercice en cours.

E. La parfumerie Mouffette inc. voudrait changer sa méthode de comptabilisation des créances douteuses. Selon la méthode actuelle, la provision pour créances douteuses était de 15 000 $ à la fin de l'exercice précédent et elle s'établit à 26 000 $ à la fin de l'exercice courant. Selon la méthode proposée, la provision s'établirait à 23 000 $ à la fin de l'exercice précédent et à 38 000 $ à la fin de l'exercice courant. (On pourrait traiter ce changement uniquement comme un ajustement pour l'exercice en cours, mais nous ferons l'analyse comme s'il s'agissait d'un changement réel de méthode comptable, pour lequel il faudrait corriger les années passées au lieu de simplement regrouper tous les effets dans l'exercice en cours.)

Si vous ne comprenez pas tous les détails des corrigés qui suivent, reportez-vous au cadre d'analyse par simulation présenté à la section 10E.2.

Corrigé — exemple A

Bén. net : Il n'y aurait aucune incidence sur le bénéfice pour l'exercice en cours (jusqu'au moment où l'emprunt serait souscrit ; à partir de là les intérêts commenceraient à s'accumuler).

BNR début : Il n'y aurait aucune incidence sur les bénéfices réalisés par le passé.

Imp. à payer : Il n'y aurait aucune incidence sur l'impôt (jusqu'au moment de la souscription de l'emprunt ; à partir de cette date, les intérêts deviendraient une charge déductible du revenu imposable).

Liq. expl. : D'une part, l'encaisse augmenterait de 1 000 000 $ et, d'autre part, si l'emprunt bancaire était à vue et inclus dans les espèces et les quasi-espèces, l'incidence sur les liquidités provenant de l'exploitation serait nulle. Si l'emprunt bancaire était inclus dans les activités de financement, il n'y aurait encore aucune incidence sur les liquidités provenant de l'exploitation.

Fonds roul. : L'encaisse et l'emprunt bancaire étant tous deux des éléments à court terme, ils augmenteraient tous deux. Il n'y aurait donc aucune incidence sur le fonds de roulement. Mais, pour réfléchir aux effets possibles sur le ratio du fonds de roulement, envisagez les situations suivantes :

	Actif à court terme		Passif à court terme		Ratio fonds roul.	
	Avant	Après	Avant	Après	Avant	Après
a.	6 000 000	7 000 000	3 000 000	4 000 000	2,00	1,75
b.	6 000 000	7 000 000	5 000 000	6 000 000	1,20	1,17
c.	6 000 000	7 000 000	7 000 000	8 000 000	0,86	0,88
d.	6 000 000	7 000 000	9 000 000	10 000 000	0,67	0,70

Vous pouvez constater, en examinant ces situations, qu'un tel événement ramène-rait le ratio du fonds de roulement vers 1 : à la baisse vers 1, s'il était supérieur à 1 ; à la hausse vers 1, s'il était inférieur à 1. Ainsi, il n'y aurait aucune incidence sur le fonds de roulement, parce qu'il correspondrait à l'écart entre l'actif à court terme et le passif à court terme ; les effets sur le passif et sur l'actif s'annuleraient les uns les autres. Il y aurait toutefois des incidences sur le ratio du fonds de roulement, qui correspondrait à l'actif à court terme divisé par le passif à court terme ; les effets sur l'un et sur l'autre ne s'annuleraient pas, parce que l'on n'ef-fectuerait pas de soustractions.

RCP : Il n'y aurait aucune incidence tant qu'il n'y aurait pas accumulation de l'in-térêt et intervention des produits ou des diminutions des coûts associés à cet emprunt. L'augmentation ou la diminution du rendement des capitaux propres dépend en fait du caractère judicieux de l'emprunt. Par exemple, les sommes pourraient être utilisées pour régler les comptes fournisseurs plus tôt et pour obtenir un escompte sur paiement anticipé supérieur à l'intérêt versé à la banque. Dans ce cas, le rendement des capitaux propres finirait par augmenter.

RA : Comme pour le rendement des capitaux propres, il n'y aurait aucune inci-dence, dans un premier temps, les effets futurs dépendant de la manière dont les sommes sont utilisées.

P/CP : Ce ratio serait plus élevé, parce que la société aurait davantage de dettes et que l'emprunt n'aurait eu aucun effet immédiat sur les capitaux propres (aucun effet sur les bénéfices).

Corrigé — exemple B

Bén. net : L'actif « Mine » (son coût) serait crédité, l'amortissement cumulé serait débité et un compte de perte spéciale (charge, perte ou activité interrompue) serait débité. L'incidence totale se ferait sentir sur le bénéfice de l'exer-cice : diminution de 25 000 000 $ moins la portion (le cas échéant) des impôts reportés ou futurs applicable à la mine. Le calcul peut être assez complexe ; contentons-nous de dire pour l'instant qu'il y aurait une réduction immédiate du bénéfice net qui se situerait entre 25 000 000 $ et 15 000 000 $ (c'est-à-dire 25 000 000 $ × [1 − 0,40]).

BNR début : Il n'y aurait aucune incidence sur les bénéfices réalisés par le passé.

Imp. à payer : Il y aurait sans doute une certaine diminution des impôts à payer. Les incidences exactes dépendent toutefois des dispositions particulières quant aux déductions fiscales.

Liq. expl. : Il n'y aurait aucune incidence sur l'encaisse ni sur les liquidités provenant de l'exploitation. La perte incluse dans le bénéfice net serait ajoutée à la rubrique des activités d'exploitation de l'EESF ou de l'EFT (méthode indirecte).

Fonds roul.: Il n'y aurait aucune incidence sur le fonds de roulement ni sur son ratio, à moins qu'il n'y ait réduction des impôts à payer ou augmentation des impôts à recevoir (par remboursement). Dans un tel cas, le fonds de roulement et le ratio augmenteraient.

RCP: Les bénéfices diminueraient et, par voie de conséquence, le rendement des capitaux propres aussi. La réduction de valeur toucherait du même montant les bénéfices et les capitaux propres (bénéfices non répartis, après ajout du bénéfice plus faible); le ratio diminuerait à la suite d'une diminution simultanée du numérateur et du dénominateur.

RA: Comme pour le rendement des capitaux propres, le rendement de l'actif diminuerait en raison des incidences sur les bénéfices. Les effets sur le rendement de l'actif seraient peut-être moins importants que les effets sur le rendement des capitaux propres, parce que le total des actifs serait vraisemblablement supérieur au total des capitaux propres. Les effets sur le dénominateur (les actifs) seraient sans doute proportionnellement moins importants que les effets sur les capitaux propres.

P/CP: Cet élément augmenterait, parce que la société aurait moins de capitaux propres. Les incidences seraient réduites par toute diminution des impôts à payer.

Corrigé — exemple C

On journaliserait ce fait par une écriture comme la suivante (en supposant que la contribution au régime de retraite soit déductible du revenu imposable):

	Ct	Encaisse		2 000 000 $
Dt		Contribution au régime de retraite		
		(exercice en cours)	480 000	
	Ct	Charge d'impôts (40 %)		192 000
Dt		Bénéfices non répartis		
		(exercices précédents,		
		1 520 000 $ × [1 − 0,40])	912 000	
Dt		Impôts à payer (40 %)	800 000	

Bén. net: Le bénéfice net diminuerait de 288 000 $ (c'est-à-dire 480 000 $ moins impôts).

BNR début: Comme l'indique l'écriture, cet élément diminuerait de 912 000 $.

Imp. à payer: Ils diminueraient globalement de 800 000 $.

Liq. expl.: L'encaisse diminuerait de 2 000 000 $. La diminution des liquidités provenant de l'exploitation correspondrait au montant net présenté à l'état des résultats (288 000 $), plus la totalité de la diminution des impôts à payer à court terme. Le solde, c'est-à-dire le débours correspondant aux exercices précédents, figurerait généralement sur l'EESF et sur l'EFT, au titre d'élément distinct des activités d'exploitation.

Fonds roul.: Le fonds de roulement diminuerait de 2 000 000 $, moins toute diminution des impôts à payer. Le ratio diminuerait, parce que la réduction des liquidités serait plus importante que la réduction du passif à court terme.

RCP: Le rendement des capitaux propres diminuerait puisque le bénéfice net diminuerait.

RA: Comme le rendement des capitaux propres, il devrait diminuer en raison des incidences sur les bénéfices. Toutefois, les effets sur le rendement de l'actif seraient peut-être assez faibles puisque le bénéfice diminuerait de 288 000 $ tandis que l'actif diminuerait de 2 000 000 $ (encaisse). En divisant le premier élément par le second, nous obtenons 14,4 %, pourcentage qui ne s'écarte sans doute pas trop du rendement de l'actif antérieur à la contribution. Les dispositions prises avec le syndicat n'auraient pas un effet trop important sur ce ratio.

P/CP: La dette (impôts) diminuerait de 800 000 $ et les capitaux propres, de 1 200 000 $, soit un ratio de 66,7 %. Si ce dernier se rapproche du ratio passé, les effets seront mineurs. Si la transaction entraîne un remboursement d'impôts au lieu d'une diminution du passif, il n'y aura aucune réduction de la dette: le ratio P/CP augmentera, puisque les capitaux propres auront diminué.

Corrigé — exemple D

Bén. net: Il manquerait au bénéfice pour l'exercice en cours 4 800 $ (c'est-à-dire 8 000 $ × [1 − 0,40]).

BNR début: Les bénéfices précédents et donc les bénéfices non répartis du début de l'exercice suivant seraient trop élevés de 4 800 $.

Imp. à payer: Il n'y aurait aucune incidence sur les impôts à payer pour l'instant. Les impôts ont été établis pour le mauvais exercice, mais l'erreur s'est corrigée d'elle-même, pour ainsi dire.

Liq. expl.: Il n'y aurait aucune incidence sur l'encaisse ni sur les liquidités provenant de l'exploitation. L'erreur de 4 800 $ dans le bénéfice est compensée par des erreurs dans les impôts à payer (3 200 $, dans le même sens) et dans les comptes fournisseurs (8 000 $, dans le sens opposé).

Fonds roul.: Il n'y aurait aucune incidence sur le fonds de roulement ni sur son ratio. L'erreur s'est produite l'an dernier et, au moment présent, elle est corrigée et les éléments du bilan sont justes.

RCP: Le bénéfice de l'exercice en cours étant moins élevé, le rendement des capitaux propres sera modifié de la même façon. (Le rendement des capitaux propres aurait été trop élevé pour l'exercice précédent.)

RA: Comme pour le rendement des capitaux propres, le rendement de l'actif diminuerait en raison des effets sur les bénéfices.

P/CP: Il n'y aurait aucune incidence car, à la fin de l'exercice, l'erreur aurait été éliminée des éléments du bilan.

Corrigé — exemple E

Voici ce qui se produirait :

- La provision pour créances douteuses était passée auparavant de 15 000 $ à 26 000 $, soit une augmentation de 11 000 $, après redressement pour les comptes irrécouvrables radiés pendant l'année. Elle passerait à présent de 23 000 $ à 38 000 $, c'est-à-dire une augmentation de 15 000 $.

- En apparence, il n'y a aucun changement dans la méthode de radiation des comptes irrécouvrables, donc les charges pour créances douteuses, pour l'exercice en cours, augmenteraient de 4 000 $ (c'est-à-dire une augmentation de 15 000 $ d'après la nouvelle méthode, moins l'augmentation de 11 000 $ d'après l'ancienne méthode).

- Les bénéfices de l'année précédente seraient touchés eux aussi, parce que, dans le cadre du changement de méthode comptable, le solde de la provision au début de l'exercice courant serait modifié. La provision au début de l'exercice (qui correspond à la provision de fin d'exercice pour l'exercice précédent) passerait de 15 000 $ à 23 000 $, c'est-à-dire une hausse de 8 000 $.

- La provision pour créances douteuses à la fin de l'exercice augmenterait de 12 000 $ (solde révisé de 38 000 $, moins solde précédent de 26 000 $).

- Les impôts à payer diminueraient de 3 200 $ (soit 40 % de 8 000 $) pour l'exercice précédent et de 1 600 $ (soit 40 % de 4 000 $) pour l'exercice courant, c'est-à-dire une diminution totale de 4 800 $.

Voici l'écriture de journal qui correspondrait à la mise en application du changement de méthode comptable :

Dt		Bénéfices non répartis (bénéfices de l'exercice précédent)	
		(23 000 − 15 000) × (1 − 0,40)	4 800
Dt		Créances douteuses (bénéfice de l'exercice courant)	
		(38 000 − 23 000) − (26 000 − 15 000)	4 000
	Ct	Impôts (bénéfice de l'exercice courant)	
		(4 000 × 0,40)	1 600
	Ct	Provision pour créances douteuses	
		(38 000 − 26 000)	12 000
Dt		Impôts à payer (exercice courant)	
		(12 000 × 0,40)	4 800

Bén. net : Le bénéfice net pour l'exercice courant diminuerait de 2 400 $ (soit 4 000 $ × [1 − 0,40]), car les charges pour créances douteuses augmenteraient.

BNR début : Les bénéfices des exercices passés diminueraient de 4 800 $ (soit 8 000 $ × [1 − 0,40]).

Imp. à payer : Les impôts à payer diminueraient de 4 800 $ (soit 12 000 $ × 0,40).

Liq. expl. : Il n'y aurait aucune incidence sur l'encaisse ni sur les liquidités provenant de l'exploitation. Le bénéfice net diminuerait de 2 400 $, mais cette diminution serait compensée par une réduction de 4 000 $ dans les comptes clients nets, moins le changement de 1 600 $ dans les impôts à payer.

Fonds roul. : Le fonds de roulement diminuerait de 7 200 $ (c'est-à-dire une réduction de 12 000 $ entraînée par la provision pour créances douteuses, moins une réduction de 4 800 $ des impôts à payer) ; le ratio diminuerait également.

RCP : Les bénéfices diminueraient et le rendement des capitaux propres aussi.

RA : Comme le rendement des capitaux propres, le rendement de l'actif diminuerait, en raison des incidences sur les bénéfices. Le rendement de l'actif serait sans doute moins touché que le rendement des capitaux propres, parce que les actifs seraient plus importants que les capitaux propres et que la provision pour créances douteuses correspondrait vraisemblablement à une petite part (négative) du total des actifs.

P/CP : Le ratio augmenterait, parce que la société disposerait de capitaux propres moins importants. Cette augmentation serait réduite proportionnellement à la baisse des impôts à payer.

⊙ Ù EN ÊTES-VOUS ?

Voici deux questions auxquelles vous devriez pouvoir répondre, compte tenu de ce que vous venez de lire :

1. La société Au Bout du Rouleau ltée dispose de 190 000 $ en actif à court terme et de 170 000 $ en passif à court terme ; elle obtient de la banque un emprunt à long terme de 40 000 $, remboursable en quatre ans. Quelles sont les incidences de cet emprunt sur le fonds de roulement ? Sur le ratio du fonds de roulement ? Sur le bénéfice net pour l'exercice courant ? (Augmentation de 40 000 $; augmentation de 1,12 à 1,35 ; aucun effet pour l'instant, mais incidence positive si les sommes sont utilisées de manière judicieuse et incidence négative au moment du paiement des intérêts.)

2. La société Mal Embouchée inc. a découvert que sa provision pour les charges associées aux garanties est insuffisante, car les clients retournent plus de produits que prévu pour les faire réparer. Mal Embouchée décide d'ajouter 130 000 $ au passif à long terme afin d'augmenter la provision pour garanties. Ce changement correspond à une augmentation des charges de 90 000 $ de l'exercice courant et de 40 000 $ de l'exercice précédent. Le taux d'imposition de la société s'établit à 35 %. Quels seront les effets de cette décision sur le bénéfice net de l'exercice en cours ? Sur les bénéfices non répartis ? Sur les liquidités provenant de l'exploitation ? Sur le ratio du fonds de roulement ? (Diminution de 90 000 $ × [1 − 0,35], ou 58 500 $; diminution de 130 000 $ × [1 − 0,35], ou 84 500 $, c'est-à-dire 58 500 $ pour l'exercice en cours plus 40 000 $ × [1 − 0,35] pour l'exercice précédent ; aucune incidence [la diminution des bénéfices est compensée par l'ajustement hors caisse de la charge pour garanties, ainsi que par le passif d'impôts reportés ou futurs] ; aucune incidence, parce qu'aucun élément d'actif et de passif à court terme n'est touché.)

10E.4   COMPRENEZ-VOUS BIEN CES TERMES ?

Voici quelques termes utilisés et expliqués dans ce module. Vérifiez que vous comprenez bien leur signification en *comptabilité* et, si certains vous semblent encore un peu confus, relisez les explications données dans le module ou reportez-vous au glossaire à la fin du manuel.

Analyse après impôts
Analyse par simulation
Comptabilité d'exercice
Conventions comptables

 10E.5   SUJETS DE RÉFLEXION ET TRAVAUX POUR AMÉLIORER LA COMPRÉHENSION

PROBLÈME 10E.1*
Incidences du changement de la provision pour créances douteuses, compte tenu de l'impôt

« Karl, certains de nos clients tardent à nous payer. Nous avions prévu une provision pour créances douteuses équivalant à 2 % des comptes clients bruts. Mais nous sommes en période de crise et nous avons de plus en plus de clients qui éprouvent des difficultés. Je propose d'augmenter la provision à 5 %.

— Mais Tanya, c'est impossible. Notre rentabilité et nos flux de trésorerie en souffriraient. »

À partir des données ci-dessous, préparez une analyse pour Karl et Tanya.

Données :		
Comptes clients bruts à la fin de l'exercice	8 649 000 $
Bénéfice net de l'exercice, actuellement	223 650 $
Taux d'imposition	30 %

PROBLÈME 10E.2*
Incidences du changement de méthode : de l'inventaire permanent à l'inventaire périodique

La société Modes Micheline ltée a commencé l'exercice avec 30 000 $ de stock. Pendant l'exercice, elle a acheté 125 000 $ de stock supplémentaire. À la fin de l'exercice, après dénombrement physique, elle a constaté que ses stocks s'élevaient à 38 000 $. D'après le système d'inventaire permanent, le total de ce qui a été vendu pendant l'exercice a coûté 114 000 $.

Le président s'écrie : « C'est trop compliqué d'assurer le suivi de nos stocks avec le système de l'inventaire permanent. Il faut continuellement surveiller les coûts. Quelle serait la différence si nous utilisions la méthode de l'inventaire périodique ? »

PROBLÈME 10E.3*
Incidences de l'abandon de la méthode de capitalisation des coûts de publicité, compte tenu de l'impôt

La société Services Automobile InfoPro inc., en activité depuis un an, a ouvert une chaîne de centres de réparation d'automobiles et a lancé une campagne publicitaire coûteuse. Le taux d'imposition de la société est de 30 %. La société a pour principe de capitaliser une part de ses coûts de publicité au titre de frais reportés. Cette année, les coûts de publicité capitalisés s'établissaient à 75 000 $. La société a comme politique d'amortir la somme capitalisée à raison de 20 % par exercice. Un comptable a dit au vice-président des finances qu'il vaudrait mieux mettre fin à la pratique de la capitalisation des frais publicitaires, parce que l'avantage économique futur associé aux dépenses est impossible à déterminer avec précision. Le vice-président voudrait savoir quels seraient les effets d'un tel changement de méthode comptable.

PROBLÈME 10E.4*
Incidences d'une nouvelle convention comptable: capitalisation des coûts d'amélioration, compte tenu de l'impôt

Les gestionnaires de la société Ski Télémark ltée désirent capitaliser 2 350 000 $ destinés à l'amélioration d'une station de ski pendant l'exercice courant; les coûts capitalisés seraient amortis sur dix ans, au lieu d'être imputés en bloc, comme c'est le cas actuellement. La société a un taux d'imposition de 25 %. À des fins d'impôts, elle voudrait continuer à déduire ces coûts au titre de charges, en admettant que le fisc l'y autorise. Quels seraient les effets de la capitalisation de ces coûts sur le bénéfice net de l'exercice courant et sur les liquidités provenant des activités d'exploitation?

PROBLÈME 10E.5*
Analyse par simulation sur plusieurs périodes, compte tenu de l'impôt

La société Mistaya ltée a décidé de changer sa méthode de constatation des produits, pour accroître ces derniers de 10 000 $ pour l'exercice courant, de 8 000 $ pour les exercices précédents (les comptes clients augmenteraient en conséquence). Les charges relatives augmenteraient de 4 000 $ pour l'exercice courant et de 3 000 $ pour les exercices précédents (les comptes fournisseurs augmenteraient donc aussi). Le taux d'imposition de la société est de 35 %.

Déterminez tous les effets de ce changement sur l'état des résultats et sur l'état des flux de trésorerie de la société pour l'exercice en cours, sans oublier les incidences sur le bilan à la fin de cet exercice. Indiquez le détail de vos calculs et démontrez que tous les effets s'équilibrent.

PROBLÈME 10E.6*
Analyse par simulation des changements, avec ratios

Imaginons qu'au 31 décembre, soit le dernier jour de son exercice, une grande société émet des obligations qui lui permettent de recueillir 150 000 000 $, à rembourser dans six ans. Les sommes ont été utilisées le même jour pour réduire de 50 000 000 $ les emprunts bancaires à court terme de la société et pour acheter du matériel supplémentaire d'une valeur de 100 000 000 $.

Calculez les changements touchant les éléments suivants:

a. total de l'actif à court terme;
b. total de l'actif;
c. total du passif à court terme;
d. ratio du fonds de roulement;
e. total des capitaux propres;
f. bénéfice net pour l'exercice terminé le jour de l'emprunt;
g. espèces et quasi-espèces;
h. liquidités liées aux activités d'investissement;
i. liquidités liées aux activités de financement.

Décrivez dans quelle mesure on pourrait prévoir des effets sur les éléments suivants:

j. rendement des capitaux propres pour la période suivant l'emprunt;
k. effet de levier.

PROBLÈME 10E.7
Notions touchant l'analyse par simulation

1. Pourquoi les changements dans les méthodes et conventions comptables n'ont-ils généralement pas d'incidence sur l'encaisse et les liquidités?
2. Étant donné que l'EESF et l'EFT (méthode indirecte) partent du bénéfice net, tout changement de méthode qui se répercute sur le bénéfice net aura des incidences sur les flux de trésorerie. Comment peut-on expliquer ce fait puisque le total des flux de trésorerie de l'EESF et de l'EFT n'est pas modifié par ce changement?

3. Pourriez-vous donner un exemple de situation où un changement de méthode comptable se répercuterait sur les flux de trésorerie présentés dans l'EESF et l'EFT ?

4. Pourquoi faut-il toujours tenir compte de l'impôt lorsqu'on procède à une analyse par simulation ?

5. Si une société décide de constater ses produits plus tôt qu'elle ne l'a fait jusqu'à présent, ses comptes clients augmenteront. Peut-on dire que les produits et le bénéfice net augmenteront pour tous les exercices touchés par le changement de convention comptable ?

PROBLÈME 10E.8
Analyse par simulation sur plusieurs périodes, sans tenir compte de l'impôt

La société Ventes Fringantes inc. présente les données suivantes pour ses trois premières années d'existence :

	1999	1998	1997
Produits			
Ventes à crédit	900 000 $	600 000 $	500 000 $
Ventes au comptant	80 000	75 000	40 000
Sommes perçues des clients*	910 000	640 000	420 000
Comptes clients devenus des			
créances douteuses pendant			
l'exercice	40 000	15 000	10 000
créances irrécouvrables pendant			
l'exercice	10 000	30 000	5 000

* Y compris les ventes au comptant

Le président de la société se demande quelle serait l'incidence des méthodes suivantes d'évaluation des comptes clients sur le fonds de roulement et sur le bénéfice avant impôts :

a. Ne rien prévoir pour les créances douteuses ; poursuivre simplement les efforts de perception.

b. Radier les créances irrécouvrables, sans faire de provision pour les créances douteuses.

c. Tenir compte des créances irrécouvrables et douteuses une fois qu'elles sont connues.

Préparez une analyse pour le président.

PROBLÈME 10E.9
Analyse par simulation sur plusieurs périodes, compte tenu de l'impôt

Parce qu'elle liquide et ferme plusieurs de ses divisions, la société Farfelue inc. dispose de liquidités excédentaires placées à court terme. Voici les données touchant son encaisse et ses placements temporaires :

	Au 31 décembre 1998	Au 31 décembre 1997
Encaisse	2 134 600 $	1 814 910 $
Placements temporaires (coût)	16 493 220	8 649 270
Placements temporaires (valeur marchande)	15 829 300	10 100 500
Produits des placements pour l'exercice	1 492 814	948 653
Taux d'imposition pour l'exercice	37 %	36 %

La société a jusqu'ici évalué ses placements temporaires au coût mais, cette année, le vérificateur de la société a démissionné et son remplaçant veut que la société choisisse la méthode de la valeur minimale (au moindre du coût et de la valeur marchande) pour l'évaluation des placements.

1. Quelles seront les incidences de cette nouvelle convention comptable sur le bénéfice net pour 1998 ?
2. Quelle sera l'incidence de cette nouvelle convention comptable sur les liquidités de 1998 si :
   a. les placements temporaires sont intégrés aux espèces et aux quasi-espèces ?
   b. les placements temporaires ne sont pas intégrés aux espèces et aux quasi-espèces ?

PROBLÈME 10E.10
Incidences de la constatation du stock de fournitures, compte tenu de l'impôt

La société Fabrication Construction Plus inc. dispose de quantités importantes de fournitures qui ont été inscrites au titre de charges au moment de l'achat. À présent, la société voudrait les constater au titre d'actif. Si c'était le cas, un nouvel élément figurerait dans les actifs à court terme pour tenir compte des fournitures. Le compte s'établirait à 148 650 $, à la fin de l'exercice précédent, et à 123 860 $, à la fin de l'exercice courant. Le taux d'imposition de la société est de 30 %.

Calculez les incidences du changement de méthode de constatation des stocks de fourniture sur chacun des éléments suivants :

1. bénéfices non répartis à la fin de l'exercice précédent ;
2. impôts à payer à la fin de l'exercice précédent ;
3. charges associées aux fournitures pour l'exercice courant ;
4. bénéfice net pour l'exercice courant ;
5. actif à court terme à la fin de l'exercice courant ;
6. impôts à payer à la fin de l'exercice courant ;
7. bénéfices non répartis à la fin de l'exercice courant ;
8. liquidités de l'exercice courant ;
9. liquidités de l'exercice suivant.

PROBLÈME 10E.11
Brèves explications des incidences associées aux changements de conventions comptables

Rédigez une brève explication pour chacune des questions suivantes :

a. Comment se fait-il que le changement de méthode de constatation des produits et des charges, en comptabilité d'exercice, ne se répercute pas sur les flux de trésorerie ? (Ne pas tenir compte des incidences fiscales.)

b. Pourquoi la modification de la méthode d'amortissement (c'est-à-dire le fait de changer les montants relatifs à l'amortissement dans les états financiers) influe-t-elle sur le ratio emprunts/capitaux propres?

c. Une société envisage de créer une provision pour garanties, en évaluant les coûts de réparations non encore effectuées, mais qui seront sans doute demandées par les clients. Un pareil changement de méthode comptable se répercutera-t-il sur le rendement de l'actif? Pourquoi?

PROBLÈME 10E.12
Analyse par simulation: acquisition d'un parc de camions et financement

Supposons que, le 1er mai 1999, la société de transport Gros et Grand inc. décide d'acheter un nouveau parc de camions de livraison pour un montant total de 5 800 000 $. L'acquisition sera réglée au comptant. L'argent proviendra de l'encaisse, pour 2 200 000 $, de l'émission d'actions, pour 2 000 000 $ et d'un emprunt bancaire de 1 600 000 $ sur 20 ans.

1. Sur la base de ces données, indiquez dans le tableau ci-dessous l'ampleur et le sens des changements entraînés par l'achat des camions.

Société Gros et Grand inc.
***Modifications* du bilan au 1er mai 1999**

Quasi-espèces — actif	_____ $	Quasi-espèces — passif	_____ $
Autres actifs à court terme	_____ $	Autres passifs à court terme	_____ $
Actifs à long terme	_____ $	Passifs à long terme	_____ $
		Capital-actions	_____ $
		Bénéfices non répartis	_____ $
Total de l'actif	_____ $	Total du passif et des capitaux propres	_____ $

2. Quelles seront les incidences, le cas échéant, de cette acquisition sur les activités de financement de l'EESF ou de l'EFT pour l'exercice?

3. Quelles seront les incidences, le cas échéant, de cette acquisition sur l'état des résultats pour l'exercice?

4. Quels sont les ratios importants susceptibles d'être modifiés par cette acquisition?

5. Journalisez l'acquisition.

PROBLÈME 10E.13
Données tirées de la section 8.5: méthodes d'évaluation des stocks

À la section 8.5, nous avons passé en revue les calculs d'évaluation des stocks de la société Matrix inc. selon cinq méthodes différentes. Supposons que la société utilise la méthode « premier entré, premier sorti » pour assurer le suivi de ses stocks de « Gloup ». Quelles seraient les incidences sur les états financiers, si, cette année, Matrix choisissait plutôt l'une des quatre autres méthodes pour évaluer ses stocks de fin d'exercice (c'est-à-dire, sans changer les exercices précédents et donc sans modifier le coût de 4 $ pièce des stocks du 1er janvier)? Le taux d'imposition de Matrix est de 30 %.

PROBLÈME 10E.14
Analyse par simulation de l'amortissement

La société Greco inc. a acheté une usine pour 23 000 000 $ (sans compter le terrain). C'est la première fois que la société achète une usine et le président veut savoir quelles seraient les différences entraînées par les divers types de méthodes d'amortissement : amortissement linéaire, amortissement dégressif ou amortissement proportionnel à l'utilisation.

- La durée de vie utile est évaluée à 20 ans ; pendant ce temps, la société fabriquera environ 100 millions de boîtes de son produit standard.

- La valeur de récupération à la fin de la durée de vie utile est de 5 000 000 $.

- Avec la méthode de l'amortissement dégressif, le taux choisi s'établirait sans doute à 10 % par année sur le solde.

- D'après les plans de production, au cours des 6 prochaines années, on fabriquera respectivement 4, 9, 9, 8, 9 et 5 millions de boîtes annuellement ; pour les 14 années qui restent, la production annuelle se stabilisera à environ 4 millions de boîtes.

PROBLÈME 10E.15
Analyse par simulation de l'amortissement

La société Industries Lac aux Coudres a commencé son exploitation au début de l'année. La direction veut choisir comme méthode d'amortissement de l'actif l'amortissement linéaire ou l'amortissement dégressif. Avec l'amortissement linéaire, la charge d'amortissement pour la première année s'établirait à 1 120 000 $. Avec la méthode de l'amortissement dégressif, au taux jugé pertinent par la direction, la charge s'établirait à 1 860 000 $. Le taux d'imposition de la société est de 35 %.

Calculez l'augmentation ou la diminution de chacun des éléments suivants, si la société utilisait la méthode de l'amortissement dégressif plutôt que la méthode de l'amortissement linéaire :

a. charge d'amortissement ;
b. impôts à payer ;
c. part reportée (future) de la charge d'impôts ;
d. bénéfice net ;
e. liquidités provenant des activités d'exploitation ;
f. valeur comptable nette de l'actif ;
g. passif d'impôts reportés (futurs) ;
h. bénéfices non répartis ;
i. ratio du fonds de roulement.

**PROBLÈME 10E.16
(POUR LES AS !)**
Effets d'une erreur dans la comptabilisation des stocks, compte tenu de l'impôt

Le 20 décembre 1998, la société Profit ltée a reçu des marchandises d'une valeur de 1 000 $, dont la moitié a été dénombrée lors de l'évaluation des stocks en main faite le 31 décembre. La facture n'a pas été reçue avant le 4 janvier 1999, et l'achat a été inscrit à cette date. Cet achat aurait dû être imputé à 1998. Tenez pour acquis que la société a utilisé la méthode de l'inventaire périodique et que son taux d'imposition est de 40 %. Indiquez les effets (surévaluation, sous-évaluation, aucun effet) et les sommes en jeu, le cas échéant, pour chacun des éléments suivants :

1. stocks au 31 décembre 1998 ;
2. stocks au 31 décembre 1999 ;
3. coût des marchandises vendues en 1998 ;
4. coût des marchandises vendues en 1999 ;

5. bénéfice net pour 1998 ;
6. bénéfice net pour 1999 ;
7. comptes fournisseurs au 31 décembre 1998 ;
8. comptes fournisseurs au 31 décembre 1999 ;
9. bénéfices non répartis au 31 décembre 1998 ;
10. bénéfices non répartis au 31 décembre 1999.

PROBLÈME 10E.17 (POUR LES AS !) Analyse par simulation de certaines modifications, compte tenu de l'impôt

La société Costumes Canneberges ltée est exploitée depuis plusieurs années. Actuellement, le bénéfice de l'exercice en cours s'établit à 75 000 $, avant impôts, avec un taux d'imposition de 30 %. (Le bénéfice avant impôts de l'exercice précédent était de 62 000 $, avec un taux d'imposition de 30 % également.) La propriétaire, Jeanne Berges, voudrait apporter certaines modifications à sa comptabilité et elle vous a demandé conseil. Voici les possibilités à envisager :

- Modifier la convention de constatation, pour qu'on puisse comptabiliser les produits plus tôt. Les comptes clients de cet exercice augmenteraient de 26 000 $ et ceux de l'exercice précédent de 28 000 $.

- Inscrire dans les comptes une charge mensuelle pour les primes payées aux employés à la fin de chaque exercice. Les comptes fournisseurs augmenteraient de 11 000 $, immédiatement, et de 7 000 $, à la fin de l'exercice précédent.

- Repousser de cinq ans le remboursement d'un emprunt de 19 000 $ (consenti par Jeanne à la société), qui figurait jusqu'ici dans le passif à court terme.

- Capitaliser au titre d'actif 14 000 $ de fournitures publicitaires et de charges salariales inscrites dans l'exercice précédent.

1. Calculez le bénéfice net après impôts pour l'exercice en cours, si toutes les modifications sont adoptées ; exposez les raisons qui pourraient motiver l'adoption de chacune de ces modifications.
2. Calculez l'incidence de toutes ces modifications sur l'encaisse de la société.
3. Expliquez tout écart entre les résultats calculés en 1 et en 2.

PROBLÈME 10E.18 (POUR LES AS !) Analyse par simulation sur plusieurs périodes, compte tenu de l'impôt

La société Fabrication d'acier Saint-Hyacinthe inc., spécialisée dans le recyclage et la fabrication de fer et d'acier, fournit des produits à diverses entreprises canadiennes et étrangères. Elle ne conserve qu'une quantité limitée de produits en stock, car elle produit sur commande. Elle utilise la méthode de l'inventaire permanent pour les produits en stock et pour les coûts des commandes spéciales. Quand les produits sont vendus ou quand les commandes sont exécutées, les coûts sont transférés du compte d'actif « Stocks » au compte « Coûts des marchandises vendues ». La société a un taux d'imposition de 32 % et son passif d'impôts reportés est plutôt élevé, en raison des écarts considérables notés par le passé entre l'amortissement comptable et les déductions pour amortissement.

La société songe à modifier sa méthode de comptabilisation des produits pour les constater un peu plus tard au cours du processus de production. Si la décision était adoptée, la constatation des charges pour le coût des marchandises vendues changerait en conséquence : il y aurait diminution des comptes clients de 1 200 000 $, à la fin de l'exercice courant, et de 340 000 $, à la fin de l'exercice précédent (1 200 000 $ de produits seraient déplacés de l'exercice en cours à l'exercice suivant ; 340 000 $ de produits passeraient de l'exercice précédent à l'exercice courant). Parallèlement, les stocks augmenteraient de 850 000 $ à la fin de l'exercice courant et de 190 000 $ à la fin de l'exercice précédent (850 000 $ du coût des marchandises vendues seraient transférés de l'exercice courant à l'exercice suivant; 190 000 $ du coût des marchandises vendues seraient transférés de l'exercice précédent à l'exercice courant).

1. Quelle serait l'incidence après impôts du changement de méthode comptable sur le bénéfice net pour l'exercice courant?
2. Quelle serait l'incidence après impôts du changement sur les bénéfices non répartis à la fin de l'exercice courant?
3. Démontrez que l'incidence que vous avez trouvée pour la question 2 moins l'incidence que vous avez trouvée pour la question 1 équivaut à l'incidence sur les bénéfices non répartis à la fin de l'exercice précédent.
4. Quel serait l'effet de la modification sur les éléments suivants du bilan, à la fin de l'exercice courant?
   a. encaisse;
   b. comptes clients;
   c. stock;
   d. impôts à payer (immédiats/reportés).
5. Démontrez que les réponses aux questions 2 et 4 se combinent pour équilibrer le bilan à la fin de l'exercice courant.

PROBLÈME 10E.19 (POUR LES AS!)
Analyse par simulation sur plusieurs périodes, compte tenu de l'impôt

La société Kennedy Contrôles inc. voudrait modifier sa méthode de comptabilité des coûts d'entretien. Le directeur financier propose que la société capitalise 20% des charges d'entretien, étant donné qu'une partie de ces dépenses ont entraîné la création d'actifs supplémentaires pour l'usine. La société a un taux d'imposition de 40%. Elle existe depuis quatre ans et amortit ses éléments d'actif en usine à 10% de leur coût à la fin de chaque exercice.

Voici certains soldes pertinents pour les quatre derniers exercices, dont vous devez tenir compte pour étudier la proposition ci-dessus:

	Exercice 1	Exercice 2	Exercice 3	Exercice 4
Acquisition d'éléments d'usine	1 243 610 $	114 950 $	34 770 $	111 240 $
Solde de l'élément d'actif usine	1 243 610	1 358 560	1 393 330	1 504 570
Charge d'amortissement	124 361	135 856	139 333	150 457
Amortissement cumulé	124 361	260 217	399 550	550 007
Charge d'entretien	43 860	64 940	73 355	95 440

Déterminez les effets du changement proposé sur l'état des résultats et l'EESF (ou l'EFT) *de l'exercice 4*, ainsi que sur le bilan *à la fin de l'exercice 4*.

**PROBLÈME 10E.20
(POUR LES AS!)
Incidences des
changements
intervenus dans
la constatation
des produits**

La société Joujoux Plus ltée fabrique toute une gamme de jouets éducatifs: lance-grenades, mitraillettes, gaz asphyxiants, etc. La société conclut toutes ses ventes à crédit; jusqu'ici, elle comptabilisait ses produits selon la méthode de la constatation à la fin du processus de production, parce que les jouets se vendent si bien que leur sortie sur le marché semble constituer un «événement critique». Mais cette méthode a dû être abandonnée au moment où le vérificateur des comptes de la société, Robert Relax, a pris sa retraite. Il est remplacé par un nouveau vérificateur, Patrick Pointilleux, qui suggère que la société modifie sa politique de constatation des produits, de façon que ces derniers soient constatés au moment de l'expédition, car c'est la norme dans le secteur des jouets éducatifs. Le changement dans la méthode de constatation des produits ne se répercuterait pas sur les charges mais, si les bénéfices étaient touchés, la charge d'impôt le serait aussi (taux de 40 %).

La constatation des produits pour chaque jouet serait retardée: au lieu d'être comptabilisé à la fin de la production, il le serait au moment de l'expédition. Les incidences sur chaque exercice dépendent des particularités des périodes de production et de vente. Voici les renseignements dont nous disposons:

	Évaluation — exercice suivant	Exercice courant	Exercice précédent	Total des exercices antérieurs
Produits, selon la méthode actuelle	1 400 000 $	1 280 000 $	1 040 000 $	8 680 000 $
Produits, selon la méthode proposée	1 420 000 $	1 190 000 $	1 120 000 $	8 550 000 $
Méthode proposée moins méthode actuelle	20 000 $	(90 000) $	80 000 $	(130 000) $

Quel serait l'effet du changement de méthode de constatation des produits sur le bénéfice pour l'exercice précédent? Pour l'exercice en cours? Sur les bénéfices non répartis à la fin de l'exercice courant? Sur les comptes clients à la fin de l'exercice courant? Sur le rendement des capitaux propres pour l'exercice courant? Sur le ratio du fonds de roulement pour l'exercice courant?

**PROBLÈME 10E.21
(POUR LES AS!)
Méthodes
comptables de
consolidation**

Voici le résumé des comptes de la société Ambitieuse inc. pour l'exercice courant et pour l'exercice précédent, avant la clôture des comptes de charges, de produits et de dividendes sur les bénéfices non répartis.

	Débits			Crédits	
	Exercice courant	Exercice précédent		Exercice courant	Exercice précédent
Impôts à recevoir (remboursement)	5 000 $	3 000 $	Emprunt bancaire	42 000 $	41 000 $
Créances douteuses	6 000	8 000	Fournisseurs	65 000	59 000
Encaisse	4 000	10 000	Dette à long terme	70 000	76 000
Clients (net)	60 000	35 000	Impôts reportés	8 000	6 000
Stocks	88 000	68 000	Amortissement cumulé	41 000	36 000
Placements	48 000	—	Capital-actions	75 000	50 000
Terrain	5 000	15 000	Bénéfices non répartis		
Usine	189 000	187 000	− *solde d'ouverture*	58 000	38 000
Coût des marchandises			Ventes	316 000	261 000
vendues	179 000	148 000	Autres produits	16 000	11 000
Autres charges	97 000	84 000	Gain (net)	15 000	—
Impôts sur les					
bénéfices	15 000	11 000			
Dividendes	10 000	9 000			
	706 000 $	578 000 $		706 000 $	578 000 $

Autres données :

- La charge d'amortissement était de 13 000 $ pour l'exercice précédent et de 15 000 $ pour l'exercice courant.

- Au cours de l'exercice courant, une machine, qui avait coûté 18 000 $, a été vendue 8 000 $. Étant donné que l'amortissement est calculé sur l'ensemble du matériel, on n'a comptabilisé ni gain ni perte sur la cession.

- Le placement correspond à une participation de 80 % des actions avec droit de vote dans la société Tardif ltée ; les actions ont été acquises plus tôt au cours de l'exercice courant, pour 40 000 $ au comptant. À la date d'acquisition, l'actif net de Tardif avait une valeur comptable de 26 000 $ et une juste valeur marchande évaluée à 31 000 $ (en raison de la valeur des terrains). Depuis l'acquisition, Tardif a réalisé un bénéfice net de 10 000 $, mais n'a payé aucun dividende. La société Ambitieuse ne paie aucun impôt sur les bénéfices provenant de ce type de placement.

- Pendant l'année, un terrain a été exproprié par le gouvernement contre 30 000 $. La société a dû payer un impôt sur gain en capital de 5 000 $ sur les produits de l'expropriation.

- La société songe à changer sa méthode de comptabilisation des créances douteuses. Selon la méthode révisée, les comptes clients nets de l'exercice précédent diminueraient de 8 000 $ et, pour l'exercice courant, de 14 000 $. La société soumettrait de nouvelles déclarations d'impôt pour demander un remboursement de 3 000 $ pour l'exercice précédent et de 2 000 $ pour l'exercice courant, soit un total de 5 000 $.

1. Journalisez le changement de méthode comptable.
2. Calculez le bénéfice net pour l'exercice courant, après inscription du changement ci-dessus.
3. Pour les états consolidés d'Ambitieuse et de Tardif, à la fin de l'exercice courant, calculez les montants correspondant aux éléments suivants (tout écart d'acquisition sera amorti à raison de 1 000 $ par exercice):

   a. actif au titre de l'écart d'acquisition (net);
   b. part des actionnaires sans contrôle (sur le bilan);
   c. bénéfice net consolidé;
   d. bénéfices non répartis consolidés.

4. Préparez les bilans non consolidés d'Ambitieuse, à la fin de l'exercice précédent et de l'exercice courant.
5. Préparez l'EESF ou l'ETF non consolidé d'Ambitieuse pour l'exercice courant.

**PROBLÈME 10E.22
(POUR LES AS!)
Analyse par
simulation,
avec ratios**

La société Jouets Rigolo inc. conçoit, fabrique et vend des jouets et des jeux de société. En 1998, les directeurs financiers de Rigolo ont décidé de modifier deux méthodes comptables.

- Ils ont tout d'abord décidé de capitaliser certains coûts de développement des nouveaux jouets éducatifs, qui étaient auparavant passés en charges. La demande de jeux étant considérable depuis plusieurs années, la direction estime que les coûts de développement produiront à coup sûr des avantages futurs.

- Les gestionnaires ont aussi décidé de modifier la méthode d'amortissement appliquée à une catégorie de matériel, afin d'établir des charges d'amortissement annuelles qui correspondraient mieux au type de produits d'exploitation de la société.

Voici un tableau illustrant les effets de ces changements sur les charges de développement et d'amortissement pour les exercices 1998 et 1999. Le taux d'imposition de la société est de 30 % et les changements de méthode se répercuteraient sur les impôts reportés mais non sur les impôts à payer.

Charges pour développement	1998	1999
Ancienne méthode	75 000 $	85 000 $
Nouvelle méthode	70 000	78 000

Charges pour amortissement	1998	1999
Ancienne méthode	150 000 $	175 000 $
Nouvelle méthode	160 000	170 000

1. Déterminez l'incidence combinée des deux changements de méthode sur chacun des éléments suivants pour 1998 et 1999. Précisez si les éléments augmentent, diminuent ou restent inchangés. (Vérifiez tous les ratios avec soin pour déterminer les effets sur le numérateur et sur le dénominateur.)

a. bénéfice net ;
b. fonds de roulement à la fin de l'exercice ;
c. total de l'actif à la fin de l'exercice ;
d. ratio emprunts/capitaux propres à la fin de l'exercice ;
e. rendement des capitaux propres à la fin de l'exercice ;
f. ratio de rotation de l'actif.

2. Examinez les changements que vous avez repérés. Quels seraient les effets de ces différences pour les investisseurs, d'après l'hypothèse d'efficience du marché des capitaux ? Pourquoi ?

(R) ÉFÉRENCES

1. La formule utilisée pour calculer la valeur actualisée d'un versement constant au comptant est tirée de la formule mathématique suivante, qui correspond à la somme d'une suite géométrique :

$$\frac{F}{(1+i)^1} + \frac{F}{(1+i)^2} + \frac{F}{(1+i)^3} + \ldots + \frac{F}{(1+i)^n}$$

Consultez un manuel d'algèbre, pour voir comment on peut démontrer que cette suite aboutit effectivement à la formule donnée.

2. Ménard, Louis, Nadi Chlala, Ida Chen et Clarence Byrd, *Information financière publiée au Canada 1997*, Toronto, Institut Canadien des Comptables Agréés, 1998, p. 184.

3. *Ibid.*, p. 346.

Annexes

Profil

Provigo est un chef de file canadien de la distribution en gros et au détail de produits alimentaires et de marchandises générales. La Compagnie se positionne comme le plus grand détaillant en alimentation au Québec et comme un détaillant important en Ontario. De concert avec ses marchands, ses fournisseurs et ses employés, Provigo répond aux besoins variés et évolutifs des consommateurs avec ses concepts novateurs de supermarchés et de grandes surfaces à escompte.

SUPERMARCHÉS ET GRANDES SURFACES À ESCOMPTE
Ces activités représentent 80 % du chiffre d'affaires de Provigo

Supermarchés
- **162 Provigo**
situés au Québec dont 83 de type corporatif et 79 franchisés ou affiliés ;
- **104 LOEB**
12 au Québec et 92 en Ontario parmi lesquels 74 de type corporatif et 30 franchisés ;

Grandes surfaces à escompte
- **70 Maxi** dont 69 au Québec et un en Ontario ;
- **12 Maxi & Cie,** neuf au Québec et trois en Ontario.

ACTIVITÉS DE GROS
- **655 magasins affiliés** sous les bannières Atout-Prix, Axep, L'Intermarché et Proprio; quatre magasins de type corporatif L'Économe et un grand nombre de **clients indépendants** ;
- **les services alimentaires Dellixo** (environ 2 000 clients des secteurs de la restauration, de l'hôtellerie et des institutions) ;
- **42 magasins libre-service Presto** et **Linc** (service « payer et emporter » pour des PME du secteur de la restauration et des réseaux de dépanneurs au Québec et en Ontario).

Au 31 janvier 1998, Provigo employait directement 23 500 personnes et 14 000* dans ses réseaux de marchands affiliés et franchisés.

* Compte tenu de la vente de C Corp. inc.

Faits saillants financiers

Exercice terminé le 31 janvier 1998

En millions de dollars à l'exception des données par action	1998 (53 sem.)	1997 (52 sem.)	Variation
Résultats d'exploitation (excluant les opérations de C Corp. inc.)			
Ventes nettes	5 872,3	5 605,1	4,8 %
Bénéfice d'exploitation avant amortissements	222,8	202,6	10,0 %
Bénéfice d'exploitation	147,3	137,6	7,0 %
Bénéfice net avant éléments inhabituels	68,7	62,5	9,9 %
Bénéfice par action avant éléments inhabituels	0,70 $	0,59 $	18,6 %
Résultats d'exploitation (incluant les opérations de C Corp. inc.)			
Ventes nettes	5 956,2	5 832,5	2,1 %
Bénéfice d'exploitation	150,5	148,5	1,3 %
Bénéfice net	84,9	38,8	118,8 %
Situation financière			
Actif total	1 233,5	1 193,5	3,4 %
Dette totale	389,2	390,3	− 0,3 %
Avoir des actionnaires	313,6	313,3	0,1 %
Évolution de la situation financière			
Liquidités provenant de l'exploitation	114,9	126,8	− 9,4 %
Acquisition d'immobilisations	184,0	171,4	7,4 %
Par action ordinaire			
Bénéfice net avant éléments inhabituels	0,71 $	0,63 $	12,7 %
Bénéfice net	0,87	0,34	155,9 %
Avoir des actionnaires	3,27	2,42	35,1 %

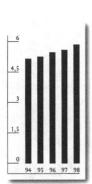

Ventes nettes – Canada
(excluant C Corp. inc.)
(en milliards de dollars)

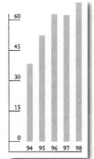

Bénéfice net – Canada
(excluant C Corp. inc.
et éléments inhabituels)
(en millions de dollars)

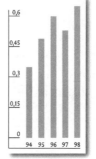

Bénéfice par action ordinaire (dilué) – Canada
(excluant C Corp. inc.
et éléments inhabituels)
(en dollars)

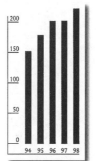

Bénéfice d'exploitation avant amortissements – Canada
(excluant C Corp. inc.)
(en millions de dollars)

Le réseau Provigo

Au 31 janvier 1998

Supermarchés et grandes surfaces à escompte

Supermarchés		Grandes surfaces à escompte (réseau corporatif)	
provigo	**LOEB**	**maxi**	**maxi & Cie**
162 supermarchés	104 supermarchés	70 magasins	12 magasins
Québec : 162 *Corporatifs : 83* *Franchisés ou affiliés : 79*	Québec : 12 Ontario : 92 *Corporatifs : 74* *Franchisés ou affiliés : 30*	Québec : 69 Ontario : 1	Québec : 9 Ontario : 3
Superficie moyenne : 20 000 pi^2 35 000 pi^2 (nouveaux magasins)	Superficie moyenne : 25 000 pi^2 35 000 pi^2 (nouveaux magasins)	Superficie moyenne : 36 000 pi^2 53 000 pi^2 (nouveaux magasins)	Superficie moyenne : 82 000 pi^2

Activités de gros

Bannières affiliées	Magasins corporatifs	Services alimentaires	Magasins libre-service
l'inter MARCHÉ **AXEP** **dépanneur proprio** **ATOUT-PRIX**	**L'ÉCONOME**	**Dellixo**	**LES ENTREPOTS PRESTO**
Québec : 655 marchands	Québec : 4	2 000 clients	Québec : 24
Clients indépendants			**LINC** Québec : 1 Ontario : 17

Centres de distribution

Supermarchés et grandes surfaces à escompte	Activités de gros
15 centres	6 centres
Québec : 9 Ontario : 6	Bannières affiliées et autres : 4 Dellixo : 2

Québec

162 Supermarchés Provigo
12 Supermarchés LOEB
69 Maxi
9 Maxi & Cie

Ontario

92 Supermarchés LOEB
1 Maxi
3 Maxi & Co.

2

Faits saillants de l'exercice

1er trimestre
terminé le 19 avril 1997

Accroissement de 8 % du bénéfice net et de 2,6 % des ventes.

Rachat d'actions privilégiées de premier rang, série 1, pour un montant de 85 millions $.

Ouverture d'un Maxi dans la région de Montréal et d'un Supermarché LOEB dans la région de Toronto.

Début du projet de conversion des systèmes pour l'an 2000.

2e trimestre
terminé le 9 août 1997

Accroissement de 7,1 % du bénéfice net et de 3,4 % des ventes[1].

Vente de C Corp. inc. pour un montant de 85 millions $.

Ouverture de deux Maxi & Cie, à Mississauga et à Gatineau.

3e trimestre
terminé le 1er novembre 1997

Accroissement de 14,5 % du bénéfice net et de 2,5 % des ventes[2].

Lancement du concept de supermarché axé sur les produits frais et les mets prêts-à-consommer[3] lors de l'ouverture d'un Supermarché LOEB à Mississauga.

Ouverture de deux Supermarchés Provigo, à Montréal et à Beloeil.

Ouverture de deux Maxi & Cie, à Hull et à Oakville.

Conversion d'un Supermarché LOEB en Maxi à Cornwall.

Conversion d'un Maxi en Maxi & Cie à Pointe-Claire.

4e trimestre
terminé le 31 janvier 1998

Accroissement de 9,4 % du bénéfice net et de 11,7 % des ventes[2].

Conversion d'un Maxi en Maxi & Cie à Jonquière.

Ouverture d'un Maxi à Beloeil et de deux Maxi & Cie, à Montréal et à Scarborough.

[1] Excluant C Corp. inc. et le gain non récurrent réalisé à la vente de cette filiale
[2] Excluant les résultats de C Corp. inc.
[3] Home Meal Replacement – HMR

Rendement de l'action de Provigo (PGV)* comparativement à l'indice TSE 300

Du 1er février 1997 au 31 janvier 1998
1er février 1997 = 100

■ PGV
● TSE 300

* Basé sur le cours de clôture à la Bourse de Toronto le dernier jour de chaque mois

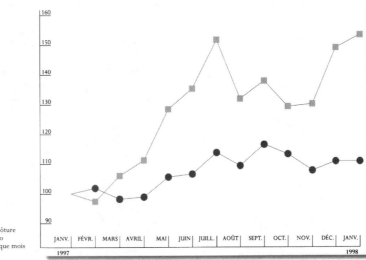

JANV. FÉVR. MARS AVRIL MAI JUIN JUILL. AOÛT SEPT. OCT. NOV. DÉC. JANV.
1997   1998

3

Message aux actionnaires

Une excellente année pour Provigo

Pierre Michaud   Pierre L. Mignault

Les résultats de l'exercice 1998 témoignent du bien-fondé de notre stratégie des quatre dernières années. Les ventes nettes, excluant C Corp. inc., se sont établies à 5,9 milliards $, en progression de 4,8 % sur celles de l'exercice précédent. Quant au bénéfice net, il s'est accru de 9,9 % pour atteindre le niveau record de 68,7 millions $ ou 0,65 $ par action après dilution, excluant C Corp. inc. et les éléments inhabituels reliés à la vente de cette filiale. Nous avons terminé notre restructuration opérationnelle et financière, et avec l'appui de nos employés et de tous les marchands de notre réseau, nous nous sommes concentrés sur notre métier d'experts en commerce de détail. Nous tenons à remercier nos actionnaires pour leur confiance au cours de ces périodes de repositionnement où nous nous sommes efforcés de protéger leur investissement. Les milieux financiers évaluent positivement les mesures que nous avons implantées pour revaloriser la Compagnie à long terme. L'action affiche en effet un accroissement de plus de 53 % pour les douze mois terminés le 31 janvier 1998.

Notre progression résulte des réalisations suivantes :

• **notre repositionnement dans le commerce de détail** avec l'implantation d'un réseau de grandes surfaces à escompte et d'un nouveau concept de supermarché axé sur les produits frais et les mets prêts-à-consommer. Au cours de l'exercice 1998, nous avons ouvert 12 magasins et

4

réalisé 19 rénovations importantes au Québec et en Ontario. La superficie totale de nos magasins de détail s'est accrue de 8 % cette année ;

• **notre compréhension des clients grâce à l'analyse continue de leurs besoins et des tendances de consommation ;** celles-ci évoluent beaucoup plus rapidement qu'avant et sont devenues un important facteur stratégique. Le marchandisage des Supermarchés Provigo et LOEB, des Maxi et des Maxi & Cie présente d'ailleurs toute la souplesse voulue pour s'adapter très rapidement aux changements. La tendance de consommation actuelle étant aux aliments frais, nous modifions notre offre pour que dans la plupart de nos supermarchés, environ 50 % de la superficie soit destinée à ces produits, et nous donnons aussi une plus grande visibilité aux aliments frais dans nos magasins à escompte ;

• **nos divers programmes de formation,** regroupés sous l'Académie Provigo afin de faire converger tous nos efforts dans ce domaine vers nos objectifs de satisfaction des clients et de productivité. Pendant l'année, ces programmes ont été axés plus particulièrement sur le marchandisage et la nouvelle logistique de distribution. Pour l'exercice 1998, notre investissement global de formation s'élève à 6,2 millions $, soit 1,4 % de notre masse salariale ;

• **notre système de gestion par catégorie et la conversion de notre logistique de distribution** qui favorisent un meilleur service à la clientèle, l'efficacité dans les magasins et le rendement global de la Compagnie. Cette conversion aura des retombées progressives sur le bénéfice net.

Pendant l'exercice 1999, nous poursuivrons notre expansion en Ontario et au Québec, ainsi que la conversion de notre logistique de distribution et de nos systèmes informatiques pour l'an 2000.

Nous avons orienté notre plan d'action à la lumière des changements qui se profilent dans notre industrie afin d'en prendre avantage. Nous poursuivrons l'expansion de nos réseaux de grandes surfaces à escompte au Québec et en Ontario. Dans le segment des supermarchés, nous favoriserons le déploiement de notre nouveau concept axé sur les produits frais par un programme de relocalisations, d'agrandissements et de rénovations qui concerne les deux réseaux, Provigo et LOEB. Notre superficie de vente s'accroîtra de quelque 7 %, pour un investissement d'environ 150 millions $, correspondant à 2,5 % de nos ventes totales.

D'ici janvier 1999, nous aurons pratiquement complété la conversion des systèmes informatiques qui soutiennent notre logistique de distribution dans nos magasins à escompte. Ce projet comprend entre autres un système d'inventaire permanent en magasin, un entrepôt de données et des logiciels d'approvisionnement et de distribution. Par ailleurs, nous menons à bien la conversion de l'ensemble de nos systèmes pour qu'ils soient pleinement fonctionnels dès le premier jour de l'an 2000. Cette conversion est d'ores et déjà bien entreprise et devrait se terminer d'ici à la fin de l'année 1998 en vue d'un rodage complet en 1999.

Nous tenons à remercier les membres du conseil d'administration pour leur participation et leur soutien, et nous adressons un message particulier de reconnaissance à monsieur Pierre Fortier qui a quitté le conseil. Au cours de son mandat, monsieur Fortier nous a fait bénéficier de sa vaste expérience et de ses grandes qualités professionnelles.

Nous exprimons toute notre gratitude à nos marchands et à nos employés pour leur engagement soutenu et leurs nombreuses initiatives qui nous auront permis de réaliser les meilleurs résultats de l'histoire de Provigo. Nous nous engageons à toujours mieux servir nos clients et à continuer d'optimiser l'investissement de nos actionnaires.

Le président du conseil d'administration,

Pierre Michaud

Le président et chef de la direction,

Pierre L. Mignault

5

Supermarchés Provigo et LOEB

Une nouvelle généra-
tion de Supermarchés
Provigo et LOEB a vu le
jour l'été dernier.

Les nouveaux supermarchés sont des magasins de proximité d'une superficie de 30 000 à 40 000 pieds carrés selon les emplacements, principalement axés sur les produits frais, de même que sur les solutions-repas dont les mets prêts-à-consommer, les mets prêts-à-cuire et les mets prêts-à-assembler, des créneaux que nous avons décidé de développer intensivement. Selon les magasins, ces catégories de produits occuperont environ 50 % de la superficie comparativement à 30 % auparavant. Les Supermarchés Provigo et LOEB maintiennent l'assortiment le plus approprié et efficace dans chacune de leurs catégories de produits, en fonction des clientèles qu'ils desservent. Les produits frais tels que les viandes, poissons, fruits et légumes de même que la boulangerie, la charcuterie

et les fromages sont mis en évidence et présentés de façon à faciliter l'approvisionnement du client. L'ensemble du positionnement publicitaire avec, entre autres, la circulaire des Supermarchés, soutient bien ce nouveau concept qui veut répondre efficacement aux nouvelles tendances de consommation. En effet, les habitudes d'alimentation évoluent et les gens actifs veulent des solutions pratiques et de qualité ainsi que des idées nouvelles pour leurs repas. Les consommateurs désirent aussi accéder à un bon choix de produits de grandes marques nationales, privées et locales, et c'est précisément ce qu'offrent les Supermarchés Provigo et LOEB.

Cette année, les innovations se sont multipliées dans les deux réseaux de supermarchés. Outre le paiement par cartes de crédit, plusieurs nouveautés se sont ajoutées telles que l'incomparable variété de pâtes fraîches ou sèches, *L'original boeuf de l'Alberta* de catégorie AA offert en trente coupes avec *La signature du boucher* certifiant fraîcheur et respect des normes, et une cinquantaine de variétés de café de qualité, un produit dont la consommation est en pleine croissance.

L'adhésion des marchands des réseaux Provigo et LOEB aux orientations stratégiques de la Compagnie favorise grandement l'implantation du nouveau concept de supermarché. Le professionnalisme et le sens du service de tous nos partenaires font de Provigo un détaillant véritablement orienté vers le consommateur.

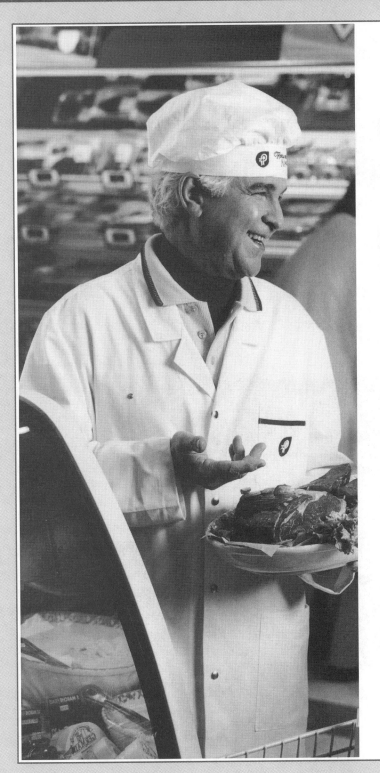

DU CAFÉ PLEIN LA VUE

Synonyme d'une façon de faire originale, le phénomène « Wow » est très
important dans le marchandisage de
Provigo. Depuis novembre, les Supermarchés Provigo et LOEB ont fait du
café une autre catégorie « Wow » en
ajoutant une cinquantaine de nouvelles
variétés à leur sélection habituelle.
Très à la mode, le café gourmet est en
forte croissance.

L'ORIGINAL BŒUF DE L'ALBERTA

Les amateurs de bœuf peuvent
maintenant se procurer trente
différentes coupes de *L'Original bœuf
de l'Alberta*, une viande de qualité
supérieure offerte en exclusivité dans
les Supermarchés Provigo et LOEB.
Le persillage de ce bœuf vieilli à la
perfection lui confère une saveur
caractéristique et le rend plus tendre,
juteux et savoureux.

LE NOUVEAU CONCEPT DE SUPERMARCHÉ

Un nouveau concept de supermarché
axé sur les produits frais et les
solutions-repas a été dévoilé en août
dernier lors de l'ouverture d'un
Supermarché LOEB à Mississauga. Ce
concept accorde environ 50 % de la
superficie du magasin aux produits
frais et aux solutions-repas, plutôt que
30 % auparavant. Il sera graduellement
intégré aux Supermarchés Provigo et
LOEB.

Maxi et Maxi & Cie

Les bannières
Maxi et Maxi & Cie
en pleine évolution
et progression

La bannière Maxi a pris de l'expansion pendant l'exercice avec l'ouverture de deux magasins et la conversion d'un Supermarché LOEB en Maxi. De plus, elle a réalisé un important programme de rénovations et commencé à implanter le nouveau concept « produits frais et mets prêts-à-consommer ». Depuis son implantation en septembre 1996, **la bannière Maxi & Cie** a fait évoluer son concept et réalisé une excellente progression ; elle montre en effet une hausse soutenue de ses ventes et de sa marge bénéficiaire. La construction de six Maxi & Cie a été complétée en 1997, les deux premiers dans l'Outaouais, à Gatineau et à Hull ; les trois premiers en Ontario, à Mississauga, Oakville et Scarborough et un à Montréal situé au carrefour Papineau-Crémazie. L'exercice a été aussi marqué par l'implantation progressive du système d'inventaire permanent dans plus de la moitié des grandes surfaces Maxi et Maxi & Cie. Ces bannières poursuivront activement l'expansion planifiée au Québec et en Ontario. De plus, deux magasins Maxi ont été agrandis et convertis en Maxi & Cie, à Jonquière et à Pointe-Claire.

Marque privée

La marque privée s'est repositionnée et arbore une nouvelle identification : *GENERATION – Notre marque maison*. Les quelque 1 000 produits de marque privée font partie intégrante du nouveau concept de supermarché ; ils ont continué de progresser pendant l'année et de s'intégrer efficacement à l'offre des réseaux Provigo, LOEB, Maxi et Maxi & Cie. La marque privée est guidée par une mission de fidélisation de la clientèle fondée sur le caractère distinctif et attrayant de ses produits de même que sur son excellent rapport qualité-prix.

MAXI & CO. ARRIVE EN ONTARIO

Forte du succès des Maxi & Cie au Québec, Provigo a lancé cette bannière en Ontario. Le premier magasin a été inauguré en juin, à Mississauga. Il a été suivi par les Maxi & Co. d'Oakville et de Scarborough. D'autres Maxi & Co. ouvriront leurs portes en Ontario en 1998 et 1999.

UNE NOUVELLE IMAGE POUR LA MARQUE PRIVÉE

Les marques privées *Experiences* et *Generation Zel* disparaîtront graduellement au cours de la prochaine année au profit de *GENERATION – Notre marque maison*. Le nouveau logo facilitera la transition auprès des consommateurs et uniformisera l'image de tous les produits maison de Provigo.

LES SPÉCIALISTES DES PÂTES SÈCHES

En février 1997, les pâtes sont devenues une catégorie « Wow » en raison de leur popularité, de leur valeur nutritive, de leur grande variété et de leur coût abordable. Nos magasins offrent la plus large sélection de pâtes sèches : pâtes traditionnelles et importées, à saveur, sans-besoin-de-sauce et de marques exclusives.

Activités de gros

Provigo est fière de servir plusieurs réseaux de marchands indépendants, dont certains sont actifs sous des bannières affiliées, ainsi que des PME du secteur de la restauration et de l'hôtellerie, des institutions, des chaînes de distribution de marchandises générales et des dépanneurs des grandes compagnies pétrolières.

**Bannières affiliées
et clients indépendants**

Au 31 janvier 1998, Provigo desservait 655 magasins sous les bannières L'Intermarché, Axep, Proprio et Atout-Prix. Un plan de renouvellement du marchandisage dans les points de vente a été entrepris en cours d'année. Ainsi, la bannière L'Intermarché a adopté la signature « *Le supermarché qu'on choisit* » afin de souligner la qualité de son offre où fruits, légumes, viandes, fromages et produits de boulangerie frais sont à l'honneur. Au cours du prochain exercice, L'Intermarché célébrera son 10ᵉ anniversaire avec convivialité et qualité. Cette bannière maintient avec succès son concept L'International, qui répond bien aux besoins de certaines collectivités avec des produits provenant du monde entier.

Les services alimentaires Dellixo

Dellixo cible le marché des grandes chaînes de restauration et les hôtels. Évoluant dans un environnement très concurrentiel, Dellixo a entrepris de se repositionner pour optimiser son service, accroître ses ventes et sa rentabilité. Sa nouvelle stratégie préconise le service « *guichet unique* » pour offrir à ses quelque 2 000 clients une gamme de produits aussi complète que possible, incluant notamment les produits laitiers et les fruits et légumes. Cette nouvelle orientation implique la modernisation de ses entrepôts avec la construction d'un quai réfrigéré et le renouvellement de son parc de camions. Ce parc est opérationnel depuis mars 1998, avec des camions dotés de systèmes de réfrigération de pointe.

**Les magasins libre-service
Presto et Linc**

Les réseaux Presto et Linc comptent 42 magasins au Québec et en Ontario, et offrent le service « payer et emporter » à une importante clientèle de PME du secteur de la restauration et de l'hôtellerie de même qu'à des réseaux de magasins d'accommodation. Les réseaux Presto et Linc ont maintenu leur stratégie de « *bas prix tous les jours* » et connu une croissance des ventes très satisfaisante pendant le dernier exercice.

Le 2 mars 1998, un magasin Presto a été ouvert à Dollard-des-Ormeaux.

10

Approvisionnement et distribution

Une logistique de distribution de pointe pour plus d'efficacité, un meilleur service et un meilleur rendement

Provigo est le premier détaillant en alimentation au Canada à convertir sa logistique de distribution du « système pull » au « système push ». Contrairement au « système pull » qui implique la tenue de stocks en entrepôt pour environ deux semaines de consommation, le « système push » élimine ou réduit considérablement les stocks, les pertes de stocks et les opérations de manutention. Dégagés de certaines tâches par cette systématisation, les employés des magasins peuvent se consacrer davantage au service à la clientèle et au merchandisage. Si Provigo a pris cette décision stratégique qui transformera l'ensemble de sa fonction distribution en un système avant-gardiste, c'est parce qu'elle a opté pour son rendement futur. Elle s'est donné une bonne longueur d'avance en implantant un système d'inventaire permanent en magasin et en établissant un entrepôt central de données, deux étapes clés dans lesquelles elle est bien engagée. L'implantation du « système push » va bon train, sans perturber les opérations courantes.

Le système d'inventaire permanent est un centre névralgique du « système push ». Il enregistre sur une base continue le mouvement de chaque produit depuis son arrivée en magasin jusqu'à son départ. Appuyé par la technologie de radiofréquence pour recueillir avec précision les données à la réception et dans l'aire de vente, ce système permet de connaître en tout temps le profil précis d'un produit, les quantités reçues et disponibles, les pertes, les retours et les ventes.

L'entrepôt de données centralise l'ensemble des données recueillies par les systèmes des points de vente. Il présente l'avantage de permettre aux utilisateurs de se servir de cette information de façon interactive et rapide, sans entraver le déroulement des opérations de l'ensemble du système de logistique de distribution.

Les principaux logiciels d'approvisionnement et de distribution

Le logiciel d'approvisionnement inclut une fonction prévisionnelle. Il traite les données d'approvisionnement provenant quotidiennement du système d'inventaire permanent. En fonction depuis l'automne 1997, ce logiciel permet d'améliorer l'efficacité et la productivité de l'approvisionnement et d'optimiser la mise en marché des produits.

Le logiciel de gestion de distribution sera utilisé dans les différents centres de distribution de Provigo qui, de ce fait, deviendront des lieux de transit des marchandises. Ce logiciel, qui systématise les opérations logistiques de répartition des commandes, permettra l'expédition des commandes précises vers chaque magasin et augmentera la productivité.

Au cours du prochain exercice, la migration des logiciels de gestion de l'approvisionnement et de la distribution, combinée à l'implantation du système d'inventaire permanent, sera complétée pour les bannières Maxi et Maxi & Cie.

11

Ressources humaines

Les ressources humaines permettent à Provigo de se démarquer avantageusement dans son industrie.

Formation

Création de l'Académie Provigo

L'Académie Provigo a été créée en mai 1997 pour mieux orienter les efforts de formation de la Compagnie sur ses objectifs de rendement et de qualité de service. La formation est assurée par des spécialistes internes, et des collaborations se poursuivent avec des établissements d'enseignement. À titre d'exemple, l'Académie Provigo propose un programme de près de deux ans d'initiation à la gestion à des étudiants qui terminent leur cycle collégial ou universitaire, leur permettant d'accéder ensuite à des postes de gestion dans ses magasins. Cette initiative constitue une première dans l'industrie.

La Compagnie a consacré 6,2 millions $ à ses activités de formation, soit 1,4 % de sa masse salariale. Parmi ses initiatives d'encouragement à la formation et aux échanges professionnels, Provigo a accordé une quinzaine de bourses d'études pendant l'année et inauguré un programme d'échanges internationaux de travail en entreprise pour les employés de ses magasins.

Recrutement et embauchage

De nouveau cette année, Provigo a été très active sur le marché de l'emploi. Elle a recruté près de 2 000 employés pour répondre aux besoins du programme d'expansion de l'exercice.

Relations de travail

En mai 1997, Provigo a signé une entente de partenariat de long terme avec les Travailleurs et travailleuses unis de l'alimentation et du commerce (TUAC). Cette entente reflète bien la volonté d'innovation de Provigo, octroyant aux employés syndiqués des avantages intéressants en conditions de travail en contrepartie d'une souplesse accrue en organisation du travail et contrôle des coûts.

Gestion de la santé et sécurité au travail

Reconnue pour son avant-gardisme en prévention et pour la qualité de sa gestion en santé et sécurité, Provigo obtient d'excellents résultats, remarqués dans les baisses consécutives de l'incidence des accidents.

Programme d'achat d'actions

Provigo a entrepris une nouvelle forme de partenariat avec ses employés en implantant un programme qui leur permet d'acquérir des actions de la Compagnie à même leur régime d'épargne-retraite ; pour 10 actions acquises, Provigo offre une action à l'employé actionnaire.

Environnement

Implantation d'une gestion intégrée

Au cours de l'exercice, tous les employés de Provigo ont été informés de la politique de la Compagnie en matière de protection de l'environnement. Cette mesure a donné le coup d'envoi à la mise en œuvre du système de gestion environnementale qui a pour but d'intégrer tous les programmes environnementaux de façon structurée aux activités de la Compagnie. La planification de ce système a donné lieu à une révision exhaustive des mesures implantées au cours des dernières années afin d'en évaluer les avantages et d'en identifier les lacunes.

Le système de gestion environnementale prévoit principalement des programmes de remplacement de réservoirs, de contrôle des activités à risque, de retrait de substances pouvant affecter la couche d'ozone, de conservation de l'énergie, de gestion intégrée des matières résiduelles (récupération, recyclage et compostage) et des matières résiduelles dangereuses ainsi que d'évaluations environnementales des sites.

LA CAUSE DU CANCER DU SEIN

Provigo s'est engagée à soutenir la cause du cancer du sein pendant cinq ans. En plus d'un don direct, elle organisera des activités de collecte de fonds et commanditera divers projets. La campagne a été lancée pendant la semaine de la fête des Mères, au cours de laquelle Provigo a versé 1,00 $ pour chaque vente de fleurs coupées.

JOURNÉES CARRIÈRE

Provigo a organisé 11 Journées Carrière qui ont attiré chacune jusqu'à 2 000 candidats. Ce recrutement s'avère efficace puisqu'il permet de présenter l'entreprise et les postes offerts à un large bassin de candidats et de recevoir toutes les candidatures en une seule fois.

L'ACADÉMIE PROVIGO

La création de l'Académie Provigo confirme la priorité que l'entreprise accorde à la formation. L'Académie coordonne désormais tous les programmes de formation internes. Au cours de l'année, la Compagnie a investi 6,2 millions $ en formation, soit 1,4 % de sa masse salariale.

Responsabilité sociale

L'engagement communautaire fait partie intégrante de la mission de Provigo. Présente dans de nombreuses collectivités du Québec et de l'Ontario, la Compagnie est engagée dans plusieurs causes humanitaires, activement soutenue par les initiatives de ses employés dans leurs communautés respectives.

Aide aux sinistrés du verglas : un soutien constant aux populations touchées, aux banques alimentaires et aux organismes humanitaires avec le concours très apprécié des fournisseurs.

Dès les premiers jours de la tempête de verglas et pendant les trois semaines qui ont suivi, Provigo est venue en aide aux sinistrés par des dons de nourriture, des prêts d'équipement, le transport de marchandises vers les régions du Québec et de l'est de l'Ontario, tout en maintenant un contact régulier avec les autorités civiles. La Compagnie a offert plusieurs milliers de caisses de denrées et près d'un demi-million de pains aux populations touchées, aux centres d'hébergement et aux centres de distribution alimentaire mis sur pied par les autorités civiles. De nombreux bénévoles ont servi des boissons chaudes aux sinistrés à bord des véhicules Autobouffe Provigo. La collecte de denrées non périssables auprès du public dans les établissements Provigo, Maxi et LOEB du Québec a connu un grand succès et permis d'amasser une quantité importante de nourriture pour les populations sinistrées.

Bon nombre de bénéficiaires de ce soutien ont communiqué leurs témoignages de reconnaissance chaleureux,

qu'il s'agisse de particuliers, de maires de municipalités sinistrées ou d'organismes humanitaires. La Compagnie remercie les marchands et tous les employés qui, par leur dévouement et leurs initiatives, ont apporté de l'aide et un soulagement aux sinistrés.

Cancer du sein
Au cours de l'exercice, Provigo s'est engagée à soutenir la cause du cancer du sein sur une période de cinq ans. Les sommes qui seront recueillies au cours des prochaines années seront versées aux centres les plus actifs et reconnus de Montréal, Québec, Ottawa et Toronto. Cet engagement se concrétisera par un don direct, des campagnes de financement effectuées par les magasins, des commandites d'émissions sur le dépistage du cancer du sein défrayées par les bannières, et l'organisation d'une matinée d'information en magasin dans l'ensemble du réseau avec des bénévoles accrédités.

Centraide/United Way – Santé et éducation – Commandites spéciales
Provigo et ses employés ont amassé 325 000 $ lors de la campagne Centraide/United Way pendant l'exercice 1998. À cette contribution s'ajoutent celles

des quatre Autobouffe Provigo qui ont recueilli 110 000 $ destinés à des organismes locaux.

Au cours de l'exercice, la Compagnie a maintenu son engagement auprès de divers organismes de santé, d'éducation, de culture et de vie communautaire. Lors des quatre prochaines années, Provigo prévoit verser près de 1,5 million $ en dons directs auprès de ces organismes.

Dons en nature
Provigo et l'ensemble de ses magasins apportent une contribution continue aux banques alimentaires et aux organismes qui distribuent des repas et des produits alimentaires à des personnes défavorisées. Par un contact permanent avec ces organismes dans les diverses collectivités du Québec et de l'Ontario, Provigo leur fournit des denrées fraîches ou non périssables.

Apport à la collectivité
L'apport de Provigo au mieux-être de la collectivité va bien au-delà de ses dons, du dévouement et de la générosité de ses marchands et de ses employés. Dans l'ensemble de ses activités d'exploitation, la Compagnie procure du travail à quelque 37 500 personnes. Ainsi, au cours de l'exercice 1998, elle a injecté 95 millions $ dans la collectivité en taxes d'affaires, TPS et autres taxes. Elle a acquis des biens et des services pour un montant évalué à 5,2 milliards $, dont plus de 80 % auprès de fournisseurs du Québec. Les nouveaux magasins et autres investissements en capital ont atteint 184,0 millions $.

14

Analyse par la direction

Les résultats financiers de l'exercice terminé le 31 janvier 1998 reflètent les orientations stratégiques du plan d'affaires de Provigo.

Orientations stratégiques

Les lignes de démarcation entre les différents secteurs traditionnels de la vente au détail tendent de plus en plus à se confondre. Depuis maintenant plusieurs années, les magasins d'alimentation subissent les attaques de nouveaux types de magasins offrant une gamme de plus en plus étendue d'aliments et de produits connexes. Provigo a réagi en mettant au point le concept Maxi & Cie, qui combine les produits de consommation courante et les aliments sous le même toit. Le premier magasin Maxi & Cie a ouvert ses portes à Montréal en septembre 1996, et le concept a été très bien accueilli par les consommateurs. Provigo a commencé à étendre ce concept cette année. Il y avait 12 magasins Maxi & Cie à la fin de l'exercice.

Par ailleurs, les consommateurs, qui disposent de moins en moins de temps, recherchent constamment des façons de simplifier le mode de préparation de leurs repas. Conséquemment, Provigo a mis au point un nouveau concept de supermarché qui met l'accent sur les produits frais et les repas prêts-à-servir ou prêts-à-cuire. Les rayons de produits frais sont situés à l'entrée du magasin et occupent 50 % de la superficie, plutôt que 30 %, comme c'est le cas dans les supermarchés conventionnels. Ce nouveau concept a été lancé en août 1997 au Supermarché LOEB de Derry Road à Mississauga, et il sera intégré graduellement à d'autres Supermarchés Provigo et LOEB.

Dans le cadre de sa stratégie d'expansion, Provigo s'attaque à de nouveaux marchés géographiques. Le concept principal que Provigo utilisera dans ces nouveaux marchés est le magasin à escompte Maxi & Cie. Le premier magasin Maxi & Cie en Ontario a ouvert ses portes à Mississauga en juin 1997. Il y avait trois magasins Maxi & Cie en Ontario à la fin de l'exercice. Provigo compte accroître considérablement sa présence dans ce marché.

Les concepts de vente au détail doivent être appuyés par des réseaux de distribution et des systèmes de soutien efficaces et économiques. À cette fin,

Supermarchés et magasins à escompte
(nombre de magasins)

	Supermarchés Provigo et LOEB		Magasins à escompte		
	Corporatifs	Franchisés et affiliés	Maxi	Maxi & Cie	Total
Début de l'exercice	144	126	69	4	343
Ouvertures	4		2	6	12
Fermetures et départs	(1)	(6)			(7)
Changements de catégorie	10	(11)	(1)	2	
Fin de l'exercice	157	109	70	12	348

Provigo a mis au point un nouveau système d'inventaire permanent, qui est en voie de déploiement dans tout le réseau Maxi et Maxi & Cie. À court terme, il devrait en résulter un contrôle plus serré des stocks. À moyen terme, à mesure que les étapes suivantes du projet seront implantées, d'autres avantages s'ajouteront : réduction des stocks dans les centres de distribution, réduction des frais de manutention et d'entreposage grâce au transbordement et réduction des frais administratifs grâce à une diminution du nombre d'opérations à traiter.

Évolution de l'exploitation

L'exploitation de Provigo peut être analysée selon deux groupes. Le premier groupe comprend les Supermarchés Provigo et LOEB, qui offrent une gamme complète de services ainsi que les magasins à escompte Maxi et Maxi & Cie. Le réseau des Supermarchés Provigo et LOEB se compose de magasins corporatifs, de magasins franchisés et de magasins affiliés. Tous les magasins à escompte Maxi et Maxi & Cie sont de type corporatif.

Le second groupe comprend les activités de gros, soit l'approvisionnement d'un réseau de magasins affiliés de plus petite superficie œuvrant sous les bannières L'Intermarché, Axep, Proprio et Atout-Prix. Il regroupe également les magasins libre-service exploités par la Compagnie sous les bannières Presto et Linc. Ce groupe comprend aussi la division Dellixo, qui œuvre dans les services alimentaires. La filiale C Corp. inc., qui œuvrait dans le domaine de l'accommodation, a été vendue au cours de l'exercice.

Groupe des supermarchés et des magasins à escompte

Le tableau ci-dessus illustre l'évolution du réseau de magasins au cours de l'exercice. Il y avait 348 magasins dans le réseau à la fin de l'exercice, soit cinq de plus qu'au

début. Deux cent cinquante-deux de ces magasins étaient au Québec et 96 en Ontario.

Provigo a ouvert 12 magasins au cours de l'exercice. Il s'agit de six magasins Maxi & Cie, soit trois au Québec et trois en Ontario, de deux magasins Maxi au Québec, de deux Supermarchés Provigo au Québec et de deux Supermarchés LOEB en Ontario.

Deux magasins Maxi ont été convertis en magasins Maxi & Cie, et un Supermarché LOEB, en magasin Maxi. Onze supermarchés franchisés ou affiliés sont devenus des magasins corporatifs et sept supermarchés ont fermé leurs portes ou ont quitté la Compagnie. Dans l'ensemble, 19 magasins ont été rénovés, dont neuf Supermarchés Provigo, cinq Supermarchés LOEB et cinq magasins à escompte Maxi.

Ces ouvertures, fermetures, départs et rénovations ont eu pour effet net d'augmenter la superficie du réseau de plus de 700 000 pieds carrés, soit de 8 %. À la fin de l'exercice, la superficie du réseau totalisait près de 9 300 000 pieds carrés.

Superficie de vente au détail – supermarchés et magasins à escompte
(en millions de pieds carrés)

Résultats d'exploitation
(en millions de dollars, sauf le bénéfice par action)

	Ventes nettes		Bénéfice d'exploitation		Bénéfice net	
	Exercice en cours	Exercice précédent	Exercice en cours	Exercice précédent	Exercice en cours	Exercice précédent
Supermarchés et magasins à escompte	4 612,9	4 397,6	135,6	125,6		
Activités de gros, magasins libre-service et services alimentaires	1 259,4	1 207,5	11,7	12,0		
Total excluant C Corp. inc. et les éléments inhabituels	5 872,3	5 605,1	147,3	137,6	68,7	62,5
C Corp. inc.	83,9	227,4	3,2	10,9	1,1	3,8
Total excluant les éléments inhabituels					69,8	66,3
Éléments inhabituels					15,1	(27,5)
Total	5 956,2	5 832,5	150,5	148,5	84,9	38,8
Bénéfice par action ordinaire						
Excluant C Corp. inc. et les éléments inhabituels						
non dilué					0,70 $	0,59 $
dilué					0,65 $	0,53 $
Excluant les éléments inhabituels						
non dilué					0,71 $	0,63 $
dilué					0,66 $	0,57 $
Dans l'ensemble						
non dilué					0,87 $	0,34 $
dilué					0,80 $	0,32 $

Le programme d'acquisition d'immobilisations du prochain exercice prévoit plusieurs nouveaux magasins aussi bien au Québec qu'en Ontario. La plupart des nouveaux magasins arboreront la bannière Maxi & Cie. De plus, un vaste programme de rénovation de magasins est prévu, particulièrement dans les marchés où l'on prévoit l'arrivée de nouveaux participants. Plusieurs douzaines de magasins seront agrandis ou rénovés, y compris l'intégration du nouveau concept axé sur les produits frais aux Supermarchés Provigo et LOEB.

Groupe des activités de gros
En mai 1997, Provigo a conclu la vente à Alimentation Couche-Tard inc. de C Corp. inc., sa filiale qui œuvrait dans le domaine de l'accommodation, en contrepartie d'une somme au comptant de 85 millions de dollars. La décision de vendre C Corp. inc. s'inscrit dans le plan d'affaires de Provigo et permettra à la Compagnie de concentrer davantage ses efforts sur la mise en valeur de son réseau de supermarchés et de magasins à escompte. L'opération a entraîné un gain inhabituel de 15,1 millions de dollars. Provigo continuera d'approvisionner les magasins Provi-Soir de C Corp. inc. situés au Québec aux termes d'un contrat à long terme.

À la suite d'une réévaluation de ses concepts, le groupe des activités de gros a décidé d'éliminer la bannière Jovi au début de l'exercice. Au fil du temps, cette bannière avait perdu sa raison d'être et ne répondait plus aux besoins des consommateurs. En conséquence, la plupart des magasins qui étaient exploités sous cette bannière arborent désormais une bannière plus appropriée telle que Axep, Proprio ou Atout-Prix. Cette opération a été fructueuse, et la plupart des magasins ont augmenté leur chiffre d'affaires à la suite de cette transformation.

Résultats d'exploitation
Aux fins des comparaisons entre les exercices, il faut tenir compte de ce que l'exercice 1998 comprenait 53 semaines, alors que l'exercice précédent en comprenait 52.

Les ventes nettes ont atteint 5 956,2 millions de dollars, ce qui représente une hausse de 2,1 % par rapport à l'exercice précédent. Compte tenu de l'aliénation de C Corp. inc., les ventes ont augmenté de 4,8 %.

Dans le groupe des supermarchés et des magasins à escompte, les ventes nettes ont augmenté de 4,9 % pour s'établir à 4 612,9 millions de dollars. Les ventes des Supermarchés Provigo et des magasins à escompte Maxi et Maxi & Cie ont augmenté en raison de l'ouverture de

nouveaux magasins et de l'amélioration des ventes dans les magasins comparables. Les Supermarchés LOEB exercent toujours leurs activités dans un contexte très concurrentiel, ce qui occasionne des pressions sur les ventes.

Les ventes au détail (les ventes réalisées par les magasins corporatifs) ont continué de prendre de l'importance par rapport aux ventes en gros (les ventes aux magasins franchisés et affiliés ainsi qu'à des clients indépendants). Au cours de l'exercice 1998, les ventes au détail ont compté pour 77 % du total des ventes du groupe des supermarchés et des magasins à escompte, en hausse par rapport à 66 % pour l'exercice précédent. Les ventes en gros ont compté pour la proportion restante de 23 %, en regard de 34 % un an plus tôt.

Dans le groupe des activités de gros, les ventes nettes ont augmenté de 4,3 % pour s'établir à 1 259,4 millions de dollars. Cette augmentation est principalement attribuable à l'excellent rendement des magasins libre-service Presto et Linc.

Si l'on exclut C Corp. inc., le bénéfice d'exploitation avant amortissements a augmenté de 10,0 %, pour s'élever à 222,8 millions de dollars, en comparaison de 202,6 millions de dollars au cours

16

de l'exercice précédent. Abstraction faite de C Corp. inc., la marge d'exploitation (soit le bénéfice d'exploitation avant amortissements exprimé en pourcentage des ventes) s'est élevée à 3,79 % cette année, en regard de 3,61 % l'exercice précédent. L'accroissement de la marge d'exploitation est principalement attribuable à un contrôle plus serré des stocks et à des gains en efficacité aussi bien en magasin que dans les fonctions de distribution et de soutien.

Les amortissements ont atteint 77,6 millions de dollars, ce qui constitue une hausse de 9,4 %. Cette augmentation s'explique par l'ampleur du programme d'acquisition d'immobilisations des deux derniers exercices. Le programme de construction et de modernisation des magasins de même que la mise au point de nouveaux systèmes sont essentiels à la croissance future de la Compagnie.

Si l'on exclut C Corp. inc., le bénéfice d'exploitation a augmenté de 7,0 %, pour s'élever à 147,3 millions de dollars (2,51 % des ventes), comparativement à 137,6 millions de dollars (2,45 % des ventes) un an plus tôt. Dans le groupe des supermarchés et des magasins à escompte, le bénéfice d'exploitation a augmenté de 8,0 %, pour s'élever à 135,6 millions de dollars, et dans le groupe des activités de gros, il a reculé légèrement de 2,5 %, pour s'établir à 11,7 millions de dollars.

Les intérêts débiteurs bruts de l'exercice se sont élevés à 38,7 millions de dollars, soit 1,8 million de dollars de moins qu'au cours de l'exercice antérieur. Cette diminution est le résultat net d'une diminution de 6,2 millions de dollars attribuable à la baisse des taux d'intérêt, d'une augmentation de 3,7 millions de dollars découlant d'une hausse de la dette moyenne et d'une augmentation de 0,7 million de dollars attribuable à la semaine additionnelle. Déduction faite des intérêts créditeurs de 3,1 millions de dollars et des intérêts capitalisés de 2,5 millions de dollars, les intérêts débiteurs nets se sont établis à 33,1 millions de dollars, comparativement à 33,3 millions de dollars au cours de l'exercice précédent.

Les résultats de l'exercice tiennent compte du gain inhabituel de 15,1 millions de dollars, déduction faite de l'impôt, provenant de l'aliénation de C Corp. inc. Au cours de l'exercice précédent, des pertes inhabituelles totalisant 27,5 millions de dollars, déduction faite de l'impôt, avaient été comptabilisées.

Le taux d'imposition effectif s'est élevé à 35,9 %, comparativement au taux de 38,5 % qui est prévu par la législation canadienne. Cet écart résulte principalement du gain non imposable à la vente de C Corp. inc.

Le bénéfice net de l'exercice s'est chiffré à 84,9 millions de dollars, contre 38,8 millions de dollars au cours de l'exercice précédent. Si l'on exclut C Corp. inc. et les éléments inhabituels, le bénéfice net a augmenté de 9,9 % pour s'élever à 68,7 millions de dollars, comparativement à 62,5 millions de dollars au cours de l'exercice précédent.

Le bénéfice par action non dilué s'est élevé à 0,87 $, comparativement à 0,34 $ au cours de l'exercice précédent. Si l'on exclut C Corp. inc. et les éléments inhabituels, le bénéfice par action non dilué a augmenté de 18,6 % pour atteindre 0,70 $, en regard de 0,59 $ au cours de l'exercice précédent.

Le bénéfice par action dilué s'est établi à 0,80 $, en comparaison de 0,32 $ un an plus tôt. Si l'on exclut C Corp. inc. et les éléments inhabituels, le bénéfice par action dilué a augmenté de 22,6 % pour s'élever à 0,65 $, comparativement à 0,53 $ un an plus tôt.

Situation de trésorerie et sources de financement

Au cours de l'exercice, l'exploitation a généré des liquidités de 114,9 millions de dollars, en comparaison de 126,8 millions de dollars au cours de l'exercice précédent. Les liquidités provenant de l'exploitation ont servi à financer les activités d'investissement, principalement constituées d'acquisitions d'immobilisations.

Provigo a poursuivi la mise en œuvre de son programme d'agrandissement et de rénovation de son réseau de magasins. Au cours de l'exercice 1998, les acquisitions d'immobilisations ont totalisé 184,0 millions de dollars, par rapport à 171,4 millions de dollars au cours de l'exercice précédent. Outre les ouvertures et les rénovations décrites ci-dessus, le programme d'acquisition d'immobilisations de l'exercice a englobé des améliorations aux centres de distribution ainsi que des investissements dans les systèmes informatiques. Le budget d'acquisition d'immobilisations du prochain exercice s'élève à environ 150 millions de dollars.

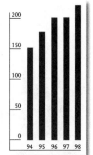

Bénéfice d'exploitation avant amortissements – Canada
(excluant C Corp. inc.)
(en millions de dollars)

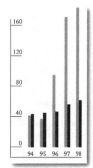

Acquisition d'immobilisations et amortissement – Canada
(en millions de dollars)

■ Acquisition d'immobilisations
■ Amortissement

17

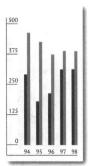

**Avoir des actionnaires
et dette totale**
(en millions de dollars)

■ Avoir des actionnaires
■ Dette totale

En avril 1997, Provigo a racheté à l'échéance ses actions privilégiées de premier rang, série 1, à dividende cumulatif en contrepartie de 85 millions de dollars. Cette opération a été financée au moyen du produit de 85 millions de dollars provenant de la vente de C Corp. inc. Les dividendes versés sur les actions privilégiées au cours de l'exercice jusqu'à la date du rachat se sont élevés à 1,9 million de dollars.

Au cours de l'exercice, la Compagnie a émis 390 855 actions ordinaires aux termes du régime d'achat d'actions des employés et du régime d'options d'achat d'actions en contrepartie d'une somme en espèces de 2,9 millions de dollars.

La dette totale à la fin de l'exercice était à peu près la même qu'au début. Elle s'établissait à 389,2 millions de dollars à la fin de l'exercice, comparativement à 390,3 millions de dollars un an plus tôt.

La Compagnie s'assure de maintenir l'équilibre entre la dette à taux fixe et la dette à taux flottant. La dette à taux fixe se compose principalement de débentures. En mai 1997, Dominion Bond Rating Service a augmenté de BBB (faible) à BBB sa cote à l'égard des débentures de Provigo. Cette cote a été confirmée en février 1998. Les débentures reçoivent la cote B++ de la Société canadienne d'évaluation du crédit. À la fin de l'exercice, la dette à taux fixe représentait 95 % de la dette totale, en comparaison de 90 % un an plus tôt.

En septembre 1997, Provigo a racheté à l'échéance les débentures de série 1987-A, totalisant 75 millions de dollars et portant intérêt à 10,8 % par année. Le rachat a été financé au moyen du produit de l'émission, en mai 1996, des débentures de série 1996, totalisant 125 millions de dollars et portant intérêt à 8,7 % par année.

En décembre 1997, Provigo a profité du faible taux d'intérêt en vigueur et a émis des débentures de série 1997 totalisant 100 millions de dollars et portant intérêt à 6,35 % par année. Ces débentures sont non convertibles, non garanties et viennent à échéance en 2004. Provigo a affecté le produit de l'émission à la réduction de sa dette à taux flottant non convertible.

La dette à taux flottant se compose en majeure partie de billets à ordre convertibles et de la dette bancaire. Provigo dispose d'une facilité de crédit consentie à long terme de 250 millions de dollars auprès de son consortium bancaire, dont 11,1 millions de dollars avaient été utilisés à la fin de l'exercice. Le coût moyen de la dette à taux flottant s'est élevé à 4,2 % au cours de l'exercice, en regard de 5,7 % pour l'exercice antérieur.

L'émission de nouvelles séries de débentures à un taux d'intérêt plus faible que les séries qui ont été rachetées ainsi que le déclin du coût de la dette à taux flottant ont permis à la Compagnie de réduire le coût global de sa dette. Le coût moyen de la dette totale s'est élevé à 8,7 % au cours de l'exercice, en regard de 10,1 % au cours de l'exercice précédent.

Le ratio de la dette totale à l'avoir s'élevait à 55 : 45 à la fin de l'exercice, soit le même qu'un an plus tôt.

Risques et incertitudes

Le secteur alimentaire canadien évolue rapidement. Sur le plan de l'offre, les compagnies d'alimentation doivent de plus en plus rivaliser avec de nouveaux types de magasins. Par ailleurs, des concurrents américains pénètrent le marché canadien tandis que des concurrents canadiens tentent une percée hors de leurs marchés traditionnels. Sur le plan de la demande, le consommateur devient de plus en plus exigeant en ce qui concerne le rapport qualité-prix et la commodité.

Le processus de planification d'affaires de Provigo a pour objectif, entre autres, de lui permettre de prévoir l'évolution de son environnement concurrentiel et d'y réagir.

À la suite d'une évaluation de ses systèmes informatiques, Provigo a conclu que la plupart de ses applications devront être converties pour tenir compte du passage à l'an 2000. La direction considère que ce projet est de la plus haute importance. Un calendrier de mise en application détaillé a été établi, et une équipe constituée de ressources internes et externes a été affectée au projet. Provigo prévoit terminer l'ensemble des conversions, y compris les essais, en 1998, ce qui donnera à la Compagnie le temps nécessaire pour faire des rajustements en 1999. Il est prévu que le coût de ce projet s'élèvera à environ 10 millions de dollars, dont plus de 2 millions ont déjà été engagés. Les coûts qui accroissent le potentiel de service des systèmes sont capitalisés et amortis sur des périodes allant jusqu'à cinq ans. Les coûts qui maintiennent le potentiel de service des systèmes sont passés en charges.

Perspectives

Provigo effectue des progrès sur tous les fronts. Du côté des revenus, le concept innovateur de Maxi & Cie a reçu un très bon accueil de la part des consommateurs. Au fur et à mesure de la mise en œuvre de notre plan de développement, l'apport de cette bannière à notre croissance sera de plus en plus marqué. Du côté des coûts, des améliorations à nos systèmes sont en cours et réduiront graduellement nos frais d'exploitation.

Du côté financier, le rachat des actions privilégiées de premier rang, série 1, et l'émission de nouvelles débentures à un taux d'intérêt favorable ont réduit notre coût du capital. Notre situation financière continue à s'améliorer et elle nous procure toute la souplesse nécessaire à la poursuite de nos projets d'expansion.

Le vice-président exécutif
et chef de la direction financière,

Roland Harel

18

Responsabilité de la direction relativement à l'information financière

Exercice terminé le 31 janvier 1998

Les états financiers consolidés de Provigo inc. sont la responsabilité de la direction et ont été approuvés par le conseil d'administration. Cette responsabilité comprend le choix de principes comptables appropriés ainsi que l'exercice d'un jugement éclairé dans l'établissement d'estimations raisonnables et justes, conformément aux principes comptables généralement reconnus adéquats dans les circonstances. De plus, l'information financière présentée ailleurs dans le présent rapport annuel est compatible avec celle des états financiers consolidés.

La direction de Provigo inc. et de ses filiales s'est dotée de systèmes comptables et de contrôle interne conçus en vue de fournir une certitude raisonnable quant à la protection de l'actif contre toute perte ou utilisation non autorisée et à la fiabilité des registres comptables pour la préparation des états financiers.

Le conseil d'administration s'acquitte de ses responsabilités à l'égard des états financiers consolidés principalement par l'entremise de son comité de vérification,

composé exclusivement d'administrateurs externes. Le comité de vérification se réunit à intervalles réguliers avec les vérificateurs externes, les vérificateurs internes et la direction pour discuter des conventions et pratiques comptables, des systèmes de contrôle interne, de l'étendue de la vérification annuelle, de la vérification interne, de la situation environnementale et d'autres sujets. Il incombe à ce comité de recommander au conseil d'administration le choix des vérificateurs externes proposés par la direction. Les vérificateurs externes et les vérificateurs internes ont accès direct au comité pour discuter des résultats des vérifications effectuées ainsi que de leurs recommandations sur les moyens d'améliorer les contrôles internes, la qualité de la présentation de l'information financière et toute autre question d'intérêt. Le comité révise les états financiers consolidés annuels avant d'en recommander l'approbation au conseil d'administration. Il révise aussi la notice annuelle avant qu'elle ne soit déposée auprès des commissions des valeurs mobilières. Durant l'exercice terminé le 31 janvier 1998, les membres du comité de vérification se sont réunis à cinq occasions.

Les présents états financiers consolidés ont été vérifiés par Raymond, Chabot, Martin, Paré, comptables agréés, et le rapport qu'ils ont dressé indiquant l'étendue de leur vérification ainsi que leur opinion sur les états financiers consolidés est présenté ci-après.

Le président et chef de la direction,

Pierre Mignault

Pierre L. Mignault

Le vice-président exécutif
et chef de la direction financière,

Roland Harel

Roland Harel

Le 13 mars 1998

Rapport des vérificateurs

Aux actionnaires de Provigo inc.,

Nous avons vérifié les bilans consolidés de Provigo inc. au 31 janvier 1998 et au 25 janvier 1997 et les états consolidés des résultats, des bénéfices non répartis et de l'évolution de la situation financière des exercices terminés à ces dates. La responsabilité de ces états financiers incombe à la direction de la Compagnie. Notre responsabilité consiste à exprimer une opinion sur ces états financiers en nous fondant sur nos vérifications.

Nos vérifications ont été effectuées conformément aux normes de vérification généralement reconnues. Ces normes exigent que la vérification soit planifiée et exécutée de manière à fournir un degré

raisonnable de certitude quant à l'absence d'inexactitudes importantes dans les états financiers. La vérification comprend le contrôle par sondages des éléments probants à l'appui des montants et des autres éléments d'information fournis dans les états financiers. Elle comprend également l'évaluation des principes comptables suivis et des estimations importantes faites par la direction, ainsi qu'une appréciation de la présentation d'ensemble des états financiers.

À notre avis, ces états financiers consolidés présentent fidèlement, à tous égards importants, la situation financière de la Compagnie au 31 janvier 1998 et au 25 janvier 1997 ainsi que les résultats de son exploitation et l'évolution de sa

situation financière pour les exercices terminés à ces dates selon les principes comptables généralement reconnus.

Raymond, Chabot, Martin, Paré

Raymond, Chabot, Martin, Paré
Société en nom collectif
Comptables agréés

Montréal, Canada
Le 13 mars 1998

État consolidé des résultats

Exercices terminés le 31 janvier 1998 et le 25 janvier 1997

En millions de dollars, à l'exception du bénéfice par action	1998 (53 sem.)	1997 (52 sem.)
Ventes nettes	**5 956,2**	5 832,5
Coût des marchandises vendues	**4 824,4**	4 778,2
Frais d'exploitation et d'administration	**903,7**	834,9
Bénéfice d'exploitation avant amortissements	**228,1**	219,4
Amortissements (note 2)	**77,6**	70,9
Bénéfice d'exploitation	**150,5**	148,5
Intérêts-net (note 3)	**33,1**	33,3
Éléments inhabituels (note 4)	**(15,1)**	29,1
Bénéfice compte non tenu des impôts sur le revenu	**132,5**	86,1
Impôts sur le revenu (note 5)	**47,6**	47,3
Bénéfice net	**84,9**	38,8
Bénéfice net attribuable aux actions :		
Privilégiées	**1,9**	6,8
Ordinaires	**83,0**	32,0
	84,9	38,8
Bénéfice par action ordinaire :		
non dilué	**0,87 $**	0,34 $
dilué	**0,80 $**	0,32 $
Moyenne pondérée des actions ordinaires en circulation (en milliers)	**95 663**	94 397

État consolidé des bénéfices non répartis

Exercices terminés le 31 janvier 1998 et le 25 janvier 1997

En millions de dollars	1998 (53 sem.)	1997 (52 sem.)
Bénéfices non répartis au début de l'exercice		
Solde déjà établi	**38,1**	13,8
Changement de présentation comptable (note 1)	**–**	(5,4)
Solde redressé	**38,1**	8,4
Bénéfice net	**84,9**	38,8
Dividendes versés	**(1,9)**	(6,8)
Actions privilégiées de premier rang, série 1, rachetées, incluant les impôts sur le revenu s'y rapportant (note 14)	**(2,7)**	–
Bons de souscription échus, déduction faite des impôts sur le revenu s'y rapportant (note 14)	**1,0**	–
Frais d'émission d'actions (note 14)	**–**	(1,9)
Impôt lié aux dividendes sur les actions privilégiées de premier rang, série 1	**–**	(0,4)
Bénéfices non répartis à la fin de l'exercice	**119,4**	38,1

Le résumé des principales conventions comptables ainsi que
les notes complémentaires font partie intégrante des états financiers consolidés.

Bilan consolidé

31 janvier 1998 et 25 janvier 1997

En millions de dollars	1998	1997
ACTIF		
Actif à court terme		
Encaisse et certificats de dépôt (note 6)	17,4	43,0
Débiteurs	184,0	145,0
Stocks	273,5	260,7
Frais payés d'avance	14,5	15,2
	489,4	463,9
Autres éléments d'actif		
Placements et créances à long terme (note 7)	19,8	20,9
Immobilisations (note 8)	571,1	541,7
Éléments d'actif divers (note 9)	153,2	167,0
	744,1	729,6
	1 233,5	1 193,5
PASSIF ET AVOIR DES ACTIONNAIRES		
Passif à court terme		
Chèques émis et en circulation	35,9	14,8
Créditeurs et charges à payer	440,9	429,9
Impôts sur le revenu et autres taxes	53,9	45,2
Tranche de la dette à long terme et des obligations en vertu de contrats de location-acquisition échéant à moins d'un an	3,7	78,9
	534,4	568,8
Autres éléments de passif		
Dette à long terme non convertible (note 11)	325,0	244,5
Billets à ordre convertibles (note 12)	20,0	20,0
Obligations en vertu de contrats de location-acquisition (note 13)	40,5	46,9
	385,5	311,4
Avoir des actionnaires		
Capital-actions (note 14)	188,8	269,8
Autre capital d'apport (note 1)	5,4	5,4
Bénéfices non répartis	119,4	38,1
Avoir des actionnaires	313,6	313,3
	1 233,5	1 193,5

Le résumé des principales conventions comptables ainsi que
les notes complémentaires font partie intégrante des états financiers consolidés.

Au nom du conseil d'administration,

Pierre Michaud

Richard Drouin

État consolidé de l'évolution de la situation financière

Exercices terminés le 31 janvier 1998 et le 25 janvier 1997

En millions de dollars	1998 (53 sem.)	1997 (52 sem.)
Exploitation		
Bénéfice net	**84,9**	38,8
Éléments hors caisse (note 16)	**73,0**	74,4
Fonds de roulement provenant de l'exploitation	**157,9**	113,2
Variation des éléments hors caisse du fonds de roulement (note 17)	**(43,0)**	13,6
Total des liquidités provenant de l'exploitation	**114,9**	126,8
Investissement		
Placements et créances à long terme	**(8,2)**	(9,4)
Réalisation de placements et de créances à long terme	**5,8**	28,5
Acquisition d'immobilisations	**(184,0)**	(171,4)
Vente d'immobilisations	**32,8**	3,8
Augmentation des éléments d'actif divers	**(12,8)**	(24,7)
Produit de la vente d'une filiale (note 4)	**85,0**	–
Total des liquidités utilisées à des fins d'investissement	**(81,4)**	(173,2)
Financement		
Dette à long terme — augmentation	**275,6**	145,8
— remboursement	**(270,7)**	(130,6)
Capital-actions — émission	**2,9**	69,2
— rachat	**(85,0)**	–
Frais d'émission d'actions	**–**	(1,9)
Autres sources de financement	**(1,1)**	(1,5)
Total des liquidités provenant du financement (utilisées à des fins de financement)	**(78,3)**	81,0
Dividendes versés		
Actions privilégiées	**(1,9)**	(6,8)
Total des liquidités utilisées à des fins de versement de dividendes	**(1,9)**	(6,8)
Espèces et quasi-espèces (insuffisance)		
Augmentation (diminution) nette de l'exercice	**(46,7)**	27,8
Au début de l'exercice	**28,2**	0,4
À la fin de l'exercice	**(18,5)**	28,2

Les espèces et quasi-espèces (insuffisance) comprennent l'encaisse et
certificats de dépôt, déduction faite des chèques émis et en circulation.

Le résumé des principales conventions comptables ainsi que
les notes complémentaires font partie intégrante des états financiers consolidés.

Résumé des principales conventions comptables

Exercices terminés le 31 janvier 1998 et le 25 janvier 1997

Les états financiers consolidés ont été dressés selon les principes comptables généralement reconnus au Canada. Lors de la préparation de ces états financiers, la direction doit faire des estimations et formuler des hypothèses. De l'avis de la direction, les états financiers ont été préparés adéquatement en faisant preuve de jugement dans les limites raisonnables de l'importance relative et dans le cadre des conventions comptables résumées ci-après.

Consolidation Les états financiers consolidés comprennent les comptes de Provigo inc. et de ses filiales. Toutes les filiales de la Compagnie sont détenues en propriété exclusive.

Devises Les éléments d'actif et de passif monétaires libellés en devises sont convertis au cours du change en vigueur à la fin de l'exercice. Les éléments d'actif non monétaires libellés en devises sont convertis au cours du change en vigueur à la date de la transaction. Les produits et les charges sont convertis au cours du change moyen de l'exercice. Les gains et les pertes de change résultant de la conversion sont présentés dans l'état consolidé des résultats.

Frais d'ouverture et de fermeture de magasins Les frais relatifs à l'ouverture des nouveaux magasins sont imputés aux résultats de l'exercice au cours duquel ils sont engagés. Lorsque la Compagnie décide de fermer un magasin, l'excédent de la valeur comptable nette du matériel et des améliorations locatives sur la valeur de récupération nette ainsi que le solde de la dette aux termes du bail du magasin fermé, moins les récupérations de sous-locations prévues, sont imputés aux résultats. Les autres frais estimatifs reliés directement à la fermeture de magasins sont aussi imputés aux charges.

Bénéfice par action Le bénéfice par action ordinaire a été calculé d'après le bénéfice net moins les dividendes sur les actions privilégiées, selon le nombre moyen pondéré d'actions en circulation au cours de l'exercice.

Le bénéfice dilué par action ordinaire a été calculé en présumant que les billets à ordre convertibles, les options d'achat d'actions ordinaires, les bons de souscription d'actions ordinaires et les actions privilégiées en circulation à la fin de l'exercice avaient été convertis en actions ordinaires ou levés, au début de l'exercice ou à la date d'émission, selon la date la plus tardive.

Certificats de dépôt Les certificats de dépôt sont composés d'investissements liquides à court terme qui peuvent être facilement convertis en espèces.

Stocks Les stocks sont évalués au moindre du coût, établi généralement selon la méthode de l'épuisement successif, et de la valeur de réalisation nette.

Placements et créances à long terme Les placements sont comptabilisés au coût. Si une baisse de valeur d'un placement est considérée comme n'étant pas temporaire, le placement est dévalué à sa valeur de réalisation estimative, et la perte est imputée aux résultats.

Les créances à long terme sont composées essentiellement de financement à long terme consenti aux détaillants franchisés ou affiliés principalement pour financer les nouveaux magasins ou les rénovations de magasins. Ces créances sont comptabilisées, déduction faite des provisions pour pertes sur créances douteuses.

Immobilisations Les immobilisations sont comptabilisées au coût, incluant les intérêts capitalisés durant la période de construction, moins l'amortissement cumulé. Les agrandissements, rénovations et améliorations majeures de magasins sont imputés au compte d'immobilisations approprié. Les frais de réparations et d'entretien qui ne prolongent pas la durée de vie utile de l'immobilisation sont imputés aux charges dès qu'ils sont encourus. Les baux qui transfèrent à la Compagnie la quasi-totalité des avantages et des risques inhérents à la propriété sont comptabilisés à titre de contrats de location-acquisition.

L'amortissement est calculé selon les méthodes et les taux suivants :

	Méthode	Taux annuel
Bâtiments	Linéaire	2,5 % à 5 %
Matériel	Linéaire	10 %
Matériel des magasins	Linéaire	12,5 %
Matériel roulant	Dégressif	30 %
Logiciel d'exploitation	Linéaire	12,5 % – 20 %
Immobilisations louées en vertu de contrats de location-acquisition :		
Bâtiments	Linéaire	Durée des baux correspondant n'excédant pas 40 ans ; Période moyenne pondérée d'amortissement : 36 ans
Matériel des magasins	Linéaire	Durée des baux correspondants n'excédant pas 10 ans ; Période moyenne pondérée d'amortissement : 7 ans

Les améliorations locatives sont amorties selon la méthode linéaire sur la durée des baux correspondants plus la première période de renouvellement, n'excédant pas 30 ans.

Éléments d'actif divers Les éléments d'actif divers, composés de l'achalandage, des frais reportés et des droits de tenure à bail sont comptabilisés au coût moins l'amortissement, calculé sur une base linéaire.

L'achalandage, qui représente l'excédent du coût d'acquisition sur la juste valeur des actifs nets acquis, est évalué périodiquement de façon à déterminer si une baisse de valeur a été subie. L'évaluation consiste à réviser les résultats futurs prévus ainsi que les flux monétaires actualisés des activités acquises qui ont donné lieu à l'achalandage. Toute baisse de valeur permanente de la valeur comptable de l'achalandage inscrit est imputée aux résultats.

Les frais reportés incluent principalement les frais relatifs aux engagements contractuels reliés aux programmes d'aide aux détaillants et les frais d'émission de la dette.

Les périodes d'amortissement s'établissent comme suit :
Achalandage :
• périodes n'excédant pas 40 ans ;
• période moyenne pondérée d'amortissement : 19 ans
Programmes d'aide aux détaillants :
• durée des engagements inhérents n'excédant pas 8 ans
Frais d'émission de la dette :
• durée de l'émission de la dette correspondante
Droits de tenure à bail :
• durée des baux correspondants n'excédant pas 30 ans ;
• période moyenne pondérée d'amortissement : 22 ans

Régimes de retraite La Compagnie offre des régimes de retraite non contributifs et contributifs à presque tous ses employés. Les participants ont le choix entre l'option à prestations déterminées et l'option à cotisations déterminées.

Les dispositions de l'option à prestations déterminées prévoient que les employés toucheront une prestation de retraite calculée d'après le nombre d'années de service et la moyenne des derniers salaires dans le cas des cadres, et le salaire annuel dans le cas des autres employés. Le coût des régimes de retraite est déterminé en fonction d'évaluations actuarielles. Les charges de retraite sont constituées du total des éléments suivants :
• Le coût des prestations de retraite accordées en échange des services fournis par les salariés au cours de l'exercice.
• L'amortissement, selon la méthode linéaire, sur la durée moyenne prévue du reste de la carrière active des salariés, des ajustements découlant des modifications des régimes ou des hypothèses et des écarts actuariels.

L'écart entre les cotisations de l'employeur et les montants inscrits à titre de charges ou de revenus de retraite est comptabilisé aux charges de retraite reportées.

Les dispositions de l'option à cotisations déterminées prévoient que les employés toucheront une prestation de retraite calculée d'après le montant de la cotisation de l'employeur, qui est liée aux années de service, et les cotisations des employés.

De plus, la Compagnie assure divers avantages d'assurance-santé et d'assurance-vie à certains de ses retraités. Les coûts de ces avantages sont portés aux résultats de l'exercice au fur et à mesure de leur paiement.

Frais liés à l'environnement Les frais habituels, engagés pour faire enquête sur la contamination de sites, et pour procéder au redressement de la situation sont imputés aux charges de l'exercice au cours duquel ils sont engagés. Les frais relatifs à la mise en état du matériel, qui prolonge la durée économique de ces éléments d'actif, sont capitalisés et amortis sur la durée économique restante.

Exercice financier L'exercice financier de la Compagnie se termine le dernier samedi de janvier. Par conséquent, l'exercice terminé le 31 janvier 1998 comprend 53 semaines d'exploitation alors que l'exercice terminé le 25 janvier 1997 comprenait 52 semaines d'exploitation.

Notes complémentaires aux états financiers consolidés

Exercices terminés le 31 janvier 1998 et le 25 janvier 1997
Tous les chiffres des tableaux sont exprimés en millions de dollars

1. Changement de présentation comptable

En 1997, la Compagnie a adopté rétroactivement les nouvelles exigences de l'Institut Canadien des Comptables Agréés relativement à la présentation des instruments financiers. Selon ces normes, les billets à ordre convertibles, émis par la Compagnie en 1984 et présentés à la note 12, répondent à la définition d'un instrument financier comportant à la fois un élément de passif et un élément de capitaux propres. Conformément à l'application rétroactive de ces normes, la composante capitaux propres a été entièrement amortie en 1994. Ces billets, qui étaient auparavant présentés sous la rubrique « billets à ordre convertibles et avoir des actionnaires », ont donc été reclassés dans la dette à long terme. Cette modification a eu pour effet de diminuer le solde d'ouverture des bénéfices non répartis de 5 413 000 $. Cette baisse a été compensée par une augmentation correspondante à la rubrique « autre capital d'apport ». Il n'y a pas eu d'incidence sur les résultats présentés.

2. Amortissements

	1998	1997
Immobilisations	62,0	56,5
Achalandage	5,6	4,8
Frais reportés	7,3	6,9
Droits de tenure à bail	2,7	2,7
	77,6	70,9

3. Intérêts-net

	1998	1997
Dette à long terme non convertible	37,6	39,7
Intérêts capitalisés	(2,5)	(2,3)
Autres	1,1	0,8
	36,2	38,2
Revenus de placements et intérêts créditeurs	(3,1)	(4,9)
	33,1	33,3

4. Éléments inhabituels

Exercice terminé le 31 janvier 1998
• Le 17 mai 1997, la Compagnie a vendu les actions de sa filiale C Corp. inc., en contrepartie d'une somme au comptant de 85 000 000 $. Le gain provenant de la vente de 15 100 000 $ comprend l'excédent du produit de la vente sur la valeur comptable nette, déduction faite des coûts reliés à la cession de C Corp. inc. Les éléments d'actif net vendus sont comme suit :

Fonds de roulement	9,6
Immobilisations	56,6
Autres	3,7
	69,9
Produit de la vente	85,0
Gain net provenant de la vente	15,1

Cet élément inhabituel a eu pour effet d'augmenter le bénéfice par action de 0,16 $.

• Le 28 novembre 1997, la Cour d'appel a rendu un jugement relatif à une poursuite contre la Compagnie intentée par un exploitant affilié (voir la note 20 - Éventualités) et a accordé des dommages de l'ordre de 3 500 000 $ incluant des intérêts et coûts y afférents. Des provisions relatives à ces frais ont été comptabilisées antérieurement et par conséquent, ce règlement n'a pas eu d'incidence sur les résultats de l'exercice en cours.

Exercice terminé le 25 janvier 1997
• Une provision pour pertes a été constituée relativement au rachat de certains magasins LOEB franchisés et à des frais éventuels de résiliation des baux reliés au surplus de propriétés. De plus, la Compagnie a radié son placement de 5 700 000 $ dans Consumers Distributing Inc. Ces éléments inhabituels ont eu pour effet de réduire le bénéfice par action de 0,29 $.

Tous les chiffres des tableaux sont exprimés en millions de dollars

5. Impôts sur le revenu	1998	1997
Le taux d'imposition effectif consolidé de la Compagnie s'établit comme suit :		
Taux d'impôts sur le revenu prévu par la loi	38,5 %	39,2 %
Amortissement et radiation de l'achalandage non déductible	0,4	0,6
Perte sur placements non déductible	–	4,7
Gain non imposable provenant de la vente d'une filiale	(4,5)	
Provisions non déductibles	–	4,6
Autres	1,5	5,8
Taux d'impôts sur le revenu effectif	35,9 %	54,9 %
La provision pour impôts sur le revenu comprend ce qui suit :		
Exigibles	36,7	54,2
Reportés	10,9	(6,9)
	47,6	47,3

6 Encaisse et certificats de dépôt

L'encaisse et les certificats de dépôt incluent des dépôts à terme de 12 687 000 $ (37 229 000 $ en 1997), avec un rendement moyen variant entre 4,90 % et 6,25 % (2,75 % à 5,6 % en 1997), échéant au cours du prochain mois ou remboursables sur demande.

7. Placements et créances à long terme	1998	1997
Créances à long terme portant intérêt à des taux variant du taux préférentiel à 10,75 % et échéant à diverses dates jusqu'en 2006	14,7	15,8
Autres	5,1	5,1
	19,8	20,9

8. Immobilisations

	1998			1997		
	Coût	Amortis-sement cumulé	Valeur nette comptable	Coût	Amortis-sement cumulé	Valeur nette comptable
Terrains	69,4	–	69,4	57,1	–	57,1
Terrains détenus à des fins de développement	20,3	–	20,3	21,0	–	21,0
Construction en cours	26,1	–	26,1	22,2	–	22,2
Bâtiments	164,5	34,1	130,4	188,1	46,6	141,5
Matériel	439,8	247,1	192,7	438,8	256,9	181,9
Logiciel d'exploitation	13,4	1,7	11,7	1,8	1,0	0,8
Améliorations locatives	133,3	45,5	87,8	125,6	44,6	81,0
Immobilisations louées en vertu de contrats de location-acquisition	58,3	25,6	32,7	61,6	25,4	36,2
	925,1	354,0	571,1	916,2	374,5	541,7

9. Éléments d'actif divers	1998	1997
Achalandage, déduction faite de l'amortissement cumulé	47,4	52,5
Frais reportés, déduction faite de l'amortissement cumulé	19,8	22,8
Droits de tenure à bail, déduction faite de l'amortissement cumulé	30,2	33,1
Avantages fiscaux	–	2,8
Impôts sur le revenu reportés	43,4	46,3
Charges de retraite reportées	12,4	9,5
	153,2	167,0

Tous les chiffres des tableaux sont exprimés en millions de dollars

10. Marge de crédit non garantie

Au 31 janvier 1998, la Compagnie bénéficiait d'une entente avec diverses institutions bancaires prévoyant une facilité de crédit consentie de 250 millions $, dont 11,1 millions $ avaient été utilisés. Cette facilité de crédit porte intérêt à des taux variant jusqu'au taux préférentiel et comprend certaines clauses restrictives associées aux ratios de passif à l'avoir et de couverture d'intérêt.

11. Dette à long terme non convertible

	1998	1997
Débentures, série 1987-A, 10,8 % échéant en septembre 1997	–	75,0
Débentures, série 1991, 11,25 % échéant en mars 2001	100,0	100,0
Débentures, série 1996, 8,7 % échéant en mai 2006	125,0	125,0
Débentures, série 1997, 6,35 % échéant en décembre 2004	100,0	–
Billets*	–	18,9
Emprunts hypothécaires et autres billets	–	1,2
	325,0	320,1
Moins la tranche de la dette à long terme échéant à moins d'un an	–	75,6
	325,0	244,5

*Les billets à ordre non garantis, émis aux taux du marché et échéant à moins d'un an, sont assortis d'une facilité de crédit à long terme consentie d'une durée de deux ans, renouvelable annuellement pour une période additionnelle de douze mois. Par conséquent, ces emprunts sont classés à titre de dette à long terme.

Au 31 janvier 1998, l'ensemble de la dette à long terme ne faisait l'objet d'aucune garantie. Le versement annuel minimal à effectuer sur la dette à long terme au cours des cinq prochains exercices s'élève à 100 000 000 $ en 2001.

12. Billets à ordre convertibles

	1998	1997
Billets à ordre, convertibles en actions ordinaires, échéant en juin 1999	20,0	20,0

Les billets portent intérêt à un taux variable égal au plus élevé des taux suivants :
i) 2,8 % l'an ; ou
ii) le taux annuel, exprimé en pourcentage, des dividendes payés sur les actions ordinaires de la Compagnie pour les deux trimestres précédant immédiatement la date de paiement des intérêts sur les billets divisé par le montant de 4,475 $, majoré de 0,5 %.

Les billets cessent de porter intérêt à partir du moment où la Compagnie décide de ne plus verser de dividendes sur ses actions ordinaires jusqu'à la date où elle prend la décision de remettre en application une politique de versement de dividendes. En novembre 1994, le versement des dividendes a été suspendu, ainsi ces billets à ordre ne portent pas intérêt en ce moment.

Le droit de conversion rattaché aux billets à ordre convertibles peut être exercé au prix de 4,93 $ l'action jusqu'au 28 juin 1999 et au prix de 4,475 $ l'action à l'échéance, le 29 juin 1999.

13. Obligations et engagements en vertu de contrats de location

Les loyers minimaux exigibles en vertu de contrats de location-acquisition et de location-exploitation s'établissent comme suit :

	Location-acquisition	Location-exploitation	
		Brut	Net des sous-locations
1999	8,7	84,9	72,7
2000	8,1	82,0	72,7
2001	6,1	77,0	69,4
2002	5,4	69,9	64,6
2003	5,0	66,3	61,9
2004 et par la suite	90,5	636,1	616,7
Total des loyers minimaux	123,8	1 016,2	958,0
Moins :			
Intérêts théoriques au taux moyen de 11 %	79,6		
Tranche échéant à moins d'un an	3,7		
Obligations à long terme en vertu de contrats de location-acquisition	40,5		

Le montant des intérêts imputés aux résultats s'élève à 5 200 000 $ (6 276 000 $ en 1997) et est inclus dans les intérêts sur la dette à long terme non convertible. Les charges en vertu des contrats de location-exploitation imputées aux résultats de l'exercice s'élèvent à 65 545 000 $ (63 025 000 $ en 1997), déduction faite des revenus de sous-location.

Tous les chiffres des tableaux sont exprimés en millions de dollars

14. Capital-actions

Autorisé :
Nombre illimité d'actions privilégiées de premier rang
  sans valeur nominale pouvant être émises en série, dont
  3 400 000 ont été appelées actions privilégiées de premier
  rang, série 1
Nombre illimité d'actions privilégiées de deuxième rang sans
  valeur nominale pouvant être émises en série
Nombre illimité d'actions ordinaires sans valeur nominale

Émis et en circulation :	1998	1997
95 993 265 actions ordinaires (95 602 410 en 1997)	188,8	185,9
– actions privilégiées de premier rang, série 1 (3 400 000 en 1997)	–	82,4
– bons de souscription d'actions ordinaires (4 400 000 en 1997)	–	1,5
	188,8	269,8

Les actions privilégiées de premier rang, série 1 donnaient droit à des dividendes en espèces privilégiés cumulatifs au taux trimestriel de 0,50 $ par action. Ces actions étaient rachetables et convertibles en actions ordinaires. Le 10 avril 1997, la Compagnie a racheté ses 3 400 000 actions privilégiées de premier rang, série 1, en contrepartie d'une somme au comptant de 85 000 000 $. A la suite de cette transaction, un montant de 2 691 700 $, incluant des impôts sur le revenu de 141 700 $, a été imputé aux bénéfices non répartis.

En mars 1996, la Compagnie a émis 8 800 000 actions ordinaires et 4 400 000 bons de souscription d'actions ordinaires en contrepartie d'une somme en espèces de 68 640 000 $. Les frais d'émission de 1 900 000 $, déduction faite des impôts sur le revenu connexes de 1 100 000 $, ont été imputés aux bénéfices non répartis. Chaque bon de souscription d'actions permettait au porteur d'acquérir, jusqu'au 27 mars 1997 inclusivement, une action ordinaire au prix de 8,50 $ chacune. Les détenteurs de bons de souscription n'ont pas exercé leur droit d'acheter des actions ordinaires, conséquemment ces bons de souscription n'ont plus de valeur. Ceci a eu pour effet d'augmenter les bénéfices non répartis de 1 020 000 $, déduction faite des impôts sur le revenu s'y rapportant de 520 000 $.

Au cours de l'exercice, 26 679 (32 669 en 1997) actions ordinaires ont été émises aux termes du régime d'achat d'actions des employés en contrepartie d'une somme en espèces de 180 083 $ (173 472 $ en 1997). De plus, 364 176 (48 900 en 1997) actions ordinaires ont été émises aux termes du régime d'options d'achat d'actions de la Compagnie, en contrepartie d'une somme en espèces de 2 736 420 $ (370 100 $ en 1997).

Au 31 janvier 1998, des actions ordinaires étaient réservées aux fins suivantes :

	Actions ordinaires réservées
Régime d'achat d'actions des employés	99 985
Régime d'options d'achat d'actions	7 226 924
Droit de conversion rattaché aux billets à ordre convertibles	4 480 000

Sur les 7 226 924 actions ordinaires réservées aux termes du régime d'options d'achat d'actions de la Compagnie, 5 981 511 actions représentent des options octroyées qui peuvent être levées à des prix variant de 5,75 $ à 11,00 $ l'action après certaines périodes de dévolution expirant à diverses dates jusqu'à l'an 2005.

15. Juste valeur des instruments financiers

La juste valeur des instruments financiers est établie en utilisant diverses données relatives à la valeur marchande et d'autres techniques d'évaluation selon le cas. Les méthodes et hypothèses suivantes ont été utilisées pour estimer la juste valeur de chaque catégorie d'instrument financier :
• La juste valeur de l'encaisse et certificats de dépôt, des débiteurs, des chèques émis et en circulation et des créditeurs et charges à payer est égale à la valeur comptable en raison de leur échéance prochaine.

• La juste valeur des placements et créances à long terme, des billets à ordre convertibles et des obligations en vertu de contrats de location-acquisition a été estimée en actualisant les flux de trésorerie futurs à des taux du marché pour des instruments financiers avec des termes et des dates d'échéances semblables.
• La juste valeur de la dette à long terme non convertible est établie en fonction de leurs cours du marché.
À l'exception des éléments suivants, la juste valeur des instruments financiers se rapproche de la valeur comptable :

	1998		1997	
	Juste valeur	Valeur comptable	Juste valeur	Valeur comptable
Créances à long terme	13,9	14,7	15,0	15,8
Dette à long terme non convertible incluant la tranche échéant à moins d'un an	356,2	325,0	358,4	320,1
Billets à ordre convertibles	18,4	20,0	17,3	20,0
Obligations en vertu de contrats de location-acquisition incluant la tranche échéant à moins d'un an	43,9	44,2	40,1	50,2

Tous les chiffres des tableaux sont exprimés en millions de dollars

16. Éléments hors caisse

	1998	1997
Amortissements	**77,6**	70,9
Gain provenant de la vente d'une filiale	**(15,1)**	–
Perte sur placements	**–**	7,9
Dévaluation d'immobilisations	**2,1**	0,6
Impôts sur le revenu reportés	**10,9**	(6,9)
Autres	**(2,5)**	1,9
	73,0	74,4

17. Variation des éléments hors caisse du fonds de roulement

	1998	1997
Débiteurs	**(45,4)**	18,8
Stocks	**(19,2)**	(41,7)
Frais payés d'avance	**(1,8)**	2,0
Créditeurs et charges à payer	**25,3**	27,2
Impôts sur le revenu et autres taxes	**(1,9)**	7,3
	(43,0)	13,6

18. Régimes de retraite

Des cotisations sont effectuées aux régimes au besoin afin de pourvoir au coût des services courants. Les cotisations de la Compagnie peuvent être réduites ou n'être pas requises pour un exercice donné sous réserve de la couverture complète de la dette actuarielle par les éléments d'actif des régimes de retraite. Des rapports actuariels sont préparés annuellement par des actuaires indépendants à des fins comptables.

Le tableau suivant présente la composition des charges de retraite pour les exercices 1998 et 1997 ainsi que les charges de retraite reportées en date du 31 janvier 1998 et du 25 janvier 1997 :

	1998	1997
Charges de retraite		
Coût des services pour l'exercice	**5,9**	6,0
Intérêts débiteurs sur les obligations découlant des prestations projetées	**6,4**	6,2
Rendement de l'actif	**(7,8)**	(7,2)
Amortissement de l'excédent actuariel	**(1,2)**	(1,6)
Charges de retraite de l'exercice	**3,3**	3,4
Capitalisation des régimes de retraite		
Actif des régimes de retraite à la valeur marchande	**146,1**	127,7
Valeur actuarielle des obligations découlant des prestations projetées	**120,7**	112,1
Excédent de l'actif des régimes de retraite sur les obligations découlant des prestations projetées	**25,4**	15,6
Fraction non amortie des gains actuariels*	**(13,0)**	(6,1)
Charges de retraite reportées	**12,4**	9,5

*Amortis sur la durée moyenne prévue du reste de la carrière active des groupes d'employés couverts par les régimes, généralement 11 ans.

19. Opérations entre apparentés

Dans le cours normal des affaires, la Compagnie loue des locaux des filiales de son actionnaire principal, Caisse de dépôt et placement du Québec. Ces opérations sont inscrites à leur valeur d'échange. Les loyers minimaux exigibles en vertu de contrats de location-exploitation s'élèvent à 5 211 000 $ (4 772 000 $ en 1997) et sont inclus dans les frais d'exploitation et d'administration. L'engagement contractuel relatif à ces contrats de location-exploitation s'élève à 92 017 000 $ en date du 31 janvier 1998. L'obligation en vertu de contrats de location-acquisition s'élève à 7 320 000 $ en date du 31 janvier 1998 (7 622 000 $ en 1997). Le montant d'intérêts et d'amortissement imputés aux résultats relatif aux contrats de location-acquisition s'élève à 286 000 $ et 73 000 $ respectivement (288 000 $ et 73 000 $ en 1997). Ces contrats de location viennent à échéance à diverses dates jusqu'en 2028.

De plus, les billets à ordre convertibles présentés à la note 12 sont détenus par la Caisse de dépôt et placement du Québec.

Tous les chiffres des tableaux sont exprimés en millions de dollars

20. Éventualités

Un certain nombre d'exploitants affiliés à une filiale de la Compagnie ont intenté des actions en dommages-intérêts contre celle-ci. Ces actions représentent des poursuites intentées par 58 exploitants de magasins alléguant essentiellement que l'exploitation de certains magasins corporatifs de Provigo Distribution inc. constituait une concurrence déloyale vis-à-vis des demandeurs. Depuis que ces actions ont été intentées, 47 exploitants ont retiré leurs réclamations respectives. Dans le cadre de ce dossier, la Cour d'appel a rendu un jugement relativement à une de ces réclamations le 28 novembre 1997. Ce jugement a confirmé le droit de la Compagnie d'exploiter des bannières corporatives autres que celles de Supermarchés Provigo. Par ailleurs, le tribunal a reproché à la Compagnie certains faits et lui a imputé des dommages incluant des intérêts et coûts y afférents de l'ordre de 3 500 000 $ (voir note 4 – Éléments inhabituels). Compte tenu des conclusions de ce jugement, la direction de la Compagnie estime que l'effet des 11 autres poursuites sur la situation financière de la Compagnie ne sera pas significatif.

En octobre 1992, une action en dommages-intérêts a été intentée contre la Compagnie devant la décision de cette dernière de ne plus acquérir la division Aligro de Steinberg Inc. La direction de la Compagnie est d'avis que sa décision était justifiée aux termes de l'offre d'achat et conteste l'action avec vigueur. De plus, d'anciens dirigeants de Sports Experts inc. ont intenté une action contre la Compagnie alléguant que cette dernière leur aurait accordé un droit de premier refus sur l'achat des actions de Sports Experts inc. qui ont été vendues à une tierce partie au début de 1994. La Compagnie croit être dans ses droits et conteste fermement cette action. Il est impossible de prévoir l'issue de ces poursuites à l'heure actuelle ; toutefois, la direction croit qu'elles n'auront aucune incidence importante sur la situation financière de la Compagnie.

De plus, la Compagnie et ses filiales font l'objet de réclamations et de poursuites dans le cours normal de leurs activités. De l'avis de la direction, ces réclamations et ces poursuites font l'objet d'une couverture d'assurance adéquate ou, si tel n'était pas le cas, leur dénouement ne devrait pas avoir d'incidence importante sur la situation financière de la Compagnie.

21. Chiffres comparatifs

Certains des chiffres correspondants de 1997 ont été reclassés pour les rendre conformes à la présentation adoptée en 1998.

Compagnie de la Baie d'Hudson

Notes afférentes aux états financiers consolidés

Exercices terminés les 31 janvier 1997 et 1996

1. PRINCIPALES CONVENTIONS COMPTABLES

Les présents états financiers consolidés ont été préparés par la direction conformément aux principes comptables généralement reconnus au Canada. Les principales conventions sont résumées ci-dessous :

a) Consolidation

Les états financiers consolidés comprennent les comptes de la Compagnie de la Baie d'Hudson et ceux de toutes ses filiales, les soldes et les opérations intersociétés ayant été éliminés.

b) Secteur d'activité

Le commerce de détail constitue le secteur d'activité principal. La Compagnie exerce essentiellement ses activités dans des points de vente au détail, qui comprennent les grands magasins et les magasins de rabais. Certains renseignements de ce secteur d'activité sont présentés séparément dans les présents états financiers consolidés pour les principales divisions d'exploitation, soit La ie et Zellers, dont les activités sont menées au Canada seulement.

c) Conversion des devises

L'actif et le passif libellés en monnaie étrangère, constitués principalement des composantes de la dette et des comptes créditeurs, sont convertis en dollars canadiens, aux taux de change en vigueur à la date des bilans.

Les produits et charges libellés en monnaie étrangère, essentiellement de l'intérêt, sont convertis en dollars canadiens aux taux de change en vigueur au moment où l'opération a eu lieu.

Les gains et pertes de change nets résultant de la conversion de la dette libellée en monnaie étrangère qui a une échéance fixe sont compris dans les autres éléments d'actif et sont amortis sur la durée de vie restante de l'émission en cause.

d) Contrats de location

Les contrats de location auxquels la Compagnie est partie à titre de preneur et qui lui transfèrent la quasi-totalité des avantages et des risques liés à la propriété sont comptabilisés comme contrats de location-acquisition et sont compris dans les immobilisations et la dette à long terme. Tous les autres contrats de location sont comptabilisés comme contrats de location-exploitation et les coûts de location qui en découlent sont inscrits comme charges dans la période où ils surviennent.

e) Bénéfice par action

Le bénéfice par action est fondé sur le nombre moyen pondéré d'actions en circulation au cours de l'exercice.

f) Capitalisation de l'intérêt

Les intérêts liés à des propriétés en construction ou à des terrains vacants et destinés à la vente ou à la mise en valeur sont capitalisés comme faisant partie du coût de ces propriétés lorsque leur valeur comptable nette est inférieure à leur valeur de réalisation nette estimative.

g) Créances sur cartes de crédit

Les créances sur cartes de crédit représentent les comptes de cartes de crédit à solde renouvelable des clients et sont présentées déduction faite d'une provision pour créances douteuses. Les réserves pour pertes estimatives sur créances vendues avec recours limité en vertu de conventions de titrisation sont classées comme autres créditeurs.

Conformément à la pratique généralement acceptée dans le commerce de détail, les créances sur cartes de crédit, dont une partie ne viendra pas à échéance avant un an, sont classées dans l'actif à court terme.

h) Stocks de marchandises

Les stocks de marchandises sont évalués au prix coûtant ou à la valeur de réalisation nette, moins les marges de profit normales, selon le moins élevé des deux. Le coût des stocks est déterminé principalement selon une moyenne établie d'après la méthode de l'inventaire au prix de détail.

i) Placements

Les placements, constitués principalement de placements de portefeuille, essentiellement des obligations visant à soutenir les besoins de financement, sont comptabilisés au prix coûtant et les escomptes et primes à l'achat sont amortis sur la période menant à l'échéance.

j) Actif immobilisé

L'actif immobilisé est comptabilisé au prix coûtant. Le coût des ...neubles (autres que la tour de   aux mentionnée ci-dessous), du matériel et du matériel loué en vertu de contrats de location-acquisition et des améliorations locatives est amorti selon la méthode de l'amor   ement linéaire sur la durée d'utilisation estimative de l'élément d'actif en cause. Le coût des propriétés destinées à la vente ou à la mise en valeur n'est pas amorti puisqu'il s'agit de terrains ou de propriétés inoccupées.

Les périodes d'amortissement qui s'appliquent aux diverses catégories d'éléments d'actif se présentent comme suit :

Élément d'act	Période d'amortissement
Immeubles	20 à 40 ans
Matériel	3 à 12 1/2 ans
Matériel loué en vertu de contrats de location-acquisition	5 à 8 ans
Améliorations locatives	10 à 40 ans

Certains immeubles acquis avant le 1er février 1995 sont amortis sur la durée restante de périodes de cinquante ans. Les immeubles comprennent une tour de bureaux, dont le coût est amorti selon la méthode de l'amortissement à intérêts composés, au taux de 3 % sur 40 ans.

k) Écart d'acquisition

L'écart d'acquisition représente le solde non amorti de l'excédent du coût pour la Compagnie sur la juste valeur de son intérêt dans l'actif sectoriel net de Zellers Inc., des Grands Magasins Towers Inc. (par la suite fusionnés avec Zellers Inc.) et du groupe de sociétés Linmark, à leurs dates respectives d'acquisition. Cet écart d'acquisition est amorti selon la méthode linéaire sur des périodes de 40 ans, de 20 ans et de 20 ans respectivement.

L'écart d'acquisition fait l'objet d'une évaluation périodique qui prend la forme d'un examen des rendements des entreprises en cause, à la lumière des risques associés au placement. Toute baisse de valeur permanente ferait l'objet d'une radiation dans les comptes.

Rétrospective financière

	1998 (53 sem.)	1997 (52 sem.)	1996 (52 sem.)	1995 (52 sem.)	1994 (52 sem.)
EXPLOITATION CANADIENNE SEULEMENT (en millions de dollars, à l'exception du BPA)					
Ventes nettes	**5 956,2**	5 832,5	5 725,2	5 542,3	5 433,4
Bénéfice d'exploitation avant amortissements	**228,1**	219,4	219,4	195,5	168,6
Bénéfice d'exploitation	**150,5**	148,5	157,3	134,5	108,9
Bénéfice net (avant éléments inhabituels) (1)	**69,8**	66,3	66,5	55,3	41,0
Acquisition d'immobilisations	**184,0**	171,4	95,3	37,5	41,9
Bénéfice par action ordinaire (avant éléments inhabituels) (en dollars) (1)	**0,71**	0,63	0,69	0,56	0,39
LA COMPAGNIE DANS SON ENSEMBLE					
Exploitation (en millions de dollars)					
Ventes nettes	**5 956,2**	5 832,5	5 725,2	6 176,4	6 207,2
Bénéfice d'exploitation avant amortissements	**228,1**	219,4	219,4	188,8	167,7
Bénéfice d'exploitation	**150,5**	148,5	157,3	115,5	93,0
Intérêts – net	**33,1**	33,3	36,8	37,6	39,4
Impôts sur le revenu (recouvrés)	**47,6**	47,3	54,0	30,8	(17,8)
Bénéfice (perte) des activités poursuivies	**84,9**	38,8	40,7	(98,6)	(96,1)
Bénéfice net (perte nette)	**84,9**	38,8	40,7	(98,6)	(109,0)
Bénéfice net (perte nette) attribué(e) aux actions ordinaires	**83,0**	32,0	33,9	(105,4)	(115,8)
Évolution de la situation financière (en millions de dollars)					
Liquidités provenant de l'exploitation	**114,9**	126,8	177,8	54,5	163,4
Acquisition d'immobilisations	**184,0**	171,4	95,3	43,9	48,2
Dividendes sur actions ordinaires	**–**	–	–	5,2	24,2
Situation financière (en millions de dollars)					
Actif à court terme (2)	**489,4**	463,9	414,5	397,6	501,1
Passif à court terme	**534,4**	568,8	518,8	422,1	711,0
Fonds de roulement (2)	**(45,0)**	(104,9)	(104,3)	(24,5)	(209,9)
Immobilisations	**571,1**	541,7	430,0	387,5	491,0
Actif total (2)	**1 233,5**	1 193,5	1 051,6	1 022,8	1 279,8
Dette totale	**389,2**	390,3	375,6	427,7	465,0
Avoir des actionnaires	**313,6**	313,3	214,4	181,4	292,6
Ratios financiers					
Dette totale : avoir	**55:45**	55:45	64:36	70:30	61:39
Ratio du fonds de roulement (fois) (2)	**0,92**	0,82	0,80	0,94	0,70
Dette à taux fixe % dette totale	**95 %**	90 %	74 %	66 %	65 %
Par action ordinaire (en dollars)					
Bénéfice (perte) des activités poursuivies	**0,87**	0,34	0,39	(1,22)	(1,19)
Bénéfice net (perte nette)	**0,87**	0,34	0,39	(1,22)	(1,34)
Liquidités provenant de l'exploitation	**1,20**	1,34	2,05	0,63	1,89
Dividendes sur actions ordinaires	**–**	–	–	0,06	0,28
Avoir des actionnaires	**3,27**	2,42	1,52	1,11	2,39
Valeur au marché (Bourse de Montréal)					
Haut	**9,50**	8,75	8,75	7,63	10,63
Bas	**5,50**	5,00	4,90	4,85	7,00
Données relatives à l'actionnariat					
Actions ordinaires en circulation en fin d'exercice (en milliers)	**95 993**	95 602	86 721	86 670	86 624
Moyenne pondérée des actions ordinaires en circulation durant l'exercice (en milliers)	**95 663**	94 397	86 679	86 632	86 557
Nombre hebdomadaire moyen d'actions ordinaires échangées (3)	**947 271**	850 381	517 476	253 750	326 993
Nombre de détenteurs d'actions ordinaires en fin d'exercice	**3 119**	3 225	3 484	3 727	3 963

(1) Les intérêts débiteurs nets ont été déduits des résultats de l'exploitation canadienne.
(2) Excluant l'actif net et les produits à recevoir à la vente d'activités abandonnées.
(3) Bourse de Montréal et Bourse de Toronto.

Régie d'entreprise

Exercice terminé le 31 janvier 1998

Provigo a établi depuis longtemps des normes élevées de régie d'entreprise. Elle a ainsi, au fil des ans, adopté des politiques visant les transactions d'initiés, la nomination de dirigeants à des conseils et comités d'autres institutions et les conflits d'intérêts.

Le code de déontologie, adopté il y a plusieurs années, s'applique à l'ensemble des employés et reflète ces mêmes règles en plus de l'intégration de certains chapitres couvrant les relations avec la clientèle, les fournisseurs et les tiers en général, et la protection de l'environnement. Une politique environnementale a été adoptée récemment et diffusée aux employés.

Provigo croit qu'elle se conforme, en grande partie, aux objectifs visés par les lignes directrices adoptées par les Bourses de Montréal et de Toronto.

Ces lignes directrices traitent des aspects suivants :

Structure et composition du conseil d'administration et de ses comités :
Depuis mai 1997, le conseil se compose de 11 administrateurs, ce qui permet de rehausser l'apport individuel de chacun, d'augmenter la qualité des échanges au conseil et aux comités, et de favoriser l'efficacité lors de la prise de décision.

Deux administrateurs seront considérés comme reliés au sens des règles des Bourses étant donné qu'ils sont dirigeants. La Compagnie note également que deux administrateurs exercent des fonctions auprès de l'actionnaire principal, la Caisse de dépôt et placement du Québec, et enfin qu'un autre est rattaché à une firme qui offre des services à la Compagnie.

Tous les autres administrateurs sont externes et non reliés.

La Compagnie croit que cette composition permet une représentation adéquate de tous ses actionnaires.

Les comités du conseil se composent d'administrateurs externes, exception faite du comité de placement des régimes de retraite, qui compte parmi ses membres le vice-président exécutif et chef de la direction financière.

Mandat du conseil d'administration, ses responsabilités et ses objectifs
Le conseil d'administration est responsable de la gestion de l'entreprise.

Dans ce cadre, le conseil assume, entre autres, les responsabilités particulières suivantes : le choix du chef de la direction, l'évaluation de son rendement et sa rémunération ; l'approbation des plans et objectifs de l'entreprise et l'approbation des principales décisions d'affaires.

Le conseil exerce aussi ses fonctions par l'entremise de comités mandatés aux fins d'exercer certaines fonctions décrites ci-dessous. Chaque comité remet un rapport au conseil régulièrement et présente ses recommandations au sujet de diverses questions, le cas échéant.

Afin de permettre aux administrateurs d'acquérir une bonne compréhension des activités de l'entreprise, Provigo inscrit régulièrement à l'ordre du jour des réunions du conseil des présentations de la part des dirigeants des divers secteurs opérationnels. De plus, Provigo organise annuellement une session de travail réunissant ses administrateurs et ses principaux dirigeants, portant sur les stratégies, les principaux développements et la revue du plan d'affaires.

Le conseil a augmenté la fréquence de ses réunions sur une base presque mensuelle au cours de la dernière année et joue ainsi un rôle encore plus actif. Compte tenu de l'implication accrue du conseil, les membres ont décidé de mettre un terme au comité exécutif qui n'avait plus sa raison d'être.

Comité de vérification
Président : Richard Drouin
Membres : Robert Chevrier, Pierre Fortier, Yves Des Groseillers
Le comité de vérification examine les états financiers de la Compagnie et en recommande l'approbation par le conseil d'administration. Il reçoit et évalue les rapports de la direction au sujet des contrôles internes et des systèmes de gestion de l'information ; il reçoit aussi régulièrement des rapports au sujet des principaux risques associés à l'entreprise et il voit à ce que les mesures nécessaires soient prises, permettant une saine gestion de ces risques.

Les membres du comité se réunissent régulièrement avec les vérificateurs internes et externes. De plus, au moins une fois par an, ils se réunissent avec des membres de la haute direction pour recevoir et étudier les rapports sur la gestion de l'environnement et par la suite, faire leur compte rendu au conseil d'administration.

Comité de régie d'entreprise

Président : Robert Chevrier
Membres : Richard Drouin, Pierre Michaud, Jeremy H. Reitman

Le mandat de ce comité est de voir à l'analyse des lignes directrices formulées par les Bourses en matière de régie d'entreprise et d'assurer le respect de ces lignes directrices en tenant compte toutefois de la spécificité de la Compagnie.

Ce comité, de par son mandat, procède à l'évaluation du conseil d'administration, des comités du conseil de même que des membres du conseil en regard desdites lignes directrices.

Le comité de régie d'entreprise voit également à l'application du code de déontologie et enfin, il s'assure de l'application de la politique environnementale au sein de la Compagnie.

Le comité de régie d'entreprise est également mandaté par le conseil pour revoir la composition du conseil et présenter ses recommandations quant à la nomination ou à l'élection de nouveaux administrateurs.

Comité des ressources humaines

Président : H. Arnold Steinberg
Membres : Pierre Michaud, David L. Torrey

Ce comité s'occupe des questions liées aux ressources humaines de la Compagnie, y compris les questions d'organisation et de relève. Il révise et approuve les salaires, avantages et primes accordés aux cadres supérieurs. Il évalue le rendement du chef de la direction et examine les évaluations des cadres supérieurs. Le président et chef de la direction est un invité permanent à de comité, mais il n'assiste pas aux discussions qui le concernent.

Comité de placements des régimes de retraite

Président : David L. Torrey
Membres : JoAnne Labrecque, Pierre Fortier, Roland Harel

Le comité de placement des régimes de retraite a pour rôle principal d'établir et de revoir annuellement les objectifs et les politiques de placement de l'actif des régimes de retraite de Provigo et de ses compagnies d'exploitation et de s'assurer de leur conformité avec les exigences réglementaires. Ce comité analyse régulièrement les rendements des portefeuilles de placements des régimes de retraite et évalue la performance des gestionnaires de ces portefeuilles.

Politique de communication avec les actionnaires, les marchés financiers et le public en général

Cette politique prévoit que Provigo doit fournir à ses actionnaires, aux analystes financiers, à ses créanciers, à ses fournisseurs, à ses employés et au public en général, une information opportune, c'est-à-dire divulguée au bon moment, appropriée, à propos et fiable.

Ainsi, la Compagnie favorise la transparence. Chaque cas est étudié au mérite par la haute direction, le conseil ou le comité de vérification avec la direction : ces instances exercent leur meilleur jugement en vue de donner l'information la plus juste possible, sans surévaluer ni sous-évaluer l'actif ou le risque, selon le cas, et en tenant compte de l'impact de la nouvelle concernée sur la Compagnie et les tiers, le cas échéant, le tout tel que prévu aux règles édictées par les Bourses en matière de divulgation.

La Compagnie s'efforce de répondre adéquatement aux commentaires, questions et préoccupations des actionnaires : tout actionnaire peut communiquer directement avec la Compagnie. Le secteur Finance voit à répondre aux investisseurs institutionnels ; le service des Affaires juridiques et secrétariat reçoit les questions et commentaires des particuliers.

Attentes du conseil envers l'équipe de direction

Le conseil d'administration s'attend à ce que l'équipe de direction rencontre les objectifs du plan d'affaires qu'il a établi.

L'objectif ultime de Provigo inc. est de devenir et rester un chef de file dans les secteurs qu'elle exploite : le secteur de détail par les magasins dits « corporatifs », soit ceux qu'elle contrôle, et le secteur de la distribution s'adressant aux magasins contrôlés par les affiliés, les franchisés et les clients indépendants ou institutionnels.

Provigo vise une croissance soutenue et un rendement élevé. Pour réaliser ces objectifs, Provigo s'appuie sur les valeurs suivantes :

- responsabilités envers ses clients : produits de haute qualité au plus bas prix possible ; innovation et adaptation aux besoins ;
- responsabilités envers son personnel : environnement de travail sain permettant à chacun d'apporter sa contribution par ses commentaires et suggestions ;
- responsabilités envers ses actionnaires : maintien de la bonne santé financière de l'entreprise.

Le but principal est la rentabilité, tout en gardant à l'esprit que Provigo doit demeurer un bon citoyen corporatif à tous égards.

Administrateurs

Pierre L. Mignault, Montréal, Québec. Administrateur depuis 1993. Président et chef de la direction, Provigo. M. Mignault a été un cadre supérieur de la Compagnie de la Baie d'Hudson et de Steinberg avant de fonder Club Price Canada en 1985 et d'en être le président et chef de la direction jusqu'en 1993. Il est membre du conseil d'administration de la Fondation de l'Hôpital de Montréal pour Enfants.

H. Arnold Steinberg (C.M.), Montréal, Québec. Administrateur depuis 1995. Associé de Cleman Ludmer Steinberg, services de banque d'affaires, M. Steinberg a été auparavant un cadre supérieur de Steinberg. Il est membre du conseil de Téléglobe, Téléglobe Canada, Almiria Capital Corp. et président du conseil du Centre universitaire de santé McGill.

Pierre Michaud, Montréal, Québec. Administrateur depuis 1993. Président du conseil de Provigo, Capital GVR et Réno-Dépôt où il a été l'instigateur du concept entrepôt dans le domaine de la rénovation au Québec. Il siège aux conseils de Capital d'Amérique CDPQ, Banque Laurentienne du Canada, Trust La Laurentienne, Société du Vieux-Port, Club de baseball Expos de Montréal et Castorama S.A. (France).

JoAnne Labrecque, Montréal, Québec. Administratrice depuis 1995. Professeure agrégée à l'École des Hautes Études Commerciales. Intéressée au comportement du consommateur depuis le début de sa carrière, elle a été analyste marketing chez CROP, conseillère chez Secor et professeure de nutrition et de consommation à l'Université Laval. Elle est administratrice de Diagramme gestion culturelle et de Distributions alimentaires Le Marquis.

Yves Des Groseillers, Montréal, Québec. Administrateur depuis 1996. Président du conseil d'administration, président et chef de la direction, Groupe BMTC et Brault & Martineau.

Jeremy H. Reitman, Montréal, Québec. Administrateur depuis 1997. Président et chef de la direction, Reitmans (Canada) Ltée. M. Reitman siège aux conseils d'administration de la Banque de Montréal, NetStar Communications et United Israel Appeal of Canada.

Robert Chevrier, Montréal, Québec. Administrateur depuis 1995. Président du conseil, président et chef de la direction, Westburne. M. Chevrier a été antérieurement président de Société de Gestion Roche, associé chez Schroders & Partenaires et président et chef de la direction d'Uni-Select. M. Chevrier siège aux conseils de Quincaillerie Richelieu Ltée, de Boutiques San Francisco et de Donohue.

Richard Drouin, Sillery, Québec. Administrateur depuis 1990. Associé du cabinet McCarthy Tétrault et vice-président du conseil, Morgan Stanley Canada. M. Drouin a été président d'Hydro-Québec de 1988 à 1995. Il est administrateur de l'American Superconductor Corporation (AMSC), de CT Financial Services (Canada Trust), d'Abitibi Consolidated, de Télé-Métropole et de Stelco.

Pierre Fortier, Montréal, Québec. Administrateur de 1993 à 1998. Vice-président, Capital Communication CDPQ inc. À la Caisse de dépôt et placement du Québec depuis 1984, M. Fortier a été auparavant vice-président, Direction Participations, Projets spéciaux. Il siège aux conseils de SSiG, Westburne, Groupe Vidéotron et OpTel.

Roland Harel, Montréal, Québec. Administrateur durant le dernier exercice. Vice-président exécutif et chef de la direction financière, Provigo. Avant de se joindre à l'entreprise en 1993, M. Harel a occupé la même fonction chez Club Price Canada. Antérieurement, il a exercé différentes fonctions à la Compagnie de la Baie d'Hudson.

David L. Torrey, Montréal, Québec. Administrateur depuis 1995. Administrateur de sociétés. M. Torrey a été anciennement vice-président du conseil de la firme de courtage RBC Dominion Valeurs Mobilières. Il siège aux conseils de ICI Canada, de Canadian Stebbins Engineering & Manufacturing Co. Ltd., Cuddy International Corporation et de Wajax Limited.

Haute direction

Pierre Michaud
Président du conseil d'administration

Pierre L. Mignault
Président et chef de la direction

Roland Harel
Vice-président exécutif et
chef de la direction financière

Sylvie Lorrain
Vice-présidente exécutive,
Exploitation et mise en marché
Maxi et Maxi & Cie

Bernard J. McDonell
Vice-président exécutif, Immobilier
et développement corporatif

Daniel Tremblay
Vice-président exécutif,
Exploitation et mise en marché
Supermarchés Provigo et LOEB

Jean-Guy Duchaine
Vice-président principal,
Ressources humaines et communications

Pierre Ledoux
Vice-président principal,
Groupe Distribution

James A. Robertson
Vice-président principal,
Presto-Linc

Pierre Poirier
Vice-président, Affaires juridiques,
environnement et secrétaire

Raymond Sarrazin
Vice-président,
Logistique et distribution

Dirigeants des services

Johanne Babin
Vice-présidente,
Développement opérationnel

Peter Bolla
Vice-président,
Développement et construction

Sylvie Lachance
Vice-présidente,
Immobilier

Jean-Yves Poirier
Vice-président,
Technologie et systèmes d'information

Robert St-Jean
Vice-président et contrôleur

Claude Tessier
Vice-président,
Finances et trésorerie

Roland Tissot
Vice-président,
Développement de marchés immobiliers

Joëlle Verdon
Vice-présidente,
Relations avec les investisseurs

Dirigeants des secteurs d'exploitation

Supermarchés Provigo et LOEB

Daniel Tremblay
Vice-président exécutif,
Exploitation et mise en marché
Supermarchés Provigo et LOEB

Marie-France Gibson
Vice-présidente principale,
Mise en marché et approvisionnement

Claire Côté
Vice-présidente principale,
Mise en marché et approvisionnement

Gaétan Baril
Vice-président,
Mise en marché et approvisionnement

François Desrosiers
Vice-président,
Marketing

Jean-Charles Léveillé
Vice-président,
Exploitation

Callum McLean
Vice-président,
Exploitation

Denis Melançon
Vice-président,
Exploitation

François Raymond
Vice-président,
Exploitation

Johanne Santella
Vice-présidente,
Mise en marché et approvisionnement

Paul Waite
Vice-président,
Exploitation

Maxi et Maxi & Cie

Sylvie Lorrain
Vice-présidente exécutive,
Exploitation et mise en marché
Maxi, Maxi & Cie

Alain Brisebois
Vice-président principal,
Mise en marché et approvisionnement

Lucie Guimond
Vice-présidente principale,
Marchandise générale et développement
des affaires

Pierre Dandoy
Vice-président,
Exploitation

André Gagné
Vice-président,
Mise en marché et approvisionnement

Claude Jauvin
Vice-président,
Mise en marché et approvisionnement

Mario Latendresse
Vice-président,
Marques corporatives et importations

Richard Mainville
Vice-président,
Exploitation

Suzie Marceau
Vice-présidente,
Exploitation

Josée-Anne Morin
Vice-présidente,
Marketing

Libre-service

James A. Robertson
Vice-président principal,
Presto-Linc

Groupe distribution
et services alimentaires

Pierre Ledoux
Vice-président principal,
Groupe Distribution

Pierre Cusson
Vice-président,
Mise en marché et approvisionnement

Renseignements aux actionnaires et aux investisseurs

La Compagnie est inscrite aux Bourses de Montréal
et de Toronto sous le symbole PGV.

Agent des transferts et agent comptable des registres
Compagnie Montréal Trust

Assemblée annuelle
L'assemblée générale annuelle des actionnaires se tiendra à 11 heures,
le jeudi 21 mai 1998, aux Salons des Saisons A & B, Hôtel Le Westin Mont-Royal,
1050, rue Sherbrooke Ouest, Montréal (Québec).

Relations avec les investisseurs
Les investisseurs qui désirent des renseignements financiers ou autres sur la Compagnie
sont priés de communiquer avec le service des relations avec les investisseurs comme
suit :
• investisseurs institutionnels, courtiers, analystes en valeurs mobilières :
(514) 383-3170
• autres actionnaires :
(514) 383-2943 ou 3074

Pour les transferts d'actions ou pour signifier un changement d'adresse,
prière de s'adresser à l'agent des transferts, Compagnie Montréal Trust :
(514) 982-7555 ou (416) 981-9633.

Les communiqués de presse de Provigo sont disponibles sur l'Internet au site de
Canada NewsWire (http://www.newswire.ca).

An English copy
of this Annual Report
can be obtained from:

The office of the
Corporate Secretary
Provigo Inc.
1611 Crémazie Blvd East
Montreal, Quebec
H2M 2R9

Les pages intérieures de ce
rapport annuel sont imprimées
sur du papier contenant des
fibres recyclées.

Graphisme : Monique Dupras   Photos : Yves Lacombe

SOLUTIONS PROPOSÉES
AUX PROBLÈMES MARQUÉS D'UN ASTÉRISQUE

Les premiers problèmes de chaque chapitre sont marqués d'un astérisque. Pour faciliter l'étude individuelle, nous avons préparé les grandes lignes des solutions à ces problèmes. Présentées de manière libre et souvent familière, ces solutions doivent être considérées comme des suggestions valables et non comme les *seules* réponses et réflexions acceptables. En effet, les étudiants et les professeurs n'ont pas tous la même vision du monde, et ces différents points de vue se reflètent dans les réponses qu'ils apportent aux problèmes comptables, comme à d'autres problèmes importants. Il incombe à chacun d'en arriver à une conception personnelle cohérente de la comptabilité, aussi les solutions offertes doivent-elles s'adapter et non se substituer à cette conception. Comme elles sont destinées à vous aider, nous les avons voulues claires. Pourtant, nous ne prétendons pas qu'elles sont complètes ni capables d'anticiper l'intelligence et la créativité que vous apporterez à la solution des problèmes.

Pour résoudre certains problèmes, vous devrez parfois avoir recours à des hypothèses ou à des données qui ne sont pas exprimées formellement. Or, dans la réalité, c'est ainsi que les problèmes ont tendance à se présenter : pas nécessairement exposés en entier ni formulés sans ambiguïté. Habituez-vous à énoncer vos hypothèses et à déterminer leur importance ; quand vous ferez face à de vrais problèmes, dans l'exercice de votre profession, vous pourrez ainsi les remplacer par des preuves qui vous permettront d'en arriver à des solutions de premier ordre, à condition que vous sachiez en quoi consistent ces hypothèses et quand elles font une différence.

Essayez *toujours* de résoudre les problèmes par vous-même, ou avec des amis, et ébauchez vos solutions par écrit *avant* d'examiner celles qui sont soumises ci-après. Si vous regardez la solution avant d'avoir réfléchi au problème, vous lui ravirez sa principale utilité, soit de vous amener à puiser dans vos propres connaissances. Les problèmes vous sembleront toujours plus faciles si vous en consultez prématurément la solution. En agissant ainsi, vous risquez de vous berner sur votre propre compétence.

Solution proposée au PROBLÈME 1.1

1. L'expert-comptable prépare les états financiers de l'entreprise, tandis que le vérificateur examine leur bien-fondé, une fois qu'ils sont dressés. Il arrive que ces rôles se confondent quelque peu, car le vérificateur prodigue souvent des conseils relatifs à la préparation des états financiers. Comme c'est la direction qui assume la responsabilité de ces rapports, l'expert-comptable qui les dresse se trouve en fait à son service.

2. Le bénéfice en comptabilité d'exercice est une mesure de la performance de l'entreprise, c'est-à-dire de sa capacité à accroître ses ressources au moyen de ses ventes ou de ses services. Grâce à la méthode de la comptabilité d'exercice, le bénéfice devient une mesure complète de cette performance, qu'il reste ou non des sommes à payer ou à recevoir. Le bénéfice en comptabilité de caisse est une mesure moins complète, puisqu'il ne tient compte que des opérations qui ont donné lieu à des rentrées ou à des sorties de fonds.

3. Les utilisateurs des états financiers ne recherchent pas tous la même information. En effet, il s'agit de personnes différentes, dont les préférences et les aptitudes diffèrent : leurs besoins sont donc susceptibles de varier selon les décisions qu'elles ont à prendre. Leur seul point commun : tous réclament une information fidèle et présentée à temps.

Solution proposée au PROBLÈME 1.2

Même si vos connaissances sur les gestionnaires et les propriétaires sont assez vagues, vous pouvez en arriver aux conclusions suivantes après réflexion.

1. Les propriétaires souhaitent que la mesure du rendement des gestionnaires réponde à leurs propres objectifs (ceux des propriétaires), notamment motiver de bons gestionnaires à travailler pour eux et à accepter de se conformer à leurs désirs.

2. Pour leur part, les gestionnaires sont des humains, et non des machines : ils ont leurs propres attentes vis-à-vis d'un tel système de mesure. On peut donc présumer que les gestionnaires, surtout les bons, n'apprécieront pas un système de mesure qui les désavantagera par rapport aux propriétaires.

3. Seulement certains compromis sont susceptibles d'être acceptés à la fois par les propriétaires et les gestionnaires. La tendance de ces compromis à favoriser l'une ou l'autre des deux parties, comme leur parfaite neutralité, dépend de la facilité avec laquelle les propriétaires peuvent remplacer les gestionnaires ou des chances de ces derniers de se trouver un nouvel emploi, ainsi que d'autres considérations d'ordre personnel et éthique. Quoi qu'il en soit, voici ce à quoi ils pourraient ressembler.

   a. Le rendement doit être mesuré avec soin et compétence : il faut éviter les erreurs graves.

   b. Les mesures doivent être équitables : les partis pris favorisant fortement l'un ou l'autre des deux camps doivent être évités ou, à tout le moins, identifiés clairement, afin que propriétaires et gestionnaires aient le sentiment que leurs intérêts sont protégés.

   c. Pour encourager l'équité et réduire la possibilité d'erreur, les propriétaires et les gestionnaires peuvent convenir de faire préparer les mesures par un tiers ou de faire au moins vérifier les calculs par quelqu'un de neutre.

   d. Le système ne doit pas coûter trop cher. En effet, un système onéreux réduit le bénéfice de l'entreprise et, par conséquent, le « gâteau » que se partagent les propriétaires et les gestionnaires sous forme de dividendes, de primes, etc.

   e. Les mesures doivent être vérifiables, s'appuyer sur des preuves plutôt que sur des impressions ou des opinions, de sorte que les propriétaires et les gestionnaires puissent, à leur gré, contrôler la justesse des résultats.

   f. Le système doit être stable, et les mesures elles-mêmes reconnues comme « définitives » à partir d'un certain moment, afin que ni les propriétaires ni les gestionnaires ne puissent revenir en arrière et essayer de modifier les règles ou les résultats.

   g. Il est avantageux d'adopter un système semblable à ceux qu'utilisent d'autres entreprises : ainsi, propriétaires et gestionnaires ont la possibilité de comparer le rendement des gestionnaires à celui des gestionnaires des autres entreprises.

4. D'autres principes peuvent être énumérés : vous en avez peut-être envisagé plusieurs. À mesure que s'étofferont vos connaissances comptables, vous constaterez que les principes dont il est question ci-dessus (pertinence, fidélité, vérifiabilité, uniformité, comparabilité, etc.), ainsi que d'autres, sont des facteurs qui influent chaque jour sur le fonctionnement de la comptabilité générale. Dans la mesure où elle s'appuie sur de tels principes, la comptabilité

se rapproche d'autres systèmes de mesure, tels que la statistique, la tenue des dossiers médicaux, l'évaluation des étudiants et la tenue des archives judiciaires.

5. Lesquels de ces principes devraient le plus facilement susciter un consensus et lesquels devraient soulever le plus de discussions ? La réponse à cette question varie beaucoup selon les caractéristiques de l'entreprise, de ses propriétaires et de ses gestionnaires. Toutefois, nous pouvons supposer qu'il est plus facile de se mettre d'accord sur l'uniformité et la fiabilité que sur la pertinence et la comparabilité, car ces derniers principes dépendent davantage des points de vue des propriétaires et des gestionnaires, qui peuvent avoir des intérêts opposés. Il en est de même du principe coût-efficacité, dont l'application est fonction de celui qui paie : quand ce sont les propriétaires qui assument toutes les dépenses, les gestionnaires ne se soucient pas beaucoup du coût, et vice-versa.

Solution proposée au PROBLÈME 1.3

a. Solde du compte bancaire à la fin de 1998 :
12 430 $ + 1 000 $ + 68 990 $ − 1 480 $ − 36 910 $ − 28 000 $ = 16 030 $.

b. Bénéfice en comptabilité d'exercice pour 1998 :
68 990 $ + 850 $ − 36 910 $ − 2 650 $ − 3 740 $ = 26 540 $.

Solution proposée au PROBLÈME 1.4

En admettant que le dépôt et les chèques en circulation sont finalement parvenus au compte bancaire de Roland, on calculera comme suit son « vrai » solde :

Solde selon la banque	365 $
Plus le dépôt en circulation	73
	438 $
Moins les chèques en circulation (145 $ + 37 + 86 $ + 92 $)	360
Solde selon les registres de Roland	78 $

Donc, si ses registres sont exacts et si la banque porte sans délai le dépôt au crédit de son compte, Roland sera en mesure de rembourser les 70 $ qu'il doit à son ami.

Solution proposée au PROBLÈME 1.5

Bénéfice en comptabilité de caisse	67 450 $
Produits non encaissés	18 730
Factures non réglées	(24 880)
Marchandises non vendues (en stock)	3 410
Charges payées d'avance pour le prochain exercice	2 300
Amortissement	(13 740)
Bénéfice en comptabilité d'exercice	53 270 $

Solution proposée au PROBLÈME 1.6

	Bénéfice en comptabilité de caisse	Bénéfice en comptabilité d'exercice
a.	• aucun effet — les 100 $ ont déjà été dépensés	• plus 100 $ — les charges ont diminué de 100 $ puisqu'un montant de 100 $ de marchandises en stock a été reporté dans le bilan
b.	• moins 45 $ — la sortie de fonds n'a pas été comptabilisée	• moins 45 $ — une charge additionnelle a été comptabilisée
c.	• aucun effet — l'amortissement est un élément hors caisse	• moins 15 $ (35 $ − 120 $) — l'amortissement de l'exercice a augmenté
d.	• aucun effet — le montant dû n'a pas été reçu	• moins 30 $ — le montant des créances irrécouvrables a augmenté
e.	• aucun effet — les 75 $ sont déjà inclus dans le bénéfice en comptabilité de caisse	• moins 75 $ — les produits ont diminué de 75 $ puisqu'un montant de 75 $ d'acompte versé par un client a été reporté dans le bilan

Solution proposée au PROBLÈME 2.1

Boulangerie Biscotte (société de personnes)
Bilan au 31 juillet 1998

Actif		Passif et capitaux propres	
Actif à court terme :		Passif à court terme :	
Petite caisse	895 $	Emprunt bancaire remboursable	
Encaisse	4 992	sur demande	14 500 $
Clients	3 823	Fournisseurs	11 240
Stock de produits finis	245	Salaires dus aux employés	2 246
Fournitures en stock	13 220		27 986 $
	23 175 $		
Actif à long terme :		Capitaux propres :	
		Capital de l'associé	
Matériel (coût)	129 153 $	B. Cotnoir	52 921 $
Amortissement cumulé	(43 996)	Capital de l'associé	
	85 157 $	A. Bisson	27 425
			80 346 $
TOTAL	108 332 $	TOTAL	108 332 $

Fonds de roulement = 23 175 $ − 27 986 $ = − $4 811
Ratio du fonds de roulement = 23 175 $/27 986 $ = 0,83

Solution proposée au PROBLÈME 2.2

Ce problème illustre la convention de la personnalité de l'entreprise. Aux numéros 1, 2 et 3, on vous demande de dresser un bilan pour trois entités distinctes: Julie, Simon et le couple formé par Julie et Simon.

1.

Julie
État de la situation financière (bilan)
au 19 juin 1998

Actif		Passif et capitaux propres	
Encaisse	500 $	Passif	0 $
Chaîne stéréo	2 000	Capital de Julie	2 800
Dépôt donné en garantie	300		
	2 800 $		2 800 $

2.

Simon
État de la situation financière (bilan)
au 19 juin 1998

Actif		Passif et capitaux propres	
Encaisse	1 000 $	Passif	
Loyer payé d'avance	400	Emprunt	2 100 $
Meubles	500	Capital de Simon (déficit)	(200)
	1 900 $		1 900 $

3.

Julie et Simon
État de la situation financière (bilan)
au 24 juin 1998

Actif		Passif et capitaux propres	
Encaisse	2 500 $	Passif	
Dépôt donné en garantie	300	American Express	600 $
Chaîne stéréo	2 000	Capitaux propres	
Meubles	500	Julie et Simon	6 200
Cadeaux	1 500		
	6 800 $		6 800 $

Le rapprochement de leurs capitaux propres individuels et de leurs capitaux propres communs peut être effectué de la façon suivante:

Individuellement:		
Capital de Julie	2 800 $	
Capital de Simon	(200)	2 600 $
Changements dus au mariage:		
Cadeaux de mariage	5 600 $	
Location de la salle	(400)	
Orchestre	(1 000)	
Voyage de noces	(600)	3 600 $
Capitaux propres communs après le voyage de noces		6 200 $

Solution proposée au PROBLÈME 2.3

1. À l'aide des définitions détaillées que vous trouverez ci- dessous, vous pourrez constater si vous avez choisi les bons éléments dans le bilan.

   a. Un élément d'actif à court terme est un bien comportant des avantages futurs, qui sera converti en argent ou consommé dans le courant de l'année. Cette définition inclut les « biens liquides », qui sont soit de l'argent comptant, soit des biens monnayables en tout temps, de même que d'autres ressources à court terme, monnayables avant la fin de l'année, mais non immédiatement. Exemples : espèces et quasi-espèces, placements à court terme, comptes clients, charges payées d'avance et stocks.

   b. Un élément d'actif à long terme est un bien qui sera converti en argent ou consommé dans plus d'un an. Exemples : terrain, bâtiments, matériel, placements à long terme, et d'autres éléments comme les frais de développement.

   c. Un élément de passif à court terme est une obligation qui doit être remboursée en argent dans le courant de l'année ou une dette estimative enregistrée selon la méthode de la comptabilité d'exercice. Exemples : comptes fournisseurs, dividendes à verser, impôts (estimatifs) à payer et tranche d'une dette à long terme exigible à moins d'un an.

   d. Un élément de passif à long terme est une dette, ou une charge à payer, exigible dans plus d'un an (moins toute portion comptabilisée parmi les éléments de passif à court terme). Exemples : hypothèques, emprunts bancaires à long terme, obligations, passifs au titre d'un régime de retraite et impôts reportés.

   e. Les capitaux propres sont les intérêts résiduels des propriétaires dans une société. Ils constituent l'un des moyens de financement des éléments d'actif, tels que l'encaisse et les investissements à long terme (les éléments de passif étant l'autre moyen). Les capitaux propres comprennent les investissements directs des propriétaires (le capital-actions, par exemple) et l'investissement indirect représenté par les bénéfices non répartis, lesquels correspondent aux bénéfices accumulés que les propriétaires ont choisi de laisser dans la société plutôt que de les retirer sous forme de dividendes.

2. L'actif, le passif et les capitaux propres ont été définis précédemment de façon générale, mais le classement de certains éléments peut varier selon les circonstances particulières à chaque entreprise. Ainsi, le terrain sur lequel se trouve l'usine d'une entreprise de fabrication constitue un élément d'actif à long terme ; par contre, une société immobilière, qui achète et vend des terrains, peut inscrire ceux-ci parmi ses éléments d'actif à court terme (stock à vendre). Pour vous comme pour Industries Lassonde inc., un emprunt bancaire est un élément de passif, mais, pour une banque — institution prêteuse et non emprunteuse —, un prêt constitue un élément d'actif (montant dû par l'emprunteur). Par ailleurs, certaines dettes ressemblent tellement à des actions qu'elles peuvent être classées parmi les capitaux propres, tandis que certaines actions s'apparentent tellement à des dettes qu'elles peuvent figurer parmi les éléments de passif. Le bilan doit s'adapter aux particularités de chaque entreprise, afin de mesurer efficacement sa situation financière.

3. Le fonds de roulement est égal à l'excédent de l'actif à court terme sur le passif à court terme. Le ratio du fonds de roulement équivaut au quotient de l'actif à court terme par le passif à court terme. Si vous appliquez ces calculs aux deux exercices, vous pourrez déterminer si la situation s'est améliorée ou détériorée. (Pour 1996, le fonds de roulement et le ratio du fonds de roulement de Industries Lassonde inc. sont calculés à la fin de la section 2.6.)

Solution proposée au PROBLÈME 2.4

1. Dressez la liste de vos biens et de toutes les sommes que vous devez, à un moment précis. Tout ce qui reste représente vos «capitaux propres» ou votre valeur nette. (Si vos capitaux propres sont négatifs, phénomène assez courant chez les étudiants, faites preuve d'humour!) Contentez-vous d'énumérer les éléments d'actif sans essayer de trouver un élément de passif pour chacun d'eux. Ainsi, il se peut que vous ayez déjà eu en main 2 000 $ provenant d'un emprunt, mais que cet argent soit aujourd'hui tout dépensé: voilà un élément de passif auquel ne correspond plus d'élément d'actif. Les frais de scolarité sont-ils des éléments d'actif? Une remise de dette étudiante anticipée peut-elle être classée parmi les éléments d'actif? Les prêts consentis par les parents font-ils partie des éléments de passif? Essayez de décider des éléments à inclure dans votre bilan pour obtenir une mesure valable de votre situation financière. Ce bilan pourrait vous servir à remplir une demande d'emprunt ou de carte de crédit. Il pourrait aussi vous aider à prendre une décision au sujet d'un achat important (comme une voiture).

Faites attention au titre et à la date du bilan. Indiquez l'*entité* — votre nom, ou celui de votre couple, si vous êtes incapable de distinguer vos éléments d'actif de ceux de votre conjoint.

À titre d'exemple, imaginons la liste d'un étudiant de notre connaissance:

a. 10 $ — compte bancaire
b. 50 $ — vêtements (prix d'achat)
c. 1 400 $ — vélo de montagne avec pièces et finitions de luxe (prix d'achat)
d. 1 500 $ — emprunt étudiant
e. 300 $ — manuels (prix d'achat)

Voici le bilan, qui sera expliqué ensuite:

Bilan de l'étudiant X à une date donnée

Actif		Passif et capitaux propres	
Actif à court terme		Passif à court terme	
Compte bancaire	10 $	Emprunt étudiant (tranche à moins d'un an)	500 $
Vêtements	0		
Manuels	130		
		Passif à long terme	
Actif à long terme		Emprunt étudiant (reste)	1 000
Vélo (avec pièces)	1 400		
		Capitaux propres (déduction)	40
		Total du passif et des	
Total de l'actif	1 540 $	capitaux propres	1 540 $

Quelques explications :

a. Le compte bancaire est nettement un élément d'actif à court terme ; il s'agit plus précisément de quasi-espèces, car l'étudiant X peut retirer l'argent n'importe quand.

b. Nous avons exclu les vêtements du bilan parce que nous estimons qu'ils n'ont plus de valeur — en effet, les pantalons à pattes d'éléphant et les chemises fluorescentes ne sont plus à la fine pointe de la mode.

c. L'étudiant X compte vendre les manuels au début du prochain trimestre et espère en obtenir 130 $. C'est donc cette valeur que nous avons comptabilisée dans le bilan. (Les éléments d'actif à court terme sont en général inscrits au coût ou à la valeur actuelle du marché, selon le moins élevé des deux, comme nous l'expliquons dans ce manuel.)

d. Un vélo de montagne neuf avec des pièces de luxe comme celui-ci coûterait environ 2 000 $, mais la comptabilité utilise la valeur d'origine dans le bilan (1 400 $).

e. Une tranche de l'emprunt étudiant doit être remboursée d'ici à la fin de l'année (500 $). Nous l'avons donc soustraite du passif à long terme et placée dans le passif à court terme.

f. Ici, le montant des capitaux propres a été obtenu par déduction, puisque toute portion de l'actif non financée par le passif (A − P) représente les capitaux propres, soit la valeur résiduelle.

2. Quelques informations favorisant la prise de décision :

a. Des problèmes imminents de liquidités guettent l'étudiant X, car il ne dispose que de 10 $, et, à part les manuels, le bilan n'indique aucune source sûre de fonds supplémentaires.

b. La tranche à court terme de l'emprunt étudiant devra être remboursée dans un an, et l'étudiant X n'a à son actif que 140 $ des 500 $ nécessaires : il lui manque donc 360 $. Il est évident qu'il devra soit se trouver du travail, soit emprunter de l'argent à ses parents.

c. Le montant des capitaux propres est peu élevé, mais positif — rien de surprenant à cela, puisque que l'étudiant X a toujours fréquenté l'école ! Toutefois, si, après quelques années de travail, il était toujours dans la même situation, il y aurait lieu de s'alarmer. L'interprétation de l'information financière est donc assujettie à d'autres considérations.

3. Certaines des idées exprimées ici sont déjà contenues dans ce qui précède. Comme vous pouvez le constater, un bilan personnel peut être très révélateur. Ainsi, celui de la majorité des étudiants dévoile une situation financière précaire, car il mesure leur appauvrissement passé et présent — ce qui ne les empêche pas d'espérer malgré tout en un avenir plus rémunérateur !

Solution proposée au PROBLÈME 2.5   Si vous avez eu de la difficulté à définir certains termes, consultez le glossaire.

Solution proposée au PROBLÈME 2.6

1. Le terrain figure dans le bilan, car il s'agit d'un élément d'actif, c'est-à-dire une ressource que l'entreprise possède ou gère et qui a une valeur économique. Comme tout autre élément d'actif, un terrain constitue pour l'entreprise une source potentielle de produits.

2. Actif = 5 222 $ + 2 410 $ = 7 632 $

3. Le capital-actions est l'une des sources de fonds qui ont servi à acquérir les éléments d'actif énumérés du côté gauche du bilan. Ce n'est donc pas une nouvelle source qui peut servir à l'achat d'autres terrains, mais plutôt l'une des sources des éléments d'actif existants. Seuls ces derniers peuvent être utilisés pour acquérir de nouveaux éléments d'actif. Ainsi, pour acheter un nouveau terrain, l'entreprise pouvait utiliser 3 000 $ en argent ou un autre élément d'actif. Comme elle ne disposait pas des fonds nécessaires, puisqu'une partie de ceux-ci avaient déjà été dépensés pour acheter des marchandises et du terrain, elle a dû faire un emprunt.

4. Les bénéfices non répartis correspondent à l'accumulation du bénéfice net de chaque exercice, moins les dividendes, depuis l'ouverture de l'entreprise. Ils représentent tous les profits résiduels non distribués et apparaissent dans le bilan parce qu'ils sont l'une des sources des éléments d'actif actuels (en effet, les éléments d'actif découlant de la réalisation du bénéfice n'ont pas tous été distribués aux propriétaires.)

5. Bénéfice net = 10 116 $ − 9 881 = 235 $

6. À la fin de l'exercice, les bénéfices non répartis s'élevaient à 1 222 $. Si on soustrait de ce montant le bénéfice qui lui avait été additionné (235 $) et si on y ajoute les dividendes qui en avaient été déduits (120 $), on obtient 1 107 $ de bénéfices non répartis pour le début de l'exercice. Preuve par l'inverse : 1 107 $ + 235 $ − 120 $ = 1 222 $.

7. Les bénéfices non répartis de la fin de l'exercice se calculeraient ainsi : 1 107 $ + 10 116 $ − 11 600 $ = − 377 $. Une perte nette de 1 484 $ aurait été enregistrée, ce qui aurait transformé les bénéfices non répartis du début de l'exercice en un déficit de fin d'exercice de 377 $.

8. Si le débit correspondant au déficit était inscrit parmi les éléments d'actif, cela signifierait que l'entreprise possède une valeur pour l'avenir, une ressource dont elle pourra tirer un bénéfice. Or, ce n'est pas du tout le cas : les charges ayant dépassé les produits, un élément des capitaux propres investis par les propriétaires a diminué (le capital-actions). Le déficit a donc amoindri les ressources de l'entreprise ; il ne les a pas augmentées, comme l'indiquerait le fait de le comptabiliser comme élément d'actif. C'est pour cette raison qu'un déficit est déduit des capitaux propres (du capital-actions, par exemple) et présenté du côté droit du bilan, en tant qu'élément négatif.

**Services Limo Belle ltée
Bilan au 30 septembre 1998**

	1998	1997
Actif		
Actif à court terme		
Encaisse	2 000 $	4 000 $
Clients	0	1 000
	2 000 $	5 000 $
Actif à long terme		
Matériel (limousines)	90 000 $	60 000 $
Moins amortissement cumulé	(30 000)	(20 000)
	60 000 $	40 000 $
Total de l'actif	62 000 $	45 000 $
Passif et capitaux propres		
Passif à court terme		
Emprunt	0 $	10 000 $
Salaires à verser	2 000	0
	2 000 $	10 000 $
Passif à long terme		
Financement à long terme des limousines	50 000 $	30 000 $
Capitaux propres		
Capital-actions	1 000 $	1 000 $
Bénéfices non répartis	9 000	4 000
	10 000 $	5 000 $
Total du passif et des capitaux propres	62 000 $	45 000 $

**Services Limo Belle ltée
État des résultats
Exercice terminé le 30 septembre 1998**

Produits		300 000 $
Moins les charges :		
Salaires	100 000 $	
Autres	70 000	
Amortissement	10 000	180 000 $
Bénéfice avant impôts		120 000 $
Impôts		35 000
Bénéfice net		85 000 $

Services Limo Belle ltée
État des bénéfices non répartis
Exercice terminé le 30 septembre 1998

Solde, début de l'exercice (30 septembre 1997)	4 000 $
Bénéfice net de l'exercice	85 000
Dividendes déclarés	(80 000)
Solde, fin de l'exercice (30 septembre 1998)	9 000 $

Hypothèses :

- Le montant dû par Ed Lachance a été remboursé dans un délai d'un an : il semble donc faire partie de l'actif à court terme.
- L'emprunt semble aussi avoir été exigible à court terme.
- On peut logiquement supposer que les employés ne toléreraient pas longtemps de rester impayés : les salaires constituent de ce fait une obligation à court terme.
- L'élément de passif à long terme ne comporte aucune tranche exigible à moins d'un an.

Solution proposée au PROBLÈME 2.8

Formulées dans vos propres mots, vos explications pourraient ressembler à celles-ci.

1. Le bénéfice net est une augmentation des fonds et des autres ressources générés au cours d'une période par les activités d'exploitation d'une entreprise. Par activités d'exploitation, on entend la vente de produits et de services à des clients, de même que les dépenses engagées pour servir ces derniers.
2. Le bénéfice net fait partie des capitaux propres parce que les ressources additionnelles obtenues de la façon indiquée plus haut appartiennent aux propriétaires, qui peuvent les retirer sous forme de dividendes. Tant et aussi longtemps qu'ils les laissent dans l'entreprise, elles font partie de leurs intérêts.
3. On pourrait signaler le bénéfice net dans le bilan en indiquant simplement que les capitaux propres ont augmenté depuis la période précédente. L'état des résultats a été conçu pour expliquer les détails des changements subis par les capitaux propres et pour présenter séparément les dividendes retirés par les propriétaires au cours de cette période.
4. C'est un fait, il faut toujours contenter les actionnaires. Mais, pour y arriver, il faut faire un bénéfice (pour que leur participation augmente) ou leur verser un dividende, ce qui revient à leur distribuer une partie de cette augmentation. Or, inclure les dividendes dans le calcul du bénéfice embrouillerait les relations que l'entreprise entretient avec ces clients et avec ses propriétaires ; en outre, il serait plus difficile de savoir si elle a réussi à accroître ses ressources (à réaliser un bénéfice).

Solution proposée au PROBLÈME 2.9

(La partie 3 illustre l'analyse des effets que les erreurs, les décisions de gestion ou d'autres changements produisent sur les états financiers. Cette importante analyse, appelée « analyse par simulation », est décrite dans le chapitre 10, module 10E.)

1. Bilan:

Armand Lamer inc. **Bilan au 31 mai 1998**			
Actif		**Passif et capitaux propres**	
Actif à court terme:		Passif à court terme:	
Encaisse	2 200 $	Montant à payer aux	
Aliments (coût)	2 100	fournisseurs	5 300 $
Fournitures (coût)	4 500	Salaires à payer	900
	8 800 $		6 200 $
Actif à long terme:		Passif à long terme:	
Matériel et mobilier (coût)	64 900 $	Emprunt à long terme	25 000 $
Moins amortissement			
cumulé	(27 400)	Capitaux propres:	
	37 500 $	Capital-actions émis	10 000 $
		Bénéfices non répartis	5 100
	46 300 $		46 300 $

Notes possibles (d'autres peuvent aussi être suggérées):

- informations supplémentaires sur les diverses fournitures en stock;
- informations supplémentaires sur le matériel et le mobilier, y compris sur le calcul de l'amortissement cumulé;
- informations supplémentaires sur l'emprunt à long terme (les conditions de remboursement, le taux d'intérêt, par exemple);
- informations supplémentaires sur le capital-actions de la société (sur les catégories d'actions qui pourraient être émises et sur toutes celles qui l'ont été récemment, par exemple).

2. Voici quelques commentaires inspirés par deux ratios. Le ratio emprunts/capitaux propres de la société est de 2,07 (31 200 $/15 100 $): le financement de son actif repose donc deux fois plus sur le passif que sur les capitaux propres. Son fonds de roulement s'élève à 2 600 $ (8 800 $ − 6 200 $), et son ratio du fonds de roulement est de 1,4 (8 800 $/6 200 $), ce qui signifie que son actif à court terme est quelque peu supérieur à son passif à court terme. Ses obligations sont en majeure partie à long terme. Dans l'ensemble, il ne semble pas y avoir de problèmes financiers urgents. La société paraît disposer d'un assez bon financement, mais elle devra un jour rembourser son important emprunt à long terme. (Plusieurs autres commentaires viendront sans doute à l'esprit des étudiants!)

3. Après la modification, le «montant dû aux fournisseurs» diminue de 2 900 $ et tombe à 2 400 $. L'encaisse baisse aussi de 2 900 $, et son nouveau total de 700 $ est négatif. Le compte bancaire se trouve par conséquent à découvert, situation souvent tolérée par les banques dans la mesure où des dispositions ont été prises à l'avance pour autoriser ce qui, dans les faits, constitue un prêt bancaire (découvert de banque). Cet emprunt est présenté comme une dette envers la banque et non comme un élément d'actif négatif, de sorte que le bilan se lit maintenant comme suit:

Actif à court terme :		Passif à court terme :	
2 100 $ + 4 500 $	6 600 $	700 $ + 2 400 $ + 900 $	4 000 $
Actif à long terme :		Passif à long terme :	
Inchangé	37 500	Inchangé	25 000
			29 000 $
		Capitaux propres :	
		Inchangés	15 100
	44 100 $		44 100 $

Le total de l'actif et le total du passif et des capitaux propres ont changé ; le ratio emprunts / capitaux propres est de 1,92, soit légèrement plus bas (29 000 $ / 15 100 $) ; le fonds de roulement reste le même (6 600 $ − 4 000 $ = 2 600 $) ; et le ratio du fonds de roulement, maintenant de 1,65 (6 600 $ / 4 000 $), s'est élevé. Donc, même si la société n'a pas de fonds disponibles et doit 700 $ à la banque, sa situation financière s'est un peu améliorée. Par ailleurs, la modification n'a aucune incidence sur l'emprunt à long terme, qui arrivera un jour à échéance.

Solution proposée au PROBLÈME 2.10

1. Comptes nécessaires à la préparation de l'état des résultats :

Salaires	Frais de bureau
Avantages sociaux	Impôts de l'exercice
Produit des ventes au comptant	Produit des ventes à crédit
Amortissement	Intérêts créditeurs
Coût des marchandises vendues	Charges accessoires
Frais d'assurance	Intérêts débiteurs

2. Bénéfice net, compte tenu du numéro 1 :

Ventes :		
À crédit	346 200 $	
Au comptant	21 600	
		367 800 $
Charges (autres que l'impôt sur les bénéfices) :		
Salaires	71 000 $	
Amortissement	26 700	
Assurance	11 200	
Frais divers	8 200	
Avantages sociaux	13 100	
Coût des marchandises vendues	161 600	
Frais de bureau	31 100	
Intérêts débiteurs*	16 800	(339 700) $

Bénéfice avant intérêts créditeurs et impôts	28 100$
Intérêts créditeurs	1 700
Impôts de l'exercice	(6 900)
Bénéfice net	22 900$

* Ce montant comprend les intérêts créditeurs apparaissant dans l'état des résultats ci-dessous, de sorte que les charges d'exploitation s'élèvent à 322 900$, et les intérêts débiteurs nets, à 15 100$.

3. Bénéfices non répartis de la fin de l'exercice:

Bénéfices non répartis, début de l'exercice	92 800$
Plus le bénéfice net (ci-dessus)	22 900
Moins les dividendes déclarés	(11 000)
Bénéfices non répartis, fin de l'exercice	104 700$

4. i.
Productions Extase
État des résultats
Exercice terminé le 30 novembre 1998

Produits	367 800$
Charges d'exploitation*	322 900
Bénéfice d'exploitation	44 900$
Intérêts débiteurs, moins intérêts créditeurs	15 100
Bénéfice avant impôts	29 800$
Impôts de l'exercice	6 900
Bénéfice net de l'exercice	22 900$

* Ce montant englobe toutes les charges. On pourrait très bien les énumérer, quoique la plupart des sociétés s'en abstiennent, car une telle liste surcharge la présentation tout en fournissant des informations aux concurrents. On révèle normalement le montant d'amortissement au moyen d'une note explicative ou d'un compte distinct.

ii.
Productions Extase
État des bénéfices non répartis
Exercice terminé le 30 novembre 1998

Bénéfices non répartis, début de l'exercice	92 800$
Plus le bénéfice net de l'exercice	22 900
	115 700$
Moins les dividendes déclarés	11 000
Bénéfices non répartis, fin de l'exercice	104 700$

iii.   **Productions Extase**
                         Bilan au 30 novembre 1998

Actif		Passif et capitaux propres	
Actif à court terme :		Passif à court terme :	
Encaisse	18 000 $	Emprunt bancaire *	21 800 $
Clients	16 400	Fournisseurs	41 000
Stocks	68 000	Autres obligations **	17 800
Assurance payée			80 600 $
d'avance	2 400		
	104 800 $	Passif à long terme :	
Actif à long terme :		Hypothèque à payer *	114 000
Terrain	63 000 $		194 600 $
Bâtiment	243 000	Capitaux propres :	
Camions et matériel	182 500	Capital-actions	200 000 $
	488 500 $	Bénéfices non répartis	104 700
Moins amortissement			304 700 $
cumulé	94 000		
	394 500 $		
	499 300 $		499 300 $

* On présume que la totalité de l'emprunt bancaire est exigible à moins d'un an et que la totalité de
l'hypothèque l'est à plus d'un an.
** 2 800 $ + 5 400 $ + 4 100 $ + 5 500 $ = 17 800 $

5. Brèves explications :

- La société a réalisé un bénéfice équivalant à 6,2 % des produits et à 7,5 % des capitaux propres de la fin de l'exercice.
- Les dividendes déclarés correspondaient à la moitié du bénéfice net : selon le conseil d'administration, il était préférable de remettre cette part aux actionnaires plutôt que de la laisser dans la société.
- À la fin de l'exercice, le fonds de roulement était positif (104 800 $ − 80 600 $ = 24 200 $; ratio de 1,3) : la société serait en mesure de régler ses factures à temps (à condition d'arriver à vendre son stock).
- À la fin de l'exercice, le ratio d'endettement de la société était de 0,64 (194 600 $ / 304 700 $) : la majeure partie de son financement provenant des capitaux propres, elle ne présentait pas de trop de risques.

Solution proposée au PROBLÈME 2.11

1. Le bénéfice net le plus lisse serait 5 400 000 $, car c'est le chiffre qui s'écarte le moins de celui de l'exercice précédent.
2. Arguments en faveur de la comptabilisation en 1998 des produits et des charges relatives au contrat :

- augmenter le bénéfice net et ainsi améliorer la performance aux yeux des investisseurs ;
- augmenter le bénéfice net et peut-être les primes des gestionnaires.

Arguments en faveur de la comptabilisation en 1999 des produits et des charges relatives au contrat:

- retarder le paiement des impôts sur le bénéfice découlant du contrat;
- modérer les attentes des actionnaires quant aux dividendes;
- profiter de la situation pour assainir le bilan en empirant les résultats de l'exercice en cours, de sorte que les résultats futurs paraîtront encore meilleurs.

Arguments en faveur de la comptabilisation en 1998 d'une partie des produits et des charges relatives au contrat:

- présenter un bénéfice plus lisse et donner l'impression que, d'année en année, la société est bien gérée;
- adopter cette solution intermédiaire permettrait peut-être d'atteindre un juste équilibre entre prudence et audace;
- cette solution est sans doute plus courante que les deux autres réunies.

On pourrait aussi débattre de chaque possibilité en examinant la façon dont la comptabilité reflète la réalité économique de l'opération.

Solution proposée au PROBLÈME 2.12

	1995	1996	1997	1998
Produits de l'exercice	38 000	49 000	61 000	65 000
Charges de l'exercice (sauf impôts sur les bénéfices)	29 000	42 000	50 000	61 000
Bénéfice de l'exercice, avant impôts	9 000	7 000	11 000	4 000
Impôts de l'exercice	2 000	1 500	3 000	1 000
Bénéfice net de l'exercice	7 000	5 500	8 000	3 000
Bénéfices non répartis, début de l'exercice	21 000	25 000	29 500	33 000
Dividendes déclarés au cours de l'exercice	3 000	1 000	4 500	0
Bénéfices non répartis, fin de l'exercice	25 000	29 500	33 000	36 000
Autres capitaux propres, fin de l'exercice	35 000	38 000	38 000	48 000
Passif, fin de l'exercice	80 000	85 000	111 000	105 000
Actif, fin de l'exercice	140 000	152 500	182 000	189 000

Solution proposée au PROBLÈME 3.1

Les états financiers forment une série complète qui doit être interprétée en tant que telle. En effet, tous les rapports sont préparés, directement ou (dans le cas de l'EESF) indirectement, d'après un ensemble de comptes équilibrés. Par conséquent, ils représentent tous une partie de ce jeu de comptes, et la signification de chacun est inextricablement liée à celle des autres. Voici quelques exemples:

- Le bénéfice net présenté dans l'état des résultats provient de l'augmentation des ressources nettes : les produits et les charges se rattachent donc à des comptes du bilan, comme les clients (produits non encaissés), les fournisseurs (charges non payées), et l'amortissement cumulé (montant cumulatif de l'amortissement des exercices passés).

- Le bénéfice présenté dans l'état des résultats est reporté dans l'état des bénéfices non répartis.

- Les dividendes figurant dans l'état des bénéfices non répartis entraînent dans le bilan soit une diminution de l'encaisse, soit une augmentation des dividendes à payer.

- Le bénéfice net présenté dans l'état des résultats apparaît sur la première ligne de l'EESF, qui consiste lui-même en une analyse de l'évolution des comptes du bilan.

Solution proposée au PROBLÈME 3.2

1. La gestion des flux de trésorerie est importante parce que, dans notre économie, c'est par l'intermédiaire de l'argent que s'effectuent les échanges commerciaux. Dans une entreprise, les rentrées de fonds doivent être suffisantes pour couvrir les sorties de fonds nécessaires au paiement des factures, à l'achat de nouveaux biens, au paiement des dividendes, etc. À court terme, ou pendant les périodes difficiles de l'année, la gestion de la trésorerie peut prendre plus d'importance que celle de la performance globale, que mesure l'état des résultats préparé selon la méthode de la comptabilité d'exercice.

2. Oui. Une société peut présenter un bénéfice net appréciable. Cependant, si elle ne recouvre pas ses comptes clients ou si elle achète trop de marchandises — de sorte que son argent se trouve retenu par les clients ou « immobilisé » dans le stock —, les liquidités provenant de l'exploitation peuvent être inférieures à ce bénéfice net.

3. Le calcul du bénéfice net englobe des charges hors trésorerie considérables (l'amortissement, surtout) qui font baisser le bénéfice, sans toutefois avoir d'incidence sur les liquidités issues des opérations. En conséquence, dans la plupart des sociétés, le bénéfice net est moindre que le bénéfice en comptabilité de caisse (les liquidités provenant de l'exploitation).

4. Les espèces et les quasi-espèces comprennent les fonds en caisse et en banque auxquels s'ajoutent les éléments d'actif qui correspondent en réalité à des fonds dont on n'a pas besoin immédiatement (comme les dépôts à terme, les certificats de placement et d'autres placements temporaires) et desquels sont retranchés les emprunts à très court terme, dont le créancier peut exiger le remboursement en argent à n'importe quel moment (comme les emprunts bancaires remboursables à vue ou les emprunts effectués en vertu d'une marge de crédit, qu'on doit régler en quelques jours, dès qu'on a les fonds nécessaires).

Solution proposée au PROBLÈME 3.3

1. L'EESF transmet au moins les renseignements suivants :

   a. Il fait connaître le bénéfice en comptabilité de caisse (les liquidités provenant de l'exploitation).

   b. Il explique pourquoi le bénéfice en comptabilité de caisse diffère du bénéfice en comptabilité d'exercice.

   c. Il indique si les éléments hors trésorerie du fonds de roulement sont à la hausse ou à la baisse (ce qui complète l'information transmise par le fonds de roulement et le ratio du fonds de roulement : l'augmentation du fonds de roulement n'est pas nécessairement une bonne chose quand elle est due à des comptes clients non recouvrés ou à un excédent de stock ; l'EESF permet de mettre en évidence l'effet négatif d'une telle situation sur les liquidités).

   d. Il rend compte de plusieurs rentrées et sorties de fonds, qui n'apparaissent pas dans l'état des résultats et que le bilan ne permet de déterminer qu'à condition de savoir s'y prendre. Il s'agit, par exemple, des dépenses engagées pour l'acquisition de nouveaux éléments d'actif à long terme, des produits tirés de la vente de tels éléments et de l'obtention ou du remboursement d'éléments de passif à long terme et d'éléments de capital-actions.

   e. Il indique le montant des dividendes versés.

2. Variation nette des liquidités = 127 976 $ − 40 000 $ = 238 040 $ + 147 000 $ = − 3 064 $. Les espèces et quasi-espèces ont diminué de 3 064 $ au cours de l'exercice.

3. Voici ce qui serait arrivé si l'événement s'était produit pendant l'exercice :

   a. Cet investissement aurait représenté une dépense de 38 950 $. L'EESF aurait donc indiqué une diminution nette des liquidités de 38 950 $.

   b. Le financement du camion aurait représenté une rentrée de fonds de 20 000 $. L'EESF aurait donc indiqué une augmentation nette des liquidités de 20 000 $.

   c. Le changement du solde des comptes clients aurait eu pour effet de réduire de 6 000 $ le montant des liquidités présenté sous la rubrique des activités d'exploitation de l'EESF, car ce produit avait été inclus dans le calcul du bénéfice, même s'il n'avait pas encore été encaissé. L'EESF aurait donc indiqué une diminution des liquidités provenant de l'exploitation de 6 000 $ et une diminution nette des liquidités du même montant.

   d. Le versement de ces dividendes aurait représenté une sortie de fonds additionnelle de 15 000 $, pour un total de 55 000 $. L'EESF aurait donc indiqué une diminution nette des liquidités de 15 000 $.

   e. L'emprunt à vue aurait été comptabilisé dans l'EESF, à la fois parmi les éléments d'actif en quasi-espèces et parmi les éléments de passif de même nature. Sa répercussion nette sur les liquidités aurait donc été nulle. Le montant ne serait pas apparu dans le corps de l'EESF, mais aurait été présenté sous la rubrique « Composition des liquidités » figurant au bas du rapport (l'actif et le passif en quasi-espèces auraient tous deux augmenté de 25 000 $).

   f. Aucun changement. Sous la rubrique « Activités d'exploitation », le bénéfice net aurait diminué de 5 000 $, mais l'addition de l'amortissement sous cette même rubrique aurait été de 5 000 $, et les deux opérations se seraient annulées. Par conséquent, il n'y aurait eu aucune répercussion sur la variation nette des liquidités. En effet, l'amortissement est un élément hors trésorerie qui n'a aucune incidence sur le total des liquidités provenant de l'exploitation présenté dans l'EESF.

Solution proposée au PROBLÈME 3.4

Pour faciliter les choses, cette solution s'applique à l'EESF de Provigo (voir l'annexe 1). Si vous avez utilisé l'EESF d'une autre société, vos commentaires devraient en gros correspondre aux nôtres.

1. Les différences sont peu nombreuses. La société inscrit les dividendes sous une rubrique distincte après les activités de financement plutôt qu'immédiatement après les activités d'exploitation.

2. Pour l'exercice terminé le 31 janvier 1998, les liquidités provenant de l'exploitation totalisaient 114,9 millions de dollars, tandis que le bénéfice net s'élevait à 84,9 millions de dollars. Si le premier montant est supérieur au second, c'est que les éléments hors trésorerie du fonds de roulement (comptes clients, marchandises en stock, etc.) ont diminué et que la charge d'amortissement rajoutée est importante.

3. Les liquidités (espèces et quasi-espèces) comprennent l'encaisse et les certificats de dépôt, déduction faite des chèques émis et en circulation. Le total pour 1998 est négatif alors qu'il était positif pour 1997.

4. Selon le bilan, les comptes clients et les stocks ont augmenté de façon plus importante que les comptes fournisseurs. Tous ces changements ont pour effet de diminuer les liquidités provenant de l'exploitation. Dans l'EESF, l'amortissement a été rajouté au bénéfice net. Comme il s'agit d'un élément sans incidence sur les liquidités, cette opération diminue l'écart entre le bénéfice net et les liquidités provenant de l'exploitation.

5. Vous trouverez la réponse dans la partie 4.

6. Voici les principaux événements: les activités d'exploitation ont généré 114,9 millions de dollars. Cet argent a servi en partie à acquérir de nouvelles immobilisations, à racheter du capital-actions et à verser des dividendes aux détenteurs d'actions privilégiées.

Solution proposée au PROBLÈME 3.5

1. L'indépendance est nécessaire, car les vérificateurs ne doivent pas se sentir concernés par ce que révèlent les états financiers. L'indépendance leur permet de faire preuve de détachement et de professionnalisme dans l'accomplissement de leur tâche. Si les vérificateurs n'étaient pas indépendants, ils pourraient « vouloir » certains résultats qui les avantageraient (par exemple, si leurs honoraires consistaient en un pourcentage du bénéfice net, ils pourraient adopter des méthodes susceptibles d'accroître celui-ci).

2. L'indépendance est difficile à préserver pour plusieurs raisons. Premièrement, les vérificateurs savent que si l'entreprise dont ils examinent les comptes fait faillite, ils auront un client de moins l'année suivante; pour l'empêcher de fermer ses portes, ils peuvent donc être tentés d'adopter des méthodes destinées à camoufler les problèmes. Deuxièmement, les vérificateurs doivent travailler en étroite collaboration avec les gestionnaires; ces derniers peuvent avoir besoin d'autres services (par exemple, des conseils sur la fiscalité ou sur la comptabilité) que les vérificateurs sont heureux de leur fournir. Troisièmement, les vérificateurs sont officiellement nommés par les actionnaires; pourtant, si la direction recommande de renouveler (ou non) leur nomination, il y a bien des chances que cette recommandation soit acceptée par les actionnaires, qui,

en général, ne sont pas très près de l'entreprise ni des vérificateurs. Quatrièmement, les vérificateurs sont humains, ils en viennent à connaître et à apprécier les gens qu'ils côtoient, comme les gestionnaires et les employés de l'entreprise où ils travaillent, et souhaitent normalement leur réussite — il devient alors difficile de toujours faire preuve de détachement.

Solution proposée au PROBLÈME 3.6

- Malgré une forte activité, le montant des liquidités est négatif, tant au début qu'à la fin de l'exercice : l'entreprise ne pouvait ou ne voulait pas réduire le besoin de financer son encaisse par un emprunt à vue, mais l'augmentation des liquidités de l'exercice témoigne d'une amélioration de la situation.

- Les liquidités provenant de l'exploitation totalisent plus du double du bénéfice net, ce qui est bon signe. Mais l'augmentation des comptes clients (problèmes de recouvrement des créances possibles) et des stocks (problèmes de vente possibles), combinée à celle des comptes fournisseurs (problèmes d'acquittement des factures possibles), semble indiquer des difficultés relatives à la gestion courante de la trésorerie et à la gestion du fonds de roulement.

- Comme elle ne disposait pas des fonds nécessaires, l'entreprise a dû avoir recours à un financement substantiel pour acquérir de nouveaux éléments d'actif, dont le coût est environ deux fois supérieur aux liquidités provenant de l'exploitation.

- D'importants remboursements semblent compliquer les activités de financement — ici encore l'entreprise a eu besoin de liquidités (nous ne savons pas si les dettes étaient parvenues à échéance ou si on a décidé de les rembourser dans l'espoir d'obtenir un refinancement et des taux d'intérêt plus bas); un financement additionnel de presque 550 000 $ a donc été nécessaire. La majorité de ces fonds ont été obtenus grâce à des emprunts, mais une partie provient de l'émission de nouvelles actions (peut-être pour éviter que l'endettement ne déséquilibre trop le rapport emprunts/capitaux propres.)

Solution proposée au PROBLÈME 3.7

Activités d'exploitation		
Bénéfice net de l'exercice		216 350 $
Amortissement	218 890 $	
Impôts reportés	21 210	240 100
Variations des éléments hors trésorerie du fonds de roulement		
Augmentation des comptes clients	(223 120)	
Diminution des stocks	80 200	
Diminution des comptes fournisseurs	(91 970)	
Augmentation — impôts exigibles pour l'exercice	6 530	(228 360)
Liquidités provenant de l'exploitation		228 090 $
Dividendes versés		(75 000)

Activités d'investissement
    Acquisition d'éléments d'actif à long terme   (393 980)$
    Produit de la disposition d'éléments d'actif
       à long terme   11 260   (382 720)

Activités de financement
    Nouvelle dette à long terme   250 500$
    Remboursement de la dette à long terme   (78 000)
    Émission de capital-actions   120 000   291 700

Augmentation des liquidités de l'exercice   62 070$
Liquidités, début de l'exercice   (52 640)[1]

Liquidités, fin de l'exercice   9 430$

Composition des liquidités
    Encaisse   48 340$
    Emprunt à vue   (38 910)
        9 430$

[1] C'est le seul chiffre qui n'apparaît pas dans l'ébauche d'EESF. Il a été obtenu en soustrayant du solde des liquidités de fin d'exercice le montant des liquidités inscrit dans la section des variations du fonds de roulement.

Solution proposée au PROBLÈME 3.8

Activités d'exploitation
    Perte nette   (210)$
    Amortissement   2 630$
    Impôts reportés   250   2 880

    Variations des éléments hors liquidités
       du fonds de roulement
      Clients   (1 150)$
      Stocks   470
      Fournisseurs   1 020
      Impôts exigibles   (330)   10
    Liquidités provenant de l'exploitation   2 680$
Dividendes   (50)

Activités d'investissement
    Augmentation de l'actif à long terme   (1 850)

Activités de financement
    Remboursement de la dette   (540)$
    Émission de capital-actions   300   (240)

Augmentation des liquidités de l'exercice   540
Liquidités, début de l'exercice   (380)
Liquidités, fin de l'exercice   160$

Commentaires sur l'EESF:

- Malgré la perte nette, on constate une variation positive des liquidités.

- L'augmentation des comptes clients semble indiquer que l'entreprise éprouve de la difficulté à recouvrer ses créances.

- L'augmentation des comptes fournisseurs ne concorde pas avec la réduction des stocks.

- Au cours du dernier exercice, le solde des liquidités, qui était négatif à la fin de l'exercice précédent, est devenu positif.

- Comme le montant consacré à l'acquisition de nouveaux éléments d'actif est inférieur à celui de l'amortissement, la valeur comptable de l'actif à long terme a diminué.

- Le financement a eu un effet net négatif, car le montant appliqué au remboursement de la dette dépasse celui du capital-actions nouvellement émis.

- En fin de compte, l'entreprise a tiré la totalité de son financement de l'exploitation, puisque tous les autres mouvements de trésorerie sont négatifs.

	Exercice courant	Exercice précédent
Ratio du fonds de roulement	$8\ 210/7\ 640 = 1,075$	$8\ 090/8\ 050 = 1,005$
Ratio emprunts/ capitaux propres	$\dfrac{7\ 640 + 14\ 060}{5\ 420} = 4,00$	$\dfrac{8\ 050 + 14\ 350}{5\ 380} = 4,16$

Commentaires sur les ratios:

- L'évolution positive de la situation financière s'accompagne d'une légère amélioration du ratio du fonds de roulement, mais la situation actuelle demeure fragile, car ce ratio dépasse à peine 1.

- Le ratio emprunts/capitaux propres s'est aussi amélioré: l'entreprise a remboursé une partie de sa dette et le capital-actions émis est supérieur au total de la perte et des dividendes.

Solution proposée au PROBLÈME 3.9

Parmi les informations financières contenues dans le rapport annuel se trouvent quatre états financiers: le bilan, l'état des résultats, l'état des bénéfices non répartis et l'état de l'évolution de la situation financière. Ces quatre pages (ou trois, si l'état des résultats et l'état des bénéfices non répartis sont présentés sur une même page) résument les résultats des nombreuses opérations effectuées par l'entreprise au cours de l'exercice. En effet, si tous les détails de ces opérations étaient révélés, les rapports seraient excessivement volumineux et peu utiles.

Les notes afférentes aux états financiers contiennent des informations supplémentaires servant à étayer les chiffres présentés dans ces documents et à expliquer les événements susceptibles d'en être exclus, comme les procès en cours (éventualités). Lorsque vous désirez en savoir plus au sujet d'un élément des états financiers, les notes peuvent vous aider.

Des données comparatives récapitulant les cinq ou dix derniers exercices complètent en général les états financiers traditionnels. Puisque l'information comparative contenue dans les états financiers mêmes ne s'applique d'habitude qu'à deux exercices, ces renseignements sont utiles à quiconque veut en apprendre davantage sur les antécédents de l'entreprise. Ces données comparatives additionnelles ne permettent pas nécessairement de se faire une idée de la direction que prendra l'entreprise au cours des prochains exercices, mais elles peuvent servir à examiner les tendances passées.

L'analyse et les commentaires de la direction peuvent aider à mieux comprendre la situation actuelle de l'entreprise de même que ses projets d'avenir. Toutefois, en rédigeant cette section, les gestionnaires ont tendance à se préoccuper avant tout de l'image qu'ils souhaitent projeter.

Le rapport du vérificateur contribue pour une large part à établir la fiabilité de l'information transmise par les états financiers. Il faut examiner la formulation de ce rapport pour s'assurer que les vérificateurs ne doutaient pas de la fidélité des états financiers. Cette formulation indique aussi s'il s'agit d'un véritable rapport de vérification ou d'un rapport de « mission avec examen ». Une telle mission implique l'utilisation de procédés moins détaillés que ceux de la vérification en bonne et due forme, et le rapport qui en résulte est moins fiable.

Solution proposée au PROBLÈME 3.10

Activités d'exploitation		
Bénéfice net		100 000 $
Amortissement		200 000
Augmentation des comptes clients	(150 000) $	
Augmentation des stocks	(25 000)	(175 000)
Liquidités provenant de l'exploitation		125 000 $
Dividendes		(40 000)
Activités d'investissement		
Nouveaux éléments d'actif	(600 000) $	
Produit de disposition d'actif	30 000	(570 000)
Activités de financement		
Nouvel emprunt	250 000 $	
Émission de capital-actions	100 000	350 000
		(135 000) $
Liquidités, début de l'exercice (encaisse seulement)		50 000
Liquidités, fin de l'exercice		
— encaisse	5 000 $	(85 000) $
— emprunt à vue	(90 000)	
	(85 000) $	

Commentaires :
- Les problèmes de recouvrement des créances et l'augmentation des stocks ont englouti une grande partie des liquidités provenant de l'exploitation. L'augmentation des comptes clients explique à elle seule la baisse des liquidités au cours de l'exercice.

- L'entreprise ne disposait pas du financement nécessaire à l'acquisition des nouveaux éléments d'actif (à cause des problèmes de recouvrement).

- Le montant consacré à l'achat de nouveaux éléments d'actif est trois fois supérieur à celui de l'amortissement de l'exercice, ce qui laisse supposer que l'entreprise modernise ses biens.

Solution proposée au PROBLÈME 4.1

1. Bien qu'elle ne soit pas constituée en société par actions, l'entreprise d'Irène peut être dissociée des affaires personnelles de cette dernière.
2. Encore ici, le service de messagerie de Jean peut être considéré séparément de ses affaires personnelles.
3. Il s'agit d'une entité économique importante.
4. Une université n'est pas une entreprise commerciale, mais elle forme tout de même une entité économique.
5. Mado inc. est une société par actions et, par conséquent, une personne juridique pour laquelle des états financiers peuvent être dressés.
6. En tant que société de personnes, Price Waterhouse est une entité juridique distincte.
7. Pas plus qu'une université, une municipalité n'est une entreprise commerciale, mais il s'agit toutefois d'une entité économique.
8. Même si McDonald a essaimé partout dans le monde, ses éléments peuvent être rassemblés pour former une entité comptable.

Solution proposée au PROBLÈME 4.2

1. • La section des capitaux propres est remplacée par le solde du fonds.
   • L'état des recettes et dépenses tient lieu d'état des résultats.
   • Amortissement faible ou inexistant, pas de provision pour les obligations à long terme et pas de consolidation.
2. • L'entreprise n'est plus en fonction ; pour cette raison, on tient compte des valeurs de liquidation plutôt que des valeurs d'origine.
3. • Pas de propriétaires ; donc, comme pour les gouvernements, c'est le solde du fonds qui remplace la section des capitaux propres.
   • Pas d'objectif de rentabilité.
4. • Pas de propriétaires.
   • Pas d'objectif de rentabilité et donc pas d'état des résultats.
5. • Propriété du gouvernement, voir la partie 1 ci-dessus.

Solution proposée au PROBLÈME 4.3

- Objectivité et neutralité — les utilisateurs doivent pouvoir se fier aux états financiers ; leur confiance est renforcée quand l'expert-comptable / le vérificateur n'est pas concerné par les résultats présentés.
- Les membres des professions libérales sont régis par des normes professionnelles et un code de déontologie — le non-respect des normes et de la déontologie entraîne des conséquences ; dans les cas extrêmes, un individu peut perdre son statut professionnel.

- Le statut professionnel est limité aux membres compétents qui se soumettent avec succès à un processus d'admission — ici encore, le fait de savoir que le vérificateur/l'expert-comptable est un spécialiste dans son domaine renforce la confiance des utilisateurs.
- Statut juridiquement protégé et responsabilités connexes — si les membres dérogent à ces responsabilités, il y a des répercussions.

Solution proposée au PROBLÈME 4.4

Voici certaines idées inspirées par les énoncés. Il se peut très bien que plusieurs autres principes ou notions comptables vous viennent à l'esprit et que vous formuliez des commentaires à propos de certains d'entre eux.

1. Les principes de fidélité, de fiabilité et de vérifiabilité se rapportent à cet énoncé. Citons certaines de leurs répercussions sur les états financiers : les experts-comptables veillent à ce que toutes les rentrées et les sorties de fonds de même que tous les événements courants, comme les ventes et les achats à crédit, soient comptabilisés dans les états financiers ; ils s'efforcent de réduire au minimum les erreurs et les omissions dans le système comptable qui sous-tend les états financiers ; enfin, les vérificateurs font en sorte de pouvoir remonter aux événements et aux preuves sur lesquels s'appuient les données importantes des états financiers.

2. Les principes de prudence, de fidélité et de rapprochement des produits et des charges s'appliquent à cet énoncé. En vertu du premier, les états financiers doivent estimer de façon raisonnable, sans être trop optimiste, les futures rentrées et sorties de fonds relatives aux éléments d'actif et de passif existants. Le deuxième permet d'éviter qu'une prudence excessive aboutisse à la présentation d'états financiers pessimistes (ce qui serait injuste pour les propriétaires et les gestionnaires actuels). Selon le troisième, les estimations concernant les produits et les charges doivent être effectuées sur des bases comparables, afin que le résultat net soit cohérent : il prévient donc aussi les excès de prudence.

3. Ici s'appliquent les principes de conformité avec les PCGR, de permanence des méthodes et de comparabilité. D'après le principe de conformité avec les PCGR, l'information est préparée de façon prévisible, afin que l'utilisateur puisse analyser efficacement la performance de l'entreprise. L'objectif à long terme de la permanence des méthodes est de faire ressortir les manques d'uniformité, pour permettre à l'utilisateur d'examiner leur incidence sur l'information. Par ailleurs, le but de la comparabilité est directement lié à l'idée de « performance relative », car, quand les deux premiers principes sont respectés, l'entreprise peut être comparée à des entités semblables à elle, ou à d'autres dans lesquelles l'utilisateur envisage d'investir ou auxquelles il pense consentir un prêt.

4. Cet énoncé concerne les principes de bonne information et de pertinence. Le premier aide l'utilisateur à comprendre comment les chiffres ont été calculés et lui permet ainsi d'estimer leurs répercussions futures. Le second rappelle que les états financiers doivent servir à prendre des décisions axées sur le passé (évaluer le rendement des gestionnaires ou calculer les primes, par exemple) aussi bien que sur l'avenir (décider d'investir dans une entreprise ou de lui consentir un prêt, par exemple).

5. Trois principes concernent cet énoncé : la fidélité, la fiabilité et la vérifiabilité. Tous trois visent entre autres à réduire au minimum les conséquences que l'erreur humaine, les partis pris et les attentes peuvent avoir sur l'information.

Dans ce but, ils favorisent l'utilisation de méthodes de préparation objectives et permettent (en principe) à tout préparateur d'offrir et d'admettre la même information qu'un autre.

Solution proposée au PROBLÈME 4.5

Ce sujet de réflexion peut servir à mettre en lumière certains détails pratiques de la préparation des états financiers et à stimuler la discussion sur les PCGR. Voici certaines idées.

1. *Comment savoir ce qu'il faut faire pour se conformer aux exigences ?*

   - Comment la situation se présente-t-elle exactement ?
   - Quels objectifs l'information vise-t-elle (p. ex., quelle en est l'utilisation probable) ?
   - Comment a-t-on procédé l'année dernière ?
   - Que font les entreprises semblables à la nôtre ?
   - Qu'exigent d'autres parties du *Manuel* à propos d'éléments particuliers de l'actif, du passif, des produits, des charges, des notes, etc. ?
   - Pour les problèmes épineux, s'adresser à des experts.
   - Consulter des textes, des causes judiciaires et d'autres sources qui font raisonnablement autorité.
   - Combien en coûte-t-il pour produire la « meilleure » information ? Cela en vaut-il la peine ?
   - Les associations professionnelles ou les firmes de comptables offrent-elles des conseils ?

2. *L'entreprise est-elle libre d'agir à son gré, pourvu qu'elle s'explique ?*

   - Comme les normes ne prévoient pas toutes les situations, une telle « porte de sortie » permet logiquement des variations, à condition que celles-ci soient clairement expliquées.
   - Toutefois, le résultat doit passer le test de fidélité du vérificateur, de sorte que l'entreprise n'a pas le champ libre.
   - Les présentations intéressées ou trop optimistes éveillent les soupçons.
   - Comme la direction de l'entreprise assume la responsabilité du contenu des états financiers et peut être amenée à en répondre devant un tribunal, les dérogations flagrantes aux PCGR, même expliquées, sont difficilement sans conséquences.
   - On constate que, afin de présenter leur information d'une façon qu'elles estiment meilleure, beaucoup d'entreprises font de temps en temps des entorses aux PCGR. C'est pourquoi le paragraphe .06 (et d'autres dispositions semblables) autorise une certaine diversité.
   - (Plus loin dans ce manuel, particulièrement dans le chapitre 9, nous ferons remarquer que, selon la recherche comptable consacrée à la bourse, tant et aussi longtemps que les utilisateurs comprennent ce qui se passe, ils peuvent « rectifier le tir » face aux fluctuations comptables et prendre tout de même des décisions judicieuses. Alors, la réponse à la question posée par ce problème pourrait bien être affirmative.)

Solution proposée au PROBLÈME 4.6

1. Les propriétés des aristocrates anglais étaient gérées par des régisseurs. Aujourd'hui, dans les entreprises où les propriétaires et les gestionnaires ne sont pas les mêmes personnes, le terme « fiduciaire » est important, car ce sont les gestionnaires qui sont les « régisseurs » des propriétaires : ils gèrent l'entreprise au nom de ces derniers.

2. Popularisé par Pacioli, le système de comptabilité en partie double date de la Renaissance italienne. Cette méthode, qui, encore de nos jours, constitue l'un des importants fondements de la tenue des livres, donne lieu à des bilans « équilibrés » et à des états financiers interreliés.

3. Les normes comptables faisant autorité se sont beaucoup développées au cours du siècle dernier. Elles sont importantes, car elles dictent des règles et des lignes de conduite qui évitent à l'expert-comptable d'avoir à réinventer la roue chaque fois qu'il lui faut dresser des états financiers. Elles ont comme objectif global la présentation d'états financiers « fidèles » et, partant, utiles au décideur qui compte sur eux.

4. Le CINC est un organisme récent. Pour faire face à la mondialisation des marchés, il devient de plus en plus important d'harmoniser les normes internationales. En effet, les utilisateurs doivent être en mesure de comprendre les états financiers, peu importe le pays dont ceux-ci proviennent.

5. Au cours des cent dernières années, l'importance prise par la mesure de la performance dans la société a conduit à la création de l'état des résultats. Aujourd'hui, de nombreux groupes continuent de s'intéresser à cette mesure, entre autres, le fisc, les gestionnaires, les investisseurs et les prêteurs.

6. Les marchés boursiers ont été mis sur pied dans les années 1800, alors que les ventes des titres de propriété des sociétés par actions se sont mises à augmenter et à se répandre. Si les marchés boursiers continuent aujourd'hui d'occuper une place importante en comptabilité générale, c'est qu'il existe une forte demande d'information en ce qui concerne les sociétés dont les valeurs sont échangées sur ces marchés.

Solution proposée au PROBLÈME 4.7

Le compromis entre pertinence et fiabilité résulte du besoin d'être informé à temps. En effet, il faut parfois des années pour lever les incertitudes relatives au recouvrement des comptes clients et au passif au titre de régimes de retraite, mais les utilisateurs ne sont pas prêts à attendre les états financiers pendant tout ce temps. Ils doivent donc accepter que certains comptes présentent des estimations, fondées sur l'information disponible au moment de la préparation des états financiers. Or, si l'estimation risque de ne pas se révéler tout à fait juste (c.-à-d. fiable), elle reflète tout de même une image plus complète de la situation et de la performance actuelles de l'entreprise que si elle n'existait pas du tout (c.-à-d. qu'elle est pertinente).

Solution proposée au PROBLÈME 4.8

1. Lorsqu'un investisseur potentiel consulte les états financiers des Industries Lassonde pour savoir s'il doit y placer de l'argent, il veut être certain que les chiffres reflètent fidèlement la performance et la situation de la société, de même que le risque représenté par l'investissement.

2. Le principe de fidélité ne garantit pas à l'investisseur que les états financiers de Lassonde sont justes à cent pour cent. Il lui assure toutefois que ces documents sont exempts d'erreurs importantes, à savoir d'erreurs qui risqueraient de lui faire prendre une mauvaise décision.

3. L'investisseur aimerait comparer la performance et la situation actuelles de Lassonde à celles de l'exercice précédent (à cette fin, les états financiers présentent des données comparatives tirées de l'exercice précédent) et à celles d'autres sociétés (par leurs recommandations en matière de conventions comptables et de présentation de l'information financière, les PCGR favorisent la comparabilité entre sociétés œuvrant dans un même secteur).

4. L'uniformité est liée à la comparabilité. Année après année, Lassonde doit utiliser les mêmes conventions comptables (et corriger les exercices précédents si les conventions changent). Cette uniformité aide l'investisseur à étudier la tendance de la performance et de la situation financières au cours d'un certain nombre d'exercices. De plus, le fait de présenter séparément les éléments inhabituels et les éléments extraordinaires permet à l'investisseur de comparer, d'un exercice à l'autre, les résultats d'exploitation courants.

5. Un investisseur potentiel n'investira vraisemblablement pas dans Lassonde si la société n'est pas florissante, c'est-à-dire si on s'attend à ce qu'elle fasse faillite. Pour cette raison, à moins qu'une information n'indique qu'une entreprise est menacée de disparaître, les chiffres du bilan sont basés sur les valeurs d'origine plutôt que sur les valeurs de liquidation.

6. La prudence est de mise pour l'investisseur potentiel car, en vertu de ce principe, le bilan de Lassonde présente des valeurs d'origine fiables et vérifiables, de préférence à d'autres valeurs plus difficiles à justifier.

7. L'investisseur potentiel doit pouvoir consulter les états financiers de Lassonde assez tôt pour que l'information qu'ils contiennent soit encore propice à sa prise de décision.

8. La présentation de l'information est importante aux yeux de l'investisseur dans la mesure où elle contribue à la compréhension des états financiers de Lassonde, tant par la répartition et la description des groupes de comptes que par la présence de notes complémentaires et d'exposés, qui transmettent des informations supplémentaires sur les états financiers et les activités de Lassonde.

Solution proposée au PROBLÈME 4.9

Pour:

- Vos connaissances supplémentaires sur le client simplifieraient votre tâche d'évaluation de la fidélité des états financiers.

- Si votre cabinet compte d'autres employés ou associés, vous pourriez leur confier la vérification afin d'éviter tout manque d'objectivité de votre part.

Contre:

- Vous risqueriez de manquer d'objectivité. Pour conserver votre contrat de consultation, beaucoup plus lucratif, vous seriez tenté de fermer les yeux sur certains problèmes posés par la vérification.

- Par exemple, même si la société connaissait des problèmes financiers, vous pourriez accepter, à la demande du président, de présenter des états financiers qui décrivent Jaffer comme une entreprise prospère.

Conclusion:

Il serait préférable de refuser le contrat. En effet, même si d'autres employés pouvaient se charger de la vérification, le manque d'objectivité s'étendrait à l'ensemble de votre cabinet puisque la perte du contrat de consultation aurait de graves répercussions sur sa rentabilité. Si le président attachait une si grande valeur à vos conseils, il consentirait à vous confier seulement le mandat de consultation et s'adresserait à quelqu'un d'autre pour la vérification.

Solution proposée au PROBLÈME 4.10

Voici quelques exemples de l'influence de l'histoire sur le développement de la comptabilité :

- Au sein d'un gouvernement plus centralisé que celui du Canada, une moins grande place serait laissée au jugement professionnel, et il existerait davantage de règles strictes.

- La mondialisation des marchés a forcé le Canada et d'autres pays à élaborer des normes comptables mieux « harmonisées ».

- Si la révolution industrielle n'avait pas eu lieu, le secteur commercial n'aurait peut-être pas connu une si rapide expansion, et la demande d'information comptable aurait été plus faible.

- La distinction entre les propriétaires et les gestionnaires des sociétés par actions a beaucoup contribué à accentuer le rôle que joue la comptabilité dans la mesure de la performance.

- Si personne ne se souciait de la performance (comme dans un milieu plus socialiste), l'état des résultats n'aurait peut-être jamais été créé.

- L'essor des marchés boursiers a créé une vaste demande d'information qui n'existerait pas si les échanges de valeurs mobilières n'étaient pas si répandus.

Solution proposée au PROBLÈME 5.1

Plusieurs raisons peuvent justifier la préférence des utilisateurs pour une information financière condensée. Premièrement, ils n'ont ni la possibilité ni le temps de chercher les pièces justificatives des sociétés ou de vérifier leur grand livre ou d'autres livres comptables. Deuxièmement, la synthèse et la classification ont une valeur informative en elles-mêmes. Troisièmement, les utilisateurs apprécient les chiffres cumulatifs, qui donnent une vue d'ensemble de l'entreprise et peuvent être à l'origine d'interventions comme l'achat ou la vente d'actions. Quatrièmement, dans la mesure où ils reflètent des jugements d'experts (par exemple, les experts-comptables), les documents de synthèse peuvent paraître dignes de foi aux utilisateurs.

Toutefois, il est très important que ces derniers comprennent les hypothèses qui sont à la base des données financières. Ainsi, une société qui fait un usage intensif de son matériel pendant les premières années peut présenter des montants d'amortissement élevés. Son bénéfice net et ses ratios de performance seront différents de ceux d'une entreprise qui répartit l'amortissement de son matériel sur une plus longue période. Par conséquent, les chiffres qui sont résumés peuvent varier d'une société à l'autre, puisque chacune tente de mesurer convenablement sa performance et sa situation. De plus, les résumés étant eux-mêmes préparés selon diverses méthodes décrites dans ce manuel, une bonne compréhension du processus de synthèse est indispensable à la compréhension des états financiers qui en résultent.

Solution proposée au PROBLÈME 5.2

a. Pas d'opération, donc pas d'écriture.

b. Dt Frais de publicité   200
    Ct Fournisseurs   200

(Il se peut que cette écriture ne soit pas inscrite avant le 31 décembre, car il n'y a pas d'échange économique tant que la publicité n'est pas publiée.)

c. Dt Placement en obligations (actif)   2 000
    Ct Encaisse   2 000

Les intérêts seront inscrits périodiquement au cours des trois ans. En plus des intérêts encaissés, des écritures portant un débit au compte « Placement en obligations » et un crédit au compte « Intérêts créditeurs » finiront par augmenter la valeur de l'actif à 2 500 $, soit le montant à recevoir dans trois ans. (Les écritures de ce genre ne sont pas étudiées dans ce manuel.)

d. Opération pas encore conclue, donc pas d'écriture.

e. Dt Encaisse   300
    Ct Produits comptabilisés d'avance   300
    (ou Acomptes reçus des clients)

f. Dt Frais d'assurance   50   (1/2 × 600)
   Dt Assurance payée d'avance   550
    Ct Encaisse   600

Hypothèse : les frais d'assurance sont répartis uniformément sur 12 mois.

Solution proposée au PROBLÈME 5.3

a. Pas encore d'échange, donc pas d'opération.

b. Baillard : Dt Encaisse   528   Ct Produit   528
  Autre partie : Dt Frais de consultation 528   Ct Encaisse   528

c. Pas d'échange impliquant Baillard, donc pas d'opération.

d. Baillard : Dt Frais de publicité   2 000   Ct Fournisseurs   2 000
  Autre partie : Dt Clients   2 000   Ct Produit   2 000

e. Baillard : Dt Salaires   120   Ct Salaires à verser   120
  Autre partie : Dt Clients   120   Ct Produit   120

f. Baillard : Dt Frais divers   50   Ct Encaisse   50
  Autre partie : Dt Encaisse   50   Ct Produits divers   50

g. Baillard : Dt Stocks   13 250   Ct Encaisse   1 000
                                     Ct Fournisseurs   12 250

  Autre partie : Dt Encaisse   1 000   Ct Produits   13 250
  Dt Clients   12 250

(Comme nous ne connaissons pas le coût des marchandises vendues pour l'autre partie, nous ne pouvons l'inscrire.)

h. Baillard : Dt Fournisseurs   12 250   Ct Encaisse   12 250
  Autre partie : Dt Encaisse   12 250   Ct Clients   12 250

i. Baillard: Dt Dons   500   Ct Encaisse   500
   Autre partie: Dt Produit   500   Ct Encaisse   500

(L'illégalité de l'opération ne change rien au fait qu'elle a eu lieu.)

j. Baillard: Dt Encaisse   20 000   Ct Emprunt bancaire   20 000
   Autre partie: Dt Clients
        (prêt)   20 000   Ct Encaisse   20 000

Solution proposée au PROBLÈME 5.4

Écritures de journal (commencez par les comptes faciles à journaliser):

Ct Encaisse		1 000 000
Ct Dette à long terme*		3 200 000
Dt Stocks	280 000	
Dt Terrain	1 500 000	
Dt Bâtiment	1 800 000	
Dt Matériel	470 000	
Dt Droits	40 000	
Ct Emprunt		130 000
Dt Perte (charge)**	240 000	
ou		
Dt Écart d'acquisition (ALT)**		

* Représente la différence entre le prix d'achat et le versement initial.

** Afin d'équilibrer cette écriture, vous devez décider si l'excédent payé pour l'actif net constitue une charge ou un élément d'actif à long terme, dont l'amortissement sera réparti sur un certain nombre d'années. Beaucoup préfèrent l'imputer en entier à l'exercice en cours, puisque Ambitions ltée n'a pas acquis la totalité de l'entreprise concurrente, mais seulement une partie de son actif (parmi ces éléments d'actif, seuls les droits de concession peuvent donner lieu à un écart d'acquisition); d'autres considèrent cet excédent comme un élément d'actif.

Solution proposée au PROBLÈME 5.5

1. Écritures de journal:

a. Dt Encaisse   5 100
      Ct Dette à long terme   5 000
      Ct Capital-actions   100

Bien que cet emprunt ne soit soumis à aucune condition de remboursement et qu'il soit sans intérêt, il est comptabilisé parmi les dettes et non les capitaux propres, puisque Labrèche ltée devra vraisemblablement le rembourser.

b. Dt Charge payée d'avance   120
      Ct Encaisse   120

L'entreposage a été payé d'avance pour l'année.

Dt Frais d'entreposage   120
   Ct Charge payée d'avance   120

À la fin de l'année, l'entreposage a été utilisé. Pas d'écriture avant 1999 pour les 130 $.

c. Dt Stock de pains à hot-dogs   500
    Dt Stock de saucisses   1 500
        Ct Encaisse   2 000

    Achat du stock.

d. Dt Frais d'acquisition des comptoirs
        à hot-dogs   600
        Ct Encaisse   100
        Ct Fournisseurs   500

    Ces comptoirs ne devant servir qu'un été, les frais qui s'y rattachent sont
    imputés à l'exercice.

    Dt Frais de réfection des comptoirs à hot-dogs   60
        Ct Encaisse   60

    Coût de la réfection des comptoirs.

    Dt Fournisseurs   500
    Dt Intérêts débiteurs   29
        Ct Encaisse   529

    Paiement effectué le 31 décembre : compte fournisseur et intérêt (intérêt =
    500 $ × 0,10 × 7/12 = 29 $)

e. Dt Encaisse   7 000
        Ct Produits   7 000

    Nous présumons que toutes les ventes ont été effectuées au comptant, car
    rares sont les gens qui achètent des hot-dogs à crédit !

f. Dt Salaires   2 400
        Ct Encaisse   2 400

    Salaire de l'étudiante.

g. Dt Coût des marchandises vendues   1 960
    Dt Coût des marchandises non utilisées   40
        Ct Stock de pains à hot-dogs   500
        Ct Stock de saucisses   1 500

    Il reste en stock 10 douzaines de pains et de saucisses. Par conséquent, 490
    douzaines ont été vendues pendant l'été. Nous avons supposé que le reste
    du stock ne durerait pas jusqu'au prochain été. Nous avons donc fixé à 0
    le montant des marchandises en main.

h. Dt Impôts sur les bénéfices   358
        Ct Encaisse   358

    Bénéfice avant impôts = 7 000 − 120 − 600 − 60 − 29 − 2 400 − 1 960
                                − 40 = 1 791
    Impôts = 0,20 × 1 791 = 358 $

i. Dt Dette à long terme   5 000
        Ct Encaisse   5 000

    Le père de Gérard a été remboursé.

j. Dt Dividendes déclarés (bénéfices non répartis) 500
Ct Encaisse   500

Dividende : 5 $ par action × 100 actions

2.

Labrèche ltée
Bilan au 31 décembre 1998

Actif		Passif et capitaux propres	
Encaisse	1 033 $	Actions ordinaires	100 $
		Bénéfices non répartis	933
Total de l'actif	1 033 $		1 033 $

Labrèche ltée
États des résultats et des bénéfices non répartis
Exercice terminé le 31 décembre 1998

Produits d'exploitation		7 000 $
Coût des marchandises vendues		1 960
Bénéfice brut		5 040 $
Charges d'exploitation		
Marchandises non utilisées	40 $	
Entreposage	120	
Salaires	2 400	
Intérêt	29	
Comptoirs à hot-dogs	660	
Total des charges		3 249 $
Bénéfice avant impôts		1 791 $
Impôts sur les bénéfices		358
Bénéfice net de l'exercice		1 433 $
Bénéfices non répartis, début de l'exercice		0
Moins les dividendes déclarés		(500)
Bénéfices non répartis, fin de l'exercice		933 $

3. Gérard a fait un peu d'argent. Sa société a réalisé au cours de l'été un bénéfice de 1 791 $ (1 433 $ après impôts) et a remboursé son père, mais l'employée a gagné davantage que Gérard pour moins de travail (un seul des deux comptoirs, pas de gestion). En fait, tout ce que Gérard a reçu, c'est le dividende de 500 $. Il ferait donc bien d'envisager des moyens de rendre son projet plus rentable pour l'an prochain. Même s'il a trouvé agréable d'être son propre patron, son entreprise de vente de hot-dogs semble être demeurée précaire jusqu'ici.

Solution proposée au PROBLÈME 5.6		C'est l'opération qui constitue le point de départ du système d'information comptable. Un fait n'est enregistré par le système que s'il satisfait aux quatre critères de l'opération. L'un de ces critères étant l'«échange», un fait n'est enregistré que lorsqu'il a effectivement eu lieu. L'opération est alors inscrite à sa valeur en dollars à la date où elle a lieu, soit à son coût historique. La comptabilité au coût historique ne tient pas compte de la valeur actuelle, qui demeure hypothétique jusqu'à ce qu'une opération se produise et permette de la déterminer.

Solution proposée au PROBLÈME 5.7

Résumé des effets des opérations (les symboles de dollar sont omis):

	Dt (Ct)	Opérations (Dt = +, Ct = −)	Dt (Ct)
Encaisse	24 388	−10 000 + 11 240 + 22 000 − 22 000 − 12 000	13 628
Clients	89 267	− 11 240	78 027
Stocks	111 436	+ 5 320	116 756
Charges payées d'avance	7 321	aucune opération	7 321
Terrain	78 200	+ 52 000	130 200
Usine	584 211	+ 31 900	616 111
Amortissement cumulé	(198 368)	aucune opération	(198 368)
Emprunt bancaire	(53 000)	+ 22 000	(31 000)
Fournisseurs	(78 442)	− 5 320 − 13 900	(97 662)
Impôts à payer	(12 665)	aucune opération	(12 665)
Tranche à court terme de l'hypothèque	(18 322)	aucune opération	(18 322)
Hypothèque	(213 734)	− 40 000 − 18 000	(271 734)
Passif découlant du régime de retraite	(67 674)	aucune opération	(67 674)
Prêt des actionnaires	(100 000)	+ 10 000	(90 000)
Capital-actions	(55 000)	− 22 000	(77 000)
Bénéfices non répartis	(97 618)	aucune opération	(97 618)
	0		0

Fabricolo ltée
Bilan au 1er août 1998

Actif		Passif et capitaux propres	
Actif à court terme		*Passif à court terme*	
Encaisse	13 628 $	Emprunt bancaire	31 000 $
Clients	78 027	Fournisseurs	97 662
Stocks	116 756	Impôts à payer	12 665
Charges payées d'avance	7 321	Tranche à court terme de l'hypothèque	18 322
	215 732 $		159 649 $

Fabricolo ltée
Bilan au 1er août 1998 (suite)

Actif à long terme			*Passif à long terme*		
Terrain	130 200 $		Hypothèque		271 734 $
Usine	616 111		Passif découlant du		
	746 311 $		régime de retraite		67 674
Amortissement			Prêt des actionnaires		90 000
cumulé	(198 368)				429 408 $
	547 943 $		*Capitaux propres*		
			Capital-actions		77 000 $
			Bénéfices non répartis		97 618
					174 618 $
TOTAL	763 675 $		TOTAL		763 675 $

Solution proposée au PROBLÈME 5.8

1.

Filmor ltée
Bilan à la fin de l'exercice précédent

Actif			Passif et capitaux propres		
Actif à court terme			*Passif à court terme*		
Encaisse	23 415 $		Fournisseurs	37 778 $	
Clients	89 455		Impôts à payer	12 250	50 028 $
Stock de			Dette à long terme		15 000
fournitures	10 240	123 110 $			
Actif à long terme			*Capitaux propres*		
Matériel			Capital-actions	20 000 $	
de bureau	24 486 $		Bénéfices		
Amortissement			non répartis	51 434	71 434
cumulé	(11 134)	13 352			
TOTAL		136 462 $	TOTAL		136 462 $

2. Enregistrement des activités:

a.	Dt Clients	216 459	Ct Produits	216 459
b.	Dt Charges de production	156 320	Ct Encaisse	11 287
			Ct Fournisseurs	145 033
c.	Dt Amortissement de l'exercice	2 680	Ct Amortissement cumulé	2 680
d.	Dt Stock de fournitures	8 657	Ct Fournisseurs	8 657
	Dt Fournitures utilisées	12 984	Ct Stock de fournitures	12 984
e.	Dt Impôt sur les bénéfices	12 319	Ct Impôt à payer	12 319

f. Dt Bénéfices non répartis   25 000   Ct Dividende à payer   25 000

g. Dt Encaisse   235 260   Ct Clients   235 260

h. Dt Fournisseurs   172 276   Ct Encaisse   172 276

i. Dt Impôt à payer   18 400   Ct Encaisse   18 400

j. Dt Dette à long terme   5 000   Ct Encaisse   5 000

k. Dt Dividende à payer   25 000   Ct Encaisse   25 000

3. Balance de vérification de la fin de l'exercice :

	Dt	Ct
Encaisse	26 712	
Clients	70 654	
Stock de fournitures	5 913	
Matériel de bureau	24 486	
Amortissement cumulé		13 814
Fournisseurs		19 192
Impôt à payer		6 169
Dividende à payer		0
Dette à long terme		10 000
Capital-actions		20 000
Bénéfices non répartis, début		51 434
Dividende	25 000	
Produits		216 459
Charges de production	156 320	
Amortissement	2 680	
Fournitures utilisées	12 984	
Impôts sur les bénéfices	12 319	
	337 068	337 068

Filmor Ltée
Bilan à la fin du dernier exercice

Actif			Passif et capitaux propres		
Actif à court terme			*Passif à court terme*		
Encaisse	26 712 $		Fournisseurs	19 192 $	
Clients	70 654		Impôts à payer	6 169	25 361 $
Stock de fournitures	5 913	103 279 $	Dette à long terme		10 000
Actif à long terme			*Capitaux propres*		
Matériel de bureau	24 486 $		Capital-actions	20 000 $	
Amortissement cumulé	(13 814)	10 672	Bénéfices non répartis	58 590	78 590
TOTAL		113 951 $	TOTAL		113 951 $

4. L'entreprise se porte-t-elle mieux que l'année passée? Précisons d'abord qu'elle a réalisé un bénéfice net substantiel au cours du dernier exercice. En vertu de la définition du bénéfice net, elle a donc augmenté ses ressources nettes (l'actif moins le passif). La majeure partie de ce bénéfice a été versé en dividende aux propriétaires, mais il en reste, de sorte que les bénéfices non répartis sont plus élevés qu'à la fin de l'exercice précédent. Examinons maintenant la situation financière actuelle. Le fonds de roulement, qui s'élevait à 73 082 $ à la fin de l'exercice précédent, atteint maintenant 77 918 $. Quant au ratio du fonds de roulement, il est passé de 2,46 à 4,07 au cours du dernier exercice. Il semble donc que l'entreprise se porte mieux cette année que l'année passée. (Dans les chapitres suivants, vous apprendrez d'autres moyens de répondre à cette question).

Solution proposée au PROBLÈME 5.9

1. Réparations de 573 $, obtenues à crédit	Dt Frais de réparation Ct Fournisseurs	573 573
2. Produits de 1 520 $, la plupart à crédit	Dt Encaisse Dt Clients Ct Produits	200 1 320 1 520
3. Émission de 2 000 $ de nouvelles actions	Dt Encaisse Ct Capital-actions	2 000 2 000
4. Dividende de 500 $ déclaré et versé	Dt Bénéfices non répartis Ct Encaisse	500 500
5. Recouvrement de 244 $ sur comptes clients	Dt Encaisse Ct Clients	244 244
6. Remboursement de 1 000 $ sur hypothèque	Dt Hypothèque à payer Ct Encaisse	1 000 1 000
7. Marchandises achetées à crédit	Dt Stock Ct Fournisseurs	2 320 2 320
8. Vente de marchandises ayant coûté 400 $	Dt Coût des marchandises vendues Ct Stock	 400 400
9. Achat d'un bâtiment de 25 000 $, 5 000 $ comptant	Dt Bâtiment Ct Encaisse Ct Hypothèque à payer	25 000 5 000 20 000
10. Produits transportés dans les bénéfices non répartis	Dt Produits Ct Bénéfices non répartis	249 320 249 320

Solution proposée au PROBLÈME 5.10

1. Fait remplissant les critères nécessaires à son enregistrement dans les livres de comptes d'une entreprise.
2. Ce processus se déroule à la fin de chaque période. Les écritures de clôture ramènent alors à zéro les soldes des comptes de produits et de charges et les transportent par la même occasion dans le compte des bénéfices non répartis.

3. Colonne de gauche du système de comptabilité en partie double : augmentation des ressources ou diminution des obligations ou des capitaux propres.

4. Accroître un élément d'actif, réduire un élément de passif, ou réduire les capitaux propres au moyen d'une écriture de journal. Quand on débite quelque chose, il faut aussi créditer quelque chose du même montant.

5. Tableau où sont résumés, pour chaque catégorie d'éléments d'actif, de passif, des capitaux propres, des produits ou des charges, des opérations comparables ainsi que des ajustements.

6. Registre regroupant tous les comptes d'une entreprise.

7. Liste de tous les comptes d'une entreprise et de leurs soldes à une date donnée.

Solution proposée au PROBLÈME 6.1

a. Dt Stock (hypothèse : inventaire permanent)   11 240   Ct Fournisseurs   11 240

b. Dt Intérêts débiteurs   330   Ct Intérêts courus (passif) (ou Intérêts à payer)   330

c. Fait ne nécessitant pas d'ajustement — extérieur à la société

d. Dt Amortissement de l'exercice   14 500   Ct Amortissement cumulé   14 500

e. Dt Provision pour créances douteuses   2 100   Ct Clients   2 100

f. Dt Créances douteuses   780   Ct Provision pour créances douteuses   780

g. Fait ne nécessitant pas d'ajustement — ne prend effet qu'au prochain exercice

h. Dt Assurance payée d'avance   2 000   Ct Frais d'assurance   2 000 (10/12 × 2 000 $)

i. Dt Produits ou ventes   400   Ct Acomptes versés par les clients (passif)   400

j. Dt Clients   7 200   Ct Produits ou ventes   7 200
   Dt CMV (charge)   3 300   Ct Stock   3 300

Solution proposée au PROBLÈME 6.2

a. Voici un exemple de séparation des tâches. La personne qui gère l'encaisse n'est pas la même que celle qui enregistre les rentrées de fonds dans les comptes clients. Cette façon de procéder permet de faire ressortir les différences entre les deux registres et d'éviter que la personne à qui l'argent est confié ne soit tentée d'empocher des sommes sans les enregistrer.

b. Le total de la petite caisse doit être égal à l'argent en caisse plus les reçus des charges payées en espèces. Grâce à ce rapprochement, il est possible de mettre en évidence tout déficit de la petite caisse.

c. La méthode de l'inventaire au prix de détail allie le contrôle du stock au contrôle de l'encaisse. Le stock d'ouverture de la période, plus les achats moins les ventes, doit correspondre au stock de clôture de la période, tout l'inventaire étant calculé au prix de détail des marchandises. Des ventes au comptant non

enregistrées ou des marchandises perdues peuvent être à l'origine des différences entre le montant réel du stock de clôture et le montant calculé.

d. Puisque le stock est généralement exposé au vol, un entrepôt fermé à clé constitue un moyen efficace de le protéger physiquement.

e. Les retenues salariales sont des comptes collectifs. Il est important de faire
concorder les comptes collectifs avec le livre de paie et les paiements réels, car
les retenues salariales présentent souvent des complications. Ce rapprochement
permet de s'assurer que les retenues à la source et les avantages sociaux ont été
inscrits correctement dans les comptes et que les paiements nécessaires ont été
effectués.

Solution proposée au PROBLÈME 6.3	a. 8
	b. 3
	c. 9
	d. 7
	e. 1
	f. 2
	g. 4
	h. 6
	i. 5
	j. 10

Solution proposée au PROBLÈME 6.4

1. 1 693 784 $
2. 1 599 055 $
3. 8 293 $
4. 9 117 $
5. 9 117 $/1 693 784 $ = un demi-cent par dollar
6. 331 106 $ − 12 738 $ = 318 368 $
7. Clients = 244 620 $ + 1 693 784 $ − 1 599 005 $ = 339 399 $
   Provision pour créances douteuses = 11 914 $ + 9 117 $ = 21 031 $
   Valeur recouvrable = 339 399 $ − 21 031 $ = 318 368 $ (même réponse qu'au
   numéro 6).

Solution proposée au PROBLÈME 6.5

a. La tenue des livres ne constate que les opérations courantes, c'est pourquoi il
faut des écritures de régularisation pour enregistrer les événements
économiques inhabituels ou corriger les erreurs.

b. Les comptes de contrepartie sont utilisés lorsqu'un compte doit être redressé,
mais que son solde initial doit être conservé dans un but d'information ou de
contrôle. Les comptes de contrepartie les plus courants sont les comptes de
provision pour créances douteuses et d'amortissement cumulé.

c. Méthodes qu'emploie une entreprise pour assurer la protection physique de ses
biens et en contrôler la gestion.

d. Écriture de régularisation particulière effectuée à la fin d'une période pour
ramener à zéro les comptes de produits et de charges et transporter leurs soldes
dans le compte des bénéfices non répartis. Ainsi, au début de la période
suivante, les soldes des comptes de l'état des résultats se trouvent à zéro.

e. Livres dans lesquels les opérations comptables sont inscrites en premier lieu.

f. Méthode qui consiste à effacer des comptes clients et des comptes de provision pour créances douteuses les créances irrécouvrables dont il ne vaut plus la peine de s'occuper.

Solution proposée au PROBLÈME 6.6

a. Enregistrer l'amortissement — Dt Amortissement de l'exercice

b. Constater l'accumulation des intérêts débiteurs — Dt Intérêts débiteurs

c. Radier les comptes irrécouvrables — Ct Clients

d. Constater la protection non échue — Ct Frais d'assurance

e. Constater les frais estimatifs de garantie imputables à l'exercice en cours — Dt Frais de garantie

f. Enregistrer les nouveaux comptes clients douteux — Dt Créances douteuses

g. Estimer les impôts imputables à l'exercice en cours — Dt Impôts de l'exercice

h. Retrancher des produits les acomptes versés par les clients — Dt Produits

i. Enregistrer le stock de marchandises non utilisées — Ct Marchandises en main ou autre charge pertinente

j. Constater les primes de fin d'exercice — Dt Primes

Solution proposée au PROBLÈME 6.7

1. 793 220 $

2. 1 032 568 $

3. Valeur comptable = 843 992 $ − 411 883 $ = 432 109 $
   Valeur comptable moins produit = 432 109 $ − 350 000 $ = perte sur cession de 82 109 $

Dt Encaisse	350 000	
Ct Installations de production		843 992
Dt Amortissement cumulé	411 883	
Dt Perte sur cession	82 109	

4.
Ct Installations de production		89 245
Dt Amortissement cumulé	59 200	
Dt Perte due à la radiation (charge)	30 045	

5. VCN = 5 597 219 $ − 2 299 458 $ = 3 297 761 $

Solution proposée au PROBLÈME 6.8	a. Dt Clients	82 818	Ct Produits	72 000
			Ct TVQ à payer	5 778
			Ct TPS à payer	5 040
	Dt Encaisse	69 030	Ct Clients	69 030
	Dt TVQ à payer	3 900	Ct Encaisse	3 900
	Dt TPS à payer	3 200	Ct Encaisse	3 200
	Dt Stocks	26 286	Ct Fournisseurs	28 126
	Dt TPS à payer	1 840		
	Dt TVQ à payer	1 878		
	b. Dt Salaires	39 250	Ct Retenues fiscales à payer	11 180
			Ct Cotisations sociales et autres retenues à payer	4 990
			Ct Salaires à payer	23 080
	Dt Avantages sociaux	6 315	Ct Cotisations sociales et autres retenues à payer	6 315
	Dt Retenues fiscales à payer	12 668	Ct Encaisse	12 668
	Dt Cotisations sociales et autres retenues à payer	11 894	Ct Encaisse	11 894

Solution proposée au PROBLÈME 6.9

- Bordereau d'expédition et (ou) facture d'achat : document reçu avec les livraisons de stock, comparé à un bon de commande correspondant et enregistré dans un journal des achats.

- Chèque : effet de commerce émis pour payer les comptes clients, les salaires, etc., et enregistré dans un livre de chèques ou un journal des décaissements.

- Facture de vente : document créé après l'exécution d'une vente et enregistré dans un journal des ventes.

- Écriture de journal : inscription des événements moins courants dans un journal général.

- Grand livre auxiliaire : document complémentaire détaillé tenu, par exemple, par le fournisseur (grand livre auxiliaire des comptes clients) ou le client (grand livre auxiliaire des comptes fournisseurs).

Solution proposée au PROBLÈME 6.10

1. Coût des marchandises vendues = Stock d'ouverture   246 720 $
   + Achats   1 690 000
   − Stock de clôture   (324 800)
                                                   1 611 920 $

2. Si le CMV s'élève à 1 548 325 $, alors une partie de ce qui semble avoir été vendu ne l'a pas été. Des marchandises ont été perdues, volées, ou se sont égarées ! La perte de 63 595 $ peut être incluse dans le CMV ou présentée séparément, de telle sorte que ce soit le montant le moins élevé qui corresponde au véritable CMV. Le total de la charge reste le même : la méthode de l'inventaire permanent permet simplement d'isoler du CMV de 1 548 325 $ la perte de 63 595 $, tandis que la méthode de l'inventaire périodique les comptabilise en

bloc. La nécessité d'effectuer un ajustement de 63 595 $ indique que la société éprouve quelque sérieux problème : ses registres sont erronés, des marchandises se perdent pour une raison ou une autre, ou pire, elle se fait voler par ses employés.

3. Si toutes les entreprises n'adoptent pas la méthode de l'inventaire permanent, c'est qu'elle coûte plus cher à utiliser. On peut considérer que les avantages d'un meilleur contrôle du stock ne justifient pas ce coût plus élevé. Ici toutefois, devant l'ampleur des pertes, il serait sans doute rentable d'appliquer un système de contrôle permanent.

Solution proposée au PROBLÈME 6.11

1. a. Dt Créances douteuses 2 400   Ct Provision pour créances douteuses 2 400

b. Dt Amortissement de l'exercice 13 000   Ct Amortissement cumulé 13 000

c. Dt Clients 11 200   Ct Produits 11 200

d. Dt CMV 4 600   Ct Stock 4 600

e. Dt Intérêts débiteurs 900   Ct Intérêts courus à payer 900

f. Dt Prime 5 000   Ct Prime à payer 5 000

g. Dt Charge d'impôts 2 700   Ct Impôts à payer 2 700

2. et 3.

	Avant régularisations		Régularisations		Après régularisations	
	Dt	Ct	Dt	Ct	Dt	Ct
Encaisse	25 600				25 600	
Clients	88 200		(c) 11 200		99 400	
Provision pour c.d.				(a) 2 400		2 400
Stock	116 900			(d) 4 600	112 300	
Terrain	100 000				100 000	
Bâtiments et matériel	236 100				236 100	
Amortissement cumulé				(b) 13 000		13 000
Fournisseurs		74 900				74 900
Retenues à la source à payer		2 500				2 500
Taxes de vente à payer		3 220				3 220
Intérêts courus				(e) 900		900
Prime à payer				(f) 5 000		5 000
Impôts à payer				(g) 2 700		2 700
Hypothèque		185 780				185 780
Capital-actions		275 000				275 000
Bénéfices non répartis		0				0
Produits		349 600		(c) 11 200		360 800
CMV (charge)	142 500		(d) 4 600		147 100	
Charges d'exploitation	181 700		(a) 2 400		203 000	
			(b) 13 000			
			(e) 900			
			(f) 5 000			
Charge d'impôts			(g) 2 700		2 700	
	891 000	891 000	39 800	39 800	926 200	926 200

4. Dt Produits   360 800   Ct CMV (charge)   147 100

                                             Ct Charges d'exploitation   203 000

                                             Ct Charges d'impôts   2 700

                                             Ct Bénéfices non répartis   8 000

5. Bénéfice net = 8 000 $ (voir numéro 4)

Actif à court terme = 25 600 $ + 99 400 $ − 2 400 $ + 112 300 $
= 234 900 $

Passif à court terme = 74 900 $ + 2 500 $ + 3 220 $ + 900 $ + 5 000 $
+ 2 700 $ = 89 220 $

Fonds de roulement = 234 900 $ − 89 220 $ = 145 680 $

Capitaux propres = 275 000 $ + 8 000 $ = 283 000 $

Solution proposée au PROBLÈME 7.1

1. Un produit est une valeur économique qui résulte d'une opération avec un client, que celui-ci paie comptant ou non. L'encaissement correspond au paiement effectué par le client.

2. Exemple d'un produit qui ne constitue pas un encaissement : une vente à crédit. Exemple d'encaissement qui n'est pas un produit : un produit reporté, tel qu'un acompte ou une avance versée pour du travail à effectuer. Exemple d'un produit qui est aussi un encaissement : une vente au comptant.

3. Une charge est le coût d'un bien utilisé ou un engagement de paiement (habituellement, en espèces) pour la réalisation d'un produit. On le rapproche du produit, mais pas nécessairement du flux de trésorerie correspondant. La constatation de la charge peut précéder ou suivre le décaissement. Il peut aussi se faire en même temps que lui. On trouve les charges dans l'état des résultats, et les changements de l'encaisse, dans l'EESF.

4. Exemples de charges qui ne correspondent pas à un encaissement : amortissement, intérêts courus, coût des marchandises vendues (contrairement aux achats de marchandises au comptant). Exemples de décaissements qui ne sont pas inscrits dans les charges : achat d'un élément d'actif, diminution d'un compte fournisseur, versement de dividendes. Exemples de charges qui sont aussi des décaissements : menues dépenses, services publics, dons payés comptant.

Solution proposée au PROBLÈME 7.2

	Régularisation ?	Écriture		
a.	Oui	Dt Clients	3 200	
		Ct Produits		3 200
b.	Oui	Dt Coût des marchandises vendues	1 900	
		Ct Stock		1 900
c.	Oui	Dt Acomptes des clients	3 900	
		Ct Produits		3 900
d.	Oui	Dt Entrepôt (actif)	62 320	
		Ct Frais d'entretien		62 320
e.	Oui	Dt Frais de garanties	4 300	
		Ct Provision pour garanties		4 300
	Non	Aucune régularisation ne semble nécessaire pour les dommages et intérêts.		

f. Oui	Dt Frais de vérification	2 350		
	Ct Fournisseurs		2 350	
g. Oui	Dt Automobile (actif)	17 220		
	Ct Fournisseurs		17 220	
h. Oui	Dt Amortissement des droits de distribution	500		
	Ct Droits de distribution (actif)		500	

Solution proposée au PROBLÈME 7.3

Calcul :

Produits (174 320 − 11 380 + 520 + 9 440)			172 900 $
Créances douteuses (1 130 − 890 + 520)	760 $		
CMV, salaires, etc. (145 690 − 12 770 + 15 510 + 21 340 − 24 650)	145 120		
Intérêts (12 000 × 8 % × 1/12)	80		
Impôts sur le bénéfice (2 340 + 3 400 + 1 230)	6 970		152 930
Bénéfice net			19 970 $

Solution proposée au PROBLÈME 7.4

1. L'événement clé, soit le moment où les produits sont effectivement gagnés, peut ou non correspondre au moment de la vente. Les produits issus de contrats à long terme, par exemple, peuvent être encaissés à différentes étapes de l'avancement des travaux.

2. Charges liées au contrat en 1998 : 11 210 $
   Bénéfice découlant du contrat en 1998 : 5 130 $

Solution proposée au PROBLÈME 7.5

Éléments dont vous pouvez tenir compte dans votre rédaction :

- La contradiction entre les deux objectifs est réelle et ne peut être évitée dans tout système de mesure à usage général (par exemple, le système de notation des étudiants).

- D'une certaine façon, il faut atteindre les deux objectifs (au moins en grande partie), sinon les états financiers ne seront utiles à personne en dehors de l'entreprise.

- L'une des possibilités (et elle est souvent envisagée) est de se fier au jugement d'un expert en comptabilité pour trouver des solutions qui, tout en étant applicables à chaque société, rendront les états financiers suffisamment comparables à ceux d'autres entreprises.

- Le conflit est important. Les experts-comptables, les vérificateurs et les gestionnaires lui consacrent beaucoup de temps et d'efforts, et il a entraîné de nombreux procès. (Lors d'une importante cause portée devant les tribunaux des États-Unis, on a établi qu'il était possible de se conformer aux PCGR et de produire quand même des états financiers qui ne représentaient pas fidèlement la situation d'une société donnée.)

- L'élaboration de normes comptables très structurées et d'autres règles dans le cadre des PCGR a été mise en œuvre après le krach de 1929 et la dépression qui a suivi. A-t-elle empêché que ces problèmes ne se répètent ?

- Un système de mesures qui ne dépend pas de circonstances individuelles (votre taille n'est pas modifiée par vos objectifs de gestion) pourrait sans doute produire une mesure plus crédible et plus utile. Il n'est peut-être pas adéquat que la comptabilité cherche à adapter ses normes en fonction de la situation de l'entreprise. Certains pays ont des règles assez rigides en matière d'états financiers, pourquoi pas le Canada ?

Solution proposée au PROBLÈME 7.6

1. Les éléments de passif sont des obligations et des estimations d'obligations envers des gens qui ne font pas partie de l'entreprise, alors que les capitaux propres représentent les intérêts résiduels des propriétaires dans l'entreprise, les obligations ayant la priorité sur les ressources (actif). Les capitaux propres représentent ce qui reste après que toutes les factures ont été payées, en supposant que les éléments d'actif aient été vendus à leur valeur comptable, et les éléments de passif, remboursés également à leur valeur comptable. Les propriétaires peuvent aussi être des créanciers, par exemple, si l'entreprise leur doit des dividendes ou des honoraires de direction, ou encore, s'ils lui ont prêté de l'argent.

2. Le passif ne comprend pas seulement les dettes. Légalement, les dettes constituent des obligations à honorer, compte tenu des ententes conclues concernant les achats, les emprunts bancaires et les autres emprunts. Le passif comprend aussi les estimations des charges à venir découlant des activités du moment. De telles estimations ne constituent pas encore des dettes légales, mais, en comptabilité d'exercice, on les inclut dans le processus de constatation des charges. Elles comprennent les impôts reportés ou futurs, les provisions pour garanties et les charges à court terme pour des éléments comme les intérêts courus ou l'électricité utilisée.

3. Exemples de montants qui sont difficiles à estimer :

   Court terme : (1) Estimation des impôts sur le bénéfice à payer — souvent, le véritable montant des impôts sur le bénéfice n'est pas connu avant plusieurs mois ou plusieurs années, et il peut dépendre de l'interprétation de lois fiscales, souvent ambiguës, et même d'une vérification par le fisc ; (2) les produits reportés sur le recouvrement des consignes sur les emballages par les fabricants de boissons — il est difficile de savoir combien d'emballages consignés vont être retournés, car il y a beaucoup de pertes ou de bris.

   Long terme : (1) Passif découlant d'un régime de retraite — le paiement dû dans plusieurs années dépend du niveau des salaires des employés, de leur santé et des futurs taux d'intérêt, tout comme du fait qu'ils restent employés suffisamment longtemps pour acquérir ou non certains avantages sociaux ; (2) Provision pour garanties — elle dépend de la qualité des marchandises vendues, des changements de lois donnant aux consommateurs certains droits, de la satisfaction des clients, de la couverture médiatique et de beaucoup d'autres paramètres.

4. L'objectif de la comptabilité d'exercice est d'élargir la base des opérations prises en compte. Ce processus fait souvent intervenir des estimations d'éléments du passif qui ne sont pas totalement fiables ; cependant, l'information demeure pertinente si elle présente un tableau plus réel de la situation financière de l'entreprise. Des estimations telles que les provisions pour garanties ou

le passif découlant d'un régime de retraite sont plus susceptibles d'être enregistrées que les estimations relatives à des éléments d'actif car, conformément au principe de prudence, on tient compte des pertes même s'il n'y a pas encore eu d'opération, mais on inscrit les gains anticipés seulement une fois que l'opération a eu lieu.

Solution proposée au PROBLÈME 7.7

a. Ce montant comprend $(10 \times 50\,000\,\$) - 150\,000\,\$ = 350\,000\,\$$. On constatera l'intérêt plus tard, lorsqu'il parviendra à échéance.

b. Ce montant comprend les 20 000 $.

c. Ce montant comprend les 9 500 $.

d. Le coût du terrain ne comprend pas ce montant, lequel semble entrer dans les frais de publicité.

e. Le coût du terrain comprend $35\,200\,\$ - 1\,500\,\$ = 33\,700\,\$$.

f. Le coût du terrain comprend probablement les 25 000 $, bien que l'on puisse simplement radier ce montant à titre de perte, mais n'inclut pas les 110 000 $ puisqu'ils sont reliés à un autre terrain.

g. On n'inclut pas ce montant, qui semble relié au bâtiment et non au terrain. Malgré tout, si certains plans étaient destinés à guider les bulldozers, par exemple, ils pourraient être inclus dans le coût du terrain.

h. On n'inclut pas les salaires alloués, mais on devrait probablement inclure les 7 200 $ de frais de déplacement.

Cela nous donne un coût minimum de 413 200 $ (350 000 $ + 20 000 $ + 9 500 $ + 33 700 $), lequel pourrait probablement s'avérer plus élevé.

Solution proposée au PROBLÈME 7.8

En milliers de dollars	Produits	Charges	Bénéfice
a. Méthode de l'achèvement des travaux :			
Premier exercice	0	0	0
Deuxième exercice	0	0	0
Troisième exercice	5 200	4 300	900
Total	5 200	4 300	900
b. Méthode de l'avancement des travaux :			
Premier exercice (900 000 / 4 300 000 = 21 %)	1 092 (21 %)	900 (21 %)	192 (21 %)
Deuxième exercice (1 990 000 / 4 300 000 = 46 %)	2 392 (46 %)	1 990 (46 %)	402 (46 %)
Troisième exercice (1 410 000 / 4 300 000 = 33 %)	1 716 (33 %)	1 410 (33 %)	306 (33 %)
Total	5 200	4 300	900
c. Méthode de constatation en fonction des encaissements :			
Premier exercice (1 000 000 / 5 200 000 = 19 %)	1 000 (19 %)	817 (19 %)	183 (19 %)

Deuxième exercice
(2 030 000/5 200 000 = 39 %)   2 030 (39 %) 1 677 (39 %) 353 (39 %)

Troisième exercice
(2 170 000/5 200 000 = 42 %)   2 170 (42 %) 1 806 (42 %) 364 (42 %)

Total   5 200   4 300   900

Solution proposée au PROBLÈME 7.9

a. Une comptabilité téméraire peut opter pour des conventions comptables qui constatent les produits plus tôt, au lieu de plus tard, ce qui augmente le bénéfice net. Elle peut aussi opter pour des conventions comptables qui soutiennent davantage les éléments de capitalisation que les charges, ce qui augmente le bénéfice et la valeur de l'actif du bilan.

b. Lorsqu'on inscrit un bien à sa valeur minimale, l'actif est diminué et on enregistre une perte, ce qui entraîne une baisse du bénéfice net.

c. Lorsqu'on capitalise une charge, on l'élimine de l'état des résultats et on l'inscrit dans le bilan, ce qui augmente l'actif et, par conséquent, le bénéfice net.

d. Le rapprochement est le processus qui permet de reconnaître les charges en même temps que les produits qui s'y rattachent. Une charge qui n'est pas encore rapprochée des produits est reportée sur le bilan au titre de charge payée d'avance ou d'autre élément d'actif.

e. Les charges à long terme figurent sur le bilan à la valeur actuelle des paiements estimatifs à venir. On ne reconnaît les intérêts comme des charges qu'au moment où ils arrivent à échéance.

f. La prudence impose la constatation des pertes anticipées mais non celle des gains anticipés. Cela évite une présentation trop optimiste du bénéfice net et de l'actif net.

Solution proposée au PROBLÈME 7.10

Charges mensuelles :

Mois en 1996 : 375 $ (4 500 $/12)
Mois en 1997 : 400 $ (4 800 $/12)
Mois en 1998 : 425 $ (5 100 $/12)

a. 30 avril 1997   À payer : 4 mois × 400 $ = 1 600 $
                      Charges : 8 × 375 $ + 4 × 400 $ = 4 600 $

   30 avril 1998   À payer : 4 mois × 425 $ = 1 700 $
                      Charges : 8 × 400 $ + 4 × 425 $ = 4 900 $

b. 30 juin 1997   À payer : 6 mois × 400 $ = 2 400 $
                      Charges : 6 × 375 $ + 6 × 400 $ = 4 650 $

   30 juin 1998   À payer : 6 mois × 425 $ = 2 550 $
                      Charges : 6 × 400 $ + 6 × 425 $ = 4 950 $

c. 30 septembre 1997 À payer : 9 mois × 400 $ = 3 600 $
                      Charges : 3 × 375 $ + 9 × 400 $ = 4 725 $

   30 septembre 1998 Payées d'avance : 3 mois × 425 $ = 1 275 $
                      Charges : 3 × 400 $ + 9 × 425 $ = 5 025 $

d. 31 décembre 1997   À payer ou payées d'avance = 0
                      Charges : 12 × 400 $ = 4 800 $

   31 décembre 1998   À payer ou payées d'avance = 0
                      Charges : 12 × 425 $ = 5 100 $

Solution proposée au PROBLÈME 7.11

a. À l'encaissement, ce qui correspond à la date de vente pour ce restaurant.

b. À la livraison, ou peut-être même plus tard, pour s'assurer que la cliente est satisfaite.

c. À l'achèvement des travaux, mais pas nécessairement lorsqu'un client particulier a été trouvé, car le marché de l'or est généralement garanti.

d. À l'encaissement — le recouvrement est incertain pour certaines ventes à crédit.

e. Selon l'avancement des travaux — ce sont des contrats de construction de longue durée signés avec des clients sûrs.

f. À la livraison (transfert de titres) — suivant la conjoncture économique, on n'est pas sûr qu'on a réellement un client pour la maison jusqu'à ce moment-là ; autrement, on constaterait les produits à la fin des travaux.

Solution proposée au PROBLÈME 8.1

a. 1 — On inclut l'argent déposé dans une banque étrangère dans l'encaisse, à condition que les devises puissent être converties rapidement.

b. 2 — Pas dans l'encaisse, car le placement n'est pas disponible pour un usage immédiat ; on considère qu'un placement de 90 jours est un actif à court terme.

c. 1 — Encaissements non déposés dans des banques étrangères ; il est peu probable que l'on ait des difficultés à accéder aux fonds des banques allemandes ou espagnoles à cause de restrictions monétaires.

d. 1 — La petite caisse constitue de l'argent disponible.

e. Ni l'un ni l'autre — les clients doivent émettre un autre chèque ; pendant ce temps, ces montants restent à recevoir.

f. Ni l'un ni l'autre — on le classerait parmi les placements à long terme.

g. 1 — On l'inscrirait au titre de « dépôt en transit » sur le rapprochement du solde de la banque et du solde du grand livre de la banque.

h. Ni l'un ni l'autre — on le regrouperait avec les charges payées d'avance ou les dépôts.

i. 2 — Les actions d'une société ouverte sont facilement échangeables ; le pourcentage des actions détenues n'est pas suffisamment élevé pour influer sur les opérations de la société.

j. Ni l'un ni l'autre — Les découverts bancaires sont inclus dans les sommes dues à la banque et constituent un passif à court terme.

Solution proposée au PROBLÈME 8.2

a. Perte de 11 000 $ (16 000 $ − valeur comptable de (45 000 $ − 18 000 $))

b. Perte de 85 000 $ (100 000 $ − 15 000 $: une réduction de valeur)

c. Pas de gain, pas de perte (valeur comptable = 0 ; produit = 0)

d. Gain de 23 000 $ (valeur actualisée de (100 000 $ − 27 000 $) − 50 000 $)

e. Pas de gain, pas de perte (pas d'amortissement donné, alors la différence entre le coût et le produit sera probablement débitée de l'amortissement cumulé)

f. Gain de 30 000 $ (340 000 $ de produit − valeur comptable de (670 000 $ − 240 000 $) − 120 000 $: abandon des activités, sans tenir compte de l'incidence fiscale)

Solution proposée au PROBLÈME 8.3

Coût d'origine pondéré

Pour:
- Le coût est toujours vérifiable puisqu'il est basé sur le coût d'origine.
- Utile en période d'inflation élevée.

Contre:
- Ne fait que compliquer le chiffre du coût d'origine déjà peu significatif.
- Plus complexe que la méthode du coût d'origine.

Valeur marchande ou actuelle

Pour:
- Le bilan reflèterait mieux la véritable valeur marchande des éléments d'actif et de passif de la société.
- Présente des valeurs pertinentes lorsqu'on envisage de vendre la société.

Contre:
- Les valeurs marchandes font beaucoup appel au jugement et sont donc difficiles à vérifier.
- Plus compliquée que la méthode du coût d'origine.
- Hypothétique en l'absence d'un achat ou d'une vente.

Valeur d'usage

Pour:
- Utile pour la prise de décision des gestionnaires.
- Représente une valeur estimative qui pousse la société à acquérir des biens.

Contre:
- Il est difficile de déterminer ces valeurs, car elles se fondent beaucoup sur des estimations futures.
- Il est difficile de déterminer la valeur individuelle des actifs, qui contribuent tous ensemble à la valeur de la société.

Solution proposée au PROBLÈME 8.4

Article	Coût total	Valeur marchande totale	Valeur minimale
Bombes bleues	81 000 $	150 000 $	81 000 $
Rocs rouges	23 800	14 000	14 000
Joujoux jaunes	130 000	150 000	130 000
Odes oranges	96 000	20 000	20 000
Dunes dorées	32 500	41 000	32 500
	363 300 $	375 000 $	277 500 $

1. Méthode la plus prudente = 277 500 $
2. Méthode la moins prudente = 363 300 $

Solution proposée au PROBLÈME 8.5

a. Augmentation
b. Augmentation
c. Augmentation
d. Aucune incidence
e. Aucune incidence
f. Réduction
g. Réduction

Solution proposée au PROBLÈME 8.6

Produits		4 200 650 $
CMV	2 345 670 $	
Frais d'exploitation	1 123 580	3 469 250
		731 400 $
Intérêts débiteurs	(139 200) $	
Intérêts créditeurs	14 030	
Gain sur cession d'immeuble	25 000	(100 170)
		631 230 $
Charge d'impôts		213 420
		417 810 $
Perte sur abandon des activités	(200 000) $	
Gain extraordinaire	40 000	160 000
Bénéfice net		257 810 $
Solde d'ouverture des bénéfices non répartis		1 693 740 $
Correction des erreurs		3 300
		1 697 040 $
Coût du rachat des actions		(18 200)
Bénéfice net		257 810
Dividendes déclarés		(85 000)
Solde de clôture des bénéfices non répartis		1 851 650 $

Solution proposée au PROBLÈME 8.7

Pour répondre à cette question, supposons que, du moins pour une partie du stock, la valeur marchande est inférieure au coût, sans quoi, le comptable n'aurait pas été trop préoccupé. Les effets seraient les suivants :

Bilan : Le stock, l'actif à court terme et le fonds de roulement seraient tous réduits du montant de la différence entre le coût et la valeur marchande pour les articles dont la valeur marchande est inférieure au coût.

État des résultats : Cette différence serait déduite au titre de charge sur l'état des résultats et, en conséquence, entraînerait une réduction du bénéfice net. (La charge d'impôts serait moins élevée sur un bénéfice réduit, ce qui atténuerait en quelque sorte l'effet négatif sur le bénéfice — plus de détails dans les prochains chapitres.)

EESF : Le montant du bénéfice net serait inférieur, mais ce changement serait annulé par des variations moins grandes du stock d'une année à l'autre (et des impôts à payer, s'il y a un changement de la charge d'impôts). Ces effets s'annuleraient les uns les autres, et il n'y aurait pas d'incidence nette sur les flux de trésorerie découlant des opérations ni sur aucun autre chiffre de l'EESF.

Solution proposée au PROBLÈME 8.8

1.

	1999	1998	1997
Bénéfice le plus élevé	DEPS	PEPS	PEPS
Bénéfice le moins élevé	PEPS	Coût moyen pondéré	DEPS
Différence	22 000 $	13 000 $	23 000 $

2. La société devrait choisir une méthode d'évaluation du coût du stock juste et adaptée aux circonstances, et s'y tenir. Se fonder sur le montant du bénéfice plus ou moins élevé selon les exercices que la méthode permettra de présenter ne constitue pas un critère adéquat. Il s'agit plutôt de manipulations.

Solution proposée au PROBLÈME 8.9

1. Pour répondre, il faut supposer une valeur de récupération. Admettons qu'elle soit nulle, l'amortissement serait alors égal à 10 % du coût par année, soit 10 000 $ en 1997 et en 1998. L'écriture débiterait la charge d'amortissement et créditerait l'amortissement cumulé d'un montant de 10 000 $.

2. Nous devons ici connaître le taux d'amortissement dégressif. Admettons qu'il s'agisse de « l'amortissement dégressif à taux double » : le taux serait deux fois supérieur au taux linéaire de 10 %.

   L'amortissement de 1997 correspondrait à 20 % de 100 000 $ = 20 000 $. L'amortissement de 1998 correspondrait à 20 % de (100 000 $ − 20 000 $) = 16 000 $.

3. Analyse par simulation (reportez-vous à la section 10E.2 pour des détails sur cette présentation) :

Bilan de clôture de l'exercice précédent	+	État des résultats de l'exercice en cours	=	Bilan de clôture de l'exercice en cours	
Actif		*Produits*		*Actif*	
Augmentation amort. cum.	(10 000 $)	Aucune incidence		Augmentation amort. cum.	(16 000 $)
Passif		*Charges*		*Passif*	
Aucune incidence		Augmentation charge d'amort.	6 000 $	Aucune incidence	
Capitaux propres				*Capitaux propres*	
Bénéfices non répartis		*Bénéfice net*		*Bénéfices non répartis*	
Diminution	(10 000 $)	Diminution	(6 000 $)	Diminution	(16 000 $)

Il n'y a aucune incidence sur l'encaisse, mais les montants figurant sur l'EESF vont changer :

Diminution du bénéfice net (incidence négative)	(6 000 $)
Augmentation de la charge d'amortissement ajoutée (incidence positive)	6 000
Incidence nette sur les flux de trésorerie découlant des opérations	0 $

Solution proposée au PROBLÈME 8.10

1. a. Le bénéfice net va diminuer de 46 900 $ (soit 67 000 $ × [1 − 0,30]).
   b. Pas d'incidence immédiate sur les flux de trésorerie, mais une économie de caisse au cours de l'exercice, découlant de la réduction des impôts.
   c. Le passif d'impôts à court terme est le seul compte du fonds de roulement qui soit touché pour le moment. Il diminue de 20 100 $ (soit 67 000 $ × 0,30). Le fonds de roulement augmente donc de ce montant.
2. a. Le bénéfice net va diminuer de 7 500 $ (soit 25 000 $ × 0,30) en raison de la charge supplémentaire d'impôts que l'on constate.
   b. Aucune incidence sur les flux de trésorerie courants. La baisse de 7 500 $ du bénéfice net est contrebalancée par une augmentation du passif d'impôts à long terme de 7 500 $.
   c. Aucune incidence sur le fonds de roulement. Aucun compte du fonds de roulement n'est touché car, dans ce cas, le passif d'impôts n'est pas à court terme.

Solution proposée au PROBLÈME 8.11

Coût des marchandises destinées à la vente
$$= 200 \times 4{,}20\,\$ + 340 \times 5{,}10\,\$ + 250 \times 4{,}00\,\$ + 130 \times 4{,}50\,\$$$
$$= 840\,\$ + 1\,734\,\$ + 1\,000\,\$ + 585\,\$$$
$$= 4\,159\,\$ \text{ (pour 920 unités)}$$

Quantités	Ouverture =		200	Ouverture	200
	Moins ventes	− 120	80	Achats	720
	Plus achats	+ 340	420	Ventes	(650)
	Moins ventes	− 400	20	Clôture	270
	Plus achats	+ 250	270		
	Moins ventes	− 110	160		
	Plus achats	+ 130	290		
	Moins ventes	− 20	270		

PEPS Stock de clôture = 130 × 4,50 $ + 140 × 4,00 $ = 1 145 $

CMV = 120 × 4,20 $ + (80 × 4,20 $ + 320 × 5,10 $)
      + (20 × 5,10 $ + 90 × 4,00 $) + 20 × 4,00 $
      = 504 $ + 1 968 $ + 462 $ + 80 $ = 3 014

4 159 $

Coût moyen pondéré annuel
    Moyenne totale $= 4\,159\,\$/920 = 4,52\,\$$

Stock de clôture $= 270 \times 4,52\,\$$ $= 1\,221\,\$$

CMV $= 650 \times 4,52\,\$$ $= \underline{2\,938}$

                                                                                              $4\,159\,\$$

DEPS périodique
Stock de clôture $= 200 \times 4,20\,\$ + 70 \times 5,10\,\$$ $= 1\,197\,\$$
CMV $= 130 \times 4,50\,\$ + 250 \times 4,00\,\$$
                        $+ 270 \times 5,10\,\$$ $= \underline{2\,962}$

                                                                                              $4\,159\,\$$

Moyenne mobile

    Moy. 1 $= \dfrac{80 \times 4,20\,\$ + 340 \times 5,10\,\$}{80 + 340}$ $= \quad 4,93$

    Moy. 2 $= \dfrac{20 \times 4,93\,\$ + 250 \times 4,00\,\$}{20 + 250}$ $= \quad 4,07$

    Moy. 3 $= \dfrac{160 \times 4,07\,\$ + 130 \times 4,50\,\$}{160 + 130}$ $= \quad 4,26$

Stock de clôture $= 270 \times 4,26\,\$$ $= 1\,150\,\$$

CMV $= 120 \times 4,20\,\$ + 400 \times 4,93\,\$$
                        $+ 110 \times 4,07\,\$ + 20 \times 4,26\,\$$ $= \underline{3\,009}$

                                                                                              $4\,159\,\$$

DEPS permanent
Stock de clôture $= 20 \times 4,20\,\$ + 140 \times 4,00\,\$$
                        $+ 110 \times 4,50\,\$$ $= 1\,139\,\$$

CMV $= 120 \times 4,20\,\$ + (60 \times 4,20\,\$$
                        $+ 340 \times 5,10\,\$)$
                        $+ 110 \times 4,00\,\$ + 20 \times 4,50\,\$$ $= \underline{3\,020}$

                                                                                              $4\,159\,\$$

Solution proposée au PROBLÈME 9.1

Certains des avantages et des inconvénients de l'analyse des états financiers au moyen de ratios sont énumérés ci-dessous. Vous en trouverez sans doute d'autres !

Avantages :

- Du fait qu'ils résument les états financiers, les ratios offrent aux décideurs une information plus concise, plus accessible qu'un examen laborieux de l'ensemble des chiffres.

- Les ratios étant des mesures sans ordre de grandeur, ils peuvent servir à comparer des entreprises de taille différente, ou différentes périodes d'une même entreprise dont la taille s'est modifiée avec le temps.

- Les ratios peuvent être regroupés selon les secteurs d'activité ou autrement, ce qui facilite les comparaisons entre entreprises.

- Les ratios sont calculés à l'aide de numérateurs et de dénominateurs dont la sensibilité aux changements subis par les chiffres qui les sous-tendent peut se révéler utile.

- Les ratios offrent une information condensée que les personnes moins spécialisées (ou qui ne sont pas comptables) ont tendance à comprendre plus facilement que les états financiers détaillés.

- Parce qu'ils expriment des rapports, les ratios peuvent s'appliquer à l'objectif de « rendement relatif », censé guider les décisions prises par les investisseurs et les créanciers.

Désavantages et moyens de les contourner :

- Puisque les ratios résument l'information, leur fiabilité varie selon celle des données qui servent à les calculer. Ils ne sont donc valables que dans la mesure où ces données le sont aussi (moyen : s'assurer de l'opinion sans réserve des vérificateurs quant à la présentation des états financiers).

- Sachant que les utilisateurs se fient à certains ratios, les gestionnaires ou d'autres personnes peuvent s'efforcer de présenter des ratios satisfaisants, par exemple, en réduisant les frais d'entretien ou en évitant d'acquérir de nouveaux éléments d'actif plutôt que de concentrer leur attention sur les problèmes fondamentaux de l'entreprise (moyen : utiliser les ratios avec circonspection et découvrir de quelles décisions de gestion ils résultent).

- Les ratios ne sont que des chiffres et, sauf le phénomène qu'ils résument, ils ne signifient rien en eux-mêmes ; par exemple, un ratio du fonds de roulement de 2 n'a rien de magique (moyen : renseignez-vous abondamment sur l'entreprise et ses concurrents afin d'être en mesure d'effectuer des comparaisons valables).

- Il existe de nombreux ratios et différentes façons de calculer la plupart d'entre eux, de sorte que comparer des ratios déterminés par d'autres peut se révéler frustrant et plus ou moins profitable (moyen : apprendre à calculer les ratios auxquels on attache de l'importance et utiliser ses propres calculs lorsque les versions des autres sont douteuses).

Solution proposée au PROBLÈME 9.2

1. Un tel concept de performance met en rapport le rendement et l'investissement requis pour l'obtenir, ce qui permet de calculer le rendement relatif. Il s'agit d'un concept important, car pour faire des profits, il faut investir, et, en général, les gens font des investissements parce qu'ils en attendent des profits. Afin d'évaluer la qualité du résultat, il faut situer l'importance de chaque investissement par rapport à son rendement. Ainsi, un rendement de 1 000 $ serait formidable pour un investissement de 2 000 $ (ratio de 50 %), mais beaucoup moins emballant pour un investissement de 200 000 $ (seulement 0,5 %).

2. a. On pourrait comparer l'intérêt obtenu et les 1 200 $ investis pour l'obtenir.
   b. On pourrait comparer les produits provenant des services de consultation et les 15 000 $ investis pour générer ces produits.
   c. Cette mesure est plus difficile à prendre, puisqu'un avantage comme le plaisir que procure la conduite d'une voiture sport n'est pas de nature financière et ne se compare pas facilement au coût de la voiture — toutefois, ce genre de ratio est souvent implicite lorsqu'on envisage un achat : on se demande si les avantages escomptés en justifient le coût, et on peut très bien choisir une autre voiture si on considère qu'après tout la sensation du vent dans les cheveux ne vaut pas le supplément qu'il faut débourser pour une décapotable.

Solution proposée au PROBLÈME 9.3

1. L'effet de levier se définit comme un moyen de gagner de l'argent en utilisant de l'argent emprunté. Il est positif quand la somme gagnée est supérieure au coût de l'emprunt (c.-à-d., si un emprunt de 10 000 $ à 8 % d'intérêt permet d'obtenir un rendement de 12 %) et négatif quand le revenu que l'emprunteur tire de l'argent est inférieur au prix qu'il paie pour l'emprunter.

2. L'effet de levier présente des risques pour deux raisons principales. Premièrement, le rendement obtenu peut être décevant et, s'il est inférieur au coût de l'emprunt, l'emprunteur se trouve dans une situation pire qu'avant. Deuxièmement, l'argent emprunté doit être remboursé et, si le prêteur éprouve de la difficulté à se faire payer, il peut utiliser la manière forte, comme intenter des poursuites, prendre le contrôle de la gestion ou s'approprier des éléments d'actif. L'emprunteur peut donc perdre encore plus qu'il n'a emprunté.

3. La formule de Scott intègre l'effet de levier en isolant le rendement des capitaux propres qui lui est attribuable du rendement de l'exploitation (le revenu relatif obtenu au jour le jour sans emprunter, soit le rendement de l'actif). L'effet de levier est calculé en trouvant d'abord la différence entre le rendement de l'actif et le coût de l'emprunt (dans l'exemple ci-dessus, 12 % moins 8 %) puis en multipliant le résultat par la proportion des capitaux propres empruntés. Un résultat positif signifie que plus le financement par emprunt est élevé, meilleur est le rendement des capitaux propres, tandis qu'un résultat négatif indique que plus le financement par emprunt est élevé, pire est ce rendement.

4. L'effet de levier de la première société atteint 4 % ; celui de la seconde, 1 %. Cette comparaison met en jeu les deux aspects du risque mentionnés plus haut. Ainsi, l'effet de levier de la seconde société a plus de chances de devenir négatif, tandis que l'endettement de la première est relativement plus important. Donc, si la seconde société risque davantage de voir se détériorer son effet de levier,

le mal ne sera pas considérable, car elle a moins emprunté que la première. Celle-ci par contre doit davantage et s'expose à de plus grandes difficultés si des complications surviennent.

| **Solution proposée au PROBLÈME 9.4** | 1. Rendement des capitaux propres = 6 000 \$/45 000 \$ = 0,133 |

2. Calculs (selon les termes de la formule de Scott):

RCP = 0,133 comme ci-dessus
RA = (6 000 \$ + 1 333 \$)/80 000 \$ = 0,092
Taux d'intérêt moyen = 1 333 \$/35 000 \$ = 0,038 (IM)
E/CP = 35 000 \$/45 000 \$ = 0,778
(RA − IM) = 0,092 − 0,038 = 0,054
Effet de levier = (0,054) (0,778) = 0,042

Donc, le rendement de l'actif (RA) est de 9,2 %, et celui qui est attribuable à l'effet de levier atteint 4,2 %, soit seulement la moitié du RA.

3. Selon les calculs effectués ci-dessus, les éléments d'actif financés par emprunt rapporteraient 9,2 %. Par ailleurs, le coût de l'emprunt s'élève à 8 % : l'effet de levier est positif (1,2 %), et la société peut mettre son projet à exécution. Toutefois, ce nouvel emprunt accroîtra ses risques, car il y aura des intérêts à payer, sans compter que le taux de rendement de l'actif peut fléchir.

4. Autres informations et ratios possibles (vous pouvez allonger cette liste, il ne s'agit que d'un aperçu):
   - conditions et garanties relatives aux dettes existantes;
   - qualité de la direction (surtout M. Amar);
   - perspectives quant au secteur d'activité et à la concurrence;
   - garanties personnelles susceptibles d'être offertes par M. Amar;
   - ratio de couverture des intérêts;
   - taux de recouvrement des créances et de rotation des stocks;
   - ratio de marge brute;
   - renseignements fiscaux.

| **Solution proposée au PROBLÈME 9.5** | Voici quelques-uns des nombreux éléments de réponse possibles : |

1. a. Un marché qui réagit à l'information de façon rapide et efficace témoigne d'une répartition efficace des ressources financières. En effet, l'argent est attiré vers les sociétés viables alors qu'il quitte celles qui le sont moins. L'information comptable contribue donc à ce processus de répartition.
   b. Un marché des valeurs mobilières présente des risques systématiques et des risques spécifiques. L'information comptable peut aider à évaluer le risque spécifique d'un titre.

2. a. Dans le but de maintenir les ententes contractuelles, l'information est utilisée à des fins de « gérance ». De ce fait, la comptabilité favorise une administration efficace des contrats dans l'économie.
   b. Lorsque les ententes contractuelles sont modifiées, les besoins en matière d'information comptable le sont aussi. L'usage de la comptabilité varie

suivant la nature de la fonction de contrôle et d'administration qui lui est attribuée.

Solution proposée au PROBLÈME 9.6

Il existe bien des façons de répondre. Vous pouvez vous montrer cynique et affirmer que la comptabilité ne comble aucun de ces deux besoins. Vous pouvez aussi soutenir que c'est la communication de l'information financière qui l'emporte ou, au contraire, que c'est le contrôle interne. Quelle que soit votre position, assurez-vous de l'étayer d'arguments convaincants.

Par ailleurs, comme nous le montrons ci-dessous, certains sont d'avis que la comptabilité générale remplit les deux fonctions.

1. *Information à usage externe :*
   - Elle permet aux investisseurs de faire des comparaisons, car toutes les sociétés utilisent les mêmes normes de présentation (les PCGR).
   - Un vérificateur indépendant contrôle l'information pour s'assurer qu'elle reflète fidèlement la situation financière de la société.
   - L'information s'adresse à tout le monde, car elle est censée être comprise par tout utilisateur qui s'applique suffisamment à analyser les états financiers.

2. *Contrôle interne :*
   - La comptabilité contribue entre autres au contrôle du stock, qui constitue un élément important du contrôle de l'entreprise.
   - La mise en place de mesures incitatives peut s'appuyer sur l'information comptable, laquelle permet d'exercer un contrôle.
   - Puisque l'information est préparée pour les propriétaires (les actionnaires), elle est susceptible de favoriser l'impartialité des gestionnaires et une évaluation plus sûre de leur rendement.

Solution proposée au PROBLÈME 9.7

Voici des commentaires très succincts destinés à susciter la réflexion :

1. a. L'entité économique à laquelle les marchés financiers sont censés s'intéresser n'est pas nécessairement une entité juridique. Par exemple, c'est sur une présumée entité économique que se fonde un jeu d'états financiers consolidés.
   b. La méthode du coût d'origine renforce la fiabilité de l'information, mais elle peut en atténuer la pertinence, car les participants au marché doivent prendre des décisions qui concernent le présent.
   c. La fidélité vise à accroître la confiance dans l'objectivité ou l'impartialité de l'information. Mais ce terme n'est-il pas trop vague ? Une telle notion ne se prête-t-elle pas à une interprétation trop élastique de la part des préparateurs, devenant ainsi trop floue pour être vraiment utile aux marchés et aux autres agents économiques ?
   d. Quoiqu'il soit permis de faire des choix en matière de présentation de l'information comptable, il existe des normes pour fixer des limites. Les marchés jouissent donc d'une certaine assurance quant au respect de ces limites.
   e. Il se peut que les gestionnaires ou les préparateurs exercent une influence excessive sur les experts-comptables et les vérificateurs. Or, les utilisateurs

se fient au rapport du vérificateur puisque celui-ci est indépendant. Les règles de déontologie aident à préserver cette indépendance, de même que le soin et l'expertise indispensables à la préparation d'une information comptable satisfaisante sur le plan technique.

2. a. Les états financiers sont consolidés. Les préparateurs ont utilisé une méthode de consolidation permettant de dresser des états financiers représentatifs de l'entité économique collectivement contrôlée.

   b. Le coût historique ou d'origine constitue la mesure de base de la plupart des soldes des comptes apparaissant dans les états financiers des grandes sociétés ouvertes, y compris les biens immobiliers, le matériel, les nouveaux emprunts, etc. Étant donné que toutes les sociétés inscrivent comme coût historique le prix initial, les états financiers respectent l'un des éléments essentiels de l'information, à savoir l'objectivité.

   c. C'est le rapport du vérificateur qui constitue la principale preuve de fidélité. Dans ce rapport, le vérificateur externe atteste la fidélité des états financiers.

   d. Le rapport du vérificateur confirme aussi que les états financiers ont été dressés conformément aux PCGR.

   e. Les règles de déontologie laissent supposer que le vérificateur externe est compétent, impartial et indépendant. On s'attend à qu'il agisse de façon professionnelle et qu'il évite de laisser son jugement sur la fidélité des états financiers lui être imposé par qui que ce soit.

3. Ces notions s'appliquent également aux petites sociétés fermées. En effet, si les spéculateurs boursiers s'intéressent à l'information financière des grandes sociétés, mais non à celle des sociétés fermées, il n'en reste pas moins que les deux types d'entreprises ont beaucoup d'utilisateurs en commun : les banques, le fisc, les gestionnaires et peut-être des propriétaires éventuels. Le contexte d'utilisation peut varier, mais ces notions de base demeurent valables.

Solution proposée au PROBLÈME 9.8

a. 7		f. 9	
b. 5		g. 3	
c. 4		h. 2	
d. 1		i. 10	
e. 6		j. 8	

Solution proposée au PROBLÈME 9.9

1. Si les liquidités provenant des activités d'exploitation sont considérablement supérieures aux bénéfices des trois exercices, c'est principalement à cause de l'addition de l'amortissement.

2. Mise à jour de la variation

des liquidités	1996	1995	1994
Variation présentée	(18,0)	19,4	(212,9)
Emprunts à court terme	(45,4)	(50,7)	(350,7)
Investissements à court terme	—	36,4	13,2
Variation des liquidités après mise à jour	(63,4)	5,1	(550,4)

3. Pour les trois exercices, le montant des liquidités issues des activités d'exploitation demeure positif. Toutefois, les activités d'investissement ont absorbé beaucoup d'argent. Ainsi, en 1996 et en 1994, les liquidités nécessaires à l'investissement ont dépassé celles qui provenaient de l'exploitation et du financement, si bien qu'on constate une diminution globale des liquidités au cours de ces deux exercices. L'achat de Consumer Gas en 1994 a particulièrement contribué à cette diminution. De plus, en 1994, 1995 et 1996, les nouvelles acquisitions relatives aux biens miniers, à l'usine et au matériel ont été importantes, excédant la charge d'amortissement.

Solution proposée au PROBLÈME 9.10

En principe, l'analyse peut comporter trois volets : le bilan dressé en pourcentages, les ratios tirés du bilan et le ratio des liquidités à l'actif ainsi que d'autres interprétations effectuées d'après l'EESF.

Bilan dressé en pourcentages :

Actif	1996	1995	Passif et capitaux propres	1996	1995
Encaisse	0,2 %	0,6 %	Emprunts à court terme	7,7 %	7,8 %
Clients et autres débiteurs	6,3 %	5,4 %	Fournisseurs et autres		
Gaz entreposé	4,8 %	5,7 %	charges à payer	7,0 %	5,6 %
	11,4 %	11,7 %	Intérêts à payer	1,1 %	1,2 %
			Tranche à court terme du		
			passif à long terme	1,6 %	2,3 %
				17,4 %	17,2 %
Investissements à			Emprunt à long terme	51,0 %	51,3 %
long terme	3,1 %	1,8 %	Crédits reportés	0,8 %	0,5 %
Frais payés d'avance	2,1 %	1,9 %	Impôts reportés	6,5 %	7,2 %
Biens miniers, usine			Part des actionnaires		
et matériel	83,4 %	84,6 %	sans contrôle	—	2,7 %
				75,8 %	78,8 %
			Capital-actions	19,5 %	17,0 %
			Bénéfices non répartis	4,6 %	4,1 %
			Écart provenant de la		
			conversion des devises	0,1 %	0,1 %
				24,2 %	21,2 %
	100,0 %	100,0 %		100,0 %	100,0 %

- D'après ce bilan, c'est l'élément biens miniers, usine et matériel qui représente la proportion la plus importante ; l'emprunt à long terme vient en deuxième place.

- Le ratio emprunts/capitaux propres est élevé.

- La proportion des bénéfices non répartis est relativement faible.

Ratios tirés du bilan:

	1996	**1995**
Ratio du fonds de roulement	$654,0/1\,005,0 = 0,65$	$603,7/888,8 = 0,68$
Ratio de liquidité	$(13,8 + 361,1)/1\,005,0 = 0,37$	$(31,8 + 278,9)/888,8 = 0,35$
Ratio emprunts/ capitaux propres	$4\,365,1/1\,396,0 = 3,13$	$4\,081,4/1\,095,6 = 3,73$

Information tirée de l'EESF:

	1996	**1995**
Ratio des liquidités à l'actif	$538,0/5\,761,1 = 0,093$	$470,0/5\,177,0 = 0,091$

Selon l'EESF, en 1996 et en 1995, l'actif a été financé en grande partie par les liquidités provenant de l'exploitation, tandis qu'en 1994, sa principale source a été le financement à taux variable.

Solution proposée au PROBLÈME 9.11

	1996	**1995**
A	5 761,1	5 177,0
P	4 365,1	4 081,4
CP	1 396,0	1 095,6
PE	2 457,9	2 322,8
BN	180,3	130,4
ID	271,3	281,8
TI (taux d'imposition)	$138,3/340,7 = 0,406$	$74,4/219,8 = 0,338$
IAI	$271,3(1 - 0,406) = 161,2$	$281,8(1 - 0,338) = 186,6$
RCP	$180,3/1\,396,0 = 0,129$	$130,4/1\,095,6 = 0,119$
RMB(IAI)	$(180,3 + 161,2)/2\,457,9$ $= 0,139$	$(130,4 + 186,6)/2\,322,8$ $= 0,136$
RA	$2\,457,9/5\,761,1 = 0,427$	$2\,322,8/5\,177,0 = 0,449$
RA(IAI)	$(180,3 + 161,2)/5\,761,1$ $= 0,059$	$(130,4 + 186,6)/5\,177,0$ $= 0,061$
IM (IAI)	$161,2/4\,365,1 = 0,037$	$186,6/4\,081,4 = 0,046$
E/CP	$4\,365,1/1\,396,0 = 3,127$	$4\,081,4/1\,095,6 = 3,725$

Formule de Scott pour 1996:

$$
\begin{aligned}
0,129 &= 0,139 \times 0,427 + (0,059 - 0,037) \times 3,127 \\
&= 0,059 + 0,022 \times 3,127 \\
&= 0,059 + 0,069
\end{aligned}
$$
(écart de 0,001 en raison de l'arrondissement)

Formule de Scott pour 1995:
$$
\begin{aligned}
0,119 &= 0,136 \times 0,449 + (0.061 - 0,046) \times 3,725 \\
&= 0,061 + 0,015 \times 3,725 \\
&= 0,061 + 0,056
\end{aligned}
$$
(écart de 0,002 en raison de l'arrondissement)

Commentaires sur les calculs de la formule de Scott :

- Entre 1995 et 1996, le rendement des capitaux propres n'a pas beaucoup changé. Le rendement de l'exploitation est presque le même pour les deux exercices, tandis qu'on constate une légère amélioration du rendement attribuable à l'effet de levier en 1996.

- Les composantes du rendement de l'exploitation montrent que IPL Energy est une entreprise à forte marge bénéficiaire et à faible taux de rotation.

- L'effet de levier rapporte autant aux actionnaires que l'exploitation puisque le rendement des capitaux propres est à peu près le double de ce qu'il serait sans le financement par emprunt.

Solution proposée au PROBLÈME 10A.1

1. Valeur actuelle $= (100\,000\$ + 200\,000\$)/(1 + 0,08)^5$
$= 204\,175\$

La valeur actuelle excède le montant à investir de 200 000 $, ce qui signifie que le rendement est supérieur à 8 %. Vous devriez investir. Un investissement de 204 175 $ vous rapporterait du 8 %, mais vous n'investissez que 200 000 $.

2. Autres facteurs :

- Risque — dans quelle mesure obtiendrez-vous réellement les 300 000 $ dans 5 ans ?

- Stabilité — un rendement de 8 % peut aujourd'hui paraître intéressant mais, si les taux d'intérêt venaient à augmenter, le fait d'avoir bloqué 200 000 $ pour 5 ans pourrait avoir été une mauvaise stratégie...

- Autres véhicules de placement — le rendement calculé est tout juste supérieur à 8 %, peut-être y aurait-il de meilleurs véhicules de placement où investir 200 000 $?

Solution proposée au PROBLÈME 10A.2

1. a. Si le prix des obligations à 8 % était établi de manière à permettre un rendement de 8 %, les titres se vendraient 100 $.

b. Si le prix des obligations à 8 % était établi de manière à permettre un rendement de 7 % :

$$VA = \frac{8\$}{0,07}\left(1 - \frac{1}{(1,07)^{10}}\right) + \frac{100\$}{(1,07)^{10}}$$

$([1,07]^{10} = 1,9671511)$

$$VA = \frac{8\$}{0,07}\left(1 - \frac{1}{1,9671511}\right) + \frac{100\$}{1,9671511}$$

$$= 56,19\$ \qquad + 50,83\$ = \underline{\underline{107,02\$}}$$

c. Si le prix des obligations à 8 % était établi de manière à permettre un rendement de 9 % :

$$VA = \frac{8\,\$}{0,09}\left(1 - \frac{1}{(1,09)^{10}}\right) + \frac{100\,\$}{(1,09)^{10}}$$

$([1,09]^{10} = 2,3673634)$

$$VA = 51,34\,\$ \qquad\qquad + 42,24\,\$ = \underline{\underline{93,58\,\$}}$$

2. C'est une solution plus rentable, car le financement ne coûterait que 7 %, ce qui augmenterait l'écart entre le coût et le rendement de 10 % prévu. (Ces chiffres seraient modifiés en fonction du rendement obtenu par la société sur les 700 000 $ supplémentaires qu'elle s'est procurés.)

Solution proposée au PROBLÈME 10A.3

Prix de l'action de 30 $ après cinq ans :

$$VA = \frac{1,50\,\$}{0,05}\left(1 - \frac{1}{(1,05)^5}\right) + \frac{30\,\$}{(1,05)^5}$$

$([1,05]^5 = 1,2762815)$

$$VA \quad = 6,49\,\$ \qquad\qquad + 23,51\,\$ = \underline{\underline{30,00\,\$}}$$

Prix de l'action de 50 $ après cinq ans :

$$VA = 6,49\,\$ + \frac{50\,\$}{(1,05)^5}$$

$$= 6,49\,\$ \qquad\qquad + 39,18\,\$ = \underline{\underline{45,67\,\$}}$$

La différence de prix, de 30 $ ou 50 $, a donc des incidences importantes. À 30 $, la valeur actualisée est inférieure au coût de l'investissement, qui est de 35 $; ce n'est donc pas un placement rentable. Toutefois, à 50 $, la valeur actualisée dépasse le coût : c'est une bonne occasion de placement.

Solution proposée au PROBLÈME 10A.4

a. La valeur actualisée diminuera — plus les flux de trésorerie sont loin dans l'avenir, plus la valeur actualisée est faible.
b. La valeur actualisée augmentera — plus le taux d'intérêt utilisé pour actualiser les flux futurs est faible, plus la valeur actualisée est élevée.
c. La valeur actualisée diminuera — tout retard dans les flux de trésorerie réduit la valeur actualisée.
d. La valeur actualisée diminuera — les taux exigés pour tous les projets ou pour certains d'entre eux augmenteront (c'est donc le résultat inverse du point b).

Solution proposée au PROBLÈME 10B.1

1. La part des actionnaires sans contrôle correspond à la part des capitaux propres de la filiale que la société mère ne possède pas. Il ne s'agit pas d'une dette à rembourser, mais plutôt de l'énoncé d'une obligation à l'égard des actionnaires minoritaires de la filiale, qui n'ont pas vendu leurs actions à la société mère.

2. Les états financiers consolidés combinent les états financiers de deux sociétés ou plus, afin de les présenter comme s'il s'agissait d'une seule entité économique.

3. L'écart d'acquisition sur le bilan consolidé rend compte de la différence entre les sommes déboursées par la société mère pour se procurer les actions et sa part de la juste valeur marchande de l'actif et du passif à la date d'acquisition.

4. Pour consolider le bénéfice net, il faut effectuer divers redressements, notamment retirer la part du bénéfice net qui revient aux actionnaires sans contrôle, le bénéfice sur les ventes intersociétés et l'amortissement de l'écart d'acquisition supplémentaire.

5. Le facteur déterminant est le suivant : la société mère est-elle en mesure de contrôler les activités de la filiale ? Le contrôle correspond normalement à la détention de plus de 50 % des actions avec droit de vote ; on peut également envisager d'autres facteurs dont la complexité va au-delà de notre manuel d'introduction.

Solution proposée au PROBLÈME 10B.2

Bénéfice de Bilodeau selon la valeur d'acquisition	$(0,40 \times 250\,000)$	100 000 $
Bénéfice de Bilodeau selon la valeur de consolidation	$(0,40 \times 600\,000)$	240 000
Bénéfice supplémentaire avec la valeur de consolidation		140 000 $
Bénéfice actuel de Québec Sports		800 000
Bénéfice révisé		940 000 $

Solution proposée au PROBLÈME 10B.3

1. Écart d'acquisition à la consolidation :

   a. Juste valeur marchande des capitaux propres de Petitou $(16\,100\,000\,\$ - 8\,300\,000\,\$)$ — 7 800 000 $

   b. Part acquise (80 % de 7 800 000 $) — 6 240 000 $

   c. Coût d'achat pour cette part — 10 800 000

   d. Écart d'acquisition (c) moins (b) — 4 560 000 $

2. Les actionnaires minoritaires ne bénéficient pas de l'écart d'acquisition ; on leur attribue 20 % de la valeur comptable des capitaux propres de Petitou. 20 % de 6 400 000 $ = 1 280 000 $.

3. Les données du bilan consolidé figurent à la page ci-contre.

		Chiffres consolidés
Actif — généralités		
Gros-Bonhomme	105 000 000 $	
Petitou	14 600 000	
Part des variations de la juste valeur (0,80 × [16 100 000 $ − 14 600 000 $])	1 200 000	120 800 000 $
Investissement dans Petitou		
Ne figure pas sur le bilan consolidé parce qu'il s'agit d'un élément intersociétés		0
Écart d'acquisition		
D'après la partie 1		4 560 000
Total de l'actif consolidé		125 360 000 $
Passif — généralités		
Gros-Bonhomme	83 700 000 $	
Petitou	8 200 000	
Part des variations de la juste valeur (0,80 × [8 300 000 $ − 8 200 000 $])	80 000	91 980 000 $
Part des actionnaires sans contrôle		
D'après le point 2		1 280 000
Capitaux propres		
Seuls les capitaux propres de la société mère figurent sur le bilan consolidé. Les capitaux propres de la filiale n'y figurent pas parce qu'il s'agit d'un élément intersociétés.		32 100 000
Total du passif et des capitaux propres consolidés		125 360 000 $

Solution proposée au PROBLÈME 10B.4

a. 2 (ou 5)
b. 3
c. 5 (ou 2)
d. 6
e. 10

f. 7
g. 9
h. 4
i. 1
j. 8

Solution proposée au PROBLÈME 10C.1

a. La charge d'impôts reportés (ou futurs) est calculée pour faire concorder la charge d'impôts avec la constatation des produits et des autres charges.

b. Avec ces méthodes, la charge d'impôts est répartie sur plusieurs exercices financiers et n'est pas concentrée uniquement sur l'exercice où l'impôt est payé ; de la même manière, la comptabilité d'exercice répartit les encaissements et les décaissements sur plusieurs exercices.

c. La méthode du passif d'impôts futurs tente de déterminer les impôts que la société aura à payer dans le futur et recourt à des évaluations des taux d'imposition futurs. La méthode du passif d'impôts reportés s'intéresse aux impôts que la société a évité de payer et elle tient compte des taux d'imposition du passé.

Solution proposée au PROBLÈME 10C.2

Les écarts permanents correspondent à des produits ou à des charges qui sont intégrés au bénéfice net pour les besoins de la comptabilité, mais qui ne sont jamais imposables ni déductibles. Les écarts temporaires se répercutent sur le taux d'imposition effectif de la société, mais non sur les impôts à payer.

Les écarts temporaires surviennent quand certains éléments sont imposables ou déductibles dans des périodes différentes de celles où ils ont été constatés par la comptabilité. Ainsi, les impôts exigés par le fisc pour une période en particulier ne correspondent pas forcément aux impôts à payer, d'après le bénéfice net comptable.

Solution proposée au PROBLÈME 10C.3

Exercice 1:
- a. $120\,000\$ \times 0,36 = 43\,200\$$
- b. $350\,000\$ \times 0,10 = 35\,000\$$
- c. $120\,000\$ +$ amortissement de $35\,000\$ -$ DPA de $35\,000\$ = 120\,000\$$
- d. Réponse (c) $\times 0,36 = 43\,200\$$
- e. (DPA $-$ amortissement) $\times 0,36 = (35\,000\$ - 35\,000\$) \times 0,36 = 0$
- f. $120\,000\$ -$ réponse (a) [ou réponse (d) + (e)] $= 120\,000\$ - 43\,200\$$ $= 76\,800\$$
- g. Réponse (e) $= 0$

Exercice 2:
- a. Même chose que pour l'exercice 1
- b. $(350\,000\$ - 35\,000\$) \times 0,20 = 63\,000\$$
- c. $120\,000\$ +$ amortissement de $35\,000\$ -$ DPA de $63\,000\$ = 92\,000\$$
- d. Réponse (c) $\times 0,36 = 33\,120\$$
- e. (DPA $-$ amortissement) $\times 0,36 = (63\,000\$ - 35\,000\$) \times 0,36 - 10\,080\$$
- f. $120\,000\$ -$ réponse (a) [ou réponse (d) + (e)] $= 120\,000\$ - 43\,200\$$ $= 76\,800\$$
- g. Exercice 1 + réponse (e) $= 0 + 10\,080\$ = 10\,080\$$

Exercice 3:
- a. Même chose que pour l'exercice 1
- b. $(350\,000\$ - [35\,000\$ + 63\,000\$]) \times 0,20 - 50\,400\$$
- c. $120\,000\$ +$ amortissement de $35\,000\$ -$ DPA de $50\,400\$ = 104\,600\$$
- d. Réponse (c) $\times 0,36 = 37\,656\$$
- e. (DPA $-$ amortissement) $\times 0,36 = (50\,400\$ - 35\,000\$) \times 0,36 = 5\,544\$$
- f. $120\,000\$ -$ réponse (a) [ou réponse (d) + (e)] $= 120\,000\$ - 43\,200\$$ $= 76\,800\$$
- g. Exercice 2 + réponse (e) $= 10\,080\$ + 5\,544\$ = 15\,624\$$

Solution proposée au PROBLÈME 10C.4

1. a. Impôts à verser pour 1999:

Bénéfice avant impôts	648 960 $
Moins produits non imposables	(29 650)
Ajout de l'amortissement	1 149 612
Déduction de la DPA	(1 493 114)
Bénéfice imposable	275 808 $

Impôts à verser $= 275\,808\$ \times 0,32 = 88\,259\$$

b. Part reportée de la charge d'impôts:
Méthode 1: (1 493 114 $ − 1 149 612 $) × 0,32 = 109 921 $
Méthode 2: Charge d'impôts totale = (648 960 $ − 29 650 $) × 0,32
= 198 179 $

Part reportée = charge d'impôts totale 198 179 $ − impôts à verser de 88 259 $ = 109 920 $
(Les deux méthodes s'équivalent: il s'agit uniquement d'une différence due à l'arrondissement.)

c. Bénéfice net = bénéfice avant impôts 648 960 $ − charge d'impôts totale de 198 179 $ = 450 781 $

d. Passif d'impôts reportés = 329 612 $ + 109 920 $ (ou 109 921 $)
= 439 532 $

e. Bénéfices non répartis = 3 949 286 $ + 450 781 $ = 4 400 067 $

2. a. Même calcul qu'au point 1 (88 259 $)

b. Part future de la charge d'impôts = 420 500 $ − 329 612 $ = 90 888 $

c. Bénéfice net = 648 960 $ − (88 259 $ + 90 888 $)
= 469 813 $

d. Passif d'impôts futurs: 420 500 $

e. Bénéfices non répartis = 3 949 286 $ + 469 813 $ = 4 419 099 $

Solution proposée au PROBLÈME 10D.1

État des flux de trésorerie

Activités d'exploitation (méthode directe)

Rentrées de fonds — clients	14 234 $	
Sorties de fonds — fournisseurs[1]	8 920	
Impôts	989	
Liquidités provenant de l'exploitation		4 325 $

[1]

Autres charges	9 915 $	
Perte sur cession	(55)	
Ajustement fournisseurs (hormis dividendes)	(754)	
Ajustement des stocks	(186)	8 920 $

OU

Activités d'exploitation (méthode indirecte)

Bénéfice net	1 695 $	
Amortissement	2 090	
Perte sur cession	55	3 840 $
Fonds de roulement hors liquidités		
Clients	(455) $	
Stocks	186	
Fournisseurs (hormis dividendes)	754	485
Liquidités provenant de l'exploitation		4 325 $

Solution proposée au PROBLÈME 10D.1 (suite)

Activités de financement		
Remboursement de l'emprunt hypothécaire	(490) $	
Émissions d'action	300	
Versement de dividendes	(550)	(740)
Activités d'investissement		
Produit de cession	220 $	
Investissement dans les éléments d'actif à long terme	(4 675)	(4 455)
Diminution des espèces et quasi-espèces		(870) $
Espèces et quasi-espèces, début		582
Espèces et quasi-espèces, fin		(288) $

Les espèces et quasi-espèces se composent des éléments suivants :

Encaisse	512 $
Dépôts à terme	200
Emprunt à vue	(1 000)
	(288) $

Solution proposée au PROBLÈME 10D.2

1. Le versement des dividendes doit être inscrit dans les activités de financement. Si le montant de dividende à payer n'a pas été isolé, il est possible que le montant inscrit au titre de versement soit erroné. Dans les activités d'exploitation, sous la rubrique Sortie de fonds — fournisseurs, si le montant présenté a été calculé avec le solde total des comptes fournisseurs, il est alors sous-évalué du montant du dividende à payer. L'erreur n'a pas d'effet sur les espèces et quasi-espèces parce que ni les comptes fournisseurs ni les dividendes n'entrent normalement dans leur définition.

2. a Imaginons que x représente l'acquisition faite pendant l'exercice. Alors x − charge d'amortissement de 236 100 $ − coût du bâtiment cédé de 840 000 $ + amortissement cumulé du bâtiment cédé de 650 000 $ = variation nette de 459 200 $. Ainsi, x = 885 300 $. Autrement dit, 885 300 $ − 840 000 $ − 236 100 $ + 650 000 $ = 459 200 $.

   b. La valeur comptable du bâtiment était de 840 000 $ − 650 000 $ = 190 000 $. Produit de 200 000 $ − valeur comptable de 190 000 $ = gain sur cession de 10 000 $.

   c. Ajoutez l'amortissement de 236 100 $; soustrayez le gain sur cession de 10 000 $.

   d. Les activités d'investissement indiqueraient 885 300 $ en acquisition moins un produit de cession de 200 000 $, pour une affectation nette de 685 300 $.

Solution proposée au PROBLÈME 10D.3

C'est un problème difficile, même si les chiffres ne sont pas complexes, parce qu'il faut tenir compte de l'analyse des flux de trésorerie et des effets des changements.

Batraco inc. — EESF de 1999

a. Liquidités provenant de l'exploitation :

Bénéfice net		11 000 $
Ajout des éléments hors trésorerie de l'état des résultats		
Amortissement	5 000 $	
Gain sur cession	(4 000)	
Impôts reportés	3 000	
Perte sur radiation	13 000	17 000
Variation dans le fonds de roulement hors trésorerie		
AACT	(1 000) $	
APCT	2 000	1 000
Liquidités provenant de l'exploitation		29 000 $

b. Liquidités provenant du financement :

Versement de dividendes	(6 000) $	
Capital-actions	2 000	
Dette à long terme	4 000*	0

c. Liquidités affectées aux investissements :

Acquisition d'éléments d'actif à long terme	(34 000) $**	
Produit de cession	7 000	(27 000)

d. Augmentation des espèces et quasi-espèces — 2 000 $

* PLT au début de l'exercice	18 000 $
Impôts reportés (crédit)	3 000
Impôts reportés (débit)	(8 000)
Solde avant nouvelle dette	13 000 $
Solde de la dette actuelle	(17 000)
Nouvelle dette	4 000 $
** ALT au début de l'exercice	32 000 $
Radiation	(21 000)
Cession	(3 000)
Amortissement	(5 000)
Solde avant nouvelles acquisitions	3 000 $
Solde de clôture	(37 000)
Nouvelles acquisitions	34 000 $

Solution proposée au PROBLÈME 10E.1

- Incidences sur le bénéfice net = 8 649 000 (0,05 − 0,02) × (1 − 0,30)
  = réduction de 181 629 $

- Bénéfice net révisé = 223 650 $ − 181 629 $
  = 42 021 $

- Le changement réduirait le bénéfice net de plus de 80 %, mais ne le ramènerait pas à zéro.

- Il n'y aurait aucune incidence sur les flux de trésorerie (il s'agit d'un changement qui touche la comptabilité d'exercice : les incidences sur les flux de trésorerie sont associées au taux de réussite de la société dans ses recouvrements).

- Il faut choisir des méthodes de comptabilité judicieuses, même si les cadres ne sont pas satisfaits des résultats obtenus.

Solution proposée au PROBLÈME 10E.2

Périodique :	Stocks disponibles pour la vente		
	= 30 000 $ + 125 000 $	=	155 000 $
	Stocks en main à la fin	=	38 000
	Nous avons dû vendre des stocks coûtant	=	117 000 $

Permanent :	Les stocks disponibles pour la vente		
	sont les mêmes	=	155 000 $
	Coût des stocks vendus	=	114 000
	Nous devrions avoir des stocks finaux coûtant	=	41 000 $
	Mais d'après le dénombrement		38 000
	Écart d'inventaire négatif		3 000 $

On peut donc affirmer que, avec la méthode de l'inventaire permanent, on peut savoir qu'il y a un écart négatif des stocks (vol, perte ou stocks égarés) de 3 000 $. Avec la méthode de l'inventaire périodique, on dispose uniquement du dénombrement. On tient donc pour acquis que le coût des marchandises vendues correspondait à 117 000 $, alors que, en fait, c'est l'équivalent de 114 000 $ qui a été vendu.

Du point de vue du président, la méthode de l'inventaire permanent fournit des renseignements plus précis. Les utilisateurs des états financiers seront mieux renseignés si la société présente les écarts indépendamment du coût des marchandises vendues. Si la société ne donne pas cette précision, elle indiquera un coût des marchandises vendues de 117 000 $ (114 000 $ + écart de 3 000 $), ce qui revient au même qu'avec la méthode de l'inventaire périodique. Dans ce cas, le changement ne fait aucune différence pour les utilisateurs externes des états financiers.

Solution proposée au PROBLÈME 10E.3

Données :

- La somme des dépenses de publicité capitalisées était de 75 000 $ pour l'exercice courant.
- La somme capitalisée est amortie à raison de 20 % par année.

Méthode actuelle :

- La charge d'amortissement est de 15 000 $ pour l'exercice courant (20 % de 75 000 $).
- L'actif au bilan est de 75 000 $ − 15 000 $ = 60 000 $ à la fin de l'exercice courant.

Méthode proposée : Les charges pour l'exercice courant s'établiraient à 75 000 $.

Effets :

Si les charges pour publicité *n'étaient pas* capitalisées :

- le bénéfice de l'exercice courant serait inférieur de (75 000 $ − 15 000 $) (1 − 0,30) = 42 000 $;
- les impôts à payer diminueraient de 18 000 $ [(75 000 $ − 15 000 $) (0,30)] ;
- les bénéfices non répartis pour l'exercice courant diminueraient de 42 000 $;
- les actifs diminueraient en raison du retrait de l'actif net capitalisé au titre de publicité (60 000 $) ;
- la réduction de l'élément d'actif est équilibré par la réduction des impôts à payer (18 000 $) et celle des bénéfices non répartis (42 000 $) ;
- aucune incidence sur les flux de trésorerie, le solde de l'encaisse ou le fonds de roulement.

Solution proposée au PROBLÈME 10E.4

Incidence sur le bénéfice net : (2 350 000 $ − 235 000 $) × (1 − 0,25) = 1 586 250 $ de plus.

Incidence sur les flux de trésorerie : aucune.

Solution proposée au PROBLÈME 10E.5

Bilan, fin de l'exercice précédent	+	État des résultats, exercice courant	=	Bilan, fin de l'exercice courant	
Actif		*Produits*		*Actif*	
Clients, augm.	8 000 $	Augmentation	10 000 $	Clients, augm.	18 000 $
Passif		*Charges*		*Passif*	
Hormis impôts		Hormis impôts		Hormis impôts	
Fourn., augm.	3 000 $	Charges, augm.	4 000 $	Fourn., augm.	7 000 $
Impôts		*Impôts*		*Impôts*	
Augmentation	1 750 $	Augmentation	2 100 $	Augmentation	3 850 $
Capitaux propres				*Capitaux propres*	
Bénéfices n. rép.		*Bénéfice net*		*Bénéfices n. rép.*	
Augmentation	3 250 $	Augmentation	3 900 $	Augmentation	7 150 $

Précisons que cette question aurait pu être reformulée : « Les comptes clients augmenteront de 18 000 $ à la fin de l'exercice en cours et de 8 000 $ à la fin de l'exercice précédent ; les comptes fournisseurs augmenteront de 7 000 $ à la fin de l'exercice en cours et de 3 000 $ à la fin de l'exercice précédent. » Dans un tel cas, le bénéfice net de l'exercice en cours serait déduit des effets du bilan, tandis que, ci-dessus, les effets du bilan de l'exercice en cours ont été déduits des chiffres du bénéfice et des données du bilan précédent. Avec cette reformulation, on pourrait croire que les effets du bilan de l'exercice courant seront ajoutés aux effets précédents (par exemple, l'accroissement des comptes clients s'établirait à 26 000 $). Ce chiffre serait inexact, parce que les effets du bilan de l'exercice courant tiennent déjà compte de tous les effets précédents : n'oubliez pas que le bilan constitue la somme cumulée de toutes les données comptables enregistrées précédemment.

Il n'y a donc aucune incidence sur les liquidités, mais les montants présentés à l'EFT changeront :

Le bénéfice net augmente	(incidence positive)	3 900 $
Variation dans les comptes clients à la hausse	(incidence négative)	(10 000)
Variation dans les comptes fournisseurs à la hausse	(incidence positive)	4 000
Variation dans les impôts à la hausse	(incidence positive)	2 100
Incidence nette sur les liquidités provenant de l'exploitation		0 $

Solution proposée au PROBLÈME 10E.6

a. Le total des éléments d'actif à court terme reste inchangé (l'argent a été encaissé et décaissé le même jour).

b. Le total des éléments d'actif augmente de 100 000 000 $ (matériel supplémentaire).

c. Le total des éléments de passif à court terme diminue de 50 000 000 $ (à cause de la réduction des emprunts bancaires à court terme).

d. Le ratio du fonds de roulement s'améliore, parce que le dénominateur (passif à court terme) diminue, alors que le numérateur demeure inchangé (actif à court terme).

e. Aucun changement dans les capitaux propres (consultez l'élément *f* ci-dessous).

f. Aucune incidence directe sur les bénéfices mais, au cours des prochains exercices financiers, il y aura toutefois un accroissement des charges au titre des intérêts et de l'amortissement. Ainsi, à moins que le nouveau matériel ne permette de réaliser des produits supérieurs à ces charges supplémentaires, les bénéfices et les capitaux propres diminueront.

g. Aucune incidence sur les espèces et quasi-espèces (aucune incidence sur les liquidités, comme nous l'avons vu au point *a* ; les emprunts bancaires à court terme ne font sans doute pas partie des espèces et quasi-espèces). (Les liquidités provenant de l'exploitation diminueraient de 50 000 000 $ en raison de la diminution des emprunts bancaires à court terme.)

h. Les liquidités affectées aux investissements augmenteraient de 100 000 000 $ (matériel supplémentaire).

i. Les liquidités provenant du financement augmenteraient de 150 000 000 $ (soit l'emprunt, qui figurerait au titre d'élément de passif à long terme).

j. On pourrait évaluer les incidences sur le rendement des capitaux propres en calculant approximativement l'accroissement des bénéfices qui proviendrait du nouveau matériel, en tenant compte aussi des intérêts économisés sur les emprunts bancaires et en déduisant les intérêts débiteurs associés aux obligations. Tous les calculs devraient se faire après impôts, car le numérateur du calcul du rendement des capitaux propres est le bénéfice net.

k. L'estimation de l'effet de levier se ferait de la même manière. Le rendement anticipé de l'actif serait comparé au taux d'intérêt sur les obligations, afin de déterminer si l'effet de levier est positif (on peut admettre qu'il le sera ; sinon, la société n'aurait pas procédé à l'émission d'obligations).

GLOSSAIRE

Le glossaire qui suit contient la définition de nombreux termes de comptabilité générale et renvoie le lecteur aux sections des chapitres où ils sont expliqués. Si, dans une section de chapitre, on fournit une bonne définition ou une explication adéquate de la notion, il se peut que, ici, on fasse référence à cette section sans répéter la définition. Lorsque c'est utile, on renvoie le lecteur à d'autres termes. Pour trouver des renseignements complémentaires, reportez-vous à l'index à la fin du volume.

A

Achalandage de consolidation *(consolidated goodwill)*   Voir **Écart d'acquisition**.

Actif *(assets)*   Ensemble des ressources dont une entreprise dispose pour poursuivre son exploitation. Un élément d'actif est représenté par une participation ou un droit à des avantages économiques futurs. Il a une valeur puisque l'entreprise s'attend à bénéficier de son utilisation ou de sa vente. Voir la section 2.2, ainsi que **Actif de trésorerie**, **Stock**, **Clients**, **Actif à court terme**, **Immobilisations corporelles** et **Immobilisations incorporelles**.

Actif à court terme *(current assets)*   Encaisse et autres éléments d'actif, comme les placements temporaires, le stock, les clients et les charges payées d'avance, qui seront réalisés ou utilisés au cours du prochain cycle normal d'exploitation d'une entreprise (en général, au cours de la prochaine annnée). Voir **Actif de trésorerie**, **Stock** et **Clients.**

Actif à long terme *(noncurrent assets)*   Ensemble des éléments d'actif dont on espère bénéficier pendant plus d'un exercice. Voir **Immobilisations corporelles**, **Actif à court terme**, ainsi que la section 2.2.

Actif corporel *(fixed assets, tangible assets)*   Éléments matériels de l'actif à long terme que l'entreprise ne s'attend pas à consommer en un seul cycle d'exploitation. Elle compte plutôt s'en servir pendant de nombreux exercices pour gagner des produits (il peut s'agir de machines, de bâtiments, de terrains, etc.). Voir **Actif à long terme**.

Actif de trésorerie (AT) *(cash equivalent assets)*   Terme désignant l'encaisse plus les éléments d'actif liquides monnayables presque instantanément sur demande. Les obligations, les actions, les bons du Trésor, ainsi que d'autres titres financiers sont des exemples d'éléments d'actif qu'on peut facilement et rapidement convertir en argent. Voir la section 3.5.

Action *(share)*   Titre de participation au **capital-actions** d'une société, attestée par un certificat. Comme d'autres **titres**, les actions des **sociétés ouvertes** sont négociables sur les **marchés des capitaux**.

Action autodétenue *(treasury share)*   Élément de capital-actions émis, puis racheté par la société émettrice. L'action autodétenue entraîne une diminution des capitaux propres, car on utilise des ressources pour réduire la quantité d'actions effectivement en circulation.

Action de priorité *(preferred share)*   Titre de participation comportant des droits spéciaux en plus (ou à la place) des droits inhérents aux actions ordinaires. Voir les sections 2.5 et 8.12.

Action ordinaire *(common share)*   Titre de base représentant une participation au capital-actions d'une société et comportant un droit de vote. Voir **Société par actions,** ainsi que les sections 2.5 et 8.12.

Action privilégiée *(preferred share)*   Voir **Action de priorité.**

Actionnaire *(shareholder)*   Détenteur d'une participation au **capital-actions** d'une société et donc propriétaire de cette société. Voir la section 1.4.

Activités abandonnées *(discontinued operations)*   Voir **Secteur d'activité abandonné.**

Ajustement *(adjustment)*   Voir **Écriture de régularisation.**

Amélioration du bien *(betterment)*   Dépense engagée pour augmenter la valeur d'un élément d'actif; elle sert à effectuer davantage que des travaux de réparation ou d'entretien. Voir la section 7.11.

Amortissement *(amortization)*   Étalement du coût d'un élément d'actif à long terme, par imputation graduelle aux résultats de plusieurs exercices, en vue de constater l'amoindrissement de sa valeur économique au fur et à mesure qu'il contribue à générer des produits. Ainsi, quand la comptabilité déduit des produits d'un exercice donné une charge d'amortissement, elle la reconnaît comme une dépense engagée pour gagner ces produits. En anglais, on réserve souvent le terme « amortization » à l'amortissement des immobilisations incorporelles (par exemple, les brevets d'invention, les droits de franchisage et l'écart d'acquisition) et le terme « depreciation » à l'amortissement des immobilisations corporelles (par exemple, les immeubles). Voir **Amortissement cumulé, Immobilisations incorporelles,** ainsi que les sections 1.6, 6.9, 8.7 et 7.3.

Amortissement accéléré *(accelerated amortization — depreciation)*   Méthode de calcul de l'amortissement dont fait partie l'amortissement dégressif et selon laquelle on enregistre un amortissement plus élevé durant les premières années de la vie d'un élément d'actif et moins élevé par la suite qu'on ne le ferait selon la méthode de l'amortissement linéaire. Voir **Amortissement linéaire, Amortissement dégressif,** ainsi que la section 8.9.

Amortissement cumulé *(accumulated amortization — depreciation)*   Compte du bilan qui présente le total des charges d'amortissement imputées à un certain nombre d'exercices. Son solde créditeur est la contrepartie du solde débiteur du compte d'actif où le coût d'un bien amortissable est enregistré. La différence entre ce coût et l'amortissement cumulé correspond à la « valeur comptable » de ce bien. Voir **Valeur comptable, Compte de contrepartie, Immobilisations, Amortissement** et **Amortissement de l'exercice,** ainsi que les sections 1.6, 6.9 et 8.7.

Amortissement dégressif *(declining balance amortization)*   Méthode d'amortissement accéléré selon laquelle on calcule l'amortissement de l'exercice en multipliant par un pourcentage fixe la valeur comptable d'un élément d'actif, laquelle diminue au fur et à mesure que cet élément est amorti. Voir **Amortissement accéléré, Amortissement,** ainsi que la section 8.9.

Amortissement de l'exercice *(amortization expense)*   Charge servant à constater l'amortissement d'un élément d'actif. Voir **Amortissement**, **Amortissement cumulé**, ainsi que la section 8.7.

Amortissement linéaire *(straight-line amortization — depreciation)*   Méthode de calcul de l'amortissement qui consiste simplement à diviser la différence entre le coût d'un élément d'actif et sa valeur de récupération prévue par le nombre d'exercices au cours desquels l'entreprise s'attend à utiliser cet élément. C'est la méthode la plus couramment utilisée au Canada. Voir **Amortissement**, ainsi que la section 8.7.

Amortissement pour épuisement *(depletion)*   Méthode d'amortissement utilisée dans le cas des éléments d'actif qui constituent des matières consommables, comme certaines ressources naturelles. Voir la section 8.9.

Amortissement progressif *(decelerated amortization)*   Contraire de l'amortissement accéléré ou de l'amortissement linéaire. Méthode inacceptable pour la plupart des entreprises. Voir **Amortissement accéléré**, ainsi que la section 8.9.

Amortissement proportionnel à l'utilisation *(units-of-production amortization)*   Méthode d'amortissement selon laquelle l'amortissement de l'exercice varie directement en fonction du volume d'unités produites ou utilisées au cours de cet exercice. Voir la section 8.7.

Analyse après impôts *(net-of-tax analysis)*   Méthode utilisée pour déterminer l'incidence de décisions de gestion ou de changements comptables. Les calculs effectués selon cette méthode tiennent compte de l'effet fiscal, d'où l'obtention d'une mesure « nette d'impôt ». Voir les sections 9.2 et 10E.2.

Analyse au moyen de ratios *(ratio analysis)*   Voir **Ratio**.

Analyse des états financiers *(financial statements analysis)*   Utilisation des états financiers pour dégager des mesures récapitulatives (les ratios) et des commentaires interprétatifs sur la performance et la situation financières d'une entreprise. Voir **Ratio**, ainsi que les sections 9.3 et 9.5.

Analyse par simulation *(« What if » (effects) analysis)*   Méthode d'analyse s'appliquant à des décisions d'affaires ou à des choix de conventions comptables possibles. Elle consiste à déterminer leur incidence sur le bénéfice, les flux de trésorerie ou d'autres éléments importants. Voir les sections 10E.1, 10E.2 et 10E.3.

Articulation *(articulation)*   Lien réciproque entre l'état des résultats, l'état des bénéfices non répartis et le bilan. Étant donné que ces trois états financiers sont dressés d'après le même ensemble de comptes équilibrés, tout changement apporté à l'un modifie normalement les autres. Ainsi, la constatation des produits et des charges s'appuie sur le fait que l'inscription d'un produit, tout comme celle d'une charge, a une incidence sur le bilan. Voir **Constatation**, **Constatation des produits**, ainsi que la section 2.7.

Assainissement du bilan *(big bath)*   Manipulation du bénéfice qui consiste à faire paraître les résultats d'un piètre exercice pires qu'ils ne le sont en réalité, dans le but de rehausser, par contraste, les résultats des exercices suivants. Voir les sections 2.10 et 7.4.

Assurance *(assurance)*   Terme plus général que « vérification », qui englobe d'autres mesures similaires ayant pour but de confirmer ou de vérifier que les rapports ou les faits présentés sont fidèles et adéquats et d'assurer ainsi les utilisateurs de leur fiabilité.

Avoir des actionnaires *(shareholders' equity)*   Total des sommes investies directement (le capital-actions) et indirectement (les bénéfices non répartis) par les actionnaires dans une société. Voir **Capital-actions, Capitaux propres, Bénéfices non répartis**, ainsi que les sections 2.2 et 8.12.

Avoir des propriétaires *(owners' equity)*   Voir **Capitaux propres**, ainsi que les sections 2.2, 2.5 et 8.12.

B

Balance de vérification *(trial balance)*   Liste de tous les comptes du grand livre général et de leurs soldes. Le total des comptes au solde débiteur doit être égal au total des comptes au solde créditeur. À ne pas confondre avec le **plan comptable**, où figurent seulement les noms des comptes. Voir **Compte**, ainsi que les sections 5.4 et 6.2.

Balance de vérification après régularisations *(adjusted trial balance)*   Liste des comptes préparée après l'exécution de tous les ajustements et les corrections exigés par la comptabilité d'exercice. Elle présente les soldes finals des comptes utilisés pour dresser les états financiers. Voir **Balance de vérification, Écriture de régularisation**, ainsi que la section 6.5.

Balance de vérification avant régularisations *(unadjusted trial balance)*   Liste des comptes et de leurs soldes avant l'exécution des différents ajustements exigés par la comptabilité d'exercice en vue de la préparation des états financiers. Voir les sections 6.4 et 6.5.

Base d'opérations *(transaction base)*   Notion selon laquelle la comptabilité générale est essentiellement définie par l'usage de l'**opération** comme base fondamentale du système de tenue des livres, qui sous-tend les données comptables. Voir la section 5.2.

Bénéfice *(income)*   Le bénéfice (net) d'une entreprise correspond à la différence entre les produits et les charges. On l'appelle aussi résultat ou profit. Voir **Bénéfice en comptabilité d'exercice, Bénéfice en comptabilité de caisse, Bénéfice net**, ainsi que les sections 1.6, 2.7 et 2.8.

Bénéfice avant impôts *(income before (income) tax)*   Montant égal aux produits plus les autres éléments qui s'ajoutent au bénéfice et moins toutes les charges ordinaires à l'exception de l'impôt. Il figure parmi les derniers chiffres de l'état des résultats. Certains éléments exempts d'impôt ou spéciaux, comme les **éléments extraordinaires**, sont présentés après que l'impôt a été déduit, de sorte qu'ils ne modifient pas le montant du bénéfice avant impôt. Voir la section 8.11.

Bénéfice en comptabilité de caisse *(cash income)*   Différence entre les encaissements et les décaissements, ou encore, écart négatif ou positif entre les deux, en ce qui concerne les opérations courantes. Cet écart d'exploitation correspond en gros au chiffre des **liquidités provenant de l'exploitation** figurant dans l'EESF. Voir **Encaissement, Décaissement**, ainsi que les sections 1.6 et 10D.4.

Bénéfice en comptabilité d'exercice *(accrual income)*   Différence entre les produits et les charges, obtenue lorsque ces deux catégories de comptes sont traités selon la méthode de la comptabilité d'exercice. Voir **Comptabilité d'exercice**, **Bénéfice net**, ainsi que les sections 1.6, 2.7, 7.3 et 7.4.

Bénéfice net *(net income)*   Bénéfice après déduction de la charge fiscale et déduction ou addition des éléments extraordinaires et des éléments inhabituels (eux-mêmes nets d'impôts). Voir **Bénéfice**, **Bénéfices non répartis**, **Rapprochement (des produits et des charges)**, ainsi que les sections 2.7, 2.8, 7.3 et 8.11.

Bénéfice net avant postes exceptionnels *(income from continuing operations)*   Bénéfice après impôt, mais avant addition des gains ou déduction des pertes relatifs aux **secteurs d'activité abandonnés**. Voir la section 8.11.

Bénéfice net par action (BPA) *(earnings per share (EPS))*   Ratio obtenu en divisant le bénéfice net par le nombre moyen des actions ordinaires (avec droit de vote) en circulation. Il permet au détenteur d'actions de mettre en rapport la capacité d'une société à générer des bénéfices et son propre investissement. Comme le calcul du BPA peut s'avérer assez complexe, la plupart des sociétés ouvertes l'effectuent pour les utilisateurs (ainsi que l'exigent les principes comptables généralement reconnus) et le présentent dans leur état des résultats. Il s'agit du ratio n° 8, défini et expliqué à la section 9.5. Voir **Ratio**, ainsi que la section 2.8.

Bénéfices non répartis *(retained earnings)*   Bénéfices qui n'ont pas encore été distribués aux propriétaires ; ils correspondent au total des bénéfices nets réalisés depuis la constitution de la société, moins les sommes distribuées aux propriétaires (les dividendes déclarés). Voir **Capitaux propres**, ainsi que les sections 2.7, 2.8 et 8.12.

Bilan *(balance sheet)*   Liste « équilibrée » des éléments d'actif, de passif et des capitaux propres constituant le relevé officiel de la situation financière d'une société à une date donnée. Il présente une synthèse de ces éléments classés sous trois rubriques distinctes. On appelle parfois le bilan « état de la situation financière ». Voir **Équilibre**, **Équation comptable**, **Évaluation du bilan**, ainsi que les sections 2.2, 2.3 et 2.4.

Bon de commande *(purchase order)*   Document utilisé à l'occasion d'une demande officielle d'achat de biens ou de services. Voir la section 6.2.

Bourse de Toronto (TSE) *(Toronto Stock Exchange (TSE))*   Principale **bourse des valeurs mobilières** au Canada.

Bourse des valeurs mobilières *(Stock exchange)*   Marché des capitaux où se négocient des **actions** et d'autres **titres** de placement. Voir la section 9.8.

C

CA *(chartered accountant)*   Comptable agréé.

Capital *(capital)*   Apport ou participation du propriétaire à l'entreprise (les capitaux propres). Terme souvent utilisé pour désigner les capitaux propres des entreprises non constituées en société (entreprises individuelles et sociétés de personnes). Voir **Capitaux propres**, ainsi que les sections 2.5 et 8.12.

Capital *(principal)* Voir **Principal.**

Capital-actions *(share capital)* Partie des capitaux propres provenant de l'émission d'actions en contrepartie desquelles une société reçoit de l'argent ou d'autres valeurs. Voir les sections 2.5 et 8.12.

Capitalisation *(capitalization, capitalize)* Fait de constater une dépense susceptible de générer des avantages au cours d'une prochaine période; à cette fin, on la comptabilise comme élément d'actif au lieu de l'imputer à l'exercice au cours duquel elle a été engagée. Une dépense est capitalisée lorsqu'on s'attend à en bénéficier plus tard : elle satisfait ainsi au critère permettant de la considérer comme un élément d'actif. Voir les sections 7.11 et 8.10.

Capitaux propres *(owners' equity)* Actif net ou participation résiduelle d'un propriétaire, ou actionnaire, (Actif − Passif = Capitaux propres). Voir les composantes des capitaux propres sous **Avoir des actionnaires** et **Bénéfices non répartis**, ainsi que les sections 2.2, 2.6 et 8.12.

CGA *(Certified General Accountant)* Comptable général licencié du Canada.

Charge *(expense)* Coût des éléments d'actif utilisés et (ou) des obligations contractées pour générer des produits. Voir **État des résultats, Produits, Rapprochement (des produits et des charges), Constatation des charges, Comptabilité d'exercice,** ainsi que les sections 2.7, 7.3 et 7.8.

Charge à payer *(accrued expense)* Charge constatée dans les comptes d'une entreprise avant d'avoir été payée par celle-ci. Voir les sections 7.2, 7.3, 7.8 et 7.10.

Charge d'impôts *(income tax expense)* Charge établie en comptabilité d'exercice, qui correspond généralement au total de l'impôt à verser au fisc et des impôts reportés ou futurs de l'exercice. Voir **Impôts futurs de l'exercice, Impôts reportés de l'exercice, Méthode du passif d'impôts futurs, Méthode du passif d'impôts reportés.**

Charge indirecte *(overhead)* Frais que l'entreprise engage indirectement, soit en fabriquant ses produits, soit en construisant de nouveaux éléments d'actif. Il s'agit, par exemple, du chauffage, de l'électricité et des salaires des superviseurs.

Charge payée d'avance *(prepaid expense)* Dépense que l'entreprise comptabilise parmi les éléments d'actif à court terme, car elle s'attend à en bénéficier dans un avenir rapproché (par exemple, une couverture d'assurance en vigueur jusqu'à la fin du prochain exercice). Voir la section 7.10.

Chèque *(cheque)* Document par lequel une personne demande à sa banque de payer un montant précis à un tiers. Voir la section 6.2.

Choix de convention comptable *(accounting policy choice)* Décision que l'entreprise doit souvent prendre, car il existe, dans de nombreux domaines, plus d'une convention comptable acceptable. Voir la section 7.4.

Classement des comptes *(classification)* Choix de l'emplacement des comptes dans les états financiers. Une entreprise peut, par exemple, décider de présenter un placement parmi les éléments d'actif à court terme plutôt que parmi les éléments d'actif à long terme. Voir les sections 7.4, 2.3 et 8.11.

Clients (comptes clients) *(accounts receivable, trade receivables)* Montants dus par les débiteurs (les clients); ils proviennent en général de la vente de marchandises ou de la prestation de services. Ces créances découlent des activités quotidiennes de l'entreprise. Voir la section 7.9.

Clôture *(close, closing)* Virement des soldes des comptes temporaires (produits, charges et dividendes) au compte des bénéfices non répartis, effectué à la fin d'un exercice. Voir **Écriture de clôture**, ainsi que les sections 5.4 et 5.6.

CMA *(Certified Management Accountant)* Comptable en management accrédité du Canada. Voir **Société des comptables en management accrédités du Canada**.

Coefficient de rotation de l'actif *(total assets turnover)* Voir **Ratio de rotation de l'actif**.

Coefficient de rotation des stocks *(inventory turnover)* Voir **Ratio de rotation des stocks**.

Coentreprise *(joint venture)* Entente par laquelle un groupe de sociétés forment une société de personnes. Voir la section 10B.1.

Comité international de normalisation de la comptabilité (CINC) *(International Accounting Standards Committee (IASC))* Comité composé de représentants de plus de 50 pays, dont le mandat est d'établir des normes internationales de comptabilité. Voir la section 4.7.

Commentaires et analyse de la direction *(management discussion and analysis (MD&A))* Section du rapport annuel dans laquelle la direction examine les résultats de l'exercice et donne certains détails sur ce qui s'est passé. De nombreux analystes s'en servent pour compléter l'information fournie par les ratios et d'autres formes d'analyse. Voir **Rapport annuel**, ainsi que les sections 3.3, 3.8 et 9.3.

Commission des valeurs mobilières de l'Ontario (CVMO) *(Ontario Securities Commission (OSC))* Organisme de réglementation des marchés financiers de l'Ontario. Il s'agit du principal organisme de ce genre au Canada.

Commission des valeurs mobilières du Québec (CVMQ) Organisme de réglementation des marchés financiers du Québec.

Communication de l'information financière *(financial reporting)* Utilisation des **états financiers** et de la **présentation** de renseignements destinés aux utilisateurs externes pour rendre compte de la **performance** et de la **situation financières** d'une entreprise.

Comparabilité *(comparability)* Caractère de l'information qui permet aux utilisateurs de constater les similitudes et les différences entre deux ensembles de phénomènes économiques, par exemple, les états financiers de deux exercices différents d'une même entreprise. La comparabilité entre les entreprises et l'uniformité des méthodes employées au fil du temps par une même entreprise constituent des objectifs primordiaux de la comptabilité générale. Voir **Fidélité**, **Uniformité**, ainsi que les sections 4.4 et 4.5.

Comptabilisation des stocks *(inventory costing)* Utilisation de diverses méthodes de détermination du coût des stocks en vue de procéder à l'évaluation du bilan et du coût des marchandises vendues. Les méthodes **PEPS**, **DEPS** et du **coût moyen pondéré** sont les plus répandues. Voir les sections 8.5, 8.6 et 7.11.

Comptabilité *(accounting)* « Comptabiliser » c'est établir un document prouvant qu'on a payé ou reçu une somme en contrepartie de quelque chose. Être « comptable » de ses actes, c'est en être responsable. Ainsi, la pratique de la comptabilité consiste à consigner et à présenter des chiffres qui mesurent la performance et la situation financières ; par ailleurs, la direction assume la responsabilité des décisions qui se prennent au sein de l'entreprise. La comptabilité dispense donc les rapports qui résument les conséquences économiques de ces décisions : cette information est destinée à la fois aux utilisateurs internes et aux utilisateurs externes (comme les investisseurs, les créanciers et les organismes de réglementation). Voir **Comptabilité générale** et **Comptabilité de gestion**.

Comptabilité à la valeur actuelle *(current value accounting)* Méthode comptable qui propose d'utiliser la valeur actuelle, ou valeur marchande, pour évaluer les éléments d'actif et de passif, de même que pour calculer le bénéfice. Voir la section 8.2.

Comptabilité de gestion *(management accounting)* Système d'information conçu pour aider la direction à exploiter et à gérer l'entreprise et, de manière générale, à prendre des décisions. Elle se distingue de la **comptabilité générale**, qui est principalement destinée aux utilisateurs externes.

Comptabilité d'exercice *(accrual accounting)* Méthode qui permet d'obtenir une mesure économiquement valable et complète de la performance et de la situation de l'entreprise. Elle constate les faits économiques sans tenir compte du moment où se produisent les opérations de trésorerie. Cette méthode s'oppose à celle, plus simple, de la comptabilité de caisse. En comptabilité d'exercice, les produits et les charges (de même que les éléments d'actif et de passif correspondants) sont inscrits dans les comptes de la période à laquelle ils se rapportent. Voir les sections 1.6, 6.5, 7.2 et 7.3.

Comptabilité en partie double *(double-entry accounting)* Enregistrement des deux aspects de chaque opération, ou de chaque fait : l'effet sur la ressource et la source ou l'« histoire » de cet effet. Quoique ce système se soit grandement développé depuis son invention, il y a plusieurs centaines d'années, il constitue toujours la base de la tenue des livres et de la comptabilité générale. Voir les sections 4.2 et 5.3.

Comptabilité générale *(financial accounting)* Système d'information ayant pour objet de présenter périodiquement aux utilisateurs externes des **états financiers** décrivant la situation et la performance financières d'une entreprise. Voir **Comptabilité de gestion,** ainsi que la section 1.2.

Comptabilité téméraire *(aggressive accounting)* Recherche de conventions comptables susceptibles de permettre à la direction d'atteindre ses objectifs en matière de croissance, de financement, de primes, etc., mais qui semblent violer des principes comme la fidélité et la prudence. Voir la section 7.4.

Compte *(account)* Enregistrement récapitulatif d'un élément d'actif, de passif, des capitaux propres, des produits ou des charges où sont inscrits en dollars (s'il s'agit de l'unité monétaire du pays) les effets des opérations, des régularisations et des corrections. Voir **Journal général, Grand livre général, Opération,** ainsi que les sections 5.3 et 5.4.

Compte après clôture *(post-closing account)* Compte de produit, de charge et de dividende dont le solde, viré au compte des bénéfices non répartis, a été ramené à zéro (il a été « fermé »). Voir les sections 5.6 et 5.7.

Compte client *(account receivable)*   Voir **Clients.**

Compte collectif *(control account)*   Compte où sont additionnés les montants de nombreuses opérations inscrites en détail. Il sert à éviter que des erreurs se glissent dans ces enregistrements ou à déceler ces dernières. Le compte collectif clients, par exemple, doit présenter le même total que celui de tous les comptes clients individuels. Parmi les comptes collectifs contenant des informations de sécurité détaillées, se trouvent l'encaisse, les clients, le stock, l'amortissement cumulé, les fournisseurs, les taxes de vente à payer, les retenues à la source à payer et le capital-actions. Voir **Contrôle interne**, ainsi que les sections 6.2, 6.6 et 6.8.

Compte de contrepartie *(contra account)*   Compte servant à accumuler certaines déductions relatives à un élément d'actif, de passif ou des capitaux propres. Voir **Valeur comptable, Amortissement, Amortissement cumulé, Provision pour créances douteuses,** ainsi que la section 6.9.

Compte de contrôle *(control account)*   Voir **Compte collectif.**

Compte en T *(T-account)*   Compte du grand livre disposé en T à des fins d'analyse ou de démonstration. Voir la section 5.4.

Conception fiduciaire de la comptabilité *(stewardship)*   Notion selon laquelle il incombe à certaines personnes (par exemple, les gestionnaires) de surveiller les biens et les intérêts d'autres personnes (par exemple, les actionnaires) ; elle implique la préparation de rapports par l'intermédiaire desquels ces « régisseurs » peuvent être tenus responsables des décisions qu'ils ont prises au nom d'autres personnes. Voir **Théorie de la délégation,** ainsi que la section 4.2.

Conseil d'administration *(board of directors)*   Niveau de gestion le plus élevé : il représente les propriétaires (les actionnaires) et est directement responsable devant eux. Normalement élus chaque année par les actionnaires, ses membres sont chargés d'embaucher et de surperviser les cadres opérationnels (le président, le directeur général, etc.).

Consolidation *(consolidation)*   Méthode utilisée pour dresser les états financiers d'un groupe de sociétés ayant des propriétaires communs, comme s'il s'agissait d'une société unique. En présentant des états financiers consolidés, on reconnaît que ces entités juridiques distinctes sont les composantes d'une même unité économique. De tels états financiers sont différents de ceux de la société mère, de ceux de ses filiales, et des états combinés des sociétés affiliées. Voir **Méthode de la fusion d'intérêts communs** et **Méthode de l'achat pur et simple,** ainsi que la section 10B.2.

Consolidé *(consolidated)*   Voir **Consolidation.**

Constatation *(recognition)*   Fait de refléter dans les comptes les produits que l'entreprise estime avoir gagnés ou les charges qu'elle estime avoir engagées, avant que l'argent ait été encaissé ou versé (ou après qu'il l'a été). Voir **Constatation des produits, Constatation des charges,** ainsi que les section 7.3, 7.6, 7.7 et 7.8.

Constatation des charges *(expense recognition)*   Incorporation des charges engagées au calcul du bénéfice : on inscrit dans les comptes une quantité déterminée de charges attribuables à l'exercice en cours, conformément aux conventions comptables de l'entreprise. Voir **Rapprochement (des produits et des charges), Constatation des produits,** ainsi que les sections 7.3 et 7.8.

Constatation des produits *(revenue recognition)* Inscription dans les comptes d'une quantité déterminée de produits attribuables à l'exercice en cours, conformément aux conventions comptables de l'entreprise. Voir **Comptabilité d'exercice**, **Clients**, **Produits**, ainsi que les sections 7.3, 7.6 et 7.7.

Continuité (de l'exploitation) *(going concern)* Postulat fondamental de la comptabilité générale selon lequel une société sera financièrement viable et demeurera en affaires assez longtemps pour voir tous ses projets actuels menés à bonne fin. Lorsque la continuité de l'exploitation n'est plus assurée, les principes comptables normaux ne s'appliquent pas. Voir **Valeur de liquidation**, ainsi que les sections 4.4 et 8.2.

Contrat *(contract)* Voir **Théorie de la délégation** et la section 9.10. Un contrat consiste en une entente verbale ou écrite entre deux ou plusieurs parties. Il détermine les responsabilités de chacune des parties, signale les interventions sur lesquelles ces dernières se sont entendues et fixe les paiements ou les autres règlements qui en résulteront.

Contrat de location-acquisition *(capital lease)* Bail présentant les caractéristiques économiques de la possession d'un bien. Voir la section 8.10.

Contrat de location-exploitation *(operating lease)* Contrat de location ou d'utilisation d'un bien ne conférant pas de droits semblables à ceux de la possession de ce bien. Par conséquent, il est simplement comptabilisé comme charge locative. Voir **Contrat de location-acquisition**, ainsi que la section 8.10.

Contrôle interne *(internal control)* Ensemble des mécanismes assurant la sécurité physique des biens et permettant à la direction de contrôler l'encaisse, le stock et d'autres éléments d'actif. Voir les sections 6.6, 6.7, 6.8, 6.9, 6.10 et 6.11.

Convention comptable *(accounting policies)* Méthode que choisit une entreprise pour constater les faits économiques selon la comptabilité d'exercice et présenter sa situation et sa performance financières. La première des notes afférentes aux états financiers résume habituellement les principales conventions comptables d'une entreprise. Voir les sections 7.4 et 3.8.

Convention relative au classement des comptes *(classification policies)* Convention comptable concernant la place occupée par un compte ou une description dans les états financiers. Voir les sections 2.3, 7.4, 8.11 et 10B.2.

Cours des actions *(quoted market price)* Prix des actions à la bourse des valeurs. Voir la section 9.5, ratio n° 10.

Coût *(cost)* Valeur d'un élément d'actif au moment de son acquisition par l'entreprise. Voir **Coût d'origine**, ainsi que les sections 7.11 et 8.2.

Coût de remplacement *(replacement cost)* Prix à payer pour remplacer un bien existant par un bien équivalent. Ce montant est susceptible de différer de la **juste valeur marchande** et de la **valeur de réalisation nette**. Voir **Méthode d'évaluation à la valeur minimale**, ainsi que les sections 8.2 et 8.6.

Coût de renonciation *(opportunity cost)* Rendement qui pourrait être obtenu si des fonds étaient utilisés d'une autre façon que celle choisie ou envisagée. On parle de coût, car, en n'adoptant pas cette autre façon, l'entreprise renonce au profit qu'elle aurait pu en tirer. Voir la section 10A.1.

Coût des marchandises destinées à la vente *(available cost)* Somme du stock d'ouverture et des achats effectués au cours de la période. Ce montant en dollars représente donc le coût total des marchandises destinées à être vendues ou utilisées pendant l'exercice. Voir la section 8.5.

Coût des marchandises vendues (CMV) *(cost of goods sold (COGS))* Compte de charge qui reflète le coût des marchandises ayant généré des produits (aussi appelé coût des ventes). La méthode de calcul du coût des marchandises vendues dépend de la méthode d'évaluation du stock utilisée par l'entreprise. Voir **Marge brute, Ratio de marge brute, Comptabilisation des stocks,** ainsi que les sections 5.6, 6.10, 8.5 et 8.11.

Coût des ventes *(cost of sales)* Voir **Coût des marchandises vendues.**

Coût d'origine *(historical cost)* Valeur monétaire d'une opération à la date où elle a lieu. Elle est normalement conservée telle quelle dans les registres comptables puisque la comptabilité s'appuie sur les opérations pour enregistrer les faits. Le coût, ou coût d'origine, d'un bien correspond donc au montant payé ou promis à la date d'acquisition de ce bien. Voir **Coût, Méthode d'évaluation à la valeur minimale, Prudence,** ainsi que les sections 8.2 et 7.11.

Coût d'origine indexé *(price-level-adjusted historical cost)* Méthode d'évaluation de l'actif rarement utilisée et selon laquelle le coût d'origine de chacun des éléments est réévalué en fonction de l'inflation. Voir **Coût d'origine, Juste valeur marchande,** ainsi que la section 8.2.

Coût du capital *(cost of capital)* Frais supportés pour emprunter de l'argent ou réunir des capitaux (par exemple, le coût d'un emprunt correspond essentiellement à l'intérêt que l'emprunteur doit verser). Voir la section 10A.1.

Coût historique *(historical cost)* Voir **Coût d'origine.**

Coût indirect *(overhead)* Voir **Charge indirecte.**

Coûts-avantages *(cost-benefit)* Notion selon laquelle une décision n'est mise à exécution qu'après une analyse démontrant que les avanages qu'elle offre excèdent les coûts qu'elle entraîne. Voir les sections 1.4 et 4.4.

CPA *(Certified Public Accountant)* Appellation utilisée aux États-Unis. Voir **American Institute of Certified Public Accountants.**

Créances douteuses *(bad debt expense)* Compte de charge résultant de la diminution de la valeur comptable des clients dont on estime le recouvrement impossible ou douteux. Voir **Provision pour créances douteuses,** ainsi que la section 6.9.

Créancier *(creditor)* Personne qui consent un crédit, c'est-à-dire qui permet à une autre personne d'acheter ou d'emprunter en contrepartie d'une promesse de payer plus tard. Voir la section 1.4.

Créditeurs *(comptes fournisseurs)* *(accounts payable)* Voir **Fournisseurs.**

Crédit (Ct) *(credit (CR or Cr))* Côté droit du système de comptabilité en partie double. Ce terme peut être utilisé pour désigner la colonne de droite d'un compte ou la partie d'un écriture portée dans cette colonne. La plupart des comptes présentés du côté droit du bilan ont des soldes créditeurs (autrement dit, leurs crédits sont supérieurs à leurs débits). Crédit désigne aussi le droit d'acheter ou d'emprunter moyennant la promesse de payer plus tard. Un compte de passif ou des capitaux propres du bilan auquel un crédit est porté augmente, tandis que c'est le contraire pour un compte d'actif. Voir **Comptabilité en partie double**, **Débit**, ainsi que les sections 5.3, 5.5 et 5.6.

D

Date de la livraison *(delivery)* Moment le plus couramment utilisé pour la constatation des produits. Un produit est considéré comme gagné lorsqu'un bien ou un service a été livré à un client. Voir **Constatation des produits**, ainsi que les sections 7.6 et 7.7.

Date de l'arrêté des comptes *(cut off)* Fin d'un exercice et arrêt des procédures utilisées jusqu'à cette date pour assurer une mesure adéquate des phénomènes. Voir la section 7.5.

Date de la vente *(point of sale)* Expression qui désigne le moment de la conclusion d'une vente et de la livraison d'un bien ou d'un service à un client. C'est à la date de la vente que les produits sont le plus couramment constatés. Voir **Constatation des produits**, ainsi que les sections 7.6 et 7.7.

Débit (Dt) *(debit (DR or Dr))* Côté gauche du système de comptabilité en partie double. Ce terme peut être utilisé pour désigner la colonne de gauche d'un compte ou la partie d'un écriture portée dans cette colonne. La plupart des comptes présentés du côté gauche du bilan (sauf les comptes de contrepartie) ont des soldes débiteurs, ce qui signifie que les débits qui leur sont portés excèdent les crédits. Un débit a pour effet d'augmenter les montants présentés du côté de l'actif du bilan et de diminuer ceux qui apparaissent du côté du passif et des capitaux propres. Voir **Comptabilité en partie double**, **Crédit**, ainsi que les sections 5.3, 5.5 et 5.6.

Débiteurs *(comptes clients)* *(accounts receivable)* Voir **Clients**.

Déduction pour amortissement (DPA) *(Capital cost allowance — CCA)* Version fiscale de l'amortissement dans le calcul du bénéfice imposable. Voir la section 10C.1.

Déficit *(deficit)* Solde négatif du poste « **Bénéfices non répartis** ». Voir la section 2.7.

Délai moyen de recouvrement des créances *(collection ratio)* Voir **Ratio de recouvrement**.

Déontologie *(ethics)* Voir **Règles de déontologie**.

Dette *(debt)* Obligation de payer plus tard un avantage déjà reçu. Voir la section 7.12.

Dividende *(dividend)* Fraction du bénéfice net qu'une société distribue à ses actionnaires. Comme ce type de paiement ne concerne pas les résultats d'exploitation de l'entreprise, il est présenté dans l'état des bénéfices non répartis, mais non dans l'état des résultats. Voir **État des bénéfices non répartis**, ainsi que les sections 2.7 et 2.8.

Dividende-actions *(stock dividend)* **Dividende** qu'une société verse à ses actionnnaires sous forme d'actions plutôt qu'en argent.

E

Écart d'acquisition *(consolidated goodwill)* Poste réservé aux états financiers consolidés. Comptabilisé selon la **méthode de l'achat pur et simple**, il indique que le montant déboursé par une société mère pour investir dans une filiale figurant dans les états consolidés est supérieur à la juste valeur de l'actif de cette filiale. Voir la section 10B.2.

Écart de conversion cumulé *(accumulated foreign currency translation adjustment)* Voir **Redressement cumulé relatif aux opérations conclues en monnaie étrangère.**

Écart permanent *(permanent difference)* Différence résultant du fait que certains produits ou charges ne sont jamais pris en compte dans le calcul du bénéfice imposable.

Écart temporaire *(temporary difference)* Différence entre le bénéfice comptable et le bénéfice imposable ou entre les valeurs nettes comptables et les valeurs nettes fiscales qui finira par s'éliminer. Cet écart a une incidence sur le calcul de la charge d'impôts. Voir la section 10C.1.

Échange *(exchange)* Transmission réciproque de biens, de services ou d'argent. En comptabilité générale, le type d'échange le plus important est externe, c'est-à-dire qu'il se fait entre l'entreprise et les tiers avec lesquels elle traite, comme ses clients, ses fournisseurs, ses propriétaires, ses employés et ses créanciers. Voir **Opération**, ainsi que la section 5.2.

Écriture de clôture *(closing entry or entries)* Écriture passée à la fin de l'exercice afin de virer les soldes des comptes temporaires (les produits, les charges et les dividendes) au compte des bénéfices non répartis du bilan. Leurs soldes étant ramenés à zéro, ces comptes sont prêts à recevoir les inscriptions du prochain exercice. Voir les sections 5.5 et 5.6.

Écriture de journal *(journal entry)* Inscription d'une opération ou d'une régularisation exigée par la comptabilité d'exercice. Elle présente la liste des comptes touchés, et le total des débits y est égal au total des crédits. Voir **Compte**, ainsi que les sections 5.3, 5.5, 5.6 et 6.2.

Écriture de régularisation *(adjusting entry)* Écriture de journal dont la comptabilité d'exercice se sert pour intégrer aux comptes les faits économiques que le système habituel d'inscription des opérations n'est pas en mesure de comptabiliser adéquatement. (Par exemple, si aucune opération ne permet d'inscrire l'usure progressive d'une immobilisation, une écriture de régularisation doit être passée pour constater cette diminution de valeur.) Voir les sections 6.4 et 6.5.

Écriture originaire *(original entry)* Écriture de journal passée avant qu'on enregistre l'opération dans un compte.

Effet à recevoir *(notes receivable)* Compte client qui repose sur un contrat signé ou une autre entente précisant, entre autres, les modalités de remboursement et le taux d'intérêt. Voir la section 7.9.

Effet de levier *(leverage)* Terme s'appliquant à l'amélioration du taux de rendement des capitaux propres lorsque l'actif offre un rendement supérieur au taux d'intérêt de la dette qui le finance. La **formule de Scott** permet de constater que le

rendement des capitaux propres se compose du **rendement de l'exploitation** et du **rendement attribuable à l'effet de levier.** Voir **Formule de Scott,** ainsi que la section 9.6.

Effet de levier potentiel *(leverage potential)*   Différence entre le rendement de l'exploitation (le rendement de l'actif) et le coût d'un emprunt. Selon la formule de Scott, le produit de cette différence par la proportion de capitaux propres empruntés correspond à l'**effet de levier.** Voir la section 9.6.

Efficience (d'un marché des capitaux) *(efficient capital market)*   En théorie, caractère d'un marché des capitaux dont les cours réagissent rapidement et adéquatement à l'information. Voir la section 9.8.

Efficience (en matière d'utilisation de l'information) *(efficiency (of information use))*   Terme s'appliquant à un marché dont les cours s'adaptent rapidement et adéquatement à toute nouvelle information. Voir la section 9.8.

Élément d'actif *(asset)*   Voir **Actif.**

Élément de passif *(liability)*   Voir **Passif.**

Élément exceptionnel *(unusual item)*   Voir **Élément inhabituel.**

Élément extraordinaire *(extraordinary items)*   Gain ou perte découlant d'une situation qui n'est pas typique des activités normales de l'entreprise, échappe au contrôle de la direction et n'est pas susceptible de se reproduire de façon régulière. Voir les sections 2.8 et 8.11.

Élément inhabituel *(unusual items)*   Produit ou charge inhabituels assez importants pour faire l'objet d'un poste distinct dans l'état des résultats. Voir la section 8.11.

Encaisse   Espèces en main, soldes des comptes bancaires et autres biens très facilement monnayables. Voir **Espèces et quasi-espèces,** ainsi que les sections 8.4 et 3.5.

Encaissement *(cash receipts)*   Rentrée de fonds reçues sous forme d'espèces, de chèques ou de dépôts bancaires directs. Voir **Journal des encaissements.**

Entité comptable *(accounting entity)*   Entreprise dont les opérations sont comptabilisées. L'entité peut être une entreprise unique légalement constituée, comme une société ou un autre type d'organisme, une unité économique sans capacité juridique, comme une entreprise individuelle ou un groupe de sociétés ayant des propriétaires en commun et pour lesquelles des états financiers consolidés sont dressés. Voir les sections 4.4, 2.5 et 10B.2.

Entité économique *(economic entity)*   Terme utilisé par la comptabilité générale pour définir l'entreprise et déterminer ce qui doit ou non être inclus dans ses opérations et ses états financiers. Il désigne aussi un groupe de sociétés considérées comme étant sous un même contrôle et formant ensemble un groupe économique de grande taille. Voir **Opération, Consolidation,** ainsi que les sections 2.8, 4.4 et 10B.2.

Entreprise individuelle *(proprietorship)*   Entreprise qui n'est ni une société par actions ni une société de personnes. Elle est dirigée par un seul individu, dont elle n'est pas juridiquement distincte. Voir **Société de personnes, Société par actions,** ainsi que la section 2.5.

Équation comptable *(balance sheet equation)* Équation de la comptabilité en partie double, selon laquelle Actif = Passif + Capitaux propres. Voir les sections 2.2, 2.3, 5.3 et 5.5.

Espèces et quasi-espèces (liquidités-LIQ) *(cash and cash equivalents)* Différence entre l'actif de trésorerie et le passif de trésorerie. Les variations des liquidités sont expliquées dans l'état de l'évolution de la situation financière (EESF). Voir **Actif de trésorerie**, **Passif de trésorerie**, ainsi que la section 3.5.

État de l'évolution de la situation financière (EESF) *(statement of changes in financial position (SCFP))* État financier expliquant les changements intervenus dans le solde des liquidités au cours d'un exercice. Aussi appelé **État des flux de trésorerie**. Voir les sections 3.4, 3.5, 3.6, 3.7, 9.7 et 10D.1.

État des bénéfices non répartis *(retained earnings statement)* État financier qui résume les changements intervenus dans les bénéfices non répartis au cours d'un exercice. La variation des bénéfices non répartis équivaut au **bénéfice net** moins les **dividendes** plus ou moins les ajustements pertinents. Voir les sections 2.7, 2.8 et 8.11.

État des flux de trésorerie (EFT) *(cash flow statement)* Voir **État de l'évolution de la situation financière (EESF)**, ainsi que la section 3.5.

État des résultats *(income statement)* État financier qui présente un résumé des produits qu'une entreprise a gagnés et des charges qu'elle a engagées au cours d'une période donnée, de même que le calcul du bénéfice net (les produits moins les charges). Voir les composantes suivantes de l'état des résultats : **Produit**, **Charge** et **Bénéfice net** ; voir aussi **Performance financière**, ainsi que les sections 2.7 et 2.8.

États financiers *(financial statements)* Documents dont il est question dans la définition de **comptabilité**. Bien qu'ils soient destinés à des personnes de l'extérieur de l'entreprise, ils intéressent aussi sa direction. En général, ils comprennent le **bilan**, l'état des résultats, l'état des bénéfices non répartis, l'état de l'évolution de la situation financière, ainsi que les **notes complémentaires**. Voir chacun de ces termes dans ce glossaire, ainsi que dans les sections 1.3 et 3.3.

États financiers dressés en pourcentages *(common size financial statements)* Technique d'analyse des états financiers selon laquelle les chiffres de l'état des résultats sont exprimés en pourcentages du total des produits et ceux du bilan en pourcentages du total de l'actif. Il s'agit du ratio n° 4, défini et expliqué à la section 9.5.

Éthique *(ethics)* Voir **Règles de déontologie**.

Évaluation de l'actif *(asset valuation)* Détermination des montants à utiliser pour comptabiliser les éléments d'actif dans le bilan. Voir **Évaluation du bilan**, ainsi que la section 8.2.

Évaluation du bilan *(balance sheet valuation)* Attribution de valeurs numériques aux éléments d'actif, de passif et des capitaux propres présentés dans le bilan. Voir la section 8.2.

Évaluation du stock *(inventory valuation)* Processus de détermination du montant du stock à présenter dans le bilan : normalement on utilise la **méthode d'évaluation à la valeur minimale**. Voir **Comptabilisation des stocks**, ainsi que les sections 8.5, 8.6 et 8.2.

Événement clé *(critical event)*   Moment du processus de réalisation et de recouvrement des produits où ces derniers sont considérés comme gagnés. Il s'agit toutefois d'une simplification. Ainsi, bien que la date à laquelle le client prend livraison des marchandises vendues soit un événement clé couramment utilisé, tous les produits ne sont pas comptabilisés de cette façon. En effet, ceux qui proviennent de travaux de construction à long terme ou de contrats de franchisage sont affectés à différentes étapes du processus. Dans de tels cas, la simplification de l'événement clé n'est, en général, pas employée. Voir **Constatation des produits**, ainsi que la section 7.6.

Exercice financier *(fiscal period)*   Période (en général une année, un trimestre ou un mois) au cours de laquelle la performance (le bénéfice net) est mesurée et à la fin de laquelle la situation (le bilan) est établie. Voir la section 7.5.

Expert-comptable *(accountant)*   Personne qui exerce la comptabilité. Le comptable professionnel obtient son titre d'un organisme auto-réglementé après avoir reçu une formation spéciale et réussi un examen d'admission. Ce titre peut être, par exemple, celui de CA, ou comptable agréé (Canada et Royaume-Uni), de CGA, ou comptable général licencié (Canada), de CMA, ou comptable en management accrédité (Canada, États-Unis), ou de CPA, ou Certified Public Accountant (États-Unis). Voir les sections 1.4 et 4.6.

F

Facture *(sales invoice)*   Document contenant les détails d'une vente. Voir la section 6.2.

Fiabilité *(reliability)*   Caractère d'une information fidèle, impartiale et vérifiable. Voir **Présentation en temps opportun**, **Objectivité**, ainsi que les sections 4.4 et 4.5.

Fidélité *(fairness)*   En raison des estimations, des jugements et des choix de conventions comptables qu'implique la préparation des états financiers, l'ensemble de chiffres ou la présentation de renseignements totalement exacts n'existent pas. On préfère parler de fidélité, ce qui signifie qu'on veut « respecter les règles du jeu » et dresser des états financiers avec honnêteté, sans tenter de tromper ni de faire valoir un point de vue particulier. Dans son rapport, le vérificateur déclare que, selon lui, les états financiers « présentent fidèlement... conformément aux principes comptables généralement reconnus ». Pour appliquer les principes comptables avec fidélité, il faut distinguer la substance d'une opération de sa forme et choisir parmi les principes et les méthodes reconnus en faisant preuve de prudence et de jugement. Voir **Principes comptables généralement reconnus**, ainsi que les sections 4.4, 4.5 et 3.9.

Filiale *(subsidiary (company))*   Société dont la majorité des actions avec droit de vote appartiennent à une autre société (la **société mère**). Voir **Consolidation**, ainsi que la section 10B.2.

Filiale à part entière *(wholly-owned subsidiary)*   Filiale dont la totalité des actions appartient à la société mère.

Financial Accounting Standards Board (FASB)   Organisme américain responsable de l'établissement des normes de communication de l'information financière.

Au Canada, l'équivalent de cet organisme est l'Institut Canadien des Comptables Agréés (ICCA). Voir **Manuel de l'ICCA.**

Flux de trésorerie *(cash flow)*   Rentrées (encaissements) et sorties (décaissements) de fonds afférentes à une période donnée. L'information sur les flux de trésorerie est présentée dans l'**état de l'évolution de la situation financière.** Voir aussi les sections 3.4 et 3.5.

Flux de trésorerie hors exploitation *(nonoperating cash flows)*   Encaissements et décaissements reliés aux investissements à long terme, au financement et, en général, aux dividendes. À distinguer des flux de trésorerie résultant des activités d'exploitation courantes. Voir **État de l'évolution de la situation financière,** ainsi que les sections 3.4 et 3.5.

Flux monétaires *(cash flows)*   Voir **Flux de trésorerie.**

Fonds commercial *(goodwill)*   Différence entre le prix payé pour un groupe d'éléments d'actif et le total de leurs justes valeurs apparentes. Lorsqu'une entreprise acquiert un ensemble d'éléments d'actif ou une société entière et que cette différence est positive, elle est comptabilisée comme **écart d'acquisition.** (Dans le cas contraire, le fonds commercial négatif n'est pas constaté.) Voir les sections 8.10 et 10B.2.

Fonds de roulement *(working capital)*   Différence entre l'actif à court terme et le passif à court terme. Voir **Actif à court terme, Passif à court terme,** ainsi que la section 2.2.

Formule de Scott *(Scott formula)*   Technique d'analyse financière qui consiste à combiner un groupe de ratios dans le but d'expliquer la performance de façon plus approfondie. Selon cette formule, le **rendement des capitaux propres** se divise en deux parties: le **rendement de l'exploitation** et le **rendement attribuable à l'effet de levier.** Voir **Ratio,** ainsi que la section 9.6.

Fournisseurs (comptes fournisseurs) *(accounts payable)*   Obligations représentant les montants dus à court terme aux fournisseurs. (Ce qui constitue un fournisseur pour le débiteur est un client pour le créancier.) Voir la section 7.2.

Franchisage *(franchising)*   Contrat par lequel un franchiseur vend à un franchisé le droit d'utiliser sa raison sociale, ses produits ou d'autres biens économiques. Voir la section 7.8.

Fusion *(merger)*   Union de deux sociétés dont les propriétaires respectifs deviennent les propriétaires communs. L'apport de chacune des deux sociétés regroupées est à peu près le même. Voir la section 10B.2.

G

Gestionnaire *(manager, management)*   Personne qui dirige les activités courantes d'une entreprise ou d'une autre entité, par opposition à l'actionnaire (l'investisseur), au membre et au votant, qui possèdent l'entreprise ou exercent un contrôle légal sur elle.

Grand livre auxiliaire *(subsidiary, specialized ledger)*   Registre utilisé pour assurer le suivi de certains éléments d'actif, de passif ou des capitaux propres, comme les clients, les immobilisations ou le capital-actions. Voir la section 6.2.

Grand livre général *(general ledger)*   Registre contenant tous les comptes d'une entreprise et constituant la synthèse de son système de comptabilité générale. Voir la section 6.2.

H

Harmonisation *(harmonization)*   Tendance à implanter les mêmes normes comptables dans tous les pays et à intensifier leur internationalisation. Voir les sections 4.7 et 4.3.

Hypothèse de l'efficience du marché *(efficient market hypothesis)*   Notion selon laquelle les marchés des capitaux seraient réellement efficients, à savoir qu'ils réagiraient avec rapidité, souplesse et efficacité à l'information. Certains semblent l'être, tandis que d'autres ne le sont pas. Voir **Efficience (d'un marché des capitaux)**, ainsi que la section 9.8.

I

IM (IAI) *(IN(ATI))*   Taux d'intérêt moyen après impôts qu'une entreprise paie sur ses emprunts. Utilisé dans la **formule de Scott**. Voir la section 9.6.

Immobilisations corporelles *(fixed, tangible assets)*   Voir **Actif corporel**.

Immobilisations incorporelles *(intangible assets)*   Éléments non matériels de l'actif à long terme, tels que les droits d'auteur, les marques déposées, les brevets, les licenses d'importation et d'exportation, de même que d'autres droits qui confèrent à l'entreprise des privilèges ou l'exclusivité sur le marché. Le fonds commercial fait aussi partie de ces éléments d'actif. Voir **Actif, Amortissement, Écart d'acquisition**, ainsi que la section 8.10.

Importance relative *(materiality)*   Degré d'importance d'une omission ou d'une inexactitude relevée dans l'information comptable qui, selon les circonstances, risque de modifier le jugement d'une personne raisonnable se fiant à cette information. On définit l'importance relative et la pertinence en fonction de ce qui influe sur un décideur ou de ce qui fait une différence à ses yeux. On peut choisir de ne pas présenter certaines informations parce qu'on estime que les investisseurs ou d'autres utilisateurs n'en ont pas besoin (elle n'est pas pertinente) ou que les sommes en jeu sont trop peu élevées pour porter à conséquence (elle n'est pas importante). Voir **Pertinence**, ainsi que les sections 4.3 et 4.4.

Impôt futur *(future income tax expense)*   Voir **Impôts futurs de l'exercice** et **Passif d'impôts futurs**.

Impôt reporté *(deferred income tax expense)*   Voir **Impôts reportés de l'exercice** et **Passif d'impôts reportés**.

Impôts futurs de l'exercice *(future income taxe expense)*   Portion de la charge d'impôts, en sus de ce qui est à verser au fisc, résultant de l'application de la méthode du passif d'impôts futurs.

Impôts reportés de l'exercice *(deffered income tax expense)*   Portion de la charge d'impôts, en sus de ce qui est à verser au fisc, résultant de l'application de la méthode du passif d'impôts reportés.

Indice de liquidité relative *(acid test ratio)*   Voir **Ratio de liquidité relative**.

Influence notable *(significant influence)*   Lorsqu'un investissement dans une autre société n'est pas assez important pour procurer le contrôle des voix, mais peut influencer la façon dont cette société conduit ses affaires, on parle d'influence notable. Voir **Valeur de consolidation**, ainsi que la section 10B.1.

Inscrire à la cote *(listed shares)*   Une société par actions inscrite à la cote est une entreprise dont les actions sont négociables à la bourse des valeurs. Voir **Société ouverte**, ainsi que la section 9.8.

Intérêt *(interest)*   Montant que le prêteur exige pour l'usage de l'argent emprunté. Voir les sections 10A.1 et 9.2.

Intérêts composés *(compound, compounded, compounding)*   Le terme composé fait référence à la fréquence à laquelle les intérêts calculés sur un emprunt ou une autre dette s'additionnent périodiquement au capital pour entrer eux-mêmes dans le calcul des futurs intérêts. Les intérêts composés annuels, par exemple, sont des intérêts accumulés sur un emprunt qui commencent à porter intérêt eux-mêmes à chaque échéance annuelle de cet emprunt. Voir **Valeur actualisée**, ainsi que la section 10A.1.

Intérêts minoritaires *(minority interests)*   Possession de moins de la moitié des actions avec droit de vote d'une société.

Inventaire périodique *(periodic inventory)*   Voir **Méthode de l'inventaire périodique**.

Inventaire permanent *(perpetual inventory)*   Voir **Méthode de l'inventaire permanent**.

Investisseur *(investor)*   Personne détentrice de **titres** de participation ou de placement et qui, à cause de son intérêt pour la valeur de ces actions ou de ces obligations, cherche à s'informer sur les entreprises qui ont émis ces titres. Voir les sections 1.4 et 9.8.

J

Journal auxiliaire *(special journal)*   Registre dans lequel ne sont inscrites qu'une seule catégorie d'opérations. Voir **Journal des décaissements, Journal des encaissements, Journal des ventes**.

Journal des décaissements *(cash disbursments journal)*   Registre dans lequel sont inscrits les paiements que l'entreprise effectue par chèque ou par d'autres moyens. Voir **Livre-journal**, ainsi que la section 6.2.

Journal des encaissements *(cash receipts journal)*   Registre dans lequel sont inscrits les chèques reçus des clients, de même que les autres rentrées de fonds. Voir **Livre-journal**, ainsi que la section 6.2.

Journal des ventes *(sales journal) (cash receipts journal)*   Registre dans lequel sont inscrites les ventes effectuées par l'entreprise. Il est la source des données relatives aux comptes de **produits**. Voir **Livre-journal**, ainsi que la section 6.2.

Journal général *(general journal)*   Registre servant surtout à inscrire les ajustements (les écritures de régularisation) pour lesquels aucun journal auxiliaire distinct n'est prévu. Voir la section 6.2.

Jours de crédit clients *(collection ratio)*   Voir **Ratio de recouvrement.**

Jugement professionnel *(professional judgment)*   Jugement exercé par un professionnel relativement à des problèmes relevant de sa compétence, par exemple, le jugement d'un expert-comptable ou d'un vérificateur en matière de comptabilité générale. Voir la section 4.9.

Juste valeur *(fair value)*   Estimation des justes valeurs marchandes des éléments d'actif et de passif d'une société acquise par une autre. On l'utilise dans la méthode de l'achat pur et simple. Voir la section 10B.2.

L

Ligne de crédit *(line of credit)*   Montant de crédit préapprouvé par une banque selon des modalités sur lesquelles les parties se sont entendues. Une ligne de crédit permet en général à l'emprunteur de disposer des fonds dont il a besoin (par exemple, lorsque son compte bancaire est à découvert) sans autre forme d'approbation.

Liquidités provenant de l'exploitation *(cash from operations)*   Fonds générés par les activités d'exploitation courantes et apparaissant sous la première rubrique de l'**état de l'évolution de la situation financière (EESF).** Voir les sections 3.5, 3.6 et 3.7.

Lissage des bénéfices *(income smoothing)*   Manipulation du bénéfice net destinée à réduire les écarts entre les résultats d'un certain nombre d'exercices successifs. Voir la section 2.9.

Livre-journal *(book of original entry)*   Registre dans lequel les opérations sont inscrites individuellement et chronologiquement pour la première fois. Voir la section 6.2.

M

Manuel de l'ICCA *(CICA Handbook)*   Source des normes de comptabilité faisant autorité au Canada. Voir les sections 4.3 et 4.5.

Manipulation *(manipulation)*   Accusation dirigée contre la direction et selon laquelle cette dernière choisit des méthodes de comptabilité et des modalités de présentation lui permettant d'obtenir des mesures de la performance et de la situation financières conformes à ses désirs. Voir la section 7.4.

Marché des capitaux *(capital markets)*   Marché sur lequel se négocient des instruments financiers tels que les actions et les obligations. Voir la section 9.8, ainsi que **Bourse des valeurs mobilières.**

Marché des valeurs mobilières *(stock market)*   **Marché des capitaux** sur lequel se négocient les actions. Souvent utilisé comme terme générique pour désigner les bourses des valeurs mobilières et les marchés des capitaux. Voir la section 9.8.

Marge bénéficiaire *(profit margin)*   Voir **Ratio de marge bénéficiaire** et **Ratio.**

Marge brute *(gross margin)*   Excédent des produits sur le coût des marchandises vendues. On dit aussi bénéfice brut.

Marge d'exploitation *(operating margin)*   Rapport entre le bénéfice d'exploitation et le montant des produits (les ventes).

Mesure *(measurement, measuring)*   Attribution de montants en dollars aux éléments d'actif et de passif, aux produits et aux charges. Ces chiffres (ces valeurs) sont présentés dans le bilan et permettent de calculer le bénéfice (les produits moins les charges) et les capitaux propres (l'actif moins le passif). Voir **Évaluation de l'actif, Évaluation du bilan, Constatation, Bénéfice**, ainsi que la section 8.2.

Méthode de l'achat pur et simple *(purchase method)*   Méthode de comptabilisation utilisée dans le cas d'un regroupement d'entreprises (comparez à **méthode de la fusion d'intérêts communs**). Selon cette méthode, qui est de loin la plus communément employée pour déterminer les chiffres des états financiers consolidés, les éléments d'actif et de passif de la société achetée sont additionnés à ceux de la société mère ; pour ce faire, on utilise leurs justes valeurs, et toute différence entre la portion de la somme des justes valeurs acquises par la société mère et le prix total payé est comptabilisée comme écart d'acquisition. Voir la section 10B.2.

Méthode de l'achèvement des travaux *(completed contract)*   Méthode de constatation utilisée dans le cas des contrats à long terme dont les produits n'apparaissent dans l'état des résultats qu'une fois les travaux terminés. Voir **Constatation des produits, Prudence**, ainsi que la section 7.7.

Méthode de la constatation en fonction des encaissements *(cash received basis)*   Méthode selon laquelle les produits sont constatés seulement au moment de la rentrée de fonds. Voir **Constatation des produits, Prudence**, ainsi que la section 7.7.

Méthode de la fusion d'intérêts communs *(pooling of interests method)*   Méthode de comptabilisation utilisée dans le cas d'un regroupement d'entreprises (comparez à **méthode de l'achat pur et simple**). Selon cette méthode, on additionne l'actif, le passif, les capitaux propres, les produits et les charges des sociétés concernées en utilisant leur valeur comptable. Voir **Consolidation**, ainsi que la section 10B.2.

Méthode de la valeur minimale *(lower of cost or market)*   Voir **Méthode d'évaluation à la valeur minimale**.

Méthode de l'avancement des travaux *(percentage of completion)*   Méthode consistant à affecter les produits (et les charges correspondantes) aux différents exercices au cours desquels ils ont été gagnés. Elle est utilisée pour comptabiliser les produits provenant de travaux de construction à long terme, de contrats de franchisage et d'autres produits similaires, gagnés sur plusieurs exercices. Voir les sections 7.7 et 7.8.

Méthode de l'inventaire au prix de détail *(retail inventory control method)*   Méthode assurant le contrôle interne du stock. Elle permet de calculer le montant du stock à présenter dans les états financiers en utilisant le ratio du prix coûtant au prix de détail des marchandises destinées à la vente : par exemple, on déduit des produits le coût des marchandises vendues moins la marge sur coût d'achat. On peut déterminer le stock de clôture en comptant le stock au prix de détail puis en soustrayant du montant obtenu la marge sur coût d'achat. Voir **Méthode de l'inventaire permanent, Méthode de l'inventaire périodique, Évaluation du stock**, ainsi que les sections 6.10 et 8.6.

Méthode de l'inventaire périodique *(periodic inventory method)*   Méthode de calcul du stock selon laquelle on utilise des données relatives au stock d'ouverture, aux nouveaux achats de stock et au dénombrement de fin d'exercice pour obtenir par déduction le coût des marchandises vendues. Voir **Méthode de l'inventaire permanent, Méthode de l'inventaire au prix de détail**, ainsi que la section 6.10.

Méthode de l'inventaire permanent *(perpetual inventory method)*   Méthode de contrôle du stock qui consiste à enregistrer au jour le jour les mouvements des marchandises en stock. Ainsi, on comptabilise le stock d'ouverture, chacune des unités ajoutées à ce dernier et chacune de celles qui en sont retirées pour la vente. Ces données permettent de déterminer le chiffre du stock de clôture et de le vérifier par un dénombrement. Cette méthode offre un meilleur contrôle interne que la méthode de l'inventaire périodique, mais la tenue de registres supplémentaires est aussi plus coûteuse. Voir **Méthode de l'inventaire périodique**, ainsi que la section 6.10.

Méthode DEPS *(LIFO)*   Hypothèse du flux des coûts (dernier entré, premier sorti). À l'opposé de la méthode PEPS, elle suppose que les unités de stock vendues proviennent des achats les plus récents, de sorte que le coût des marchandises vendues est basé sur ces derniers, et le stock de clôture, sur les achats les plus anciens. Ainsi, en période d'inflation, le coût des marchandises vendues le plus élevé est habituellement celui qui est obtenu selon cette méthode, tandis que le montant du stock présenté dans le bilan est en général le plus bas. Voir **Méthode PEPS, Méthode du coût moyen pondéré, Comptabilisation des stocks**, ainsi que la section 8.5.

Méthode d'évaluation à la valeur minimale *(lower of cost or market)*   Méthode d'évaluation du stock, des placements temporaires ou d'autres éléments d'actif à court terme en vertu de laquelle la perte subie lorsque la valeur marchande d'un bien devient moindre que son coût d'acquisition est constatée au cours de l'exercice où ce déclin se manifeste. Par contre, le gain représenté par l'augmentation de la valeur marchande d'un bien par rapport à son coût n'est constaté qu'au moment de la vente de ce bien. Voir **Prudence**, ainsi que les sections 8.2 et 8.6.

Méthode d'évaluation au moindre du coût et de la valeur marchande *(lower of cost or market)*   Voir **Méthode d'évaluation à la valeur minimale.**

Méthode du coût moyen *(average cost (AVGE))*   Hypothèse du flux des coûts selon laquelle le coût d'une unité de stock correspond au coût moyen pondéré du stock d'ouverture et des achats subséquents. Voir **Méthode du coût moyen pondéré**, ainsi que la section 8.5.

Méthode du coût moyen pondéré *(weighed average)*   Hypothèse du flux des coûts dont on se sert pour déterminer le coût des marchandises vendues et le coût du stock de clôture en calculant la moyenne du coût de toutes marchandises disponibles au cours de la période. Voir **Méthode du coût moyen, Méthode PEPS, Méthode DEPS, Comptabilisation des stocks**, ainsi que la section 8.5.

Méthode du passif d'impôts futurs *(future income tax method)*   Méthode résultant de l'application de la comptabilité d'exercice et visant à calculer les impôts que la société aura encore à payer, compte tenu des écarts temporaires entre les valeurs nettes comptables et fiscales.

Passif d'impôts futurs *(Future income tax liability)*   Montant qui apparaît au bilan à la suite de l'application de la **méthode du passif d'impôts futurs.**

Passif d'impôts reportés *(deffered income tax liability)*   Montant qui apparaît au bilan à la suite de l'application de la **méthode du passif d'impôts reportés.**

PCGR *(GAAP)*   Voir **Principes comptables généralement reconnus.**

P/CP *(L/E)*   Quotient du total du passif par le total des capitaux propres. Il s'agit du **ratio emprunts/capitaux propres** utilisé dans la **formule de Scott.** Voir la section 9.6.

Performance financière *(financial performance)*   Capacité de l'entreprise de générer de nouvelles ressources en effectuant ses opérations courantes pendant une période donnée, c'est-à-dire en traitant avec ses clients, ses employés et ses fournisseurs. Le **bénéfice net** et les **liquidités provenant de l'exploitation,** présentés respectivement dans l'**état des résultats** et dans l'**état de l'évolution de la situation financière,** ainsi que d'autres détails contenus dans ces deux documents, servent à l'évaluer. Voir la section 2.7.

Permanence des méthodes (consistency)   Voir **Uniformité.**

Perte nette *(net loss)*   Solde négatif du poste « **Bénéfice net** ».

Pertinence *(relevance)*   Caractère d'une information propre à influencer la prise de décision en aidant les utilisateurs à prévoir les conséquences des événements passés, présents et futurs, ou encore, à confirmer ou à modifier leurs attentes. Voir la section 4.4.

Petite caisse *(petty cash)*   Montant d'argent peu élevé dont un employé dispose pour payer les petites dépenses comme les timbres, les menues fournitures et les frais de messagerie. Voir la section 6.7.

Pièces justificatives *(source documents)*   Preuves nécessaires à l'inscription d'une **opération.** Voir la section 6.2.

Placement à court terme *(temporary investments)*   Voir **Placement temporaire.**

Placement temporaire *(temporary investments)*   Placement à court terme, servant souvent à faire fructifier temporairement un excédent de liquidités. Voir la section 8.4.

Plan comptable *(chart of accounts)*   Liste ordonnée des comptes utilisés par le système comptable. À ne pas confondre avec la balance de vérification, qui présente tous les comptes avec leur solde débiteur ou créditeur. Voir la section 6.2.

Préparateur *(preparers)*   Personne (gestionnaire, comptable) qui dresse les états financiers. Voir la section 1.4.

Présentation (de renseignements) *(disclosure)*   Information sur les faits économiques autre que celle qui est contenue dans les états financiers. Ces renseignements se trouvent habituellement dans les notes complémentaires, mais sont aussi transmis au moyen de communiqués de presse, d'allocutions et d'autres messages. Voir **Notes afférentes aux états financiers,** ainsi que la section 9.9.

Présentation en temps opportun *(timely disclosure)*   Une information qui arrive à propos favorise la prise de décision, car elle répond à des besoins actuels. Or, puisque les décisions passent par elle, l'information publiée tardivement risque d'être inutilisable. Voir **Pertinence, Fiabilité,** ainsi que la section 4.4.

Principal *(principal)*   Montant d'argent initialement emprunté, prêté ou investi et servant de base au calcul des intérêts. Voir la section 10A.1.

Principales conventions comptables *(significant accounting policies)*   Principales méthodes comptables choisies par l'entreprise pour dresser ses états financiers. Elles sont en général résumées dans la première note complémentaire. Voir **Conventions comptables**, **Notes complémentaires**, ainsi que les sections 3.3, 3.8 et 7.4.

Principe du coût *(cost principle)*   Utilisation du coût historique pour évaluer les éléments d'actif présentés dans le bilan. Voir **Coût d'origine**, **Évaluation du bilan**, ainsi que les sections 4.4 et 8.2.

Principes comptables généralement reconnus (PCGR) *(generally accepted accounting principles (GAAP))*   Principes et méthodes comptables acceptés par l'ensemble des organismes normalisateurs, admis dans la pratique générale et appuyés par des documents et d'autres sources. Voir les sections 4.4 et 4.5.

Produit *(revenue)*   Somme reçue ou promise en contrepartie de marchandises ou de services, avant toute déduction du coût relatif à la fourniture de ces marchandises ou à la prestation de ces services. Voir **État des résultats**, **Constatation des produits**, ainsi que les sections 2.7, 7.3 et 7.6.

Produits en trésorerie *(cash from operations)*   Voir **Liquidités provenant de l'exploitation**.

Profit *(profit)*   Voir **Bénéfice**.

Profit net *(net income)*   Voir **Bénéfice net**.

Propriétaire *(owner)*   Personne qui a fourni une partie des ressources en échange d'un droit aux dividendes et à toute valeur résiduelle (capitaux propres) de l'entreprise. Voir les sections 1.4 et 8.12.

Provision pour créances douteuses *(allowance for doubtful accounts)*   Montant estimatif des clients qui ne seront pas recouvrés (ils sont « douteux »). La provision, qui constitue le compte de contrepartie des clients, permet de constater une charge de créances relative à ces comptes, tout en les conservant dans les registres, car l'entreprise tentera encore de recouvrer les sommes dues. Voir la section 6.9.

Prudence *(conservatism)*   Attitude circonspecte adoptée devant une incertitude afin de s'assurer que les risques inhérents aux affaires sont adéquatement pris en compte. On dit souvent qu'elle vise à « anticiper les pertes, mais non les gains possibles ». Lorsque les seuls principes comptables ne permettent pas à l'expert-comptable de déterminer la supériorité d'une méthode comptable par rapport à une autre, faire preuve de prudence signifie choisir celle qui aura l'incidence la moins favorable sur le bénéfice de l'exercice en cours. Pour des exemples de prudence, voir **Coût d'origine**, **Méthode de constatation en fonction des encaissements**, **Méthode de l'achèvement des travaux**, **Méthode d'évaluation à la valeur minimale**, ainsi que les sections 4.4 et 4.5.

Publication de l'information *(disclosure of information)*   Voir **Présentation de renseignements**.

R

RA *(ROA)* Voir **Rendement de l'actif.**

Radiation *(write-off)* Élimination d'un élément d'actif du bilan. S'il existe déjà un compte de contrepartie, la radiation est déduite de celui-ci, et les charges (de même que le bénéfice) ne sont pas modifiées. Sinon, la radiation est déduite des charges, et le bénéfice diminue. Voir les sections 6.9 et 8.8.

RA (IAI) *(ROA(ATI))* Voir **RA modifié** et **Rendement de l'actif.**

RA modifié *(refined ROA)* Version du **rendement de l'actif.** Il s'agit du ratio n° 2, défini et expliqué à la section 9.5. Voir **RA(IAI)** et **Ratio.**

Rapport annuel *(annual report)* Document présenté chaque année aux actionnaires par les membres de la direction d'une société. Il comprend les états financiers, les notes complémentaires, le rapport du vérificateur, des données financières additionnelles telles que la rétrospective des 5 ou 10 derniers exercices, de même que les rapports du conseil d'administration et de la direction. Voir la section 3.3.

Rapport de gestion (commentaires et analyse de la direction) *(management discussion and analysis (MD&A))* Partie du rapport annuel dans laquelle la direction passe en revue les résultats de l'exercice et donne certains détails sur ce qui s'est produit. Bon nombre d'analystes l'utilisent pour compléter l'information fournie par les ratios et d'autres formes d'analyse. Voir **Rapport annuel,** ainsi que les sections 3.3, 3.8 et 9.3.

Rapport du vérificateur *(auditor's report)* Document accompagnant les états financiers, où le vérificateur exprime son opinion quant à la fidélité de l'image que les états financiers ou autres informations donnent de la situation financière et des résultats de la société. Le vérificateur y explique également la nature et l'étendue du travail qu'il a effectué. Voir la section 3.9.

Rapport périodique *(periodic reporting)* Rapport qui, conformément à une convention fondamentale de la comptabilité générale, présente aux utilisateurs, à intervalles réguliers (au moins une fois par année et souvent tous les trois mois ou tous les mois), l'information comptable recueillie. Voir les sections 1.4 et 7.5.

Rapprochement de comptes *(reconciliation)* Comparaison faite entre deux montants et calculs effectués pour démontrer exactement pourquoi ils diffèrent. Technique d'analyse courante en comptabilité. Voir la section 1.7.

Rapprochement des produits et des charges *(matching)* Notion selon laquelle les charges sont constatées au cours du même exercice que les produits auxquels elles correspondent. Voir **Comptabilité d'exercice, Constatation des charges, Constatation des produits,** ainsi que les sections 4.4, 4.5, 7.3 et 7.8.

Ratio *(ratio, ratio analysis)* Résultat obtenu en divisant un chiffre des états financiers par un autre ; par exemple, le ratio du fonds de roulement équivaut au quotient du total de l'actif à court terme par le total du passif à court terme. Certains ratios sont couramment utilisés pour évaluer des aspects de l'entreprise comme sa rentabilité, sa solvabilité et la liquidité de ses biens. Voir les sections 9.2, 9.3, 9.5 et 9.6. La section 9.5 décrit 20 ratios usuels.

Ratio cours-bénéfice *(price-earnings ratio)* Quotient du cours d'une action par le bénéfice par action. Il s'agit du ratio n° 10, défini et expliqué à la section 9.5. Voir **Ratio.**

Ratio de couverture des intérêts *(interest coverage ratio)*   Ratio habituellement calculé selon la formule (bénéfice avant intérêts débiteurs + impôt sur les bénéfices)/ intérêts débiteurs. Il s'agit du ratio n° 20, défini et expliqué à la section 9.5. Voir **Ratio.**

Ratio de liquidité générale *(current ratio, working capital ratio)*   Aussi appelé **ratio du fonds de roulement,** il correspond au quotient de l'actif à court terme par le passif à court terme. Il s'agit du ratio n° 18, défini et expliqué à la section 9.5.

Ratio de liquidité relative *(acid test ratio)*   Quotient de l'encaisse, des placements temporaires et des clients par le passif à court terme. Il s'agit du ratio n° 19, défini et expliqué à la section 9.5. Voir **Ratio.**

Ratio de marge bénéficiaire *(profit margin ratio)*   Ratio de rentabilité égal au quotient du bénéfice d'un exercice par le chiffre d'affaires du même exercice. Voir la section 9.5, ratio n° 3.

Ratio de marge brute *(gross margin ratio)*   Ratio calculé selon la formule (produits − coût des marchandises vendues)/produits. Il s'agit du ratio n° 5, défini et expliqué à la section 9.5. Voir **Ratio.**

Ratio d'endettement *(debt to assets ratio)*   Quotient du total du passif par le total de l'actif. Il s'agit du ratio n° 17 défini et expliqué à la section 9.5.

Ratio de recouvrement *(collection ratio)*   Ratio des clients aux ventes quotidiennes. Il indique la moyenne du nombre de jours nécessaires pour recouvrer le produit d'une journée de ventes. Aussi appelé **Délai moyen de recouvrement des créances** et **Jours de crédit clients.** Il s'agit du ratio n° 14, défini et expliqué à la section 9.5.

Ratio de rotation de l'actif *(total assets turnover (AT))*   Quotient des produits par le total de l'actif. Il s'agit du ratio n° 12, défini et expliqué à la section 9.5. Voir **Ratio,** ainsi que la section 9.6, où ce ratio est utilisé dans la **formule de Scott.**

Ratio de rotation des stocks *(inventory turnover)*   Quotient du coût des marchandises vendues par le chiffre moyen du stock. Il s'agit du ratio n° 13, défini et expliqué à la section 9.5. Voir **Ratio.**

Ratio des liquidités à l'actif *(cash flow to total assets)*   Quotient des liquidités provenant de l'exploitation par le total de l'actif. Il s'agit du ratio n° 7, défini et expliqué à la section 9.5. Voir **Liquidités provenant de l'exploitation.**

Ratio dividendes/bénéfice *(dividend payout ratio)*   Quotient des dividendes déclarés par le bénéfice net. Il s'agit du ratio n° 11, défini et expliqué à la section 9.5.

Ratio du bénéfice par action *(price-earnings ratio)*   Voir **Bénéfice net par action.**

Ratio du fonds de roulement *(current ratio)*   Voir **Ratio de liquidité générale.**

Ratio emprunts à long terme/capitaux propres *(long term debt-equity ratio)* Ratio calculé selon la formule (emprunts à long terme + hypothèques + obligations + dettes à long termes semblables)/total des capitaux propres. Il s'agit du ratio n° 16, défini et expliqué à la section 9.5. Voir **Ratio.**

Ratio emprunts/capitaux propres *(debt-equity ratio)*   Quotient du total du passif par le total des capitaux propres. C'est le ratio n° 15, défini et expliqué à la section 9.5. Voir aussi les sections 2.2 et 9.6.

Théorie de la délégation *(agency (contract) theory)*   Théorie des relations entre des personnes dont au moins une (le mandataire : un gestionnaire, un vérificateur, un avocat ou un médecin, par exemple) est chargée d'agir au nom d'au moins une des autres (le mandant : un propriétaire, un créancier, un défendeur ou un patient, par exemple). La théorie de la délégation tend à se concentrer sur la fonction de gérance de l'information comptable (qui consiste à observer et à contrôler les responsabilités fiduciaires du mandataire envers le mandant). Les mandataires et les mandants exigent une information appropriée à leur relation. Voir la section 9.10.

Théorie du marché des capitaux *(capital market theory)*   Théorie du comportement des marchés financiers (par exemple, les bourses des valeurs mobilières) et du rôle de l'information dans le fonctionnement de tels marchés. Voir la section 9.8, ainsi que **Bourse des valeurs mobilières.**

Titre *(securities)*   Action, obligation ou autre instrument financier émis par une société ou un gouvernement. Se négocie en général sur les **marchés des capitaux.** Voir la section 9.8.

Titre négociable *(marketable securities)*   Titre pouvant être revendu facilement sur le marché financier. Il est considéré comme un moyen de mettre à profit des liquidités disponibles temporairement. Voir **Placement temporaire,** ainsi que la section 8.4.

Transfert électronique de fonds (TEF) *(electronic funds transfer (EFT))*   Virement de fonds effectué entre le compte bancaire de l'acheteur et celui du vendeur, sans l'intermédiaire d'un chèque ou d'un dépôt. Quand un client utilise une carte bancaire pour payer dans un supermarché, le montant de ses achats est automatiquement déduit de son compte bancaire : il s'agit d'un TEF. Voir la section 6.2.

U

Uniformité *(consistency)*   Principe selon lequel les opérations semblables doivent être traitées de la même façon d'un exercice à l'autre, afin d'assurer la comparabilité des états financiers. Convention relative à la communication de l'information impliquant que l'entreprise applique les mêmes méthodes comptables à chaque exercice. Voir **Convention comptable,** ainsi que les sections 4.4 et 4.5.

Utilisateur *(users)*   Personne qui s'aide des états financiers pour décider si elle doit investir dans une entreprise, lui prêter de l'argent ou prendre toute autre mesure faisant appel à l'information financière. Voir la section 1.4.

V

Valeur actualisée *(present value)*   Encaissements et décaissements futurs qu'on réduit à leur valeur « actuelle ». Pour y arriver, on soustrait de ces montants l'intérêt qu'on gagnerait ou payerait s'ils étaient immédiatement disponibles pour l'investissement. Voir la section 10A.1.

Valeur actualisée nette (VAN) *(discounted cash flow (DCF))*   Analyse de la valeur actualisée des futurs flux monétaires consistant à éliminer de ces derniers les intérêts qu'ils pourraient rapporter. Voir **Valeur actualisée,** ainsi que la section 10A.1.

Valeur actuelle *(current or market value)*   Valeur estimative de la vente d'un bien, du règlement d'une dette ou de l'échange d'un titre de participation. Voir les sections 8.2 et 8.6.

Valeur capitalisée (VC) *(future value)*   Montant que les éléments d'actif ou de passif existants atteindront au fur et à mesure que les intérêts accumulés s'ajouteront au capital investi ou emprunté. Souvent mise en contraste avec la **valeur actualisée**, qui s'applique aux futurs flux monétaires dont on a éliminé les intérêts. Voir la section 10A.1.

Valeur comptable d'une action *(book value per share)*   Quotient du total des capitaux propres par le nombre d'actions émises. Il s'agit du ratio n° 9, défini et expliqué à la section 9.5.

Valeur comptable d'une entreprise *(book value)*   Voir la définition ci-dessus.

Valeur comptable d'un élément d'actif (comme une usine) *(book value)*   Montant présenté dans les comptes pour chaque élément d'actif, de passif ou des capitaux propres, après déduction du montant de tout compte de contrepartie (par exemple, la valeur comptable d'un camion est égale au coût inscrit moins l'amortissement cumulé). On utilise aussi ce terme de façon courante pour désigner le total net de l'actif moins le total du passif (la valeur inscrite de la participation résiduelle des propriétaires, soit le total des capitaux propres : Actif − Passif = Capitaux propres). Voir les sections 6.9 et 8.8 pour : valeur comptable d'un élément d'actif, ainsi que la section 10B.2 pour : valeur comptable de toute l'entreprise. Voir aussi **Valeur comptable d'une action**.

Valeur comptable nette *(net book value)*   Coût d'un élément d'actif moins l'amortissement cumulé, la provision pour créances douteuses, etc. Voir **Valeur comptable**, ainsi que les sections 6.9 et 8.8.

Valeur d'acquisition *(cost basis)*   Valeur servant habituellement à comptabiliser un placement intersociétés à long terme dans le cas d'une société qui détient moins de 20% des intérêts de l'autre. Le placement est inscrit au coût, et tous les dividendes ou les intérêts reçus sont enregistrés comme « Bénéfice autre ». Voir **Valeur de consolidation**, ainsi que la section 10B.1.

Valeur de consolidation *(equity basis)*   Méthode de comptabilisation des placements intersociétés utilisée en général lorsqu'une société détient entre 20% et 50% des intérêts d'une autre société. Le placement est inscrit au coût, et tout gain ou perte, multiplié par le pourcentage de la participation à la société détenue, est additionné au placement ou en est déduit. Tous les dividendes reçus sont déduits de l'investissement. Voir **Valeur d'acquisition**, ainsi que la section 10B.1.

Valeur de liquidation *(liquidation value)*   Valeur de l'actif d'une entreprise dont tous les biens doivent être vendus parce qu'elle met fin à ses activités d'exploitation. Voir la section 8.2.

Valeur de réalisation nette *(net realizable value)*   Juste valeur d'un élément d'actif vendu sur le marché des marchandises normal moins les frais d'achèvement et de distribution. Voir **Juste valeur**, **Méthode d'évaluation à la valeur minimale**, ainsi que les sections 8.2 et 8.6.

Valeur d'usage *(value in use)* Valeur d'un élément d'actif déterminée en fonction des liquidités que son usage procurera ou des charges qu'il permettra d'éviter. Voir la section 8.2.

Valeur marchande *(market value)* Voir **Valeur actuelle**.

Valeur marchande d'entrée *(input market value)* Valeur marchande d'un élément d'actif correspondant au montant nécessaire pour le remplacer ou le reproduire. Voir **Coût de remplacement**, ainsi que la section 8.2.

Valeur marchande de sortie *(output market value)* Valeur marchande attribuée à un élément d'actif lorsqu'il est vendu. Voir **Valeur de réalisation nette**, ainsi que la section 8.2.

Valeur temporelle de l'argent *(time value of money)* Comme l'argent peut porter intérêt, celui qu'on recevra plus tard perd de la valeur si on le considère sous l'angle de la « valeur actualisée », car si on disposait de cet argent, on pourrait l'investir de façon à le faire fructifier. L'argent a une valeur temporelle, car les intérêts s'accumulent avec le temps. Voir **Valeur actualisée**, ainsi que la section 10A.1.

Ventilation des impôts de l'exercice *(income tax allocation)* Imputation de la charge fiscale à l'exercice approprié ou à l'activité à laquelle elle s'applique, même si cette charge est payée au cours d'un autre exercice ou attribuée à différentes activités. Voir **Charge d'impôts**, **Méthode du passif d'impôts reportés**, **Méthode du passif d'impôts futurs**, ainsi que les sections 10C.1 et 8.11.

Vérifiabilité *(verifiability)* Possibilité d'établir la preuve de l'existence et de la validité des opérations qui sont à l'origine des écritures et des chiffres comptables. Voir **Pièces justificatives**, ainsi que les sections 4.4 et 6.2.

Vérificateur *(auditor)* Personne ou cabinet qui procède à la vérification des comptes d'une entreprise et délivre ensuite un rapport dans lequel il se prononce sur la crédibilité de ses états financiers. Voir les sections 1.4 et 3.9.

Vérificateur externe *(external auditor)* Vérificateur indépendant, c'est-à-dire qui n'est pas un employé de l'entreprise, chargé d'examiner les états financiers. Voir **Vérificateur**, ainsi que la section 3.9.

INDEX